예 수 평 전

예수 평전

저자_ 조철수

1판 1쇄 인쇄_ 2010. 1. 22.
1판 1쇄 발행_ 2010. 1. 29.

발행처_ 김영사
발행인_ 박은주

등록번호_ 제406-2003-036호
등록일자_ 1979. 5. 17.

경기도 파주시 교하읍 문발리 출판단지 515-1 우편번호 413-756
마케팅부 031)955-3100, 편집부 031)955-3250, 팩시밀리 031)955-3111

값은 표지에 있습니다.
ISBN 978-89-349-3705-0 03990

독자의견 전화_ 031) 955-3200
홈페이지_ http://www.gimmyoung.com
이메일_ bestbook@gimmyoung.com

좋은 독자가 좋은 책을 만듭니다.
김영사는 독자 여러분의 의견에 항상 귀 기울이고 있습니다.

'진리'라고 불리던 사악한 사제가 예수였을까?

예수 평전

—

조철수 지음

신화학, 종교학, 역사학, 고대 유대 문헌 등 치밀하고 정확한 고증을 통해 예수의 생애를 추적한 최초 연구서! 고대 유대 문헌 속 '진리라 불리던 사악한 사제'는 예수인가? 그 진리의 실체는 무엇이며, 예수는 왜 고통 속에서 죽어야 했는가? 역사적 사실과 성서의 이면을 꿰뚫는 독보적인 연구를 통해 완성한 예수 평전! 30여 년간의 연구, 800여개가 넘는 사해 문헌 해석 등 신학자도 성직자도 시도 못한 히브리 문명 연구자의 통찰과 필력으로 예수를 탐구한 획기적인 책!

김영사

사 랑 하 는 아 내 에 게

'나는 내 마음과 말했다.' (전도서 1, 16)

마음은 본다. '내 마음은 많은 지혜와 지식을 보았다.' (전도서 1, 16)

마음은 듣는다. '당신(하느님)의 종에게 듣는 마음을 주십시오.' (열왕기상 3, 9)

마음은 말한다. '나는 내 마음과 말했다.' (전도서 1, 16)

"불쌍하구나!

자기 것이 아닌 것으로 늘리는 자여!

언제까지 그는 저당으로 자기를 무겁게 하느냐?"(하박국 2,6)

그 해석. 사악한 사제에 관한 것이다.

그가 일어서기 시작할 때 그는 '진리'라는 이름으로 불리었다.

– 〈하박국서 해석〉

비평을 겸한 전기를 평전이라고 말한다. 아무개의 평전을 쓰기 위해서는 우선 아무개의 전기를 읽어보아야 한다. 일반적으로 전기는 출생에서 사망까지의 사건을 토대로 전개된다. 예수의 전기는 누구나 손쉽게 신약성경에서 읽을 수 있다. 흔히 예수의 전기를 쓰는 데 복음서와 사도행전 1장에 국한하여 그의 탄생에서 십자가의 죽음과 부활, 승천까지를 이야기한다. 그러나 그의 전기를 아래와 같은 순서로 읽어본다면 그렇지 않다. 가브리엘 천사에 의한 구원자 탄생의 선포, 예수의 족보, 요르단 강에서의 세례, 악마의 유혹, 불구자나 불치병 환자들을 치유한 기적들, 하느님 나라에 대한 가르침, 제자들 중심의 공동체 형성, 타 지방 전교 사업, 바리새들과의 논쟁과 갈등, 사제장司祭長들의 음모, 산헤드린에서의 심문, 로마 총독 법정에서의 십자가형, 무덤에서의 부활, 올리브 산에서의 승천, 서원자들이나 사도들에게 천국으로부터의 계시. 이와 같은 시작과 끝으로 이루어진 예수의 전기는 네 복음서와 사도행전, 사도들의 편지들 그리고 요한계시록에서 읽어본 것이다. 예수의 경우, 출생에서 사망까지는 생물학적이지만 부활과 승천은 거룩하신 분의 영으로 잉태되었기에 신화적인 셈이다. 예로부터 구원자의 전기는 다소 신화적이다. 왜냐하면 일반적으로 구원자는 신의 아들로 나오는 경우가 흔하기 때문이다. 졸자의 예수 평전은 신화소가 다분히 혼재해 있는 위와 같은 전기의 순서를 기본 골자로 초기 유대교 문헌과 비교하여 쓴 것이다.

예수에 대한 평전을 쓰기 위해서는 그의 전기뿐 아니라 전기와 비교해볼 수 있는 당대의 문헌 자료가 필요하다. 예수의 전기가 전해진 신약성경은 그리스어로 쓰여 있는 사본이 가장 오래된 원본이다. 그러나 예수가 그의 제자들과 문답하고 군중을 가르치고, 혹은 그에게 논쟁을 걸어온 사람들과 소통했던 언어는 아람어와 히브리어다. 예수의 전기는 원래 아람어나 히브리어로 쓰여 있었는데, 그리스 문화에 익숙한 세상에 전파되면서 그리스어로 번역되었음이 분명하다. 따라서 예수와 논쟁한 부류의 지식인들이 가르쳤던 내용을 읽어가며 예수 평전을 준비했다. 복음서에 보면 예수와 논쟁한 바리새 사람들의 이름은 거의 언급되지 않지만, 초기 유대교 문헌에서 예수의 가르침과 비슷한 내용을 가르친 랍비들의 이름은 여럿 찾아볼 수 있다. 그러므로 초기 유대교 문헌에서 신약성경의 내용과 비교될 만한 단락들을 찾아내어 예수 평전의 기초 자료로 삼았다.

　예수는 서기 24~27년경에 이스라엘 땅에서 메시아로 활동했고, 그의 제자들에 의해 구전으로 전수되어온 그의 가르침과 일화 등이 50~100년경에 복음서라는 형태로 편집되었다. 본서는 예수의 어록과 일화를 복음서에서 골라 보는 성서학자들의 연구를 검토해보려는 것이 아니고, 기원전 3세기경부터 이 시기까지 활동한 현인들과 랍비들의 어록이나 법규 해석을 통해 예수의 가르침과 일화를 해석해보려는 시도다. 또한 이보다 늦은 시기에 편집된 성경해석서(미드라쉬)에 언급되는 초기 랍비들의 해설도 포함되었다.

'진리'라고 불리던 사악한 사제

　1947년 이스라엘과 요르단 사이에 위치한 사해死海의 북서쪽 산 계곡 언덕에 있는 한 동굴에서 일곱 개의 양피지 두루마리가 발견되었다. 그 두루마리에는 히브리 성경의 사본과 히브리어로 쓴 공동체의 규례와 기도문 등 여러 종류의 글이 포함되어 있었다. 이후 그 근처 동굴들에서 많은 양피지 두루마리들이 발견되었는데 이것들을 '사해 두루마리(The Dead Sea Scrolls)'라고 부른다. 이러한 사해문헌을 남긴 공동체가 엣세네였다. 사해문헌은 당시 유대교뿐 아니라 신약성경 이해에 매우 중요한 과제가 되었고, 이에 대하여 학자들의 연구가 집중되었다. 지금까지 알려진 두루마리는 약 800여 개가 있으며 학자들의 끊임없는 연구로 당시 유대교의 법규와 성경해석, 지혜와 메시아의 이해 등 종교적인 전통뿐 아니라 사회현상을 이해하는 데 필수적인 자료가 된다. 지난 60여 년 동안 사해문헌과 관련되어 출간된 단행본, 학위논문, 일반논문 등은 1000여 개가 넘으며, 근래에는 매해 100여 편 이상의 논문과 단행본이 출간되고 있다. 사해 두루마리는 '금세기의 가장 중요한 발견'인 셈이다.

사해문헌 가운데 〈하박국서 해석〉이라는 성경해석서가 있으며 그 책에 매우 흥미로운 단락이 나온다. 엣세네 공동체에 '진리'라고 불리는 유망한 사제가 있었는데 그의 마음이 교만해져 하느님을 떠났으며 재산 때문에 공동체의 법규들을 배반했다고 한다. 그는 선동자로 몰려 산헤드린의 재판에 회부됐으며 쓰라린 고통 속에 죽어갔다. 그런데 그가 속임수로 새 언약의 공동체를 세운다고 이야기한다.

본서는 '진리'라는 이름으로 불리던 사악한 사제가 역사적으로 누구를 말하는지 찾아보는 작업과 맞물린다. 예수는 "내가 길이요, 진리며 생명입니다"(요한 14,6)라고 말했고 자신을 '진리'라고 하며 "그 진리가 여러분을 (속박에서) 풀어줄 것입니다"(요한 8,32)고 약속했다. 이처럼 예수는 자신을 '진리'라고 불렀다. 과연 엣세네 지도자들이 비난하는 '진리'라고 불리는 사악한 사제가 예수를 지목하는 것일까? '진리'라고 불리던 예수의 역사적 실체를 엣세네 공동체의 문헌에서 발견할 수 있다.

복음서에 보면 예수와 논쟁한 사람들로 바리새들이나 사제장들, 혹은 서사들이 주로 나온다. 예수는 그들을 비판하며 심지어 눈먼 길잡이며 독사의 자식들이라고 혹독하게 폄하하는 발언을 주저하지 않았다. 유대인들 사이에 무슨 심각한 문제들이 있었는지 찾아보는 작업도 시도해볼 만하다. 사도행전에도 분명하게 드러나듯이 초대교회는 예루살렘을 중심으로 유대인들의 사회에서 출발했다. 당시 예루살렘의 유대교 사회는 혼란의 연속이었다. 기득권층에 속하는 사두개들은 로마 정권에 결탁한 부유층이었으며, 로마 정권에 무력으로 대항하여 유대인의 자주독립을 이루자는 열심당원들은 그 세대와 현실에 대한 불만이 가득했다. 또한 엣세네처럼 격리된 공동체 생활을 하며 배타적으로 살아가던 분파는 자기 공동체만의 안정과 이익을 추구했으며, 모세의 토라에 대한 해석에 전념하여 유대교의 정체성을 찾아보자고 노력하는 바리새들은 그들의 지식을 삶의 전부인 양 자만심에 들떠 있었다. 반면 예수를 메시아로 확신하고 정세와는 상관없이 예수를 따르던 사람들은 메시아의 진위 문제로 다른 분파 사람들에게서 지탄을 받았다. 이처럼 그 당시 유대교 사회는 여러 분파로 나뉘어 서로 배척하고 질시하는 매우 혼란스러운 상황에 있었다.

반면, 가난한 하층민이나 신체가 온전치 못한 자들은 성전에 제물을 바치는 종교적 관례에 참여조차 할 수 없었다. 그들은 일상적인 종교적 의무를 행할 수 없었기 때문에 속죄와 같은 '종교적 혜택'을 받지 못하고 소외되었다. 이러한 현실에서 예수는 엣세네의 공동체 생활과 이념에 동조했음에도 불구하고 엄격한 종교법 위주의 생활양식만으로는 구원을 얻을 수 없다는 것을 인지했다. 그래서 종교적 만능주의에서 탈피하고 이를 극복하고자 했다.

예수의 이러한 종교관은 그의 기도로만 이루어진 것이 아님은 분명하다. 토라에 대한 지식을 배우고 토라의 진리를 알았기 때문에 가능했을 것이다. 그 당시 토라는 혼자 배우는 것이 아니라 동료들과 함께 스승으로부터 배웠다. 토라를 배울 수 있는 교육기관으로는 바리새들의 미드라쉬(성경해석) 학교와 엣세네 지원자들을 위한 교육시설이 있었으며 예루살렘 성전의 사제들도 자체적으로 토라(모세의 법규)를 배웠다. 예수가 어느 부류의 시설에서 토라를 배웠다는 문헌적 자료는 없다. 그러나 신약성경에 나오는 여러 이야기들을 검토해보면 예수는 어린 시절부터 토라 공부를 했음을 확인할 수 있다. 신약성경에 전해진 예수의 탄생 예고부터 그의 죽음과 부활, 그리고 승천과 천국에서의 계시까지를 엣세네 문헌과 랍비 유대교 문헌을 비교해보며 그들과의 관계를 살펴보도록 하겠다.

또한 예수의 전기를 이해하려는 탐구의 주제들 가운데 '진리'라는 단어를 중심으로 엣세네와 바리새 그리고 예수 사이에 오가던 대화와 그들의 성경해석과 주장을 전한 문헌을 읽어보며 진리라고 불리던 사제가 왜 고통스러운 죽음을 당해야 했는지를 찾아보고자 한다.

성경에 전해진 이야기는 역사적이고 객관적 자료로 이해되어야 하며 또한 시학적詩學的이고 미학적美學的인 전승으로 해석되어야 그 진의를 찾을 수 있다. 성경은 어느 신앙 공동체의 자기 이해를 위한 총체적인 집합서일 뿐만 아니라 인류의 종교사 이해에 중요한 기본 문헌이다. 우리는 인문학적 소양으로 성경을 읽음으로써 믿음과 세상사가 매우 밀접하게 연관되어 있음을 발견하게 된다.

본서 1장 '초기 유대교 분파의 형성과 발전'은 졸자의 논문 '다종교 문화에 대한 초기 유대교의 적응 과정', 《종교연구》 36(2004), 205~228쪽에 실린 글의 일부다. 본서에 실린 글들 가운데는 졸저 《유대교와 예수》의 내용을 보충한 부분도 있다.

이 책의 흐름은 이러하다. 1~2장은 1세기 초반 이스라엘 땅 유대인들 사회의 분파 형성에 초점을 두고 그들 사이에 반목과 갈등을 이야기한다. 3~12장은 예수의 전기에 맞추어 시기별로 나누어 살펴본 것이다 (가브리엘 천사의 메시아 선포부터 예수의 부활까지는 대체로 마태복음에 준하여 열거했다). 13~14장은 예수의 승천 이후에 발전된 초대교회의 복음전도자들과 유대교 랍비들 사이에 생겼던 일화들과 천상의 빛인 그리스도를

'살과 피'의 왕인 메시아 예수의 모습으로 표현하려는 성화(Icons)에 대한 것이다.

학자들의 심도 깊은 연구가 있기 때문에 학문은 발전한다. 본서 역시 이러한 연구 결과 없이는 이루어질 수 없었을 것이다. 참고문헌은 각주를 만들어 일일이 나열하지 않고 주제에 따라 분류해놓았다. 어느 눈먼 목자들 때문에 갇혀 살고 있는 양떼를 풀어줄 수 있는 도구로도 예수 평전이 일익—翼을 감당했으면 좋겠다. 끝으로 이 책의 편집과 출간을 맡은 김영사의 편집부에 고마움을 표한다.

2010년 1월

조철수

일 러 두 기

1. 이 책에 인용된 고대 문헌과 성경 구절은 필자의 번역이다. 현재 신약성경의 원문은 그리스어로 쓰여 있는 것이 가장 오래된 사본이다. 그러나 그리스어본 신약성경의 일부는 번역본일 가능성이 높다. 복음서나 사도들의 서신들이 로마제국의 지중해 지역에서는 당시 국제어였던 그리스어로 전해졌으나 시리아와 메소포타미아 등 이스라엘 땅의 동쪽 지역에서는 아람어로 전해졌다. 초기 교부들이 대부분 그리스어로 교리책들을 편찬했기 때문에 자연히 그리스어본 신약성경이 정경으로 채택되었다. 그러나 예수의 가르침과 행적을 전한 복음서나 사도들의 서신들이 처음부터 그리스어로 기록된 것은 아니다. 초대교회 사도들의 언어였던 히브리어나 아람어로 전해졌다가 수십 년이 지나며 그리스어나 시리아 아람어로 옮겨졌을 것이다. 히브리어와 아람어는 같은 언어 계열에 속하지만 그리스어는 전혀 다른 언어 체계다. 따라서 히브리어 문법 체계와 비슷한 아람어 본문이 당시

언어 행위를 이해하는 데 더 가깝다. 필자는 아람어 본문(Peshitta Aramaic Text)과 그 히브리어 번역을 택하여 우리말로 옮겼다.

2. 히브리 성경에 신을 뜻하는 단어 '엘로힘'은 대개 단수인 경우 이스라엘의 신을 가리키며, 복수로 사용되면 이방 신들을 뜻한다. 우리말 번역 성경에 단수 엘로힘을 '하느님' 혹은 '하나님'으로 표기하고 있다. 히브리 성경에서 단수로 사용된 엘로힘은 하나의 신을 뜻한다. 그 예로 "들어라, 이스라엘아, YHWH는 우리의 엘로힘이며 YHWH는 하나다"(신명기 6,4)라는 문구를 들 수 있다. 한편, 히브리 성경에 반영된 이른 시기의 전승을 읽어보면 엘로힘이 하늘에 있는 모습으로 이야기하는 문맥을 종종 볼 수 있다. 그런 예로, "엘로힘에게 노래하라…… 구름 타고 달리는 분을 칭송하라."(시편 68,5) YHWH 엘로힘이 하나라는 관점에서 단수 엘로힘을 '하나-님'이라고 표현할 수 있겠지만, 이 책에서는 고대 근동 문화의 전통적인 하늘 신 신관에서 이해되는 언어로 엘로힘을 하느님이라고 표기한다.

이스라엘의 하느님 이름(יהוה)은 YHWH로 음사하며 흔히 '여호아', 최근에는 '야훼'라고 음역하는 한글판 번역 성경도 있지만 이러한 음역은 잘못된 것이다. 고대 히브리어는 자음자로 표기되었으며 7세기경 모음 부호가 만들어지고 하느님의 이름에도 모음 부호가 첨가되었다. 그러나 그 발음 부호는 실상 하느님을 우회적으로 표현하는 '나의 주主'란 뜻의 단어 '아도나이'의 모음을 적어 넣은 것이다. 3~4세기 초대 교부들은 이 이름을 그리스어로 Ιαουαι/ε 혹은 Ιαβε 한 단어로 음역했다[*The Hebrew & Aramaic LEXICON of the Old Testament*. Vol. 2, E.J. Brill (1995), p. 395].(Ιαουαι의 모음 방식은 '아도나이'의 모음[α-ου-αι]을 차용한 것이다.) 우리말 공동번역 성서

(1977년)에 처음으로 '야훼'라고 표기했는데 이것은 그 번역자들이 Yahweh를 Ya-hweh로 음절을 나누어 음역한 것 같다. 그러나 이렇게 /hwe/를 하나의 음절로 만드는 것은 우리말에서나 가능하다. 히브리어에서는 자음자 /h/와 /w/에 모음을 첨가하여 /hwe/와 같이 발음될 수 없다. 왜냐하면 /h/와 /w/는 각각 자음자며 한 음절은 자음+모음으로만 발음되기 때문이다. 이 책에서는 'YHWH'라고 표기한다.

고대 이스라엘에서는 적어도 기원전 5세기경부터 하느님의 이름을 발음하지 않았으며 우회적으로 '아도나이(나의 주님)'라고 불렀다. 하느님의 이름은 거룩하기 때문에 사람들이 그 이름을 속되게 하면 그 대가는 죽음에 이를 정도로 심각했다. 유대교에서는 하느님의 이름을 우회적으로 표현하여 '쉐키나(현존하신 분), 마콤(편재하신 분),' '찬미 받으시는 거룩하신 분' 등으로 부르게 되었다. 이 책에서는 유대교 문헌에서 히브리 성경의 인용문인 경우 YHWH를 '주님YHWH'이라고 표기한다.

3. 히브리 성경에 나오는 토라를 한글 성경에서는 흔히 '율법'이라고 번역한다. 이는 토라를 그리스어 성경 《칠십인역》에 νομός(노모스)로, 그리고 라틴어 성경 《불가타》에 lex(렉스, 법)로 번역한 사례를 따른 것이다. 초기 유대교 문헌에 모세오경(창세기~신명기)을 토라로 여기는 경우가 자주 나온다. 예를 들어, 히브리 성경은 히브리어로 '타나크'라고 부르는데 이는 토라(모세오경)와 네비임(예언서들)과 크투빔(성문서)의 각 단어에서 첫 번째 글자를 합하여 만든 단어다. 그러나 좁은 의미의 토라는 출애굽기 20장 이하에 전해진 법규들을 가리키며 이를 '모세의 토라'라고 말한다. 한편, 넓은 의미로 사용되는 경우 토

라는 모세 법규를 포함하여 하느님의 백성으로 지켜야 하는 규범과 도리 등 '하느님의 가르침'을 뜻한다. 이러한 구별 없이 토라를 율법으로 번역하는 것은 한정적이다. 본서에서는 토라를 고유명사로 음역했다. 그리스도교에서는 복음서와 서신 등을 합하여 '신약성경'이라고 부르기 때문에 '구약성경'이라는 말이 되지만 유대교에서는 이를 타나크(히브리 성경)라고 부른다.

4. 고대 문헌에 나오는 고유명사의 표기는 원음을 따라 음역했다. 성경에 나오는 고유명사의 경우 필요에 따라 《성경전서 개역 한글판》(대한성서공회)의 표기를 참고하여 괄호에 적어놓았다. 그러나 아벨, 다윗, 베들레헴, 베드로처럼 우리에게 익숙해진 이름은 그대로 사용했다.
   [히브리어 문자의 ה(/h/ 'ㅎ')와 ח(/ch/ 'ㅋㅎ')를 우리말로 변별하기 위해 단어의 첫 문자인 경우는 제외하고 ח의 음가를 'ㄱㅎ'로 음역했다. 예를 들어, 루악흐(רוח), 노악흐(נח), 메낙헴(מנחם) 등. ח(/ch/)의 음가는 거친 /h/음이다. 따라서 '루악흐'의 'ㄱ'은 자음자를 음역한 것이 아니다. 그러나 단어의 첫 문자인 경우 ח('ㅋㅎ')를 표기할 문자가 없어서 모두 'ㅎ'로 표기했다.]

5. 성경의 책명은 《성경전서 개역 한글판》(대한성서공회)의 표기를 따랐다. 마태복음서의 인용문 가운데 서로 중복되는 단락이 다른 복음서에도 나오는 경우 편의상 마태복음서의 장과 절만을 표기했다.

7장 마지막 시대의 가르침

01

초기 유대교 분파의
형성과 발전

유대교는 유대인의 종교다.

유대인의 전통문화 속에서 이루어진 종교 체계가 유대교의 정통성을 형성했다. 유대인이라는 명칭(히브리어로 '예후디')은 고대 이스라엘 사람들이 바빌로니아로 강제이주 유배를 갔다가 일부 사람들이 돌아온 이후 기원전 6세기 말에 생겨난 고유명사다. 페르시아가 바빌로니아를 점령하고 그곳에 강제 이주되어온 민족들에게 자기들의 고향으로 돌아가도 된다는 해방령이 공포되었을 때, 유다(예후다) 왕국 사람들의 일부가 고향으로 돌아왔으며 페르시아는 고대 유다 왕국 지역을 페르시아의 지방주로 관할하고 통치했다. 이 지방주의 이름이 '예후드'였으며 그곳에 사는 사람을 '예후디'라고 불렀다(본서에서는 예후드 지방을 '유대아 지방'이라고 표기했다). 당시의 유대인들은 히브리 성경에 나오는 조상들의 전통을 지키는 관습을 중요하게 여겼다. 고대 이스라엘의 종교적 전통 관습을 지켰던 그들의 종교를 유대교라고 부른다.

지난 2,500여 년 동안 유대교의 종교 체계를 유지해온 유대인 공동체에 대하여 역사적이고 문화적인 면에서 많은 연구가 진행되고 있다. 특히 긴 역사를 통해 다양한 문화와 접하며 유대교 전통을 지키고 새로운(때로는 높은) 문화에 적응하고 개혁하는 유대교의 역동성에 관하여 종교학, 사회학 등 여러 분야의 학자들의 연구 대상이 되고 있다. 다양한 민족들과 어울려 살며 유대인의 정체성을 유지해온 유대인 사회에 대한 유대교의 역할은 다양한 연구의 주제가 되고 있다. 또한 초기 유대교는 획일적인 종교 체계가 아니고 여러 체계의 유대교가 공존하고 있었기 때문에 유대교의 역사적 발전 과정과 주변 문화와의 관계성을 이해하는 것은 필수적이다.

유대교는 고대 이스라엘의 유일신주의를 계승한 종교다. 그리스도교와 이슬람도 이와 마찬가지다. 그러나 그리스도교와 이슬람은 다多민족적인(다민족이 구성하는) 종교이지만 유대교는 다민족의 다문화 세계에서 유대교의 전통을 지키며 개혁을 통해 다문화와 공존하는 유대교를 유지해온 유대민족의 보편적 종교다.

유대교의 최고의회 결성

기원전 6세기 초반에 바빌로니아로 강제 이주를 당했던 사람들은 왕족과 사제들, 관리 등을 포함한 지배층과 전문직 종사자들과 군인들 등이었으며, 유대아 지방에 남았던 사람들은 대부분 무지하고 가난한 사람들이었다. 바빌로니아에 살던 사람들은 성전이 없는 상황에서 모세오경의 종교법을 지키기 위해 새로운 시도를 했다. 50여 년 후 바빌로니아에서 돌아온 사람들은 대부분 그들의 조상들의 주거지와 토지를 되찾으려고 노력했다. 그동안 유대아 지방에 남아 살고 있던 사람들은 그 토지의 사용 권리를 주장했고, 돌아온 사람들은 조상들의 소유권을 주장했다. 돌아온 사람들은 페르시아의 도움으로 성전을 개축할 수 있었으며 그들을 중심으로 이러한 재건축 사업이 이루어졌다. 성전 개축뿐 아니라 모세오경의 법에 따른 새로운 유대인 사회의 형성이 그들이 당면한 과제였다. 히브리 성경에 등장하는 에즈라와 느헤미야가 이 당시의 지도자로 활동했다.

한편, 그 땅에 남아 있던 사람들은 성전 제의에 대한 이해가 없었으며 모세오경의 법에 관해서도 무지했다. 기원전 5세기 전반 유대아 지방에서는 돌아온 자들과 그곳에 남아 있던 사람들 사이에 갈등과 반목이 심각했다. 이러한 상황에서 돌아온 사제들과 지식층 현자들은 전통적인 성전 의식에 따르는 종교 제의를 재정비하고 모세오경에 기초를 둔 사회질서를 세우려고 노력했다. 그들은 최고의결기관으로 120명의 현자들과 사제들의 의회인 '크네셋 하그돌라(Knesset Hagdollah 대의회, 최고의회)'를 만들었다. 이 기관을 통해 바빌로니아 이주 전과 이후의 연속성, 즉 고대 이스라엘 문화의 정통성을 찾는 작업이 활발히 진행되었다. 이로부터 700여 년 동안 많은 상례와 규범 등이 축적되어 200년 초에 《미쉬나》라는 이름으로 편찬되는 결실을 보았다. 《미쉬나》에 따르면 현자들이 모세의 전승을 이어받고 전하는 정통성을 가졌다고 말한다.

> 모세는 시나이 산에서 토라를 받았으며
> 여호수아에게 넘겨주고 여호수아는 원로들에게,
> 원로들은 예언자들에게, 예언자들은 최고의회(크네셋 하그돌라) 의원들
> 에게 (넘겨주었다).(《선조들의 어록》 1,1)

현자들은 모세가 시나이 산에서 하느님으로부터 받은 토라를 전수하는 권한이 최고의회 의원들에게 있다고 주장했다. 예언자를 계승한 지도층이 최고의회 의원들, 즉 현자들이다. 유대교에서는 기원전 5세기~1세기까지를 '현자들의 시대(Age of Sages)'라고 부른다. 기원전 2세기 초반에 형성된 바리새들은 현자들의 전승을 이어받았으며 1세기경에 형성된 랍비들이 바리새 선생들의 제자들이다.

헬레니즘의 전파와 유대교

기원전 4세기 중반 마케도니아의 왕 알렉산드로스는 그리스를 통합하고 그리스의 왕이 되어 근동 정복의 꿈을 실현하기 위해 원정을 계획했다. 기원전 334년 소아시아 그라니코스 강에서 알렉산드로스 왕은 페르시아의 왕 다리우스 3세를 물리치고 전격적으로 동방 원정을 시도했다. 기원전 332년 소아시아 지방을 거쳐 동쪽으로 진격한 알렉산드로스 왕 군대의 근동 지역 침입은 지중해 연안 지역을 포함한 고대 근동의 국제 상황에 커다란 변화를 가져왔다. 그는 용맹한 군대를 이끌고

시리아 쪽으로 진격하여 지중해변을 거쳐 이집트를 정복하고 다시 거슬러 올라가며 유대아 지방을 점령했다. 곧이어 기원전 331년에 페르시아의 수도 페르세폴리스를 점령했으며, 이듬해 다리우스 3세가 암살당하고 페르시아 제국은 멸망했다. 마침내 알렉산드로스 왕은 그리스 제국을 형성하게 되며, 여러 도시를 건설하여 '알렉산드리아'라고 명명했다. 이후 이 광대한 지역 전체는 그리스 문화권에 속하게 되며 이 시기를 헬레니즘이라고 부른다.

제국을 형성한 통치자의 전기(傳記)에는 일반적으로 신화적인 요소가 섞여 있기 마련이다. 알렉산드로스 왕에 관한 탄생설화에 따르면 그의 어머니는 태양신을 안고 그를 잉태했다고 한다. 알렉산드로스 은전에 그의 머리카락을 태양신의 햇빛처럼 부각시킨 모습에서 알렉산드로스 대왕의 신성을 보여주고 있다. 또한 알렉산드로스의 두상에 숫양의 뿔을 그려 넣었으며 사자 털로 만든 머리 장식을 했다. 숫양의 두 뿔은 새

1-1 알렉산드로스 은전, 테트라드라크마
기원전 336~323년 주조. 지름 2.5cm
앞면 알렉산드로스의 두상에 숫양의 뿔을 그려 놓았다.
뒷면 제우스가 등받이 없는 왕좌에 앉아 있으며 오른손 위에 독수리를 들고 왼손에는 긴 지팡이를 잡고 있다. 그 둘레에 ΒΑΣΙΛΕΩΣ ΑΛΕΞΑΝΔΡΟΥ(바실레오스 알렉산드루, '알렉산드로스 왕의')

시대의 구원자적 특징을 보여준다. 알렉산드로스 왕이 페르시아의 폭정에 살고 있던 민족들을 해방시킨 구원자라고 선전하는 그림이다.

10여 년 뒤 알렉산드로스 왕이 갑자기 죽자 그의 부하 장군들은 그리스 제국을 이집트의 프톨레마이오스 왕조와 시리아의 셀레우코스 왕조로 나누어 통치했다. 유대아 지방은 기원전 300~200년대에 프톨레마이오스 왕국의 통제를 받았으나 시리아의 셀레우코스 왕국의 세력이 팽창되자 기원전 200년경부터는 시리아의 통치를 직접 받게 되었다.

이 시기에 많은 그리스인들이 시리아의 여러 도시로 이주해왔으며 도시에 그리스 군대가 상주했고 그리스 문화는 급속히 퍼져 나갔다. 이 시대를 헬레니즘이라고 부르며 그리스어는 국제 공용어로 사용되었다. 큰 도시에 그리스인들을 위한 학교(김나지움)가 설립되었으며 지방의 부호들은 그들의 아들들을 김나지움에 보내 고등교육과 국제어를 배울 수 있는 기회를 갖게 했다. 유대아 지방에서도 부유한 유대인들이 자기 아들들을 그리스 학교에 보내 그리스 문화를 익히게 했다. 자식의 이름을 그리스어로 명명하는 일도 흔했다. 예루살렘에도 김나지움이 세워졌으며 유대인 사회의 상류층 사람들은 아들들을 김나지움에 보냈다. 가장 큰 문제는 그들이 그리스 학교를 다니면서 자연히 그리스 문화에 친숙하게 되고 그 결과 유대교의 전통문화를 멀리하며 심지어 할례와 같은 종교 의례를 지키지 않는 사례가 빈번히 생겼다.

마카비 항쟁과 하스몬 왕가

그 당시 유대인 사회의 수뇌는 예루살렘 성전의 대사제와 최고의회의 의장이었다. 사제들이 대중을 통괄했으며 대사제직의 임명권은 점령왕국에 있었다. 기원전 201년 시리아의 왕 안티오쿠스 3세는 유대인들이 모세오경에 따른 법을 지켜도 된다고 허락했으나, 25년 뒤 안티오쿠스 4세(기원전 175~164년 재위)가 왕위를 계승하자 그는 자기 자신에게 신성神性이 있음을 믿고 그리스의 최고신 제우스가 자신에게 인격화되었다고 알렸다. 그의 부하들은 그를 안티오쿠스 에피파네스[Antiochus Epiphanes, (신의) 현현顯現 안티오쿠스]라고 경배했다. 그는 자신의 상像을 신전에 세우고 모든 사람들이 이에 절하게 했으며 예루살렘 성전에서도 이와 마찬가지였다. [에피파네스(현현)라는 칭호는 초기 유대교에서 말하는 하느님의 쉐키나(현존現存)에 대비되는 단어다.]

안티오쿠스 4세는 그리스 문화의 영향에 반대하던 대사제 오니야스를 폐하고 그리스 찬양자인 오니야스의 동생 야손을 대사제로 임명했다(야손은 히브리어 예슈아의 그리스어식 이름이다). 야손은 예루살렘에 그리스 학교를 세웠으며 그리스주의자들의 권력층이 커지면서 예루살렘도 점차 그리스 도시로 바뀌었다. 야손이 대사제가 된 지 3년 뒤 그가 안티오쿠스에게 공물을 바쳐야 할 때 야손의 사자使者인 메넬라우스는 사제 출신이 아니면서도 많은 뇌물을 주고 대사제직에 임명되었다(기원전 171~167년 재임). 이처럼 예루살렘 성전의 많은 사제들은 이스라엘의 종교 전통을 무시하고 이방 정권의 수하가 되었다.

기원전 169년 안티오쿠스 4세는 예루살렘 성전을 약탈하고 더럽혔다. 그다음 해 그는 이집트로 원정을 갔으나 로마군에 의해 좌절되었다. 기원전 167년 그는 예루살렘 성전에 그리스 최고신 제우스 신상을 세우고 신상숭배를 강요했으며 안식일과 유대인 명절을 지키지 못하게 했다. 또한 성전에 부정不淨한 동물을 제물로 바치게 하고 유대인들의 종교 문헌을 불태워버렸다. 이에 대사제를 지냈던 요하난의 아들 마티

스야후는 그의 아들들과 함께 모디인에서 항쟁을 시작했고 수천 명이 이에 동조했다. 유대교의 전통을 지키기 위해 모인 그들을 '하씨딤(자비로운 사람들)'이라고 불렀다.

마티스야후가 전사한 후 그의 아들 예후다(유다)가 항쟁군을 지휘했다. 그는 '마카비'라는 별명으로 널리 알려졌다. 마카비는 전쟁에 나가며 외치는 구호로 '미 크모카 베엘림 ϒHWH![누가 신神들 중에 당신 같겠습니까? YHWH!]'(출애굽기 15,11)에서 각 단어의 첫째 글자를 모아 만든 단어다(히브리어로 '마카비'는 망치라는 뜻도 된다). 그들은 '마카비'를 외치며 그리스 군대에 항전했다.

안티오쿠스의 군대는 안식일을 골라 그들에게 항쟁하는 유대인들을 공격했다. 유대교법에 따르면 안식일은 모든 일에서 쉬며 거룩하게 지켜야 하는 날이기 때문에 경건한 유대인들은 적들의 공격에 대항하여 무기를 들거나 돌을 던지지 못하고 죽임을 당했다(무기를 들거나 돌을 던지

1-2 안티오쿠스 4세 은전
앞면 월계관을 쓴 안티오쿠스 4세의 얼굴.
뒷면 제우스가 지팡이를 들고 있으며, 승리의 여신 니케는 월계관을 들어 올리고 있다. ΒΑΣΙΛΕΩΣ/ΑΝΤΙΟΧΟΥ/ΘΕΟΥ/ΕΠΙΦΑΝΟΥΣ/ΝΙΚΗΦΟΡΟΥ [바실레오스 안티오쿠쎄우 에피파누스 니케포루, '니케(승리의 여신)의 사자(使者) 신의 현현 안티오쿠스 왕']

는 것은 안식일의 규례에 어긋나는 행위다). 안식일 규례를 어기는 행위는 모세의 법규를 무시하는 처사며, 특히 경건한 유대인들은 감히 종교 법규를 어길 수 없었기 때문에 적들의 공격에도 대항하지 않고 무참히 죽은 것이다. 이러한 상황에서 유대교 현자들은 안식일에 생명이 위험하면 안식일의 규례를 어겨도 된다는 새로운 법도法道(할라카)를 정하게 되었다. (이러한 법도를 만드는 것이 미쉬나다.)

유대인 항쟁군은 안식일에도 안티오쿠스의 군대와 대결하여 예후다 마카비는 기원전 164년 12월에 예루살렘을 점령했다. 그리스인들의 신상을 제거했으며 성전을 정결히 하고 유대교 관습에 따른 제사를 거행할 수 있었다. 그런데 제사를 지내기 위해 대사제의 인장으로 봉인된 거룩한 기름이 단 하루 분량밖에 없었기 때문에 성전에 사용되는 거룩한 기름을 만드는 데 8일이 걸려야 했다. 그러나 하루 분량의 기름이 8일 동안이나 꺼지지 않고 (계속) 켜져 있는 이적(표징)이 일어났다. 이 사건을 기념하여 '하누카'라는 명절이 생겼다. [유대교에서는 하누카 명절 동안 개인이나 가족, 혹은 공동체 단위로 메노라(일곱 등잔이 달린 등잔대)와 같은 모양의 등잔이 여덟 개 달린 등잔대(이것을 '하누키야'라고 부른다)에 매일 하나씩 등잔불을 밝히며 8일간의 명절을 지키는 관습이 생겼다. 랍비들의 해석에 따르면 이스라엘에서 모든 명절이 없어진다고 해도 하누카는 절대로 없어지지 않을 것이라고 할 정도로 예루살렘 성전에서 일어난 '거룩한 빛'의 표징은 중요시되었다.]

기원전 164년 안티오쿠스 4세가 죽고 드미트리우스(기원전 163~150년)가 등극하여 알키무스를 예루살렘의 대사제로 임명했다. 기원전 160년 유다 마카비가 죽고 그의 동생 요나탄이 그의 임무를 계속했다. 3년 뒤 요나탄은 예루살렘에 입성했으며 5년이 지나(기원전 152년) 그는 유대아 지방의 독립을 선포하고 대사제가 되었다. 기원전 143년 그가 살해되자 그의 동생 심온이 지배했다. 기원전 140년 산헤드린(최고의회)에서 심온을 대사제 겸 통치자로 추대했다. 이후 통치권과 대사제권은 심온의 후손들에게 계승되어 기원전 37년까지 그들의 집안이 왕가를 이루었으며 이를 하스몬 왕가(Hasmonean Dynasty)라고 부른다(마카비서 상하 참조).

기원전 134년 심온이 그의 사위에 의해 살해되었고 심온의 아들 예호하난 히르카누스가 대사제 겸 통치자가 되었다(기원전 134~104년 재임). 이때 바리새 사람들이 반대했다. 기원전 104년 아리스토불루스가 대사제 겸 왕이 되었으나 이듬해 알렉산드로스 얀네우스가 그 권한을 계승했다(기원전 103~76년 재임). 이때 바리새들의 큰 저항이 있었다. 얀네우스가 죽자 그의 미망인 알렉산드라가 기원전 67년까지 집권했다. 기원전 67년 알렉산드라의 아들 히르카누스가 대사제 겸 왕으로 임명되었다. 그러나 그의 형제인 아리스토불루스가 왕권을 빼앗다. 이로 인해 5년 동안 히르카누스와 아리스토불루스 사이에 시민전쟁이 있었다.

기원전 64년 로마 장군 폼페이우스가 시리아를 점령하여 로마의 속주로 만들었으며 유대아 지방도 여기에 포함시켰다. 이듬해 그는 예루살렘을 점령하고 예루살렘 성전의 지성소에 들어가 성전을 속되게 했으며 아리스토불루스를 감옥에 넣었다. 그는 유대아 지방의 통치자로 유약한 요나탄 히르카누스 2세(기원전 67년, 63~40년 재임)를 복위시켰다. 이로써 유대아 지방은 로마의 지배를 받기 시작했다. 기원전 40년 로마가 혼란한 시기에 아리스토불루스의 아들 안티고누스(기원전 40~37년)가 유대아 지방의 왕이자 대사제가 되었다.

이처럼 기원전 2세기 중반부터 100여 년 동안 유대인 사회는 하스몬 왕가의 자손들이 왕권과 대사제직을 겸하고 있었다. 예루살렘의 일부

사제들은 이에 반발했으며 유대인 기득권층의 사제들과 종교적 정통성에 대한 논박과 갈등이 심각했다. 특히 명절과 안식일을 지키는 의례 등 종교적 문제뿐 아니라 일상생활에서의 정결 의례에 대해 이견이 극심했다. 이러한 상황에서 유대교는 여러 분파로 나누어지기 시작했다. 결국 짜독의 후손인 익명의 '의로운 사제'는 하스몬 왕가의 대사제직 겸직에 반기를 들고 일어나 예루살렘 성전의 사제들과 결별하고 그와 동조하는 사제들과 함께 독자적인 종교 체제를 갖추어 종말론적 사상을 극대화한 하나의 독립된 종파를 이루었다.

　하스몬 왕가의 통치자들은 이스라엘의 독립된 주권을 나타내기 위해 주화를 주조했다. 그들은 주화 앞면에 고대 히브리어로 통치자의 이름과 그의 직책을 명기했다. 당시에 사용되던 히브리어 글씨체는 아람어 글씨였으며 사해 두루마리에서도 볼 수 있듯이 일상적인 글은 아람어

1-3 예호하난 히르카누스 1세(기원전 134~104년 재위) 동전(직경 1.4cm, 프루타)
앞면 고대 히브리 문자로 '예호하난 하-코헨 하-가돌 붸-하베르 하-예후딤(대사제며 유대인들의 의원, 예호하난)'이라고 새겨져 있고 그 둘레는 화환으로 싸여 있다.
뒷면 리본으로 장식된 두 숫양 뿔 사이에 석류가 있다(유대교에서 석류는 사제의 상징물로 표현된다. 이 시기에 나타나는 숫양의 두 뿔은 황도별자리의 숫양자리를 가리키며 이는 새 시대의 구원자적 특징을 뜻한다. 즉, 대사제로서의 구원자인 왕이라고 선전하는 동전이다).

글씨로 통용되었다(그러나 사해 두루마리 가운데 레위기 수사본은 고대 히브리어 글씨체다. 그림 1-3 동전 앞면의 글은 고대 히브리어 글씨체다). 하스몬 왕가의 통치자들이 그들의 주화에 옛날 글씨체를 사용했다는 것은 다윗 시대의 이스라엘을 염원하는 희망에서 도출되었다고 생각할 수 있다.

헤롯 왕과 유대인 사회

기원전 40년 로마의 권력과 결탁한 헤롯은 로마 상원의회의 천거와 옥타비아누스 황제(기원전 27년~서기 14년 재위)의 동의로 유대아 지방의 왕이 되었다. 3년 후 헤롯이 로마의 소시우스 장군과 함께 예루살렘을 점령하고 유대아 지방의 실권을 잡으면서 하스몬 왕가는 끝났다. 헤롯 왕은 외국에 흩어져 사는 유대인들의 결속을 다짐하기 위해 성인으로 부터 성전세에 해당되는 반 쉐켈을 매년 받아들였다.

헤롯 왕은 재위 기간 동안 자신의 친인척 일곱 명을 처형할 정도로 폭군이었으며 유대아 지방의 여러 도시에 엄청난 건축 사업을 벌였던 광기 어린 독재자였다. 그는 지중해 해변 도시 카이사리아를 건설하고 커다란 원형극장과 항구를 만들었으며 마짜다와 사마리아에 별장 등 여러 곳에 궁전 요새를 지었다. 로마 황제 옥타비아누스의 양아버지 율리우스 카이사르가 신으로 추대되자, 옥타비아누스는 자신을 '신의 아들'이라고 명명했고 기원전 27년 원로원에서 '아우구스투스'라는 칭호를 받자 자신이 세상의 구원자라고 천명했다. 그러면서 로마가 점령한 지역에서 그에게 예배할 것을 요구했다. 헤롯 왕은 카이사리아와 사마리아(쎄바스테)에 로마 황제를 예배하는 신전을 지었다. 그가 이룩한 가장 큰 사업은 예루살렘을 증축하고 성전을 웅장한 규모로 개축한 것이

다. 그러나 그가 비록 대사제 집안의 딸과 결혼했지만 헤롯 자신은 유대인의 피를 가지고 태어난 사람은 아니었으며 적어도 정치적으로는 유대교 찬양주의자였다. 그는 기원전 4년까지 33년 동안 유대아 지방을 통치했다.

헤롯 왕(헤롯 1세)이 죽자 유대아 지방은 그의 아들들이 분할하여 통치했다. 헤롯 아르켈라우스(기원전 4년~서기 6년 재임)는 헤롯 1세와 그의 사마리아 출신의 부인 사이에 태어난 장남이었다. 헤롯 1세는 그를 유대아 지방과 사마리아와 이두메아의 왕으로 선정했고 그는 로마의 승인을 받아야 했다. 로마 황제 옥타비아누스는 그에게 왕의 칭호 대신 유대와 사마리아와 이두메아의 '통치자(ethnarch)'로 임명했다. 이로써 유대아 지방의 왕권은 폐지되었다. 그런데 헤롯 아르켈라우스는 매우 포악했으며 주민들을 잔인하게 다스려 유대인들과 사마리아인들은 대표단을 조직해서 로마로 보내 황제에게 탄원했다. 옥타비아누스 황제는

1-4 헤롯 1세 동전(직경 2.5cm, 8프루타)
앞면 삼족탁자와 그 위에 석류가 놓여 있다; ΗΡΩΔΟΥΒΑΣΙΛΕΩΣ(헤로두 바실레오스 '헤롯 왕의'). [삼족탁자는 현자들의 유명한 주제인 '세상은 세 기둥 위에 서 있다'는 문구를 표상한다.]
뒷면 군인 투구, 대추야자나무 두 줄기 사이에 별이 있다. [별은 메시아(구원자)를 상징한다. 대추야자나무는 고대로부터 생명나무로 표상되었다.]

그를 골 지방으로 추방하고 유대아 지방에 총독을 임명하여 통치하게 했다. 이로부터 유대아 지방은 로마의 직접 통치에 들어갔으며 로마 황제는 총독을 임명하여 다스리게 했고 예루살렘 성전에 매일 로마 황제를 위한 번제를 올리게 했다. 14~37년까지 티베리우스가 로마 황제였다.

1세기 중반 유대교의 분파들

1세기 말의 유대인 역사학자 요세푸스(Josephus, 37년경~100년경)는 제2성전 시대의 후반인 기원전 150년부터 서기 70년까지 유대아 지방에 살았던 유대인들을 크게 세 분파로 나누어 그들의 종교관과 생활을 기록했다. 이 세 분파는 바리새와 엣세네와 사두개를 말한다. 당시 유대인 사회는 로마 정권에 탐닉하는 사두개, 모세 법규에 따른 적극적인 사회 참여를 주장하는 바리새, 종말론에 입각하여 결별된 생활을 하는 엣세네로 크게 대별하여 볼 수 있다. 20년대에 접어들면서 로마 정권에 무력으로 대항하여 메시아의 시대를 이루자는 과격한 열심당원들과 예수를 메시아로 믿고 정치와는 상관없이 마지막 시대의 종교적 생활을 영위하는 '예수 공동체' 등 여러 분파로 나뉘어 서로 배척하고 질시하는 매우 혼란스러운 상황이었다. 종교적으로는 정통과 개혁, 사회적으로는 아부와 항쟁 등 서로 상반되는 입장을 취하는 논쟁의 시기였다.

성전 중심의 사두개 유대교

사두개들(히브리어로 '짜도킴')은 그들의 독자적인 문헌을 남겨놓지 않았기 때문에 그 특징을 다른 문헌을 통해서 이해할 수밖에 없다. 그들은 부활을 믿지 않고 오직 모세오경에 기록된 내용을 지키며 기록된 것 이상은 첨부하지도 해석하지도 않았다. 그들은 주로 사제들과 그들의 친인척 관계로 형성되었으며 기득권층으로서 항상 외부의 지배층(그리스 왕조나 로마 정권)과 상호 도모했다.

70년 로마 군대가 예루살렘을 점령하고 성전이 파괴된 이후 사제들은 다른 도시들로 이주했다. 132년에 극우파 유대인들이 예루살렘을 회복하고 이스라엘의 자주독립을 외치며 다시 로마 정권에 항쟁했다. 135년에 로마 군대는 유대인 항쟁군을 섬멸했고 예루살렘은 새로운 로마식 도시로 재건축되었으며 유대인들은 예루살렘에 들어오지 못하게 하는 금지령을 내렸다. 성전이 없는 상황에서 사제 계층은 점차 사라졌고 유대교는 사제가 없는 종교로 발전되었다.

새 언약의 엣세네 유대교

마카비 항쟁에 성공하여 유대인들의 자주를 획득하고 자치적으로 공동 사회를 이룩했던 일부 사제들이 당시 하스몬 왕가가 왕권과 대사제권을 함께 누리고 있는 것에 불만을 품고 새로운 공동체를 형성하여 분파를 만들었다. '의로운 교사(모레 하쩨덱)'라고 일컫는 대사제가 그와 동조하는 사제들을 이끌고 새로운 공동체를 세웠다. 이들은 자기 소유의 모든 재산을 팔아 공동체에 헌납하고 공동체 의회에서 재산을 관리했다. 이들은 마지막 시대가 곧 와서 하느님의 최후 심판이 있을 것이라고 믿었으며 이때 구원을 받기 위해서 모두 회개하고 하느님의 가르침인 토라의 뜻과 그 해석에 맞게 살며 마지막 시대에 올 메시아를 기다리자고 설파했다. 이스라엘의 내세적인 공동체가 형성된 것이다.

이 공동체를 이끌어나간 지도자인 '의로운 교사'는 이스라엘 역사뿐 아니라 인류 역사에서 획기적인 새로운 형태의 공동체 생활에 대한 많은 규례와 가르침을 남겼다. 또한 이들도 유대교의 전통을 지킨 종교적인 유대인들이었기 때문에 그들 공동체에 대한 타당성을 히브리 성경에서 입증해야 했으므로 히브리 성경의 많은 구절을 인용했으며 그것은 '의로운 교사'에 대한 예언이었다고 해석했다. 이들이 요르단 강 하류 사해의 북서쪽 언덕에 성벽을 쌓고 집단 거주하기 시작했던 때가 기원전 2세기 중반기였다.

그들은 대사제를 공동체의 총수로 하여 고대 이스라엘 종교의 전통을 철저히 지키며 사유재산을 공동체에 헌납하고 스스로 '가난한 삶'을 찬양했다. 그래서 그들은 자기들을 '가난한 자들'이라고 불렀다.

한편, 이 공동체 사람들은 자신들을 '빛의 자식들'이라고 부르고 예루살렘의 사제들과 바리새 현자들을 '어둠의 자식들'이라고 비난하며, 또한 로마 사람들도 어둠의 자식들이라고 여겼다. 오직 '빛의 자식들'만이 마지막 심판의 날에 구원 받을 것이라는 신앙을 유대인 사회에 설파했다. 그들은 메시아의 도래가 곧 이루어질 것이며 그날을 준비하여 토라 공부를 열심히 했던 단합체다.

요세푸스는 이들 공동체를 엣세네라고 말했다. '엣세네'(그리스어 essaioi 혹은 essenoi; 라틴 esseni)의 뜻에 대해 학자들 사이에 의견을 달리하지만 히브리어 '하씨드'(자비로운 자, 경건한 자)와 동의어인 고대 시리아어 '하쎄'와 비슷한 아람어에 기원하거나 혹은 아람어의 '치유자, 의사'의 뜻인 '아쓰야'를 그리스어로 음역한 것이라고 생각된다.

요세푸스와 알렉산드리아의 필로(Philo)에 따르면 엣세네 사람들이 몸과 마음을 치유하는 일에 관심을 많이 쏟았다고 한다. '엣세네'라는 이름이 사해문헌이나 신약성경이나 초기 유대교 랍비 문헌에 전혀 언급되지 않지만 그 당시 학자들인 요세푸스나 필로나 로마 사람인 지리학자 플리니(Pliny the Elder) 등은 엣세네의 종교관이나 그들 공동체의 성격과 규례 등에 대하여 설명했다.

요세푸스의 기록에 따르면 예루살렘에 살고 있는 주민들 가운데 바리새들은 약 6,000명, 엣세네들이 약 4,000명, 사두개들이 2,000명 정도 되었다. 엣세네들은 여러 도시에 집단 거주지를 형성하고 생업에 종사하며 살았다. 예루살렘의 시온 산 근처에 있던 예루살렘 성문을 '엣세네 성문'이라고 불렀으며(The Jewish War 5, 145) 이 성문에서 성 안쪽으로 엣세네들이 거류지를 이루고 살았다(9장 그림 9-2 참조).

전해진 이야기에 따르면 1947년 이스라엘과 요르단 사이에 위치한 사해의 북서쪽 산 계곡 언덕에서 잃어버린 염소를 찾으러 다니던 두 젊은 양치기가 어느 동굴 속에 보관되어 있던 항아리에서 일곱 개의 양피지 두루마리를 발견했다. 그 이후 1956년까지 그 근처의 여러 동굴에서 많은 두루마리가 발견되었다. 이렇게 발견된 두루마리들을 '사해 두루마리'라고 하며 산 계곡의 맞은편에 옛날 거주지 터가 있는 곳을 아랍어로 히르베트 쿰란(Khirbet Qumran)이라고 부른다(히르베트는 아랍어로 '돌만 남은 폐허'라는 뜻이다).

쿰란 근처에 산재한 많은 동굴들 가운데 문헌이 발견된 곳은 모두 11곳이며 지금까지 알려진 바로는 813개의 두루마리가 있다. 그중에 가장 많은 문서가 나온 곳은 1952년에 발견된 4번 동굴이며 550여 개 정도 된다. 대부분의 사해문헌은 이 11개의 동굴에서 나온 문서를 말하며 이 가운데에 223개가 히브리 성경 사본들이다. 또한 제2성전 시대의 종교 작품인 외경과 위경 중에 몇몇 책들과 그들 공동체에 관한 규례와 법규를 기록한 문헌과 히브리 성경의 예언서 등 여러 책을 해석한 성경

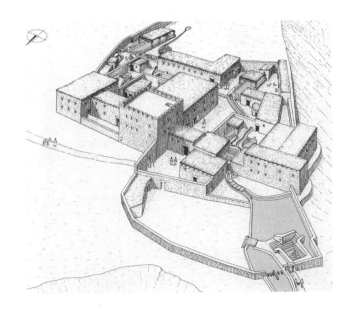

해석서와 그들의 종교 절기에 관한 지침서와 감사 시편 등이 있다.

사해문헌 가운데 12개의 두루마리를 제외하고 대부분의 두루마리나 파피루스가 불행하게도 조각조각 찢어져 있어서 몇 개의 단어나 몇십 행의 문장 정도를 읽어볼 수 있지만 여러 학자의 연구와 노력으로 쿰란 지역에 거주하며 사해문헌을 보관했던 공동체의 면모를 많이 파악하게 되었다.

사해문헌 학자들의 공통적인 의견에 따르면 사해 근처에 거주지를 건설했던 공동체는 요세푸스가 기록한 엣세네라고 생각되며 그곳의 규모로 보아 200여 명이 함께 거주할 수 있었던 것으로 보인다. 그 거주지 터에서 긴 석판으로 만든 책상들과 잉크병 등이 여럿 발굴된 점을 보아 두루마리를 필사하는 작업을 전문으로 했으며, 이곳은 사제들과

1-5 사해 거주지 터를 재구성한 엣세네 공동체 건물 모습

45

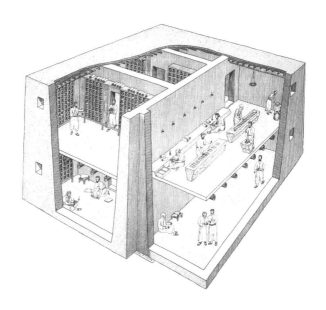

교사들 그리고 감독들을 양성하는 수련원이면서 도서관이었다고 보인
다. 또한 엣세네 공동체의 본부였다.

　사해문헌은 대부분이 히브리어로 쓰였고 96개의 문서는 아람어로
쓰였으며 그리스어로 된 문서는 7개가 있다. 매우 흥미로운 문서는 예
루살렘 성전의 보물을 유대아 광야의 64군데에 숨겨놓은 장소를 기록
한 얇은 구리판 두루마리(Copper Scroll)다.

　사해문헌 가운데 히브리 성경의 사본이 모두 223개 되는데 그중 모
세오경 사본이 82개로 제일 많고 41개의 예언서 사본 중에는 이사야서
의 사본이 21개나 된다(에스더서의 사본은 없다). 히브리 성경의 아람어 번
역인 타르굼 가운데 레위기와 욥기의 한 부분이 있다. 그 외 외경과 위
경으로 《토비트》와 《벤씨라(집회서)》나 《에녹 1서》와 《희년서(Jubi-lees)》

1-6 서사書士들이 일하는 방들을 재구성한 그림

등 20여 개가 넘는 외경의 부분들이 있다.

사해문헌 가운데 가장 긴 문서인 《성전 책(Temple Scroll)》은 모두 66단이며 출애굽기 34장에 나오는 시나이 산에서의 언약을 상기시키는 부분으로 시작하여 67단까지 성전과 성전 부속 건물들의 건축의 청사진을 자세히 기록했으며 나머지는 레위기와 신명기에 나오는 정결례와 그와 관련된 규례를 재해석한 것이다. 모세오경의 출애굽기에서 신명기까지의 내용을 새롭게 쓴 이 《성전 책》은 이들 공동체의 '새 토라'라고 말할 수 있다.

사해문헌 가운데 특히 주목할 것은 히브리 성경의 해석(폐샤림)을 담은 해석서다. 예언서나 다른 몇몇 책에 기록된 구절을 그 당시의 상황에 비추어 해석한 글로서 바리새들을 '거짓말쟁이'며 '조롱꾼'이라고 풀이하면서 '의로운 교사'가 그들에 의해 살해되었다면서 비난했다. 또한 히브리 성경의 여러 구절들을 인용하면서 이것들은 '마지막 시대에 올 메시아'를 예언한 것이라고 해석했다. 그 외에 '의로운 교사'가 썼다고 볼 수 있는 25편의 감사 시편과 일상 기도문 등이 있다. 엣세네 공동체에서는 고대 이스라엘부터 전통적으로 사용했던 태양력을 이용한 달력(태음력)을 받아들이지 않고 오직 태양력을 사용하여 안식일과 절기를 지켰다. 그러므로 엣세네는 사두개나 바리새들이 지키는 절기와는 다른 날에 그들의 명절을 지냈으며 여러 절기에 관련된 문서와 절기마다 사용하는 기도문 등이 있다.

엣세네는 예루살렘 사제들과 결별한 공동체며 예루살렘 성전을 무시했다. 엣세네 사람들은 그들의 공동체가 거룩한 모임이라고 말하고 예루살렘 성전을 운영하는 사제들을 어둠의 자식들이라고 판단했기 때문에 엣세네 공동체가 성전이라고 주장했다. 따라서 진정한 성전은 건물

로서의 성전이 아니라 하느님의 계명을 지키는 사람이 모이는 그들의 공동체라고 여겼다. 엣세네 공동체가 하느님에게 예배드리는 성전이라고 해석한 것이다. 하느님의 토라를 따르는 '믿음의 이스라엘'이 성전이라는 새로운 관점(해석)이 생겼다. 이것을 '아담(사람)의 성전'이라고 불렀다.

엣세네들에게는 토라의 계명을 어기지 않는 일이 가장 중요하며 토라의 구절을 그들의 공동체 생활에 적용하여 엄격한 규율주의를 내세웠다. 그들은 함께 모여 먹고 마시며 기도문을 같이 읽는 종교 의례를 매일 행했으며 토라와 토라 해석서, 공동체의 규례서 등을 배웠다. 그들의 최고의결기관을 '함께 모여 하나가 된다'는 뜻인 '약하드'라고 불렀다.('약하드'는 단합체라고 번역할 수 있다.) 엣세네 창설자는 '새 언약의 규

1-7 사해 지역에 살던 엣세네 공동체가 사용했던 해시계

례'라는 책을 남겼으며 이를 공동체의 지침서로 가르쳤다. [히브리어 '야하드'를 그리스어로 '코이노니아(κοινωνια)'로 옮길 수 있다. 신약성경에 초대교회 공동체를 코이노니아라고 불렀다. ["우리가 찬양하는 감사의 잔은 메시아의 피와 함께하는 것이 아닙니까? 우리가 떼는 빵은 메시아의 몸과 함께 되는 것이 아닙니까? 이처럼 그 빵이 하나이기 때문에 우리는 모두 한 몸입니다. 왜냐하면 우리 모두가 그 한 빵에서 (떼어) 가져가기 때문입니다."(고린도전서 10, 16~17) 초대교회 신도들은 성만찬 의례에서 그들이 '함께 모여 하나가 된다(야하드)'는 것을 항상 확인했다.]

엣세네 공동체에 들어오는 것을 '새 언약'에 들어온다고 말했으며 그들이 지켜야 할 온갖 규례와 지켜야만 되는 이유, 또한 이 규례를 지키지 못했을 경우와 잘못했을 때 어떠한 벌을 받아야 하는가 등을 기록한 책이 《새 언약의 규례(The Damascus Document)》와 《단합체의 규례(The Community Rule)》다. 이들의 법규는 매우 엄격하며 벌칙도 무겁다. 이렇게 엄격하고 경건하며 또한 자기 공동체 사람들끼리는 다함이 없는 자비로운 공동생활을 했으며 마지막 시대에 올 하느님의 심판에 준비하기 위해 몸과 마음을 단련했다.

[복음서에 '새 언약'이라는 단어가 나온다. "이 잔은 여러분을 위해 흘리는 내 피로 세우는 새 언약입니다."(누가 22,20) 엣세네가 새 언약의 공동체인 것처럼 초대교회도 그렇다. '새 언약(하-브리트 하-하다샤)'은 신약성경의 책명이다. 신약성경의 아람어본인 페쉬타의 책명(카야마 하드타)을 히브리어로 번역하면 '새 언약(브리트 하다샤)'이다.]

엣세네 공동체에 들어가 일원이 되기 위해서는 2년간 공부하고 공동체 의회 앞에서 심의를 거쳐야 했다. 엣세네들은 서로를 '이웃'이라고 여겼으며 서로를 '형제'라고 불렀다. 엣세네의 지도자들은 마지막 시대가 오면 하느님은 예루살렘 성전에 거하지 않고 '아담(사람)의 성전'에 있을 것이라고 해석했다.

〈새 언약의 규례〉와 〈단합체 규례〉에 따르면 하느님이 세상을 창조했으나 하늘의 천사들 중 일부가 타락하여 악의 씨가 되었다고 한다. 그래서 어둠의 천사는 정의의 모든 자식들을 잘못 인도하며 그들이 죄짓고 사악해져서 어둠의 천사의 지배가 끝날 때까지 하느님의 신비한 섭리에 따라 악마의 지배를 받는다고 한다.

악마의 운명에 들어 있는 모든 영혼은 빛의 자식들을 타락하게 만들지만 하느님은 빛의 자식들 편에 있다고 말한다. 그래서 빛의 자식들이 어둠의 자식들과 전쟁을 하여 결국에는 빛의 자식들이 하늘의 거룩한 천사들의 도움으로 승리할 것이라고 확신했다. 엣세네 사람들은 이런 마음가짐으로 전쟁 준비를 하며 살았다. 그들 공동체 지도자들은 바리새 현자들을 미워했고 마지막 시대가 곧 오며 그들의 성경해석이 잘못된 것이라고 밝혀져 그 어둠의 자식들은 하느님의 심판을 받고 모두 불타버릴 것이라고 해석했다. (어둠의 자식들이라고 여겼던 바리새 현자들은 선조들로부터 구전으로 내려온 비성경적인 법규와 법칙 등을 중요시했던 중산층의 지식인들이며 그들의 의견을 추종하던 '토라 해석자들' 을 말한다. 신약성경에 나오는 바리새들이 바로 이런 부류의 사람들이다. 바리새 유대교가 랍비 유대교로 성장한다.)

엣세네 해석자들은 마지막 시대에 두 메시아가 온다고 설파했다. 하나는 아론의 자식인 대사제로서의 메시아며 다른 하나는 다윗의 아들인 왕으로서의 메시아다. 엣세네 공동체는 그들이 기다리는 메시아가 곧 올 것을 예상하고 모세오경의 법을 잘 지켜 마지막 시대의 심판에서 선택되어 메시아와 함께 하느님의 왕국에서 살 수 있다는 소망으로 하루하루를 살았다. 그들의 공동체에 들어오지 않은 사람들은 마지막 시대에 선택되지 못하며 어둠의 구덩이에 빠진다고 말했다. 엣세네 공동체만이 빛의 자식들이고 하느님의 길을 바르게 걷는다고 자부했다. 하느님의 길을 걷지 않는 다른 민족들은 어둠의 자식들이라고 그들을 미워했다. 로마 정권이 유대교를 탄압할 시기에 엣세네에서는 어둠의 자식들을 로마 군대로 지칭하고 전쟁의 규례를 습득하여 무력으로 어둠의 세력을 물리치고 메시아의 도래를 기대했다.

엣세네들은 로마의 신상숭배 강요에 반발했으며 끝내 로마 황제 네로(54~68년 재위)의 폭정에 항거하여 66년에 일어난 열성파 유대인들의 항쟁에 합세했다. 그들은 로마군을 '어둠의 자식들'이라고 외치며 로마군에 무력으로 대항하여 이스라엘의 자주독립을 기원했다. 항쟁군은 4년 동안 투쟁했으나 로마군은 유대아 지방을 완전히 장악했고, 그들의 승리가 확실하자 사해 거류지의 공동체 사람들은 그들이 배우고 가르치던 두루마리들을 근처 여러 동굴에 숨겨놓고 피신했다. 로마군은 엣세네의 사해 거주지를 초토화하고 곧이어 예루살렘을 장악했으며 항쟁군들을 처형했다. 예루살렘에 거주하는 많은 유대인들은 포로로 잡혀가거나 추방되었다. 예루살렘이 함락되자 그곳에서 빠져나간 잔여 항쟁군들은 사해 남쪽에 위치한 마짜다 산 위로 피신하여 3년간 더 버텼으나 그곳을 포위한 로마 군대가 산정으로 올라오자 그때까지 남아 있던 960명의 전사들은 모두 자결했다고 요세푸스는 전한다. 이들 가운데 엣세네들도 많았다. 마짜다에서 엣세네 문헌의 여러 두루마리 조각이 발견되었다. 사해 지역의 공동체 본부가 완전히 와해된 이후 엣세네 공동체는 그 명맥을 이어가지 못했으며 다메섹(다마스쿠스), 에페소 등 여러 도시에 살고 있던 엣세네들은 초대교회에 흡수된 것으로 보인다.

메시아 예수 중심의 초대교회

'새 언약의 이스라엘 공동체'와 비슷한 공동체 운동이 25년경 나사렛 출신의 예수와 그의 제자들에 의해 갈릴리 지역을 중심으로 퍼져갔다. 그들은 예수가 마지막 시대의 메시아라고 믿는 공동체로 형성되었다. '예수 공동체'는 새로운 '기쁜 소식(복음)'을 전파하는 유대인들이었다. 엣세네나 예수 공동체와 같은 분파들이 공통적으로 관심을 가지고 있었던 이상적인 이스라엘은 고대 이스라엘의 12지파의 통합이라는 역사 인식에 두고 있었다. 마지막 시대에 이스라엘의 12지파가 함께 모여 하느님의 공동체를 이룩한다는 뜻이다.

예수 공동체가 말하는 '믿음의 이스라엘'은 옛 이스라엘이 아니라 새로운 공동체로서 이들이 추구하는 믿음은 메시아 예수와의 '새 언약'에서 그 의미를 찾았다. 예수는 새 언약의 대상자들로 가난한 사람들과 장님이나 귀머거리 혹은 지체 불구자와 같은 소외된 사람들을 찾아가 그들에게 토라의 가르침을 이야기하고 토라에 대한 지식을 넓혀주었다. 가난한 사람들은 경제적 여유가 없어서 토라 공부를 하지 못하여 모세 법규에 대해 무식했다(당시 토라를 가르치는 학교에서는 월사금을 받았다). 모세 법규에 대해 아는 바가 없으면 경제적 손실을 보아도 그것을 만회할 법적 근거를 생각할 수가 없다. (예를 들어, 안식일에 자기가 기르는 소나 염소가 성 밖으로 나갔을 경우에 그것을 쫓아서 몇 걸음을 걸어가도 되는지 모른다면 안식일에 허용하는 거리 이상으로 가게 되고, 그렇게 되면 안식일을 어긴 죗값을 성전에 내야 한다. 혹은 어떤 사람이 길거리에 파놓은 웅덩이에 빠져 상해를 입었을 때도 그는 자기 실수로 빠졌는지, 아니면 웅덩이를 파놓은 사람이 그 주변에 주의할 표시를 해놓지 않았는지를 파악해서 재판소에 손해배상을 청구할 수 있다. 그런데 가난한 사람이 모세 법규에 아는 바가 없으면 손해배상이라는 생각조차 할 수 없을 것이다. 그렇다고 해서 토라 교사와 같은 전문인을 찾아가려면 비용을 지불해야 했다.)

　예수는 가난하고 천시 받는 사람들에게 토라의 법규를 설명하고 하느님의 정의를 그들에게 가르쳤다. 또한 예수는 그의 제자들을 여러 지방으로 보내 대가 없이 가난한 사람들을 가르치라고 했다. "여러분은 거저 받았으니 거저 주시오."(마태 10,8) 예수와 그의 제자들이 가난한 사람들과 맺은 '새 언약'으로 그들은 사회정의를 외칠 수 있는 역군이 되었다.

　이처럼 메시아 예수를 통한 하느님의 은총의 계시는 이스라엘을 포기하는 것이 아니라 새 언약의 이스라엘 공동체를 찾는 과제였다. 그 당시 특히 이방 선교의 과제에서 당면한 문제는 이스라엘에 대해 보다 확대된 정의를 해야 하는 것이었다. 이러한 신학적 과제는 사도 바울의 편지에서 잘 읽을 수 있다.(로마서 9~11장) 바울의 이스라엘 이해는 전통적인 이스라엘의 범주를 넘어 유대인과 이방인의 구별을 두지 않는 믿음의 공동체를 말한다. '하느님의 이스라엘'은 메시아 예수의 복음을 받아들인 초대교회를 가리킨다.(갈라디아 6,16) 따라서 이스라엘은 민족을 가리키는 것이 아니라 믿음의 구성원의 공동체를 뜻한다. 혈연적·육체적·물리적인 공동체가 아니라 믿음에 바탕을 둔 신앙 공동체를 말한다.

　초대교회가 전파했던 이스라엘은 메시아 예수를 통한 '새 언약의 이스라엘' 공동체를 뜻했다. 그 가장 두드러진 특징이 성전에 관한 새로운 이해다. 하느님의 성전은 건물로서의 관점에서 찾아지는 것이 아니라는 해석이다. 이는 새 언약의 공동체인 초대교회가 믿음의 이스라엘이며 그 모임이 바로 하느님의 성전이라는 주장이다. "여러분은 하느님의 성전이요, 하느님의 영이 여러분 안에 거처한다는 것을 알지 못합니까?"(고린도전서 3,16; 에페소서 2,19~22 참조) 이처럼 초대교회 사람들은 자기들의 공동체를 '하느님의 성전'이라고 불렀다

이러한 생각은 엣세네 문헌에서도 찾아볼 수 있다. 〈마지막 시대의 규례〉에 '아담의 성전'이라는 표현이 나온다. "그(메시아)는 자신을 위해 아담의 성전을 지을 것을 말한다." 여기서 '아담의 성전'은 사람들이 지은 건물로서의 성전을 말하는 것이 아니라, 사람(아담)이 일원인 공동체의 모임을 말한다. 엣세네 공동체가 아담의 성전이라는 말이다. "여러분은 하느님의 성전입니다"고 말한 사도 바울의 말도 바로 이러한 '아담(사람)의 성전'을 가리킨다. 초대교회가 말하는 '믿음의 이스라엘'이 바로 '아담의 성전'이다.

복음서에 전해진 많은 이야기에서 예수가 불구자나 불치의 병자들을 치유하여 '성전'에 들어오게 했다는 일화를 종종 볼 수 있다. 예루살렘 성전의 사제들이나 엣세네 사람들은 귀머거리나 장님과 같은 불구자가 토라를 배울 수 없어서 토라의 법규를 지킬 수 없기 때문에 거룩한 성전에 들어올 수 없다고 말했다. 엣세네 공동체나 초대교회도 그들의 공동체를 예루살렘 성전처럼 모두 거룩한 모임의 장소로 구분했으나, 초대교회에서는 그 거룩한 성전에 사두개나 엣세네에서 금지하는 사람들을 들어오게 했다. 이 점이 그들과 매우 다르다. 이는 고대 근동의 종교사에 새로운 금을 긋는 획기적인 사건이다.

고대로부터 불구자나 피부병 환자, 이상한 병에 걸린 환자들은 성전에 들어가지 못하게 했다. 왜냐하면 성전은 거룩한 곳이기 때문이다. 더러운 악령에 붙잡힌 사람은 저주를 받았기 때문에 거룩한 곳에 들어갈 수 없다. 그들은 우선 구마사제로부터 정결 의례를 받고 깨끗해진 다음에 성전에 들어갈 수 있었다. 성전에 들어가는 여러 목적 가운데

가장 중요한 하나는 성전의 제단에 제물을 바쳐야 속죄 의식을 받을 수 있기 때문이다. 환자인 경우 치료를 받고 나은 뒤에 성전에 들어갈 수 있겠지만, 문제는 불구자인 경우다. 불구자는 살아 있는 동안 속죄 의식을 받지 못하게 된다는 말이다. 성전에서 속죄를 받지 못했기 때문에 죽어서도 속죄 받지 못한 죄인으로 살아야 하는 운명이다. 예수가 장님이나 절름발이와 앉은뱅이 등 신체불구자를 치유해준 것은 그들을 '새 언약의 이스라엘'에 들어오게 한 것이며, 이 '믿음의 이스라엘' 공동체가 곧 성전이고 예수는 대사제로서 그들 속죄의 증표로 바치는 제물을 받아 죄를 사해줄 수 있었다. 예수의 이러한 행보는 혁명적이었으며 그 당시 엣세네나 사두개 그리고 심지어 바리새의 지식인들에게 큰 충격인 동시에 그들의 입장에서는 메시아라고 자처하는 예수의 언행에 동조할 수 없었을 것이다.

그 당시 이스라엘 땅에는 대부분의 유대인들이 고대 이스라엘 종교 전통을 이어받은 성전 중심의 유대교 관습을 지키며 살았고, 정치적으로는 로마제국의 통치 아래에 있었다. 성전 중심의 유대교 전통을 따르던 유대인들 사회에서 예수를 메시아로 믿고 그의 가르침에 따라 새로운 공동체가 형성되었으며 그의 제자들을 중심으로 이방 선교가 활발해졌다. 이들 공동체(초대교회)는 모든 민족에 보편적인 종교성을 전파했으며, 유대인들의 질시와 로마인들의 멸시 아래 300여 년이 지나 끝내 로마의 국교가 되었고 유럽의 대부분 민족들의 종교가 되었다. 이렇게 인류의 보편적인 종교가 된 그리스도교가 어떠한 문화적이고 종교적인 상황에서 형성되었는지를 찾아보는 것은 흥미로운 과제다.

토라 중심의 바리새 유대교

대사제가 시민 통치권을 겸했던 유대교 사회에서는 비리와 반목이 심각했으며 현자들은 반대파들이 차례로 숙청되는 여러 참변을 겪었다. 이러한 새로운 환경에서 유대교의 전통을 바르게 지키기 위해 모세의 법규에 대한 해석이 필요했다. 이 무렵 유대인 사회에 민중의 고난을 토로하고 전통의 고수를 주장하는 지식인층이 생겼다. 이들은 토라를 상세히 공부하여 토라에서 인용구를 찾아 일상생활에 적용하고, 토라에 의거한 해석 방법을 개발한 '현자들'이다. 그들은 기원전 5세기 말 120명의 원로들이 세운 최고의회의 전통을 계승했다고 자처하며 토라의 바른 해석과 응용을 연구했다. 이들은 선생과 제자들의 관계를 돈독히 하여 그 전승을 전수했다. 또한 토라를 배우는 학교를 건립하고 제자들을 길러 학문을 계승시켰다. 그 결과 훌륭한 해석자들이 많이 나왔으며 그들의 해설과 법도法道가 유대교의 지주支柱가 되었다.

초기 유대교의 현자들은 여러 파로 나뉘어졌지만 그들은 사제 계층과 권력층에 항변하여 토라에 근거한 해석을 주저하지 않은 지식인이었다. 이들이 신약성경에 등장하는 바리새들(히브리어로 '페루쉼', '분리된 자들')이다. 기원전 1세기 말 바리새들은 보수파와 개혁파로 크게 나뉘어 있었다. 보수파는 모세 법규를 그대로 지키려는 전통적 종교관을 주장하는 현자 삼마이의 추종 세력이었고, 개혁적인 바리새들은 현자 힐렐의 의견에 따르는 사람들이었다. 1세기 중반까지 바리새 가운데 정통과 개혁 등 서로 상반되는 태도를 취하는 논쟁의 시기였다. 이 시기에 바리새 교사들이 랍비라는 명칭으로 불리게 되면서 랍비들 중심의 유대교가 형성되기 시작했다. 70년 예루살렘 성전이 무너진 후 유대교는 큰 변화를 맞게 되었다. 예루살렘 사제권이 무너지고 엣세네 유대교는 와해되었으며, 초대교회의 관심은 전통적인 유대교를 떠나 이방인들에게 옮겨갔다. 바리새의 전통을 이어간 랍비 중심의 유대교는 힐렐의 제자들에 의해 힐렐의 사상과 가르침을 그들의 기반으로 형성했다.

랍비 유대교는 토라에서 구원의 근거를 추구하며 토라를 가르치는 선생(랍비)들이 구원의 길을 열어주는 역할을 한다고 주장한다. 토라를 암기하고 전통적인 토라의 해석을 배우고 반복하는 것이 구원에 이르는 길이라는 것이다. 따라서 토라를 가르치는 선생을 구원의 길잡이로 일컫는다. 또한 랍비들은 모세가 시나이 산에서 글로 된 토라(모세 법규)뿐 아니라 구전으로도 토라(하느님의 가르침)를 받았다고 가르쳤다. 구전 토라는 토라의 해석을 말하며 이를 하느님의 계시로 받아들이는 것이 랍비 유대교의 특징이다. 따라서 아무개 랍비의 가르침은 토라의 범주에 속하며 토라의 인용구와 함께 권위를 가진다.

바리새 유대교를 계승한 랍비 유대교가 이렇게 토라 공부에 전념하고 살 수 있게 된 것은 66년에 발발한 과격파 유대인들의 로마 항쟁에 큰 관심을 두지 않았기 때문이다. 네로 황제(54~68년 재위) 때에 과격한 유대인들은 자주를 외치며 비밀 결사대를 결성하고 때때로 로마 군대에 대항하여 싸웠다. 66년 5월 그들이 예루살렘 근처에 주둔한 로마 군대를 습격하자 로마 군인들은 도망갔다. 이 사건을 계기로 항쟁군은 이스라엘의 자주독립을 성취했다고 판단하여 이를 공포하는 뜻으로 앞면에 '이스라엘의 쉐켈, 첫(해)', 뒷면에는 '거룩한 예루살렘'이라는 명문을 새긴 은화를 주조했다('쉐켈'은 화폐 단위다). 주화에 새겨 넣는 그림과 글은 주조자의 이념을 대중에게 알리는 선전문과 같아 고대로부터 흔히 사용되었다. 항쟁 첫해의 은전은 예루살렘 성전의 신성함을 다시 한 번 천명하는 매개체로 이스라엘 땅에 사는 유대인들은 물론

해외에 거주하는 유대인들에게도 예루살렘의 자유를 표명하는 선언문 과도 같았다.

시리아에 주둔하고 있던 로마 군대는 이 작은 지방의 반란군을 진압하려고 출정했으나 뜻밖에도 항쟁군은 로마 군대를 저지했다. 이러한 승리의 기쁨으로 예루살렘의 독립 둘째 해(67/68년)를 알리는 주화에 '시온의 자유'라는 문구를 새겼다(1/2쉐켈 은전과 프루타 동전). '시온'은 예루살렘을 뜻한다. '시온의 자유'가 새겨진 프루타(동전)를 다량 주조하여 배포함으로써 유대인들에게 자주독립의 희망을 심어주었고, 동전의 명문은 그들을 결속시키는 구심력이 되었다(프루타는 이스라엘 땅에서만 유통되었던 가장 낮은 단위의 주화였다. 1프루타로 석류 한 개를 살 수 있었다).

이러한 돌발적인 유대인들의 승리에 놀란 네로 황제는 여러 로마 도시에서 수만 명의 유대인들을 학살하도록 책동했다. 또한 네로는 당대의 명장으로 게르마니아와 브리타니아를 로마제국에 귀속시킨 베스파

1-8 제1차 유대인 항쟁 은화, 첫해(66/67년)
앞면 성전 제의용(祭儀用) 잔. 그 둘레에 고대 히브리 글자로 '반 쉐켈'이라고 적혀 있고, 가운데 잔 위에 '알레프(1, 첫해)'라고 쓰여 있다.
뒷면 세 송이 석류 열매, 그 둘레에 '거룩한 예루살렘'이라고 적혀 있다.(예루살렘의 대사제 지팡이 머리는 석류 열매 모양이다.)

시아누스 장군을 유대아 지방으로 파견했다. 로마제국의 최강 군대는 먼저 갈릴리 지역을 점령하고 68년 중반기에는 유대아 지방의 모든 지역에서 반란군들을 소탕했다. 로마 군대는 예루살렘을 포위했고 함락 시기는 바로 가까이 왔다. 그때 네로 황제가 죽자 황위 계승 문제로 로마는 혼란에 빠졌다. 이 해에도 예루살렘에서는 독립 3년째를 알리기 위해 전년과 똑같은 '시온의 자유' 주화인 1/2쉐켈 은전과 프루타 동전을 주조했다.

네로 황제가 죽기 바로 전에 랍비들의 총수인 요하난 벤 자카이 랍반은 예루살렘이 곧 함락될 것을 예견하고 베스파시아누스 장군에게 가서 바리새 사람들이 예루살렘에서 나올 수 있도록 요구하여 허락을 얻고 그들은 예루살렘 서쪽에 위치한 야브네로 이주할 수 있었다(2장 〈요하난 벤 자카이 랍반이 베스파시아누스 장군을 만난 일화〉 참조). 그들은 그곳에서 초기 유대교 현자들의 가르침과 어록을 수집하고 토라 공부와 새로운 환경에 응용할 수 있게 모세 법규를 해석하는 데 전념했다.

예루살렘의 자주독립 넷째 해는 로마 군대에 의해 포위된 상황으로 주민들은 기근에 허덕이게 되어 한 줌의 보리가 은전보다 더 귀중했다. 이때 주조된 동전에는 '시온의 구제를 위하여'라고 새겨 넣었다. 더 이상 무력적으로 성취한 '자유'가 아니라 구원의 기적을 기다리는 '구제'가 그들의 절규였다. 예루살렘의 파멸에 직면하여 구제되기를 희망하였던 것이다.

베스파시아누스 장군이 황제로 추대되었고 예루살렘 성벽을 무너뜨리려다 중단됐던 그의 임무는 그의 아들 티투스 장군에게 맡겨져 70년 예루살렘의 성벽은 무너지고 성전은 불탔다. 이 전쟁에서 포로로 잡혀간 유대인은 9만 7천 명이며 전쟁과 기근으로 죽은 이들이 무려 110만

명이나 된다고 1세기 말의 유대인 역사가 요세푸스는 기록했다.

예루살렘의 자주독립 둘째 해(67/68년)를 기념하여 만든 '시온의 자유' 동전이다. 시온은 예루살렘을 뜻한다. 포도는 옛날부터 이스라엘 땅의 풍요와 번영을 상징하는 열매로 여겨왔으며, 또한 포도원의 파괴는 이스라엘 땅의 파멸을 상징했다.

하드리아누스 황제(117~138년 재위)는 등극한 후 유대인들에게 평화정책을 폈다. 그들이(유대인들에게) 예루살렘에 돌아와 성전을 새로 지을 수 있게 허락했다. 그런데 어느 날 그의 딸이 피살되었으며 항간에 유대인들이 그녀를 죽였다는 소문이 돌았다. 이에 화가 난 하드리아누스 황제는 갑자기 유대인들을 박해하기 시작했다. 모든 유대인에게 할례와 안식일을 금지하는 포고문을 내렸다.

전통을 중히 여기는 랍비들은 이에 반대하여 로마 정권에 반박했지만 허사였다. 곧이어 과격파 유대인들은 무력으로 맞설 항쟁군을 결성하고 예루살렘을 사수하기 시작했다. 그들은 앞면에 예루살렘 성전의

1-9 제1차 유대인 항쟁 프루타, 둘째 해(67/68년)
앞면 두 손잡이가 달린 큰 항아리(성전에서 사용하던 포도주 항아리). 그 둘레에 '둘째 해'.
뒷면 포도나무 잎, 그 둘레에 '시온의 자유'.

모습과 뒷면에 '이스라엘의 구제'라는 문구의 은전을 주조하여 로마로부터 독립하겠다는 의지를 단호히 보여주었다. 항쟁 둘째 해에는 '이스라엘의 자유', 다음 해에는 '예루살렘의 자유를 위하여'라는 문구를 새긴 은전을 주조했다.

당시 랍비들 가운데 가장 덕망이 높았던 아키바 랍비는 항쟁군의 우두머리인 바르 코시바를 이스라엘이 기다리고 있었던 메시아라고 여겨 그의 이름을 '바르 코크바(별의 아들)'라고 명명하였으며 유대인들의 자주독립의 희망을 심어주었다. '코크바(별)'는 메시아의 호칭이다. [초기 유대교 문헌인 엣세네 문헌뿐 아니라 랍비 문헌에서도 "별이 야곱(이스라엘)에서 길을 낸다"(민수기 24,17)는 문장에 의거하여 '별'을 메시아 명칭으로 해석했다.](제2차 유대인 항쟁을 바르 코크바 항쟁이라고 부른다.)

바르 코크바는 로마에 대항하여 민중의 무력적인 반란을 꾀했으며 심지어 항쟁에 큰 관심을 두지 않는 유대인들에게까지도 매우 폭력적이었다. 그는 이러한 행동에 반대한 모디인 출신의 엘아자르 랍비를 발로 차서 죽일 정도였다. 바르 코크바의 항쟁 운동은 유대인들에게 커다란 불안을 불러일으켰으며, 결국 항쟁이 일어난 지 3년 만에 자주 항쟁은 로마군에 의해 진압되고 반란군에 참여했던 사람들은 모두 처형당했다. [훗날 랍비들은 바르 코크바가 메시아였다는 것을 부정하고 그는 '바르 코지바(거짓말쟁이의 아들)'였다고 개탄했다.]

하드리아누스 황제는 폐허가 된 예루살렘을 로마식 도시로 새롭게 건설하고 그 이름을 아일리아 카피톨리나(Aelia Capitolina)라는 이방 도시 이름으로 개명했다. 카피톨리나는 로마의 최고신 주피터의 신전(Capitol)을 표명하며, 하드리아누스 황제의 성姓인 아일리우스(Aelius)를 따서 아일리아(Aelia)라고 명명한 것이다. 그는 예루살렘 성전에 태양신

신상을 세웠으며, 도시를 오각형 모양으로 뜯어고쳤다(본서 그림 9-3 참조). 오각형은 '보호, 수호, 방패' 등을 상징한다. 새 예루살렘을 태양신의 방패의 상징으로 건축한 것이다. 유대인들은 이 도시에 들어오지 못하도록 칙령이 내려졌다.

이 시기 예루살렘 가까이에 위치한 야브네는 위태로워졌고 랍비들의 토라 공부 중심지는 갈릴리 지방으로 옮겨갔다. 200년경 미쉬나가 편찬되었고, 이후 4세기 초에 랍비들의 중심지는 바빌로니아로 옮겨가기 시작했다. 그리고 6세기경에 바빌로니아에서 탈무드가 편집되었다.

'토라 공부'는 미쉬나와 미드라쉬를 공부한다는 말이다. 미드라쉬는 히브리 성경 구절의 해석을 뜻하고, 미쉬나는 특별히 모세오경의 법규 해석을 말한다. 후기 히브리어 '미쉬나'는 동사 '샤나'(되풀이하다, 가르치다)에서 파생된 단어이며 '미쉬나'가 동사로 사용되는 경우 '모세오경의 법규를 해석하다'라는 뜻으로 이해한다. 미드라쉬는 동사 '다라쉬'(요구

1-10 제1차 유대인 항쟁 동전(26mm), 넷째 해(69/70년)
앞면 대추야자나무와 대추야자나무 열매가 가득 찬 두 개의 바구니. '시온의 구제를 위하여.'
뒷면 대추야자나무 가지 두 묶음과 에트로그(구연 열매). 그 둘레에 '넷째 해. 반 쉐켈.'(대추야자나무 가지와 구연 열매는 초막절의 상징물이며 이스라엘 사람들이 이집트에서 탈출한 뒤 40년 동안 장막에서 살았던 것을 기억하기 위한 장식물로 사용된다.)

하다, 조사하다)에서 파생한 동명사며, 인용된 성경 구절의 의미를 다른 구절과 비교 대조하여 다양한 뜻을 찾아보려는 해석 작업이다. 또한 그 결과물인 해석서도 미드라쉬라고 부른다.

　200년경 레위기와 출애굽기에 대한 미드라쉬가 편집됐으며, 그다음 단계에서 민수기와 신명기의 미드라쉬가 만들어졌다. [처음 단계의 미드라쉬(해석서)가 모세 법규에 대한 것이라는 점에 착안하면 유대교에서 토라 해석(미드라쉬)이 발생한 연유는 종교 규례의 해석과 관계됨을 쉽게 알 수 있다.] 창세기 미드라쉬의 처음 편집 연대는 400년경이지만 그 내용에 언급되는 랍비들은 대부분 2~3세기의 인물들이다. 또한 4~5세기에 명절이나 주제에 따라 편집된 랍비들의 해설서(《카하나 랍비》, 《랍바티》, 《나탄 랍비의 어록》 등)가 만들어졌으며 이후 축제오경, 시편, 잠언, 전도서, 《엘리에제르 랍비의 해설집》 등의 미드라쉬가 편집되었다.

　200년경 갈릴리 지방 우샤에서 예후다 랍비가 편찬한 《미쉬나》는 모

1-11 바르 코크바 둘째 해 은전
앞면 예루살렘 성전의 앞면과 그 가운데에 언약궤의 모습이 있다. 그 둘레에 고대 히브리 문자로 '예루살렘'이라고 적혀 있다.
뒷면 상·중·하로 묶은 대추야자나무 가지 묶음과 에트로그. 그 둘레에 '이스라엘의 자유를 위하여, 둘째 해.'

두 6부 63편 517장으로 짜여 있다. 그 내용은 축도, 추수, 파종, 가축 사육, 안식년, 십일조, 공물, 절기, 혼인, 이혼, 서원誓願, 상해, 재산 분배, 재판, 성전 제사, 정결례 등에 대한 상세한 경우를 열거하며, 이는 유대교의 일상생활 전반에 걸쳐 지켜야 하는 규범을 망라한 성문서다. 《미쉬나》에 수록된 규범을 '할라카'라고 부른다. '할라카'는 '걷다'(할라크)라는 동사에서 파생된 명사며 이를 법도라고 번역할 수 있다. [복음서에도 예수가 할라카에 대해 논쟁하는 부분을 읽을 수 있다. '조상들의 전통을 따라 걷지 않고'(마가 7,5)라는 문구에서 '조상의 전통에 따라 걷는 길'이 바로 할라카를 뜻한다.] 한편 《미쉬나》에 빠진 부분이나 좀 더 첨부할 판례들을 모아 300년경 《토세프타》라는 이름으로 편집되었다. 이후 《미쉬나》와 《토세프타》를 근거로 하여 더욱 많은 예를 첨가해 400년경 《예루살렘 탈무드》가 만들어졌고, 이보다 더 총체적으로 엮은 것이 600년경에 시작된 《바빌로니아 탈무드》다.

초기 랍비들의 활동 시기를 미쉬나의 편찬 연도(200년)를 중심으로 전기(서기 10~220년)와 후기(219~500년)로 나누고 그들의 활동 지역을 이스라엘 땅과 바빌로니아로 구별한다. 전기 랍비들을 타나임이라고 부르며 후기 랍비들을 아모라임이라고 한다. '타나'는 아람어로 '가르치다'라는 낱말에서 파생한 명사로 '교사'를 뜻하고, 아모라는 히브리어 '아마르' '말하다'의 동명사형으로 '해설자'를 뜻하며 탈무드에 사용되었다.

02

힐렐의 제자들과
예수의 만남

예수의 고향인 나사렛은 작은 마을이었지만 그 주변에 찌포리나 티베리아스 같은 큰 도시들이 있었다. 예수가 그의 제자들을 만들기 위해 처음 시도한 곳이 갈릴리 호수였던 점을 보아도 그는 갈릴리 지역에서 활동했음을 알 수 있다. 당시 갈릴리 지역에는 바리새 회당이 여럿 있었고 상당히 많은 바리새 사람들이 살았다. 예루살렘의 바리새 학교에서 여러 해 동안 공부한 후에 랍비가 되어 갈릴리 지역으로 파견된 사람의 여러 일화도 탈무드에 전해진다.

예수가 갈릴리 지방의 여러 회당을 돌아다니며 가르치고 치유의 기적을 행할 당시에 그곳 회당들에서 가르친 요하난 벤 자카이 랍비라는 사람이 있었다. 그는 청소년 시절에 힐렐의 제자가 되었으며 스물다섯 살쯤에 갈릴리 지역으로 파견되었다. [그때가 서기 20년경이다. 그는 그곳에서 10여 년 동안 일하다 예루살렘으로 돌아와 얼마 후 랍반(랍비들의 총수)이 되었다.]

[예수가 서른 살쯤에 갈릴리 지역의 회당에서 가르쳤고 불치병 환자들을 고쳐주었다고 한다.(마태 4,23) 그가 회당에서 성경해석에 대해 논쟁했던 것과 비교해보면 비록 신약성경에 요하난 벤 자카이 랍비의 이름이 언급되지 않았지만 그들 둘이 만나 열띤 토론을 했을 법하다. 그때가 서기 23년경일 것이다. 예수는 기원전 7년에 태어났다고 생각한다(4장 〈예수는 기원전 7년 12월 1일에 태어났을 것 같다〉 참조).]

또한 갈릴리 지역의 바리새들 가운데 치유의 기적을 행사하는 사람들도 있었다. 요하난 벤 자카이 랍비의 제자였던 하니나 벤 도싸는 갈릴리 사람으로 기적을 행한 인물로 유명했다. 한번은 요하난 벤 자카이 랍비의 아들이 매우 아팠다. 요하난 랍비는 하니나 랍비에게 자기 아들을 위해 기도해줄 것을 청했다. (이때가 25년경이다.) 그가 기도를 하자 아들의 병이 곧바로 사라졌다고 한다.

하니나 벤 도싸 랍비는 기도에 대한 열정이 대단했다. 어느 날 그가 기도를 열심히 하고 있는데 도마뱀이 그의 발을 물었다. 그는 기도를 멈추지 않고 계속했다. 그의 제자가 걱정이 되어 물어보자 그는 기도에 열중해서 도마뱀이 문 것을 느끼지 못했다고 대답했다. 사람들은 그 도마뱀이 죽은 것을 보았다고 한다. 복음서에 보면 예수가 병자들을 치유하는 기적을 보고 그 소문이 멀리까지 퍼졌다고 한다.(마태 4,24; 마가 1,28) 그 까닭은 이러한 문화적 배경이 있었기 때문이다.

예수는 많은 비유를 들어 천국과 기쁜 소식(복음)에 대해 가르쳤다. 네 복음서에 전해진 예수의 가르침은 엣세네나 랍비 유대교 문헌에 비해 그 분량이 적은 편이다. 그렇지만 예수의 가르침 가운데 비유가 차지하는 비중은 크다. 예수가 많은 비유를 이야기할 수 있는 학습 배경이 무엇일까? 하는 질문이 생긴다.

엣세네 문헌에는 비유가 거의 나오지 않는다. 현재까지 밝혀진 텍스트 가운데 비유라는 단어는 몇 번밖에 없다. 아마도 훼손된 부분에 더 있을 수도 있겠다. 어쨌든 엣세네 교사들이 학습 방법으로 비유를 선호하지 않은 것은 확실하다. 한편 초기 랍비 유대교 문헌에는 비유가 상당히 많이 나온다. 랍비들이 비유나 일화 혹은 예화를 들며 자신의 의견을 피력하는 경우를 자주 읽을 수 있다. 예수가 많은 비유를 들며 가르친 점을 보아 그가 갈릴리 지역에서 활동할 때에 바리새 랍비들과의 잦은 토론을 통해 자연히 많은 비유와 비유의 방법을 습득했을 것으로 보인다.

그런데 복음서에 보면 예수는 바리새들을 향해 그들은 위선자라고 저주의 말로 비난한다. 예수가 갈릴리 지방에서 어느 안식일에 한 회당에 들어가 가르치고 있을 때 그곳에 곱사등이 여인이 있었다. 예수는 그녀를 보고 치유했다. 그러자 회당장이 그가 안식일에 병을 고친 것에 언짢아하며 회중에게 "엿새 동안 일을 하는 것입니다. 그동안에 와서 병을 고치십시오. 그러나 안식일에는 아닙니다"라고 말했다. 그러자 예수는 이렇게 대답한다.

면치레하는 자여,
여러분은 누구나 안식일에 자기 소나 나귀를 외양간에서 끌고 나가 물을 먹이지 않습니까?(누가 13,15)

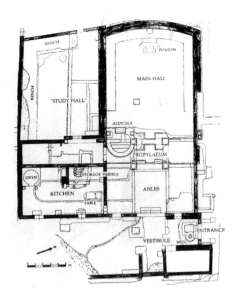

일반적으로 회당 건물에 예배드리는 강당이 있고 그 옆에 공부방이 붙어 있었다. 그 여인이 예수를 찾아온 곳은 공부방일 것 같다.

예수가 예루살렘에 와서 군중을 가르치던 어느 날 바리새들은 어떻게 하면 말로써 예수에게 올가미를 씌울 수 있을지를 의논했다. 그들은 그에게 이렇게 물어보았다. "우리에게 말해주십시오. 황제에게 주민세를 내야 됩니까? 안 내도 됩니까?" 그러자 예수는 그들의 악의를 알고 "위선자들이여, 여러분은 왜 나를 떠봅니까?"(마태 22,18)라고 대답했다. 예수는 군중 앞에서 이렇게도 말했다.

2-1 서기 5·6세기의 회당 건물의 평면도
건물의 중앙 부분이 회당이며 그 옆이 공부방이다. 이처럼 한 건물에 회당과 학교가 함께 있는 경우가 흔했다.

여러분은 불쌍하구려!

서사들과 바리새들, 위선자들이여!

여러분은 박하와 시라(dill)와 커민은 십일조하면서 법규와 자비와 믿음 같은 토라의 중요한 것들은 저버렸습니다.

그런 것들도 행해야 하고 이런 것들도 저버리면 안 됩니다.(마태 23,23)

예수는 갈릴리 호숫가나 사거리 같은 열린 공간에서 가르쳤지만 회당에서도 자주 가르쳤다. 그가 회당에서 가르칠 수 있었던 것은 회당장의 허락이 있었고 또한 바리새 랍비들과의 친분이 두터웠기 때문이다. 그런데 그는 어떻게 바리새들이나 서사들을 위선자라고 비난할 수 있었을까?

['서사'라고 번역한 단어는 히브리어로 쏘페르(סופר)며 이 단어는 '서사書士, 토라교사, (일반) 교사' 등을 뜻한다. 서사들은 모세오경뿐 아니라 기도문, 미쉬나 또는 그리스 문학 작품 등을 필사했으며, 또한 문맹자의 대서도 했고 관공서 서기의 직업도 담당했다. 한편 모세의 법규에 능통한 토라 교사나 일반(세속) 학교 교사도 그렇게 불렀다. 예수 당시 이스라엘 땅의 문맹률은 약 80퍼센트 정도였다고 추정된다. 문맹자에 반해서 유식한 사람을 쏘페르라고 부르기도 했다.]

이 문제의 해답은 바리새들에게서 찾을 수 있다. 그 당시 바리새들은 크게 두 분파로 나뉘어 있었다. 하나는 삼마이의 가르침을 따르는 제자들이었고 다른 하나는 힐렐의 제자들이었다. 두 분파는 서로 다른 회당에서 가르치고 예배를 인도했다. 갈릴리 지방도 이와 같았다.

샴마이와 힐렐의 논쟁

초기 유대교 전통 가운데 새로운 발전은 초기 현자들이 모세의 토라(법규)뿐 아니라 모세의 의해 전해진 구전 토라도 함께 전수했으며 그들은 모세에게서 토라를 해석할 수 있는 권한도 받았다는 사상이다. "모세는 시나이 산에서 토라를 받아 여호수아에게 넘겨주었고 여호수아는 원로들에게, 원로들은 예언자들에게, 예언자들은 최고의회 의원들에게(넘겨주었다)."(〈선조들의 어록〉 1,1)

〈선조들의 어록〉은 기원전 300여 년부터 서기 200여 년까지 60여 명의 유대교 현자들이 남긴 교훈을 채록한 책이다. 이 책의 제목을 히브리어로 '아보트(선조들)' 혹은 '피르케이 아보트(선조들의 어록)'라고 부른다. 이 책에 담긴 글은 짤막짤막하고 읽기 쉬우며 명료한 문장들로 구성되어 있다. 초기 현자들이나 랍비들의 언명을 편찬하여 이렇게 한 책으로 묶은 '피르케이 아보트'를 유대교의 모든 문헌 중에 가장 아름다운 책이라고 부른다. 그래서 "누구든지 거룩해지기를 원하면 〈피르케이 아보트〉를 익혀야 한다"고 탈무드에 자주 언급된다. 지금까지 히브리어나 아람어로 출간된 4,000여 권의 유대교 문헌 가운데 〈피르케이 아보트〉에 대한 인용과 해석이 가장 많다고 한다(본서에서는 〈선조들의 어록〉이라고 인용함). 〈선조들의 어록〉에 담긴 글들은 매우 짧은 문장으로 되어 있어서 여러 구절에 많은 논란이 있었다. 그 결과 랍비들 사이에 분쟁이 생겨 훌륭한 랍비들이 파문당한 경우도 있었다. 그러나 그들의 어록도 지우지 않고 보존해놓은 이 책은 유대교의 정수精髓를 담고 있다.

〈선조들의 어록〉은 인간이 토라를 배우고 가르치고 행하는 기본자세를 어떻게 세워야 하는가에 중점을 두고 있다. 그 요지는 토라 공부를 통해 사람은 하느님의 지혜를 얻을 수 있으며 하느님의 길을 걷는 데

게을리하지 않게 된다. 또한 토라 공부는 바로 예배의 연속이며 구원의 길임을 밝힌다. 이 책에는 70년 이전의 현자들과 랍비들의 입으로 전해진 부분이 있으므로 신약성경과 비교해서 읽어보면 새로운 의미를 찾아볼 수 있다.

〈선조들의 어록〉의 1장에 따르면 모세의 토라와 구전 토라에 관한 권한은 한 쌍의 현자들에게 전해졌으며 각 현자는 세 가지 언명을 남겼다. 모두冒頭에 최고의회 의원들로부터 전해 받은 세 가지 언명이 나온다.

> 그들은 세 가지를 말했다.
> 판단을 내리는 데 숙고하여라.
> 제자들을 많이 양성하여라.
> 토라에 울타리를 쳐라.(〈선조들의 어록〉 1,1)

마지막 판결을 내리기 전에 당면한 사안을 잘 조사할 것과 다른 판례를 참작하여 결정하라는 것이며, 제자들을 잘 가르쳐 스승의 가르침을 후대에 많이 전하라는 뜻이다. 토라에 울타리를 치라는 언명은 토라를 해석하는 데 신중을 기하여 토라의 뜻이 잘못되지 않게 토라 해석의 법도를 정하라는 뜻이다. 토라의 울타리로 만들어진 법규 문서가 200년경에 편찬된 《미쉬나》다. 〈선조들의 어록〉은 《미쉬나》의 4부 9편에 들어 있다. 《미쉬나》는 법규 해석을 범주에 따라 6부로 모아놓은 책인데 현자들과 랍비들의 언명으로 엮어진 〈선조들의 어록〉이 《미쉬나》에 편집된 것은 매우 예외적이다. 〈선조들의 어록〉을 법규 해석처럼 중요하게 배우라는 의도에서 법규 문서에 포함시켰음을 알 수 있다.

샴마이와 힐렐은 최고의회의 마지막 의장이었던 심온 하짜딕(의인義

人)으로부터 일곱 번째 현자에 속한다. 심온 하짜딕부터 힐렐의 시기까지를 '현자들의 시대'라고 부른다. 힐렐과 샴마이는 쉐마야와 아브탈욘으로부터 토라 전승을 전수했다. 쉐마야와 아브탈욘은 아래와 같은 세 가지 언명을 남겼다.

쉐마야는 말한다.
노동을 사랑하라.
권력을 미워하라.
집권층과 어울리지 마라.

아브탈욘은 말한다.
현자들이여, 당신네들 말조심하시오.
유배당하는 빚을 지어 나쁜 물가로 유배당할 것이며
당신네들 다음 제자들이 마시고 죽을 것이다.
하늘의 이름이 더럽혀질 것이다.(《선조들의 어록》 1,10~11)

샴마이는 아브탈욘 학교에서 배웠으며 그의 수제자가 되었다. 힐렐은 아브탈욘과 샴마이 학교에서 수학했고 그의 선배인 샴마이 현자와 한 쌍을 이루는 현자가 되었다. 샴마이 현자는 다음과 같이 세 가지를 말했다.

너는 토라(공부)를 정규적으로 하라.
조금 말하고 많이 행하라.
모든 사람들을 즐거운 얼굴로 맞이할 것이다.(《선조들의 어록》 1,15)

샴마이는 매우 엄격한 성격의 소유자였으며 두려워하지 않고 거리낌 없이 말하는 사람으로 알려졌다. 그의 성경해석도 힐렐의 해석보다 항상 더 원론적이다. 그는 토라 공부를 규칙적으로 배우고 많은 일을 행하여 즐거운 얼굴로 사람들을 대하라고 말한 것이다. 샴마이의 이러한 가르침을 자칫 잘못 이해하면 그들은 의복을 잘 차려입고 사거리에서 뽐내며 인사 받기를 좋아하는 면치레하는 자라는 핀잔을 들을 여지가 있다. 반면, 토라 공부가 삶의 중심이라고 설파하는 힐렐 현자는 아래와 같은 언명을 남겼다.

> 아론의 제자들이 되어라.
> 평화를 사랑하고 평화를 추구하라.
> 사람들을 사랑하고 그들을 토라에 가까이 데려와라.(《선조들의 어록》 1,12)

'아론의 제자'는 사제를 뜻한다. 미드라쉬 학교에서 토라 공부를 하는 목표는 단순히 학문적 교사를 배양하는 것에만 있는 것이 아니라 성전에 속하는 사제와 같이 하느님에게 예배드리는 일에도 전념할 수 있는 선생이 되라는 말이다. 공부만 하는 사람이 아니라 하느님께 기도하는 시간을 충분히 가져야 한다는 뜻이다.(바리새 학교에서 공부한 사람이 예루살렘 성전의 사제가 될 수야 있었겠지만 사제들은 대부분 사두개 친인척들이었다. 엣세네의 사제는 교사의 직분을 맡아 공동체 사람들을 가르쳤다.)

힐렐이 인간사의 명제로 밝힌 '평화를 추구하라'는 언명은 유대교 사상에 매우 유명한 인용구가 되었다. 예수의 진복선언에서도 그 유명세를 찾아볼 수 있다. "평화를 행하는 자는 복 받습니다. 참으로 그들은 하느님의 아들들이라고 불릴 것입니다."(마태 5,9) 힐렐의 언명과 비교해보면 '하느님의 아들들'은 '아론의 제자들'이다. '평화를 행하는 자'란 하느님에게 예배드리는 일에 전념한다는 뜻이며 좀 더 구체적으로는 예수와 그의 제자들처럼 사제들이 되라는 말이다. '평화를 사랑하고 사람들을 토라(공부)에 가까이 데려오라'는 주제가 유대교에서는 토라를 중심으로 살아가라는 말이지만, 초대교회의 논제로 바꾸어서 이해하면 에베소서에서 그 해석을 읽을 수 있다. "여러분은 전前에 (하느님에게서) 멀리 있었지만 지금은 메시아 예수 안에 있으며 메시아의 피에 가까이 왔습니다. 왜냐하면 그분이 우리의 평화이기 때문입니다."(에베소서 2,13 ~14) 〈선조들의 어록〉에서 추구하는 토라 공부는 신앙생활의 목표며 예배의 정도正道다. 토라 공부는 초대교회의 언어로 '메시아의 삶과 가르침'에 상응하는 용어.

힐렐의 성경해석이 샴마이 현자의 것과 상충되는 경우가 많았다고 한다. 샴마이는 원칙론에 입각한 엄격한 잣대를 적용했으나 힐렐은 그와 반대로 유연한 태도였다. 샴마이와 힐렐의 성격과 토라에 대한 인식의 차이는 아래와 같은 일화에서 쉽게 볼 수 있다.

한 이방인이 샴마이 앞에 와서 그에게 말했다.
"나를 개종자로 만들어주십시오. 그러나 한 가지 조건이 있습니다. 내가 한 발로 서 있는 동안 토라(모세오경)의 모든 것을 나에게 가르쳐주십시오."
샴마이는 그가 들고 있던 잣대로 그를 쫓아 보냈다.
그는 힐렐 앞에 와서 그와 똑같이 말했다.
그는(힐렐이) 그에게 말했다.
"너에게 싫은 것을 너의 이웃에게 하지 마라. 이것이 토라(모세오경)의

모든 것이며 나머지는 그 해석이다. 가서 그것을 배워라."(《바빌로니아 탈무드》, 〈샤바트〉 31a)

"너에게 싫은 것을 남에게 시키지 마라"는 힐렐의 언명을 긍정문으로 바꾸어 말하면 아래와 같은 예수의 가르침이 된다. "사람들이 여러분에게 행하기를 원하는 모든 것을 여러분 역시 그렇게 그들에게 행하십시오. 이것이 토라(모세오경)와 예언자들(예언서)입니다."(마태 7,12) 흔히 예수의 이 언명을 황금률이라고 말한다. 모세오경과 예언서의 핵심이기 때문이다. 이는 힐렐이 "이것이 토라(모세오경)의 모든 것이며 나머지는 그 해석이다"라고 말한 것과 같은 내용이다. 예수는 샴마이의 태도를 따르지 않고 힐렐의 가르침을 선택했다는 것을 알 수 있다.

힐렐과 샴마이는 각기 학파를 이루게 되었으며 그들의 제자들끼리 성경해석에 대한 서로 다른 의견으로 끊임없는 논쟁을 했다. 샴마이파(베트 샴마이)와 힐렐파(베트 힐렐) 사이에 한 법규를 두고 3년이나 싸웠으며, 심지어 샴마이 제자들과 힐렐 제자들은 그들의 자녀들이 서로 혼인하는 것을 금했다고 탈무드에 전한다.

힐렐 문도와 샴마이 문도 사이의 서로 다른 의견 때문에 낭패를 본 이야기를 《미쉬나》의 시작 부분에서 읽어볼 수 있다[제1부 〈제라임(씨앗)〉의 시작인 〈브라호트(축도)〉]. 〈축도〉의 시작에 여러 랍비들은 쉬마 기도문을 언제 낭송하느냐고 서로의 엇갈린 의견을 주장한다. 쉬마는 하루에 세 번 오전, 오후, 저녁에 낭송한다. [쉬마는 "들어라(쉬마), 이스라엘아, YHWH는 우리의 하느님이고 YHWH는 하나다"(신명기 6,4)를 가리키며 유대교의 기도문은 대부분 쉬마로 시작한다.]

저녁에 언제 쉬마를 낭송하느냐?

사제들이 (성전에) 들어가 헌물을 먹을 때부터 첫 번째 당번 때까지.

이렇게 엘리에제르 랍비는 말했다.

그러나 (다른) 현자들은 말했다.

"한밤중까지."

감리엘 랍비는 말했다.

"동이 틀 때까지."

한번은 그의 아들들이 혼인 잔치에서 (한밤중이 지나) 돌아왔다.

그들은 그에게 말했다.

"우리는 쉬마를 낭송하지 않았습니다."

그는 그들에게 말했다.

"만일 동이 트지 않았으면 여러분은 쉬마를 낭송하여야 합니다. 비록 현자들이 '한밤중까지'라고 정했어도 지켜야 하는 의무는 동이 틀 때까지입니다. 화목제물의 기름이나 내장을 태우는 의무는 동이 틀 때까지입니다. '모든 화목제물은 그날에 먹어야 한다.'(레위기 7,15) 그 의무는 동이 틀 때까지입니다."

그렇다면 현자들은 왜 '한밤중까지'라고 정했는가?

"사람이 죄짓지 않게 하기 위하여."

아침에 언제 쉬마를 낭송하는가?

푸른색과 흰색을 구별할 수 있을 때 바로.

엘리에제르 랍비는 말했다.

"푸른색과 초록색. 그리고 동트기 전에 끝나야 한다."

요슈아 랍비는 말했다.

"세 시 전에. 왕들이 세 시까지는 일어나기 때문이다. 그 시각부터 낭송하는 자는 손해 볼 것이 없으며 마치 토라를 읽는 것 같다."

샴마이파는 말했다.

"저녁때 낭송하면 모두 편하게 기대어도 되지만 아침에는 일어서야 한다. 왜냐하면 이렇게 쓰여 있다. '네가 누워 있을 때든지, 일어날 때든지.'(신명기 6,7)"

그러나 힐렐파는 말했다.

"누구든지 자기 길로(방식으로) 낭송하면 된다. 왜냐하면 이렇게 쓰여 있다. '네가 길을 갈 때든지.'(신명기 6,7)"

그렇다면 왜 "네가 누워 있을 때든지, 일어날 때든지"라고 쓰여 있을까? 그것은 사람이 늘 누워 있거나 늘 일어날 때를 말한다.

타르폰 랍비는 말했다.

"내가 언젠가 여행길에 샴마이파의 말대로 (쉬마를) 누워서 낭송했다. 그때에 도둑들에게 변을 당했다."

그들(힐렐파 사람들)이 그에게 말했다.

"당신은 힐렐파의 말을 우습게 생각했으니 그렇게 당해도 쌉니다."

엘리에제르 랍비와 힐렐의 손자 감리엘 랍비와 요슈아 랍비는 힐렐파에 속한다. 이처럼 힐렐과 샴마이의 제자들은 한 주제를 놓고 서로 엇갈린 의견을 세워 공방전을 했다. 아래 같은 예에서 성경해석에 대한 그들의 논쟁을 읽어볼 수 있다.

"그분(하느님)이 (땅에서 흙으로 아담을) 빚었다."(창세기 2,7)

(이것은) 두 가지 빚어진 것들을 말한다. 이 세상에 빚어진 것과 오는 세상에 빚어지는 것이다.

샴마이파와 힐렐파(는 서로 다른 의견을 말했다.)

샴마이파는 말했다.

"이 세상에 빚어진 것은 오는 세상에 빚어지는 것과 같지 않다. 이 세상에서는 살갗과 살로 (빚어지기) 시작하여 힘줄과 뼈로 마무리된다. 그러나 오는 미래에는 힘줄과 뼈로 시작하여 살과 살갗으로 마무리된다. 에스겔의 죽음에 대해 이렇게 말한다. '그리고 내가 보았더니, 보라, 그것(뼈)들 위에 힘줄이 (오르고), 그 위에 살이, 그것들 위로 살갗이 덮였다.'(에스겔 37,8)"

요나탄 랍비는 말했다.

"에스겔의 죽음에서는 배울 것이 없다. 에스겔의 죽음은 어떠했느냐? 이것은 사람이 침례소에 들어가는 것과 비슷하다. 그가 처음에 벗은 것을 마지막에 입는다."

힐렐파는 말했다.

"이 세상에 빚어진 것처럼 오는 세상에서도 같게 빚어진다. 이 세상에서는 살갗과 살로 시작하여 힘줄과 뼈로 마무리된다. 이처럼 오는 미래에도 살갗과 살로 시작하여 힘줄과 뼈로 마무리된다. 그래서 욥은 (이렇게 말한다.) '당신(하느님)은 나를 우유처럼 부으시고 치즈처럼 굳게 하시지 않습니까? 당신은 나를 살갗과 살로 입히시고 뼈와 힘줄로 나를 엮으실 것입니다.'(욥기 10,10~11) (여기서) '당신은 나를 부으셨다'고 쓰여 있지 않고 '당신은 나를 부으실 것입니다'라고 한다. '당신이 나를 치즈처럼 굳게 하셨다'고 쓰여 있지 않고 '당신이 나를 굳게 하실 것입니다'라고 한다. '당신은 나를 살갗과 살로 입히셨다'고 쓰여 있지 않고 '당신은 나를 입히실 것입니다'라고 한다. '당신이 나를 뼈와 힘줄로 엮으셨다'고 쓰여 있지 않고 '당신은 나를 엮으실 것입니다'라고 한다. 이것은 우유로 가득 찬 사발에 비유할 수 있다. 우유 속에 응유凝乳를 넣을 때까지 우유는 유동적이다. 그러나 우유 속에 응유를 넣자 우유는 곧 엉기게 되고 고체가 된다. 그래서 욥은 말한다. '당신(하느님)은 나를 우유처럼 부으시고 치즈처럼 굳게 하시지 않습니까? 당신은 나를 살갗과 살로 입히시고 뼈와 힘줄로 나를 엮으실 것입니다. 당신은 나에게 생명과 자비를 주셨으며 나를 돌보시고 내 영혼을 지켜주십니다.'(욥기 10,10~12)"(《창세기 미드라쉬 랍바》 14,5)

샴마이파는 오는 미래에 부활하는 사람들은 에스겔의 죽음에 대한 인용문처럼 그런 순서로 일어난다고 주장했다. 그러나 힐렐파인 요나탄 랍비는 에스겔 37,8의 마지막이 "그들에게는 영혼이 없었다"는 내용임을 상기시키며 그들은 죽은 것들이라고 에스겔의 죽음에서는 배울 것이 없다며 그들의 논리를 일축했다. 힐렐파의 해석에서 보면 오는 세상은 산 사람들이 사는 곳이다. 그래서 에스겔의 죽음을 인용해 오는 미래를 설명하는 것은 타당하지 않다.

그러나 이렇게 토라에 대한 논쟁을 통해 랍비들은 토라 공부가 삶의 즐거움이고 목표라고 이해했으며 그들의 해석은 증가하고 한층 풍부해졌다. 비록 이들 두 분파 사이에 극심한 말다툼이 종종 있었다고 해도 결국 토라를 위한 것이다.

하늘의 이름을 위한 논쟁은 결국 확증된다.
하늘의 이름을 위하지 않는 논쟁은 결국 확증되지 않는다.
어떠한 것이 하늘의 이름을 위한 논쟁이냐?
그것은 힐렐과 샴마이의 논쟁이다.

하늘의 이름을 위하지 않는 것은 (어떤 것이냐?)

그것은 코락흐(코라)와 그의 추종자들의 논쟁이다.(《선조들의 어록》 5,17)

'하늘의 이름'은 하느님을 우회적으로 표현한 단어다. 하느님의 이름과 관련하여 《미쉬나》는 아래와 같이 전한다.

모든 이스라엘은 오는 세상에 한몫을 차지한다.(성경에) 이렇게 말한다. "너의 백성은 모두 의로운 이들이며 영원히 땅을 상속 받을 것이다. (이스라엘은) 내가 심은 나무의 햇순이며 내 손으로 한 일이니 나는 영광 받을 것이다."(이사야 60,21)

그러나 오는 세상에 한몫을 차지하지 못하는 이들은 이러하다.

망자들의 부활이 토라에서가 아니라고 말하는 자. (즉, 토라에 근거하지 않는다고 말하는 자.)

토라는 하늘에서가 아니라고 말하는 자. (즉, 하늘/하느님으로부터 받은 것이 아니라고 말하는 자.)

그리고 변절자(에피쿠로스파)다.

아키바 랍비는 말했다.

"이단 서적을 읽는 자도 또한 그렇고, 상처에 주문을 낭송하며 '나는 이집트인들에게 내린 어떤 질병도 너에게 내리지 않을 것이다. 나는 너를 낫게 하는 주님 YHWH이다'(출애굽기 15,26)라고 말하는 자도 그렇다."

아바 사울은 말했다.

"하느님의 이름을 철자대로 소리 내는 자도 그렇다."(《산헤드린》 10,1)

하느님의 이름(YHWH)을 철자대로 소리 내지 않아야 하는 것은 유대교의 근본 계명이다. 따라서 하느님의 이름을 '찬미 받으시는 거룩하신 분', '거룩하신 분', '쉐키나' 혹은 '마콤' 등으로 표현했다.

힐렐과 샴마이의 논쟁은 하느님을 위한 것이었다는 결론이다. 코라흐와 그의 추종자의 논쟁은 레위의 자손들인 그들이 성막의 일뿐 아니라 사제직도 갖겠다고 모세와 아론에게 대항하여 벌인 이야기다.(민수기 16장) 다음과 같은 이야기는 매우 시사적이다.

아키바 랍비는 쉬무엘의 이름으로 말했다.

샴마이파와 힐렐파는 (어느 법규 해석에 대해) 3년 동안이나 나뉘어져 있었다. 서로가 법은 우리의 (해석)에 따라야 한다고 말했다.

그러자 하늘에서 소리가 나며 이렇게 말했다.

"이것들이나 저것들은 모두 살아 있는 하느님의 말씀이다."(《바빌로니아 탈무드》, 〈에루빈〉 13b)

힐렐의 어록

힐렐은 바빌로니아에서 태어났으며, 그의 나이 마흔에 토라를 공부하려고 예루살렘에 왔다. 그는 아브탈욘과 샴마이의 학교에서 배웠으며, 헤롯 왕 집권의 마지막 몇 년부터 헤롯 아르켈라우스의 포악한 통치 기간 사이에 산헤드린의 의장으로 활동했다. [산헤드린은 유대교 공동체의 최고의회 명칭으로 '함께 모이다'라는 뜻의 그리스어에서 파생된 단어다. 기원전 4세기경에 결성된 유대교 공동체의 의회인 '크네셋 하그돌라'가 산헤드린의 전신이다. 산헤드린은 종교법뿐 아니라 시민

법과 관련된 제반 문제를 처리하는 입법기관이다.]

서기 10년경에 힐렐은 죽었으며 바리새 학문은 힐렐의 손자 감리엘 랍비에게 이어졌다. 이후 힐렐파를 중심으로 바리새 유대교는 발전했으며 이를 이어 랍비 유대교의 전통이 세워졌다. 그리고 랍비들의 수장은 '랍반'이라는 칭호로 불리게 되었다. 요하난 벤 자카이 랍반이 힐렐과 샴마이에게서 토라의 권한을 전해 받았다고 〈선조들의 어록〉(2,8)에서 말한다. 한 쌍으로 계승되었던 현자들의 전통은 샴마이와 힐렐에서 끝났다.

힐렐이 학교에 다니며 공부할 때 그가 하루 번 돈의 반은 생활에 쓰고 반은 수업료로 냈다고 한다. 당시 사람들은 토라를 배우기 위해 미드라쉬 학교(베트 미드라쉬)에 이처럼 많은 수업료를 내면서 공부했다. [복음서에도 열두 제자를 세상에 파견하는 이야기에 교사는 가르치고 임금을 받는다는 내용이 나온다. "일꾼이 그의 양식을 받는 것은 마땅하다."(마태 10,10) 여기서 일꾼은 제자를 가리키며 제자들이 사람들을 가르치면 양식을 얻기 때문에 돈이나 옷 등을 챙기지 말고 빈 몸으로 떠나라는 뜻이다.]

힐렐은 현자들 사이의 많은 논쟁을 해결하고 유용한 법규 해석과 탁월한 성경해석을 했던 학자로 알려졌으며, 특히 그는 그리스 방법론의 용어를 히브리어로 옮겨 '삼단 논리, 추론, 연장, 비유, 은유, 평행, 모순' 등 미드라쉬의 일곱 가지 기본 해석 방법론을 정리했다(이와 같은 방법론 가운데 '비유, 삼단 논리, 은유' 등은 복음서와 바울의 서신 등에서 많이 볼 수 있다).

힐렐이 훌륭한 토라 해석자로 알려지게 된 계기는 유월절과 안식일이 겹치는 날에 대한 그의 해석 때문이라고 한다. 예루살렘 사제들은 유월절이 시작되는 니싼 달 14일이 안식일인 경우 유월절 제사를 위한 도살을 안식일에 할 수 있는지에 대해 어찌할 바를 몰랐다. 그들은 바리새 현자 힐렐에게 물어보았다. 그는 아래와 같이 대답했다.

'그 정한 때'(라는 용어)가 '일일 제사(타미드) 번제물'(의 문구와 함께) 나오는 것(민수기 28, 2~3)은 안식일을 대신한다.
'(이스라엘 백성은) 그 정한 때에 (유월절을 지내야 한다)' (민수기 9,2)(라는 용어)는 안식일을 대신한다.(《토세프타》, 〈페삭힘〉 4,14)

매일 드리는 일일 제사도 '그 정한 때'에 드려야 하는 것처럼 유월절 제사도 그 정한 때에 거행해야 하기 때문에 유월절 제사가 안식일에 걸려도 하루 앞당길 수 없고 하루 미룰 수 없다. 그런데 안식일에 유월절의 희생 제물을 만들기 위해 도살하는 일을 할 수는 없다. 유월절이 안식일보다 더 중요하다고 유월절을 지키기 위해 안식일을 속되게 하는 것은 십계명을 어기는 결과를 초래한다. 그래서 안식일의 번제물이 유월절 제사를 위한 희생 제물을 대신한다고 해석한 것이다. [엣세네의 안식일 규례에 보면 "사람은 안식일에 안식일 번제燔祭 이외에는 제단에 올려놓지 않는다"고 규정했다.(《새 언약의 규례》 xi,18) 엣세네에서도 유월절이 안식일에 걸리면 안식일의 번제물이 유월절의 희생 제물을 대신했다는 해석을 볼 수 있다.]

힐렐은 평화를 사랑하고 인자하며 인내심이 강하고 매우 겸손했으며 가난한 사람들에게 자비심이 많은 사람으로 유명했다. 힐렐은 토라 공부가 신앙생활의 정도라고 말하며 토라 공부는 혼자서 하는 것이 아니라 동료와 함께 정진해야 한다고 가르쳤다.

내가 나를 위하지 않으면 누가 나를 위하느냐?

내가 내 자신만을 위한다면 내가 무엇이냐?

지금이 아니면 언제냐?(《선조들의 어록》 1,14)

나를 위해 토라 공부를 하는 것이지 남이 나를 대신해서 공부해주는 일은 없다. 그러나 자기 혼자만을 위하여 토라 공부를 한다면 다른 사람에게 무슨 도움이 되겠느냐는 반문이다. 바울은 "세상에 자기만을 위해 사는 이도 없고 자신만을 위해 죽는 이도 없다"라고 그의 편지에 썼다.(로마 14,7) 토라 공부는 동료와 함께 더불어 해야 한다. 그리고 지금 토라 공부를 하지 않으면 언제 하겠으며 나중에 한다고 미루는 것은 결국 하지 않는 것이다.

"지금이 아니면 언제냐?"는 힐렐의 언명이 적용된 사례는 예수가 그의 제자들을 구하는 장면에서 찾아볼 수 있다. 예수가 갈릴리 호숫가를 거닐고 있을 때 두 형제가 호수에 그물을 던지고 있었다. "예수는 그들에게 '내 뒤를 따라오시오. 내가 여러분을 사람 낚는 어부로 만들겠습니다'라고 말했다. 그러자 그들은 즉시 그물을 버리고 그 뒤를 따라갔다."(마태 5,19) 예수는 그곳을 지나 좀 더 가다가 다른 두 형제를 보았는데 그들은 배에서 그들의 아버지와 함께 그물을 손질하고 있었다. 그때 예수가 두 형제를 부르자 "그들은 즉시 배와 아버지를 남겨 두고 그의 뒤를 따라 갔다."(마태 5,22) 사람을 낚는 어부를 만들겠다는 말은 예수가 그들을 그의 제자로 만들어 그들에게 하느님의 복음을 해석하는 새로운 토라 공부를 가르치겠다는 뜻이다. 이 단락에서 가장 중요한 단어는 '즉시'라는 부사어다. 그들은 예수의 말을 듣자마자 그들의 생계 수단인 어망이나 심지어 아버지를 남겨두고 예수를 따라간 것이다. 그들은

'지금이 아니면 언제냐'는 생각으로 단숨에 결정한 것이다. 그 까닭은 그들이 예수의 말을 듣자 메시아의 도래를 더 이상 기다릴 필요가 없다는 것을 알았기 때문이다. 예수가 바로 그들이 기다리는 메시아임을 확신했다는 말이다.

예수가 제자들과 함께 카이사리아 지방에 갔을 때 그는 그들에게 "사람들이 아담의 아들을 누구라고 합니까?"라고 물었다. 그러자 어떤 이는 세례자 요한이라고 말하며, 어떤 이는 엘리야라고, 또 다른 이는 예언자 가운데 하나라고 말한다고 대답했다. 예수가 제자들에게 "그러면 여러분은 나를 누구라고 하겠습니까?" 하고 묻자 심온 베드로가 곧바로 이렇게 대답한다. "당신은 살아 계신 하느님의 아들 메시아입니다." (마태 16,16) 베드로는 예수가 그에게 "나를 따라오겠느냐?"고 말했을 때 그는 이미 그가 메시아인 것을 확신했기 때문이다.

예수가 갈릴리 호숫가에서 두 형제에게 자기 제자로 만들겠다고 제의했을 때 그들이 곧바로 받아들인 것은 이미 예수에 대해 알고 있었고 그의 제자가 될 수 있는 준비가 잘 된 사람들이었기 때문이다. 그들과 함께 새로운 공동체를 건립하겠다는 예수의 소망은 그들의 토라에 대한 지식이 충만한 것을 알았기 때문이기도 하다.

[베드로가 어부였다고 그를 무지한 사람으로 여기는 소리를 종종 듣는다. 그러나 그런 발상은 그 당시 유대인들의 사회와는 전혀 맞지 않다. 예수의 직업은 목수였고, 힐렐과 같은 유대교 최고의 학자도 토라 학교를 다니며 공부할 당시 나무꾼이었다. 어부나 목수, 심지어 나무꾼도 토라에 유식한 사람들이 있었다. 직업의 종류에 상관없이 토라를 공부하는 것은 그 당시 토라 학교의 상식이었다. 신약성경에 전해진 베드로의 오순절 설교(사도행전 2,14~36)나 그의 편지를 읽어보면 그가 성경

에 대한 지식뿐 아니라 성경해석에도 얼마나 해박한지를 알 수 있다.]

유대교에서는 토라 공부를 하는 신앙생활에 동료가 중요하다. 힐렐은 동료의 중요성을 아래와 같이 말했다.

> 회중으로부터 갈라지지 마라.
> 네가 죽는 날까지 네 자신을 믿지 마라.
> 네 동료의 자리에 이를 때까지 그를 심판하지 마라.
> 결국 이해될 것이라면서 이해하기 불가능한 말을 하지 마라.
> "나에게 여유가 있으면 공부하겠다"고 말하지 마라.
> 아마 여유가 없을 것이다.(《선조들의 어록》 2,3)

회중으로부터 갈라지지 말라는 힐렐의 충고는 그 당시 바리새 사이의 여러 분파뿐 아니라 엣세네와 사두개 등으로 분열된 심각한 상황을 충분히 반영한다. 네 동료의 자리에 이를 때까지 그를 심판하지 말라는 구절은 복음서에 나오는 "당신은 당신 형제의 눈 속의 티는 보면서 자기 눈 속의 들보는 유심히 바라보지 못합니까? 어찌하여 당신은 당신 눈 속에 들보가 있으면서 당신 형제에게 '나를 위해 당신 눈 속의 티를 빼내어 놓으라'고 말합니까?"(마태 7,3~5)라는 예수의 말과 비교된다. 복음서에서 말하는 '형제', 즉 그들 공동체의 일원은 바리새들에게는 동료, 곧 토라 공부를 같이하는 학우를 뜻한다.

남을 심판하기 이전에 자신을 돌이켜 보라는 경구警句는 잠언에 자주 나오는 보편적인 주제다. 힐렐은 아래와 같이 그의 경험을 이야기했다.

> 한번은 힐렐이 물 위에 떠내려가는 해골바가지 하나를 보았다.

그는 그것에 대고 말했다.

"네가 (남을) 빠뜨렸기에 그들이 너를 빠뜨렸다. 결국 너를 빠뜨린 자들
은 빠질 것이다."(《선조들의 어록》 2,6)

이 어록은 복음서의 아래와 같은 경구와 비교된다. "여러분이 심판하
는 그대로 여러분은 심판 받습니다. 여러분이 재는 그 잣대로 여러분은
재어질 것입니다."(마태 7,2) "칼을 잡은 자는 칼로 망합니다."(마태 26,52)
칼로 망하지 않으려면 어떤 사람이 되어야 하는지 힐렐은 다음과 같이
말했다.

무례한 자는 죄를 두려워하지 않는다.
무지한 자는 경건한 자가 아니다.
부끄러워하는 자는 배우지 못한다.
성급한 자는 가르치지 못한다.
사업을 늘리는 자는 지혜를 얻지 못한다.
사람들이 없는 자리에서 사람이 되려고 애써라.(《선조들의 어록》 2,5)

무례한 자(규례를 모르는 자)는 죗값을 두려워하지 않는다. 토라의 규칙
과 규범을 알지 못하면 범법의 대가가 무엇인지를 모른다는 말이다. 바
울은 "토라가 없었기 때문에 죄가 계산되지 않았다"(로마 5,13)고 말했는
데 이는 힐렐의 언명과 비교된다. 토라를 배우지 못한 '무지한 자(암 하
아레쯔)'는 정淨한 것과 부정不淨한 것 사이를 분별하지 못하기 때문에
경건하지 못하다는 말이다.

['암 하아레쯔,' 글자 그대로 '이 땅의 백성'이다. '땅'은 이스라엘

을 뜻한다. '이'라고 지시대명사로 옮겼지만 히브리어에서는 정관사 '하'다. 우리말에 적합한 단어가 없어서 지시대명사로 옮겼다. '암 하아레쯔'라는 단어는 기원전 5세기경 고대 이스라엘의 종교 규례에 대한 견해 차이에서 생긴 숙어다. 페르시아의 코레쉬 왕이 바빌로니아를 점령하고 그곳에 강제 이주되어 온 사람들에게 해방령을 내리자 이스라엘과 유다 왕국의 사람들 중 일부가 이스라엘 땅으로 돌아왔다. 그런데 돌아온 종교 지도자들은 바빌로니아로 이주되지 않고 이스라엘 땅에 남아 살고 있던 사람들이 이스라엘의 종교 전통과 관습을 잊어버리고 생활하는 것을 보고 자기들과 변별하여 그들을 '이 땅의 백성'이라고 불렀다. '암 하아레쯔'는 '무지한 백성'이라는 뜻으로 사용되었다. (예수 당시에는 이들을 '죄인들'이라고도 불렀다. 이는 모세오경의 법규에 대해 무식해서 종교적인 규례를 지키지 못했기 때문이다.)]

남들이 있는 곳에서만 자선을 베풀고 남이 보지 않는다고 계명을 지키지 않는 것은 믿음이 없는 사람이다. 사람들이 없는 곳에서도 하느님의 말씀을 따르는 사람이 되라는 가르침이다. 예수도 이와 같이 가르쳤다. "자선을 베풀 때에 사람들에게 보이려고 그들 앞에서 행하지 않도록 조심하시오."(마태 6,1)

힐렐은 토라를 공부하는 목적이 무엇인지를 다음과 같이 열거했다.

살[肉]을 찌게 하면 벌레가 많아진다.
재산을 늘리면 근심이 많아진다.
아내를 많이 두면 요술 부리는 짓이 많아진다.
여종을 많이 두면 추잡한 일이 많아진다.
남종을 많이 두면 도둑질이 많아진다.

토라(공부)를 많이 하면 생명이 많아진다.

(동료와) 함께 공부를 많이 하면 지혜가 많아진다.

조언을 많이 하면 이해가 많아진다.

자선을 많이 하면 평화가 많아진다.

좋은 이름을 얻은 자는 자기 자신을 위해 얻는다.

자기를 위해 토라의 말씀을 얻는 자는 자기를 위해 오는 세상의 생명을 얻는다.(《선조들의 어록》 2,7)

이 단락과 예수의 가르침 가운데 '보물을 하늘에 쌓아라'라는 내용을 비교해볼 수 있다. "여러분을 위하여 보물을 땅에 쌓지 마십시오. 그곳에서는 좀과 벌레가 갉아먹으며 그곳에 도둑들이 파고 들어와 훔쳐 갑니다. 그러나 여러분을 위하여 보물을 하늘에 쌓으십시오. 그곳에서는 좀과 벌레가 갉아먹지 않으며 도둑들이 파고 들어오지 않고 훔쳐가지도 않습니다. 사실 여러분의 보물이 있는 곳 거기에 여러분의 마음도 역시 있습니다."(마태 6,19~21)

하늘에 보물을 쌓는 자는 힐렐의 어록과 비교하면 '토라 공부를 많이 하는 자'라고 할 수 있다. 토라의 말씀을 얻는 자는 오는 세상의 생명을 얻는다는 언명은 예수의 가르침에서도 읽을 수 있다. "여러분은 토라에 영원한 생명이 있다고 생각하기 때문에 토라를 추구합니다. 그것(토라의 말씀)은 나에 대하여 증언합니다."(요한 5,39) [히브리어로 '추구하다(דרש 다라쉬)'라는 동사의 뜻은 '해설하다, 해석하다'를 포함한다. 토라의 구절들이 무슨 뜻을 나타내는지를 알기 위해 추구(해설)한다는 말이다.] 토라에서 메시아에 대해 증언하는 문구를 찾아 예수가 바로 그 메시아임을 밝혀보라는 뜻이다. 이처럼 힐렐의 어록과 성경해석에서 예수의 가르침을 읽어볼 수 있다.

요하난 벤 자카이 랍비의 미드라쉬

예수는 많은 비유를 들어 천국을 이야기했으며 바리새들 가운데 힐렐의 가르침과 유사한 내용을 강론했다. 예수는 힐렐의 언명에 매우 익숙했으며 이는 그의 제자들과 친분이 있었음을 반증한다. 예수가 힐렐의 언명과 성경해석을 배울 수 있었던 가장 적합한 상대는 요하난 벤 자카이 랍비나 여러 기적을 행사했다는 하니나 벤 도싸 랍비라고 보인다.

요하난 벤 자카이 랍비는 어려서부터 힐렐의 미드라쉬 학교에서 공부를 했고 힐렐이 죽기 전에(서기 10년 경) 제자들 앞에서 열다섯 살쯤 된 요하난 벤 자카이를 지목하여 "그는 지혜의 아버지, 오는 세대의 아버지가 된다"고 말했을 정도로 뛰어난 학생이었다. 그는 랍비가 되어 스물다섯 살쯤에 갈릴리 지역으로 파견되어 그곳 회당들에서 10여 년 동안 토라를 가르쳤으며 그 뒤 예루살렘으로 돌아와서 많은 제자들을 양성하고 바리새 학문의 중심 역할을 했다. 그는 랍반으로 추대되어 바리새들의 학문 풍토가 힐렐의 전통을 계승하게 하는 견인차 역할을 했다.

요하난 랍반은 "토라를 많이 배웠다면 네 자신에게 호의를 두지 마라. 너는 그렇게 만들어졌다"는 언명을 남겼다.(《선조들의 어록》2,8) 하느님이 흙으로 사람(아담)을 만든 이유는 그에게 하느님의 가르침을 배우게 하고 행하게 하려고 했기 때문이라는 뜻이다.

요하난 벤 자카이 랍비가 예루살렘으로 돌아온 후 그는 예루살렘 성전이 무너질 것을 알았다고 아래와 같이 말했다.

성전이 파괴되기 전에 40년 동안 (속죄일 희생 제물을 위해 '하느님에게'라
는) 패가 대사제의 오른손에 들려지지 않았다.(용서의 표징으로) 띠가 흰
색으로 바뀌지 않았다.

(메노라의) 서쪽 등잔이 (온종일) 타지 않았으며 성전의 문이 저절로 열
렸다.

그때 요하난 벤 자카이 랍반은 그것들을 꾸짖으며 말했다.

"성전이여, 성전이여, 너는 어찌 그다지도 두려워하느냐? 네가 결국 무
너진다는 것을 나는 알고 있었다. 왜냐하면 이도의 아들 즈카르야가 너
에 대하여 (이렇게) 예언했기 때문이다. '레바논아, 너의 문(門)들을 열
어라. 그래서 불이 너의 향백나무들을 삼킬 것이다.'(스가랴 11,1)"《바빌
로니아 탈무드》, 〈요마〉 39b)

요하난 벤 자카이 랍반은 여러 해 동안 대속죄일에 대사제의 오른손
에 '하느님에게'라는 패가 들려지지 않은 것을 보고 성전이 무너질 것
을 예견했다는 말이다. 유대교에서는 신년 축제일 후 열째 날에 온 백
성이 속죄를 하는 날로 이날을 '욤 키푸르' 혹은 '욤 하키푸림', 즉 '대
속죄일'이라고 부른다. 당시 대속죄일 의례에 따르면 똑같이 생긴 염소
두 마리를 준비하여 하나는 예루살렘 성전에서 희생 제물로 바치고, 다
른 하나는 '이스라엘의 죄를 짊어진' 염소로 선포하여 광야로 내쫓아
보냈다. 어느 염소를 광야로 내쫓아 보낼 것인지 선택하는 방법은 제비
뽑기다. 한 패에는 '하느님에게'와 다른 패에는 '아자젤에게'라고 쓰
인 패가 들어 있는 단지와 염소 두 마리를 대사제 앞에 가져오면 대사
제는 두 손을 단지 속에 넣고 각 한 손에 하나의 패를 집어 올린다. 그
때 그의 오른손에 '하느님에게'의 패가 들려 나오면 그해는 길상吉祥으

로 판단했다.('아자젤'이란 '험한 산, 광야' 등을 뜻하며, 후기 히브리어에서는 '지옥'이라는 뜻으로도 사용된다.) 요하난 벤 자카이 랍반의 일화에서 알 수 있는 것은 30년 이후 예루살렘의 미래가 어두웠다는 이야기다.

예수가 예루살렘 성전의 파멸을 예고했다는 복음서의 문맥도 이러한 전승에서 이해될 수 있다. [예수가 성전을 나와 떠나갈 때 (…) 제자들이 다가와서 그에게 성전 건물을 가리켜 보였다. 예수는 그들에게 말했다. "… (성전은) 허물어질 것입니다."(마태 24,1~2)]

요하난 벤 자카이 랍비의 행적 가운데 다음과 같은 일화가 전해진다. 요하난 랍비는 레쉬 라키쉬와 함께 아라비아 주의 수도 보스트라를 방문한 적이 있었다. 보스트라의 유대인들은 레쉬 라키쉬에게 신상들이 있는 연못에서 물을 길어도 되는지를 물었다. 레쉬 라키쉬는 허용되지 않는다고 말하여 전통을 지키는 유대인들은 멀리까지 가서 물을 길어 오도록 했다. [신상이 장식되어 있는 연못은 부정不淨한 물이기 때문에 석조(미크베)에 채울 침례용 물로는 부적합하다. 그래서 멀리 있는 강이나 신상이 없는 연못에서 물을 길어 오도록 한 것이다.] 그러나 레쉬 라키쉬가 그의 선생인 요하난 벤 자카이 랍비에게 이 일을 이야기하자 요하난 랍비는 그에게 곧바로 돌아가서 그의 결정을 취소하라고 말했다.(《바빌로니아 탈무드》, 〈아보다 자라〉 58b~59a)

요하난 랍비의 판단에 따르면 공공장소에 있는 신상이나 모습은 신상으로 여기지 않아도 된다는 것이다. 이러한 신상은 미적 감각을 위한 것이지 종교적인 관점으로 이해하지 않아도 된다는 해석이다. 이방 문화의 도시에 사는 유대인들이 유대교 전통의 종교적 제약에서 보다 자유롭게 생활할 수 있도록 허용하는 미쉬나(법규 해석)다.

67년 봄 강경파 유대인들이 로마에 항쟁하기 시작하며 예루살렘이 전쟁의 도가니에 빠지자 요하난 벤 자카이 랍반은 예루살렘 성전이 무너질 운명이 되었음을 예견하고, 성전에서 예배를 드리지 못하는 환경에 어떻게 해야 하는 것이 적합한지에 대해 다음과 같은 성경해석을 남겼다.

> '수송아지 대신 이제 우리는 우리의 입술의 열매를 바치렵니다.'(호세아 14,3)
>
> (이 구절에 대한 요하난 벤 자카이 랍반의 해석)
>
> 이스라엘은 세상의 주님에게 말했다. "성전이 서 있을 때 우리는 제물을 드리고 죄 사함을 받았습니다. 그러나 이제 우리의 손에는 오직 기도만 있습니다."(《민수기 미드라쉬 랍바》 18,21)

요하난 랍반은 예루살렘 성전에 바치는 희생 제물을 대신하는 토라 공부가 속죄의 역할을 한다고 역설했다. "우리의 입술의 열매로 바친다"는 문구는 토라 공부를 통하여 하느님의 가르침을 선포함이 성전 제사를 대신한다는 해석이다. 이러한 해석은 유대교 발달에 매우 큰 영향을 끼쳤으며, 토라 공부는 예루살렘 성전이 무너져 희생 제물을 바칠 수 없는 일을 대신한다는 전통이 생겼다.

로마 군대에 의해 예루살렘 성전이 무너진 뒤 요하난 랍반이 속죄 방법에 대해 다음과 같이 해석한 일화가 전해진다.

> 요하난 벤 자카이 랍반이 예루살렘을 떠났으며 (그의 제자) 요슈아 랍비는 그 뒤를 따라가고 있었다. 요슈아 랍비는 허물어진 성전을 보고 말했다.

"이스라엘의 죄를 사해주는 장소가 허물어졌으니 얼마나 원통합니까!"

요하난 벤 자카이 랍반은 말했다.

"내 아들아, 그리 슬퍼하지 마라. 우리에게는 속죄하는 다른 방법이 있다."[01]

"무엇입니까?"

"그것은 자비를 행하는 것이다. 이렇게 말한다. '내가 원하는 것은 자비(심)이지 희생 제물이 아니다.'(호세아 6,6)"

이 일화는 70년 로마군이 예루살렘을 정복하고 성전에 불을 질러 폐허가 된 다음 이야기다. 요하난 벤 자카이 랍반이 인용한 호세아서의 문구는 복음서에도 나온다. '예수는 그 집에서 음식을 드시고 있었는데 마침 많은 세리들과 죄인들이 와서 예수와 그분의 제자들과 함께 상을 받았다. 그런데 바리새 사람들이 보고 그의 제자들에게 "어찌하여 당신네 스승(랍)은 세리들과 죄인들과 함께 먹습니까?" 하고 물었다. ['랍'은 '선생, 스승'을 뜻한다. 여기서 '죄인'은 도둑질이나 거짓 증언을 한 범죄자들을 가리키는 것이 아니라 토라의 종교 법규를 지키지 않는 부류의 사람들을 뜻한다. 이들을 '암 하아레쯔(무지한 자)'라고 불렀다.] 예수는 (그 말을) 듣고 이렇게 말했다. "의사는 건강한 사람들에게 필요한 것이 아니라 앓는 사람들에게 필요합니다. 여러분은 가서 '내가 원하는 것은 자비(심)이지 희생 제물이 아니다'(호세아 6,6)라고 한 말씀이 무슨 뜻인지 배우시오."(마태 9,12~13) 바리새들이 예수의 제자들에게 그의 선생이 어떻게 죄인들이나 세리들과 식사를 할 수 있느냐고 물은 것은 당시 유대교 법도에 비추어보면 예수가 사제의 신분이나 정결례를 엄격히 지키는 샴마이파의 랍비와 같은 지위에 속한다고 여겼기 때문이다.

예수가 죄인들과 함께 식사한 이야기를 요하난 벤 자카이 랍반의 일화와 비교해보면 예수의 행동은 속죄와 관련된다. 가난한 사람들에게서도 세금을 걷어가는 세리들이나 종교 의례를 지키지 않아 죄인이 된 사람들이 예수와 함께하는 식사를 통해 속죄될 수 있다는 이야기다.

요하난 벤 자카이 랍반이 베스파시아누스 장군을 만난 일화

68년 로마 군대는 유대아 지방 전역을 점령했고 예루살렘도 포위되었다. 요하난 벤 자카이 랍반은 항쟁군들의 파멸이 곧 닥칠 것을 예견하고 성 밖으로 빠져나가 로마의 군단장인 베스파시아누스 장군에게 가서 바리새들의 학문의 본거지를 예루살렘에서 야브네로 옮길 수 있는 허락을 받아내 유대교 전통의 학문이 살아남게 했다. 요하난 벤 자카이 랍반이 베스파시아누스 장군을 만난 일화가 《잠언 미드라쉬》에 전해진다. "좋은 소식은 뼈를 기름지게 한다"(잠언 15,30)는 구절에 대한 예화로 이 일화를 든 것이다. 물론 이 이야기가 사후事後(post-factum)에 엮어진 것이라고 하더라도 로마 군대가 예루살렘을 포위하고 있는 급박한 상황에서 요하난 벤 자카이 랍반의 해결책이 얼마나 훌륭했는지를 알려주는 것으로 후대 사람들은 그의 지혜를 찬양했다.

"눈을 밝게 하는 것은 마음을 기쁘게 한다."(잠언 15,30)
이것들은 토라를 간직하는 자들이며 그들은 사람의 눈을 밝게 하고 그 마음을 기쁘게 한다. 이렇게 말한다. "주님의 계명은 분명해서 눈을 밝게 해준다."(시편 19,9)
한편, 좋은 소식은 사람의 마음을 기쁘게 한다. 이렇게 말한다. "좋은

소식은 뼈를 기름지게 한다."(잠언 15,30)

(요하난 벤 자카이 랍반이 베스파시아누스 장군을 만난 일화)

베스파시아누스는 예루살렘 사람들에게 말했다.

"활 하나를, 화살 하나를 부수어 나에게 보내라. 그러면 내가 너희에게서 떠나겠다."

그는 그들에게 한 번, 두 번 말했으나 그들은 받아들이지 않았다. 그때 요하난 벤 자카이 랍반은 그들(항쟁군)에게 말했다.

"여러분은 이 도시를 무너뜨리게 하고 이 (하느님의) 집(성전)을 불태울 것입니다."

그들은 그에게 말했다.

"우리가 지난번 지배자들에게 항쟁하여 그들을 죽였으니까 이번에도 나가서 그를 죽입시다."

'토라를 간직하는 자'는 토라의 말씀을 배우고 실천하는 사람을 말한다. 베스파시아누스가 예루살렘 사람들에게 말하는 장면은 로마 군대가 예루살렘을 포위하고 있을 당시를 이야기한 것이다. 강경파 유대인들이 활이나 화살을 부수어 로마에 항복하겠다는 의사를 보여주면 예루살렘을 무너뜨리지 않고 떠나겠다는 말이다. 요하난 랍반은 항쟁군이 로마에 항복하지 않으면 로마 군대가 쳐들어와 성전을 부수고 불태울 것이니까 무력 항쟁을 그만두라고 권고했다. 그러나 항쟁군은 '지난번 항쟁'(240여 년 전 시리아의 왕 안티오쿠스 4세가 예루살렘 성전에 신상숭배를 강요하고 안식일과 유대교 명절을 지키지 못하게 했을 때 이에 반대하여 일어난 마카비 항쟁을 말한다)을 상기시키며 이번에도 로마군에 굴복하지 않겠다고 다짐한 것이다.

요하난 벤 자카이 랍반이 그들에게 말한 모든 말을 자비로운 자들(하씨딤)과 성실한 자들은 양피 조각에 기록하여 그것들을 화살에 부착하고 성벽 밖으로 쏘았다.

그들은 말했다.

"요하난 벤 자카이 랍반은 (로마의) 왕을 사랑하는 자다."

요하난 벤 자카이 랍반은 그들(항쟁군들)이 그의 말을 받아들이지 않는 것을 보고는 그의 제자들에게 말했다.

"일어나라. 그리고 나를 여기에서 데리고 나가라."

그들은 그를 관棺에 넣었고 엘리에제르 랍비는 그 앞에서, 예호슈아 랍비는 그 뒤에서 들어 올렸다. 그들은 전율을 느꼈으며 성문에 다다를 때까지 걸어갔다. 성문에 다다르자 그들은 그들(성문을 지키는 항쟁군들)에게 말했다.

"일어나서 우리를 위해 성문을 여시오. 그래서 우리가 나가 이분을 장사지낼 수 있게 해주시오."

그들은 그들에게 말했다.

"성문을 열 수 없습니다. 우선 그가 살아 있는지 죽었는지 알기 위해 칼로 찔러보아야 하겠습니다."

그들은 그들에게 말했다.

"여러분은 심지어 랍반도 칼로 살해했다고 사람들이 말해 여러분은 (예루살렘) 성에 대해 악한 이름을 퍼뜨리게 될 것입니다."

결국 그들은 일어나서 문을 열었다.

(엘리에제르 랍비와 예호슈아 랍비는 요하난 랍반의 수제자들이었다.) 로마에 대항해 반란을 일으킨 강경파 유대인들은 그들의 항쟁에 미온적이거나

비협조적인 사람들을 적대시했던 것을 알 수 있다. 67년 그들이 항쟁을 일으킬 초기에는 많은 사람들이 강경파에 동조했으나 로마 군대가 유대아 지방을 장악하고 예루살렘을 포위하여 점차 사태가 기울어지자 예루살렘을 떠나려고 하는 사람들이 늘어났다. 그래서 항쟁군은 성문을 지키고 사람들을 나가지 못하게 했다. 요하난 랍반은 죽은 것으로 위장하고 장례를 치르기 위해 성 밖에 묻어야 한다고 수를 쓴 것이다. (묘지는 성 밖에 있었다.)

> 요하난 벤 자카이 랍반은 성 밖으로 나온 것을 알고 그는 베스파시아누스에게 가서 왕에게 인사하는 식으로 그에게 인사했다.
>
> 그는 그에게 말했다.
>
> "비베 도미네 임페라토(Vive domine imperator 오래 사십시오, 주 황제여)!"
>
> 베스파시아누스는 그에게 말했다.
>
> "당신이 바로 그 벤 자카이입니까?"
>
> 그는 "그렇습니다"고 말했다.
>
> 그는 그에게 말했다.
>
> "당신은 나를 죽이렵니까?"
>
> 그는 그에게 말했다.
>
> "두려워하지 마십시오. 우리 손에는 그렇게 쓰여 있습니다. (하느님의) 집(성전)은 보통 사람의 손으로 무너지는 것이 아니라 왕의 손으로 그렇게 됩니다. 이렇게 쓰여 있습니다. '그리고 레바논은 용맹한 자에 의해 쓰러진다.'(이사야 10,34)"

그 당시 베스파시아누스는 군단장이었지 황제가 아니었다. 만일 랍반이 그를 황제라고 불렀다는 이야기가 네로 황제에게 알려지면 그는 매우 곤란한 처지에 처하게 된다고 반문한 것이다. 물론 베스파시아누스 장군은 게르마니아와 브리타니아를 점령하고 로마로 귀속시킨 당시 가장 강한 군단을 통솔하던 군단장이었기 때문에 더욱더 모반의 위험을 안고 있었다. 그러나 요하난 랍반은 앞일을 예측할 수 있는 현자이었기 때문에 네로 황제가 곧 죽고 베스파시아누스 장군이 황제로 추대될 것을 예견했다는 말이다. 또한 예루살렘 성전이 무너질 것을 미리 알고 성경에서 예루살렘이 왕에 의해 무너지는 구절을 인용하여 자신의 견해를 피력한 것이다.('우리 손에는'이라는 표현은 우리의 손에 있는 히브리 성경을 가리킨다.) 이 인용문에서 레바논은 레바논의 삼나무를 가리키며 예루살렘 성전의 내부를 삼나무로 장식했기 때문에 레바논 혹은 레바논의 삼나무는 예루살렘 성전을 가리키는 은유어로 사용되었다. 그리고 '용맹한 자'는 맥락에 따라 통치자나 왕을 가리키는 단어다. 따라서 예루살렘 성전은 왕에 의해 무너진다는 해석이 나온다.

그(베스파시아누스)는 그(요하난 랍반)를 두 경비원에게 넘겨주었다.
사흘이 지나자 로마에서 그에게 전갈이 왔다.
그(전달자)는 그에게 말했다.
"네로 왕이 죽었으며 로마 사람들이 당신을 왕으로 추대했습니다."
로마에서 그에게 전갈이 왔을 그때에 그는 목욕탕에 앉아 있었으며 옷을 입고 신발을 신으려고 했다. 신발 한 짝은 신었는데 다른 한 짝이 들어가지 않았다. 그때 거기에 요하난 벤 자카이 랍반이 서 있었다.
그는 그에게 말했다.
"이런 경우는 무엇입니까?"

그는 그에게 말했다.

"당신이 들은 그 좋은 소식이 당신의 살을 부풀게 했습니다. 그러니 만일 당신에게 적이 있으면 당신 앞에서 지나가게 하십시오. 당신의 살은 곧바로 치유되며 신발이 들어갈 것입니다."

그가 그렇게 하자 정말로 신발이 들어갔다.

그는 그에게 말했다.

"벤 자카이, 이 모든 지혜는 어디에서 오는 것입니까?"

그는 그에게 말했다.

"솔로몬의 지혜에서 온 것입니다. 그는 그의 지혜에서 그렇게 풀이했습니다. 그는 이렇게 말했습니다. '좋은 소식은 뼈를 기름지게 한다.'(잠언 15,30)"

그(베스파시아누스)는 그에게 말했다.

"당신의 질문을 말해보시오."

그는 그에게 말했다.

"나는 당신에게 야브네를 물어봅니다. 그래서 거기에서 내가 공부하고 옷자락 술을 만들고 토라에 있는 계명을 이행하려고 합니다."

그는 그에게 말했다.

"보시오. 그곳을 당신에게 선물로 주겠습니다."

이 일화에서 네로의 죽음 이후 곧바로 베스파시아누스 장군을 황제로 추대했다고 말하지만 실제 역사는 네로 황제가 죽자 로마 원로원은 혼란에 빠졌으며 68년 6월에서 69년 12월까지 세 명의 황제가 추대되었다. 그다음에 로마 원로원은 베스파시아누스 장군을 황제로 추대했다. 베스파시아누스 황제는 그의 아들 티투스 장군을 유대아 지방으로 보내 그의 임무를 완수하게 했다.

로마로부터 들은 좋은 소식 때문에 장군의 발이 부풀었다는 근거는 잠언 15,30에서 찾은 것이며 이 절호의 기회에 신발에 들어가는 기적이 일어났다. 좋은 소식은 뼈를 기름지게 하지 살을 기름지게 하는 것이 아니다. 랍반은 자기 성경해석이 옳다는 것을 입증하기 위해 로마의 적인 자기가 장군 앞을 지나가게 해달라고 말한 것이다. 그러면 장군의 부푼 발이 신발에 들어갈 수 있게 되는 기적이 일어나 장군은 랍반의 요구를 들어줄 수밖에 없을 것이다. 과연 랍반이 장군 앞으로 지나가자 그렇게 되었다. 성경해석으로 기적을 일으킨 사례다. 또한 랍반의 요구는 단지 토라 공부 때문이지 다른 반란의 의도는 아니라는 점을 성경 구절을 인용함으로써 그가 이해할 수 있도록 한 것이다.

베스파시아누스 장군은 요하난 랍반에게 자기를 만나러 와서 자기를 황제로 대접한 연유가 무엇인지 말해보라고 하자 그는 야브네에서 오직 토라 공부만 하며 살 수 있게 해달라고 요청했다. 야브네는 예루살렘에서 지중해 쪽으로 걸어서 반나절 거리에 있는 작은 마을이다. 요하난 벤 자카이 랍반은 바리새들을 야브네로 이주시켜 그곳에서 랍비들이 공부할 수 있는 터전을 만들겠다는 의지를 밝힌 것이다. 이렇게 하여 항쟁군에 동조하지 않았던 바리새들은 예루살렘을 떠나 로마의 진압을 피해 살아남을 수 있었다. 또한 그들은 야브네에서 바리새 유대교를 발전시켜 정통 랍비 유대교의 기반을 형성했다.

요하난 벤 자카이 랍반의 다섯 수제자들

요하난 랍반에게는 엘리에제르 랍비와 예호슈아 랍비 같은 다섯 수제자들이 있었다고 전한다.

요하난 벤 자카이 랍반에게 다섯 제자가 있었다. 그들은 아래와 같다.
엘리에제르 벤 후르카누스 랍비, 예호슈아 벤 하나니야 랍비, 요씨
하-코헨(사제) 랍비, 심온 네탄엘 랍비, 엘아자르 벤 아라크 랍비.
그는 그들의 장점을 열거했다.
엘리에제르 벤 후르카누스 랍비는 물방울 하나 낭비하지 않는 모르타
르를 바른 수조水槽다.
예호슈아 벤 하나니야 랍비. 그를 낳은 어머니는 복 받을 것이다.
요씨 하-코헨 랍비는 자비로운 자다.
심온 네탄엘 랍비는 죄를 두려워하는 자다.
엘아자르 벤 아라크 랍비는 넘쳐흐르는 샘이다.
그(요하난 랍반)는 말했다.
"만일 이스라엘의 모든 현자들을 천칭의 한쪽에, 그리고 엘리에제르
벤 후르카누스를 다른 쪽에 올려놓으면 그가 그들 모두보다 무겁다."
아바 사울이 그(요하난 랍반)의 이름으로 말한다.
"만일 이스라엘의 모든 현자들과 엘리에제르 벤 후르카누스를 천칭의
한쪽에, 그리고 엘아자르 벤 아라크를 다른 쪽에 올려놓으면 그가 그들
모두보다 무겁다."(《선조들의 어록》 2,8)

랍비 유대교의 전통은 이 수제자들에 의해 이어졌다. 그들 가운데 엘
리에제르 벤 후르카누스 랍비는 '물방울 하나도 낭비하지 않는 수조'
같다는 평판을 얻을 만큼 그의 선생들에게서 전해 들은 구전 토라를 모
두 온전히 전수했다고 일컬어졌다. 비록 요하난 랍반이 그를 다른 제자
들보다 더 중하게 여겼다고 해도 엘리에제르 랍비는 훗날 다른 랍비들
과 논쟁에 휩싸여 파문당했으며 결국 자신의 의견을 고집하다가 죽음

을 맞이하게 되었다.

"그를 낳은 어머니는 복 받는다"는 문맥은 복음서에서 찾아볼 수 있다. "당신을 배신 태와 당신에게 젖 먹인 가슴은 복됩니다."(누가 11, 27) 그를 낳은 어머니가 복 받을 수 있는 이유는 아래에서 찾아볼 수 있듯이 사람이 지지할 좋은 길은 '착한 친구'라고 예호슈아 랍비가 대답했기 때문이다. 누구에게 착한 친구가 될 수 있는 것은 타고난다는 뜻이다.(그 반대도 마찬가지겠다.)

아바 사울은 140~165년에 활동한 인물로 그의 직업은 무덤을 파는 장례사였다(아바 사울에게 랍비라는 칭호가 붙지 않은 것으로 보아 그는 랍비가 아니었다).

엘아자르 벤 아라크 랍비는 독창력이 풍부하여 신비주의에 전념했고 신비주의 문헌을 많이 연구했다. 엘아자르 랍비를 가리켜 '넘쳐흐르는 샘'이라는 표현과 관련하여 복음서에 기록된 "그러나 내가 그에게 주는 물은 그에게서 영원한 생명을 위해 물이 넘치는 샘이 된다"(요한 4,14)라는 예수의 말과 비교해볼 수 있다. 일부 랍비 유대교 사람들이 초대교회를 신비주의자들의 모임이라고 칭했던 것을 이해할 수 있다. 요하난 랍반이 그의 수제자들 가운데 엘아자르 랍비의 지혜를 가장 수승한 것으로 여긴 이야기는 신비주의 문헌을 이해하고 가르치는 일이 그만큼 어렵다는 뜻이다. 이들 다음 세대의 랍비들 가운데 신비주의에 통달한 인물은 아키바 랍비다(12장 〈'낙원에 들어간 네 명' 이야기〉 참조).

요하난 랍반이 그의 다섯 제자들에게 다음과 같이 질문하고 답하는 단락(《선조들의 어록》 2,9~14)에서 그들의 지혜와 성품을 알아볼 수 있다.

그(요하난 랍반)는 그들에게 말했다.

"나가서 사람이 지지支持할 좋은 길이 어떤 것인지 알아보아라!"

엘리에제르 랍비는 말한다. "착한 눈."

예호슈아 랍비는 말한다. "착한 친구."

요씨 랍비는 말한다. "착한 이웃."

심온 랍비는 말한다. "생길 일을 보는 자."

엘아자르 랍비는 말한다. "착한 마음."

그는 그들에게 말했다.

"엘아자르 벤 아라크의 말이 너희 말보다 더 나아 보인다. 그의 말에 너희 말이 포함된다."

그는 그들에게 말했다.

"나가서 사람이 멀리해야 되는 나쁜 길이 어떤 것인지 알아보아라!"

엘리에제르 랍비는 말한다. "악한 눈."

예호슈아 랍비는 말한다. "악한 친구."

요씨 랍비는 말한다. "악한 이웃."

심온 랍비는 말한다. "빌리고 갚지 않는 자. 사람에게서 빌린 하나는 하느님에게서 빌린 것과 같습니다. 이렇게 쓰여 있습니다. '사악한 자가 빌리고 갚지 않으며 의로운 자는 가엽게 여기고 준다.'(시편 37,21)"

엘아자르 랍비는 말한다. "악한 마음."

그는 그들에게 말한다.

"엘아자르 벤 아라크의 말이 너희 말보다 더 나아 보인다. 그의 말에 너희 말이 포함된다."

엘리에제르 랍비가 말한 '착한 눈'과 '악한 눈'에 대해서 잠언의 구절을 읽어볼 수 있다. "착한 눈을 가진 사람은 복 받을 것이다. 그는 빵을 가난한 자에게 준다"(잠언 22,9); "악한 눈을 가진 사람은 재산(돈벌이)에만 급급하며 궁핍이 그에게 올 줄은 알지 못한다."(잠언 28,22) 복음서에서는 착한 눈과 악한 눈의 상징성을 빛과 어둠으로 대비하여 설명한다. "몸의 등불은 눈입니다. 그러므로 당신의 눈이 온전한 것이면 당신의 온몸도 빛입니다. 그러나 당신의 눈이 악한 것이면 당신의 온몸도 어둠입니다."(마태 6,22~23) '등불'은 하느님의 말씀(토라)을 은유적으로 표현한 상징어. 몸의 등불인 눈이 온전하면 몸도 빛이라는 비유에서 '빛의 공동체'라는 의미를 살펴볼 수 있다. 엣세네 공동체나 예수 공동체는 자기 공동체를 '빛의 공동체'라고 불렀다. 등불의 비유에서 '몸'은 공동체를 가리키며 '눈'은 공동체를 이끌어가는 지도자들을 뜻한다. 따라서 지도자들이 온전해야 그 공동체/사회가 바를 수 있다는 말이다. 엘리에제르 랍비가 말한 '좋은(착한) 눈'은 좋은 지도자를 지칭한다.

요씨 랍비는 자비로운 자(하씨드)라는 평판을 받는 사람이다. 그는 착한 이웃에게 자비를 한껏 베푸는 사람인 것을 알 수 있다. 그러나 사람이 멀리해야 되는 나쁜 길이 악한 이웃이라고 말한 것을 보아 악한 이웃에게는 그렇지 않았을 것 같다.

심온 랍비는 죄지을까 두려워하는 사람이라고 말한 것처럼, 그가 선택한 좋은 길은, 자기가 하는 일에 일어날 결과를 내다보아, 죄짓지 않게 할 수 있는 사람을 말한다. 그래서 빌리고 갚지 않는 자를 죄짓는 길에 서 있다고 말한 것이다. 복음서에 "형제에게 행한 것은 곧 하느님에게 행한 것입니다"(마태 25,40), "여러분이 이 작은 내 형제들 가운데 하나에게 행하지 않은 것은 나에게 행하지 않은 것입니다"(마태 25,45)라는 예수의 가르침은 "사람에게 빌린 하나는 하느님에게서 빌린 것과 같다"는 심온 랍비의 언명과 비교된다. 심온 랍비가 말하는 '생길 일을 보는 자'는 계명을 잘 지키는 자를 뜻한다. 만일 계명을 잘 지키지 않으면 그 결과가 어떠한지 미리 알 수 있기 때문이다.

요하난 랍반의 질문에 대한 다섯 제자들의 답변과 아래와 같은 그들의 언명을 비교해보면 짧게 표현한 대답이 무슨 뜻인지를 살펴볼 수 있다.

> 그들은 세 가지를 말했다.
> 엘리에제르 랍비는 말한다.
> "네 동료의 귀중함이 네 것처럼 너에게 다정해야 한다.
> 쉽게 화내지 마라.
> 네가 죽기 전에 하루 회개하라.
> 현자들의 화로에 마주 앉아 몸을 따뜻하게 하라. 그러나 그들의 타는 숯에 데지 않게 조심할 것이다. 그들의 입맞춤은 여우의 입맞춤이고 그들의 침은 전갈의 침이며 그들의 속삭임은 독사의 속삭임이다. 그들의 모든 말은 불타는 숯 같다."

엘리에제르 랍비가 말한 '착한 눈'을 가진 사람은 '동료의 귀중함'을 자기의 것처럼 아는 사람이다. '눈'은 함께 공부하고 서로의 지식과 지혜를 보태주는 동료를 뜻한다. 그러나 동료들의 속삭임을 조심하라고 경고한다. 엘리에제르는 동료들과의 갈등으로 결국 추방당했다. 자기 동료들을 여우나 전갈과 독사 등으로 표현한 예를 복음서에서 읽어볼 수 있다(5장 〈일흔두 명의 제자들을 어디로 보냈을까〉 참조).

예호슈아 랍비는 말한다.

"악한 눈, 악한 성향, 인간들의 미워함은 세상에서 사람을 내쫓아버린다."

예호슈아 랍비가 대답한 멀리해야 할 나쁜 길인 '악한 친구'는 친구를 '미워하는' 악한 성향을 가진 사람을 말한다. "자기 형제를 미워하는 자는 누구나 살인자입니다. 살인자는 누구에게나 영원한 생명이 자기 안에 머무를 수가 없다는 것을 여러분은 압니다"(요한1서 3,15)라고 한 구절에서 이해할 수 있다.

요씨 랍비는 말한다.
"네 동료의 재물이 네 것처럼 너에게 다정해야 한다.
네 스스로 토라를 공부하려고 준비하라. 그것은 상속 받는 것이 아니다.
네 모든 행함은 하늘을 위한 것이다."

요씨 랍비가 대답한 '착한 이웃'은 자기 동료의 재물을 자기 것처럼 중히 여기는 사람이다. 엘리에제르 랍비의 글인 '동료의 귀중함'을 요씨 랍비는 '동료의 재물'로 바꾸어 말한 것이다. '재물'은 히브리어 마몬의 번역이다. 복음서에서 재물(마몬)에 관해 여러 번 언급한다. "불의한 이 재물(마몬)로 친구들을 만드시오. 그것(재물)이 없어질 때 그들은 그들의 영원한 초막에 여러분을 맞아들일 것입니다."(누가 16,9)

초기 유대교 당시 '누가 이웃이냐?'라는 주제가 큰 담론 가운데 하나였다. 요씨 랍비는 토라 공부를 함께하는 동료가 이웃이라고 피력한다. [반면, 엣세네 공동체나 초대교회에서는 한 공동체 일원을 이웃이라고 정의했다. 그냥 옆집에 산다고 그들이 이웃이라는 말은 아니다.

토라를 공부하는 것은 조상으로부터 상속 받는 것이 아니라는 언명은 세례자 요한의 회개 설교에서 읽을 수 있다. 요한에게 세례를 받으려고 오는 바리새들에게 그는 이렇게 말한다. "여러분 마음속에 우리에게 아브라함이란 조상이 있다고 생각하지도 말하지도 마십시오. 여러분에게 말하겠습니다. 하느님은 이 돌들에서 아브라함의 자손들을 일으키실 수 있습니다."(마태 3,9)]

"모든 행함은 하늘을 위한 것이다"라는 표현에서 '하늘'은 하느님을 가리킨다. 바울의 아래 글과 비교하면 분명해진다. "여러분이 먹든지 마시든지 무엇을 행하든지 모든 것을 하느님의 영광을 위하여 행하시오."(고린도전서 10,31)

> 심온 랍비는 말한다.
> "쉬마와 기도문을 읽을 때 조심하라.
> 기도할 때 네 기도를 일상적으로 하지 말고 편재하신 분 앞에 자비와 은혜를 (구하라). 이렇게 말한다. '그분은 은혜롭고 자비로우며 오래 참고 많은 자비를 베풀고 악한 자를 가엾게 여긴다'(요엘 2,13).
> 네 스스로 사악하다고 하지 마라."

계명을 지키는 것이 착한(바른) 길이라고 말한 심온 랍비는 일상적인 기도문을 읽을 때에도 반드시 하느님의 은혜를 생각하라고 말한다. 앞으로 생길 일을 볼 수 있기 때문에 만사에 조심하는 사람이다.

> 엘아자르 랍비는 말한다.
> "토라 공부를 꾸준히 할 것이다.

에피쿠로스파派에게 무엇을 답변할지 알아라.

네가 누구 앞에서 일을 하며 네가 일한다고 임금을 줄 고용주가 누구인
지를 알아라."

[에피쿠로스파는 고대 그리스 철학의 한 학파로 에피쿠로스(Epicurus
기원전 341~270년경)로부터 시작되었다. 그들은 인생의 최상의 목표는 쾌
락에 있으며 즐거움을 해치는 일을 하지 않아야 한다고 주장했다. 신神
들은 천체의 빈 공간에 영원히 쉬고 있으므로 인간들의 세상사에 관심
이 없고 사람들 또한 신들과 관계를 맺을 필요가 없다는 의견이다. 그
러나 랍비 유대교 문헌에서 에피쿠로스파는 로마 종교나 그리스도교
등 이교도를 통칭하는 이름으로 사용되었다. 70년 예루살렘 성전이 무
너진 후 특히 신비주의에 탐닉하는 랍비들이 배교하는 풍조가 생겼기
때문에 엘아자르 랍비는 이교도들의 유혹을 조심하라고 말한 것이다.]

'임금을 줄 고용주'라는 말에서 고용주는 하느님을 은유적으로 표현
한다. 자기가 섬기는 하느님이 누구인지를 바로 알라는 말이다. 하늘에
는 하느님과 그의 아들인 메시아 예수가 권한을 가지고 있다고 설파하
는 이교도(그리스도교인)에게 잘 대응해야 한다는 가르침이다(이교도와의 논
쟁에 대해 12장 〈'다른 이'가 보았다는 메타트론은 누구일까〉 참조).

요하난 랍반의 다섯 수제자들 이야기에서 네 수제자들이 말한 눈(지
도자)이나 친구, 이웃 그리고 법규주의자는 모두 엘아자르 랍비가 말한
'마음'에 달렸다고 이해할 수 있다. '착한 마음'은 토라 공부를 꾸준히
하여 늘 이교도들의 질문에 준비하는 것을 뜻한다. 하느님의 가르침을
항상 배우고 그 가르침의 정당성을 다른 이들에게 설명할 수 있는 가운
데 착한 마음이 이루어진다.

하니나 벤 도싸 랍비의 미드라쉬

하니나 벤 도싸 랍비의 유명한 미드라쉬 가운데 '지옥의 심판에서 사람을 구하는 자선은 오직 토라다'는 가르침이 잠언에 대한 미드라쉬 (성경해석서)에 전해진다.

> "재물은 진노의 날에 쓸모없다."(잠언 11,4)
> 그렇다면 그에게 무엇이 쓸모 있을까?
> (중략)
> 하니나 벤 도싸는 말했다.
> "지옥의 심판에서 사람을 구하는 자선은 오직 토라. 이렇게 말한다.
> '정의(자선)는 죽음에서 구한다.'(잠언 11,4)"《잠언 미드라쉬》 11,4)

하느님의 계명을 잘 지키면 자선을 행하려는 마음이 스스로 생길 것이다. 거룩하신 분의 영의 힘을 입어 치유의 기적을 일으켜 생명을 살리게 한 하니나 벤 도싸는 지옥의 심판에서 사람을 구하는 길은 자선이며 "정의(자선)는 죽음에서 구한다"는 문구를 인용하여 자선한 사람은 지옥의 심판에서 구제된다고 해석했다. 자선이 바로 토라(하느님의 가르침)임을 입증한다. 의로운 자선이 토라를 완성하는 길이다(정의/자선에 대해 5장, 〈일곱 가지 표징 일화〉, 〈세 번째 기적〉 참조).

예수는 그의 제자들에게 이렇게 가르쳤다. "여러분은 사람들에게 보이려고 그들 앞에서 자선을 행하지 않도록 조심하시오. 그렇지 않으면 하늘에 있는 여러분의 하느님에게서 보수를 받지 못합니다."(마태 6,1) 하느님에게서 받는 보수는 마지막 날 하느님의 심판에서 지옥에 떨어지지 않고 천국으로 가는 것이다. 자선을 하면 지옥에 떨어지지 않는다는 말이다. 토라를 공부하면 자선을 하게 된다는 가르침으로 이해할 수 있다.

《미쉬나》에 주술 행위에 대해 아래와 같이 규정하는 단락이 나온다.

《미쉬나》에서 가르친다.

유혹자는 이렇게 말하는 자다.

"우리가 가서 별들에게 예배드리자."

주술사는 만일 그가 (주술) 행위를 행했으면 벌을 받아야 한다.

그러나 만일 그가 단순히 착시를 일으키게 했으면 그렇지 않다.

별 모습의 신상에 숭배하는 것을 말한다. 여기서 주술사가 행하는 주술 행위는 신상 숭배의 종교 의례를 이행하는 것과 같다는 말이다. 이에 대한 탈무드의 해석에서 요하난 벤 자카이 랍비와 하니나 벤 도싸의 해석을 살펴볼 수 있다(《바빌로니아 탈무드》, 〈산헤드린〉 67a~68a).

게마라[02]

유혹자.

유다 랍은 랍의 이름으로 밝혔다.

여기에서 문제가 되는 것은 이방 도시의 유혹자다.

주술사.

만일 그가 (주술) 행위를 행했으면 벌을 받아야 한다. 바라이타에서는 이렇게 말한다. '여女주술사.' 그가 남자이든 여자이든 여주술사라고 말한다.[03] 왜냐하면 주술에 관련된 사람들이 대부분 여자이기 때문이다.

그들은 어떻게 처형되어야 하나?

갈릴리 사람 요씨 랍비는 말했다.

"이렇게 쓰여 있다. '너는 여주술사를 살려서는 안 된다.'(출애굽기 22,
17) 이렇게 말한다. '[그러나 주YHWH 하느님이 너에게 상속 재산으
로 주는 저 민족들의 도시에서,] 너는 어느 목숨도 살려서는 안 된다.'
(신명기 20,16) 거기(이방인의 도시)에서 칼로 (처형) 했던 것처럼 여기(여주
술사)에서도 칼로 (처형) 해야 한다."

아키바 랍비는 말했다.

"여기에 이렇게 쓰여 있다. '너는 여주술사를 살려서는 안 된다.'(출애
굽기 22,17) 그리고 거기에 이렇게 쓰여 있다. '([거룩한] 산에 손을 대지 말
것이다.) 사람이든 짐승이든 참으로 돌에 맞아 죽을 것이고 살지 못한
다.'(출애굽기 19,13) 거기(거룩한 산)에서 돌을 던졌던 것처럼 여기(여주술
사)에서도 돌을 던져야 한다."

요하난 (벤 자카이) 랍비는 말했다.

"왜 주술이라고 부르느냐? 왜냐하면 주술은 높은 곳의 모임에 도전하
기 때문이다. '주님YHWH이 바로 하느님이며 그분 이외에 다른 하느
님은 없다는 것을 너는 알 것이다. 그분은 하늘로부터 그분의 소리를
너에게 들려주었다.'(신명기 4,35~36)"

아래와 같은 이야기도 역시 주술에 관련된다.

어떤 여인이 하나나 (벤 도싸) 랍비의 발치 아래에서 흙 부스러기를 모
으기 위해 그에게 왔다.

그는 그녀에게 말했다.

"당신이 할 수 있으면 가서 그렇게 하시오. 참으로 이렇게 쓰여 있습니다. '그분 이외에 다른 하느님은 없다.'"

이것이 어떻게 가능할까?

요하난 (벤 자카이) 랍비가 이렇게 말하지 않았는가? '왜 주술이라고 부르는가? 왜냐하면 주술은 높은 곳의 모임에 도전하기 때문이다.' (그렇지만) 하나나 (벤 도싸) 랍비에게 그것은 별거 아니었다. 왜냐하면 그는 많은 공적을 쌓았기 때문이다.

주술을 행하는 사람은 하느님의 행함에 도전하는 것이다. 그러나 세상에 하느님은 하나밖에 없고 그가 바로 주主이며 따라서 주술 행위는 하나뿐인 하느님의 존재에 의심을 가지는 (혹은 부정하는) 또는 하느님의 권능에 도전하는 행위로 간주한다. 그러므로 주술 행위에 대한 처벌은 신상숭배를 행한 것과 같이 취급해야 한다는 점을 알 수 있다.

하나나 벤 도싸 랍비가 그 여인이 자기 발치 아래에서 흙 부스러기를 모으도록 내버려둔 것은 그가 그녀에게 주술 행위를 하라고 방조한 것이 아니냐는 반문이다. 그러나 그녀의 행위는 주술이 아니라고 말한다. 왜냐하면 그 여인이 그의 발치 아래에 쓸 글은 '그분 이외에 다른 하느님은 없다'라는 인용구이기 때문이다. 즉, 주술은 '높은 곳의 모임' (하느님과 천사들의 모임)에 도전하는 행위이다. 하나나 벤 도싸 랍비가 일으키는 기적은 주술이 아니라 하느님의 기적을 자기가 대신해서 일으키는 공적을 쌓았다는 말이다. 유대교에서는 사람이 공적을 많이 쌓으면 오는 세상에 몫을 얻는다고 말한다. 하나나 랍비가 그동안 쌓은 큰 공적으로 그 여인의 주술 행위는 그 위세를 펴지 못했다. 그리고 하나나 벤 도싸 랍비가 일으키는 기적은 그가 토라를 배우고 가르치며 큰 공덕을 쌓았기 때문에 가능하다는 말이다.

이 일화에서 주목할 부분은 랍비의 발치 아래에서 흙 부스러기를 모아 그것으로 주술 행위를 하려는 장면이다. 복음서에 전해진 '간음한 여인과 예수의 일화'에서 예수는 간음했다고 끌려온 여인 앞에서 몸을 숙여 땅에 무언가를 쓰고 있었다고 한다.

> 그때 서사들과 바리새들은 간음하다가 붙잡힌 여인을 데려와 가운데 세워놓고 예수에게 말했다.
> "교사님, 이 여자는 간음하다가 현장에서 붙잡혔습니다. 토라에서 모세는 이런 여자들은 돌로 치라고 우리에게 명령했습니다. 그런데 당신은 뭐라고 하시겠습니까?"
> 그들은 예수를 고발할 구실을 얻으려고 그분을 시험하여 이렇게 말한 것이다.
> 그러자 예수는 몸을 굽혀 손가락으로 땅에 무엇인가 썼다.
> 그들이 계속해서 물으니 예수는 몸을 일으켜 그들에게 말했다.
> "여러분 가운데 죄 없는 사람이 먼저 이 여자에게 돌을 던지시오."(요한 8,3~7)

바리새들이 예수에게 무슨 죄를 씌워 산헤드린에 고발하려고 이런 상황을 만든 것일까? 예수는 그들의 속셈을 알고 대답을 피하며 땅에 무엇인가 쓰고 있었다. 그래도 계속해서 물어보자 "세상에 죄짓지 않은 사람이 있나?"고 반문한다. 흔히 '간음한 여인과 예수'의 일화는 형벌보다는 자비를 베풀라는 이야기라고 이해한다. 과연 이 일화에서 죄 없는 사람이 이 세상에 있느냐고 반문하며 간음이나 도둑질 같은 중죄를 지어도 그들을 처벌하지 않는다면 어느 죄를 지어도 괜찮다는 말인가? 과연 간음해도 된다는 이야기인가? 도둑질해도 용서 받는다는 뜻일까? 그렇다면 살인해서는 안 된다, 거짓 증언을 해서도 안 된다 등과 같은 십계명을 어겨도 된다는 말이겠다. 토라의 가장 기본 원칙인 십계명을 무시한다면 얼마나 큰 혼란을 가져올 수 있겠는가!

간음한 여인에 대한 예수의 반문은 분명히 다른 의도가 있었을 것이다. 그 힌트는 그가 땅에 무엇인가 쓰고 있었다는 상황 설명에서 알 수 있다. 이 일화를 전하는 사람이 예수의 이러한 기이한 행동을 이야기하는 까닭이 있었을 것이다. 그가 땅에다 무엇을 썼는지는 알 수 없으나 그 행동이 무엇을 뜻하는지는 가늠할 수 있다. 위의 하나나 벤 도싸 랍비의 가르침과 비교해보면, 그 여인이 예수의 발치에서 흙 부스러기를 모으려 했고 예수는 그 여인의 행위를 깨뜨릴 수 있는 대응책으로 땅에 글을 쓰고 있었다고 짐작할 수 있다. 이렇게 재구성해보면 이 일화에서 간음했다고 붙잡힌 여인은 실상 주술 행위를 행한 여인으로 그녀의 죄목이 간음 행위라고 볼 수 있다. 여자가 신상숭배나 주술 행위를 했을 경우 유대교 문헌에서 그것을 간음 행위로 간주하는 것을 종종 읽을 수 있다.

바리새들은 그 간음한 여인의 주술과 예수의 기적 행위가 비슷하다는 결론을 기대했을 것 같다. 그러나 예수는 그 여인이 흙 부스러기를 모으려고 하자 땅바닥에 무엇인가 글을 썼다. 그것이 "그분 이외에 다른 하느님이 없다"는 성경 구절이 아닐까? 예수는 사람들에게 토라(하느님의 가르침)를 설명해주고 올바른 삶을 택할 수 있게 이끌었으며, 불구자들이나 병든 환자들에게 치유의 기적을 일으켜 자비와 자선을 베푸는 공동체 생활에 들어올 수 있도록 많은 공덕을 쌓았다. 그의 큰 공덕 때문에 그 여인의 주술 행위가 그의 권능을 위협할 정도는 아닐 것이다. 예수의 기적은 주술과 다른 범주의 것이라는 이야기다.

만일 그 여인이 글자 그대로 간음한 여인이라면 바리새들이 예수를 시험해볼 이유가 없다. 그냥 그녀를 사거리로 데려다가 돌로 쳐 죽이면 되었다. 문제는 예수를 곤경에 빠뜨리게 하기 위해 '간음한 여인'을 그 앞에 데려온 점이다. 그 여인이 신상에 주술 행위를 하여 잡힌 것으로 보고 만일 예수가 그 여인의 죄를 가볍게 여긴다면 예수도 그녀와 한패라고, 즉 예수도 주술사라고 고발하려는 의도였을 것이다.

두 분파로 나누어진 바리새들의 주장을 살펴보면 예수는 그들 가운데 힐렐파의 가르침을 배우고 자기 제자들에게도 가르쳤다고 볼 수 있다. 또한 이혼에 관한 예수의 견해가 샴마이의 주장과 비슷하다고 해도 힐렐의 제자들처럼 샴마이 제자들과는 관계가 나빴을 것이다. 특히 이 방인의 개종을 원천적으로 받아들이지 않는 샴마이의 견해는 예수의 관점에서 비판의 여지가 많다.

복음서에 예수에게 다가와 그를 시험하고 그와 언쟁을 일삼았던 바리새들은 샴마이의 제자들 같다. 또한 예수가 체포되어 산헤드린에서 심문을 받을 때 예수를 죄인으로 몰아붙인 바리새들도 샴마이파 사람들로 보인다. 그뿐만 아니라 빌라도 법정에서 그곳에 모인 군중에게 예수를 죽이라고 사주한 바리새 사람들도 그들인 것 같다. 당시 샴마이파의 세력이 힐렐파보다 더 강했음을 짐작할 수 있다.

하느님의 일에 부지런한 하니나 벤 도싸 랍비의 일화

하니나 벤 도싸 랍비는 병자를 치유하는 특이한 능력을 소유한 사람으로 유명했다. 탈무드에 이런 이야기가 전해진다.

랍비들이 가르쳤다.

감리엘 랍반의 아들이 아팠다. 그는 현자들의 학생 두 명을 하나나 벤 도싸 랍비에게 보내 그에게서 자비를 구했다. 그는 그들을 보자마자 지붕으로 올라갔다. 그러고는 그를 위해 자비를 구했다. 그가 지붕에서 내려와 그들에게 말했다.

"가십시오. 그의 열이 나갔습니다."

그들이 그에게 말했다.

"그렇다면 당신은 예언자입니까?"

그는 그들에게 말했다.

"나는 예언자가 아니며 예언자의 아들도 아닙니다. 나는 단지 이렇게 전해 받았습니다. 만일 내 기도가 내 입에서 흘러나오면 내 기도가 받아졌다는 것을 알고 그렇지 않으면 아닙니다."(《바빌로니아 탈무드》, 〈브라호트(축도)〉 34b)

복음서에도 예수가 병자를 직접 보지 않고도 치유한 이야기가 나온다. 예수가 가버나움(크파르나훔 '나훔의 마을')에 있을 때 어느 로마 군대의 백부장이 찾아와 그의 하인이 중풍으로 집에 누워 몹시 괴로워하고 있다고 말하며 그를 치유해달라고 하는 일화다.(마태 8,5~13) 하나나 벤 도싸 랍비의 일화와 비교해보면 예수는 백부장의 믿음을 듣고 치유의 기도가 그의 입에서 자연스럽게 흘러나온 것이다.

하나나 벤 도싸 랍비는 치유의 기적을 행사하는 권능뿐 아니라 하느님을 섬기는 일에도 열정적이었으며 학문에도 조예가 깊었다. 그의 가르침과 언행이 미드라쉬와 탈무드에 전해진다. 그는 매우 가난했으나 예루살렘 성전에 봉헌물을 바치는 일에 열심이었다고 한다. 아래 일화는《전도서 미드라쉬》에 편집된 이야기다.

"예루살렘에 (살던) 왕, 다윗의 아들 코헬렛(전도자)의 말씀이다."(전도서 1,1)

이것은 이스라엘의 왕 솔로몬에 의해 거룩하신 분의 영으로 쓰인 책에서 말한다. "자신 일에 빠른(부지런한) 사람을 보았느냐? 그는 왕들 앞에 나설 것이다."(잠언 22,29)

하니나 벤 도싸 랍비의 일화다.

그는 그의 도시민들이 서원물과 봉헌물을 가지고 예루살렘으로 올라가는 것을 보았다.

그는 말했다.

"모두들 서원물과 봉헌물을 가지고 예루살렘으로 올라가는데 나는 가지고 갈 헌물이 없구나."

그는 무엇을 했을까?

그는 도시 밖 광야로 나가 거기에서 큰 돌 하나를 보았다. 그는 그것을 깎고 마무르고 닦았다. 그리고 그는 "이제 이 돌을 예루살렘으로 옮겨야겠다"고 말했다.

그가 그것을 운반할 일꾼을 구하자 다섯 사람이 해보겠다고 나섰다. 그는 그들에게 말했다.

"여러분은 나를 위해 이 돌을 예루살렘으로 옮기겠습니까?"

그들은 그에게 말했다.

"우리에게 5셀라를 주십시오. 그러면 그것을 예루살렘으로 옮기겠습니다."

그는 그들에게 돈을 주려고 했으나 그때 그의 손에는 한 푼도 없었다.

그들은 떠났다.

찬미 받으시는 거룩하신 분이 그에게 다섯 천사들을 사람의 모습으로 나타나게 했다. 그는 그들에게 말했다.

"여러분은 나를 위해 이 돌을 예루살렘으로 옮기겠습니까?"

그들은 그에게 말했다.

"우리에게 5셀라를 주십시오. 당신의 돌을 예루살렘으로 옮기겠습니다. 그리고 당신이 우리와 함께 손과 손가락을 잡는다면 그렇게 하겠습니다."

그는 그들과 함께 손과 손가락을 잡았으며 이미 예루살렘에 서 있는 것을 알게 되었다. 그는 그들에게 임금을 주려고 했으나 그들을 찾지 못했다. 그는 성전 강당 안으로 들어가 그들에 대해 물어보았다.

그들은 말했다.

"아마도 시중드는 천사들이 당신의 돌을 예루살렘으로 옮겼을 것 같습니다."

그리고 그들은 성경의 이 구절을 읽었다. "자기 일에 빠른 사람을 보았느냐? 그는 왕들 앞에 나설 것이다." 여기에서 "그는 천사들 앞에 나설 것이다"고 읽는다.

하니나 벤 도싸 랍비의 일화는 자신의 일에 부지런한 사람은 왕들 앞에 나간다는 잠언에 대해 이야기한다. 그는 하느님의 일에 바쁜 사람인데 (하느님의 법을 배우고 가르치는 일에 부지런하다는 말이다) 명절이 되어 하느님 앞에 나가 봉헌물을 바쳐야 했다. 예루살렘 성전이 무너지기 전까지 유대인들은 일 년에 세 번, 유대교의 큰 명절(유월절, 칠칠절, 초막절)에 예루살렘 성전에 봉헌물을 바쳤다. 그는 매우 가난하여 봉헌물을 살 만한 돈이 없었다. 그래서 그는 광야에서 큰 돌을 찾아 정성을 다해 다듬어서 그것을 성전 봉헌물로 바치려고 했다. 그런데 그 돌을 혼자 힘으로는 운반할 수가 없어서 일꾼들을 불러 운반해달라고 요청한 것이다. 그러나 일꾼들이 요구한 임금이 그의 수중에 없다는 것을 알고 그들은 떠났다.

1셀라(쉐켈)는 4데나리온이다. 당시 일꾼의 하루 임금은 1데나리온 정도였다. 하나나 벤 도싸 랍비가 다듬어 만든 무거운 돌을 예루살렘으로 운반하기 위해서는 4일이 걸릴 것이라고 본 듯하다. 그가 큰 돌을 발견한 광야는 갈릴리 근처인 것 같다.

가난한 하나나 벤 도싸 랍비는 운반 비용이 없어 봉헌물을 바칠 수가 없었다. 그런데 천사들이 사람의 모습으로 나타나 자기들과 함께 손을 잡고 돌을 옮기겠다고 하면 그렇게 할 수 있다고 말한다. (사람들과 함께 손을 잡고 일을 하겠다는 것은 그가 그들에게서 배우겠다는 뜻을 내포한다.) 그들은 함께 그 돌을 예루살렘 성전으로 옮겼으며 천사들은 하늘로 올라가버렸다.

하나나 벤 도싸 랍비는 비록 가난하지만 언젠가 그들에게 임금을 줄 것이라며 예루살렘 성전의 강당에 들어가 그들을 찾았다. 예루살렘 성전의 강당은 산헤드린이 열리곤 했던 곳이다. 그는 산헤드린에 모인 현자들과 랍비들, 원로들 앞에서 그들에 대해 문의한 것이다. 산헤드린의 현자들은 그가 일꾼들과 함께 손을 잡고 돌을 운반했다는 것을 파악하고 그가 지혜로운 사람이라고 판단했다.

초기 유대교 문헌에 "누가 지혜로운 사람인가? 누구에게서나 배우는 사람이다"라는 문구가 자주 인용된다. 산헤드린의 의원들은 하나나 벤 도싸 랍비가 하느님의 일에 부지런한 지혜로운 자임을 알고 잠언 문구를 인용하며 그와 함께 돌을 운반한 사람들이 천사들이었다고 가르쳐 준다. 그런 해석의 근거는 '왕들(מלכים 말라킴)'과 '천사들(מלאכים 말아킴)'의 각 단어의 글자는 다르지만 발음이 비슷하다는 점에 있다. 즉, 천사들의 도움으로 봉헌물을 성전에 바칠 수 있었다는 이야기다.

기원전 2세기 중반부터 100여 년 동안 이스라엘 땅에 살던 유대인 사회에서는 서로의 종교적 신념이 대립되며 그 갈등이 해소되지 못하고 사두개, 엣세네, 바리새, 열심당 등 여러 분파들이 서로를 질시하는 혼란한 상황이었다. 바리새들은 샴마이와 힐렐파로 갈라져 서로 적대시했다. 예수 공동체의 기원은 이러한 시대상에서 찾아볼 수 있다. 예수 공동체는 바리새 유대교에서 나온 공동체가 아니다. 예수 공동체(초대교회)는 바리새 유대교(랍비 유대교)와 대립하면서 독자적인 종교관을 내세우고 발전된 종교 공동체다.

이들 분파들이 자기들의 이념을 주장하며 서로 논쟁하고 질시하는 이야기들이 잘 나타나 있는 문헌 가운데 하나가 신약성경이다. 특히 복음서에 나오는 이야기들 가운데 예수의 성경해석이 여러 분파의 해석과 상치하는 문제가 자주 일어났고 이로 인해 심각한 논쟁이 많았다는 것을 쉽게 볼 수 있다.

바리새나 사두개 사람들과 예수 사이의 갈등은 결국 예수의 죽음을 초래했다. 예수를 죽음으로 몰아넣는 데 보이지 않게 큰 역할을 한 공동체는 예수의 언행에 큰 불만을 가지고 있던 엣세네 지도자들이다. 신약성경에는 엣세네라는 단어가 나오지 않지만 엣세네 공동체의 문헌에서 사용된 단어들과 문구들을 신약성경의 것들과 비교해보면 서로 연관된다는 점을 충분히 알 수 있다. 예수는 힐렐파에 동조하고 샴마이파 바리새들과 등졌으며 또한 엣세네와 큰 갈등을 일으켰다. 이러한 관점에서 예수의 죽음을 초래하게 된 직접적인 동기가 무엇이었는지를 찾아보는 작업은 메시아 예수의 전기를 이해하는 데 큰 도움이 될 것으로 보인다.

03

'진리'라고 불리던
사악한 사제는 누구였을까

초기 유대교 사회에서 '진리'
라는 단어가 어느 특정한 콘텍스트에서 하느님의 말씀(토라)을 뜻한다는 것 정도는 누구
나 잘 알고 있었다. 토라가 진리이기 때문에 토라 공부를 통해 구원의 길을 걸을 수 있다
고 랍비들은 이야기했다. 엣세네 사제들도 하느님의 말씀은 진리며 그 진리를 공부함으
로써 마지막 심판의 날에 하느님의 편에 설 수 있다고 설파한다. 예수 공동체도 마찬가
지다.

그런데 엣세네 공동체에 '진리'라는 이름으로 불릴 정도로 유망한 사제가 있었는데 그가 지도자가 되어 활동하다가 돌연 공동체를 배신했다고 그를 신랄하게 비난하는 성경해석서가 있다. 그는 산헤드린 재판에서 심문을 받고 고통으로 죽어갔다고 말한다. 그 '진리'라고 불리던 사악한 사제는 역사적으로 누구를 말하는 것일까? 하는 질문이 생긴다. 그 당시 엣세네 공동체와 교리가 다르다는 이유로 추방된 어떤 사람일 터인데, 누구였을까?

하박국서 해석

예수는 '진리'라는 이름으로도 불리었고 바리새와 사두개뿐 아니라 엣세네와 성경해석에 있어 서로 다른 견해로 자주 논쟁을 했다. 엣세네의 성경해석자는 하박국서를 해석하며 '진리'라고 불리는 사제를 주목하고 그를 신랄하게 비난했다. 과연 엣세네 해석자가 그 사악한 사제를 예수라고 지목하며 그의 삶과 죽음을 하박국서에서 이해하려고 했을까? 그 사악한 사제에 대해서는 엣세네의 〈하박국서 해석〉에서 찾아볼 수 있다. 〈하박국서 해석〉(viii 1~x 13)을 읽어보면서 예수의 이야기와 비교하여 살펴보기로 한다.

['의로운 자는 그의 믿음으로 산다.'](하박국 2,4)
그 해석. 유다 가家에서 토라를 행하는 자들에 관한 것이다.
그들의 노고勞苦와 '의로운 교사'에 대한 그들의 믿음 때문에 하느님은 심판의 집에서 그들을 구원한다.

엣세네 공동체는 자신들을 유다 지파의 자손들이라고 불렀다. 엣세네 사람들은 토라를 공부하는 노고와 엣세네 창시자인 '의로운 교사'의 가르침에 대한 믿음으로 하느님의 심판의 날에 구원 받을 것이라는 해석이다. ['의로운 교사(모레 하쩨덱)'라는 이름은 창세기 '멜키쩨덱(나의 왕은 의롭다)'의 전승에서 찾아볼 수 있다. '모레'는 '교사, 선생'이라는 뜻이다.]

'더욱이 오만한 어른은 재산을 빼돌리고 거주하지 않는다.
그의 숨통은 지옥처럼 넓게 열려 있고 그는 죽음처럼 만족하지 않는다.

모든 민족들은 그에게 소집되며 모든 백성들은 그에게 모인다.

그들 모두가 그에 대해 비유를 들며 수수께끼로 그를 조롱하며 말한다.

불쌍하구나! 자기 것이 아닌 것으로 치부하는 자여!

언제까지 그는 저당으로 자기를 무겁게 하느냐?'(하박국 2,5~6)

그 해석. 사악한 사제에 관한 것이다.

그가 일어서기 시작할 때 그는 '진리'라는 이름으로 불리었다.

그가 이스라엘을 지배할 때에 그의 마음은 교만해져 하느님을 떠났으며 재산 때문에 법규들을 배반했다.

그는 하느님에게 반동을 한 폭력배들의 재산을 훔쳐서 모았다.

죄짓는 죄를 그에게 더하면서 백성의 재산을 가져갔다.

그는 온갖 더러운 불결함 가운데에서 불경한 길을 살았다.

사제가 일어서기 시작할 때는 사제직을 취득하고 공동체 일을 담당하기 시작할 당시라는 말이다. 엣세네 공동체에는 네 종류의 계층이 있었다. 사제들, 레위인들, 이스라엘의 자식들(평신도와 같은 공동체 일원), 개종자들의 순서다. 사제는 스무 살이 넘어야 공동체 일을 하며 자기가 쌓은 능력이 단합체 의회에서 인정되면 사제직을 받았다.

엣세네 공동체 사람들에게서 '진리'라는 호칭을 얻을 정도로 신망이 두터웠을 사제가 교만하게 되어 공동체를 떠났다는 말이다. 마음이 교만한 것은 공동체의 가르침에 준하지 않고 자신의 성경해석을 주장한다는 뜻이다. 그래서 사제들 사이에 갈등이 있었을 것이고 결국 그는 엣세네를 떠났다는 이야기다. 심각한 문제는 그들의 입장에서 보면 사악한 사제가 재산을 훔쳐갔다는 것이다. 그가 공동체의 재산을 도둑질했다는 말은 불가능하다. 왜냐하면 공동체 재산은 대사제 등 최고 권력

자들이 관리하기 때문이다. 실상은 사악한 사제가 백성(공동체 사람들)의 재산을 가져갔다는 말이다. 다시 말하면 그가 엣세네 공동체 사람들을 유혹해서 자기 공동체로 전향하게 했다는 뜻이다(9장 〈착취와 부정으로 가득 찼다〉 참조). 그가 불경한 길을 살았다는 말은 그가 엣세네의 할라카를 따르지 않았다는 것이다.

> " 갑자기 너의 고리대금업자들이 일어나 너를 흔들어대는 자들을 깨워 너는 그들에게 선동자가 되지 않았느냐?
> 너는 많은 민족들을 꾀어내었으며 나머지 모든 백성들은 너를 약탈할 것이다."(하박국 2,7~8)
> 그 해석. [하느님에게] 반동하고 [하느님의] 법규를 [어긴] 사제에 대한 것이다. […]
> 그들은 사악한 재판으로 그가 당하게 했다.
> 그들은 악한 질병의 공포를 그에게 일으켰으며 그의 살[처]을 시체로 보복했다.

'진리'라는 그 사악한 사제는 엣세네 공동체의 재판이 아니라 그들의 사악한 재판에 넘겨져 사형 판결을 받았는데, 그가 선동자가 되었기 때문이라고 말한다. 그 선동자는 죽어가면서 공포에 질려 있었으며 그의 살에 상처를 받아 시체가 되었다는 해석이다('선동자'에 대해 10장 〈유다의 입맞춤〉 참조).

'그들의 사악한 재판'은 엣세네가 적대시하는 사람들의 재판을 뜻한다('그들'은 엣세네가 아닌 다른 사람들을 가리킨다). 만일 엣세네의 재판에서 그가 판결을 받았으면 '사악한 재판으로 그가 당하게 했다'고 말하지 않는다. '그들의 사악한 재판'은 엣세네가 아닌 재판을 뜻한다. 그 당시 재판을 관장하는 기관은 예루살렘의 산헤드린과 로마 총독이 주관하는 로마식 법정이 있었다. 예수야말로 산헤드린과 로마 총독 빌라도의 법정에서 심문을 받았고 처형되었다(10장 〈산헤드린의 심문에서 십자가의 죽음까지〉 참조).

'악한 질병의 공포'는 아마도 십자가형을 말하는 듯하다. "그들은 그의 살[肉]을 시체로 보복했다." 그들이 그 사악한 사제의 몸에 상해를 입히게 했다는 말이다. 이는 예수가 십자가에서 흘린 피를 연상할 수 있다.

> "사람(아담)의 피(흘림)와 땅의 부정不正으로 인해 성읍과 거기에 사는 모든 거주민들(이 너를 약탈할 것이다)."(하박국 2,8)
> 그 해석. 사악한 사제에 대한 것이다.
> 그가 의로운 교사와 그의 의회 사람들에게 지은 죄로 하느님은 그의 적들의 손에 그를 넘겨주었다.
> 그는 응징 받을 것이며 그의 선택 받은 자들을 사악하게 했기 때문에 목숨의 쓰라림으로 시간을 보낸다.

'사람(아담)의 피(흘림)와 땅의 부정不正으로 인해'는 노아의 홍수 이야기에 나오는 단락과 비교된다. "하느님은 땅을 보았다. '보아라. 부패되었다. 참으로 온갖 살[肉]이 땅 위에서 그 도리(길)를 부패시켰다.' 하느님이 노아에게 말했다. '온갖 살의 마지막이 내 앞에 왔다. 땅은 그들로 인하여 부정으로 가득 찼다. 보아라. 내가 그들을 이 땅과 함께 휩쓸어버리겠다.'(창세기 6,12~13)" 사람들이 땅의 도리를 어겼다는 말이다.

'땅의 도리'는 사람들이 살면서 지켜야 할 규범을 말한다. ['부정'이라고 번역한 단어(하마스)는 폭력적인 부정을 뜻한다.] 하느님이 심판하는 마지막 시대는 폭력적이고 부정부패한 사회라는 해석이다.

사악한 사제가 '의로운 교사'와 그의 의회의 원로들에게 지은 죄는 의로운 교사가 정해놓은 법규를 어기며 공동체 사람들에게 자신의 성경해석을 가르쳤다는 것이다. 그 당시 '엣세네의 적들'은 로마뿐 아니라 바리새와 사두개다. '그들의 적들의 손에 그를 넘겨주었다'는 해석은 그 사악한 사제가 예루살렘의 산헤드린에서 재판을 받게 되었다는 이야기다. '그(의로운 교사)의 선택 받은 자들'이란 의로운 교사의 후계자들을 가리킨다. 즉, 엣세네 지도층이다. '그의 선택 받은 자들을 사악하게 만들었다'는 말은 그 사악한 사제가 엣세네 공동체의 지도자들(교사들과 사제들)을 꾀었다는 뜻이다.

'목숨의 쓰라림으로 시간을 보낸다'는 말은 그 사악한 사제는 그의 적들인 바리새나 사두개(사제들)와 로마에 넘어가 고통 속에서 죽어갔다는 말이다. 예수 이야기와 비교하면 예수는 그의 적들인 바리새와 사두개 그리고 끝내 로마 총독의 손에 넘어가 십자가에 매달려서 목숨의 쓰라림 속에 몇 시간을 보냈다는 이야기와 상응한다(10장 〈목숨의 쓰라림을 달래준 식초〉 참조).

이렇게 말한다.

"너는 많은 민족들을 꾀어내었으며 나머지 모든 백성들은 너를 약탈할 것이다."(하박국 2,8)

그 해석. 예루살렘의 마지막 사제들에 대한 것이다.

그들은 백성들을 약탈한 재산과 수익을 모은다.

마지막 시대에 그들의 약탈물과 재산을 키팀(로마) 군대의 손에 넘겨준다. 그들이 백성들의 남은 자이기 때문이다.

예루살렘 성전의 사제들은 복음서에서 말하는 사두개를 가리킨다. 그 사제들이 이스라엘 백성들에게서 획득한 재산을 그들의 출세를 위하여 로마 집정자들에게 뇌물로 주었다는 뜻이다. 역사적으로도 사두개들은 로마 총독들에게 많은 뇌물을 주었다.

"불쌍하구나! 그의 집안에서 악한 이득을 얻는 자여!
악한 자의 손바닥에서 피신하려고 높은 곳에 그의 보금자리를 치는구나.
너는 너의 집안에 부끄럼으로 조언했으며 많은 백성들을 잘라버림으로써 네 영혼에 죄지었다.
벽에서 돌이 외치며 목재에서 들보가 대답한다."(하박국 2, 9~11)
[그 해석. …]
그 돌들은 착취당하며 그 목재의 들보는 잘려진다.

'벽에서 돌이 외친다'는 문구에 대한 해석 부분이 많이 훼손되어 문맥을 이해하기에는 어렵지만 '그 돌들은 착취당하며 그 목재의 들보는 잘려진다'고 풀이한 점은 설명이 가능하다. '돌들'은 백성을 뜻하며 '벽에서'에 대한 해석 부분은 없어졌지만 아마도 예루살렘 성벽으로 해석했을 것 같다. 그 사악한 사제가 예루살렘의 엣세네 거주민들을 착취할 것이고 그 들보, 즉 그 사악한 사제는 죽임을 당할 것이라는 말이다. 사악한 사제가 바로 그가 이끄는 새로운 공동체의 들보이며 그가 예루살렘에 와서 엣세네 공동체를 미혹하게 만들었다는 해석이다.

이렇게 말한다.

"많은 백성들을 잘라버림으로써 네 영혼에 죄지었다."(하바쿡 2,10)

그 해석. 하느님이 많은 백성들 가운데서 그분의 심판을 내릴 심판의 집에 대한 것이다.

그분은 그곳(심판의 집)에서 심판을 들고 와 그들 가운데서 그가 사악함을 알리며 유황의 불로 그를 심판한다.

'진리'라 불리는 사악한 사제가 하느님의 심판을 받을 것이라는 해석이다. 하느님이 그의 사악한 점을 열거하여 백성에게 알린다는 점이 주목할 부분이다. 초기 유대교 미드라쉬에 보면 심판의 날에 하느님의 시중을 드는 천사들이 하느님 앞에 심판 받을 사람에 대한 기록을 들고 와서 읽으면 하느님은 그에게 판결을 내린다고 이야기한다. 잠언 미드라쉬에서 이렇게 말한다. "정직한 사람들은 그렇게(정직하게) 걷는 사람이며 그들은 넘어지지 않는다. 이처럼 재판을 진리대로 처리하는 자는 심판의 날에 넘어지지 않는다. 시중드는 천사들이 그 결과에 대해 가르친다."(《잠언 미드라쉬》 1,3)

심판의 날에 넘어지는 사람은 토라를 지키지 않은 죄인이며 천사들이 그의 죄상을 사람들에게 알리어 그런 죄를 짓지 말라고 가르친다. 그 사악한 사제는 심판의 날에 죄인으로 판결 받고 그는 지옥의 불에 떨어진다고 이야기한다.

'심판의 집'은 산헤드린을 가리킨다. 산헤드린에서 그 사악한 사제가 저지른 죄목들을 심문한다는 것이며 그가 사악한 죄를 지었다고 단정하여 그의 사악함을 공개적으로 보여준다는 뜻이다. 이 해석을 예수의 경우와 비교해볼 수 있다(10장 〈무엇이 신성모독이라는 말일까〉 참조).

"유황의 불로 그를 심판한다." 성경 구절을 잘못 해석하는 죄를 지은 사람이 지옥에 떨어지는 심판을 받는 것은 당연하겠다. '유황의 불'로 심판 받는 장면은 신약성경의 마지막 책에서 볼 수 있다(12장 〈악마는 불과 유황의 못에 던져졌다〉 참조).

"불쌍하구나! 피로 도시를 짓는 자여!
죄를 범하여 마을을 세운다.
보아라, 백성들이 불(에 타기) 위해 일을 감당하며 민족들은 빈 것을 위해 노력한다."(하박국 2,12~13)
그 해석. 거짓 설교자에 대한 것이다.
그는 무리를 잘못 이끌어 헛된 도시를 피로 세우며 속임으로 공동체를 설립한다. 그 영광을 위해 대중이 헛된 작업을 감당하게 하고 속임의 행위로 그들에게 지시한다.
불의 심판에 오게 되어 그들의 소득은 빈 것이 되고 그들은 하느님의 선택된 자들을 비방하고 모욕한다.

'거짓 설교자'는 그 사악한 사제를 가리킨다. '헛된 도시'는 그가 시작한 공동체를 말한다. '헛된' 것은 모세의 토라를 어기는 잘못을 뜻한다. '헛된 도시를 피로 세웠다'는 것은 피로 언약을 맺는 공동체를 세운다는 뜻이다. '무리'는 그 사악한 사제를 따르는 사람들이다. '속임'의 구체적인 내용은 엣세네의 규례를 어기는 언행이다. 그 사악한 사제의 속임의 행위로 엣세네 사람들을 미혹하게 만든다고 엣세네 사제들은 그와 그 무리를 경계했으며 엣세네의 최고의회에서 그를 사악한 사제로 단정했고 결국 그를 추방해야 한다는 판결을 내렸을 것이다.

그 사악한 사제가 피로 공동체를 세웠다는 말이 무슨 뜻일까? 예수 전기와 비교해보면 '피로 공동체를 세우는' 광경을 최후 만찬에서 찾아볼 수 있다. "이는 내 피입니다. 새 언약의 피입니다. 무리를 위해 쏟는 것입니다."(마가 14,24) 여기서 '무리'는 예수 공동체를 가리킨다(9장 〈살과 피로 세운 새 언약의 공동체〉 참조).

사악한 사제가 헛된 도시를 세운다는 것은 그가 모세의 토라에 어긋나는 성전을 세운다는 뜻이다. 즉, 성전 도시를 뜻한다. 엣세네 사람들은 성전 도시를 매우 거룩한 곳으로 여겼다. "사람은 성전 도시에서 여자와 잠자리를 하지 않는다. 그들의 더러움으로 성전 도시를 부정하게 만든다."(〈새 언약의 규례〉 xii,1) 그래서 엣세네 해석자는 '도시'라는 표현을 사용했다고 본다.

예수 공동체는 성전의 청사진으로 출애굽기에 제시한 설계도에 따라 세우지 않았다. 초대교회는 신도들이 모이는 장소로 예루살렘 성전의 평면도와 다르고 또한 그 모임의 성격도 판이하다. 교회는 예수를 주±(아돈)로 고백하고 예수의 몸과 피를 기억하기 위해 사도들이 사제 역할을 하며 '빵과 포도주'의 성찬예식을 하는 공동체다(10장 〈사흘 안에 세울 수 있는 아담의 성전은 무엇일까〉 참조).

엣세네의 입장에서 보면 예수가 자기의 몸과 피로 새 언약을 맺는다고 말하는 것은 무리를 잘못 이끄는 언행이기 때문에 '헛된 도시를 세운다'고 비판한 것이다. (십계명 3항은 'YHWH의 이름을 잘못되게 외치지 않을 것이다'고 말하는데 이는 하느님의 이름을 헛되이 부르는 언행을 뜻한다.) 초기 유대교 문헌에 잘못되는 것을 헛된 것으로 표현하는 단락을 종종 읽을 수 있다. 모세의 토라(법규)를 어기는 언행을 헛되다고 말한다. 엣세네 해석자는 이렇게 다른 점을 그 사악한 사제가 무리를 잘못 이끌어 피로 언약을 맺는 헛된 도시를 세운다고 비난했다.

'피로 헛된 도시를 세웠다'는 내용은 예수의 최후 만찬에서 피로 언약을 맺었다는 것과 비교되며 또한 그의 제자들이 이끄는 교회가 예수의 십자가의 피로 새로운 신앙관을 가지게 되는 것과도 비교할 수 있다. 예수의 죽음(피 흘림)으로 교회(헛된 도시)를 세웠다는 내용을 반영한다고 이해할 수 있다.

〈하박국서 해석〉에서 '그(사악한 사제)가 속임으로 공동체를 설립한다'고 해석했다. 이 해석은 "죄를 범함으로 마을을 세운다"하박국 2,12)에 대한 것이다. 그 사악한 사제가 엣세네 무리를 속여서 공동체를 세웠다는 이야기인데, 도대체 무슨 속임수를 말하는 것일까? 그 해답은 엣세네 공동체를 세운 목적에서 찾아볼 수 있다. 왜냐하면 그 사악한 사제가 세운 공동체는 엣세네 공동체의 목적과 비슷하지만 속인 부분이 있기 때문이다. 잘못이 아니라(즉, 모세의 토라를 어긴 것이 아니라) 무리를 속인 것이라는 말이다(여기서 '무리'는 엣세네 사람들의 모임을 가리킨다).

요한이 전한 복음서에 따르면 예수에 대해 엇갈리는 평판이 있었다는 것을 알 수 있다. 초막절이 되어 예수는 예루살렘으로 올라갔다. 예수에게 반감을 가지고 있는 유대인들이 축제 기간 동안에 그곳에 올라온 예수를 찾으러 다녔다. "그에 대해서 군중들 사이에 으르렁거리는 소리가 많았다. 그가 좋다고 말하는 이들이 있었고 다른 이들은 '그렇지 않다. 그는 백성을 속인다'고 말했다."(요한 7,12) 사람들에게 그가 메시아라고 거짓말한다는 것이다.

예수가 죽은 후의 이야기에서도 공동체를 세운 사람이 속임수로 사람들을 속인다는 해석을 읽을 수 있다. 예수가 십자가에서 죽었다고 알려지자 사제장들과 바리새들이 빌라도에게 가서 이렇게 말한다. "우리의 주군이여, 우리는 그 사기꾼이 살아 있을 때 '나는 사흘 후에 일어난다'고 말한 것을 기억합니다."(마태 27,63) (10장 〈그 사기꾼이 "나는 사흘 후에 일어난다"고 말했다〉 참조.) 엣세네 해석자가 그 사악한 사제는 속임으로 공동체를 설립한다고 말한 것으로 보아 예수를 사기꾼이라고 말한 것을 이해할 수 있다.

이와 같이 '진리'라고 불리는 사악한 사제가 속임으로 공동체를 설립한다고 해석하는 엣세네 해석자의 관점을 예수의 전기에서 어느 정도 찾아볼 수 있다. 하박국서의 해석이 글로 쓰이기 전에 엣세네 지도자들은 '진리'라고 불리는 사악한 사제 예수가 엣세네 사람들을 미혹시켰다고 비난했음을 짐작할 수 있다. 엣세네의 성경해석자들은 예수가 사악한 사제며 거짓 메시아임을 성경에서 입증하기 위해 부단히 노력했으며, 하박국서에서 그 실마리를 잡아 예수가 유다의 입맞춤으로 붙잡히게 된 과정부터 십자가형에 처해져 죽을 때까지를 해석했다고 가정해 볼 수 있다.

"나는 길이고 진리며 생명입니다" 요한 14,6

예수가 그의 제자들과 함께 최후 만찬을 한 다음, 그는 그의 제자들을 데리고 올리브 산으로 떠나갔다. 그때 베드로는 예수에게 이렇게 질문한다. "선생님(아도네누), 어디로 가십니까?" 예수는 그에게 "내가 가는 곳에 당신이 지금은 따라올 수 없으나 나중에는 따라올 수 있습니다"라고 대답했다. 베드로가 말했다. "선생님(아도니), 왜 지금은 내가 따라갈 수 없습니까? 나는 당신을 위해 내 목숨을 바치겠습니다."(요한 13,36~37) (이런 대화는 요한복음에만 전한다.) 그러자 예수는 이 밤에 닭이 세 번 울기 전에 그가 자기를 세 번이나 부인할 것이라고 예고한다.(마태 26,34; 마가 14,30; 누가 22,34; 요한 13,38) 그리고 나서 그들은 겟세마네와 기도했다. ['아도네누'는 '우리의 주(아든)', '아도니'는 '나의 주(아든)'라는 뜻이며 이런 호칭은 존칭이다. 이를 그리스어로 '주(主, κύριος)'라고 번역하였기 때문에 흔히 '주님'이라고 옮긴다. 초대교회 교부들의 신학적 관점에서 보면 이러한 번역은 타당하겠다. 그러나 당시 일상용어의 관점에서 보면 이는 상대방을 존중하는 뜻이며 우리가 사용하는 존칭인 '선생님'이라고 옮겨볼 수 있다.]

겟세마네 동산은 예수가 홀로 기도하기 위해 즐겨 찾던 곳처럼 보인다. "그(예수)는 (거기서) 떠나 습관대로 올리브의 집(이라고 불리는) 산으로 갔다."(누가 22,39) 복음서에는 예수와 제자들이 기도했다고 하는데 요한 복음서의 순서를 읽어보면 베드로가 세 번 그를 부인할 것이라는 일화 다음에 다음과 같은 단락으로 넘어간다. 이는 예수가 겟세마네 동산에서 제자들에게 가르친 내용을 뜻한다.

여러분의 마음이 걱정하지 않도록 하시오.
하느님을 믿고 나를 믿으시오.
내 아버지의 집에 거처할 곳이 많습니다.
그렇지 않다면 내가 여러분을 위한 자리를 준비하러 간다고 여러분에게 말하겠습니까?
내가 가서 여러분을 위한 자리를 준비하면 내가 다시 와서 여러분을 내게로 데려갈 것입니다. 그래서 내가 있는 곳에 여러분도 역시 있을 것입니다. 내가 어디로 가는지 여러분은 압니다. 그 길을 여러분은 압니다.
토마스가 그에게 말했다.

"선생님(아도네뉴), 우리는 당신이 어디로 가는지 모르는데 어떻게 그 길을 알 수 있겠습니까?"

예수는 그에게 말했다.

"나는 길이고 진리며 생명입니다. 어느 누구도 나에게 오지 않으면 아버지에게로 오지 못합니다. 여러분이 나를 알았다면 나의 아버지 역시 알고 있을 것입니다. 이제부터 여러분은 그분을 알고 그분을 보았습니다."(요한 14,1~7)

　　예수는 그가 죽은 다음 다시 돌아와 제자들이 복음을 전파할 수 있는 장소를 알려주겠다는 희망을 그들에게 이야기한다. 또 걱정하지 말라고 당부한다. 예수는 그들이 하느님을 볼 수 있게 그 길을 알려준다고 말한다. 그 길은 예수를 알고 믿는 것이며 이를 통해 하느님을 알게 되고 볼 수 있다. 예수를 아는 길이 하느님의 길로 가는 통로다.

　　그 당시 랍비 유대교의 용어로 이렇게 사용되는 '길(דרך 데레크)'은 '토라의 길'을 말한다. 토라(하느님의 가르침)를 배우고 행하는 길이다. ['토라의 길'과 대조되는 전문용어는 '데레크 에레쯔(דרך ארץ 땅의 길)'라는 단어다. 이 단어를 사용한 책도 있다. 《데레크 에레쯔》에는 주로 도덕, 윤리, 바른 언행 등을 주제로 설명한다. '데레크 에레쯔'는 '세상의 도리'라고 번역할 수 있다. '토라가 없으면 세상의 도리도 없다. 세상의 도리가 없으면 토라도 없다.'(《선조들의 어록》 3,17)]

　　그렇다면 왜 진리와 생명이 길과 함께 인용되었을까? 이것을 이해하기 위해서는 '길, 진리, 생명'의 세 단어에 초점을 맞추어 그 의미를 찾아보아야 하겠다.

　　'길과 진리와 생명'이라는 세 단어가 어떤 의미를 가지고 있는지 알아보기 위해 초기 유대교 현자들의 어록이 편집된 〈선조들의 어록〉을 읽어본다.

> (최고의회 의원)들은 세 가지를 말했다.
> "판단을 내리는 데 숙고하여라.
> 제자들을 많이 양성하여라.
> 토라에 울타리를 쳐라."(〈선조들의 어록〉 1,1)

다음은 최고의회의 마지막 의장이었던 심온 하짜딕의 언명이 나온다 (짜딕은 의인義人이라는 뜻이다. '하'는 정관사다).

> 세상은 세 가지 위에 서 있다.
> 토라 위에,
> (하느님을) 섬기는 일 위에,
> 자비를 한껏 베푸는 일 위에.

대사제 심온의 이 세 문구는 훗날 가장 많이 인용되는 구절이 되었다. 〈선조들의 어록〉 1장은 심온 하짜딕의 어록을 계승한 열네 명의 현자들이 여러 방도로 이 세 가지를 설명하고 있다. 〈선조들의 어록〉 1장의 마지막 절에 심온 하짜딕의 언명과 가장 비슷하게 표현한 짧은 언명이 나온다. 사도 바울의 선생 감리엘 랍반의 아들인 심온 랍비의 언명이다. [바울은 예루살렘에서 감리엘(가말리엘) 랍비에게 토라를 배웠다.(사도행전 22,3)]

세상은 세 가지 위에 존재한다.

정의 위에,

진리 위에,

평화 위에.

이렇게 쓰여 있다. '너희 성문에서 (무엇이) 진리인지를 그리고 (무엇이) 평화의 심판인지를 재판하라.'(스가랴 8,16)(⟨선조들의 어록⟩ 1,18)

　최고의회의 마지막 의장이었던 심온 의인義人과 심온 벤 감리엘 랍비의 어록을 대조하면, '토라는 정의를, (하느님을) 섬기는 일은 진리를, 자비를 베푸는 일은 평화'라고 읽을 수 있다. "나는 길이고 진리며 생명입니다"라는 요한복음서의 인용구도 이와 상응한다. 하느님의 가르침인 토라는 하느님의 길이며 정의이고, 하느님을 섬기는 일은 진리이며, 자선을 베풀어 생명을 얻고 평화를 이룬다는 뜻이다.

　'판단을 내리는 데 숙고하여라'는 최고의회 의원들의 언명은 재판에서의 판결은 진리를 찾고 평화를 이룩하자는 데에 그 목표가 있다는 말이다. 제자들을 많이 양성해야 하는 까닭은 하느님을 섬기는 일에 종사할 일꾼들이 많아져야 진리가 세워진다는 뜻으로 볼 수 있다. 토라에 울타리를 쳐야 할(모세의 법규를 새 상황에 응용할 수 있게 해석해야 할) 이유는 그렇게 함으로써 사람들은 이웃에게 토라의 법규에 적합한 행동을 할 수 있고 법규에 따라 쉽게 일상생활을 영위할 수 있기 때문이다.

　예를 들어, 모세오경에 안식일은 거룩한 날이기 때문에 쉬는 날로 정했다. 그러나 어떻게 쉬는 것이 거룩한 날을 속되지 않게 하는 것일까? 하는 질문이 수없이 많았다. 일상생활에서 어떻게 쉬어야 하는지에 대한 문제다. 안식일에 작업을 하면 안 된다. 만일 안식일에 가축이 우리에서 빠져나와 성 밖으로 나갔다면 그 주인은 가축을 끌고 우리로 데려 갈 수 있느냐는 문제가 생긴다. 가축을 끌어당기는 행위는 일의 범주에 속하기 때문에 쉬어야 하는 계명을 어기는 결과를 낳는다. 그렇다고 내버려두면 경제적 손실을 볼 수 있다. 모세오경에는 이러한 구체적인 상황에 적용할 만한 판례를 제시하지 않았기 때문에 일반인들은 전문가에게 문의할 수밖에 없다. 이러한 경우를 미리 생각하고 《미쉬나》에서는 구체적인 상황에 응용될 수 있는 법규들을 상세히 열거하고 있다.

다른 예를 들어, 산모가 아이를 낳으면 성전에 번제물을 드려야 하는데 만일 그녀가 가난하면 비둘기 두 마리만 바쳐도 된다고 규정했다. 이처럼 《미쉬나》는 토라에 울타리 치는 역할을 한다. 토라의 길을 보호하고 선한(淨한) 것과 악한(不淨한) 것을 구분하는 영역을 규정한 것이다. 《미쉬나》는 '토라의 길'이라고도 부른다.

엣세네의 지도자들이 제정한 규례에서 토라의 길과 대조되는 '하느님의 길'에 대한 해석을 찾아볼 수 있다.

단합체(약하드)의 교사에게 모인 날부터 거짓말쟁이에게 가버린 모든 전사戰士들의 마지막까지 약 40년이 될 것이다. 그 시대에 하느님은 이스라엘에게 분노할 것이다. 이렇게 말한다. '왕이 없고 지도자도 없다'(호세아 3,4).

(그 해석.) 재판관이 없을 것이고 정의로 비판할 자도 없을 것이다.

야곱의 사악에서 돌아온 자들이 하느님의 언약을 지킬 것이다.

각자 그의 형제를 붙들고 하느님의 길에서 행진하는 데 후원하자고 그의 이웃에게 말할 것이다.

하느님은 그들의 말을 귀담아들을 것이며 하느님을 두려워하고 그분의 이름을 생각하라고 그분 앞에서 기억의 책에 기록될 것이다.

하느님이 구원과 정의를 밝힐 때까지 그를 두려워할 것이다.(《새 언약의
규례》xx, 14~20)

'단합체의 교사'는 엣세네 창설자 '의로운 교사'를 뜻한다. '약 40
년'이라는 숫자는 38년 동안 전사戰士들이 전멸했다는 신명기의 기록
을 따른 것이다. "카데스바르네아를 떠나 세렛 개울을 건너기까지 38
년 동안이었으며, 이때에는 그 시대의 모든 군인들이 YHWH가 그들(이
스라엘 백성)에게 맹세한 대로 진영에서 모두 죽었다."(신명기 2,14) 유대교
랍비들의 전승에 따르면 이스라엘이 완전히 회복할 때까지 메시아의
활동 햇수를 40년이라고 한다. [신약성경에는 예수가 이스라엘의 왕 메
시아로 유월절에 죽고 다시 일어나 40일 동안 많은 증거를 보이고 승천
하였다고 전한다.(사도행전 1,6~9)]

'야곱의 사악에서 돌아온 자들'은 사두개 사제들의 전통에 따라 살
던 사람들이 그들의 길이 잘못되었다고 회개하고 엣세네 공동체를 선
택한 사람들을 말한다(야곱은 이스라엘을 뜻한다). 그래서 그들은 '하느님
의 언약'을 지킬 것을 약속한다. '하느님과의 언약'이 바로 의로운 교
사가 선포한 '새 언약'이다. 새 언약에 들어온 사람들이 '하느님의 길'
을 걷자는 것은 하느님의 길이 '하느님의 언약'과 조응한다는 점을 볼
수 있다. 하느님과의 새 언약을 맺고 하느님의 가르침(토라)의 길을 걷는
사람들은 하느님이 그들의 행보를 보고 '기억의 책'에 그들의 이름이
명기될 것이기 때문에 심판의 날에 구원과 정의가 밝혀질 것이라는 말
이다.

'진리'는 하느님을 섬기는 일 혹은 하느님의 사업인 구원을 가리키

는 단어로 쓰이는 경우가 있다. 그 예를 엣세네의 문헌에서 볼 수 있다.

(하느님)이 감찰할 정한 때에 (사악한 자)들을 영원히 무너뜨린다. 그래서 진리는 결국 세상에 나타난다. (중략)

그래서 하느님은 그의 진리로 인간의 온갖 행함을 분명히 한다.(《단합체의 규례》 iv,18~v,2)

하느님이 감찰하는 날들은 마지막 시대로 메시아가 이 땅에 오는 시대라고 엣세네의 규례에서 설명한다.

(하느님)의 손에 모든 산 자의 심판이 있고 그분의 행함은 진리라는 것을 안다. 어려움이 생길 때에 그분을 찬미하며 그분의 구원에 함께 찬양한다.(《단합체의 규례》 x, 17)

그분(하느님)은 거룩한 자들과 함께 나타나 [빛의 자식들을] 도와주며 진리로 악마(브리알)의 운명인 어둠의 자식들을 끝나게 한다.
(《빛의 자식들과 어둠의 자식들의 전쟁에 대한 규례》 i,16~17)

정의는 높은 곳에서 기뻐할 것이며 (하느님)의 진리의 모든 자식들은 영원한 지식으로 즐거워할 것이다.
(《빛의 자식들과 어둠의 자식들의 전쟁에 대한 규례》 xvii, 8)

엣세네의 규례는 사람들을 하느님의 길로 돌아오게 하여 하느님의 감찰의 날에 살아남을 수 있도록 그들에게 하느님의 토라를 가르치는 메시아를 '진리'라고 칭했음을 알 수 있다.

복음서에 '나는 진리다'라는 예수의 언명이 나오듯이 그 당시 유대교에서 '진리'라는 낱말은 의미 깊게 사용되었다. 2세기 초반에 활동했던 이쉬마엘 랍비의 미드라쉬에서 진리에 대한 해석을 읽어볼 수 있다.

"내가 너에게 조언과 지식으로 세 배를 쓰지 않았느냐?"(잠언 22,20)

'세 배.'

이쉬마엘 랍비는 말했다.

"토라는 모두 세 책으로 구성되어 있다.

모세오경과 예언서와 성문서다.

히브리어 글자는 셋으로 되어 있다. 알레프와 멤과 타브며 이 셋을 합하여 에메트(진리)가 된다."

레비 랍비는 말했다.

"모든 것이 셋으로 되었다는 것을 여러분은 오늘 배웠다. 이렇게 말한다. '내가 너에게 세 배를 쓰지 않았느냐?' 이것은 찬미 받으시는 거룩하신 분이 모세에게 조언과 지식으로 세 배를 가르쳤다는 것을 보여준다. 그분은 그를 위해 진리로 썼으며 그에게 그것들을 진리로 알렸고 그에게 그것들을 진리로 주었다. 그래서 그가 가서 이스라엘에 알려주고 그들이 진리로 듣게 하려는 것이었다. 이렇게 말한다. '너에게 진리의 말씀을 참되게 알려주고 너를 보낸 이들에게 진리의 말씀을 대답하게 하려는 것이다.'(잠언 22,21)"(《잠언 미드라쉬》 22, 20~21)

히브리어 글자의 순서에서 알레프(א)는 첫 번째이며 멤(מ)은 중간, 그리고 타브(ת)는 마지막 글자다. 이 세 글자를 합하여 '에메트(אמת)'

라고 읽으므로 에메트는 히브리어 전체를 대표적으로 표상하는 단어로 이해된다. 따라서 에메트는 토라를 상징적으로 뜻한다. 그것을 입증하기 위해 레비 랍비는 하느님이 모세에게 하느님의 가르침(십계명, 법규)을 진리로 석판에 새겼으며 따라서 토라는 진리(에메트)라고 부연 설명했다. 당시 랍비 유대교의 관점에서 보면 랍비들의 법규 해석이나 성경해석은 진리의 말씀이라는 뜻이다.

예수는 자신을 '진리'라고 불렀다 요한 8,31~32

예수 당시의 이야기로 생각해서 가장 주목해야 할 부분은 예수가 자신을 '에메트(진리)'라고 부르는 점이다. 복음서에 전해진 한 이야기에서 이런 사실을 읽을 수 있다. 예수는 그를 믿고 있는 유대인들에게 이렇게 말했다.

> 여러분이 내 말에 서 있으면 여러분은 진리(에메트) 안에 내 제자들입니다. 여러분은 진리를 알게 될 것이며 그 진리가 여러분을 (속박에서) 풀어줄 것입니다. (요한 8,31~32)

그러자 그들이 예수에게 묻는다.

> 우리는 아브라함의 후손이며 일찍이 사람을 섬기는 종들이 아닙니다. 그런데 어떻게 "여러분은 자유로운 자식들이 될 것입니다"라고 말합니까? (요한 8,33)

'사람을 섬기는 종들이 아닙니다'라고 말한 것은 그들이 예수를 메시아로 믿고 있지만 그 '에메트'라는 사람에게 예배를 드리지는 않겠다는 말이다. 하느님에게 예배드리는 것이지 사람에게는 아니라는 뜻이다. 예수의 대답은 이러하다.

> 누구든 죄를 지으면 그는 죄의 종입니다. 종은 언제까지나 집에 머물러 있지 않지만 그 아들은 언제까지나 머물러 있습니다.
> 그러므로 그 아들이 여러분을 풀어주면 여러분은 진리(에메트) 안에 자유로운 자식들이 될 것입니다.(요한 8,34~36)

여기서 '집'은 하느님의 집을 말한다. '그 아들(하벤)'은 '하느님의 아들'을 지칭하며 예수 자신을 말하는 것이다(정관사 '하'를 편의상 '그'라고 옮겼다). 하느님의 아들이 죄지은 사람들을 죄의 속박에서 풀어준다는 뜻이다. 예수는 사제이기 때문에 죄를 사해주는 의례를 치를 수 있다. [예수가 사제였다는 사실은 히브리서에서 읽을 수 있다. '우리에게는 하늘로 올라가신 위대한 대사제 하느님의 아들 예수가 있습니다.'(히브리서 4,14)]

그런데 '풀어주는' 조건은 진리(에메트)를 알아야 하는 것이며 일단 풀리게 되면 진리(에메트) 안에 자유로운 자식들이 된다는 설명이다. 예수를 믿고 있는 유대인들이 생각한 것처럼 에메트 안에 자유로운 종이 된다는 뜻으로 이해할 수 있다. 이처럼 특정하게 사용된 '에메트'는 의인화되어 예수 자신을 가리키는 은어로 사용된 것이다.

예수의 첫 제자로 초대교회의 반석이 된 베드로가 쓴 편지에서 예수를 에메트라고 말하는 것을 읽을 수 있다.

그러나 (이스라엘) 백성 가운데 또한 거짓 예언자들이 있었으며 이처럼
여러분 가운데에도 거짓 교사들이 있을 것입니다. 그들은 파멸의 불신
을 끌어들여 그들을 대신해 (희생양으로) 산(얻은) 주인을 부인하고 그들
의 목숨 위에 서둘러 멸망을 데려옵니다.
그리고 많은 이들이 그들의 잘못을 따라갈 것이며 그들 때문에 진리(에
메트)의 길이 모독될 것입니다.(베드로후서 2,1~2)

죄지은 사람들을 대신해 희생양으로 속량하고 얻은 주인은 메시아
예수며 '에메트의 길'은 예수가 걷는 길이다. ['사다'는 표현은 'YH-
WH에게서 사내를 샀다'(창세기 4,1)는 구절에서 이해될 수 있다.] 주인
인 예수가 에메트라는 말이다. 예수를 수식하는 표현 가운데 '에메트
(진리)'라는 단어가 있다는 것을 알 수 있다.

누가 '진리의 영'이라고 불리는 '다른 위로자'일까 요한 14,15~16
예수는 그가 죽게 되면 하느님이 그를 믿고 따르는 사람들에게 '에
메트(진리)의 영'을 보내 그들과 함께 있게 할 것이니까 걱정하지 말고
두려워하지도 말라고 당부했다.

여러분이 나를 사랑하면 내 계명들을 지킬 것입니다.
나는 아버지에게 청하겠습니다. 그러면 아버지가 여러분에게 다른 위
로자를 (보내)줄 것이며 그는 여러분과 함께 영원히 있을 것입니다.
(그는) 바로 진리(에메트)의 영이며 세상은 그를 받아들일 수 없습니다.
왜냐하면 그를 보지 못했고 알지 못했기 때문입니다.

그러나 여러분은 그를 알고 있습니다. 참으로 그는 여러분과 함께 머물고 있으며 여러분 안에 있습니다. 나는 여러분을 고아들처럼 버리지 않습니다. 내가 여러분에게 (돌아)오기 때문입니다. 이제 조금 있으면 세상은 나를 보지 못할 것입니다.

그러나 여러분은 나를 볼 것입니다. 나는 살아 있고 여러분도 역시 살 것이기 때문입니다.(요한 14,15~19)

이 단락은 예수가 처형되기 전에 그의 제자들에게 자기의 죽음이 임박했음을 알리며 그가 다시 일어서서 돌아올 것을 약속하는 장면이다. 그런데 예수는 자기가 돌아오기는 하는데 하느님이 보내는 다른 위로자가 예수의 죽음 이후 그들과 영원히 있을 것이라고 이야기한다. 그 위로자는 '진리의 영(루악흐 하에메트)'이라는 것이다. 누가 '진리의 영'이라고 불리는 위로자일까? 그 해답은 아래 구절에서 찾을 수 있다.

그러나 그 위로자는 거룩하신 분의 영이며 내 아버지가 내 이름으로 보낼 것이고 그가 여러분에게 모든 말씀을 가르칠 것입니다. 그는 내가 여러분에게 말한 모든 것을 기억하게 할 것입니다.(요한 14,26)

하느님의 이름으로 보내는 위로자는 '하느님의 영(바람, 기운)'이다. '내 아버지가 내 이름으로 위로자를 보낸다'라는 문맥에서 '내 이름'이 핵심이다. '위로자'는 '진리의 영'이며 그 영은 예수의 이름으로 하느님이 보내는 선물이다. 여기서 말하는 예수의 이름은 '진리(에메트)'를 가리킨다.

'거룩하신 분의 영이며 내 아버지가 내 이름으로'라는 표현은 죽음

에서 일어난 예수가 그의 제자들에게 나타나 당부하는 마지막 말에서
도 찾아볼 수 있다. 예수는 이렇게 말한다.

> 그러므로 가서 모든 민족들을 제자로 삼고 아버지와 아들과 거룩하신
> 분의 영의 이름으로 그들에게 세례를 베푸시오.(마태 28,19)

이 언명에서 보면 제자들이 행하는 세례를 통해 하느님의 권능이 입
증될 것이라는 뜻이다. '거룩하신 분의 영'이라고 옮긴 단어는 흔히 성
령이라고 번역한다. 이 단어는 히브리어로 '루악흐 하코데쉬(거룩하신 분
의 바람/기운/영)'이다('하코데쉬'는 '거룩하신 분', 즉 하느님을 우회적으로 표현하
는 호칭이다. 이런 식의 표현 가운데 가장 흔히 사용되는 것은 '찬미 받으시는 거룩하
신 분'이다). '거룩하신 분의 영'이 '진리의 영'이며 그가 바로 그 위로자
라는 말이다.

위에서 인용한 요한 14,16에 "아버지가 여러분에게 다른 위로자를
(보내)줄 것이다"고 말한다. 예수는 왜 '다른'이라는 표현을 사용해 그
위로자가 다르다는 점을 강조했을까? 그 이유는 그 당시 '위로자(메낙
헴)'라는 이름으로 알려진 메시아가 있었기 때문이다. 그러니까 그런 위
로자를 기대하지 말고 예수가 말하는 '다른' 위로자를 기다리라는 뜻
이다. 적어도 그곳에 모인 유대인들 사이에 위로자의 실체에 관한 논란
이 있었음을 알려주는 이야기다.

요세푸스의 《유대인 역사》에 따르면 기원전 1세기 중반 엣세네 공동
체의 대사제 메낙헴이 있었는데 그는 어린 헤롯에게 그의 장래에 대해
예언했다고 한다. 그러나 헤롯이 죽은 다음 유대아 지방에 로마 총독이
파견되고 로마에 항거하는 유대인들의 반란이 일어났다. 곧이어 로마

군대는 그들의 소요를 진압했고 이에 동참했던 사람들 가운데 2,000여 명이 십자가형으로 죽었다. 이때 메낙헴도 처형되었는데 그의 시체가 길거리에 사흘 반 동안 있다가 하늘로 올라갔다고 한다.(15,372~79) 메낙헴이 그 반란의 주모자였는지는 알 수 없으나 그는 이스라엘의 왕 메시아라고 불렸다. 그 당시 메낙헴이란 이름의 메시아가 존재했다는 것을 알 수 있다. (헤롯 1세 기간 동안에 엣세네와 헤롯 왕권이 친밀했었다고 볼 수 있다. 그러나 그가 죽은 이후 그 아들들이 이스라엘 땅을 분할하여 통치하는 기간 동안 헤롯 왕권과 엣세네 사이에는 어떤 관계였을까를 짐작할 만한 자료가 부족하다. 이와 같은 배경에서 복음서에 전해진 '헤롯당원들'을 엣세네로 지목하는 연구자들도 있다.)

초기 유대교 전승에 따르면 '메낙헴'은 여러 메시아 호칭 가운데 하나다. 아래 미드라쉬에서 찾아볼 수 있다.

후나 랍비는 말했다.

"메시아는 일곱 가지 이름으로 불렸다. 그것들은 이렇다.

계승자, 우리 정의, 새싹, 위로자, 다윗, 공물供物, 엘리야.

'계승자(인논)'는 어디에서? 이렇게 말한다. '그의 이름은 영원하며 태양 앞에서 그의 이름은 계승된다.'(시편 72,17)

'우리 정의'는 어디에서? 이렇게 쓰여 있다. '그들은 주님YHWH을 우리 정의라고 부를 것이며 이것이 그의 이름이다.'(예레미야 23,6)

'새싹(쩨막흐)'은 어디에서? 이렇게 말한다. '보라, 이 사람을. 그의 이름은 새싹이며 그의 자리에서 새싹이 나오고 그가 주님의 성전을 지을 것이다.'(스가랴 6,12)

'위로자(메낙헴)'는 어디에서? 이렇게 말한다. '주님이 그분의 백성을 위로하고 가난한 자들을 불쌍히 여긴다.'(이사야 49,13)

'다윗'은 어디에서? 이렇게 말한다. '그분은 그분의 메시아 다윗과 그의 자손에게 영원토록 자비롭다.'(시편 18,51)

'공물'은 어디에서? 이렇게 말한다. '그(유다)에게 공물이 올 때까지.' (창세기 49,10)

'엘리야'는 어디에서? 이렇게 말한다. '보라, 주님의 크고 놀라운 날이 오기 전에 나는 너희에게 엘리야 예언자를 보낸다.'(말라기 3,23)"(《잠언 미드라쉬》 19,21)

'계승자(인논)'가 메시아의 이름이 될 수 있는 요건은 그 이름이 태양 아래 영원히 지속될 수 있기 때문이다. YHWH의 이름 가운데 하나가 '우리 정의'이니까 메시아의 이름이 될 수 있다.

'새싹'은 YHWH의 성전을 지을 것이기 때문이다. 엣세네의 문헌에 따르면 '공물이 올 때까지'는 '정의의 메시아인 다윗의 새싹이 올 때까지'라고 풀이한다.

"지팡이는 유다의 부족에서 [잣대는 그의 발 사이에서] 떨어져나가지 않을 것이다. [공물이 올 때까지 백성들은 그에게 복종할 것이다."](창세기 49,10)

(그 해석.) 이스라엘이 지배하고 있을 때 정착의 […] 다윗에게 있을 것이다.

'잣대.' 그것이 왕국의 언약이기 때문이다.

이스라엘 [사람들]이 그들의 발이다.

정의의 메시아인 다윗의 새싹이 올 때까지.

참으로 그와 그의 자손들에게 영원한 세대까지 그의 백성의 왕국의 언

약이 주어졌다.(《야곱의 축복》)

'지팡이'는 공동체의 대표자를 가리킨다. '잣대'는 토라의 해석을 뜻
한다. [엣세네의 규례에서 그 뜻을 읽어볼 수 있다. "지도자들이 판 우
물, 백성의 귀인貴人들이 잣대로 파헤쳤다."(민수기 21,18) (그 해석.) '우
물.' 그것은 토라다. '그것을 파는 자들.' 그들은 유다 (왕국의) 땅에서 떠
나와 이스라엘로 돌아온 자들로 다메섹 땅에 거주하는 자들이다. 하느
님은 그들 모두를 지도자라고 불렀다. 누구 한 사람의 입에서도 그들의
영광을 되묻지 않았다. '잣대.' 그것은 토라의 해석이다. 이사야가 말
했다. "그는 그의 행함에 도구를 만들어낸다."(이사야 54,16) '백성의 귀
인들.' 그들은 잣대로 우물을 파헤치러 온 자들이며 모든 사악한 시대
에 그들과 걸어 다니며 잣대로 금 긋는다. 마지막 날에 의로운 교사가
일어설 때까지 그들 없이는 무엇도 얻지 못한다.(《새 언약의 규례》 vi,3~11)
(마지막 날에 일어설 '의로운 교사'는 마지막 날에 부활할 메시아를 가리킨다. 특정한
문맥에서 히브리어 동사 '일어서다'는 신약성경에서와 같이 '부활하다'로 번역한다.)

'공물'이라고 번역한 단어(쉴로)는 랍비들의 미드라쉬에 준해서 '샤
이(공물, 선물) 로(그에게)'라고 옮겼다. 메시아의 이름으로 하느님에게 바
치는 공물, 선물이라고 이해할 수 있다. 메시아가 오는 날이 '주님의 크
고 놀라운 날'이다. 복음서에 어떤 사람들은 예수를 엘리야라고도 불렀
다(마태 16,14).

'메낙헴(מנחם)'은 동사 '낙함(נחם 위로하다)'에서 파생된 동명사다.
메낙헴이 메시아의 이름으로 통용될 수 있는 유래는 노아의 홍수 이야
기에서 찾아볼 수 있다. [노아도 히브리어의 발음에 준해서 '노악흐'라
고 표기할 수 있다. 노악흐는 동사 낙흐(נח, '쉬다')에서 파생된 명사다.]

[노아의 아버지가 이렇게 말한다. '이 아이가 우리를 위로해줄 것이다'(창세기 5,29). 노아는 온전한 사람으로 하느님의 눈에 들어 홍수에서 살아남게 되어 새로운 세상을 시작한 구원자다.]

또한 이스라엘의 구원을 선포하는 이사야서에 '위로하다'라는 동사가 자주 사용된다. "하늘이여 노래하라. 땅이여 기뻐하라. 산들이여 즐거이 노래하라! YHWH가 그의 백성을 위로한다. 또한 가난한 자들을 불쌍히 여긴다."(이사야 49,13) "너희를 위로하는 이는 바로 내(하느님)가 아니냐?"(이사야 51,12)

예수는 그를 지지하는 사람들에게 엣세네 공동체에서 전에 메시아로 왔다고 하는 그런 메낙헴이 아니라 예수가 하느님에게 청해서 하느님이 예수의 이름으로 보내줄 '진리의 영(거룩하신 분의 영)'인 '다른 위로자(메낙헴)'를 기다리라고 이야기한 것이다. 이렇게 이야기하는 예수의 말에서 엣세네 지도자들과 예수 사이에 긴장감이 돌고 있다는 것을 파악할 수 있다.

'거룩하신 분의 영'이 무엇일까

그렇다면 '거룩하신 분의 영'은 구체적으로 어떻게 표현될까? 그 해답은 '영'이라고 번역하는 단어(רוח 루악흐)에서 살펴볼 수 있다. '루악흐'의 기본 뜻은 바람이다. 하느님의 바람과 진리의 말씀이 연결되는 대표적인 예는 창세 신화에서 찾아볼 수 있다.

하느님의 바람(기운/영)이 수면 위에 일고 있었다.
하느님이 말했다.
"빛이 있어라!" 그러자 빛이 있었다.(창세기 1,2~3)

하느님의 바람이 단물 위에 일면서 "빛이 있어라!" 하고 말하는 장면이다. 말은 허파를 통해 나온다고 고대인들은 생각했다. 예를 들어 고대 이집트 사람들은 영원히 살 수 있는 방법으로 미라를 만들었는데 말라버린 살과 뼈로 이루어진 미라와 함께 반드시 필요한 신체 기관이 네개 있었다(허파, 위, 창자, 간). 그 가운데 하나가 허파며 말린 허파를 담은 단지를 미라와 함께 무덤방에 두었다. 망자가 사는 것을 보여줄 수 있는 수단 가운데 하나는 말하는 행동이며 허파를 통해 바람이 나와서 말을 한다고 생각했다.

고대 이스라엘의 지식인들도 인간의 사후 세계에 대한 이해를 익히 알고 있었을 것이다. 하느님의 바람이 단물 위에 일고 있었으며 그 가운데 하느님은 "빛이 있어라!" 하고 말했다는 창세 신화도 이집트의 장례 문화와 대조해서 생각해볼 수 있다. 하느님의 바람이 하느님의 권능/힘을 표현하는 방법 가운데 하나라고 이해된다.

하느님의 '바람(루악흐)'으로 창조된 또 다른 대표적인 예는 인간 창조에서 볼 수 있다. 하느님이 흙으로 사람(아담)을 만들어 그의 콧속에 생명의 숨을 불어넣어 사람은 살아 숨 쉬는 생명체가 되었다.(창세기 2,7) 초기 유대교 현자들은 이방인들이 창조됐을 때 하느님의 바람에 적합한 것이 없어서 그들에게는 영혼이 없다고 해석한다. 하느님의 바람/기운(거룩하신 분의 영)은 영혼이 있는 생명이라고 이해한 것이다. 이처럼 하느님의 바람(영)으로 천상의 군대(천사들)도 만들었다고 하느님을 찬양한다. 그런 예는 시편에서 읽을 수 있다.

YHWH의 말씀으로 하늘이 만들어졌으며,
그분 입의 바람으로 모든 (천상의) 군대가 만들어졌다.(시편 33,6)

천상의 군대는 천사들을 뜻한다. 하느님의 말씀으로 하늘이 만들어졌듯이 하느님의 입에서 나오는 바람/명령으로 천사들이 만들어졌다는 뜻이다. [초기 유대교 랍비들의 미드라쉬에 따르면 천사는 창조 이튿날에 만들어졌다고 풀이한다.]

천사들은 하느님의 말씀을 전달하는 사자들이다. 마리아에게 나타나 그녀가 구원자를 잉태할 것이라고 예고하는 가브리엘 천사의 경우처럼 하느님의 말씀이 천사들을 통해 전달된다.(마태 1,21) 고대 근동 문화의 세계에서 신들의 전달자들은 날개 달린 모습을 하고 있다. 고대 이스라엘의 이야기꾼들도 이런 모습으로 천사들을 생각했을 것이다. 한 예로, 하느님은 '구름을 그분의 수레로 삼으며 바람의 날개들 위에 (타고) 돌아다니는 분'(시편 104,3)이라고 이야기한다. 바람의 날개들은 천사들을 은유적으로 표현한 문구다. 이처럼 하느님은 바람들을 천사로 만들었다고 노래한다. "그분(하느님)은 바람들을 그분의 천사들로 만들었다."(시편 104,4) 물론 천사들에게 날개가 있어서 바람으로 만들었다는 설명도 되겠지만 천사들이 하느님의 말씀을 전달한다는 역할을 생각하면 그 바람은 자연의 바람이 아니라 하느님의 바람/영으로 이해할 수 있다. 하느님은 천사들(바람)을 통해 그분의 말씀을 전하기도 한다는 뜻이다.

복음서에 전해진 예수의 이야기에서 이러한 장면을 목격할 수 있다. 예수가 세례자 요한의 세례를 받고 강물에서 올라오니 하늘이 열리고 하느님의 바람이 비둘기처럼 내려와 예수 위에 이르렀다. 그때 하늘에서 소리가 났다. "그는 사랑 받는 내 아들이다. 너에게 내 즐거움이 있다"(마태 3,17)고 말한다. 하늘이 열리고 하늘에서 소리가 나는 것은 하느님의 계시를 가리킨다. 하느님이 바람을 통해 예수가 하느님의 아들임을 계시하는 장면이다. 이 상황에서 거룩하신 분의 영(바람/기운)은 하느님의 말씀이며 구체적으로 히브리 성경 구절이다.

다른 예로, 죽음에서 일어선 예수가 그의 제자들에게 나타나 그들에게 말하는 데에서도 그런 바람(영)을 찾아볼 수 있다. "'내 아버지가 나를 보내신 것처럼 나도 여러분을 보냅니다.' 이렇게 말하고 예수는 그들에게 숨을 불어넣으며 그들에게 말했다. '거룩하신 분의 영/기운을 받으시오. 여러분이 누구의 죄를 용서해주면 그 죄는 용서될 것이며 누구에게 죄가 있다고 여긴다면 그렇게 여겨질 것입니다.'"(요한 20,21~22) 하느님이 흙으로 아담을 만들고 그의 콧속에 하느님의 바람(영)을 불어넣어 살아 있는 목숨을 만든 것처럼 예수도 그의 제자들에게 그렇게 했다. 그런데 마지막 시대에 오는 메시아가 불어넣은 숨/바람은 사람들의 죄까지도 용서할 수 있는 권능이다. [에덴동산의 아담은 죄를 지어 밖으로 쫓겨나갔지만 마지막 메시아 시대에 오는 새 아담(메시아)은 그 반대로 사람들의 죄를 용서할 수 있는 권능을 하느님에게서 받았다고 초기 유대교 현자들은 해석했다.] 제자들은 예수를 통해 악령에 고통 받는 사람들을 치유하고 그를 하느님의 아들이라고 증언하는 능력을 받은 것이다.

'죄를 용서할 수 있는 권능'에 대해 다른 복음서에서는 조금 다르게 전한다. 예수는 제자들에게 "나에 대해서 모세의 토라(모세오경)와 예언서들과 시편에 쓰여 있는 모든 것은 이루어져야 합니다"라고 말했다. 그래서 그는 그들이 성경을 이해하도록 그들의 지식의 눈을 열어주었다. 그는 그들에게 말했다. "이렇게 쓰여 있습니다. 메시아가 고통을 받고 (죽은 뒤) 망자들 가운데서 일어나 사흘째 날에 (밖으로 나올) 것이며 모든 민족이 지은 죄를 용서하기 위해 그의 이름으로 회개가 선포될 것입니다. 그 시작은 예루살렘부터입니다. 여러분은 이 일들의 증인입니다.

나는 내 아버지의 확신을 여러분에게 보내겠습니다. 그러나 여러분은 높으신 분으로부터 오는 능력(힘)을 입을 때까지 예루살렘 도시에서 기다리십시오."(누가 24,44~49) 예수를 증언하는 방법은 높으신 분(하느님)으로부터 오는 권능(계시)이며 이는 성경해석을 통해서 이루어진다.

초기 유대교 현자들은 그들의 성경해석(미드라쉬)이 하느님의 계시를 통해 완성된다고 설파했다. 미드라쉬의 초점은 주어진 성경 구절을 해석하며 그 해석이 타당한지 성경에서 구절을 찾아 입증하는 작업이다. 입증하는 구절의 타당성은 다른 랍비들의 지지로 이루어지며 그 입증 문구가 옳다고 인정되면 그 미드라쉬는 책에 편집된다.

세례자 요한에게 세례를 받은 예수 위에 하늘에서 소리가 나는 일화(마태 3,13~17)는 거룩하신 분의 영이 예수를 하느님의 아들로 증언하기 위해 그 해석에 적합한 입증 문구를 찾을 수 있게 인도한다. 하느님의 계시로 "너는 내 아들이다"(시편 2,7)와 "내가 선택한 자, 내 목숨이 (그를) 원했다"(이사야 42,1)와 같은 입증 문구가 눈에 들어왔다는 말이다. 성경의 어느 구절을 이해하기 위하여 성경의 다른 구절이 눈에 보이게 하는 계시가 '거룩하신 분의 영'의 선물이다.

04

천사 가브리엘의 메시아 선포에서
악마의 유혹까지

초대교회 전승에 따르면 예수는 거룩하신 분의 영으로 잉태되어 태어났다고 전한다. 하느님은 천사 가브리엘을 나사렛이라는 마을로 보내 요셉이라는 남자와 정혼한 처녀에게 들어가게 했다(정혼한 처녀는 혼인을 약속만 했지 아직 잠자리를 하지 않은 상태를 말한다). 그 처녀의 이름은 마리아였다. [마리아는 그리스어 이름이고 히브리어 이름은 미르얌(미리암)이다.(출애굽기 15,20~21)]

가브리엘 천사는 마리아에게 이렇게 말한다. "평화가 당신에게, 은총으로 가득한 여인이여, 우리의 주님YHWH께서 당신과 함께 있습니다. 여인들 가운데 축복 받을 것입니다."(누가 1,28)('평화가 당신에게'라는 표현은 인사말이다.) 마리아는 하느님의 은총을 입었다는 뜻이다.

　그러자 그녀는 당황하며 자기는 아직 정혼만 한 사이인데 어떻게 아이를 가질 수 있냐고 "그 평화가 무엇인지 곰곰이 생각했다."(누가 1,29) 마리아는 가브리엘 천사가 말한 그 인사말이 무엇일까 마음속으로 놀랍게 여긴 것이다.

거룩하신 분의 영으로 잉태된 구원자 누가 1,34~35

하느님이 보낸 천사 가브리엘은 마리아에게 그녀가 잉태하여 아들을 낳을 것이니 그 이름을 '예슈아(구원)'라 부르라고 말했다. 그러자 그녀는 천사에게 "내가 남자를 알지 못하는데 어떻게 이러한 일이 생길 수 있습니까?"라고 반문했다. 가브리엘 천사는 이렇게 부연한다.

> 거룩하신 분의 영이 올 것이며 엘욘(높으신 분)의 힘(그부라)이 당신을 감싸줄 것입니다.
> 그러므로 당신에게서 태어날 아이는 거룩하며 하느님의 아들이라고 불릴 것입니다.(누가 1,34~35)

'엘욘'은 아브라함 이야기(창세기 14,18~19)에 나오는 '엘 엘욘(높은 신)'을 뜻한다. 높으신 분의 힘이 하느님의 영(기운)이라고 해석하는 것이다(가브리엘의 뜻은 '엘/하느님은 나의 힘'이다. 하느님이 천사들 가운데 왜 가브리엘을 선택해서 마리아에게 보냈는지도 힘/권능이라는 맥락에서 이해할 수 있다).

거룩하신 분의 영은 하느님의 힘이다. 하느님의 영/기운으로 잉태되어 태어날 예수(구원자)가 하느님의 힘/권능으로 성취할 사업은 복음서에 전해진 다음과 같은 가브리엘 천사의 말에서 찾을 수 있다. 천사는 마리아와 정혼한 요셉의 꿈에 나타나 이렇게 말한다.

> 그녀가 아들을 낳을 것이니 그의 이름을 '예슈아'라고 부르시오. 참으로 그는 그의 백성을 그들의 죄에서 구원할 것입니다(요쉬아).(마태 1,21)

거룩하신 분의 영은 죄에서 구원하는 힘/권능이다. 엣세네 문헌에서 예수의 탄생 이야기와 비슷한 맥락의 글을 읽을 수 있다.

> 그는 [⋯]라고 불릴 것이며 그분(하느님)의 이름으로 준비될 것입니다.
> 그를 하느님의 아들이라고 말할 것이며 그들은 그를 엘욘의 아들이라
> 고 부를 것입니다. 그들이 본 유성처럼 그의 왕국은 확실할 것이며 그
> 는 이 땅에서 여러 해 동안 통치할 것입니다.
> 백성이 백성을 짓밟고 민족이 민족을 짓밟을 것입니다. 하느님의 백성
> 이 일어나서 모두가 칼에서 쉴 수 있게 할 때까지 그의 왕국은 영원한
> 왕국이며 그의 모든 길은 정의에 있습니다.(《하느님의 아들》 i,9~ii,5)

예수의 탄생 기록에 가브리엘 천사가 마리아에게 와서 잉태하여 아
들을 낳을 것이라고 말하는 대목에서도 '엘욘의 힘'으로 아들을 잉태할
것을 말하며 그가 '하느님의 아들'임을 알려준다. '하느님의 아들'은 메
시아를 말한다. '그들이 본 유성처럼'이라는 문구에서 알 수 있듯이 엣
세네 지도자들 가운데 점성술에 능한 사람들이 있었다. [예수 탄생 이
야기에서 동방에서 온 점성가들이 별들의 움직임을 보고 메시아의 탄
생을 예고하는 장면이 나온다. 엣세네와 비슷한 점을 볼 수 있다.]

'하느님의 백성'은 엣세네 공동체를 뜻한다. 엣세네 공동체가 일어
나서 어둠의 자식들을 물리치고 승리할 때 모든 백성이 평화를 이룰 수
있다고 한다. '그의 모든 길은 정의에 있다'는 말은 하느님의 길에 정
의가 있다는 뜻이다. 하느님의 정의로 세상은 심판을 받고 평화가 세워
진다. 하느님의 아들은 하느님으로부터 하느님의 권능을 받았기 때문
에 이런 일을 할 수 있다. [가브리엘 천사가 마리아에게 와서 예수의 탄
생을 이야기하는 장면과 매우 비슷하다.]

하느님의 길은 토라며 토라는 정의에 그 목표(telos)가 있다. 이 단락의 시작 부분이 훼손되어 하느님의 이름으로 준비될 하느님의 아들의 이름은 알 수 없다. 그러나 '그는 [진리]라고 불릴 것이며 그분(하느님)의 이름으로 준비될 것이다'로 재구성해볼 수 있다. '진리'라고 불리는 하느님의 아들은 하느님이 주는 권능으로 세상을 심판한다는 말이다.

동정녀 마리아와 마지막 시대의 임마누엘 마태 1,22~23

다윗 가문의 요셉이라는 사람과 정혼한 처녀가 그들이 부부 관계를 가지기도 전에 그녀가 아이를 가진 사실이 드러났다. 요셉은 의로운 사람(짜딕)이었으며 마리아의 일을 폭로하고 싶지 않았기 때문에 그는 그녀를 남몰래 쫓아내려고 작정했다. [요셉이 '짜딕'이었다는 말은 그가 어려서부터 토라 공부를 열심히 했으며 선행도 많이 했다는 뜻이다.]

그때 하느님의 천사 가브리엘은 그의 꿈에 나타나 그녀가 거룩하신 분의 영으로 잉태한 것이며 아들을 낳을 것이니 그의 이름을 '예슈아(구원)'라고 부르라고 전달하며 그가 이스라엘 백성을 그들의 잘못에서 구원할(요쉬아) 것이라고 그 이름 풀이를 덧붙여 말했다. 그리고 이런 일이 일어나는 까닭은 하느님이 예언자 이사야를 통해 임마누엘의 탄생을 예언한 것이 실현되어야 하기 때문이라며 그 구절(이사야 7,14)이 인용된다.(마태 1,22~23) 예수(예슈아)와 임마누엘의 탄생을 비교해볼 대목이다.

처녀인 젊은이의 아내

"보십시오, 처녀가 잉태하여 아들을 낳으니 그의 이름을 임마누엘이라고 부르십시오"(이사야 7,14) 하고 말하는 단락에서 '처녀'라고 번역한 히브리어 단어(알마 עלמה)는 시집갈 나이가 된 여자를 가리킨다.

['알마'는 '젊은 여인, 혼인할 연령의 처녀' 등을 뜻한다. 예를 들어, 아브라함의 종이 이츠학(이삭)의 아내를 구하기 위해 라반의 집에 도착하여 이런 기도를 한다. "이제 제가 샘물 옆에 서 있다가 처녀가 물을 길으러 나오면, 그에게 '당신의 물동이에서 물을 마시게 해주시오'라고 말하겠습니다."(창세기 24,43) 여기에서 '처녀'는 이츠학의 아내가 될 리브카다. 또는 '아기 모세' 이야기에서 파라오의 딸이 강물에 떠 있는 상자에서 갓난아기를 발견하자 아기의 누이가 파라오의 딸에게 아기에게 유모를 데려와도 좋겠냐고 물어본다. 파라오의 딸이 "그래 가라"고 대답하자 "그 젊은 여자가 가서 아기의 어머니를 불러왔다."(출애굽기 2,8) 그 '젊은 여자'는 아기 모세의 누이, 즉 미르얌(미리암)을 가리킨다. 이때 미르얌은 혼인할 연령의 젊은 여인이었음을 알 수 있다.]

예수를 잉태한 마리아의 경우, 그녀는 요셉과 정혼한 사이였다. 그런데 그녀는 요셉과 부부 관계를 맺고 아이를 가지는 것이 아니라 그와 잠자리를 하기 전에 아이를 갖게 되었다는 이야기다.

고대 이스라엘뿐 아니라 고대 메소포타미아 사회의 혼인 관습에 따르면 젊은 남녀가 정혼을 하고 남자가 여자의 집에(때로는 여자가 남자의 집에) 가서 일정한 기간 동안 머물러 있은 다음 부부 관계를 맺고 혼인이 성사되었다. 일반적으로 젊은 남녀가 16~18세에 정혼을 하고 약 1년 후에 잠자리를 함께함으로써 혼인이 온전히 성립되었다. [이러한 관습은 기원전 22세기 고대 메소포타미아의 문헌에도 나오는 혼인 제도다. 《미쉬나》의 〈키두쉰(정혼)〉편에서도 이러한 혼례 제도를 규정하고 있다.]

기원전 2100년경 우르 3왕조를 창업한 우르남무 왕이 공포한 〈우르남무 법전〉에 정혼한 처녀에 관한 흥미로운 법규를 읽어볼 수 있다.

(6조) 만일 처녀인 젊은이의 아내를 다른 사람이 힘을 행사하여 강간을 했으면 그 사람을 죽인다.

(7조) 만일 젊은이의 아내가 그녀의 뜻으로 다른 사람을 쫓아가 그가 그녀와 같이 잤으면 그 여자를 죽이며 그 사람은 풀어준다.

제6조에 나오는 '처녀인 젊은이의 아내'라는 뜻은 고대 메소포타미아의 혼례 관습에서 알 수 있다. 그들의 관습에 따르면 평균 15~18세의 젊은 남녀의 부모가 그들 자식들의 혼인계약서를 체결한 후 신랑이 장인의 집에 들어가 살며 일정 기간이 지난 뒤에 혼례식을 치르고 부부 관계를 가질 수 있었다. 정혼은 했으나 부부 관계를 갖기 전이기 때문에 그녀는 '처녀인 젊은이의 아내'다. 아직 법적으로 부부 관계가 완전히 이루어지지 않은 상태에서 신부가 강간을 당했다면 신랑은 혼인을 파기할 수 있으며 또한 위자료를 지불하지 않아도 되었다. 이로 인하여 신부 측에서 받는 피해는 매우 심각한 것이다. 따라서 사형이 그 죗값이다. 제7조의 경우는 정혼한 여자가 아직 부부 관계를 맺기 전에 일으킨 간음 행위로 간주된다.

마리아가 잉태한 경우도 요셉과 정혼한 사이이지만 아직 잠자리를 갖기 전에 일어난 사건이었기 때문에 매우 심각한 벌을 받을 수 있었다. 고대 메소포타미아의 경우처럼 고대 이스라엘에서도 그 죗값은 죽음뿐이었다. 그렇지만 천사가 요셉에게 나타나 마리아의 경우를 상세히 설명해주며 이사야의 예언인 임마누엘의 탄생과 버금가는 사건이라고 알려주어 요셉은 하느님의 천사가 지시한 대로 자기 아내를 데려왔다고 이야기한다.(마태 1,24)(가브리엘 천사가 마리아를 방문한 후 마리아는 자기 집으로 갔다는 점을 행간에서 읽을 수 있다.)

가브리엘 천사가 마리아에게 와서 하느님의 말씀을 전했을 때 그녀는 그의 말을 믿고 그의 말대로 될 것이라고 말했다. "저는 주의 여종입니다. 저에게 당신의 말처럼 이루어질 것입니다."(누가 1,38) 그러자 천사는 그녀를 떠났다. 마리아는 정혼만 한 처지에서 아이를 가질 것이라는 충격적인 하느님의 계시를 의심하지 않고 그렇게 이루어지라고 천사에게 대답한 것이다. 마리아는 사람들의 구설수에 맞서 대항할 자신이 있는 용감한 여인이다. 그녀는 높으신 분의 힘을 찬양하며 그 힘으로 하느님의 아들을 낳을 자신이 있다는 말이다. ['마리아의 노래' 참조.(누가 1,46~55)]

높으신 분의 힘을 받은 마리아야말로 가장 축복 받은 여인이다. 초기 그리스도교 신자들 사이에 동정녀 성모 마리아에 대한 신앙심이 고양되면서 그리스도교는 새로운 국면으로 발전되었다. 인류의 종교사에서 성모 마리아가 여성으로 가장 숭배 받는 대상이 되었다고 해도 과언이 아니다.

마지막 시대에 태어날 임마누엘은 무엇을 해야 할까

예언자 이사야가 임마누엘의 탄생을 예고하고 그의 활동을 기다린 것은 임마누엘이 왕이 되어 장차 곤경에 빠질 예루살렘과 유다 왕국을 구원하고 하느님의 성전을 보호하여 시온의 영광을 회복할 것을 기대했기 때문이다. '임마누엘'은 '엘(최고신)이 우리와 함께 (있다)'는 뜻이다.(여기서 엘은 YHWH를 가리킨다.) '임마누엘'이란 고유명사는 '에흐예 임카(내가 너와 함께 있겠다)'(출애굽기 3,12)의 순서를 뒤집어 만든 것과 비슷한 유형이다. 모세와 하느님의 대화 가운데 '에흐예 임카'라는 문구가 나오며 이를 근거로 보면 하느님 이름 YHWH의 핵심은 '있다'라는 동사에서 찾아진다. YHWH의 신성神性은 '있다'는 의미에서 생각할 수 있다는 것이 고대 이스라엘 지식인들의 해석이다(5장 〈일곱 가지 표징 일화〉 참조).

이사야서 7장에 기록된 임마누엘에 관한 예언은 이사야 예언자가 유다의 왕 요탐의 아들 아하즈와 대화하는 가운데 나온다. "보아라, 처녀가 잉태하여 아들을 낳아 그의 이름을 임마누엘이라고 부를 것이다. 그의 지식으로 악을 물리치고 선을 택할 때 그는 버터와 꿀을 먹을 것이며 그 청소년이 악을 물리치고 선을 택하는 것을 알기 전에 네가 혐오하는 저 두 왕의 땅은 버림받을 것이다."(이사야 7,14~16)

아하즈(기원전 743~727년 재위)는 나이 20세에 등극하여 36세에 죽고, 그의 아들 히즈키야가 25세로 왕위에 올랐다. 아하즈는 그의 나이 11세에 아들을 본 셈이다. 그 당시 유다 왕국에 두 왕이 있었다. 아하즈의 아버지 요탐이 왕이었고, 그의 선왕이던 아하즈의 할아버지 아자르야는 나병 환자로 별궁에 살고 있었다. 아하즈의 아버지 요탐은 기원전 743년에 죽었고 그의 할아버지는 기원전 733년에 죽었다. 이사야의 예언은 아하즈의 아들이 선과 악을 구별할 나이가 될 무렵 유다 왕국의 두 왕이 모두 땅에서 사라진다는 말이다. '선과 악을 구별할 나이'는 정혼할 시기를 뜻한다(엣세네 공동체의 규례에 다음과 같은 구절이 나온다. '사람이 선과 악을 알 수 있는 스무 살이 충분히 되지 않았으면 잠자리를 하여 알려고 여자에게 가까이 가지 않을 것이다.' 충분히 토라 공부를 하지 않았으면 정혼하여 가족을 부양할 만하지 못하다는 말이다).

이사야가 말하는 임마누엘은 앞으로 태어날 아하즈의 아들 히즈키야를 가리킨다. 아하즈는 아직 왕세자로 있던 11세에 아들을 낳았다. 그때 그의 아내의 나이는 적어도 16~18세가 되었을 것이다. 이사야가 전한 임마누엘을 낳은 '처녀'는 아하즈와 정혼한 아내였고 다름 아닌 히즈키야의 어머니다. 히즈키야의 어머니 이름은 '아비(내 아버지)'고 그녀는 즈카르야의 딸이다.(열왕기하 18,2)

히즈키야(기원전 727~698년 재위)가 유다 왕국의 왕위에 오른 뒤, 예루살렘 지역뿐 아니라 지방에 있는 모든 신당을 허물고 신상을 철저히 파괴하고, 돌기둥을 부수고, 아쉐라 여신상을 부수고, 모세 시대부터 있었던 구리로 만든 뱀 상도 깨뜨려버렸다(열왕기하 18,4). 또한 신당 주변의 점쟁이나 무당 등도 추방했다. 이러한 종교개혁의 계기가 된 것은 YHWH 하느님의 말씀을 직접 전하는 이사야와 같은 예언자들의 열정이 신당의 사제들보다 훨씬 강했기 때문이었다.

하느님은 형상으로 표상될 수 없다고 외치며 신상과 신당을 허물었던 히즈키야 시대의 종교개혁 지도자들은 '있다'는 뜻이 내포된 하느님의 이름을 어떻게 알릴 수 있을까? 혹은 어떻게 신상이 아닌 다른 무엇으로 표현할 수 있을까? 하는 질문을 했을 것이다. '에흐예 임카(내가 너와 함께 있겠다)'라는 구호에 상응하는 이름이 바로 메시아적 이름인 '임마누엘(하느님이 우리와 함께)'이다. 또한 히즈키야 시대처럼 아시리아 제국의 침공에 맞서 버티는 상황에서 예루살렘 주민을 하나로 결속시키는 방편으로 '우리와 함께'라고 하는 단어는 '너와 함께'라는 것보다 더 희망적이었다고 볼 수 있다.

아시리아 군대가 예루살렘을 포위하고 있었을 당시 히즈키야는 이렇게 기도한다. "아시리아 왕들은 열방과 그 나라들을 황폐하게 만들고 그들의 하느님들을 불에 버렸습니다. 참으로 그들은 하느님이 아닙니다. 단지 사람의 손으로 만든 나무와 돌이기에 그들을 없앴습니다. 이제 우리의 하느님 YHWH여, 그(산헤립)의 손에서 우리를 좀 구해주십시오. 그리고 땅의 모든 왕국들이 당신 YHWH가 홀로 하느님이신 것을 알게 하십시오."(열왕기하 19,17~19) 여기서 히즈키야는 '우리의 하느님'을 강조하며 YHWH 하느님만이 홀로 현존하는 하느님이라고 확실하게 토로한다. YHWH 하느님은 신상으로 존재하는 것이 아니라 이름으로 현존한다는 신앙관을 전파하는 것이다.

히즈키야('YHWH가 굳세게 한다')가 YHWH 하느님을 이렇게 확신할 수 있었던 개인적 배경은 그가 죽을병에 걸렸을 때 그가 하느님의 성전에 들어가서 자기는 하느님의 성전이 있는 예루살렘을 수호하기 위해 좀 더 오래 살아야 한다고 하느님에게 열심히 기도하여 긍정적인 대답을 얻었기 때문이라고도 볼 수 있다.

초기 유대교 랍비들은 이 세상에 일곱 가지 기적 사건이 생겼는데 그 마지막 기적은 유다의 왕 히즈키야가 병들었다가 살아났던 것이라고 해석했다. "하늘과 땅이 만들어진 날부터 사람이 병들었다가 그의 병에서 살아난 적이 없었으나, 유다의 왕 히즈키야에 와서야 그는 병들었다가 살아났다. 이렇게 말한다. '이즈음에 히즈키야는 병들어 죽게 되었다.'(열왕기하 20,1)" 일곱 가지 기적 일화의 미드라쉬는 요한복음서에 전해진 예수의 일곱 가지 표징 일화와 대비된다(5장 〈일곱 가지 표징 일화〉 참조). 예수의 일곱 번째 표징은 나사로의 부활이며 이는 히즈키야의 생명 연장과 조응된다(죽음에 이르는 병에 걸렸던 히즈키야가 15년 더 살 수 있는 생명을 받은 것은 부활의 기적이다).

이사야 예언자가 선포한 임마누엘/히즈키야는 하느님에게 덤으로 받은 삶을 하느님을 위해 쓰려고 이스라엘 백성의 토라 교육에 전념했으며 '하느님이 우리와 함께' 있다는 믿음을 굳세게 만들었다. 그래서 아시리아 군대에 의해 포위되었던 예루살렘을 해방시키려고 죽음의 천사들이 와서 밤사이에 아시리아 군인들을 모두 쓰러뜨렸다.

이사야 예언자의 임마누엘 선포를 가브리엘 천사의 것과 비교해보면 마지막 시대에 태어날 임마누엘이 무엇을 해야 할지는 자명하겠다. 그의 가르침을 통해 믿는 자들이 어둠에서 빛을 보는 삶의 부활을 알게 되고 '진리'가 우리를 속박에서 풀어준다는 소망을 간직하게 하는 것이 아닐까?

예수는 기원전 7년 12월 1일에 태어났을 것 같다

고대 근동 문화에서 행성의 근접은 특별한 날/해로 여겨왔다. 목성과 토성의 근접은 매 20년에 한 번씩 생긴다. 목성과 토성의 세 번 근접(triple conjunction of Jupiter and Saturn)은 139년에 한 번 일어나고, 두 마리 물고기별자리(Pisces) 근처에서는 약 900년에 한 번 정도 생기는 현상이다. [기원전 4200~2200년경 춘분에 황도대 위에 떠오르는 별자리는 황소자리였으며 그다음 기간(기원전 2200~200년경)은 숫양자리였다. 수메르 이야기에 황소가 많이 나오는 이유도 바로 여기에 있다. 숫양자리의 대표적인 예는 알렉산드로스 왕의 두상을 그린 은전에서 볼 수 있다. 그는 숫양의 두 뿔을 머리에 달고 있는 모습이며 이것은 새 시대의 구원자적 특징을 보여준다.(그림 1-1 참조) 예수 당시 춘분에 떠오르는 황도 십이성좌의 별자리는 '두 마리 물고기'였다. 두 마리 물고기 별자리는 새천년을 상징하는 별자리다.]

당시 점성가들은 기원전 7년에 이 현상이 있을 것을 예상했다.(첫 번째 근접은 5월 27일, 두 번째는 10월 6일, 세 번째는 12월 1일.) 점성가들은 그해/그날 특별한 인물이 태어날 것을 기대했다. 특히 춘분에 두 마리 물고기 별자

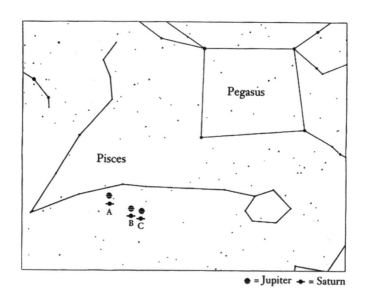

● = Jupiter ✦ = Saturn

리가 보이는 것은 새 시대의 도래를 알려주는 일이었다. 또한 새 시대를
알리는 메시아가 세 번째 근접하는 날에 태어난다고 전해졌다.

복음서에 전해진 '동방에서 온 세 점성가들의 이야기'가 이와 같은
천문 현상을 반영한다.

예수가 헤롯 왕 시기에 유대아 (지방) 베들레헴에서 태어났을 때 동방에
서 점성가들이 예루살렘으로 왔다.

그들은 말했다.

"태어난 유대인들의 왕이 어디에 있습니까? 참으로 우리는 동방에서

4-1 기원전 7년 '두 마리 물고기 별자리'에 3번 근접한 목성과 토성
A 첫 번째 근접. 5월 27일.
B 두 번째 근접. 10월 6일.
C 세 번째 근접. 12월 1일.

그의 별을 보았고 그에게 경배하러 왔습니다."

헤롯 왕은 (이 말을) 들었고 그와 함께 온 예루살렘이 술렁거렸다.(마태 2,1~3)

동방의 점성가들은 두 마리 물고기 별자리에 목성과 토성이 근접하는 날에 '유대인들의 왕'이 태어난다고 예견한 것이다. '유대인들의 왕'이라는 칭호는 매우 정치적이고 위험한 문구다. 왜냐하면 예루살렘을 포함한 유대아 지방은 헤롯 왕의 통치 아래 있었으며 그는 그의 아들들에게 왕권을 물려주려고 했기 때문이다. 또한 복음서의 다른 단락에서도 '유대인들의 왕'이라는 칭호가 정치적인 것을 볼 수 있다. 빌라도의 법정에 끌려온 예수에게 질문한 빌라도의 첫 심문이 '당신은 유대인들의 왕이요?'이었다. 빌라도는 예수가 정치적인 목적으로 군중을 선동했는지를 알고 싶어 했다. 헤롯 왕은 동방의 점성가들이 유대인들의 왕이 될 아이가 태어났다고 생각하여 그 점성가들이 알아보았던 때에 의거하여 베들레헴과 그 일대에 두 살 또래와 그 아래 아이들을 모두 죽이라고 사람들을 보냈다.(마태 2,16)

헤롯 왕이 베들레헴에서 태어난 아기들을 모두 죽이라고 한 이야기는 그가 죽은 해인 기원전 4년 이전 상황을 말한다. 따라서 동방의 점성가들이 별들의 움직임을 보고 베들레헴에 온 때는 바로 목성과 토성이 두 물고기 별자리에 근접하는 해이며 그때 예수가 태어난 것이다.

[엣세네의 문헌에서 "그들이 본 유성처럼 그의 왕국은 확실할 것이다"라는 문구에서 보듯이 엣세네의 점성가들은 천문 지식을 많이 활용했다. 특히 이 부분은 '하느님의 아들'의 탄생과 유성의 움직임을 연결시키는 것으로 이해할 수 있다. 이런 관점에서 보면 예수의 탄생과 목

성과 토성이 근접하는 별자리 이야기는 우연이 아니다.]

초대교회 전승에 따르면 예수가 태어난 날을 동지라고 한다. 이는 로마 사람들이 태양신이 태어난 날을 동지로 삼았기 때문이다(12장 〈예수의 오른손에 있는 일곱 개의 별은 무엇일까〉 참조).(예수의 탄생일이 비록 후대에 생긴 전승이지만) 이에 비추어 보면 마리아가 거룩하신 분의 영에 의해 예수를 잉태한 날은 황도대에 두 마리 물고기 별자리가 보이는 춘분이고 예수가 태어난 날은 12월 1일이다.

초대교회 사람들 사이에 '두 마리 물고기'는 새 시대의 메시아인 예수를 상징하는 은어로 쓰이기도 했다. 초대교회 모임의 상징인 물고기 모양의 연원도 새 시대의 별자리에 있다. 초대교회 교인들은 '물고기'란 뜻인 그리스어 '이크튀스(ΙΧΘΥΣ)'를 '예수 그리스도는 하느님의 아들이고 구원자다'라는 고백 문구를 상징하는 비밀 단어로 통용했다. '예수(Ιησους), 그리스도(Χριστος), 하느님(Θεου)의 아들(Υιὸς), 구원자(Σωτήρ)'에서 각 단어의 첫 글자를 뽑아 ΙΧΘΥΣ라는 상징어를 만든

4-2 2·4세기경 그리스도교 신도들의 보석
그리스도교의 상징인 물고기 위에 ΙΧΘΥΣ가 새겨져 있다. 물고기 양 옆에 AΩ가 쓰여 있다.(12장 〈예수의 오른손에 있는 일곱 개의 별은 무엇일까〉 참조.)

것이다. 이렇게 초대교회 교인들은 물고기 그림을 그들의 상징으로 사용했다.

[그리스도와 메시아는 같은 뜻이다. 메시아는 히브리어(משיח 마쉬악흐)로 '기름 부음을 받은 자'라는 뜻으로 예언자나 특별한 지도자에게 부여한 칭호였으며 그 단어를 그리스어 번역한 것이 그리스도다. 초기 유대교 시기에는 이스라엘을 구원한다고 많은 사람들에게서 평판 받는 사람을 메시아라고 불렀다. 예수가 이스라엘 땅에서 복음을 가르치고 병자들을 고쳐주던 시기에 많은 사람들이 그를 메시아라고 불렀다.]

메시아는 왜 베들레헴에서 태어나야 할까

동방의 점성가들이 베들레헴을 찾아온 이유는 메시아가 그곳에서 태어났기 때문이다. 메시아가 베들레헴에서 태어나야 할 까닭은 무엇일까? 초기 유대교 랍비들의 성경해석에 따르면, 창조에 앞서 일곱 가지의 것들이 만들어졌다고 이야기한다. 그것들은 토라, 지옥, 에덴동산, 영광의 보좌, 성전, 회개 그리고 메시아의 이름이다. 이것들은 모두 '옛날에' 만들어졌기 때문에 그렇게 해석했다. 그 가운데 메시아의 이름에 대해 이렇게 해석한다.

우리는 어디에서 메시아의 이름을 아는가?
왜냐하면 이렇게 말한다. "그의 이름은 영원할 것이며 태양(이 뜨기) 전에 그의 이름은 싹을 낸다."(시편 72,17) 세상이 만들어지기 전에 '싹을 낸다.'
다른 문구는 이렇게 말한다. "그러나 너, 에프라타의 베들레헴아. 유다지파 가운데 어린 자여. 이스라엘을 다스릴 자가 너에게서 나를 위해 나올 것이다. 그의 출생은 옛날에, 옛 시절부터."(미가 5,1) '옛날에', 즉 세상이 아직 만들어지기 전이다.(《엘리에제르 랍비의 해설집》 3장)

'태양이 뜨기 전'이라는 말은 창조 넷째 날에 태양이 만들어졌는데 메시아의 이름이 싹을 내는 것은 그 전이라는 뜻이다. '싹을 낸다'를 메시아가 태어난다는 뜻으로 해석하는 것이다. 이에 따라 '새싹'은 메시아 이름으로 통용되었다. 창조 때에 새싹의 이름이 알려졌다는 문구에 따르면 이스라엘을 다스릴 왕이 베들레헴에서 태어날 것이며 그의 출생은 이미 옛날에 예고되었다. '옛날'은 하느님의 창조 이전이라는 말이다. 이처럼 초기 유대교의 성경해석 전통에 따르면 메시아는 유다 왕국의 땅 베들레헴에서 태어나야 한다.

동방의 점성가들이 별자리를 보고 '유대인들의 왕'이 태어났다고 안 것은 엣세네의 지식층과도 관련된다. 여기에 덧붙여 메시아가 베들레헴에서 태어나는 이야기는 바리새 성경해석자들의 해석에 근거한다. [베들레헴은 히브리어로 '베트-레헴'이며 '베트'는 '집,' '레헴'은 '빵'이라는 뜻이지만, 마을 이름인 '베트레헴'의 '레헴'이라는 단어는 이 지방의 신神 이름으로 볼 수 있다. 고대 이스라엘과 가나안 지역에 '라하무'라는 이름의 신이 있었다. 라하무의 신전이 있는 마을에서 유래된 단어다. 이런 지명으로 베트엘(베델) '엘의 집'('엘'은 가나안의 하늘신 이름이었다), 베트쉐안 '쉐안의 집'과 비슷한 경우다('쉐안'은 태양신과 관련된 신 이름이다).]

랍비 유대교 문헌에 이스라엘을 포도원으로 비유하며 그곳에 심은 묘목은 메시아라고 해석하는 단락이 나온다.

심온 벤 요하이 랍비는 말했다.**01**

왜 이스라엘을 포도원에 비유할까?

포도원은 어떻게 시작하는가? 사람이 쟁기질을 하고 그다음에 잡초를 뽑아낸다. 그다음에 기둥들을 세우고 포도송이가 달리면 돌아와서 수확을 한다. 그다음에 포도즙을 짜내어 포도주를 만든다.

이스라엘이 그렇다. 목자牧者 하나하나가 백성을 인도하기 위해 그들 앞에 서 있다. 그래서 이스라엘을 포도원이라고 불렀다. 이렇게 말한다. "만군의 주님YHWH의 포도원은 이스라엘의 집이며 유다 사람은 그분이 좋아하는 묘목이다."(이사야 5,7)

이 묘목은 무엇일까? 여러분이 묘목을 심으면 그 자리는 알려진다. 이처럼 찬미 받으시는 거룩하신 분은 유다의 부족에 왕국의 묘목을 심었으며 (여기서) 메시아 왕이 나올 것이다. 이렇게 말한다. "지팡이가 유다에게서 떨어져나가지 않을 것이다."(창세기 49,10)

여기서 비유하는 포도원은 토라를 공부하는 이상적인 이스라엘 공동체를 은유적으로 표현한 단어다. 하느님이 유다 부족에 메시아가 될 묘목을 심었다는 랍비들의 해석처럼 엣세네에서도 자기들의 공동체를 유다 부족이라고 말하며 유다 집안에서 다윗의 새싹인 메시아가 나온다고 해석했다(['의로운 자는 그의 믿음으로 산다'],(하박국 2,4) 그 해석. 유다 가家에서 토라를 행하는 자들에 관한 것이다. 4장 〈두 메시아를 기다리던 새 언약의 공동체〉 참조).

다윗의 줄기와 새벽별 요한계시록 22,16

엣세네나 랍비들의 문헌에 따르면 '다윗의 새싹'(혹은 '새싹')이라는 표현이 메시아의 호칭인 것은 여러 곳에서 확인할 수 있다(3장 〈누가 '진리의 영'이라고 불리는 '다른 위로자'일까〉, 《잠언 미드라쉬》, 〈야곱의 축복〉; 4장 〈두메시아를 기다리던 새 언약의 공동체〉, 〈마지막 시대의 해석〉; 7장 〈형제를 몇 번이나 용서하느냐고 묻는 의도는 무엇일까〉, 〈새 계약의 규례〉; 12장 〈'낙원에 들어간 네 명' 이야기〉 참조). 복음서에는 메시아에 대한 히브리 성경의 인용구가 여러 번 나오지만 새싹이나 어린 가지와 같은 상징어는 없다. 그러나 요한계시록에서 아래와 같은 상징적인 표현을 찾아볼 수 있다.

> 나 예수는 내 천사를 여러분에게 보내어 이것들을 교회 앞에서 증언하게 하였습니다. 내가 바로 다윗의 뿌리며 그의 줄기고 빛나는 새벽별입니다.(요한계시록 22,16)

'그의 줄기'라고 옮긴 단어는 흔히 '그의 자손'이라고 번역한다. '줄기(게자)'는 물론 '자손, 혈통'의 뜻도 포함된다. 그러나 메시아 문구를 염두에 두면 '자손'보다는 '줄기'가 그 맥락에 더 어울린다. 요한계시록의 '다윗의 뿌리며 그의 줄기'라는 문장을 히브리어로 옮기면 이사야서의 다음과 같은 문구에 나오는 단어들과 같다. "이새의 줄기에서 싹이 나며 그 뿌리에서 가지가 자라 열매를 맺을 것이다."(이사야 11,1) (이새는 다윗의 아버지다.)

고대 이스라엘에서는 다윗의 아들이 이스라엘의 구원자가 된다는 희망을 이야기했지만 초기 유대교 사회에서 이 문구는 메시아의 도래를 기대하는 히브리 성경의 예언으로 자주 인용되었다. '다윗의 뿌리며 그의 줄기'는 다윗의 새싹이라는 메시아 호칭과 비슷한 유형이다.

또한 '새벽별'도 '별이 야곱에서 길을 낸다'(민수기 24,17)는 메시아 문

구처럼 메시아 사상을 반영한 낱말로 보인다. '별'이라는 메시아 이름
은 아키바 랍비가 132년에 로마로부터 자주독립하려고 일어난 이스라
엘 항쟁군의 지도자를 '바르 코크바(별의 아들)'라고 명명한 데에서도 확
인할 수 있다.

메시아 예수가 '다윗의 줄기와 새벽별'이라는 문구와 비교되는 단락
을 엣세네의 규례에서 읽어볼 수 있다.

> "[너희가 너희를 위하여 만든 너희 신神들의 별인] 너희 왕의 천랑성(초
> 막)과 너희 석상石像의 토성土星을 네가 다메섹 [멀리로] 유배 보낼 것
> 이다."(아모스 5,26~27)
>
> (해석.) '왕의 초막.' 이것은 토라 책들(모세오경)이다. 이렇게 말한다.
> "다윗의 쓰러진 초막을 세울 것이다."(아모스 9,11)
>
> '왕.' 그는 회중會衆이다.
>
> '석상의 토성.' 이것은 예언자들의 책이며 이스라엘은 그들의 말을 무
> 시하였다.
>
> '별.' 그는 다메섹에 올 해석자다. 이렇게 쓰여 있다. "별이 야곱에서
> 길을 내고 지팡이가 이스라엘에서 일어날 것이다."(민수기 24,17)
>
> '지팡이.' 그는 모든 이 공동체의 대표자며 그가 일어설 때에 "그는 쉐
> 트의 모든 자식들을 부서뜨릴 것이다."(민수기 24,17)
>
> 지난번 그분(하느님)의 감찰 시대에 이들은 피신하였고 변절자들은 칼
> 에 끝나버렸다. 또한 그분의 언약에 들어온 자들 모두에게 법령이 있고
> 이것들을 준수하지 않는 자들은 감찰을 받아 브리알(악마)의 손에 파멸
> 된다. 그것이 하느님이 감찰하는 날이다.(《새 언약의 규례》 vii,14~viii,2)

'천랑성'(天狼星, Sirius)의 뜻인 악카드어 šukūdu를 סכות(씨쿠트), 그리고 '토성'인 kajjamānu를 כיון(키반)이라고 음역한 것이다.[02] '씨쿠트'와 '키반'이라고 모음 부호를 붙인 것은 6~7세기에 만들어진 것이며 악카드어에 준하여 이 외래어를 음역하면 '쑤코트'와 '카야반'으로할 수 있다. '왕의 초막(쑤카트 하-멜레크)'은 '천랑성'의 히브리어 음역이쑤카트(초막)와 발음이 비슷하여 '다윗의 초막(쑤카트 다비드)'이라고 해석한 것이다. 또한 이스라엘 사람들이 이집트에서 도망 나와 40년 동안광야에서 생활했을 때 사용한 '장막'을 기억하기 위해서 '초막'을 짓고'초막절(쑤코트 סכות)'을 절기로 지킨 것에 근거하여 '장막'을 '초막'이라고 해석하고, 그때 장막에 토라를 두었다고 하여 '초막'은 토라(모세오경)를 뜻한다고 해석한다.

신新 바빌로니아와 신新 아시리아 왕들의 비석에 용맹스러운 왕의 모습이 부각되어 있으며 그 위에 해, 달, 금성 등 신들의 상징이 그려져 있다. 아모스서에서 말하는 석상은 이런 상징이 그려져 있는 왕들의 비석을 말하는 것이다. '토성'의 뜻으로 쓰인 כיון(키윤)이 '예언자들의 책'이라는 해석은 כיון(키윤)의 첫 자음(כ)과 끝 자음(ן)이 '예언자들의 책들'(כחבי נבאים 크트베이 네비임)의 약자略字인 כן이라고 해석한 것이다.

별과 지팡이는 메시아를 가리킨다. '다메섹'은 엣세네 공동체를 가리킨다. 사해문헌에 자주 나오는 두 메시아의 해석에 따르면 토라의 해석자인 야곱의 별은 대사제로서의 메시아를 말하고 공동체의 대표자인이스라엘의 지팡이는 다윗의 새싹인 왕으로서의 메시아를 뜻한다(4장⟨두 메시아를 기다리던 새 언약의 공동체⟩ 참조).

마지막 시대에 메시아가 와서 하느님의 법령을 준수하지 않은 사람들은 심판을 받고 칼에 끝난다고 말한다. 예수가 그의 제자들에게 평온을 두려고 온 것이 아니라 칼을 두려고 왔다는 말(마태 10,34)도 엣세네의 〈새 언약의 규례〉에서 읽어볼 수 있다.

〈새 언약의 규례〉에 나오는 '별과 지팡이'라는 메시아적 표현은 요한계시록의 '다윗의 줄기와 새벽별'과 비교된다. '다윗의 줄기'는 '이스라엘의 지팡이'를, '새벽별'은 '야곱의 별'을 뜻한다고 이해할 수 있다. 요한계시록의 '빛나는 새벽별'은 '천랑성'을 뜻하지 않을까?(요한계시록에 전해진 초대교회 사도의 성경해석은 엣세네의 성경해석을 반영한다.)

아기 예수를 축복한 '경건한 자'는 누구였을까 누가 2,26~34

예수의 부모가 아기 예수의 속량을 위해 제물을 바치러 예루살렘 성전에 왔을 때 그곳에서 심온이라는 사람을 만났다. "그는 경건한 자(하씨드)며 의인(짜딕)이었다. 그는 이스라엘의 위로(나하마)를 기다리고 있었다."(누가 2,25) [심온이 이스라엘의 위로를 기다리고 있었다고 말하는데 '위로'는 위로자를 뜻한다. 고난에 처한 이스라엘을 위로할 사람을 말한다. '위로자'는 메시아를 가리키는 칭호다. 그는 이스라엘을 구원할 위로자를 기다리고 있었다는 말이다.] 그리고 심온에게는 거룩하신 분의 영이 머물러 있다고 말한다.

그가 주님YHWH의 메시아를 볼 때까지 죽지 않을 것이라고 거룩하신 분의 영이 그에게 말해주었다. 그는 거룩하신 분의 영의 인도로 성전에 왔다. 그때 예수의 부모가 아기 예수를 데리고 토라의 계명에 따라 이를 지키기 위해 성전에 들어가려고 했다.

심온은 아기 예수를 두 팔로 안고 하느님을 찬미하며 말했다.

"주님, 이제 당신의 말씀 따라 당신의 종을 평안히 놓아주십니다. 참으로 내 눈이 당신의 자비를 보았습니다. 당신이 모든 민족들 앞에서 준비하셨습니다. 이방인들에게 밝히는 빛이며 당신의 백성 이스라엘의 영광입니다."

요셉과 그의 어머니는 그에 대한 말들을 듣고 놀라워했다.

그리고 심온은 그들에게 복을 내리고 그의 어머니 미리암에게 말했다.

"보시오, 이 아기로 말미암아 이스라엘에서 무리가 넘어지고 일어서는 일이 생길 것입니다. 분쟁의 표징입니다."(누가 2,26~34)

심온은 아기 예수가 하느님의 은혜를 받고 태어난 구원자라고 말하면서 그로 인해 이스라엘에서 무리들 사이에 분쟁이 일어날 것이라고 예언한다. ['분쟁'이라고 옮긴 단어는 히브리어(ריב)로 '말다툼하다, (법정에) 고소하다' 등을 뜻한다. 논쟁으로 인해 법정에까지 가야 하는 사태를 말하며 이로 말미암아 예수를 따르는 무리와 그를 반대하는 무리 사이에 분쟁이 일어난다는 것이다.]

여기서 '이스라엘'은 이스라엘 공동체를 말한다. 흔히 '무리'라고 옮기는 단어(πολλοι 폴로이)는 히브리어(רבים 라빔)로 '많다'는 뜻이다. '라빔(무리)'은 당시 용어로 엣세네 공동체의 회중을 가리키는 고유명사이기도 했다. 엣세네 공동체에서 '라빔'이라는 낱말이 자주 나오는데 그 한 예를 읽어본다.

이것은 거류지 담당의 감독監督에 관한 규례다.

그는 하느님의 행하심을 무리가 깨닫게 가르치며 그분의 놀랍고 위대하심을 그들이 이해하게 만들고 그들 앞에서 옛날부터 생긴 일을 자세

히 이야기한다.(《새 언약의 규례》 xiii,8)

'무리'는 한곳에 모여 함께 행동을 하는 여러 사람들의 모임을 뜻한다. 이 단어는 복음서에 자주 나온다. 예를 들어, "예수가 이 말을 마치니, 무리가 그의 가르침에 놀랐다."(마태 7,28) 바리새들은 예수 공동체를 '라빔'이라고 불렀다(바리새의 견해로는 엣세네와 예수 공동체 사이의 분명한 구분이 없었던 것을 볼 수 있다).

예수가 훗날 이스라엘 공동체에서 무리들 사이에 분쟁을 일으킬 것이라고 예언한 심온이라는 사람은 누구였을까? 그를 하씨드(경건한 자, 자비로운 자)고 짜딕(의인)이라고 말하는 점을 보아 그는 상당히 명성이 높은 지위의 사람임에 틀림없다. 하씨드나 짜딕은 바리새나 엣세네 모두 사용했던 호칭이다. 그런데 그가 '무리'라는 단어를 사용한 점으로 보아 그가 말하는 이스라엘은 엣세네 공동체를 가리킨다. '경건한 자' 심온 의인은 엣세네의 사정을 잘 알고 있는 사람이다.

아기 예수가 그 당시 명망 높은 짜딕에게서 이스라엘 공동체(엣세네)를 구원할 메시아로 지명 받은 것이다. 그런데 그 짜딕은 예수로 인해 엣세네 안에 분쟁이 생길 것을 예견했다. 물론 이러한 기사는 사후 처리(post factum)다. 그가 예수를 엣세네 공동체의 분쟁을 일으킬 장본인으로 지적한 것은 그런 사건들이 일어났기 때문이다. 그렇다고 심온 이야기가 훗날 만들어졌다고 생각되지는 않는다. 예수의 어머니 주변에 전해진 이야기가 누가에 의해 기록된 것으로 보인다.

열두 살 때 예수와 문답한 교사들은 누구였을까 누가 2,41~46

예수가 열두 살이 되었을 때 일어난 사건에서도 그의 종교적 성숙을 읽어 볼 수 있다. 예수의 부모는 매년 유월절 축제에 예루살렘으로 올라가곤 했다. 그가 열두 살이 되었을 때 축제를 지키는 관습에 따라 그의 부모는 예수를 데리고 예루살렘으로 올라갔다. 축제가 끝나고 그의 부모는 고향으로 돌아가는데 예수가 함께 있지 않은 것을 발견했다. 청소년 예수는 예루살렘에 머물러 있었다. 사흘이 지나서야 그들은 그를 성전에서 찾았는데 그는 교사들 사이에 앉아서 그들에게서 듣고 그들에게 질문했다.(누가 2,41~46) 여기서 열두 살이 된 예수를 청소년이라고 부른다. 초기 유대교 관습에 따르면 '청소년'(히브리어로 '나아르')은 계명을 지켜야 할 의무를 지닌 사내아이를 일컬으며, 바리새 유대교에서는 열세 살 때에 계명의 책임을 져야 한다는 의미로 성년식을 하고 '계명의 아들(바르 미쯔바)'이라는 칭호를 받았다. 그래서 적어도 열세 살이 되면 모세 법규에 따라 행동하고 잘못하면 벌을 받아야 하는 책임을 진다. 예수가 열두 살일 때 교사들과 모세의 법규에 대해 문답할 수 있는 청소년이었다는 것은 큰 의미를 지닌다.

바리새 유대교에서는 어린 나이부터 토라 공부를 시작했다. 《미쉬나》에 어릴 때부터 공부하는 과정을 아래와 같이 열거한다. "다섯 살에 모세오경을, 열 살에 미쉬나를, 열셋에 계명을, 열다섯에 탈무드를 (배우고), 열여덟에 혼인하고, 스물에 (직업을 갖는) 소명을 받는다."(《선조들의 어록》 5,1) 다섯 살에 히브리어 글자를 배우는데 창세기에서 출애굽기까지 주로 이야기를 읽으면서 토라(모세오경)를 배웠다. 미쉬나는 모세 법규에 대한 해석이며 주로 레위기에 대한 상세한 해석을 배웠다. 열여덟 살에 혼인하고 스무 살에 직업을 갖는다는 것은 자식을 낳고 가족을 부양하는 의무를 가지게 된다는 말이다.

한편 엣세네 유대교에서도 어릴 때부터 토라와 공동체의 규례를 배우기 시작해서 스무 살에 그들 공동체의 청문회에 참석할 수 있는 일원이 될 수 있다고 규정했다.

> 이것은 공동체의 모든 군대軍隊, 이스라엘의 모든 시민들을 위한 규례다.
> 어릴 때부터 '음송의 책'을 가르치고 나이에 따라 언약의 법규를 배우게 한다. 이 법규에 대해 자신의 교훈을 가지며 어릴 때는 이렇게 10년을 지낸다.
> 20세에 감찰監察을 받고 그의 가족의 운명을 결정하는 일에 참석하며 거룩한 공동체의 일원이 된다. 그가 아직 선善과 악惡을 알 수 있는 20세가 넘지 않았으면 잠자리를 하여 여자를 알려고 가까이 가지 않을 것이다. 또한 그는 토라 재판에 증인으로 채택되며 재판의 청문회에 참여한다.(《마지막 시대의 규례》 i,6~11)

'음송의 책'은 일명 《성전 책》이라고 일컫는 문서다. 이 책은 사해문헌 가운데 가장 긴 문서로 기원전 2세기 중반 엣세네 공동체가 형성될 당시 의로운 교사 등 공동체의 핵심 사제들이 집필한 것으로 보인다. 이 책의 앞부분 절반에는 예루살렘 성전을 건축할 청사진이 자세히 기록되었으며 나머지는 레위기와 신명기를 재해석한 것이다. 성전 건축은 새 시대를 시작하는 필수 조건이며 새 시대에 적합한 법규 해석 또한 필요한 작업이다. 여기서 고대 이스라엘 종교 전통을 부활하려는 강력한 의지를 엿볼 수 있다. 이 책은 엣세네 공동체 고유의 문서로 '새 토라'라고 말했다.

어릴 때부터 레위기와 신명기 등 모세 법규를 10년 동안 배운다. 20세가 되면 감찰기관의 인정을 받아 공동체의 재판에 증인이 될 수 있는 자격을 부여 받았다. 20세가 되어 혼인을 할 수 있으나 선과 악을 구별하는 법규의 지식이 부족하다고 판정을 받으면 혼인을 하지 못했다.(혼인에 대해 매우 엄격한 잣대를 가지고 있는 것을 볼 수 있다. 그만큼 이혼의 경우 수가 줄어든다.)

엣세네의 규례에 따르면 열 살부터 언약의 법규(모세오경의 법규)를 배웠다. 언약의 법규는 바리새의 계명과 같은 범주에 속하는 내용으로 구성되어 있다. 엣세네가 바리새보다 이른 나이에 계명에 대한 책임을 지게 했다는 점을 알 수 있다. 열두 살의 예수가 교사들과 문답을 했다는 이야기는 예수가 어린 나이부터 모세오경뿐 아니라 모세 법규에 대한 지식과 의문이 많았다는 점을 보여준다. 또한 열두 살 나이의 예수가 '바르 미쯔바'를 한 청소년에 버금간다고 볼 수 있다.

"내 아버지의 집에 있어야 합니다"라는 말이 무슨 뜻일까 누가 2,49

누가복음에 전해진 청소년 예수의 이야기를 읽어보면, 예수는 그의 부모가 집으로 돌아가는 줄도 모르고 성전에서 교사들 사이에 앉아 그들에게서 듣고 그들에게 질문하며 사흘이나 지냈다. 예수의 말을 듣고 있던 사람들은 그의 지혜와 답변에 놀랐다고 한다. 걱정 끝에 예수를 찾은 그의 어머니는 "아들아, 어찌하여 우리에게 이렇게 했니?"라고 말한다. 그때 예수의 대답이 매우 극적이다.

왜 나를 찾으셨습니까? 내가 내 아버지의 집에 있어야 하는 것을 알지

못하셨습니까?(누가 2,49)

다시 말하면, 왜 곧장 자기를 찾으러 성전('아버지의 집')으로 오지 않고 다른 곳을 헤매었느냐는 반문이다. 복음서에는 예수가 무슨 뜻으로 이렇게 말했는지를 그의 부모가 전혀 이해하지 못했으며 그의 어머니는 그 말을 마음속에 오래 간직했다고 전한다.

청소년 예수는 무슨 뜻으로 교사들 앞에서 그의 어머니에게 이런 말을 했을까? 그 해답의 단서는 그 교사들이 어느 부류에 속한 사람들인지를 찾아보면 얻을 수 있다. 바리새 선생들이었을까, 아니면 엣세네 교사들이었을까? 성전에서 사람들과 토라에 대해 문답을 하고 있던 그 교사들은 사두개 사람들이 아니다. 왜냐하면 사두개 유대교에는 교사라는 직업이 없었다.(교사들과 사람들이 모여서 토론하는 곳은 성전의 앞마당이거나 성전 옆의 강당이다.)

한편, 엣세네 교사들은 다른 분파의 사람들에게 그들의 규례와 지식을 이야기하지 않았다. 그들의 교사에 대한 법규에 이 점이 잘 드러난다.

이것들은 교사를 위한 법규들이다.
그는 모든 산 자들과 때와 때의 내용에 따라 사람과 사람의 중요함에 따라 이것들로 걸어 다닌다(산다). 그는 하느님의 뜻을 때와 때에 밝혀진 모든 것에 따라 행한다. 때에 따라 밝혀진 온갖 지식과 때의 법칙을 평가한다.
정의의 자식들을 그들의 영혼에 따라 구별하고 중요시한다.(하느님)이 말씀했듯이 (하느님)의 뜻에 따라 때에 선택된 자들을 강하게 한다.
각자 그의 영혼에 따라 판단을 내린다. 각자 그의 손바닥의 무지함에

따라 그를 가까이 오게 하고[03] 그의 지식에 따라 그를 소개하고 그를
사랑하고 미워하는 것도 마찬가지다.

웅덩이의 사람들과 논쟁이나 논박하지 않으며 거짓말쟁이들 가운데에
서는 토라의 조언(해석)을 감춘다. (그의) 길에 선택된 자들에게 진리의
지식과 정의의 재판을 논쟁한다.(《단합체의 규례》 ix,12~17)

웅덩이의 사람들은 어둠의 자식들로 바리새나 사두개들을 가리킨다.
엣세네 교사들은 오직 엣세네 공동체의 사람들에게만 토라의 지식을
가르쳤으며 다른 부류의 사람들과는 토라 지식에 관한 토론을 하지 않
았다. 또한 엣세네는 사두개들이 운영(점령)하고 있는 예루살렘 성전을
달갑게 생각하지 않았다. 엣세네 규례에 이렇게 말한다.

사악한 시대에 토라의 해석대로 행하며 지킬 것이고 웅덩이(어둠)의 자
식들과 갈라놓게 될 것이다. 허원許願과 금지된 것과 성전의 보고寶庫
에서 얻은 사악하고 더러운 재산에서 멀리할 것이다.(《새 언약의 규례》
vi,14~15)

원래는 엣세네의 창시자가 예루살렘 성전의 대사제였다. 마카비 형
제들이 통치권과 대사제권을 모두 가져가 행사했기 때문에 이에 반발
하였고 그들과 결별하여 새로운 공동체를 만들었다. 따라서 엣세네 사
제들은 예루살렘 성전을 멀리했으며 그들의 거룩한 공동체가 하느님의
집이라고 말할 정도였다.

그러므로 예수가 예루살렘 성전에서 문답을 주고받은 교사들은 바리
새 선생들로 보인다. 그 당시 바리새 선생들은 힐렐파나 샴마이파에 속

하는 사람들이었는데 예수와 사흘 동안이나 함께 있었던 선생들은 힐렐파의 사람들로 보인다. 왜냐하면 삼마이파에서는 다른 부류의 사람들에게 토라를 가르치는 것을 피했다. 그러므로 청소년 예수는 힐렐의 제자들과 문답한 것으로 생각된다. 예수가 그들과 문답하며 배운 것은 하느님은 아버지라는 가르침이며 예루살렘 성전이 자기 아버지의 집이기 때문에 자기가 그곳에 있어야 한다는 원대한 꿈이다. 즉, 사제가 되겠다는 결심이다. [아마도 힐렐의 다음과 같은 언명이 청소년의 마음을 흔들어놓았을 것 같다. "아론의 제자들이 되어라. 평화를 사랑하고 평화를 추구하라."(《선조들의 어록》 1,12) (2장 〈삼마이와 힐렐의 논쟁〉 참조)] 이 청소년의 어머니는 아들의 '엉뚱한 상상'을 마음속에 담아두어야 했다. 이 단락의 마지막 문장은 이러하다. "예수는 키와 지혜가 자라고 하느님과 사람들의 총애를 받았다."(누가 2,52)

사제로서의 메시아가 되기 위한 선택은 어디였을까 마태 3,16~17

그리고 단락이 바뀌어 세례자 요한의 출현으로 연결된다. 예수가 요르단 강가에서 세례를 받고 물에서 올라오자 하늘이 열리고 거룩하신 분의 영이 비둘기처럼 예수 위에 내렸다. 이어 하늘에서 이런 소리가 울렸다. "네가 그 사랑 받는 내 아들이다. 너에게 내 즐거움이 있다."(누가 3,22) 그다음 단락은 "예수가 서른 살쯤이었으며 그는 요셉의 아들로 여겨졌다."(누가 3,23)고 말하며 예수의 족보가 열거된다. 열두 살의 사건에서 서른 살로 넘어간다. 열두 살부터 서른 살 사이에는 전할 만한 사건이 없었다는 말일까? 아니면 열두 살 다음에 서른 살로 곧 건너가야 하는 당위성이 있었을까?

우선 '경건한 자' 심온의 이야기로 돌아가 다시 읽어볼 필요가 있다. 심온이 아기 예수를 만나려고 한 까닭은 물론 마리아가 거룩하신 분의 영으로 잉태되어 예슈아(구원자)라는 이름의 아들을 낳았다는 소문 때문일 것이다. '경건한 자' 심온도 아기 예수에 대한 관심이 컸던 것이다. 그래서 그가 직접 눈으로 확인하고 싶어서 기도하자, 거룩하신 분의 영의 인도로 제때에 아기 예수와 그의 부모를 만났다. 그런데 그가 아기 예수의 부모에게 축복 기도를 하고 난 다음에 왜 그의 어머니에게 그 아기로 인해 이스라엘에서 분쟁이 일어날 것이라고 말했을까? 하필 그의 어머니일까? 그의 아버지가 아니라 그의 어머니 마리아에게 말해야 하는 까닭이 있었을 것이다.(물론 거룩하신 분의 영으로 잉태했기 때문이겠지만.)

심온이 아기의 어머니에게 아기 예수의 암울한 장래를 예언한 것은 그 부모의 족보와 관련된 문제다. 예수의 아버지 요셉은 다윗의 후손이다.(마태 1,1) 그리고 그의 어머니 마리아(미르얌)는 아론의 후손이다. [아론의 누이 예언자 미르얌은 손에 소고를 들고.(출애굽기 15,20)] 그것은 그녀의 친척인 엘리쉐바(엘리사벳)가 아론의 후예이기 때문에 바로 알 수 있다.(누가 1,5) 그녀의 남편 즈카르야(사가랴) 역시 성전의 사제였다.

가브리엘 천사에 의해 '구원자(예슈아)'로 계시된 예수가 이스라엘의 메시아가 된다면 그는 어느 분파의 메시아에 속해야 할까? 하는 문제에 직면한다. 왜냐하면 바리새와 엣세네는 메시아에 대해 서로 다른 입장을 취하고 있었기 때문이다. 엣세네에서는 이스라엘의 왕(다윗의 아들)과 아론의 사제가 메시아로 온다고 가르쳤으나, 바리새 해석자들의 해석에 따르면 메시아는 다윗의 아들이다. 그 당시 유대인들에게 메시아에 대한 기대가 매우 컸다.

기원전 3~서기 2세기 동안에 이스라엘 땅에 살던 유대인들에게 메시아의 도래는 큰 주제였다. 오랫동안 고대 이스라엘의 왕권을 잃고 살았던 유대인 사회에 이스라엘을 구원할 구원자가 곧 올 것이라고 선포하는 대중이 늘어났다. 메시아를 가리키는 특정 명칭인 다윗의 '새싹(쩨마흐)'은 메시아의 칭호로 쓰였으며, '메낙헴' 등 다른 메시아 이름에 대한 해석도 분분했다. 특히 예수(예슈아)는 이름 자체가 '구원하다'라는 동사에서 파생된 단어이기 때문에 그 이름은 '하느님이 이스라엘을 구원한다'는 뜻을 가지고 있다. 따라서 일부 동조자들이 어느 특정한 인물을 메시아로 추대하며 그를 예슈아라고 부르는 경우가 적지 않았다.

유대인 역사가 요세푸스의 책 《유대인의 역사》에 기록된 기원전 3세기~서기 1세기 동안의 인물 가운데 예수(예슈아)라는 이름을 가진 사람들이 상당수 나온다. 대사제권을 빼앗긴 오니아스의 형제 예수, 대사제가 된 감리엘의 아들 예수, 대사제가 된 암메우스의 아들 예수, 대사제권을 빼앗긴 파베트의 아들 예수, 소동을 일으켜 처형당한 아나누스의 아들 예수, 티베리아스의 집정관 사피아스의 아들 예수, 도적단의 두목 사파트의 아들 예수 등등. 물론 나사렛의 예수도 요세푸스의 기록에 포함된다. 한편 초기 단계의 탈무드에도 예슈아(혹은 줄여서 예슈)는 이름과 관련된 문구를 찾을 수 있다. '예슈의 제자인 야콥이 와서 판테라의 아들 예슈의 이름으로 그를 치유한다고 말했다', '판테라의 아들 예슈의 이름으로 당신에게 주문을 건다' 등의 구절이 그런 예다. 132년 로마의 폭정에 항거하며 유대인들의 자주독립을 외친 항쟁군의 우두머리인 바르 코크바(별의 아들)도 메시아 이름이다.

예수가 열두 살 때에 "나는 내 아버지의 집에 있어야 한다"고 말한 뜻은 자명하다. 예수는 하느님의 성전을 수호하는 사제가 되겠다고 결심한 것이다. 청소년 예수의 이러한 소망은 하느님에게서 받은 자기 이름(예슈아)의 가치를 성취하기 위한 적합한 소명이다. 그렇다면 그 당시 상황에서 그는 어떻게 자기 소망을 이룰 수 있을까?

신약성경에 보면 예수는 교사며 사제였다. 복음서에서 예수를 교사 혹은 랍비라고 불렀으나 사제라고 부른 경우는 없다. 그러나 '우리에게는 하늘로 올라가신 위대한 대사제, 하느님의 아들 예수가 있습니다'(히브리서 4,14)라고 말하는 것을 보면 예수가 사제였던 것은 의심할 여지가 없다. 또한 최후 만찬의 자리에서 예수가 빵과 포도주를 돌리며 성찬 의례를 주관한 점을 보아도 그가 사제였기 때문에 가능하다.

그렇지만 예수가 예루살렘 성전의 사제 출신은 아니다. 왜냐하면 예수가 갓난아기였을 때의 상황을 보면 알 수 있다. 예수가 태어나서 여드레째에 할례를 받고 '모세의 법(토라)에 따라 정결하게 되는 날이 차서(즉, 산후 40일이 지나서) 예수의 부모는 아기를 주님YHWH 앞에 세우기 위해 예루살렘으로 데리고 갔다. (중략) 주님YHWH의 법(토라)에 따라 산비둘기 한 쌍이나 비둘기 새끼 두 마리를 제물로 바쳐야 했다'(누가 2,22~24). 그 까닭은 맏아들 예수를 예루살렘 성전에 속하는 사제로 보내지 않기 위해 속량하는 대가로 산비둘기 한 쌍을 성전에 바쳐야 했던 것이다. 사람이 하느님 앞에서 맹세한 것은 파기할 수 없다(6장 〈왜 하느님의 이름으로는 맹세하지 말라고 할까〉 참조).

바리새 사람들은 미드라쉬 학교에서 토라를 배우고 20세가 지나 스승들의 인정을 받아 랍비라는 칭호를 받고 바리새들이 운영하는 회당으로 파견되어 그 지역 사람들을 가르쳤다. 바리새에게는 사제라는 직무가 없다. 랍비는 회당에서 기도문을 낭송하고 매주 토라를 가르치고 그 밖에 성인식이나 혼례, 장례 등에서 예배를 인도하는 것이 임무고 회당에서는 제사를 지내지 않는다.

그 당시 유대인으로서 사제라는 직무를 취득할 수 있는 공동체는 엣세네 밖에 없다. 열두 살 나이의 예수가 자기는 하느님의 집에 있어야 한다고 결심한 그의 운명은 엣세네에서 이루어져야 함이 분명하다. 다른 방법은 없다. 그렇다고 단독으로 공동체를 만들어 스스로 사제라고 하는 것은 정통성이 결여된다.

예수가 하느님의 은총을 입고 태어나 이스라엘을 구원할 메시아가 되겠지만 그는 이스라엘에서 무리들 사이에 분쟁을 일으켜 고난을 받을 것이라고 예언한 '경건한 자' 심온의 의중은 여기에서 출발한다. 엣세네에서는 두 명의 메시아가 도래할 것을 소망했듯이 예수가 사제로서 이스라엘을 구원할 메시아라면 다윗의 아들로 올 다른 메시아가 필요하다. 그런데 예수의 족보에 따르면 그의 아버지 쪽은 다윗의 후손이고 그의 외가는 아론의 후손이다. 예수에게 가장 적합한 메시아 칭호는 다윗의 아들이며 아론의 사제다. 즉, 두 메시아의 칭호를 예수 혼자 가질 수 있다는 뜻이다. 예수가 충분한 교육을 받고 사제가 되어 가브리엘 천사에 의해 계시된 자신의 운명을 주장한다면 엣세네의 무리들 사이에 말다툼이 심각해질 가능성이 농후하다. 두 메시아의 도래를 근본 도리로 삼고 있는 엣세네 지도자들의 입장에서 보면 예수의 족보는 큰 문제가 된다.

'경건한 자' 심온은 예수 부모의 족보를 익히 알고 있으며 예수가 '위로자'로서의 메시아가 될 것으로 보이지만 다윗의 아들이며 아론의 사제인 메시아가 될 수 있다는 우려에서 암울한 그의 운명을 예언했던 것이다.

예수가 열두 살이 되었을 때 그는 자기 아버지가 하느님이며 그는 하느님의 집에 있어야 하겠다는 소망을 그의 어머니에게 고백했다. 그 소망은 훗날 그렇게 되는 것이 그의 소명이라는 뜻이다. 그리고 '예수가 서른 살쯤 되었는데 그는 요셉의 아들이라고 여겨졌다'(누가 3,23)고 말한다. 예수는 서른쯤 되어서 그의 복음 사업을 시작했다. 초기 유대교 사회에서 흔히 이렇게 말한다. '열여덟에 혼인하고, 스물에 (직업을 갖는) 소명을 받고, 서른에 권능을 받는다'고 말한다(《선조들의 어록》 5,21). '권능(힘)'은 사회생활에 큰 영향력을 발휘한다는 뜻이다.

엣세네에서는 스무 살에 직업에 대한 소명 의식을 받고 공동체 일에 참여하며 실력을 쌓아 그 능력이 인정되면 교사와 사제의 직분을 취득했다. 서른이 되면 공동체 의회의 심의를 거쳐 감독의 자리에 올라 지방 공동체를 돌아다니며 감찰하고 소송 사건에 대한 재판 임무를 맡았다. 랍비(바리새)들이 말하는 권능이란, 곧 감독 같은 권한을 뜻한다. 엣세네의 규례에 서른이 되어 책임질 수 있는 임무가 나온다.

> 25세가 되면서 공동체 작업에 일하며 거룩한 공동체의 근본(적인 일)에 참여한다.
> 30세에 논쟁과 재판을 요구할 수 있으며 이스라엘 천 명의 장長과 백명, 오십 명, 열 명의 지도자와 재판관과 모든 가족들 중에 부족들의 순찰사巡察使 사제들인 아론의 자식들의 명령에 따라 참여한다.(《마지막 시대의 규례》 i,12~15)

25세가 되어 참여할 수 있는 거룩한 공동체의 근본적인 일은 공동체의 재판과 관련된다. 공동체의 재판관은 열 명으로 25~60세까지며 그들은 '음송의 책'과 언약의 근본에 이해가 있는 자들이라고 《새 언약의 규례》(x,6)에 규정하고 있다('언약의 근본'은 규례 책들을 말한다). 30세가 되어 논쟁과 재판을 요구할 수 있다고 하는데 이는 엣세네 규례에 대한 논쟁이 생기면 그 문제를 숙고하고 재판에 넘길 만한 사건인지를 판단해야 하는 직책을 뜻하며 그것은 감독이라는 직위다. 30세에 무리를 감찰하는 감독이 될 수 있다.

> 무리를 감찰하는 사제는 30~60세까지로 '음송의 책'과 토라의 모든 법규에 이해가 있고 그의 말이 그것의 법규 같은 사람이어야 한다.
> 모든 거류지를 담당한 감독은 30~50세까지로 사람들의 온갖 비밀과 이야기꾼들의 언어에 통달한 사람이어야 한다. 그의 말에 따라 공동체에 각자 자기 순서로 들어올 자들이 들어온다. 사람에게 할 말이 있거나 논쟁이나 재판할 일은 감독에게 말한다.(《새 언약의 규례》 xv,8~12)

감독의 말이 모세 법규와 같다는 말은 감독의 판단에 의한 법규 해석이 모세 법규와 같은 권위를 갖는다는 뜻이다(감독의 지식과 판단을 확실히 신뢰하는 공동체의 근본을 잘 보여준다). ['감독'은 메바케르(מבקר)의 번역이며 신약성경에 나오는 '감독'(ἐπίσκοπος 에피스코포스)과 같은 의미다.] 30세에 감독의 자격을 획득하면 그는 엣세네 거류지를 순찰하며 공동체의 비리나 배신 행위 등을 감찰하고 새로 공동체에 들어올 지원자들을 받아들일 수 있는 권한이 생긴다. 엣세네에서 감독의 권한은 상당하다.

이러한 관점에서 보면 "내 아버지의 집에 내가 있어야 하는 것을 알지 못하셨습니까?"라고 말하는 청소년 예수의 짧막한 질문은 단순한 내용이 아니다. '아버지의 집에 있어야 한다'는 것은 성전 임무를 수행한다는 뜻이다. 천사로부터 이스라엘을 구원한다는 이름을 받은 그가 훗날 사제가 되어 교사로서 공동체 일원을 가르치고 또한 사제로서 종교적 직분 중 하나인 악귀 퇴치의 임무도 함께하게 될 것이며, 나이 서른에 감독이 되어 지방 여러 곳을 돌아다니고 공동체를 관장하는 임무를 이행하겠다는 소망이다. 청소년기의 예수가 가졌던 꿈은 이루어졌다. 예수가 제자들을 모으고 적극적인 복음 운동을 펼치기 전에 그는 요르단 강가에서 요한 세례자에게 세례를 받았다.

> 예수가 세례를 받고 물에서 올라올 때 하늘이 열리고 그가 보니 하느님의 바람이 비둘기처럼 내려와 그 위에 이르렀다. 그때 하늘에서 소리가 (나며) 말했다.
> "그는 사랑 받는 내 아들이다. 너에게 내 즐거움이 있다."(마태 3,16~17)

"그는 사랑 받는 내 아들이다"라는 문장은 다윗의 시편에 나오는 문구와 비슷하다. "YHWH 하느님은 그와 그의 기름 부음 받은 자(메시아)를 거역하는 이들에게 말했다. '거룩한 산 시온 위에 그의 왕을 세웠다. YHWH의 법칙에 대해 선포한다.' 그분은 그의 기름 부음 받은 자에게 말했다. '너는 내 아들이다. 내가 오늘 너를 낳았다.'"(시편 2,6~7) 이와 같은 문장은 고대 근동의 즉위식에 사용되는 선언문에서 볼 수 있다. 예수의 세례는 그가 하느님의 아들인 것을 선포하는 즉위식 의례를 이야기한다. 두 번째 문장("너에게 내 즐거움이 있다")은 이사야서에 나오는 문장과 비슷하다. "보아라, 나 YHWH의 종을. 내가 그를 붙든다. 내가 택한 자며 내 목숨이 그를 원한다."(이사야 42,1) 이 구절에 이어 다음과 같은 문장이 나온다. "네가 장님들의 눈을 뜨게 하고, 감옥에 갇힌 자들을 이끌어내고, 감방의 어둠에 앉아 있는 자들을 (이끌어낸다)."(이사야 42,7). 하늘에서 "너에게 내 즐거움이 있다"고 소리를 울리는 성경적 이유는 오늘 즉위한 메시아 예수가 장님들의 눈을 뜨게 하는 하느님의 치유를 행할 것이기 때문이다.

이 세례 의식은 예수의 새 언약 운동을 선포하는 신호탄이다. 계명을 지키는 나이에 벌어진 청소년 예수 이야기는 그가 서른 살에 감당할 직분(운명)을 알려준다. 그러나 그가 성장해서 공공연히 메시아로 인정받게 되려면 바리새나 엣세네에 속하든지, 아니면 단독으로 동조자들을 규합하여 공동체를 형성하고 자신을 메시아로 선포하는 흔한 방법도 있었다. 예수가 어느 길을 선택하게 되었는지가 그와 관련된 많은 문제를 풀 수 있는 관건이다. 그렇다면 청소년 예수의 꿈(vision)이 이루어질 수 있도록 길을 열어준 사람은 누구였을까? (청소년이 홀로 그 문제를 풀 수는 없다.)

열두 살 나이의 아들이 교사들 사이에서 "내 아버지의 집에 내가 있어야 하는 것을 알지 못하셨습니까?" 하는 말을 들은 그의 어머니는 열두 해 전에 '경건한 자' 심온에게서 들은 예수의 운명에 대해 돌이켜보고 마음속으로 슬퍼하며, 아들이 그의 예언대로 분쟁의 화신이 될까 두려워했을 것이다. 그렇지만 마리아는 가브리엘 천사가 거룩하신 분의 말씀을 전해준 예슈아(구원자)의 소망을 신뢰하고 청소년 예수가 하느님의 집에 있겠다는 아들의 믿음이 이루어지길 기대했을 것이다. 어머니는 아들의 결심을 실현시켜주기 위해 최선의 선택을 했을 것이다. 물론 마리아도 사제 집안이기 때문에 그녀의 아들이 사제가 되겠다는 결심에는 반대하지 않았을 것으로 보인다. 더욱이 가브리엘 천사의 계시도 아들의 운명을 결정하는 데 분명했기 때문이다. 그래서인지 예수가 구제 활동을 하거나 가르치는 장소에 그의 어머니가 늘 따라다녔다. 심지어 십자가에 매달려 고통을 받을 때에도 함께했으며 예수는 죽는 순간에 그의 사랑하는 제자에게 "보시오, 당신의 어머니입니다"(요한 19,27)라고 말할 정도로 어머니와 아들 사이의 사랑은 컸다.

(사제가 되겠다는 청소년 예수의 소망을 이루어주기 위한 토라 교육과 직무에 대해 가장 적합한 선택은 엣세네 공동체다. 어머니는 아들의 소망을 들은 뒤 그를 엣세네의 수련원에 보냈을 것이다. 그는 그곳에서 공부하고 적어도 20세에 사제 겸 교사가 된 다음 그의 고향에 돌아가 공동체를 지도했을 것이다. 복음서의 시작 부분에 보면 예수가 서른 살 즈음에 갈릴리 지방을 돌아다니며 제자들을 모으고 복음전파 사업을 하는 이야기가 나온다. 열두 살 때의 사건에서 '서른 살쯤'에 생긴 일로 넘어가는 셈이다. 그 사이에 특별한 사건이 없었다는 말이겠다. 열심히 공부하는 학생에게 무슨 특별한 일이 생기겠는가.)

두 메시아를 기다리던 새 언약의 공동체

사해문헌에 따르면 엣세네 사람들이 기다리던 메시아는 공교롭게도 두 명의 메시아였다. 마지막 시대에 두 메시아가 온다는 해석이다. 하나는 대사제로서 아론의 메시아고, 다른 하나는 왕으로서 이스라엘의 메시아다. 그들의 규례에서 그 예를 읽어볼 수 있다.

하느님의 법규를 거부하고 떠나가서 그들의 완고한 마음대로 행한 자들에게 이것이 심판이다. 정말로 다메섹 땅에서 새로운 언약에 들어오는 모든 사람들이 돌아와서 배반하고 생명수의 우물에서 떠나면 그들은 백성의 비밀로 여겨지지 않을 것이다.

단합체의 교사에게 모인 날부터 아론과 이스라엘의 메시아가 일어설 때까지 그들은 그분의 책에 쓰여지지 않을 것이다. 또한 온전하고 거룩한 사람들의 공동체에 들어와 정직한 자들의 감찰을 받기 싫어하는 자

들에게 심판이 있다.(《새 언약의 규례》 xix,32~xx,2)

'다메섹 땅'은 엣세네 공동체의 본부가 있었던 곳을 가리킨다. 지금의 쿰란 지역이다. '생명수의 우물'은 토라의 가르침이다. ["지도자들이 판 우물, 백성의 귀인들이 잣대로 파헤쳤다."(민수기 21,18)(해석.) '우물.' 그것은 토라다(《새 언약의 규례》 vi,3~4)]. '백성의 비밀'은 공동체의 친교인을 뜻한다. '단합체의 교사'는 엣세네 공동체의 창설자 의로운 교사를 가리킨다. 아론과 이스라엘의 메시아가 일어선다는 것은 두 명의 메시아가 와서 메시아 선포식을 한다는 말이다. 새 언약의 이스라엘 공동체가 기다리는 메시아가 두 명이라는 성경해석의 전통은 히브리 성경에서 찾아볼 수 있다.

> 그(새싹)가 YHWH의 성전을 지을 것이며 그는 위엄을 갖추고 왕좌에 앉아 다스릴 것이다. 그의 왕좌 옆에 한 사제가 있을 것이며 그들 둘 사이에 평화의 조언이 있을 것이다.(스가랴 6,13)

엣세네의 규례서와 비교하면 왕좌에 앉아 다스릴 새싹은 이스라엘의 메시아고, 왕좌 옆에 서 있을 사제는 대사제인 아론의 메시아다(메시아로서의 새싹에 대해 이사야 11,1~10; 예레미야 23,5~6; 33,15 참조). 이러한 전승에서 토라의 해설자며 사제인 아론의 메시아와 다윗의 새싹인 이스라엘의 메시아가 마지막 시대에 온다고 해석했다.

> "나는 그에게 아버지가 될 것이며 그는 나에게 아들이 될 것이다."(사무엘하 7,14)

(그 해석.) 그는 다윗의 새싹이며 그는 토라 해설자와 함께 서 있을 것이고 마지막 날에 시온에서 [다스릴 것이다.] 이렇게 쓰여 있다. "내가 다윗의 쓰러지는 초막을 일으켜 세우겠다."(아모스 9,11)

그것은 다윗의 쓰러지는 초막이며 그(다윗의 새싹)는 일어선 후에 이스라엘을 구원할 것이다.(《마지막 시대의 해석》 11~13)

스가랴서에서 말하는 '평화의 조언'은 《마지막 시대의 해석》에서 해석한 토라 해설자가 다윗의 새싹에게 전하는 메시지다. 엣세네 공동체에서 토라 해설자는 교사며 사제다. 엣세네 문헌에 보면 시온에서 평화의 조언을 하는 대사제는 멜키쩨덱의 전통을 가지고 있다고 해석했다.

[시온에게 말한다.] "너의 하느님이 다스린다."

(해석.) '시온'은 [정의의 자식들의 공동체며] 언약을 지키고 백성의 길을 걷는 데에서 멀리 떠난 자들이다.

'너의 하느님'은 [멜키쩨덱이며] 브리알(악마)의 손에서 그들을 구원할 것이다.(《하늘의 대표자 멜키쩨덱》 24~25)

엣세네 사제들이 해석하는 시온은 그들의 공동체다. 엣세네 공동체의 규례에 따라 살겠다는 언약을 지키고 사악한 백성의 길에서 멀리하는 삶을 말한다. '[멜키쩨덱이다]'라고 재구성한 것은 맥락상 그렇다. 예수 당시 '너의 하느님'이라는 표현은 '너의 주님(아돈)'이라는 말로도 사용되었다. 엣세네 사제들의 위와 같은 해석은 제2성전 시대에 하느님의 대사제 멜키쩨덱이 메시아로 올 것이라는 전승을 이야기한다. 그 멜키쩨덱으로 오는 메시아가 시온에서 다스린다는 말이다. 멜키쩨덱으로서의 메시아가 악마의 손에서 언약을 지키는 공동체 사람들을 구원한다는 뜻이다(브리알에 대해 4장 〈광야에서 예수를 유혹한 악마의 이야기는 무엇일까〉 참조).

이스라엘의 왕이며 대사제로서의 메시아 예수

신약성경과 비교하면 메시아로 오는 대사제 멜키쩨덱이 바로 나사렛 출신의 예수임을 알 수 있다. 이런 관점은 아래 글에서 확실히 읽을 수 있다.

> 우리의 주님(아돈)은 유다 (지파)에서 나온 것이 분명합니다. 모세가 사제직에 관해서는 이 지파에 대해 말하지 않았습니다. 그러므로 다른 사제가 멜키쩨덱의 모습으로 일어설 것이라고 말했던 것은 더욱 명백합니다.
>
> (중략)
>
> 그분(하느님)은 그(메시아)에 대해 이렇게 증언했습니다. '너는 멜키쩨덱의 모습으로 영원한 사제다.'(시편 110,4)
>
> (중략)
>
> 그러므로 예수가 보증했던 이 언약이 더 우월하게 되었습니다.(히브리서 7,14~22)

'우리 주님'은 메시아 예수를 가리킨다. 멜키쩨덱이 앞으로 오는 메시아의 원형이라고 해석할 수 있는 근거는 '멜키쩨덱의 모습으로 영원한 사제'라는 문구에 있다. 멜키쩨덱의 모습으로 온 영원한 사제가 바로 메시아 예수며 그가 보증한 언약은 큰 다락방에서 최후 만찬을 하며

"이 빵은 내 몸이고, 이 포도주는 내 피입니다. 여러분은 나를 기억하여 이를 행하십시오"라고 말하는 성찬 예식을 뜻한다. 성찬 예식을 통해 예수는 예식에 동참하고 믿는 이들에게 하느님의 왕국(천국)을 보증했다. 성찬예식을 주관하는 사제가 바로 멜키쩨덱의 모습으로 온 예수라는 말이다. 그래서 메시아 예수는 대사제 역할을 하게 되었다는 전승이 생겼다.

엣세네의 〈마지막 시대의 해석〉에서 '그(다윗의 새싹)는 일어선 후에 이스라엘을 구원할 것이다'고 말하는데 '일어서다'라는 동사는 신약성경에 흔히 '부활하다'로 번역되는 단어다. 엣세네의 성경해석에서도 다윗의 새싹을 메시아로 해석하고 그가 마지막 시대에 이 세상을 다스린다고 이야기하는 단락을 찾아볼 수 있다.

> "이새의 [줄기에서 어린 가지가 나오며] 그 뿌리에서 싹이 [돋아난다…].
> [그의 입의 지팡이로 땅을 치며] [그의 입술의 바람으로] 사악한 자를 죽인다. 정의는 그의 허리띠며 믿음은 그의 몸의 띠다."(이사야 11,1~5)
> 그 해석. 마지막 시대에 일어날 다윗의 새싹에 대한 것이다.
> […] 하느님은 그를 확신하고 […]
> [영광의] 왕좌, 거룩한 면류관과 수놓은 옷 […]
> 그의 손에 [지팡이를 들고] 그는 모든 [민족을] 지배할 것이다.(〈이사야서 해석〉 10~19)

마지막 시대에 일어날 메시아가 거룩한 면류관을 쓰고 수놓은 옷을 입고 손에는 지팡이를 쥐고 세상을 다스리는 장면을 묘사한 것이다. 창조 때에 계시된 새싹은 다윗의 새싹이며 그가 마지막 날에 어둠의 아들들과 전쟁을 하여 그들을 심판하고 세상을 평화롭게 다스린다는 이야기다.

신약성경에서는 장님의 눈을 뜨게 하고 귀머거리의 귀를 열어주고 대중을 가르친 사제로서의 메시아 예수가 빌라도 법정에서 십자가형을 받고 '유대인들의 왕'이라는 호칭으로 죽은 다음 사흘 후 무덤 밖으로 나와 이스라엘의 메시아로 제자들에게 나타났다. 그 후 40일 동안 많은 증거를 보이고 하늘로 올라갔다(사도행전 1,6~9)고 전한다.

복음서에 전해진 이야기에서 보면 '이스라엘의 왕'이라고 증언한 첫 번째 경우는 예수가 제자들을 찾으러 다니던 시절의 한 일화에서 읽을 수 있다. 느탄엘(나다나엘)은 예수에게 이렇게 말했다. "랍비님, 당신은 하느님의 아들입니다. 당신은 이스라엘의 왕입니다."(요한 1,49)(예수의 메시아 호칭으로서의 '이스라엘의 왕'에 대해 4장 〈'하느님의 아들'은 엣세네 메시아의 호칭이었다〉 참조.)

예수는 대사제로서 메시아고 또한 이스라엘의 왕으로서 이스라엘의 메시아라고 초대교회 사람들은 전했다. 메시아의 해석이 전혀 다른 예수 단합체가 엣세네의 지도층과 결별하는 것은 충분히 이해할 수 있다. 또한 예수와 엣세네 사이에 갈등과 반목이 극심할 수밖에 없었던 이유도 짐작할 수 있다. 바리새들은 다윗의 아들로서 이스라엘의 왕이라는 메시아를 기대했지만 사제로서의 메시아라는 성경해석은 없다. 그 당시 메시아의 해석에서 보면 예수 공동체는 바리새보다는 엣세네에 가깝다.

구원과 후원의 이시스 공동체

구원자를 기다리는 풍토는 이스라엘 땅에 국한된 것은 아니었다. 헬레니즘(기원전 4세기 말~1세기 중엽) 시기에 지중해 연안 지역 전반에 걸쳐 구원자의 도래를 기대하는 풍조가 팽배했다. 어느 민족에게나 고통 받는 백성을 해방시키고 그들에게 풍요와 번영을 가져오는 통치자가 구원자적인 왕으로 추앙 받았다. 알렉산드로스 왕이 어느 정도 구원자의 역할을 했다고 이야기했으며(그래서 그의 은전에 숫양의 두 뿔을 그려 넣어 구원자적인 표상을 한 것으로 보인다), 알렉산드로스 왕을 계승한 왕들도 '소테르(σωτήρ 구원자)'라는 칭호를 자기 왕명에 붙였다. 예를 들어, 알렉산드로스 왕의 부하 장군이자 그의 계승자인 셀레우코스는 알렉산드로스 왕이 죽은 뒤 지중해 동쪽 지역부터 소아시아 지방과 메소포타미아, 투르크메니스탄, 인더스 계곡까지의 영토를 다스리는 총독으로 임명되었고 기원전 305년에 '왕'으로 추대되어 셀레우코스 왕국의 첫 번째 왕이 되었다. 셀레우코스 왕조의 몇몇 왕들은 '소테르'라는 칭호를 사용했다. 두 번째 왕인 안티오쿠스 1세 소테르, 드미트리우스 1세 소테르, 안티오쿠스 7세 소테르 등. 셀레우코스 왕조는 기원전 60년까지 지속되었다.

한편 헬레니즘 시대의 왕들 가운데 백성의 안녕과 풍요를 보장한다는 의미로 '에우에르게테스(εὐεργετης 후원자)'라는 칭호도 사용한 경우를 볼 수 있다. 알렉산드로스 왕의 부하 장군이자 그의 계승자인 프톨레마이오스는 알렉산드로스가 죽은 뒤 이집트의 총독으로 임명되었으며 기원전 305년에 자신을 '프톨레마이오스 소테르'로 칭하고 이집트의 왕이 되었다. 이후 프톨레마이오스 왕조의 왕들 호칭으로 '소테르'와 '에우에르게테스'가 자주 사용되었다. 프톨레마이오스 1세 소테르,

프톨레마이오스 3세 에우에르게테스, 프톨레마이오스 8세 에우에르게테스 2세, 클레오파트라 2세 필로메토라 소테이라, 프톨레마이오스 9세 소테르 2세. 프톨레마이오스 왕조는 기원전 30년 로마 공화정에 의해 멸망할 때까지 약 300년 동안 이집트를 통치했다.

헬레니즘 시기에 구원자(saviour)와 후원자(benefactor)라는 칭호는 왕명에만 통용된 것은 아니고 종교 공동체에서도 자주 사용되었던 용어다. 지중해 연안 지역에서 가장 광범위하게 전파되었던 종교 공동체는 이집트의 모신 이시스(Ειοις)를 믿고 추종했던 이시스 숭배 공동체다. 알렉산드로스 왕의 이집트 점령 이후 이시스 숭배 풍조는 이집트라는 지역적 한계를 훨씬 넘어 소아시아 지역으로 퍼졌으며 그리스 본토 쪽으로도 많은 예배지가 만들어졌다.

이시스 공동체의 면모를 대변하며 가장 재미있게 읽히는 이야기는 아풀레이우스(Apuleius)가 쓴 '황금 당나귀' 이야기다. 주인공 루키우스라는 젊은 청년은 비밀 단체에서 사람들이 변신되는 것을 문틈으로 보고 호기심에 그렇게 해보겠다고 나섰는데 그만 당나귀로 바뀐다. 당나귀 신세로 고생고생 끝에 사람으로 돌아와 평생 이시스 신전에서 일하는 사제가 되었다는 이야기다.

이시스 숭배자들은 다음과 같이 맹세했다. "네 자유의지, 즉 섬김의 멍에를 받아들여라. 왜냐하면 네가 여신 이시스를 섬기기 시작하면, 너는 보다 더 나은 자유의 결과를 깨달을 것이다." 이시스는 폭정을 물리치고 고통 받는 사람들에게 해방을 안겨준 구원신이다. 기존의 폭정(전제군주)은 그리스 큰 신들과 메소포타미아-시리아 도시국가의 수호신들의 지배를 뜻한다. 그러나 헬레니즘 시대의 일부 선각자들은 새 시대를 이끌어갈 새로운 신을 원했다. 전 세대의 속박에서 구원해줄 새로운 해방 군주를 갈망했으며 그 구원자에게 더 깊은 귀속(복종)으로 새로운 자유를 얻는다고 설파했다. 이처럼 헬레니즘 시대의 지식인들은 '자신들에게 자유보다 더 위대한 것은 없다'고 자부했다. 고대 그리스 문학을 섭렵한 로마의 웅변가이며 비극 작가였던 세네카(기원전 4년?~서기 65년)는 "나는 자유롭게 태어났다. 그러나 운명의 뜻으로 나는 노예다"라고 말했다. 운명신의 포로에서 해방을 기원하는 헬레니즘 정신은 새 구원자를 기대하는 희망으로 멀리까지 전파되었다.

헬레니즘 시대에 이시스 숭배가 많은 호응을 받은 까닭은 "모든 삶이 노예다"라고 외치는 대중에게 이시스는 운명의 폭정을 승리로 이끈 주역이라고 설득시킨 것이다. 오시리스를 죽인 그의 형 세트의 원수를 갚게 만든 고대 이집트의 오시리스 신화가 그 원동력이었다. 오시리스 신화는 이러하다.

왕권을 계승하는 적출자로 인정받은 오시리스는 그의 형제 세트에 의해 살해된다. 세트가 오시리스의 시체를 토막 내어 나일 강에 던져버리자 강물은 그것들을 이집트의 여러 도시로 흘려보냈다. 오시리스의 아내 이시스는 그녀의 여동생의 도움으로 그의 시신을 되찾고 주문呪文의 힘으로 오시리스를 부활시킨다. 오시리스를 다시 만난 이시스는 잉태하여 호루스를 낳는다. 그리고 오시리스는 저승으로 내려가 그곳을 다스리는 지배자가 되고 장례식의 주主 역할을 하게 된다. 이시스는 아기 호루스를 품에 안고 세트의 감시를 피해 나일 강 삼각주 늪에 숨어 살며 그를 키운다. 호루스는 청년이 되어 세트와 대결하여 그를 죽이고 자기 아버지의 왕권을 다시 찾아 이집트의 질서와 안녕을 회복시킨다. 이 신화가 가르치는 교훈은 새로 등극한 왕이 사회질서를 회복하고 백성의 안녕을 도모하는 임무를 가져야 한다는 것이다. 헬레니즘 시대의

지식인들이 오시리스 신화에서 주목한 부분은 오시리스의 어머니가 그녀의 아들에게 어떤 교훈을 가르치며 키웠느냐는 점이다. 이시스는 남편의 원수를 반드시 물리치도록 가르쳤다는 결론이며 이로써 이시스의 공덕은 찬양 받아야 한다는 말이다. 물론 세트는 전제군주(폭정)로 비유되고 폭군의 통치에 헤매던 백성을 구원하게 만든 이시스는 승리의 여신이다. 이시스가 아기 호루스를 품에 안고 폭군의 눈을 피해 숨어 살았는데, 그 아들이 훗날 원수를 무찌르고 민중에게 해방의 기쁨을 주었다는 이시스 신화는 헬레니즘 시대뿐 아니라 로마제국 시대에도 사람들에게 큰 호소력을 주었다.

로마제국 시대에는 율리우스 카이사르가 살해된 뒤 이시스 모신에게 예배드리는 신전이 세워졌으나 옥타비아누스 황제(기원전 27년~서기 14년

4-3 호루스를 무릎에 앉히고 젖을 먹이는 이시스 모신상
이시스 이마에 붙은 코브라 상은 왕권을 상징하며 머리 위로 뻗은 두 뿔은 신권을 뜻하고 뿔 사이에 둥근 원반은 태양신 라(Ra)를 상징한다. 동석(steatite)과 현무암. 프톨레마이오스 왕조 시대. 기원전 2세기경 작품. 받침대(6.9cm)를 포함한 높이 17.7cm. 개인 소장.

4-4 인도자 동정녀(The Virgin Hodegetria) 성화(Icon)
아기 예수를 안고 있는 성모 마리아.
크레타, 15세기 후반. 45.5cmx35.4cm. 개인 소장.

재위)가 이를 일시 중단시켰다. 그 후 가이우스 칼리굴라 황제(37~41년 재위) 시대에 이시스 축제가 로마에서 공개적으로 열리게 되었다. 칼리굴라는 여자 옷을 입고 이시스 축제에 참가했다고 요세푸스 역사가는 이야기했다. 구원신으로 자임했던 베스파시아누스 황제는 로마에 이세움(이시스 신전)을 건립했다. 도미티아누스도 로마에 다른 이세움을 세웠으며 트라야누스와 하드리아누스 등 여러 황제들이 이시스 숭배를 선호했다. 갈레리우스 황제(305~311년 재위)는 이시스를 그의 수호신으로 세웠을 정도다. 이시스 모신은 고대 그리스 곡물의 여신 데메테르 (Demeter)와 로마의 케레스(Ceres) 여신으로 받아들여졌으며 로마제국 시대에는 '하늘의 여왕'이라는 이름으로 알려졌다.

헬레니즘 시대에 호루스를 무릎에 앉히고 젖을 먹이는 이시스 모신상은 크게 유행했으며 로마제국 시대에도 이시스 신상들이 세워졌다.(훗날 그리스도교가 로마 전제군주들의 폭정에 압제당할 때에 그리스도교 신도들 사이에 널리 전파된 그림이 아기 예수를 안고 있는 성모 마리아의 모습이었다.)

이시스 신앙은 민족에 상관없이 보편성을 유지하며 지중해를 중심으로 먼 지방까지 전파되었다. 이시스 공동체에 모이는 친교인들은 지역 단위의 사제를 중심으로 서로 도와주는 복지 단체의 성격이 강했다. 공동체 일원에게 경제적 도움을 주는 것을 큰 미덕으로 삼았으며 이시스의 자비가 물질적 혜택으로 표출되는 것을 그들의 기쁨으로 자랑했다. 이시스는 나쁜 전제군주를 무찌르고 악을 물리쳐 시민에게 자유를 준 '구원자(soter)'며 또한 공동체 사람들을 경제적으로 돌보아 물질적 평화를 가져온 '후원자(euergetes)'의 양면성을 지니고 있다. 이러한 신앙 공동체의 이념을 헬레니즘 세계 밖의 민족들에게도 전하는 전도자들이 생겼으며 지중해 지역의 다른 종교의 지도자들도 이시스 공동체의 제

도에 큰 영향을 받았다.[04]

엣세네도 공동체에서 경제적인 문제를 관리했다. 엣세네의 정식 가족이 되면 자기 재산을 공동체에 헌납하고 사사로운 경제적 관심을 멀리했다. 그들은 마지막 시대인 감찰의 시대에 살아남도록 모두 하느님의 가르침에 돌아가야 하며, 빛의 자식들로 깨끗한 삶을 유지하기 위해 함께 모여 토라와 공동체 규례 등을 배우고 공동으로 기도하고 식사하며 그들을 구원하러 올 구원자와 후원자 메시아를 열심히 기다렸다. 엣세네의 성경해석자들이 해석한 새 언약의 공동체가 기다리는 아론과 이스라엘의 메시아는 구원자와 후원자라는 그 당시 지중해 연안 지역의 보편적인 풍토에서 이해할 수 있다. 아론의 메시아는 구원자를, 이스라엘의 메시아는 후원자를 뜻한다.

한편, 복음서에 따르면 예수는 서른 살쯤 되어 여러 지방을 돌아다니며 불구자들이나 불치병 환자들을 치유해주고 회당이나 공공장소에서 토라의 해석을 새롭게 하며 많은 사람들의 호응을 얻게 되었다. 예수는 사제로서 치유의 기적을 통해 하느님의 영이 자기를 다윗의 아들(메시아)로 계시했으며 자신이 하느님의 아들이라는 믿음을 더욱더 공고히 했다. 그는 사람들이 오랫동안 기다렸던 다윗의 새싹인 메시아가 바로 자신인 것을 성경에서 입증했다. 그래서 예수가 서른 살쯤 되었을 때 사람들은 그를 요셉의 아들로 여겼다고 말한다.(누가 3,23) 이는 매우 중요한 시점에 내세우는 핵심 요소다. 예수가 다윗의 혈통으로 '다윗의 아들'이라는 메시아 칭호를 받았다는 이야기다. 예수는 다윗의 아들로 이스라엘의 메시아며 멜키쩨덱의 사제직을 계승한 아론의 메시아였다.

또한 엣세네처럼 초대교회에서도 신도들이 함께 모여 공부하고 기도하며 식사했다. "그들(예루살렘 교회의 신도들)은 사도들의 가르침(토라)과 친교와 기도와 빵을 나누는 일(성찬례)에 전념했다."(사도행전 2,42) 그리고 그들도 개인의 재산을 공동체에서 공동으로 관리했다. "신도들의 무리는 한마음 한 정신이 되었고 그들 가운데 누구도 자기 재산을 자기 것이라고 말하지 않았으며 모든 것을 공동으로 소유했다. (중략) 그들 가운데 누구도 궁핍한 자는 없었다."(사도행전 4,32~34) 예수가 대사제 아론의 메시아인 구원자며 이스라엘의 메시아인 후원자임을 믿고 그의 가르침을 따랐다는 이야기다.

이는 이스라엘이 기다리는 메시아는 둘이 아니라 하나라는 주장이며 초대교회 사도들은 이를 입증하기 위해 히브리 성경에서 구절들을 찾아 해석했다. 엣세네의 입장에서 보면 메시아가 하나라는 예수의 주장이 많은 논쟁의 불씨가 되었음은 분명하다. 만일 예수가 엣세네 사제였다면 엣세네 지도자들의 성경해석과 상반되는 그의 주장으로 인해 엣세네의 대사제는 촉망 받는 유능한 사제 예수를 공동체에서 추방해야 하는 고통을 겪었을 것 같다.

서른 살쯤에 '요셉의 아들'이라고 여겨졌다 누가3,23

복음서에는 예수의 아버지 요셉에 대해 몇 번 언급된다. 예수의 족보와 예수의 탄생, 갓난아기 때와 서른 살에 복음을 가르치는 초기의 상황에서 볼 수 있다.

예수의 족보에 '야곱은 마리아의 남편 요셉을 낳았는데 그녀에게서 메시아라고 불리는 예수가 태어났다'(마태 1,16)고 전한다. 이 문장은 좀 특이하다. 예수의 족보에 나오는 문장의 일반적인 틀은 '아무개-1이 아무개-2를 낳았다'는 식으로 전개되며 또 다른 형식은 '아무개-1이 아무개-2(여자)에게서 아무개-3을 낳았다'는 구조다. [후자의 경우는 네 번(유다, 살몬, 보아즈, 다윗) 나온다.] 그러나 요셉의 경우, 마리아의 남편 요셉을 낳았다고 명기하며 그다음에 마리아에게서 예수가 태어났다고 수동형으로 말한다. 족보의 두 번째 형식처럼 요셉이 그의 아내 마리아에게서 예수를 낳았다는 방식으로 기록한 것이 아니다. 이는 요셉이 그의 아내와 잠자리해서 예수를 낳은 것이 아니라는 사실을 분명하게 밝히는 문구다. 그러나 예수는 요셉의 아들이다. 왜냐하면 요셉이 마리아와 정혼한 뒤에 예수가 태어났기 때문이다. 그러므로 이 부분에서는 요셉이 '마리아의 남편'이라는 호칭으로 사용되었다.

다음으로 예수의 탄생에 대한 기록에 요셉이 언급된다. '예수의 탄생은 이러하다. 그의 어머니 마리아가 요셉과 정혼했을 때, 그들이 하나가 되기 전에 그녀는 거룩하신 분의 영으로 임신한 것이 드러났다. 그러나 그녀의 남편 요셉은 의인(짜딕)이었고 그녀를 수치스럽게 보이고 싶지 않았다.'(마태 1,18) 그러자 가브리엘 천사가 요셉의 꿈에 나타나 이렇게 말한다.

> 다윗의 아들, 요셉, 마리아를 당신의 아내로 데려오는 것을 두려워하지 마시오. 거룩하신 분의 영으로 그녀에게서 아이가 태어날 것입니다. 그녀가 아들을 낳을 것이니 당신은 그의 이름을 예슈아(구원자)라고 부르시오. 참으로 그가 그의 백성을 그들의 죄에서 구원할 것입니다(요쉬아).(마태 1,18~20)

가브리엘 천사의 말에서 주목할 점은 요셉을 '다윗의 아들'이라고 부른 것이다. 요셉이 다윗의 계보에 속한다는 말이며 마리아에게서 태어날 아들도 '다윗의 아들'이라는 뜻을 내포한다. 예수는 다윗의 아들로 이스라엘을 구원할 사람이라는 하늘의 계시다. 그래서 요셉은 '다윗의 아들'이라는 호칭이 사용되었다.

그다음으로 요셉이 언급되는 부분은 헤롯이 베들레헴 근처에서 태어난 아기들을 죽이라고 말하기 전에 천사가 요셉에게 나타나 아기와 그 어머니를 데리고 이집트로 피하라고 전하는 이야기에서다.(마태 1,13~14) 이 단락에서는 요셉에 대한 특별한 호칭이 없다.

예수를 '요셉의 아들'이라고 전하는 문구는 예수가 서른 살쯤에 그의 복음 사업을 시작하는 초기에 나온다. "예수가 서른 살쯤 되었는데 그는 요셉의 아들이라고 여겨졌다."(누가 3,23) 그리고 예수의 족보를 간략하게 소개하는데 그 마지막 문장이 흥미롭다. "에노쉬의 아들, 쉐트의 아들, 하느님에게서 (태어난) 아담의 아들."(누가 3,38) 예수가 요셉의 아들인데 그는 하느님의 아들이며 아담의 아들이고 또한 다윗의 아들임을 족보로 입증하는 내용이다. 예수가 서른 살쯤 되었을 때 그를 요셉의 아들(예슈아 벤 요셉)이라고 사람들이 여겼다는데 어디 사람들이 그를 그렇게 생각했다는 말일까? 예수가 그의 첫 제자들을 부르던 장소인 갈릴리 지역일까? 예루살렘일까? 혹은 이스라엘 땅 어느 곳에서든지 그랬을까?

예수가 갈릴리 지역에서 그의 첫 제자들을 부를 때 그는 필립포스(빌립)를 만나 그를 제자로 만들었다. 필립포스는 느탄엘을 만나 그에게 이렇게 말한다.

모세가 토라와 예언서에 그분에 관하여 기록했던 그분을 우리는 만났습니다. 그분은 요셉의 아들 예수(예슈아 벤 요셉)이며 그분은 나사렛에

서 (왔습니다).(요한 1,45)

토라(모세오경)와 예언서에서 예수에 대해 기록한 것은 메시아 문구를 말하며 필립포스가 예수를 요셉의 아들이라고 하는 것은 예수의 족보를 알아본 결과다. 토라와 예언서에서 말하는 메시아를 예수의 족보에서 확인할 수 있다는 말이다. 이런 확신에 찬 필립포스는 자기 동료인 느탄엘에게도 예수의 제자가 되는 것이 어떻겠냐고 물어본 것이다. 그랬더니 느탄엘은 히브리 성경에 나사렛(나쯔라트)이라는 동네가 있냐며 "나사렛에서 무슨 좋은 말씀이 있을 수 있겠습니까?"고 반문한 것이다 (나사렛이란 이름이 히브리 성경에 나오지 않기 때문에 그가 어떻게 메시아가 될 수 있냐는 반문이다. 메시아라고 입증하기 위해서는 그의 출신 동네를 해석할 만한 문구가 있어야 한다). 예수가 자란 동네를 배경으로 이야기하는 경우 예수를 요셉의 아들이라고 부른 것을 볼 수 있다.

예수가 느탄엘이 자기에게 오는 것을 보고 그를 알아보자 그는 자기를 어떻게 알았냐고 질문했다. 그러자 예수는 그가 무화과나무 아래 있었던 것을 보았다고 대답했다.(요한 1,48) 느탄엘은 "랍비님, 당신은 하느님의 아들입니다. 당신은 이스라엘의 왕입니다"고 말했다. 예수는 이렇게 응답한다.

이제부터 하늘이 열리고 하느님의 천사들이 아담의 아들에게 올라가고 내려오는 것을 볼 것입니다.(요한 1,51)

'아담의 아들'이라고 옮긴 단어를 흔히 '사람의 아들(人子)'이라고 번역한다. 그렇게 번역한 이유는 예수의 행적을 그리스어로 번역할 때

'벤 하아담'이라는 히브리어 단어에서 아담을 '안쓰로포스($\ddot{\alpha}\nu\theta\rho\omega\pi o\varsigma$ 사람)'라고 옮겼기 때문이다. 안쓰로포스는 '사람'을 뜻하고 고유명사 '아담'의 의미는 찾을 수 없다. 따라서 '사람의 아들'이라고 번역하기 때문에 '아담'이라는 단어가 메시아와 연계해서 이해되는 풍토를 알 수가 없다. 히브리 성경에서 '아담'은 사람이라는 뜻이지만 고유명사 아담으로도 사용된다. 에덴동산 이야기에서 아담은 정관사를 붙여 '하 아담'이라고 부른다.(창세기 2,4~3,24) 그러나 아담의 계보를 기록한 단락에서는 '아담'이라고 나온다.(창세기 4,25~5,5)

예수 당시에 '벤 하아담'이라는 호칭에서 지시하는 아담은 에덴동산의 아담을 가리킨다. 초기 유대교 문헌에 에덴동산의 아담을 '처음 아담'이라고 부르며 마지막 시대에 도래하는 메시아를 '마지막 아담' 혹은 '둘째 아담' 또는 '새 아담'이라고 말한다. '처음 아담'의 아들이 마지막 아담, 즉 새 아담이라는 뜻이다. 복음서에서 사용된 '아담의 아들'은 '새 아담'이라는 뜻으로 통용된 것을 알 수 있다. 바울의 편지에 "아담은 미래에 (있을) 분의 모습입니다"(로마서 5,14)라고 전해진 구절처럼 메시아 예수는 새 아담으로 설명된다.

'하느님의 아들'은 엣세네 메시아의 호칭이었다

'예수와 느탄엘의 일화'에서 느탄엘은 "랍비님, 당신은 하느님의 아들입니다. 당신은 이스라엘의 왕입니다"라고 말했다. 그가 예수를 '하느님의 아들'이라고 사람들 앞에서 천명한 것은 매우 의미 깊은 언행이다. 그가 히브리 성경에 전해진 메시아 문구인 "너는 내 아들이며 내가 오늘 너를 낳았다"(시편 2,7)고 하느님이 다윗에게 선언하는 고대 이스라엘의 전통을 이야기하는 것임에 틀림없다. '하느님의 아들(신의 아들)'이

라는 단어가 예수 당시 무슨 의미로 통했는지를 살펴볼 필요가 있다.

종교적으로 '신의 아들'이라고 불릴 수 있는 인물은 신적인 존재성을 가지고 있다고 드러내는 군주들에게서 흔히 찾아볼 수 있다. 예수 당시 로마의 티베리우스 황제를 포함해서 그전 황제인 옥타비아누스 황제가 '신의 아들'이라는 칭호를 사용했다. 그러나 '신의 아들'이라고 불리는 통치자들은 로마제국뿐 아니라 그 이전의 세계에서 이미 그러한 전승을 볼 수 있다.

지중해 동쪽 연안 지역을 정복하고 그리스 문화를 보급시킨 알렉산드로스 왕에 대해서 그의 어머니가 태양신을 안고 잉태했다는 전설이 전해진다. 로마 공화정을 왕정으로 바꾼 율리우스 카이사르가 기원전 44년 3월 15일 살해된 후 그의 양자 옥타비아누스가 그의 유언에 따라 왕권을 계승했으며 2년 뒤 원로원과 국민투표에 의해 율리우스 카이사르는 로마의 신들 가운데 하나(DIVVS IVLIVS, 신 율리우스)로 선포되었다. 옥타비아누스 황제(기원전 27년~서기 14년 재위)는 자신을 '신의 아들(DIVI FILIVS)'이라고 명명했다. 기원전 27년 로마 원로원은 옥타비아누스에

4-5 옥타비아누스 은전
옥타비아누스의 두상: 그 둘레에 AVGVSTVS DIVI F(신의 아들 아우구스투스) (F는 FILIVS의 약자다.)

게 '존엄한 자'라는 뜻의 '아우구스투스'라는 칭호를 수여했다.

티베리우스 황제(14~37년 재위)는 자신을 '신의 아들 아우구스투스'라고 선포했다. 예수 당시 통용되던 로마 은전에서 '신의 아들'이라는 문구는 누구나 쉽게 볼 수 있었다.

'예수와 느탄엘의 일화'에서 느탄엘이 예수를 향해 '하느님의 아들'이라고 말한 것은 그 당시 보통 사람들의 관점에서 보면 정치적인 색채가 깊이 관여된 표현으로 보일 수 있다. 더욱이 그를 '이스라엘의 왕'이라고까지 덧붙인 점을 보아도 그렇다. 이스라엘은 국가적인 명칭이지 민족적이거나 의미 없는 고유명사가 아니다. 로마의 절대적인 통치 아래 살고 있는 사회에서 어떤 사람을 지목하여 그를 '신의 아들'이며 '이스라엘의 왕'이라고 공개적으로 말한다면 반란 음모의 혐의로 로마 군대에 붙잡혀갈 것은 분명하다(아무리 그런 의도 없이 단순히 이스라엘의 왕은 메시아를 가리킨다고 변명하여도 그렇다).

그래서 예수는 자신이 그런 모함에 빠질 것 같아 곧이어 "이제부터

4-6 티베리우스 은전
앞면 월계관을 쓴 티베리우스의 두상: 그 둘레에 TI(BERIVS) CAESAR DIVI AVG F AVGVSTVS ('티베리우스, 황제 아우구스투스, 신 아우구스투스의 아들')라고 적혀 있다.

하늘이 열리고 하느님의 천사들이 아담의 아들에게 올라가고 내려오는 것을 볼 것입니다"고 부연한 것이다. '하느님의 아들'은 하느님의 천사들이 불러주는 호칭이며 '이스라엘의 왕'은 '아담의 아들'이라는 뜻이다. 예수는 종교적으로 '하느님의 아들'이며 메시아로서의 '이스라엘의 왕'이라는 말이다.

그 당시 '하느님의 아들'이라는 호칭을 사용한 공동체는 엣세네다. ['그를 하느님의 아들이라고 말할 것이며 그들은 그를 높으신 분의 아들이라고 부를 것이다.'(《하느님의 아들》)] 느탄엘이 예수에게 하느님의 아들이고 이스라엘의 왕이라고 선언한 것은 엣세네 해석에서 찾아볼 수 있다. 반면에 랍비 문헌에서는 메시아를 '하느님의 아들'이라고 부르는 것을 찾아보기 어렵다.

무화과나무는 무엇을 상징했을까 요한 1,48

'예수와 느탄엘의 일화'에서 예수가 느탄엘이 자기에게 오는 것을 보고 그를 알아보자 그는 자기를 어떻게 알았냐고 질문했다. 예수는 그가 무화과나무 아래 있었던 것을 보았다고 대답한다.(요한 1,48) 느탄엘이 무화과나무 아래에 있었기 때문에 "나사렛에서 무슨 좋은 말씀이 있을 수 있겠습니까?"라고 말한 그를 알아보았다는 뜻이다. 예수가 그를 알아볼 수 있는 단서는 '무화과나무'라는 지시어다. 그렇다면 여기서 무화과나무는 무엇을 은유적으로 표현했을까?

무화과나무가 상징적으로 사용되는 경우, 그것은 에덴동산 이야기와 관련된다. "그 여자는 그 나무가 먹기에 좋고(맛있고), 보기에는 예쁘며, 슬기로워지기에 그 나무가 탐스럽다는 것을 보았다."(창세기 3,6) 초기 유대교 랍비들은 아담의 아내가 탐스럽다고 본 그 열매가 무화과나무 열매라고 해석했다. 창세기 미드라쉬에 아담과 그의 아내가 먹은 열매는 무화과라고 풀이하는 단락을 찾아볼 수 있다.

요씨 랍비는 말했다.

"그것은 무화과다. 어느 문제든 그 상황에서 배울 수 있다. 비유를 들겠다. 통치자의 한 아들이 여종들 가운데 한 여자와 잘못된 관계를 가졌다. 통치자는 이 일을 듣고 그를 왕궁에서 쫓아냈다. 그는 여종들의 문지방을 돌아다녔으나 누구도 그를 받아들이지 않았다. 그러나 그와 잘못을 한 여종이 문을 열고 그를 받아들였다. 이처럼 처음 아담이 그 나무 열매를 먹었을 때 찬미 받으시는 거룩하신 분이 그를 에덴동산에서 쫓아냈으며 그는 모든 나무들을 돌아다녔으나 어느 나무도 그를 받아들이지 않았다. 그것들은 그에게 무엇을 말했을까?"

베레크야 랍비는 말했다.

"보라, 그의 창조주를 속이고 그의 주인을 속인 협잡꾼을! 이렇게 쓰여 있다. '오만한 발이 나에게 오지 않도록 하소서.'(시편 36,12) (이것은) 창조주에게 오만한 발을 말한다. '사악한 자들의 손이 나를 흔들지 않게 하소서.'(시편 36,12)(이것은) 나에게서 나뭇잎을 떼어가게 하지 마라는 뜻이다. 그러나 그것은 무화과나무다. 그들은 그 열매를 먹었으며, 무화과나무는 그 문을 열고 그를 받아들였다. 이렇게 쓰여 있다. '그리고 그들은 무화과나무 잎을 엮어 치마들을 만들어 입었다.'(창세기 3,7)"(《창세기 미드라쉬 랍바》 15,7)

통치자의 아들과 여종의 비유에서 통치자의 아들은 아담을, 왕궁은 에덴동산을, 여종은 그의 아내를 가리킨다. 왕궁에서 쫓겨난 아들을 받아들이지 않는 나무들이 그에게 '협잡꾼(trickster)'이라고 외친다는 비유다. 그러나 무화과나무가 아담을 받아들였다는 것은 그가 무화과를 먹었기 때문이다. 무화과는 선과 악을 분별할 수 있는 지식 나무의 열매다. 그래서 아담의 아내는 슬기로워지기에 탐스럽다고 말한 것이다. 이런 해석에 근거해서 무화과는 탐스러운 도구인 토라 공부를 은유하는 단어로 초기 유대교 문헌에 사용되었다. 무화과나무가 토라 공부를 뜻한다고 해석하는 부분을 잠언 미드라쉬에서 읽을 수 있다.

> "무화과나무를 돌보는 이는 그 열매를 먹는다."(잠언 27,18)
> 레비 랍비는 말했다.
> "만일 사람이 이 세상에서 토라로 공덕을 쌓으면 오는 세상에서 그 결실을 먹을 것이다. 현자들은 이렇게 가르친다.
> 아래와 같은 것들은 한도限度가 없다.
> '밭 구석의 이삭, 만물의 봉헌, 순례 헌물, 자비를 베푸는 일, 토라 공부.'
> 이것들은 사람이 이 세상에서 그들의 결실을 먹는 것이며 오는 세상을 위한 개인연금이다. 따라서 아버지와 어머니를 존중해라. 자비를 한껏 베풀라. 사람과 그의 동료 사이를 평안하게 해라. 환자를 방문해라. 기도서를 읽어라. 미드라쉬 학교에 일찍 가라. 그러나 토라 공부는 모든 것에 상응한다. 그래서 이렇게 말한다. '무화과나무를 돌보는 이는 그 열매를 먹고 자기 주인을 지키는 이는 존경 받는다.'(잠언 27,18)"(《잠언 미드라쉬》 27,18)

'밭 구석의 이삭'은 다음과 같은 법규에 의거한다. '너희 땅의 수확을 거두어들일 때, 밭 구석까지 모두 거두어들여서는 안 된다. 거두고 남은 이삭을 주워서도 안 된다.'(레위기 19,9) '맏물의 봉헌'은 '땅의 모든 결실의 맏물에서 (얼마를) 가져다가 광주리에 담아, 주님YHWH 하느님이 선택한 장소로 갈 것이다.'(신명기 26,2) '순례 헌물'은 '해마다 세 번씩 모든 남자는 너희 하느님 주님YHWH을 보기 위해 그분이 선택한 장소에 나와야 한다. 그러나 빈손으로 주님YHWH을 보려고 해서는 안 된다.'(신명기 16,16) '자비를 베푸는 일'은 "심온 하짜딕은 말했다. 세상은 세 가지 위에 서 있다. 토라 위에, (하느님을) 섬기는 일 위에, 자비를 한껏 베푸는 일 위에."(《선조들의 어록》 1,2) 토라 공부는 이 모든 것에 상응하며 무화과나무는 토라 공부의 은유적 표현이다.

'예수와 느탄엘의 일화'에서 느탄엘이 무화과나무 아래에 있었다는 말은 그가 토라 공부를 하고 있었다는 뜻이다. 그는 자기가 토라 공부를 하는 학생인 것을 예수가 알고 있었다는 말에 놀랐으며 그런 정도의 지혜를 가진 사람이면 틀림없이 이스라엘이 기다리는 메시아라고 확신했다. 그래서 그를 이스라엘의 왕이라고 불렀으며 이는 그가 다윗의 아들이고 요셉의 아들이라는 그의 족보를 인정한다는 뜻이다. 느탄엘이나 필립포스 모두 토라 공부를 하는 학생이었다. 그러니까 필립포스는 토라(모세오경)와 예언서를 읽고 예수와 관련된 기록을 찾아냈겠고, 느탄엘의 경우 나사렛이란 지명이 히브리 성경에 나오지 않는다는 정도는 알 수 있었으며 예수에게 이스라엘의 왕이라고 부를 수 있는 정도의 토라 지식이 있었다. 느탄엘은 엣세네의 용어인 '하느님의 아들'이라는 호칭을 메시아라고 이해했고, 또한 그가 토라 공부를 하고 있었던 점을 보아 그는 엣세네 사람임에 틀림없다.

예수를 '요셉의 아들'이라고 부른 또 다른 경우는 예수가 나사렛의 회당에서 성경 구절을 해석하는 상황에서 나온다. 예수는 '주님YHWH

의 기운(바람)이 나에게 내렸다. 그분은 나에게 기름을 부었다. 이는 가난한 이들에게 복음을 전하고 마음이 상한 이들을 치유하며…'(이사야 61,1~2)라는 구절을 인용하며 이 문구가 오늘 회당에 있는 사람들이 듣는 가운데서 이루어졌다고 해석한다. 그러자 그들은 놀라움을 표시하며 "이 사람은 요셉의 아들이 아닌가?"라고 말했다. 예수가 가버나움에서 일으킨 치유의 기적을 이 고향에서도 해보라고 그들이 요구할 것이지만 어떤 예언자도 자기 고향에서 환영 받지 못한다며 엘리야의 예를 들어 설명한다. 그러자 회당에 있던 사람들은 그를 고을 밖으로 끌어냈다. 이 경우 회당의 사람들이 예수를 요셉의 아들이라고 부른 것이 화를 초래했다.

'요셉의 아들'이라고 언급되는 또 하나의 경우는 이러하다. 가버나움의 회당에서 예수는 하늘에서 내려온 빵에 대해 가르치면서 자기가 바로 하늘에서 내려온 빵이라고 말했다. 그러자 사람들은 이렇게 말한다. "이 사람은 요셉의 아들 예수가 아닌가? 우리는 그의 아버지와 그의 어머니를 알고 있지 않은가? 이제 어떻게 그가 '하늘에서 내려왔다'고 말할 수 있을까?"(요한 6,41~42)

예수가 복음을 가르치기 시작한 초기 갈릴리 지역에서 사람들이 그를 요셉의 아들이라고 불렀으며 그 이후로는 이 호칭이 언급되지 않는다. 그뿐만 아니라 예수의 아버지 요셉의 이름이 나오지도 않으며 그의 아버지라는 단어도 마찬가지다. (반면에 예수의 어머니는 그가 죽을 때까지도 언급된다. 요셉은 어디로 갔을까? 아니면 그의 존재가 더 이상 필요하지 않았을까?)

요셉의 아들과 들소의 뿔

시편 92편에 대한 미드라쉬에서 요셉의 아들을 '들소의 뿔'로 해석하는 부분을 읽어볼 수 있다. 이 성경해석에 따르면 이스라엘이 고난에 처해 있을 때 요셉의 아들이 메시아로 와서 이스라엘을 구원한다고 말한다.

> "당신은 나의 뿔을 들소처럼 치켜들어주십니다."(시편 92,11)
> 들소의 두 뿔이 다른 짐승(의 뿔)보다 더 높은 것처럼 그것(들소)은 그 오른쪽과 왼쪽을 들이받는다. 요셉의 아들인 아미엘의 아들 메나헴이 그러했다. 그의 뿔은 모든 짐승(의 뿔)보다 더 높았으며 세상의 네 방향을 향해 들이받았다.[05]
> 그에 관하여 모세는 말했다. "그의 황소의 맏이, 그에게 영예가 있으며 그의 뿔은 들소의 뿔."(신명기 33,17)
> 그와 함께 에프라임의 수만 명이, 메나쉐의 수천 명이. 이렇게 말한다. "그들은 에프라임의 수만 명이며 메나쉐의 수천 명이었다."(신명기 33, 17).
> 왕들이 그를 죽이려고 그에게 들고 일어섰다. 이렇게 말한다. "세상의 왕들이 그에게 들고 일어섰다."(시편 2,2)
> 이 땅에 사는 이스라엘은 큰 고난에 처할 것이다. 그러나 그들의 고난은 푸릇푸릇한 올리브 같다. 이렇게 말한다. "푸릇푸릇한 기름을 나에게 부어주신다."(시편 92,11)(《엘리에제르 랍비의 해설집》 19장)

이 미드라쉬에서 중요한 문구는 '들소의 뿔'로 상징되는 요셉 전승이며, 세상의 네 방향을 들이받는 들소는 요셉의 아들이라는 해석이 주목된다. 그 해석을 입증하는 문구로 모세가 열두 지파에게 복을 내리는 단원에서 하느님의 은총이 요셉의 머리에 내린다는 문구를 인용했다.

"그 뿔로 민족들을 땅 끝까지 들이받을 것이다."(신명기 33,17) 그것을 확인할 수 있는 사례로 요셉의 후손인 메나헴을 들었다(초기 유대교 사회에서 메나헴이 메시아의 이름으로 등장하는 것은 3장 〈누가 '진리의 영'이라고 불리는 '다른 위로자'일까〉 참조).

[고대 메소포타미아 문화에서 황소의 두 뿔이 신적인 존재를 표상하는 경우를 쉽게 볼 수 있다. 신들의 모습과 인간을 구별하는 장치로 신은 두 뿔이 달린 모자를 썼다. 고대 메소포타미아 사람들이 사용했던 원통형 인장에 새긴 그림에서 그런 모습을 쉽게 확인할 수 있다.[06] 이런 전통에 따라 헬레니즘 시대의 은전에 새긴 알렉산드로스 왕의 두상 모습(그림 1-1)에서도 볼 수 있다.]

모세가 요셉에게 복을 내리며 들소의 뿔로 땅 끝까지 들이받는다고 찬미하는 점은 모세의 경험에서 좀 더 자세히 볼 수 있다. 모세가 시나이 산에서 내려올 때 그의 얼굴이 뿔처럼 빛났다. 그 이유는 그가 시나이 산 꼭대기에서 하느님과 함께 40일 동안 있으면서 토라를 배우고 하느님이 그의 손가락으로 새긴 석판 두 개를 받았기 때문이다.(출애굽기 32,29~30) 들소의 뿔은 토라의 영광을 상징한다.

요셉의 아들 메시아가 그 뿔로 땅 끝까지 들이받을 때(즉, 메시아가 토라를 가르치며 토라의 뿔로 세상 사람들의 죄상을 밝히고 그들을 들이받을 때) 에프라임과 메나쉐 사람들이 그를 죽이려고 일어서면서 그들은 이스라엘을 고난에 처하게 만든다. 엣세네의 성경해석에 따르면 에프라임은 바리새를, 메나쉐는 사두개를 가리킨다.

"불쌍하구나! 피의 도시여!
모두 거짓과 횡포로 찼다."(나훔 3,1)

그 해석. 이것은 도시 에프라임이다.

그들은 마지막 시대에 부드러운 것을 추구하는 자들이며 거짓과 속임으로 걸어 다닌다.

(중략)

"그들은 존경 받는 자들을 위해 제비를 던졌으며 모든 높은 자들은 사슬에 묶여 갔다."(나훔 3,10)

그 해석. 마지막 시대에 메나쉐에 대한 것이다.

그 왕국은 이스라엘에 의해 낮아지며 (중략) 그 아내들과 아이들과 갓난아이들도 포로로 갈 것이다. 그 용사들과 존경 받는 자들은 칼로 [사라질 것이다.]((나훔서 해석))

도시 에프라임은 사마리아를 가리킨다. 에프라임과 메나쉐 지파의 자손들이 사마리아 지방에 살았기 때문에 생긴 표현이다. 기원전 720년경 아시리아 왕이 사마리아를 정복하고 에프라임과 메나쉐 후손들을 모두 아시리아의 변방으로 쫓아내고 그곳에 이방인들을 이주시켜 살게 했다. 유대인들의 관점에서 보면 사마리아 사람들은 이방인이다. 엣세네 사람들은 자기들을 짜독(사독)의 자식들인 유다 지파의 자손이라고 하며, 바리새 사람들을 에프라임이라고, 예루살렘 성전의 사제들을 메나쉐라고 불렀다. 엣세네의 입장에서 보면 그들은 이방인이라는 뜻이다.

그러나 시편 92편의 해석이나 나훔서의 해석에서 이스라엘은 이스라엘 공동체를 뜻한다. 초기 유대교 분파는 자기 공동체를 이스라엘이라고 불렀다. 이들의 해석에서 보면 메시아가 이 세상에 와 사람들의 사악함을 파헤칠 때 사람들 사이에 분쟁이 생긴다는 이야기다. ['들소의 두 뿔'은 마지막 시대의 메시아를 상징한다(9장 〈다시 올 때까지 왜 포도주를 마시지 않겠다고 했을까〉 참조)].

사람들이 예수의 성경해석을 듣고 놀라서 "그가 요셉의 아들이 아닌가!"라고 말하는 것은 예수가 메시아일 수 있다는 이야기다. 복음서의 마지막 부분에 죽음에서 일어난 예수는 그의 제자들에게 이렇게 말한다.

> 보시오, 나는 여러분과 함께 (있겠습니다). 모든 날(항상) 세상 끝까지.(마태 28,20)

'나는 여러분과 함께'라는 표현은 메시아 이름에서 발견할 수 있는 문구다. 그 대표적인 이름이 임마누엘(하느님이 우리와 함께)이다. 이사야 예언자는 아하즈 왕(기원전 743~727년 재위)에게 이렇게 말했다. "보시오, 처녀가 잉태하여 아들을 낳아 그의 이름을 임마누엘이라고 부를 것입니다. 그의 지식으로 악을 물리치고 선을 택할 때 그는 버터와 꿀을 먹을 것입니다."(이사야 7,14~15)

예수의 탄생 이야기도 이 전통을 따랐다. 가브리엘 천사는 요셉의 꿈에 나타나 그와 정혼한 아내 마리아가 거룩한 분의 영으로 아이를 가졌는데 그 이름을 '예슈아'라 부르라고 말하며 이는 하느님이 예언자를 시켜 임마누엘이라고 부르라고 했던 그 계시가 이루어졌다고 말했다.(마태 1,21~23) 이사야가 말한 처녀가 바로 이 시대의 구원자를 잉태할 마리아고 하느님은 그녀가 낳을 예수와 함께 있을 것이라는 뜻이다. 예수는 하느님의 천사가 요셉의 꿈에 나타나 이야기한 임마누엘의 계시가 그의 제자들에게서 이루어질 것이라고 하며 '나는 여러분과 함께'라고 말한 것이다.

'임마누엘이 세상 끝까지 항상' 있을 것이라는 메시아사상은 흔히 이사야서에서 찾을 수 있다. 아래와 같은 문장이 '세상 끝까지 기쁜 소식의 전파'라는 구원의 희망을 잘 보여준다. 'YHWH 하느님의 종'은 이렇게 말한다.

> 먼 곳에 사는 민족들아, 귀를 기울여라.
> YHWH가 (내 어머니의) 배 속에서 나를 부르셨고 내 어머니의 복중에서 내 이름을 기억하셨다.(이사야 49,1)
> (중략)
> 그분(하느님)이 말했다.
> '네가 나에게 종이 되어 야곱의 지파들을 일으키고 이스라엘의 생존자들을 돌아오게 하는 것은 쉬운 일이다. 나는 너를 민족들의 빛으로 세우고 내 구원(예슈아)이 땅 끝까지 있게 할 것이다.' (이사야 49,6)

'YHWH가 내 어머니의 복중에서 내 이름을 기억했다'는 말은 그 이름이 이미 알려져 있었다는 뜻이다. 초기 유대교 메시아사상의 관점에서 보면 창조 때 알려진 메시아의 이름은 창조에 앞서 일곱 가지가 준비되었다는 해석에서 찾아볼 수 있다. 메시아의 이름이 창조 때 이미 있었다는 것이며(4장 〈메시아는 왜 베들레헴에서 태어나야 할까〉 참조) YHWH 하느님은 그의 어머니의 복중에서 그 이름을 기억했다는 뜻으로 이해할 수 있다. 이런 구절은 예수의 탄생 이야기의 입증 문구가 되었다. 그 이름(예슈아)의 소유자는 '민족들의 빛'이 되어 하느님의 구원(예슈아)을 땅 끝까지 선포할 것이다. 죽음에서 일어선 예수는 '하느님이 우리와 함께'라는 이름(임마누엘)이 새 언약의 시대에 왔고 죄지은 이들을 그 이

름(예슈아)으로 구원한다는 기쁜 소식을 땅 끝까지 알리라고 그의 제자들에게 당부했다

예수가 그의 복음을 땅 끝까지 선포하라는 말은 요셉의 아들 메시아가 들소의 뿔로 '세상의 네 방향을 향해 들이받는다'는 미드라쉬와 비슷한 내용이다. '요셉의 아들'은 이처럼 '들소의 뿔'로 표상되는 메시아를 지칭하는 단어다. 바리새나 사두개 혹은 엣세네의 입장에서 보면 '들소의 뿔'인 요셉의 아들 메시아 예수가 그 뿔로 그들을 땅 끝까지 들이받겠다는 말로 예상하고 그를 배척했을 것이다. 그래서인지 나사렛 회당에서 예수의 성경해석을 들은 사람들은 예수를 요셉의 아들이라고 부르며 그를 동네 밖으로 쫓아냈다. 회당에 있던 사람들은 바리새 사람들일 것이다.

광야에서 예수를 유혹한 악마의 이야기는 무엇일까 마태 4,1~11

예수가 요르단 강가에서 세례를 받은 뒤 거룩하신 분의 영에 인도되어 광야로 가서 40일 동안 단식하고 있었다. 그런데 악마가 예수에게 다가와서 세 번 유혹했다.(마태 4,1~11) 그 첫 번째는 이러하다.

만일 당신이 하느님의 아들이면 이 돌들이 빵으로 되라고 말하시오!

예수는 성경 구절을 인용하여 이렇게 대답했다. "사람은 빵만으로 살지 못하고 하느님의 입에서 나오는 모든 말씀으로 산다."(신명기 8,3) (랍비들의 미드라쉬에 보면 빵을 토라로 비유하는 경우를 흔히 읽어볼 수 있다. 또한 예수가 최후 만찬에서 빵을 들고 이것은 예수의 몸이라고 말하는 것처럼 특정한 맥락에서

빵은 생명으로 비유된다.) 악마는 그의 꼬임에 예수가 흔들리지 않자 그를 거룩한 도시로 데려가 성전 꼭대기에 세우고 이렇게 말한다.

> 만일 당신이 하느님의 아들이면 당신 몸을 아래로 던지시오!
> 이렇게 쓰여 있다. '그분(하느님)은 너를 위해 그분의 천사들에게 명령한다. 그들의 손으로 너를 붙잡아 네 발이 돌에 다치지 않게 하리라.'(시편 91,11~12)

예수는 이번에도 성경 구절을 인용했다. '너희 하느님 YHWH를 시험하지 마라.'(신명기 6,16) 예수는 이렇게 악마의 주술에 대응했다. 악마는 다시 한 번 그를 높은 곳으로 데리고 가서 세상의 모든 왕국과 그 영광을 보여주며 말한다.

> 만일 당신이 나에게 절하면 이 모든 것을 당신에게 주겠소.

이때 예수는 그에게 이렇게 말했다. "당신은 가시오, 사탄이여! 이렇게 쓰여 있습니다. '너는 너의 하느님 주님YHWH에게 절하고 그분을 홀로 섬겨라.'(신명기 6,13)" 그래서 악마는 예수를 떠나갔고 천사들이 다가와서 그의 시중을 들었다고 이야기한다.

악마가 예수에게 마지막으로 보여준 왕국의 영광은 '영광의 보좌'를 가리키며, 그 보좌는 창조와 함께 하느님이 미리 준비했던 것으로 사람들을 심판하기 위해 필요한 심판의 보좌라고 랍비들은 해석했다. [창세기 미드라쉬에 이렇게 말한다. "(창조에 앞서) 영광의 보좌(가 있었다고 하는데) 어디에서 (알 수 있을까)? 이렇게 쓰여 있다. '당신(주님)의 보좌는 옛날에 세워졌습니다. 당신은 영원부터 계십니다.'(시편 93,2)" 하느님의 보좌가 옛날에 세워졌다는 것은 하느님이 영원부터 있었다는 뜻이며 그 보좌는 창조와 함께 만들어졌다고 해석한 것이다.]

악마의 유혹은 만일 예수가 심판의 보좌에 앉고 싶으면 그에게 절하라는 말이다. 자기의 권능이 하느님의 권능보다 강하다고 말한다면 지옥에서도 예수를 메시아로 인정하겠다는 뜻이다. 악마에게 절하라는 것은 십계명 2항을 어겨보라는 말이며 이에 대해 예수가 'YHWH 하느님을 홀로 섬겨라'고 인용하는 것은 십계명 1항을 어기지 않겠다는 뜻이다. 사탄의 속임수는 예수로 하여금 십계명의 1~2계명을 범하게 하여, 이스라엘의 하느님은 하나가 아닐 수 있다는 신성 모독죄로 지옥에 보내려는 수작이었다. 예수가 그의 속임에 넘어가지 않자 그 악마는 포기하고 돌아간다. 그렇다면 돌들이 빵이 되라고 말해보라는 것과 성전 꼭대기에서 뛰어내려보라고 하는 것은 무엇을 뜻할까?

엣세네 공동체의 규례에 이스라엘이 악마(브리알)의 시대에 세 가지 덫에 걸려 고난을 겪는다고 해석하는 단락을 읽을 수 있다.

이 기간 동안에 브리알(악마)이 이스라엘에 퍼지며 그때 하느님은 아모쯔의 아들 이사야 예언자에게 말했다. 이렇게 말한다. '두려움과 함정과 올가미가 너희에게 있을 것이다. 이 땅의 거주민들이여!'(이사야 24,17)
그 해석. 브리알의 세 덫이다.
그(악마)는 그것들을 정의의 세 종류로 준다며 이스라엘을 붙잡는다고 야곱의 아들 레위는 말했다.
'첫째는 간음, 둘째는 재산, 셋째는 성전 모독이다.
이것에서 피한 자는 저것에 붙잡히고 저것에서 구제된 자는 이것에 붙

잡힌다.'(《새 언약의 규례》 4,13~18)

이 해석에서 브리알이 세 가지 덫으로 이스라엘을 붙잡는다고 말하는데 여기서 '이스라엘'은 이사야 시대의 이스라엘이 아니라 해석자 당시의 이스라엘을 뜻한다. 엣세네의 관점에 참 이스라엘은 그들 공동체다. 의로운 교사는 그의 공동체 사람들에게 이 세 가지 덫을 조심하라고 가르쳤다.

[신약성경에 '메시아가 베리아르(악마)와 어떻게 화합을 하겠느냐'(고린도후서 6,15)고 말하는 문장이 나온다. 베리아르($B\varepsilon\lambda\iota\alpha\rho$, Beliar)는 베리알($B\varepsilon\lambda\iota\alpha\lambda$)의 시리아어식(Syriac) 발음을 표기한 것이다. 베리알은 히브리어 브리알(בליעל)의 음역이다. 6~7세기에 고정된 마소라 텍스트에 따르면 이 단어의 음역을 bli-ya-al이라고 해야 하겠으나 2세기 초반에 편집된 그리스어 신약성경에 베리아르($B\varepsilon\lambda\iota\alpha\rho$)라고 표기한 점을 보면 '브리알'이라고 음역하는 것이 바람직하다. 히브리 성경에 나오는 브리알은 '쓸모없는 자'란 뜻이며(아마도 원래 * '브리-알' '높은 데 없는', '나은 것이 없는', '쓸모없는' 등의 뜻으로 발전된 것 같고) 후기 히브리어에서는 악마의 이름으로 사용되었다. 엣세네 공동체에서 어둠의 자식들을 브리알이라고 표현했다.]

이 규례에 전해진 브리알의 세 덫과 복음서에 전해진 악마의 세 가지 유혹을 비교해볼 수 있다. '간음'의 덫에 해당하는 것은 악마에게 절하라는 내용이다. 이스라엘 백성이 YHWH 하느님 이외 다른 신에게 예배드리는 행위를 간음했다고 말한다. '재산'에 대한 것은 돌들을 빵으로 바꾸어보라는 유혹인 것은 자명하다. '성전 모독'은 악마가 예수를 성전 꼭대기에 데리고 가서 시험한 단락과 대조된다.

예수와 악마의 논쟁에서 악마는 일단 물러났지만 끝내 예수를 속임수에 걸리게 한 것은 이 세 가지 중에 성전 모독이다. 예수가 하느님의 성전을 헐어버리고 사흘 안에 세울 수 있다고 이야기했다는 것이 그것이다. 예수가 악마에게 유혹을 받았다는 일화는 엣세네의 규례에 나오는 악마(브리알)가 세 가지 덫의 내용을 말하며 예수가 그들이 기다리는 메시아라고 입증하는 이야기다. 엣세네 사제들의 관점에서 보면 과연 나사렛 출신의 예수가 메시아일까 하는 논란이 생길 문제다. 왜냐하면 예수는 성전 모독의 중죄에 걸리게 되며 결국 십자가형이라는 저주 받은 형벌을 짊어졌기 때문이다.

05

치유의 기적과
메시아의 표징

예수는 서른 살쯤에 갈릴리 지방의 여러 고을을 돌아다니며 공동체 모임을 감찰하고 성경을 가르치며 고통 받는 병약자들을 구제했다. 그의 치유 행적이 널리 알려지면서 그를 구원자로 믿고 따르는 무리가 날이 갈수록 늘어났다. 그들은 주로 병들었거나 가난하며 또는 남들에게 천시 받는 부류였다. 그 당시에 선천적인 병도 죄지은 것으로 간주되었으며 이렇게 죄지었거나 천대 받는 사람들은 예루살렘 성전에 들어가지 못했다. 하느님의 성전에 들어가지 못하면 사제에게서 속죄 의식을 받지 못했다. 속죄 의식을 받지 못하면, 하느님의 명부名簿에 자기 이름이 기록되지 못하여 그가 죽은 뒤 추모일에 그의 이름이 불리지 않게 된다. 이러한 유대교 전통에 정면으로 맞서 개혁을 외친 것이 바로 불구자들과 불치병 환자들과 천시 받는 사람들도 성전에 들어갈 수 있게 하자고 외치는 예수의 성경해석이었다. 종교적으로 속죄될 수 있는 출구가 꽉 막힌 처지에 있었던 불구자들이나 종교적 죄인들에게도 하느님의 성전에 들어오는 구원이 있다고 설파하는 예수에게 각지에서 모여드는 것은 당연하겠다.

치유의 기적은 무엇을 말할까 마태8,16~17

복음서에 아래와 같은 단락이 나온다.

> 저녁이 되자 사람들이 예수 앞에 귀신 들린 이들을 많이 데리고 왔다.
> 예수는 말로 그들의 귀신들을 쫓아내고 심각하게 앓고 있는 사람들을
> 모두 치유해주었다. 그러므로 이사야 예언자에 의해 '그(YHWH의 종)
> 는 우리의 병을 짊어지었고 우리의 아픔을 견디었다'(이사야 53,4)고 한
> 말이 이루어졌다.(마태 8,16~17)

여기서 눈여겨볼 부분은 예수가 몇 마디 말로 귀신들을 쫓아내고 불
구자들이나 불치병 환자들을 고쳐주었다는 점이다. 예수는 대부분의
경우 말로 치유했다. 그런 예들을 아래와 같이 열거해볼 수 있다.

> 나병 환자를 낫게 한 경우,
> "내가 원합니다. 깨끗해지시오!"(마태 8,3);
> 중풍에 걸린 백부장의 하인을 낫게 한 경우,
> "가시오! 당신이 믿은 것처럼 당신에게 될 것입니다"(마태 8,13);
> 귀신 들린 두 사람을 낫게 한 경우,
> "가라!"(마태 8,32);
> 중풍 환자를 낫게 한 경우,
> "힘내시오! 내 아들, 당신 죄는 용서 받았소"(마태 9,2);
> 하혈하는 부인을 낫게 한 경우,
> "힘내시오! 당신의 믿음이 당신을 살렸소"(마태 9,22);
> 소경 두 사람을 낫게 한 경우,

"당신들이 믿은 것처럼 당신들에게 될 것입니다"(마태 9,29);

손이 오그라진 병자를 낫게 한 경우,

"당신의 손을 펴시오!"(마태 12,13);

죽어가는 가나안 부인의 딸을 낫게 한 경우,

"아 부인, 당신의 믿음이 큽니다. 당신이 원하는 것처럼 될 것입니다"
(마태 15,28);

더러운 영에 사로잡힌 사람을 낫게 한 경우,

"네 입을 다물어라!"(마가 1,25);

귀먹은 반벙어리를 낫게 한 경우,

"열려라!"(마가 7,34);

소경을 낫게 한 경우,

"무엇이 보입니까?"(마가 8,23);

간질병에 걸린 소년을 낫게 한 경우,

"벙어리 귀머거리 영靈아, 내가 너에게 명령한다. 그에게서 떠나 다시
는 그에게 들어가지 마라!"(마가 9,25);

곱사등이 부인을 낫게 한 경우,

"부인, 당신의 병에서 풀려났습니다"(누가 13,12);

나병 환자 열 사람을 낫게 한 경우,

"가시오! 당신들의 몸을 사제들에게 보이시오!"(누가 17,14);

왕궁 관리의 아들을 낫게 한 경우,

"돌아가시오! 당신의 아들은 살 것입니다"(요한 4,50);

누워 있는 병자를 낫게 한 경우,

"일어서시오! 당신의 침상을 들고 걸어가시오!"(요한 5,8);

소경을 낫게 한 경우,

"가시오! 실로암 못에 씻으시오!"(요한 9,7);

나사로를 살린 경우,

"나사로야, 밖으로 나와라!"(요한 11,43)

이렇게 말씀으로 기적을 행사하는 가장 대표적인 예는 창세기 1장에 나온다. "빛이 있어라!" 하고 말하자 빛이 있었다는 하느님의 창조 이야기야말로 고대로부터 회자되어온 기적 행사의 원형이다. 〈선조들의 어록〉에 세상은 열 말씀으로 창조되었다는 단락이 나온다.

세상은 열 말씀으로 창조되었다.

성경 공부(탈무드)는 무엇을 말하는가?

한 번의 말씀으로 창조될 수 있지 않았는가?

열 말씀으로 창조된 세상을 없애고 있는 사악한 자들에게서 배상을 받아내려는 것이다.

열 말씀으로 창조된 세상을 이루려는 의로운 자들에게 좋은 보상을 주려는 것이다.(〈선조들의 어록〉 5,1)

하느님이 단 한 번의 말씀으로도 세상을 만들어낼 수 있었는데 왜 열 번이나 말했는지 궁금하다는 질문이다. 성경을 공부하면서 이런 질문이 생기느냐고 질문한다. '열'이란 숫자는 상징적이다. 가장 대표적인 예는 십계명이겠다. 십계명은 히브리어로 '열 말씀'이며 모세의 법규(토라)를 대변하는 단어다. 세상이 하느님의 '열 말씀'(명령)으로 창조되었듯이 세상사는 하느님의 '열 말씀'(계명)으로 다스려져야 한다는 것이다. 십계명을 지키지 않는 사악한 자들에게 배상을 요구하고 십계명을 잘 지키는 의로운 자들에게는 좋은 보상을 주려고 열 말씀으로 세상을 창조했다는 해석이다. 초기 유대교 랍비들의 미드라쉬에서 창조의 '열 말씀'에 대해 읽어볼 수 있다.

우리는 《미쉬나》에서 "이 세상은 열 말씀으로 창조되었다"(《선조들의 어록》 5,1)고 배운다.

이것들은 이러하다.

"처음에 하느님이 하늘과 땅을 만들어냈다."(창세기 1,1)

"하느님의 바람(영)이 수면 위에 일고 있었다."(창세기 1,2)

"하느님이 말했다. '빛이 있어라!'"(창세기 1,3)

"하느님이 말했다. '창공이 있어라!'"(창세기 1,6)

"하느님이 말했다. '물이 한곳으로 모여라!'"(창세기 1,9)

"하느님이 말했다. '땅은 새싹을 돋아나게 하라!'"(창세기 1,11)

"하느님이 말했다. '발광체들이 있어라!'"(창세기 1,14)

"하느님이 말했다. '물에 살아 숨 쉬는 것들이 떼 지어 다녀라!'"(창세기 1,20)

"하느님이 말했다. '땅은 살아 숨 쉬는 것들을 나오게 하여라!'"(창세기 1,24)

"하느님이 말했다. '우리가 사람을 만들자.'"(창세기 1,26)

메낙헴 바르 요세 랍비는 "하느님의 바람이 일고 있었다"는 구절을 빼고 "주님YHWH 하느님이 말했다. '그 사람(아담)이 혼자 있는 것은 좋지 않다'"라는 구절을 넣었다.

야콥 벤 쿠르샤이 랍비는 말했다.

"(처음에 하느님이) 바람을 만들어낸 것은 자명하다."(《창세기 미드라쉬 랍

바》17,1)

위에서 처음 인용된 두 구절은 "처음에 하느님이 말했다. '하늘과 땅이 있어라!'" 그리고 "바람이 일어라!"라는 문구를 연상한 해석이다. 하느님은 몇 마디 단어로 세상을 만들어내는 기적을 일으켰다는 뜻이다. 그런데 "하느님의 바람이 일고 있었다"는 문장보다는 에덴동산 이야기에서 아담의 상대로 여자를 만들어낸 것이 더 기적적이지 않겠느냐는 한 랍비의 생각이다. 그런데 이런 해석은 하느님이 아담에게 "혼자 있어라!"는 명령문을 연상한 결과다. 그래서 하느님이 바람을 만들어낸 것이 먼저라고 반론한다. 아래에서 그 이유를 찾아볼 수 있다.

> "하느님이 말했다. '빛이 있어라!'"(창세기 1,3)
> 베레크야 랍비는 예후다 바르 시몬 랍비의 이름으로 (아래 구절을) 열었다.
> "주님YHWH의 말씀으로 하늘이 만들어졌으며, 그분 입의 바람(영)으로 모든 (천상의) 군대가 만들어졌다."(시편 33,6)
> 예후다 바르 시몬 랍비는 말했다.
> "찬미 받으시는 거룩하신 분이 노고나 수고로 그분의 세상을 만든 것이 아니라 '주님의 말씀으로' 이미 '하늘이 만들어졌다.' 이처럼 '빛이 있다'고 쓰여 있지 않고 '빛이 있었다'고, 즉 이미 있었다는 뜻이다."
> 《창세기 미드라쉬 랍바》 3,2)

"그분 입의 바람(영)으로 모든 (천상의) 군대가 만들어졌다"는 것은 창조 때에 하느님이 하늘을 향해 "군대가 있어라!"고 말하자 그렇게 되었다고 연상한 해석이다. 하늘의 군대, 즉 천사들은 언제 만들어졌을까?

요하난 랍비는 말했다. "천사들은 이튿날에 만들어졌다. 이렇게 쓰여 있다. '물에 그분의 누각의 들보를 얹으시고 구름을 그분의 수레로 삼으시며 바람의 날개들 위에 (타고) 돌아다니시는 분(하느님).'(시편 104,3) 그리고 이렇게 쓰여 있다. '그분은 바람들을 그분의 천사들로 만드시고 타오르는 불을 그분의 시종으로.'(시편 104,4)"(《창세기 미드라쉬 랍바》 1,3) (창조 이튿날에 물에서 물이 갈라져 창공이 만들어졌다.)

이 미드라쉬에서 강조하는 점은 사람은 그 자신의 노고로 무엇인가를 만들지만 하느님은 말씀으로 만든다는 것이다. 또한 하느님이 "빛이 있어라!"고 말하자 '빛이 있었다'(완료형)는 것은 하느님의 말씀이 확실히 이루어진다는 뜻이라고 해석한다. 그래서 하느님이 말씀으로 확실한 기적을 행사한다는 증거로 "YHWH의 말씀으로 하늘이 만들어졌다"는 구절을 인용한 것이다.

이와 같이 예수도 몇 마디 말로 불구자들이나 환자들을 치유한다는 것이며 예수에게 '하느님의 입의 영(기운)'이 있다는 점을 보여준다. [물론 예수가 소경의 눈을 뜨게 하기 위해 침으로 진흙을 개어 그 진흙을 소경의 눈에 바르는 수고 정도는 했지만.(요한 9,6)] 말씀으로 세상을 창조했다는 하느님처럼 언어로 치유한 예수는 자신이 하느님의 아들임을 치유의 기적을 통해 입증하려고 했음을 알 수 있다.

하느님의 성전에 거룩한 천사들이 있기 때문이다

예수가 귀신 들린 사람들이나 불구자들 또는 불치병 환자들을 치유한 목적은 그들이 성전에 속죄 예물을 드리고 속죄할 수 있게 하여 마지막 심판의 날에 구원 받을 수 있게 하기 위해서다. 이렇게 말한다. "그러자 그의 나병이 깨끗하게 나았다…. 예수는 그에게 말했다. '모세가 지시한 예물을 (성전에) 갖다 바쳐 그들(사제들)에게 증거가 되게 하시오.'"(마태 8,3~4) 여기서 '증거'는 다름 아닌 하느님의 책에 그 사람이 속죄 예물을 가져왔다는 기록을 해달라는 뜻이다.

사람은 일상생활에서 토라의 계명을 모두 지키며 살지 못한다. 가끔은 토라의 길에서 벗어나는 경우가 생긴다. 그때를 위해 속죄할 수 있는 통로가 마련되어 있다. 성전의 사제가 속죄 예물을 받아주고 간단한 속죄 의례를 통해 그 잘못은 하느님의 기록에서 삭제된다. 이런 것이 종교의 힘이다. 그런데 예수 당시에 불구자나 병자나 천시 받는 사람 등은 성전에 예물을 드릴 수가 없었다. 《미쉬나》에 보면 여자, 어린이, 병자, 노인, 불구자, 종이 아닌 유대인 남자는 3대 축제(유월절, 칠칠절, 초막절) 때 예루살렘 성전으로 순례를 반드시 가야 한다고 규정했다.(〈하기가(축제)〉 1,1) 장애가 있기 때문에 성전에서 속죄 의식을 받지 못하는 사람은 오는 세상에서도 죄인으로 살아야 하는 운명이다. 그러나 예수는 성전에 들어갈 수 없는 부류의 사람들을 예수 공동체에서 받아들이고 그들에게 토라를 가르치며 함께 기도하고 하느님을 찬양했다.

예수 공동체의 이러한 성격은 엣세네와 사뭇 다르다. 예수 공동체는 엣세네처럼 함께 기도하고 공부하며 재산을 공동으로 관리하는 등 많은 공통 요소를 가지고 있었다. 그러나 엣세네는 유대교 법규주의 정통성을 고수했으며 바리새파보다 더 율법적이었다. 〈토라 교훈서〉(MMT = 4Q394~398)로 알려진 이 책은 엣세네의 독특성을 일러주는 편지 양식을 띤 작품이다. 지금까지 발견된 두루마리 조각은 모두 6개며 약 130행 정도로 추정할 수 있다. 그 내용으로 365일의 종교 달력과 20가지 이상의 종교 법규 등이 적혀 있다. 엣세네가 태양력을 사용했다는 증거도 여기서 알 수 있다. 아래 단락에서 엣세네 지도자들이 엄격한 율법주의를 주장하는 이유를 알아볼 수 있다.

시체의 부정不淨함에 관하여.

시체에 살[肉]이 있든 없든 시체의 뼈는 죽은 자에 관한 법(규례)에 따를 것이다.

사람들 사이에 행해지는 음행(이교도와의 혼인)에 관하여.

그들(공동체 일원들)은 거룩한 씨의 자손이다. 이렇게 쓰여 있다. '이스라엘은 거룩하다.'

(이스라엘)의 [정결한] 동물에 관하여.

한 종자가 다른 종자와 교접하지 않을 것이다.

(이스라엘의) 옷에 관하여.

혼합된 천으로 만들지 않을 것이다.

그의 경작지와 포도원에 여러 씨앗을 섞어 뿌리지 않을 것이다. 왜냐하면 이스라엘은 거룩하기 때문이다. 아론의 자식들은 [가장 거룩하다.] 그러나 일부 사제들과 [백성은 섞인다.] 그들은 서로 붙잡고 거룩한 씨앗을 더럽힌다.(4Q396)

이처럼 엣세네 사람들은 자기들을 아론의 자식들, 즉 거룩한 사제들이라고 스스로 일컬었으며 가장 거룩한 백성이라고 불렀다. 따라서 엣세네는 예루살렘 성전의 사제들로 구성된 사두개와 결별했으며 엣세네의 본원(공동체 양성소)에 성전이 있었던 것으로 보인다. 그래서 그들의 성전/공동체에는 선천적으로 결함이 있는 사람은 들어오지 못하게 규례로 정했다. 엣세네에서는 이렇게 부정不淨한 사람들은 마지막 시대에도 성전에 들어올 수가 없다고 정해놓았다.

"[내 백성 이스라엘을 위해 자리를 정하고 그들을 심어 그 아래에 정착하며] 적이 더 이상 그들을 [괴롭히지 않을 것이다.] 이전에 있었던 것처럼 죄의 자식이 그들을 더 이상 상대하지 않을 것이다. 내가 이스라엘 백성들 위에 사사(판관)들을 세워준 때부터."(사무엘하 7,10~11)

(해석.) 이것은 마지막 시대에 하느님이 지을 집이다.

[모세의] 책에 이렇게 쓰여 있다. "[YHWH,] 당신의 손으로 세운 [성전에서] YHWH는 영원히 지배할 것입니다."(출애굽기 15,17~18)

이것은 집(성전)이며 거기에 [부정不淨하거나] [할례를 받지 않은 사람이거나] 암몬인人들이나 모압인人들이나 사생아나 외국인의 자식이나 이방인은 영원히 들어오지 않을 것이다. 왜냐하면 거기에 내 거룩한 자들이 있기 때문이다. [그 영광이] 영원히 있으며 그 위에 항상 드러난다.

(이스라엘이) 죄를 지었기 때문에 이스라엘의 성전을 이전에 허물어뜨린 것처럼 낯선 자들이 더 이상 그것을 허물어뜨리지 않을 것이다.(〈마지막 시대의 해석〉 1~5)

"당신의 손으로 세운 성전에서 YHWH는 영원히 지배할 것입니다"는 구절에 대한 해석에서 그것은 집이며 거기에 불구자들이 들어가지 못한다고 말하는 '집'은 성전을 뜻한다.(신명기 23, 3~4; 에스겔 44,9 참조) 여기서 말하는 '하느님의 집'은 마지막 시대에 세워질 성전을 가리킨다. 엣세네에서 말하는 하느님의 집에 들어오지 못하는 종류의 사람들은 초기 유대교 당시의 예루살렘 성전의 상황을 반영한다. 사두개들은 예루살렘 성전에 부정不淨한 사람(예를 들어, 불구자나 월경 중에 있는 여자 등)이나 사생아 또는 이방인의 출입을 금했다. 엣세네 공동체는 성전 안에 거룩한 자들(천사들)이 있기 때문에 불구자와 같은 이러한 부류의 사람은 들어오지 못한다고 규정했다.

> 멍청이, 미친 사람, 바보, 장님, 신체 불구자, 절름발이, 귀머거리, 어린
> 아이는 공동체에 들어오지 못한다. 거룩한 천사들이 그들과 함께 있기
> 때문이다.(〈새 언약의 규례〉 xv,16)

마지막 시대에 구원 받기를 기다리는 새 언약의 공동체에 이러한 장
애자들이 들어오지 못했던 이유는 귀머거리나 소경, 바보 등은 토라를
배울 수 없어서 토라의 법규를 지킬 수 없기 때문에 거룩한 성전에 들
어올 수 없다는 뜻이다(어린아이도 아직 계명을 배우기 이전이어서 공동체 일원이
되지 못했다). 엣세네나 사두개 사람들은 매우 편협한 편견주의자들이다
(이에 반해 불구자들을 낫게 하고 그들이 성전에 들어갈 수 있게 한 예수의 치유 사건들
은 실로 그 당시 큰 화젯거리였을 것이다).

엣세네는 예루살렘 성전의 기득권을 쥐고 있는 사두개를 어둠의 자
식들이라고 비판하고 전통적으로 지켜오는 절기 등을 그들과 같은 시
기에 지키지 않았다. 또한 예루살렘 성전에서 명절을 지키는 전통을 따
르지 않았다. 그리고 마지막 시대에 세워질 하느님의 집은 그들의 공동
체를 말한다고 가르쳤다. 이러한 입장을 밝히는 주장은 아래의 단락에
서 읽을 수 있다.

> 사람의 온갖 부정不淨 가운데 하나라도 오염된 사람은 이 회중에 들어
> 오지 않을 것이다. 아래와 같은 것에 오염된 사람은 공동체 가운데 그
> 의 지위를 절대로 유지하지 않을 것이다.
> 그의 살[肉]이 오염됐거나 팔다리가 불구인 사람, 절름발이 혹은 장님

이나 귀머거리, 얼간이, 눈에 보이게 그의 살에 결점이 있는 자. 비틀거리는 노인도 공동체 가운데 지위를 유지하지 않을 것이다.

이러한 자들은 이름 있는 사람들의 공동체 가운데 참여하러 들어오지 않을 것이다. 거룩한 천사들이 그들의 공동체에 있기 때문이다.(《마지막 시대의 규례》 2,4~29)

거룩한 천사들이 엣세네 공동체와 함께 있기 때문에 공동체 전체가 부정不淨하지 않아야 한다는 논리다. 거룩한 천사들이 하느님의 성전에서 그분의 시중을 들고 있다는 해석이다.

초대교회의 창유리에 여러 색깔의 유리로 천사들과 성인들의 모습을 만들었다. 이는 거룩한 천사들이 공동체에 있으며 그 공동체는 바로 하느님의 성전인 교회이기 때문에 교회의 유리창이나 벽과 천정 등에 천사들과 성인들의 모습을 그려 그들이 하느님의 왕국인 교회에 함께 있음을 나타낸 것이다. 엣세네의 성경해석에서 그 기원을 찾아볼 수 있다.

"내가 청옥으로 기초를 세우겠다."(이사야 54,11)

그 해석. 사제들과 백성들이 단합체 의회를 세운다. 그의 선택된 자의 공동체는 청옥 돌처럼 (빛난다.) […]

"네 창유리에 [홍옥을 씌우겠다.]"(이사야 54,12)

그 해석. […] 열 두 [사제에] 대한 것이다. 그들은 […] 우림과 투밈의 판결에 따라 깨달을 것이다.[01] 그것에서 빠진 것들은 온갖 빛의 태양처럼, 달처럼 [빛난다.]

"[석류석으로 네 성문을.]"(이사야 54,12)

그 해석. […]에 이스라엘 부족들의 장튽에 대한 것이다. 마[지막 시대에] 그의 운명은 […]에 서 있다.(《이사야서 해석》)

청옥으로 성전의 기초를 세운다는 구절에서 단합체 의회를 세운다고 해석하는 것은 단합체 의회가 성전이라는 뜻이다. 단합체 의회에 열두 명의 사제가 임무를 맡는다는 말이며 태양처럼 빛난다는 것은 단합체 의회가 그렇다는 것이다. 태양처럼 빛나는 것은 그곳에 거룩한 천사들이 있기 때문이다. ['태양'은 '창유리'의 해석이다. 히브리어 '창유리(שׁמשׁ shimšu 쉼샤)'는 태양(쉐메쉬)에서 파생된 단어다.]

이처럼 교회의 창유리에 그려진 거룩한 천사들과 성인들은 교회가 거룩한 공동체임을 시각적으로 보여준다. 이러한 전통의 기원은 열두 사도들의 초대교회에서 찾아볼 수 있다. 베드로는 이렇게 말했다. '여러분 역시 살아 있는 돌처럼 세워지십시오. 그래서 영적인 성전들과 거룩한 사제들이 되십시오.(…) 여러분은 선택된 가족, 왕국의 사제, 거룩한 백성, 구속救贖된 회중입니다. 이는 여러분을 어둠에서 그분의 놀라운 빛으로 부른 환호를 여러분이 선포하라는 것입니다.'(베드로전서 2,5·9) 초대교회는 거룩한 성전이며 회중은 거룩한 사제들로 메시아 예수의 복음을 세상 끝까지 전파할 전도자들이었다.

복음서에 기록된 예수의 행적 중에 불구자들이나 병자들을 낫게 했다는 기적이 많이 열거되는데 이는 예수가 그들을 단순히 불쌍히 여겨서 치유한 것은 아니라는 것을 알 수 있다. 엣세네들은 장애인들이 구원의 공동체에 동참하지 못하게 했지만 예수는 그들을 '새 복음의 공동체'에 들어오게 하여 구원의 대상이 될 수 있도록 만들었다. "그런데 많은 무리가 절름발이들, 소경들, 불구자들, 벙어리들 그리고 다른 많은 사람들을 함께 데리고 예수에게 다가와서 그들을 그의 발치에 두었다. 그러자 예수는 그들을 고쳐주었다. (…) 그들은 이스라엘의 하느님을 찬양했다."(마태 15,29~31) 여기서 '이스라엘'은 공동체를 가리키며 '하느님을 찬양하다'는 예배에 참석했다는 뜻이다(예배 형식을 갖추어야만 '하느님을 찬양하라'는 시편 기도문을 읽을 수 있다).

예수가 안식일에 바리새 지도자의 초대를 받아 그의 집에 들어갔는데 마침 수종 병자가 있어 그곳에 모인 서사들과 바리새들 앞에서 그를 만져 낫게 했다. 그러고서는 예수를 초대한 사람에게 이렇게 말했다. "당신이 식사나 만찬을 준비할 때에 당신 친구들이나 형제들이나 친척들이나 부유한 이웃들을 부르지 마시오. 그러면 그들도 역시 당신을 불러 갚을 것입니다. 당신이 잔치를 준비할 때에 오히려 가난한 이들, 장애를 가진 이들, 절름발이들, 소경들을 부르시오. 그러면 당신은 복될 것입니다. 그들은 당신에게 갚지 못할 것이지만 당신의 보상은 의인들이 부활할 때에 있을 것입니다."(누가 14,12~14) 이는 앞에서 인용한 〈선조들의 어록〉에서 이해할 수 있다. "열 말씀으로 창조된 세상을 이루려는 의로운 자들에게 좋은 보상을 주려는 것이다." 예수가 그의 제자들을 여러 지방에 보내면서 그들에게 병자들을 고쳐주는 권능을 주었다. 예수의 복음 사업은 그들이 온 세상의 불구자들과 병자들을 치유하여 열 말씀으로 창조된 하느님의 세상을 완성하려는 데에 그 목적이 있다. 예수의 제자들이 의인들이며 그들이 받은 좋은 보상을 가난한 자들과 장애인들을 잔치에 부르는 사람들에게 갚아준다.

갈릴리 지역뿐 아니라 온 유대아 지방에서 이 같은 일들이 예수와 그의 제자들에 의해 강하게 전파되었다. 예수 공동체는 큰 무리를 이루게 되며 멀리에서도 모여들어 예수의 뒤를 줄지어 따랐다. 예수가 해석하는 토라(하느님의 가르침)는 장애인들이 토라를 배울 수 없기 때문에 경건하게 될 수 없다고 규정한 의롭고 경건한 엣세네 지도자들의 주장과 큰 차이가 있는 것을 발견할 수 있다.

가나의 혼인 잔치 요한2,1~11

예수가 '가나의 혼인 잔치'에서 보여준 표징(기적)은 그의 일곱 가지 표징 일화 가운데 첫 번째 것이다. 이 일화는 예수가 혼인 잔치에서 물을 포도주로 바꾸었다는 표징을 이야기한다. 예수와 그의 제자들이 혼인 잔치에 초대를 받아 그곳에 왔는데 포도주가 모자랐다. 예수의 어머니는 예수에게 포도주가 없다고 어떻게 해보라고 한다. 그러자 예수는 매우 심각하게 "아직 내 때가 오지 않았습니다"고 주저한다. 그의 어머니는 시중꾼들에게 그가 말하는 대로 하라고 지시했다.

> 거기에 석조石槽 여섯 개가 있었으며 유대인들의 정결례를 위해 놓여 있는 것이다. 각각 두세 동이씩 담을 만했다.
> 예수는 그들에게 말했다.
> "석조들에 물을 채우시오."
> 그래서 그들은 그것들을 가득히 채웠다.(요한 2,6~7)

예수는 그들에게 "이제는 떠서 연회장宴會長에게 가져가시오" 하고 말했다. 그들은 가져갔으며 연회장이 포도주가 된 물을 맛보았을 때 그것이 어디서 났는지 알지 못했다. 그러나 시중꾼들은 알았다. 연회장은 신랑을 불러 그에게 이렇게 말한다.

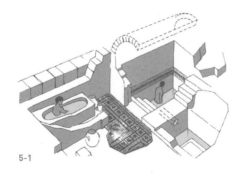

누구나 먼저 좋은 포도주를 내놓고 양껏 마셨을 때 그만 못한 것을 내놓는데 당신은 지금까지 좋은 포도주를 지켰군요.(요한 2,10)

'유대인들의 정결례'는 침례를 말하며 혼인 잔치를 하는 집에 침례용 석조가 여섯 개가 있었다는 말이다. 석조는 미크베(침례소)를 가리킨다('석조'라고 번역한 단어를 흔히 '물항아리'라고 옮기는데, 이는 초기 유대교의 정결례 의식에 대한 인식이 부족해서 생긴 번역이다. 초기 유대교의 정결례 관습에 따르면 정결례를 하기 위해 항아리를 사용하는 것이 아니라 미크베에 들어갔다).

[기도나 예배 전에 정淨한 몸을 가져야 하기 때문에 물에 들어가 몸을 씻었으며 이를 위한 것이 미크베다. 초기 유대교 시대에 사람들은 미크베에서 정결 의식을 행하고 성전에 출입했다. 부유한 사제들이 자기 집에 미크베를 갖추고 있던 경우도 볼 수 있다. 엣세네 사람들은 바리새나 사두개보다 미크베 의식을 더 자주 했다. 그들은 매일 함께 모

5-1 기원전 1세기~서기 1세기경 예루살렘의 어느 부유한 사제의 집에 있는 미크베(석조)를 재구성한 그림.
5-2 사해 근처의 엣세네 공동체 성터에서 발굴된 침례소(미크베) 터.

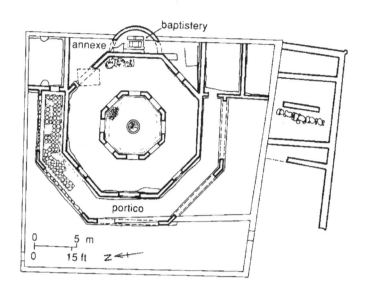

여 식사를 했는데 식사 전에 미크베 정결례를 하고 옷을 갈아입은 다음
에 공동 식당에 모여 식사를 하고 예배를 보았다. 엣세네의 본부이며
사제 양성소가 있었던 거주지에서 지하로 연결된 여러 개의 계단이 나
있는 미크베의 장소를 확인해 볼 수 있다. 예루살렘의 엣세네 거류지에
서도 미크베의 터를 볼 수 있다.

초대교회에서도 물속에서 침례를 행했다. 비잔틴 시대의 교회 안에
도 침례 예식을 위한 십자형 석조물이 있었다. 오늘날에도 가톨릭교회
의 출입구 안쪽에 성수대聖水臺가 있는데 이런 의식의 기원을 미크베에
서 볼 수 있다.]

5-3 이스라엘의 갈릴리 호수 북쪽에 위치한 가버나움에 있었던 '베드로의 집'을 기념하여
5세기 후반에 건립된 교회 건물 동쪽에 침례소(baptistery)가 있다.

혼인 잔치의 목적은 무엇일까

혼인 잔치의 표징은 정결례 석조에 담아놓은 물이 포도주로 변한 것이며 그 목적은 하느님의 영광을 드러내기 위해서다. "이렇게 예수는 갈릴리 가나에서 처음으로 표징(기적)을 행하고 그분의 영광을 드러냈다."(요한 2,11) 예수가 혼인 잔치에서 행한 기적은 하느님의 힘으로 가능했다는 뜻이다.

예수가 그의 첫 번째 기적 행사로 혼인 잔치에서 하느님의 영광을 드러내는 까닭은 창세신화와 연관된다. 태초에 하느님은 그분의 모습으로 남자와 여자를 만들어냈다.(창세기 1,27) 초기 랍비들의 해석에 따르면 이 구절에서 남자와 여자 사이에 하느님의 현존이 있다고 해설한다. 창세기 미드라쉬의 다음과 같은 해석에서 읽어볼 수 있다.

> 심라이 랍비는 (그의 제자들에게) 말했다.
> "어느 곳에서든지 여러분이 이교도들과 논쟁을 벌일 경우 여러분은 그 한편에서 대답을 찾을 수 있습니다."
> 이교도들이 다시 돌아와서 그에게 질문했다.
> "왜 '우리가 우리의 모습으로 우리와 닮게 사람을 만들자'(창세기 1,26)라고 쓰여 있습니까?"
> 그는 그들에게 말했다.
> "그다음에 무엇이라고 쓰여 있는지 읽어보시오. '하느님들이 그들의 모습으로 사람을 만들어냈다'고 쓰여 있지 않고, '하느님이 그분의 모습으로 사람을 만들어냈다'(창세기 1,27)고 말합니다."
> 그들이 떠나자 그의 제자들이 그에게 말했다.
> "랍비님, 당신은 그들을 갈대밭으로 돌려보냈습니다. 그러나 우리에게

는 그 대답을 말해주십시오."

그는 그들에게 말했다.

"예전에 아담은 땅에서 (모은) 흙으로 만들어졌고 하와는 아담의 (갈빗대)로 만들어졌지만 이제부터는 '우리의 모습으로 우리와 닮게' (만들어졌)는 뜻입니다. 여자 없이 남자가, 남자 없이 여자가 있을 수 없는 것은 쉐키나(하느님의 현존) 없이 이들 둘이 있을 수 없다는 뜻입니다."(《창세기 미드라쉬 랍바》 8,9)

여기서 이교도는 그리스도교 전도자를 말한다. 그들이 "우리가 우리의 모습으로 사람을 만들자"는 구절을 인용하며 랍비에게 질문하는 의도는 초대교회 교부들이 '우리'가 복수인 점에 착안하여 이를 '성부와 성자와 성령'으로 해석했기 때문이다. 그러나 랍비 유대교의 관점에서는 달리 해석한다. 심라이 랍비는 '그분의 모습'은 단수 소유격 인칭대명사를 사용한 점을 들어 '사람을 만든 우리'는 하느님 혼자라고 문법적으로 논박했다.

"그들을 갈대밭으로 보냈다"라는 표현은 임시변통으로 쉽게 해결했다는 뜻이다. 제자들은 그렇게 문법적으로 설명되는 것보다 다른 신학적 이유가 있지 않느냐고 반문한 것이다. 심라이 랍비의 일화에서 제자들은 보다 심오한 가르침을 기대하고 선생에게 질문한 것이다. [복음서에서 제자들이 예수에게 이와 같이 질문하는 단락을 읽을 수 있다. '씨 뿌리는 자의 비유'에서 제자들은 예수에게 "어찌하여 저들에게는 비유로 말씀하십니까?"라고 묻자 예수는 "(하느님은) 여러분에게 천국(하늘 왕국)의 신비를 알아듣게 해주었지만, 저들에게는 그렇게 해주지 않았습니다"(마태 13,10~11)라고 말한다. 여기서 저들은 군중을 가리킨다. 선생

이 제자들에게는 좀 더 심오한 가르침을 주었다는 점을 알 수 있다.]

"하느님이 그분의 모습으로 남자와 여자를 만들어냈다"(창세기 1,27)는 구절에서 남자와 여자 사이에 하느님의 현존이 있다고 추론했다. 하느님의 모습이 쉐키나(현존)다. 하느님의 현존 없이 인간이 존재할 수 없다는 뜻이다. 하느님이 남자와 여자를 만든 의도는 그들이 혼인하는 데에 있으며 혼인 의례에 하느님의 현존이 함께한다는 말이다. [이런 해석의 배경은 창세기의 구절에서 찾는다. "그래서 남자는 그의 아버지와 어머니를 떠나, 그의 아내에게 밀착하여 한 살[처]이 되었다."(창세기 2,24)]

예수가 그의 첫 번째 기적 행사로 혼인 잔치에서 하느님의 영광을 드러내는 이유는 창조 시작에 하느님의 현존이 남자와 여자 사이에 있었던 것처럼 예수의 새 복음 시대의 시작에 하느님의 현존이 예수와 함께 있다는 것을 알리기 위해서다.

'가나의 혼인 잔치' 이야기에서 물을 포도주로 바꾼 것이 예수가 하느님의 아들인 것을 드러내는 첫 번째 표징이라는 말이다. '물을 포도주로 바꾼 표징'은 무엇을 뜻할까? 이 문제는 혼인 잔치의 비유에서 그 해답을 찾아낼 수 있다.

유대교 문헌에 혼인 잔치를 새로운 시작으로 은유하여 이야기하는 경우가 종종 나온다. 복음서에 전하는 '왕의 아들 혼인 잔치의 비유'(마태 22,1~14)도 이러한 범주에 속한다. 천국은 왕이 그의 아들을 위해 혼인잔치를 베푸는 것과 같다고 예수는 이야기한다. 왕은 그의 종들을 보내 초대 받은 사람들을 혼인 잔치에 불러오게 했다. 그러나 그들은 오지 않았다. 왕은 그 종들을 길로 나가게 하여 악한 자들이나 선한 자들이나 만나는 사람들을 모두 모아 잔치에 들어오게 했다. 아들의 혼인 잔치에 손님들로 가득 찼다. 왕은 손님들을 보려고 들어갔다가 거기서 혼인 잔치 예복을 입지 않은 사람을 보았다. 왕은 그에게 "친구, 여기에 어떻게 들어왔소. 혼인 잔치 의복이 없소?"라고 말한다. 그는 말문이 막혔다. 그때 왕은 시중꾼들에게 "그의 손발을 묶어 바깥 어둠 속으로 쫓아내라"고 말했다. 예수는 비유를 이야기하며 "참으로 부름을 받은 사람들은 많지만 뽑힌 사람들은 적습니다"라고 그 핵심을 말한다.

예수가 비유로 이야기하는 '왕의 아들 혼인 잔치'는 새 언약의 공동체에 들어오겠다는 예비신자들을 초대하여 베푸는 잔치를 뜻한다. 메시아가 올 것이라고 옛날에 이미 알려졌는데 지금 예수가 메시아로 왔는데도 불구하고 초대 받은 사람들(메시아의 이름이 옛날에 알려졌다는 해석을 알고 있는 지식인들)은 이를 알아보지 못하고 잔치에 오지 않았다는 말이다. 그래서 예수는 누구에게나 메시아의 공동체에 들어올 수 있는 기회를 주었다는 비유의 이야기다. 랍비들의 미드라쉬에서 이와 비슷한 비유를 읽어볼 수 있다.

제이라 랍비는 말했다.[02]
"미래에 찬미 받으시는 거룩하신 분이 사악한 자들에 대해 그들을 어떻게 합니까? 미래에 그분은 그들에게 이렇게 말한다.
'사악한 자들아, 너희는 너희 힘으로 헛것을 위해 애썼다. 너희는 토라와 선행에 열중하지 않았으며 내 세상에서 즐거움이 없는 빈 그릇처럼 살았다. 그러니 나는 너희에게 즐거움이 없다. 그들이 세상을 떠나 그냥 갈 것 같으냐? 아니다. 그들은 의인들의 기쁨을 볼 것이며 그런 다음에 지옥에서 심판 받을 것이다.'
잔치를 베푸는 왕의 비유를 들겠다.

왕은 잔치에 모든 사람들을 초청했으나 그때를 정해놓지는 않았다. 왕의 말을 존중한 이들은 가서 목욕을 하고 기름을 발랐다. 그리고 그들은 옷을 세탁하고 그 스스로 잔치에 참석하기 위해 준비했다. 그러나 왕의 말을 존중하지 않는 이들은 가서 그들의 일을 했다. 잔칫날이 오자 왕은 '모두 곧바로 오시오' 라고 말했다. 이들은 영광스럽게 왔으나 그들은 수치스럽게 왔다.

왕은 말했다.

'내 잔치에 스스로 준비한 이들은 내 잔치에서 먹을 수 있지만 내 잔치에 스스로 준비하지 않은 이들은 내 잔치에서 먹을 수 없습니다.'

그렇다면 그들이 그곳을 떠나 그냥 갈 것 같은가?

왕은 말했다.

'아닙니다. 이들은 먹고 마시며 기뻐하지만 그들은 두 발로 서서 괴로워하고 스스로 미안한 것을 보고 있을 것입니다.'

이렇게 말한다. '그러므로 주 하느님이 이렇게 말한다. 보라, 내 종들은 먹겠지만 너희는 굶주릴 것이다. 보라, 내 종들은 마시겠지만 너희는 목마를 것이다. 보라, 내 종들은 기뻐하겠지만 너희는 수치스러워할 것이다. 보라, 내 종들은 좋은 마음으로 환호하겠지만 너희는 아픈 마음으로 울부짖으며 넋이 부서져라 통곡할 것이다.'(이사야 65,13~14)"

(《잠언 미드라쉬》 16,11)

제이라 랍비의 '잔치를 베푸는 왕'의 비유와 예수의 '왕의 아들의 혼인 잔치' 비유를 비교해보면 잔치 예복을 입지 않고 잔치에 들어온 사람은 하느님의 말씀을 존중하지 않는 사람이다. 그런 사람은 공동체에 들어올 수 없다는 뜻이다. 부름을 받은 사람들은 많아도 실상 뽑힌 사람들은 적다고 말하는 예수의 의중은 제이라 랍비가 인용한 이사야서의 구절에서 파악할 수 있다. 예수 공동체에 들어온(뽑힌) 사람들은 먹고 마시고 기뻐하겠지만 하느님의 가르침을 존중하지 않은 많은 사람들은 굶주리며 목마를 것이다. 이처럼 초기 유대교 사회에서 '혼인 잔치'라는 용어가 특정한 맥락에서 사용될 때 새 시대를 알리는 공동체의 잔치를 의미했다.

'가나의 혼인 잔치'는 공동체의 신입자들을 위한 성찬 의례로 보인다. 신입자들이 포도주의 성찬례에 동참함으로써 공동체의 일원이 되는 의식을 이야기한다. 엣세네 공동체에서 규정했던 예비신자들과 신입자들에 대한 규례를 읽어보면 '가나의 혼인 잔치' 배경을 짐작해볼 수 있다.

엣세네의 종교 의례에 따르면 공동체에 들어오려는 예비자들은 일 년 동안 공동체의 규례를 배우고 심사를 거쳐 자격을 얻은 다음 침례소(미크베)에 들어가는 정결례 의식에 참가할 수 있으며, 다시 일 년 동안 수련을 쌓은 후에야 비로소 포도주로 행하는 공동 식사 의례에 참석할 수 있었다. 예비자들은 이때부터 공동체의 일에 참여할 수 있는 일원이 되었다. 엣세네에서는 예비자들의 자격에 따라 세례 의식을 달리했던 점을 알 수 있다.

이스라엘의 지원자들을 단합체 의회에 추가하려면 담당자가 회중의 우두머리로 각자의 지식과 그의 행함을 심사한다. 그가 수련에 적합하면 진리에 돌아오고 모든 거짓을 떠날 언약에 들여보내며 단합체의 모든 법령을 그에게 이해시킬 것이다. 그다음으로 회중 앞에 나설 때 그의 문제에 관하여 모든 것을 물어본다. 회중 의회에서 운명이 결정되어 가까이 오거나 멀리 갈 것이다.

단합체 의회에 가까이 올 때 그의 영혼과 행함을 심사하는 일 년을 완전히 채울 때까지 대중의 정결례에 참가하지 못한다. 또한 회중의 재산에 참여하지 못한다. 단합체 가운데 일 년을 채우면 대중은 그의 지식과 토라의 행함에 따라 그의 문제에 대하여 질문할 것이다.

사제들과 그들 언약의 다수의 결정에 따라 단합체의 비밀에 가까이 올 운명이 되면 감독의 손으로 그의 재산과 소득을 회중의 소득에 가까이 할 것이며 그는 그의 장부에 기록하지만 회중을 위해 지출하지 않을 것이다.

그는 2년이 채워질 때까지 단합체 사람들 가운데 회중이 마시는 것에 대지 않을 것이다. 2년이 채워질 때 대중의 결정에 의해 그를 감찰하며 단합체에 가까이 올 운명이 되면 토라와 법령과 정결례에 (따라) 그의 형제들 가운데 그의 지위의 규례에 (맞게) 기록되고 그의 재산을 참여시키며 단합체에 그의 조언과 판단을 말할 수 있다.(《단합체의 규례》 vi, 13~23)

여기서 말하는 정결례(토호라트)는 미크베에 들어갔다가 나오는 정결 예식을 가리킨다. 엣세네 사람들은 매일 공동 식사 전에 미크베의 정결례를 했다. 엣세네 공동체의 정식 일원이 되기 위해 예비자들은 일 년 동안 토라와 규례 등을 공부하고 난 다음에 침례에 참석할 수 있으며 다시 일 년 동안 수련을 거쳐야 비로소 포도주의 성찬 예식에 참석할 수 있다.('회중이 마시는 것'은 포도주를 뜻한다.)

예비자는 일 년이 되어 심사를 거쳐 인정이 되면 그때에 비로소 그의 재산과 소득을 공동체에 헌납할 수 있다. 그러나 그가 아직 정식 일원이 되지 않았기 때문에 그의 재산과 소득은 공동체를 위해 사용되지 않았다. 2년이 되어 대중의 결정으로 형제가 되면 그때부터 그의 재산과 소득은 형제들을 위해 사용될 수 있었다. 만일 예비자의 소득을 공동체를 위해 사용했는데 그가 도중에 탈락되는 경우가 생긴다면 이로 인해 공동체가 부정不淨해지기 때문이다. 그러나 예비자가 2년 동안의 수련을 마치고 감찰을 거쳐 단합체의 일원이 되는 날 그들은 침례와 포도주의 성찬 의례를 했다.

가나의 혼인 잔칫집에 석조들이 있는 것을 보면 그곳은 침례 의식을 할 수 있는 공간이라는 점을 알 수 있다. 그리고 포도주가 필요했던 것은 성찬 의례를 뜻한다. 그런데 혼인 잔치에서 포도주가 부족했던 것은 거기에 모인 손님들이 많았기 때문이겠다. 성찬 의례에 참가하기 위해 초대 받은 신입자들뿐 아니라 축하하려고 모인 공동체 사람들이 예상 외로 많은 상황이다. 혹은 잔치에 풍족해야 할 포도주가 부족한 공동체 살림이었기 때문일지도 모르겠다. 더욱이 침례용 석조 여섯 개에 들어갈 만큼의 포도주가 필요한 상황이라면 그곳에 운집한 사람들의 규모는 상상을 초월한다.(석조 하나에 약 75리터 정도 들어간다고 보면 더욱 그렇다. 갈릴리 지역뿐 아니라 인근 도시들의 공동체 사람들이 모두 모였을 법하다.)

물을 포도주로 바꾼 표징은 무엇을 뜻할까

가나의 혼인 잔치에서 가장 이색적인 장면은 당연히 정결례를 위한 석조들에 물을 채워 그 물을 포도주로 바꾼 부분이다. 석조는 사람이 그 물속에 들어가 정결 예식을 하는 도구다. 그런데 석조에 채운 물이 포도주가 되었다면 그 당시 유대교의 할라카에 따라 그 석조는 다시 사용할 수 없다. 왜냐하면 《미쉬나》〈킬라임(혼합)〉에 따르면 다른 종류의 씨앗을 한 밭에 뿌리지 말고 다른 종류의 짐승을 함께 부리지 마라고 규정한다. 그래서 한 그릇에 우유와 고기를 놓지 못한다. 만일 정결례용 석조에 담긴 물이 포도주가 되었으면 그 석조는 부정不淨하게 된다. 한 곳에 두 가지 종류를 함께 섞지 말라는 원칙에 위배되기 때문이다. 엣세네 공동체는 매우 엄격한 법규주의자들이었다. 그들의 교훈서의 한 단락에서 두 종류를 섞지 말라는 규례를 읽어볼 수 있다.

> (이스라엘)의 [정결한] 동물에 관하여,
> 한 종자가 다른 종자와 교접하지 않을 것이다.
> (이스라엘의) 옷에 관하여,
> 혼합된 천으로 만들지 않을 것이다.
> 그의 경작지와 포도원에 여러 씨앗을 섞어 뿌리지 않을 것이다. 왜냐하면 이스라엘은 거룩하기 때문이다.(《토라 교훈서》)

엣세네 공동체가 거룩하기 때문에 서로 다른 종류의 것을 섞지 않아야 한다는 뜻이다. 예수가 석조에 물을 채워 그 물을 포도주로 만들었다는 사실은 종교적인 측면에서 보면 무척이나 놀라운 사건이다. 혼인 잔칫집의 석조들을 모두 부정不淨하게 만들었기 때문이다. 그래서 '연회장은 포도주가 된 물을 맛보았을 때 그것이 어디서 났는지 알지 못했다'고 특별한 각주를 달고 있다. 연회장도 모르게 이런 사건이 벌어졌다. 연회장이 알아차렸다면 큰 문제가 될 수 있었다는 말이다.(그렇다고 예수가 의도적으로 연회장 몰래 이런 기적을 일으켰다고는 생각되지 않는다. 정결례 석조는 일반적으로 건물의 지하나 땅 층에서도 한쪽 구석에 위치했다. 공동 식사를 위한 연회 장소에서는 직접 볼 수 없는 격리된 곳이다. 그래서 연회장은 석조의 물이 포도주로 바뀐 사실을 알아차리지 못했을 것이다.)

그런데 예수는 왜 연회장에게 알리지 않고 하느님의 영광을 드러내는 기적을 행사했을까? 그 해답은 예수의 말에서 찾을 수 있다. 예수와 그의 제자들이 혼인 잔치에 왔을 때 예수의 어머니가 그에게 포도주가 없다고 말하자 그는 "아직 내 때가 오지 않았습니다"라고 대답했다. 무슨 뜻일까? 예수는 이 혼인 잔치/성찬례에서 성찬 의식을 주관할 수 있는 위치가 아니라는 말이다. 연회장이 예수보다 더 높은 위치에 있는 사제임을 알 수 있다. 연회장은 혼인 잔치/성찬 의례에서 신입자들과 초대 받은 공동체 사람들에게 포도주를 나누어주는 사제임에 틀림없다. (가나의 혼인 잔치가 일반적인 유대인들의 혼인 잔치라면 잔치를 베푸는 집의 주인이 연회장을 맡아 잔치를 주관했을 것이다. 보통 신랑의 집에서 혼인 잔치를 베풀었기 때문에 연회장은 신랑의 아버지가 맡았다. 가나의 혼인 잔치 이야기에서 연회장이 신랑을 불러 좋은 포도주를 지금까지 간직하고 있었다고 그를 칭찬하는 소리를 들어보아도 그는 신랑의 아버지나 그 집의 주인이 아니다.)

[가나의 혼인 잔치가 사두개들의 혼인 잔치는 아니다. 왜냐하면 갈릴리 지역에 그렇게 많은 사두개들이 거주하지 않았기 때문이다. 그렇다고 바리새의 혼인 잔치도 아니다. 부유한 바리새들도 집에 미크베(석조)가 있었고 혼인 잔치를 크게 베풀었다. 회당 옆에 공공 미크베도 있었지만 가나의 혼인 잔치 이야기에서처럼 그곳에 여섯 개의 석조를 가지고 있을 만한 부유한 바리새는 상상할 수 없다. 더욱이 바리새들의 혼인 잔치에서 연회장은 반드시 그 혼인 잔치를 베푸는 집의 주인이 맡았기 때문이기도 하다.]

· '가나의 혼인 잔치' 이야기에서 잔치를 베푸는 장소는 그 건물에 여섯 개의 침례용 석조가 있고 적어도 그곳에 모인 손님들이 450리터 정

도의 포도주를 마시며 식사할 만큼 큰 공공장소임에는 의심할 바 없다. 또한 일 년에 한 번 정도 거행할 신입자들을 위한 그런 큰 성찬례에서 그 행사를 주관할 지도자는 높은 사제였을 것이다. 그 당시 이런 정도의 규모를 가지고 있을 공동체는 엣세네뿐이다. '가나의 혼인 잔치'는 엣세네 공동체의 성찬 예식이었음은 틀림없다.

　예수는 무슨 의도로 물을 포도주로 바꾸었을까?(하느님의 영광을 드러내기 위해 했다고 사건 후에 토를 달은 것을 제외하고) 그 단서는 석조를 사용한 점에서 발견할 수 있다. 만일 단순히 포도주가 필요했다면 큰 항아리에 물을 채워 그 물을 포도주로 변하게 만들 수 있었다. 그러나 침례용 석조를 반드시 사용해야 하는 의도가 있었을 법하다. 여섯 개의 석조들을 부정하게 만들면서까지 석조를 사용한 것은 석조의 종교적 의미를 퇴색시키는 행위다.(물론 연회장은 이 사실을 모르고 오직 그 일을 했던 시중꾼들만이 알고 있었다고 해도 결국 입소문은 나기 마련이다.) 예수는 자신에게 불리한 위험을 감당할 자신이 있었기에 이런 기적을 일으킨 것이다. 그 자신은 자기가 하느님의 아들이라는 확신이겠다. 그러나 예수에게 이미 자기를 따르는 제자들도 생겼고 새로운 공동체를 형성해야겠다는 신념도 굳혔기 때문에 자신 있게 석조를 사용해서 물을 포도주로 만든 것이다. 이는 그 공동체의 석조 의례를 거부하는 행위다.

　'가나의 혼인 잔치' 이야기에서 파악할 수 있는 핵심은 예수가 유대교의 전통적인 관습인 석조 정결례를 종교적으로 의미가 없다고 이해했다는 점이다. 그 대표적인 사례는 예수가 세례자 요한과 함께 요르단 강가에서 강물에 들어갔다가 나오며 침례를 받은 광경에서 찾을 수 있다. 예수는 강물에 들어가 침례하는 것이 타당한 정결례라고 판단했으며 그것도 하느님과 언약을 맺고자 할 때 단 한 번 하는 것이지 매일 물

속에 들어가는 석조 의례는 새 언약의 시대가 요구하는 의식이 아니라고 판단한 것이다. 가나의 혼인 잔치에서 석조의 물을 포도주로 변하게 하여 석조를 부정하게 만든 그의 행위는 석조 의례를 거부하는 그의 의지를 표현한 것으로 볼 수 있다.

예수 공동체에서는 신입자를 위한 의례에서 석조 의례의 생략으로 엣세네의 언약 의식처럼 두 번의 예식을 거치지 않고 신입자들이 곧바로 포도주의 성찬 의례에 참가하고 정식 신도가 될 수 있게 만들었다. 예수 공동체는 예비신자와의 언약 의식(세례식)을 간편하게 만들어 새 언약의 동반자로 등록되게 하여 심판의 날에 속죄 받을 수 있게 했다. 공동체의 정식 회원이 되기 위해 2년 동안 기다려야 하는 엣세네와는 달리 예수 공동체에서는 하느님의 왕국에 들어갈 수 있는 자격을 보다 수월하게 얻을 수 있었다. (바리새의 세계에서는 오는 세상에 몫을 얻기 위해 토라 공부로 보내야 하는 세월이 적어도 수년은 걸렸다.)

'가나의 혼인 잔치' 표징이 예수의 첫 번째 기적 사화였다는 것은 우선 공동체의 일원이 되는 자격을 규정하는 규례부터 엣세네와 달리 크게 바꾸었다는 역사적 사건을 말한다. 그러나 엣세네의 신입자들을 위한 성찬례에서 석조를 부정하게 만든 사건은 엣세네 지도자들이 간과하지 않았을 것이다. 엣세네나 바리새의 입장에서 보면 석조 정결례를 거부하는 예수 공동체의 법도(할라카)가 전통적인 유대교의 규례에 어긋난다고 논쟁했을 법하다.

사마리아 여인에게 생명의 물을 전파한 까닭은 무엇일까 요한4,10

예수가 활동하던 갈릴리 지역의 티베리아스는 이방 도시였으며 지중해 쪽에 위치한 카이사리아나 시돈도 마찬가지였다. 복음서에 전해진 예수 전기에 따르면 예수가 만난 사람들은 거의 다 유대인들이며 이방인인 경우는 불과 몇 되지 않았지만 이방인들에 대한 그의 입장과 이방 전교에 대한 그의 의지를 살필 수 있다.

예수가 갈릴리 지방에 있을 때 어느 로마 군대의 백부장이 예수에게 다가와 그의 하인이 중풍으로 집에 누워 몹시 괴로워하고 있다고 말했다. 예수가 그의 집에 가서 그를 고쳐주겠다고 말하자 백부장은 그를 집으로 데리고 갈 자격이 없다고 완곡히 거절하며 그저 한 말씀만 해주면 자기 하인이 낫게 될 것이라고 장담한다. 예수는 놀랍게 여기며 이스라엘에서 어떤 사람에게도 이만한 믿음을 본 적이 없다고 말했다. 그리고 예수는 백부장에게 "가시오. 당신이 믿은 대로 당신에게 이루어지기 바랍니다" 하고 말했다. 바로 그 시간에 그의 하인이 나았다고 전한다.(마태 8,5~13) 유대아 지방을 지배하고 있는 로마제국의 장교에게 예수는 적대적이지 않았다.

이와 비슷한 일화가 있다. 어느 이방 여인이 예수에게 다가와 도와달라고 청했던 이야기다. 예수가 갈릴리 지역을 떠나 지중해 연안의 이방 도시인 두로와 시돈에 왔다. 마침 그 지방에서 온 가나안 여자가 예수의 소문을 듣고 나와서 그의 발 앞에 엎드려 귀신에 들린 그녀의 딸을 구제해달라고 외쳤다. "나를 불쌍히 여겨주십시오. 선생님(아도니), 다윗의 아들이여. 내 딸이 귀신에 들려 매우 괴로워하고 있습니다." 그런데 예수가 한마디도 대답하지 않자 그의 제자들이 다가와 "그녀를 떠나보내 주십시오. 참으로 그녀가 우리 뒤에서 외치고 있습니다"라고 말했다. 그러자 예수는 이렇게 말한다. "나는 이스라엘의 집에서 잘못된(길 잃은) 양들에게 파견되었을 따름입니다." 그러나 그녀는 예수에게 절하며 "선생님(아도니), 나를 도와주십시오"라고 간청한다. 예수는 그녀에게 이렇게 대답한다. "자녀들의 빵을 집어서 개들에게 던져주는 것은 좋지 않습니다." 그러자 그녀가 이렇게 말한다. "그렇습니다, 선생님(아도니). 그러나 개들도 그들 주인의 상에서 떨어지는 부스러기를 먹습니다." 그러자 예수는 그녀에게 "여자여, 당신의 믿음이 큽니다. 당신이 원하는 대로 그렇게 될 것입니다"라고 말했다. 그 시각에 그녀의 딸이 나았다.(마태 15,21~28)

이 일화는 복음서에 전해진 예수에 관한 이야기 가운데 유일하게 다른 사람의 말을 듣고 예수의 마음이 바뀐 것을 이야기한다. '이스라엘의 집'은 이스라엘 공동체를 뜻한다. 예수 당시 각 분파는 스스로를 이스라엘 공동체라고 주장했다. '잘못된 양들'은 토라의 길을 걷지 않는 이스라엘 공동체를 뜻한다. '이스라엘의 집에서 잘못된 양들에게 파견되었다'는 말은 토라(가르침)는 이스라엘 공동체를 위한 것이지 이방인들에게 적용되는 것이 아니라는 해석이다.

'자녀들의 빵'은 이스라엘 공동체의 빵이며, '빵'은 토라의 해석(가르침)을 말한다. '개들'은 이방인들을 은유적으로 표현한 것이다. 다른 복음서에는 "자녀들을 먼저 배불리 먹여야 한다. 자녀들이 먹을 빵을 집어서 개들에게 던져주는 것은 좋지 않다"(마가 7,27)고 전한다. '자녀들을 먼저 배불리 먹여야 한다'는 말은 이스라엘 공동체 사람들에게 먼저 토라를 가르쳐야 한다는 뜻이다. '자녀들의 빵을 집어서 개들에게 던져준다'는 말은 이스라엘 사람들을 위한 토라를 이방인들에게 가르친다는 뜻이다. '개들도 그들 주인의 상에서 떨어지는 부스러기를 먹는다'라는 표현은 이방인들도 주인의 가르침(부스러기)을 배운다는 말이다. 다른 복음서에는 "선생님(아도니), 그러나 상 아래에 있는 개들도 자녀들이 흘리는 부스러기는 먹습니다"(마가 7, 28)라고 전한다. 여기서 '자녀들'은 제자들을 뜻한다. 따라서 '주인'은 토라를 가르치는 선생, 즉 예수를 의미한다. 그 이방 여인은 예수나 그의 제자들이 가르치는 복음을 배우겠다는 의지를 강하게 요청한 것이다. 그러자 예수는 마음을 바꾸어 그 이방 여인도 예수 공동체에 들어오게 했다는 이야기다.

예수의 이방 전교 사업의 원형은 예수가 사마리아 지방을 지나가다가 사마리아 여인을 만나 복음을 전한 일화에서 찾아볼 수 있다. 이 이야기는 예수가 그의 제자들과 함께 유대아 지방을 떠나 다시 갈릴리로 돌아가는 길에 사마리아를 지나간 그때 야곱의 우물이라는 곳에 들러 마침 물을 길러 온 여인에게 물을 청한 일화에 나온다.(요한 4,1~26) 그 여자는 예수에게 이렇게 말했다. "당신은 유대인인데 어떻게 사마리아 여자인 저에게 물을 청하십니까?" 그리고 다음과 같은 부연 설명이 나온다. '사실 유대인들은 사마리아인들과 상종하지 않았다.'(요한 4,9)

《미쉬나》에 따르면 사마리아 여자는 월경 중에 있다고 한다(〈니다〉 4, 1) 사마리아 여인은 정淨하지 않다는 뜻이다. 여자가 월경을 하면 성전에 출입하지 못하고 월경이 끝난 후 성전에 속죄 예물을 바쳐야 한다. 왜냐하면 월경은 몸에서 피가 흐르는 경우이기 때문에 부정하다. 또한 여자가 월경 중에 접촉하면 그도 부정하게 된다.(레위 15,19~30) 《미쉬나》에 월경으로 부정한 기간을 12일로 정했다(실상 특별한 예외를 제외하고 월경이 12일이나 지속되는 경우는 없지만 월경 앞뒤로 충분한 날짜를 두어서 혹시 남자가 이로 인해 부정하게 되지 않도록 하기 위한 것이다). 월경의 피와 시체의 살은 부정하다고 규정한다.(〈니다〉 7,1) 따라서 월경 기간이 끝난 후 침례소(미크베)에 들어가 침례 의식을 반드시 해야 한다.(〈미크바오트〉 8,5) 월경은 불순종한 하와에게 내린 열 가지 저주 가운데 하나라고 해석한다. 따라서 월경 중에 있는 여자가 뱀에게 위협을 받고 있을 때 그녀가 뱀에게 "저주 받아라"고 말하면 뱀은 도망간다고 이야기한다.(《바빌로니아 탈무드》, 〈샤바트〉110a)

이처럼 부정하다고 여기는 사마리아 여인에게 예수가 물을 청한 것은 유대인들의 입장에서 보면 매우 기이한 언행이다. 그래서 고을로 양식을 구하러 갔다가 돌아온 제자들이 예수가 사마리아 여인과 이야기하고 있는 것을 보고 놀랐으나 왜 그 여자와 이야기하느냐고 묻지 못했다고 전한다.(요한 4,27)

예수는 모든 유대인들이 부정하게 여기는 사마리아 여인에게 영원히 목마르지 않을 생명의 물을 주겠다고 말했다.

> 만일 당신이 하느님의 선물을 알고 당신에게 "마실 물을 주십시오"라고 말한 자가 누구인지를 알았더라면 당신은 그에게 청했을 것이며 그가 당신에게 생명의 물을 주었을 것입니다.(요한 4,10)

'생명의 물'은 토라의 가르침이다. 사해문헌에 나오는 '생명수의 우물'과 비슷한 표현이다. 초기 랍비 유대교의 문헌에도 생명의 물은 토라(하느님의 가르침)를 은유적으로 표현하는 낱말로 사용된다. 사마리아 사람들도 토라(모세오경)를 배우고 토라에 따라 행했다. 예수가 말하는 생명의 물도 토라를 뜻하지만 그 토라는 바리새나 엣세네처럼 모세오경뿐 아니라 모세오경에 대한 성경해석을 포함한다.

사마리아 사람들은 모세오경을 글자 그대로 지키는 율법주의자들이었지만 유대인들이 그들을 이방인으로 여겼기 때문에 사마리아에 성전을 건축하고 예루살렘 성전에 제물을 바치러 오지 않았다. 예수는 사마리아 사람들이 그들의 산이나 예루살렘에서 하느님에게 예배를 드리지 않아도 될 때가 온다고 가르쳤다.

> 과연 진실한 예배자들이 영과 진리 안에서 아버지에게 예배드리는 때가 올 것이니 바로 지금입니다. 아버지도 이들과 같은 예배자들을 원합니다. 참으로 하느님은 영입니다. 그리고 그분에게 예배드리는 이들은 영과 진리 안에서 예배드려야 합니다.(요한 4,23~24)

예수는 사마리아 여인에게 메시아의 시대가 가까이 왔다는 성경해석을 가르치며 '영과 진리 안에서' 예배드릴 때가 되었다고 말한 것이다. 하느님은 영이라고 했으니까 진리도 누구를 가리키는 낱말일 것이다. 요한이 전한 복음서에 예수를 칭하는 단어로 '진리'가 사용된 점을 보면 '영/하느님과 진리/예수 안에서' 예배드릴 때가 왔다는 말로 이해할 수 있다. 따라서 '하느님의 선물'은 하느님의 영이며 생명의 물은 진리/예수가 줄 것이라는 말이다. 생명의 물은 메시아 시대를 알려주는 표징이다. 예수는 이방 여인에게 생명의 물인 복음을 전파했고, 많은 사마리아 사람들이 예수 공동체에 들어왔다. "그 고을에서 많은 사마리아 사람들은 그 여인이 증언한 말을 듣고 예수를 믿게 되었다."(요한 4,39)

예수 공동체가 이방인들을 적극적으로 받아들여 그들에게 예수의 가르침과 기적을 전교함으로써 초대교회는 인류 보편적인 종교의 모습을 갖추게 되었다.

일곱 가지 표징 일화 요한 2~11

요한복음서에 예수가 행한 '일곱 가지 표징 일화'가 전해진다. 예수는 그의 제자들에게 일곱 가지의 표징들을 통해 자신이 하느님의 아들임을 확인시키고, 하느님의 영광을 드러내는 메시아가 바로 자신임을 다짐한다. 그 일곱 가지 표징 일화는 아래와 같이 열거할 수 있다.

① 가나의 혼인 잔치에서 물을 포도주로 바꾼 일이 그 첫 번째 표징이다.(2,1~12)

② 어떤 왕궁 관리가 그의 아들이 앓고 있을 때 예수에게 와서 그를 낫게 해달라고 청하여 그 아들에게 가지 않고도 그 아들을 치유한 표징이 둘째라고 기록되어 있다.(4,46~54)(그다음부터는 표징의 순서를 적지 않았지만 모두 일곱인 것은 '표징'이라는 단어와 기적 사건을 맞추어 보면 그렇다.)

③ 38년 동안 병으로 앓아온 사람을 치유한 것.(5,1~18)

④ 다섯 개의 빵으로 오천 명을 먹인 이야기.(6,1~15)

⑤ 물 위를 걸은 이야기.(6,16~21)

⑥ 예수가 자신이 이 세상에 있는 동안 "나는 세상의 빛입니다"라고 말하며 소경을 고쳐준 사건.(9,1~41)

⑦ "나는 부활이요 생명입니다. 나를 믿는 사람은 죽더라도 살 것입니다"라고 말하며 그 증거로 무덤에서 나사로를 일으킨 이야기.(11,1~53)

'표징'이라고 번역하는 단어(그리스어 σημεῖον 세메이온)에 해당하는 히브리어는 '오트(אות)'다. 히브리 성경에서 오트가 사용된 대표적인 예로 출애굽기의 한 단락을 읽어볼 수 있다.

모세가 장인의 양떼를 치는 목자가 되어 하느님의 산에 갔을 때 떨기나무에 불이 타오르고 있는데 떨기나무는 사라지지 않았다. 그때 하느님이 모세를 불러 그에게 이집트로 가서 이스라엘 백성을 데리고 나오라고 말한다. 그러자 모세는 매우 걱정하며 이렇게 대답한다. "내가 누구이기에 정말로 파라오에게 갑니까? 정말로 내가 이집트에서 이스라엘인들을 데려와야 합니까?" 하느님은 그에게 "내가 너와 함께 있겠다('에흐예 임카'). 이것이 내가 너를 보낸다는 표징(오트)이다"(출애굽기 3,12)라고 그를 안심시킨다. 모세는 이스라엘 백성이 하느님의 이름이 무엇이냐고 묻는다면 무엇이라고 답해야 하는지 하느님에게 물어본다. 하느님은 에흐예(나는 있겠다)가 그 이름이라고 하며 종살이와 고난에 허덕이는 백성을 구해오라고 모세에게 명령한다. 파라오와의 대면을 꺼리는 모세에게 YHWH 하느님은 모세가 손에 들고 있던 지팡이가 YHWH의 권능을 드러내는 표징이라고 다시 알려준다. 모세의 지팡이가 바로 'YHWH 하느님이 이스라엘과 함께 있겠다'는 것을 가리키는 표징이다. 그러면서 그 표징의 권능이 발현된다. 하느님의 말씀에 따라 모세의 지팡이는 뱀으로 변했다가 다시 지팡이가 되며, 모세가 품에 자기 손을 넣었다가 꺼내보니 그 손이 나병에 걸렸으나 다시 넣었다 꺼내보니 제 살로 돌아왔다. 이러한 기적을 보여준 후 하느님은 말한다. "만일 (이집트인들)이 너를 믿지 않고 첫 번째 표징의 소리를 듣지 않는다면 다음 표징의 소리는 믿을 것이다." (…) 이 지팡이를 너의 손에 쥐어라 그래서 너는 그것으로 표징(기적)을 행할 것이다.'(출애굽기 4,8~17)

여기서 하느님의 말씀과 표징이 병행하는 것을 알 수 있다. 하느님이 모세에게 알려준 표징을 예수의 일곱 가지 표징 일화와 비교해보면 예수를 통한 하느님의 계시가 표징(기적)이다.

초기 유대교 문헌에 '옛날의 일곱 가지 기적'이라는 이야기가 전해진다.(《엘리에제르 랍비의 해설집》 52장) 하늘과 땅이 만들어진 때부터 유다의 왕 히즈키야 때까지 일곱 가지 기적이 생겼다는 이야기다. 초기 유대교 사회에 이와 같은 일곱 가지 기적 사화는 하나의 정형으로 이와 비슷한 여러 기적 사화들이 회자되었다. 요한복음서의 일곱 가지 표징 이야기를 '옛날의 일곱 가지 기적'과 비교하면 예수의 표징들을 좀 더 구체적으로 이해할 수 있다.

> 세상에 일곱 가지 기적이 생겼다. 그와 비슷한 것은 없었다.
> 첫 번째 기적.
> 하늘과 땅이 만들어진 날부터 사람은 불가마에서 구해지지 못했으나, 우리의 선조 아브라함이 와서야 구해졌다. 땅의 모든 왕들은 (이것을) 보고 놀랐다. 세상이 만들어진 날 이후 이 같은 자는 없었기 때문이다. 이렇게 말한다. "나는 너를 갈대아 우르/불길에서 이끌어낸 주님YH-WH이다."(창세기 15,7)

고대 메소포타미아의 도시 이름인 '우르(אור)'를 '오르'로 읽으면 '빛'이라는 뜻이며 '빛'은 '불빛, 훤한 빛' 등을 뜻한다. 아브라함 이야기와 관련하여 '불빛, 불길'이라고 이해할 수 있다. 하느님은 불속에 있는 아브라함을 구하는 기적을 일으켰다는 이야기다. 님로드(니므롯)가 아브라함을 불가마에 던져 그를 죽이려고 했다는 구전 이야기에 의거한다. 님로드의 왕국은 바빌론에 있었다.

예수의 일곱 가지 표징과 초기 유대교 문헌에 전하는 일곱 기적 사이에 그 순서와 내용이 상관된다는 것을 발견하면, 아브라함이 우르에서 약속의 가나안 땅으로 왔다는 사화와 가나의 혼인 잔치에서 예수가 물을 포도주로 바꾸었다는 표징 사이의 관계도 연상할 수 있다. 초기 유대교 문헌에 혼인 잔치는 새 세상을 준비하는 잔치로 비유한다.(혼인으로 새로운 가정이 탄생하는 일반적인 은유라고 볼 수 있다.) 가나의 혼인 잔치도 이러한 범주에 속한다. 아브라함은 이방인 도시 우르/오르 (즉, 화덕과 같은 지옥의) 불길에서 기적적으로 구해져서 하느님이 약속한 땅으로 왔다. 한편 '혼인 잔치'라고 일컫는 '새 언약의 날' 행사에서는 공동체에 들어오는 사람들에게 포도주로 의식을 행했다. 예수는 죄지은 사람들을 예수 공동체에 들어오게 하여 하느님이 그에게 약속한 구원의 권능을 행사하려고 했다. 그런데 사람들을 위한 포도주가 모자란 상황에서 그는 물을 포도주로 바꾸는 기적으로 그들 모두를 공동체에 들어오게 하는 표징을 보여주었다는 일화다.

두 번째 기적.

세상이 만들어진 날부터 90세에 아이를 낳은 여자는 없었으나, 우리의 어머니 사라가 와서야 90세에 아들을 낳았다. 이렇게 말한다. '나이 90세인 사라가 아들을 낳겠습니까?'(창세기 17,17) 땅의 모든 왕들이 보고 놀랐으며 믿지 않았다.

찬미 받으시는 거룩하신 분은 무엇을 행했을까?

그분은 그들 아내들의 젖가슴을 메마르게 했으며 그들이 자식들을 사라에게 보내어 젖을 먹이게 했다. 이렇게 말한다.(에스겔 17,24) "들판의 모든 나무들은 알 것이다." 이것들은 세상의 국가들이다. "나는 주님 YHWH이다. 내가 높은 나무를 낮춘다." 이것은 님로드다.[03] "낮은 나무를 높인다." 이것은 우리의 선조 아브라함이다. "푸른 나무를 메마르게 한다." 이것들은 세상 나라들의 여자들이다. "메마른 나무를 열매 맺게 한다." 이것은 우리의 어머니 사라다. 그들 모두 그녀들의 자식들을 사라에게 데려와서 그녀가 그들에게 젖을 먹이게 했다. 이렇게 말한다. "사라가 자식들에게 젖을 먹이겠습니까?"(창세기 21,1)

하느님의 천사들이 아브라함에게 나타나 그에게 아들이 생길 것을 예고하는 단락(창세기 18,9~15)과 왕궁 관리가 그의 아들이 병을 앓고 있을 때 예수에게 와서 그를 치유해달라고 청하는 이야기를 비교하면 그들 사이에 유사한 점을 볼 수 있다. 사라가 나이 90세에 아들을 낳을 것이라는 말을 듣고 웃었다. 그때 하느님은 "어찌하여 사라는 웃느냐"라고 말하고 정한 기한에 돌아올 터인데 그때 사라에게는 아들이 있을 것이라고 전하자 그녀는 두려워서 웃지 않았다고 변명한다. 왕궁 관리가 예수에게 와서 아들의 병을 치유하기 위해 아들에게 가자고 청하자 예수는 보지 않고도 치유될 수 있으니 돌아가라고 말한다. 그때 그는 예수의 말을 믿고 돌아갔으며 그의 아들은 그 시각에 일어났다.

선조 아브라함의 아내는 하느님의 말씀을 당장에 믿지 않았어도 아들을 낳게 해주었는데, 예수의 말씀을 믿고 돌아간 사람에게야 당연히 표징이 일어난다는 것은 확실하다. 왕궁 관리는 예수의 말씀이 이루어지는 것을 눈으로 보지 않고도 믿었다는 이야기다. 사라의 일화에서 하느님이 사라에게 아들을 낳게 해준 것은 "메마른 나무를 열매 맺게 한다"라는 예언자의 말이 그것을 증명한다. 사라는 이러한 예언자의 말을 그 당시 듣지 않았어도 천사들의 말을 믿고 일 년 뒤에 아들이 태어났다. 이처럼 왕궁의 관리도 예수의 말씀을 같은 맥락에서 이해했다는 이야기다. 예수의 말은 하느님이 성경에 전하는 구절이며 또한 성경해석이다. 예수를 믿었다는 것은 그 인용구의 뜻을 이해했다는 말이다.

세 번째 기적.

하늘과 땅이 만들어진 날부터 아담의 자식들에게 백발이 성성해지지 않았으나, 우리의 선조 아브라함에 와서야 백발이 성성해졌다. 세상이 만들어진 날부터 이러한 것을 본 적이 없었다고 그들은 놀랐다.

그에게 백발이 성성해졌다는 것을 어디에서 알 수 있나? 이렇게 말한다. "아브라함은 늙었고 나이가 (많이) 들었다."(창세기 24,1)

야브네 사람 레비타스 랍비가 말했다.

"왕의 머리에 얹은 왕관처럼 백발은 아름다움이며 늙은이들의 영광이다. 이렇게 말한다. '젊은이들에게 영예는 그들의 힘에 그리고 늙은이들의 아름다움은 백발에.'"(잠언 20,29)

38년이나 앓아온 사람은 '그가 오랫동안 병에 걸렸다'(요한 5,6)라고 지나간 38년을 강조한 것으로 보아 적어도 늙은이라고 짐작할 수 있다. 예수는 그에게 "당신은 건강해지기를 원합니까?" 하고 물었다. 병으로 누워 있던 늙은이를 건강하게 만든 세 번째 표징은 아브라함이 백발이 될 때까지 아름다움(건강)을 유지했다는 기적과 통하는 담화가 아닐까? 잠언 미드라쉬에 이렇게 이야기한다.

"백발은 아름다운 관冠이며 정의(자선)의 길에서 찾아진다."(잠언 16,31)

만일 너희가 토라와 선행에 열중하며 한껏 자비로운 사람을 보았다면 미래에 그가 백발의 관을 지닐 공덕을 쌓는다. 이렇게 말한다. "(백발은) 정의(자선) 길에서 찾아진다."

와서 아브라함에게서 배워라. 그가 시중드는 천사들에게 영광을 나누어주는 가운데 그는 백발의 관을 지니는 공덕을 쌓았다. 이렇게 말한다. "아브라함은 늙었으며 나이가 많이 들었다. 주님YHWH은 모든 것에서 아브라함에게 복을 주었다."(창세기 24,1)

어떻게 그럴 수 있었을까?[04]

"(백발은) 정의(자선) 길에서 찾아진다."

그가 자선을 행했다는 것을 성경 어디에서 찾을 수 있을까? 이렇게 쓰여 있다. "그(아브람)가 주님YHWH을 믿었으며 그분은 그것을 정의(자선)로 생각했다.'(창세기 15,6)

하느님에 대한 아브라함의 믿음을 '정의/자선'으로 생각했다는 문구를 자선으로 해석한 것이다. 히브리 성경에 '정의'라고 번역하는 단어(쯔다카)를 후대 유대교 문헌에서는 '자선'으로 해석한다. [히브리 성경에 '정의'를 뜻하는 단어에는 쩨데크(צדק)와 이 단어에서 파생된 쯔다카(צדקה)가 있다. 후기 미쉬나 히브리어에서는 쯔다카를 '자선'의 뜻으로 사용했다. 본문 번역에서 '정의(자선)'로 표기하는 것은 그 단어가 쯔다카인 경우다.]

지옥의 심판에서 사람을 구하는 자선은 오직 토라(하느님의 가르침)다. 그래서 "정의(자선)는 죽음에서 구한다"(잠언 11,4)고 말한다. 토라 공부는 정의를 실천하는 길이며 아브라함은 백발이 될 때까지 토라를 배우고 실천한 의인(짜딕)이다. 예수가 38년 동안 앓아온 늙은이를 건강하게 해준 것은 정의/자선을 행한 표징으로 여겼다. 이는 "백발은 정의/자선의 길에서 찾아진다"는 잠언의 문구가 실현된 것으로 이해할 수 있다.

네 번째 기적.

하늘과 땅이 만들어진 날부터 병든 사람이 없었지만, 길거리나 장터에 있으며 재채기를 하면 그의 숨은 그의 콧구멍에서 나가곤 했다. 우리의 선조 야곱이 와서 이것에 관하여 자비를 구했으며 그는 그분 앞에서 말했다.

"세상의 주님이시여, 저에게서 제 목숨을 가져가지 마십시오. 제가 제 아들들과 제 집안의 자식들에게 계명을 줄 때까지는."

그분은 그의 청원을 들었다. 이렇게 말한다. "이 일들이 있은 후에 요셉에게 말했다. '보십시오, 당신의 아버지가 아프십니다.'"(창세기 48,1) 땅의 모든 왕들은 이 말을 듣고 놀랐다. 하늘과 땅이 만들어진 날부터 이와 같은 것은 없었기 때문이다. 그래서 사람이 재채기를 하면 그에게 "생명(을 위하여)!"라고 반드시 말해야 한다. 그 죽음이 빛으로 뒤바뀌었기 때문이다. 이렇게 말한다. "그의 재채기는 빛을 뿜었다."(욥기 41,18)

역병이 돌면 죽어가는 사람들이 길거리나 장터로 나온다. '이 일'은 야곱이 죽을 날을 앞두고 그의 아들 요셉에게 그를 이집트에 묻지 말고 그의 조상들이 누운 곳에 묻어달라고 요청하여 요셉이 그렇게 하겠다고 맹세한 것을 말한다.

재채기 기적과 오천 명을 먹인 표징에서 어떤 공통적인 요소를 찾아볼 수 있을까? 재채기 기적은 야곱이 죽기 전에 (그가 재채기를 하자/아프게 되었을 때 '생명을 위하여'라고 말해주어 목숨을 연장했고) 그가 하느님에게 청하여 그의 자손(이스라엘 백성)이 하느님에게서 계명을 받게 했다는 내용이다. (야곱은 하느님의 천사와 씨름하여 이스라엘이라는 이름을 얻게 되고 이스라엘은 '국가'라는 뜻을 가지게 된다. 후대 전승에 야곱은 선조의 이름으로, 이스라엘은 공동체의 이름으로 사용된다.) 이스라엘이 계명을 지키면 생명을 얻는다(즉, 죽음이 빛으로 바뀌게 된다)는 이야기다. 오천 명을 먹인 표징은 예수를 믿는 오천 명의 무리가 예수의 빵을 먹고(즉, 가르침/계명을 배우고) 그들은 어둠의 세상에서 빛을 보게 되었다는 이야기다. 이 두 사례 사이의 공통점은 하느님/예수의 가르침을 받고 어둠에서 빛의 세상으로 나왔다는 것이다.

다섯 번째 기적.
하늘과 땅이 만들어진 날부터 바다의 물이 육지로 바뀐 적이 없었으나, 이스라엘 (사람들)이 이집트를 떠나 바다 가운데 (육지)로 지나갔다. 땅의 모든 왕들이 듣고 떨었다. 세상이 만들어진 날부터 이와 같은 것은 없었기 때문이다. 이렇게 말한다. "백성들이 듣고 떨었다."(출애굽기 15, 14)

예수가 물 위로 걸었다는 다섯 번째 표징은 이집트에서 탈출한 이스라엘인들이 갈대바다를 건너갈 때 바다가 갈라져 육지로 건넜다는 기적과 맞물리는 이야기다. 바다 사이로 걸어 나와 구원되었다는 이야기에 "백성들이 듣고 떨었다"(출애굽기 15,14)는 인용구는 예수가 물 위를 걸어와 배 쪽으로 가까이 다가오자 제자들이 "바라보고 두려워했다"(요한 6,19)라고 전하는 문구와 상응한다.

여섯 번째 기적.
하늘과 땅이 만들어진 날부터 달과 별들과 별자리는 땅을 비추려고 올라갔으며 이것과 저것이 서로 어울린 적이 없었으나, 여호수아가 와서 이스라엘의 전쟁을 하고서야 (그렇게 되었다.) 안식일이 시작되는 저녁이었다. 여호수아는 안식일을 속되게 하지 않아야 하는 이스라엘의 곤경을 보았으며 더욱이 이스라엘에 대항하여 별자리로 (이스라엘을) 지배하려고 말하는 이집트의 주술사들을 보았다.

여호수아는 무엇을 했는가?

그는 해의 빛과 달의 빛과 별들의 빛에게 자기 손을 펴고 (하느님의) 이름을 그들에게 상기시켰다. 그러자 각자 (자기 자리에서) 안식일이 지날 때까지 36시간 동안 서 있었다. 이렇게 말한다. "해가 머물고 달이 서 있었다. 백성이 그 적들에게 앙갚음을 하기까지."(여호수아 10,13) 이렇게 쓰여 있다. "주님YHWH이 사람의 목소리를 들은 이 같은 날은 그 전에도 그 후에도 없었다."(여호수아 10,14)

땅의 왕들이 듣고 놀랐다. 세상이 만들어진 날부터 이 같은 것은 없었기 때문이다. 이렇게 말한다. "이 같은 날은 없었다."

예수의 여섯 번째 표징인 빛을 보게 한 소경의 치유와 여호수아가 해와 달과 별들의 빛에 호소하여 해와 달이 36시간 동안 서 있었다는 이야기 사이에 서로가 '빛을 보게 했다'는 주제로 연결된다. 여호수아(예호슈아 '구원')가 빛에게 호소하여 안식일을 속되게 하지 않았다는 전승은 '세상의 빛'인 구원자로 이 세상에 온 예수(예슈아 '구원')가 소경의 눈을 뜨게 하여 이루어진 것이다(예슈아는 예호슈아의 약칭이다. 마치 요한이 요하난의 약칭인 것처럼).

일곱 번째 기적.

하늘과 땅이 만들어진 날부터 사람이 병들었다가 그의 병에서 살아난 적이 없었으나, 유다의 왕 히즈키야에 와서야 그는 병들었다가 살아났다. 이렇게 말한다. "이즈음에 히즈키야는 병들어 죽게 되었다."(열왕기

하 20,1)

그는 찬미 받으시는 거룩하신 분 앞에서 기도하며 말했다.

"온 세상의 주님이시여, 제발 주여, 제가 당신 앞에서 진실되고 온전한
마음으로 걸어왔으며(살아왔으며) 당신 눈에 좋은 일을 했던 것을 기억
하십시오."(열왕기하 20,3)

그분은 그의 청원을 들었다. 이렇게 말한다. "이제 내가 너의 수명에
15년을 더해주겠다."(이사야 38,5)

히즈키야는 찬미받으시는 거룩하신 분 앞에서 말했다.

"온 세상의 주님이시여, 저에게 표징을 주십시오." 이렇게 말한다. "히
즈키야는 (이사야에게) 말했다. '내가 주님YHWH의 집(예루살렘 성전)에
올라갈 것이라는 표징이 무엇입니까?'"(열왕기하 20,8)

그는 그에게 말했다.

"너의 아버지 아하즈는 별자리로 지배하려고 했으며 그는 해와 달과
별들과 별자리에게 절했으나 그 앞에서 해는 달아나 서편으로 열 계단
내려갔다. 만일 당신이 원하면 그것은 열 계단 더 내려갈 것이다."

그(히즈키야)는 그분 앞에서 말했다.

"온 세상의 주님이시여, 아닙니다. 오히려 그 내려간 열 계단에서 돌아
와 제자리에 서 있게 해주십시오." 이렇게 말한다. '그림자가 열 계단
뒤로 돌아가는 것은 아닙니다'(열왕기하 20,10).

땅의 모든 왕들이 보고 놀랐다. 세상이 만들어진 날부터 이 같은 것은
없었기 때문이다. 그들은 기적을 보려고 보냈다. 이렇게 말한다. "그리
고 또한 이 나라에서 생긴 기적을 알아보려고 그에게 보낸 바빌론의 대
신들의 사절들에게서."(역대기하 32,31)

예수의 일곱 번째 표징인 나사로(그의 이름은 히브리어로 엘아자르 '하느님이 도왔다')의 부활은 히즈키야의 회복에 관한 기적과 대비된다. 히즈키야는 병이 들어 정말로 죽게 되었으나 하느님께 간곡히 기도하여 하느님은 그의 청을 들어주고 그에게 생명을 연장시켜주었다. 예수는 나사로를 살리기 위해 하느님께 기도한다. "아버지, 제 청을 들어주셔서 감사합니다."(요한 11,41) 이 두 사건은 구원자가 하느님에게 청하여 생명을 연장받는 이야기다.

세상에 일곱 가지 기적이 생겼다고 해석하는 랍비들의 견해나 복음서에 예수가 일곱 번의 기적 행사를 했다고 전하는 의도는 모두 숫자 일곱의 상징성에서 그 중요성을 찾아볼 수 있다. (엣세네의 문헌에 비해 신약성경과 랍비 유대교 문헌에서 숫자의 상징성으로 해석하는 단락을 비교적 많이 발견할 수 있다.)

오천 명을 먹였다니 무슨 표징을 말할까 마태 14,13~21

빵 다섯 개로 오천 명을 먹였다는 기적적인 사건이 전해진 상황은 이러하다. 예수가 그의 열두 제자들에게 더러운 영을 쫓아내는 권능을 주고 그들을 여러 지방에 보냈으며 그들은 성공적으로 임무를 수행하고 돌아왔다. 그 뒤 세례자 요한이 죽었다. 이런 일들이 지나고 난 다음 갈릴리 호숫가 근처에서 오천 명을 먹였다는 이적(표징)이 일어났다. 예수가 빵 다섯 개와 물고기 두 마리를 많은 사람들에게 나누어주었는데 남은 빵 조각들을 모았더니 열두 광주리에 가득 찼고 빵을 먹은 사람들은 오천이었다는 이야기다.(마태 14, 13~21) 이 일화는 공관 복음서에 모두 전해질 만큼 중요한 단락이라고 보인다.(누가 9,10~17; 요한 6,1~14)

초기 유대교 문헌에서 빵은 종종 토라를 은유하는 낱말로 사용된다. 사람들에게 빵을 먹였다는 이야기는 토라를 가르쳤다는 뜻으로 볼 수 있다. 한편 만찬 의례에서 빵을 들고 행했기 때문에 빵은 성찬례를 상징하는 단어로도 통용되었다. 오병이어의 이야기는 후자에 속한다. 왜냐하면 그곳에 백 명과 오십 명의 동료지간을 대표하는 사람들이 착석한 다음에 예수가 빵과 물고기를 축복하고 빵을 떼어 그들에게 나누어 주었다고 전하기 때문이다.

예수는 제자들에게 명령하여 각자 동료들끼리 풀밭에 앉게 했다. 백 명의 동료지간의 백부장과 오십 명의 동료지간의 오십부장五十部長이 끼리끼리 자리 잡았다. 예수는 다섯 개의 빵과 물고기 두 마리를 들고 하늘을 향해 처다보며 축복하고 빵을 떼어 그의 제자들에게 주며 그들 앞에 나누게 했다.(마가 6,39~40)

5-4 오병이어五餠二魚를 표현한 모자이크 그림
갈릴리 호숫가에 세워진 초기 비잔틴 시대 교회의 바닥 모자이크.

이런 장면은 빵을 들고 축성한 다음 빵을 떼어 회중에게 나누어주는 전형적인 성찬 의례를 보여준다. 엣세네의 문헌에서 이러한 예식에 대한 규례를 볼 수 있다.

이것이 마지막 시대에 이스라엘의 모든 공동체를 위한 규례다.
그들이 (공동체에) 모일 때에 짜독의 자식들과 그들 언약의 사람들의 법령에 따라 걸어 다닌다. (중략)
이스라엘의 천 명의 장長과 백 명, 오십 명, 십 명의 지도자와 재판관과 모든 가족들 중에 부족들의 순찰사, 사제들인 아론의 자식들의 명령에 따라 (재판의 청문회에) 참여한다. (중략)
단합체 의회에 불릴 사람들은 이러하다.
20세 이상으로 공동체의 모든 현자들, 품행에 온전하며 이해 있고 지식 있는 자들과 용감한 사람들. 또한 부족장과 모든 재판관과 순찰사들과 천 명의 지도자, 백 명과, 오십 명과 십 명의 지도자, 각 작업 분과 가운데 레위인들. 이들이 사제인 짜독의 자식들 앞에서 이스라엘 단합체 의회에 의원으로 이름 불릴 사람들이다. (중략)
(이것은) 단합체 의회의 소집에 이름이 불릴 사람들의 모임(에 관한 규례)다.
그들이 오래 견디고 메시아가 그들에게 (올 때에 관한 것이다). (대사제가) 이스라엘의 모든 공동체와 이름 있는 사람들의 소집에 불린 사제들인 아론 자식들의 가장들의 장長으로 올 것이다. 그들은 각자 지위에 따라 그(대사제) (앞에) 앉을 것이다.
그 뒤 이스라엘의 메시아가 (올 것이며) (이스라엘의 부족)장들은 거류지나 행렬에서의 위치처럼 각자 그의 지위에 따라 그(메시아) 앞에 앉을 것이다. 공동체의 모든 가장들의 장長들은 (거룩한 공동체의) 현자들과 함께 각자 지위에 따라 그들(대사제와 이스라엘의 메시아) 앞에 앉을 것이다. 그들은 빵을 나누고 포도주를 마시기 위해 공동 식탁에 모일 것이다.(〈마지막 시대의 규례〉i,1~2; i,14~15; i,27~ii,2; ii,11~17)

여기서 '이스라엘'은 그들 공동체를 뜻한다. 엣세네 공동체는 천 명, 백 명, 오십 명, 십 명 단위의 장들을 지도자층 조직체로 구성했음을 알수 있다. 그들은 공동체의 보통 사람들의 대의원으로 재판의 청문회나 공동체 의회에 참여할 수 있었다. 또한 그들은 모임에 참석할 때 각자 지위에 따라 자리에 앉았다는 점도 발견할 수 있다. 메시아가 오는 날 성만찬하는 의례에서도 마찬가지다. 각 단위의 장들과 재판관들, 사제들, 부족장들 등은 서로 같은 부류끼리 착석했다는 말이다.

'오병이어' 이야기에서도 백 명 동료들의 백부장과 오십 명 동료들의 오십부장들이 자기 위치에 따라 끼리끼리 착석한 다음에 예수가 빵을 떼어 그의 제자들에게 주어 나누어 먹게 했다. 흔히 '사람들은 백 명씩 또는 오십 명씩 떼를 이루어 자리를 잡았다'(마가 6,40)고 옮기는데 엣세네의 규례에서 알 수 있듯이 공동체의 지도층이 참석하는 성만찬 의례를 거행하는 경우 그렇게 많은 사람들이 떼를 지어 모이는 것이 아니라 각 부류의 장들이 대표로 공동 식탁에 앉았다. '오병이어' 이야기의 경우도 이와 마찬가지라고 짐작한다.

위에서 '백 명 동료지간의 백부장, 오십 명 동료지간의 오십부장'으로 번역하는 이유는 이 일화의 마지막 부분에서 찾을 수 있다. "빵을 먹은 이들은 오천이었다."(마가 6,44) 흔히 '오천 명'이라고 번역한다. 그래서 빵 다섯 개로 오천 명을 먹인 기적 사화로 알려졌다. (아무리 큰 빵이라도 빵 다섯 개로 오천 명이 배불리 먹고 그래도 남아서 열두 광주리에 가득 담았다는 말은 예나 지금이나 글자 그대로 받아들이기에는 좀 먼 이야기 같다.)

다섯 천부장

'오천 명'이라고 옮긴 단어는 신약성경의 아람어본(페쉬타)에 '오천'이라고 쓰여 있다. '오천'은 히브리어로 '하메쉐트 알라핌'이다. 그런데 '하메쉐트 알라핌'을 '하메쉐트 알루핌'이라고 읽으면 '다섯 천부장'이라는 뜻이 된다. (당시 히브리어나 아람어에는 모음부호가 없었기 때문에 모음을 다르게 읽어 해석하는 방법이 유대교 성경해석에서 종종 사용되었다.) 오천은 '다섯 천부장'으로 번역할 수 있다. 따라서 위에서 '백 명의 동료지간의 백'이라는 표현에서 '백'을 백부장으로 해석할 수 있다.

더욱이 오병이어 행사의 목적이 무엇에 있는지를 파악하면 더 분명하다. 이 행사는 몇 개의 빵으로 배고픈 사람들의 배를 충분히 채워주었다는 기적적인 사건을 이야기하는 것이 아니다. 만일 그런 의도가 있었다면 예수는 무엇 하려고 "백 명의 동료지간의 백부장과 오십 명의 동료지간의 오십부장을 끼리끼리 앉게 하라"고 그의 제자들에게 지시했겠는가? (실상 다른 복음서에는 끼리끼리 모여 앉게 했다는 부분이 없다. 특별히 설명하지 않아도 듣는 이들은 그들이 왜 모인 것인지 알아들었기 때문일 것이다.)

오병이어 일화는 특별한 만찬 의례를 목적으로 모여 생긴 사건을 전한 이야기다. "빵을 먹은 이들이 다섯 천부장이었다"는 말은 백부장들과 오십부장들이 참석한 이 만찬 의례에서 그들 가운데 다섯 명의 천부장을 선출했다는 이야기로 볼 수 있다. 이러한 해석은 엣세네 규례에서 나타난 엣세네 상부 조직의 형태와 비교해서 얻은 결과다. 엣세네의 단합체 의회가 공동체의 최고 의결기관이며 이에 속하는 의원들은 천부장들과 재판관들, 사제장들, 부족장들 등등이다. 예수 공동체에도 공동체의 지도자층에도 열두 제자들뿐 아니라 천부장과 같은 조직체가 있었다는 점을 오병이어의 기적 사화를 통해 알 수 있다. 실상 예수와 동행하면서 복음을 전파하던 사람들 가운데 열두 제자 이외에도 여럿이 있었다. [예루살렘 교회의 지도자였던 예수의 형제 야고보(사도행전 15,13)와 몇 명이 열두 사도를 포함하여 예루살렘 교회의 지도자들이었다.] 더욱이 열두 제자들이 그들의 파견 임무를 성공적으로 수행하고 돌아왔으며 세례자 요한이 죽은 다음이라 예수 공동체는 새로운 도약이 필요했을 것이다.

열두 제자

예수 공동체의 초기 상부 조직은 열두 제자들을 중심으로 이루어졌다. '예수는 열두 제자를 가까이 부르고 그들을 둘씩 짝지어 보냈으며 그들에게 더러운 영을 쫓아내는 권능을 주었다.'(마가 6,7) 혹은 "저녁때가 되자 예수는 열두 제자와 함께 거기로 갔다"(마가 14,17) 등 예수는 그의 열두 제자들과 함께 움직이는 상황을 잘 볼 수 있다.

오병이어의 일화에서 열두 광주리의 열둘은 예수가 이스라엘의 회복을 염두에 두고 열두 지파의 상징으로 선출한 열두 제자(마태 10,1~16)를 가리킨다. 오병이어의 성찬 의례를 통해 다섯 천부장들이 선출되고 이들이 열두 제자들의 모임에 합류하는 발전된 상부 조직이 형성되었다고 보인다. [사천 명을 먹였다는 이야기(마가 8,1~10)도 같은 종류의 일화다. 일곱 개의 빵으로 사람들을 먹였으며 남은 빵 조각들은 일곱 개의 바구니에 가득 찼고 빵을 먹은 이들은 사천이었다는 이야기다. 이 의례에서는 일곱 명 원로들의 모임에 합세할 네 명의 천부장들을 선출했다

고 볼 수 있다.]

이러한 조직 구도는 엣세네에서 발견된다. 엣세네파의 최고 의결기관은 원로 열두 명과 세 명의 이름 있는 사제들로 구성되었다. 예수 공동체와 엣세네 사이에 유사한 점들이 많이 있지만 그 가운데에도 특히 지도자 열두 명과 몇 명의 명성 높은 사제들을 최고 의결기관에 포함시키는 상부 조직은 그들 사이의 연관성을 더욱 볼 수 있다. 아래 인용한 엣세네의 규례에서 그들의 상부 구조를 읽을 수 있다.

> 단합체 의회에는 열두 사람과 세 사제가 있다.
> 그들은 토라에 밝혀진 모든 것에 온전하며 진리와 정의와 공의를 행하며 자비와 겸비를 사랑한다. 각자 그의 이웃과 살며 신실한 성향의 (사람이 사는) 땅에서 믿음을 지키고 부서진 영혼과 죄의 유혹에 자기를 심판하며 고난의 어려움에 견딘다. 진리의 척도와 때에 맞는 내용으로 (사는) 자들과 걸어 다닌다. 이스라엘이 이렇게 살 때 진리로 단합체 의회는 올바르다.(《단합체의 규례》 viii, 1~5)

'신실한 성향'은 하느님과 닮은 아담을 만들어낸 하느님의 거룩한 생각을 뜻한다. 초기 유대교 문헌에 보면 죄짓는 사람을 가리켜 '악한 성향'이라고 말한다. 악한 충동을 일으키는 성향을 뜻한다. 초대교회의 언어로 이런 사람을 '옛날의 아담', 즉 회개하기 이전의 아담이라고 말한다. 엣세네 의회의 지도자들은 마지막 심판의 날에 진리의 증인으로 선택되어 '새 언약의 공동체'가 의롭다는 것을 알려야 하는 의무를 짊어지고 있었으며 진리에 따라 살기 위해 부단히 노력했던 종교인들이었다.

단합체 의회의 의원들로 열두 명을 선정한 것은 고대 이스라엘의 열두 지파의 전통을 계승한다는 의도에서 이해할 수 있다. 새 언약을 맺는 이상의 이스라엘 공동체가 열두 지파의 회복을 기반으로 구축하는 것은 새 이스라엘을 형성하려는 시도다. 엣세네 문헌에 열두 지파를 대표하는 열두 명의 사제가 하느님 앞에서 일상 임무를 맡는다고 말한다.

열두 명의 첫째 사제들이 하느님 앞에 일상 임무를 한다.
스물여섯 명의 분과장分課長들은 그들의 분과에서 임무를 한다.
그들 다음으로 레위인들의 장長들이 한 사람에 한 지파씩 열두 지파의
일상 임무를 한다. (중략)
징집에 따른 온갖 공동체의 기旗에 관한 규례.
모든 백성의 맨 앞에 드는 큰 기旗에 하느님의 백성 그리고 이스라
엘과 아론의 이름과 이스라엘의 열두 지파의 이름들을 그들의 계
보에 따라 쓴다.(《빛의 자식들과 어둠의 자식들의 전쟁에 대한 규례》 ii,1~2;
iii,12~14)

전쟁에 기旗를 세우고 나가 싸우는 것은 로마 군대에서 사용했음을 알 수 있지만 또한 이스라엘 사람들도 하느님의 이름을 기旗에 쓰고 전쟁에 들고 나가 승리한다는 문맥을 시편에서 읽을 수 있다. "우리가 너(다윗)의 구원에서 기뻐하고 우리 하느님의 이름으로 깃발을 세울 것이다. YHWH는 너의 기원을 채워줄 것이다."(시편 20,5) '전쟁의 규례'에 나오는 기旗는 '표징, 구호, 암호' 등을 뜻하는 단어(오트 אות)다. 열두 지파의 이름을 그들의 깃발에 써놓아 하느님에게 선택된 이스라엘 공동체라는 확신을 보여주는 표징으로 사용한 것이다. 다윗이 건설한 이

스라엘 왕국이 열두 지파의 결성으로 이루어졌다는 역사적 전통을 계승하려는 의도에서 이해할 수 있다.

히브리 성경에 반영된 이스라엘의 민족사에는 열둘의 숫자를 중심으로 엮어지는 곳이 많다. 야곱이 죽기 전에 그의 열두 아들들을 불러 그들에게 각각 복을 빌어주는 아버지의 축복 이야기가 창세기의 마지막을 장식하며(창세기 49장), 모세오경의 마지막 책인 신명기의 마지막 부분도 모세가 죽기 전에 이스라엘의 열두 지파를 불러 모아 그들에게 각각 축복하는 말로 토라의 한 단원을 맺는다.(신명기 33장) 이처럼 열두 지파는 이스라엘 민족의 전통을 찾는 데 필요한 근본 요소다.

엣세네 공동체도 고대 이스라엘의 열두 지파 전통에 근거하여 열두 명의 원로들을 공동체 최고 의결기관의 의원으로 삼았으며 예수도 열두 제자들을 만들면서 하느님의 메시아 사업을 시작했다. 이스라엘의 회복을 염두에 두고 열두 지파의 상징으로 열두 사도 제도를 만든 것이다.(마가 6,7)

오병이어 행사가 있은 뒤 얼마 지난 어느 날 예수가 그의 제자들을 가르치며 부자가 하느님 왕국에 들어가는 것보다는 낙타가 바늘구멍을 빠져나가는 것이 더 쉽다는 비유를 들었다. 그러자 제자들은 그렇다면 누가 구원을 받을 수 있겠느냐며 매우 놀랐다. 그때 베드로는 예수에게 그의 제자들은 모든 것을 버리고 예수를 따랐는데 그들에게 어떤 일이 생기겠느냐고 물었다. 예수는 이렇게 대답한다.

> 아담의 아들이 그의 영광의 보좌에 앉게 될 새 세상에, 여러분도 역시 열두 보좌에 앉을 것이며 이스라엘의 열두 지파를 재판할 것입니다.(마태 19,28)

아담의 아들(메시아 예수)이 하늘로 올라가 하느님 옆에 앉은 다음 열두 사도들이 각자 자기의 보좌에 앉아서 예수가 그들에게 준 권능으로 열두 지파를 심판할 것이라는 말이다. 여기서 말하는 열두 지파는 야고보의 편지 인사말에 나오는 그 열두 지파를 가리킨다. "하느님과 메시아 예수 선생님(아돈)의 종, 야고보가 흩어져 사는 열두 지파에게 인사를 드립니다."(야고보서 1,1) 열두 지파는 여러 지방에 살고 있는 예수 공동체를 가리킨다. 예수가 죽은 다음에 그의 열두 제자들이 예수의 권한을 이어받을 것이라는 말이다.

또한 오병이어의 일화에서 주목할 단어는 '두 마리 물고기'다. 이 일화에서는 특별히 두 마리 물고기에 대해 설명하지 않고 물고기도 먹고 남았다고 전한다. 물고기 두 마리는 위에서 살펴보았듯이 두 마리 물고기 별자리Pisces를 상징하는 의도에서 '둘'이라는 숫자가 쓰인 것으로 보인다. 예수가 새 천년을 알리는 메시아임을 강조하는 문맥에서도 이해할 수 있다. 오병이어의 일화는 예수가 하늘의 별자리 움직임에 맞추어 하느님의 계시를 통해 이 세상에 하느님의 아들로 왔다는 점을 이야기한다고 볼 수 있다(4장 〈예수는 기원전 7년 12월 1일에 태어났을 것 같다〉 참조).

오병이어의 성만찬 이후 예수 공동체는 열두 제자와 다섯 천부장이 모이는 최고의회를 결성했다고 본다. 그런데 엣세네의 최고의회와 비교해보면 그들은 열두 명과 세 명의 사제들이라고 하는 데 반해 예수 공동체는 열두 명과 다섯 천부장이다. 예수 공동체는 열두 명의 제자들과 다섯 천부장 등의 지도자들에서 출발했으며 예수의 가르침을 배우고 따르는 제자들이 많아졌고 예수는 이들 가운데 일흔두 명을 선택하여 세상 전도 사업으로 여러 지방에 파견했다.(누가 10,1)

오병이어의 기적 일화에서 예수 공동체의 조직이 엣세네의 것과 비숫하다는 점을 충분히 볼 수 있다. 반면 그 당시 가장 많은 지지도를 얻고 있던 바리새는 71명의 의원으로 구성된 산헤드린이 그들의 최고의 회였으며 소小 산헤드린은 23명이 정족수였다. 이는 예수 공동체의 상부 조직과는 사뭇 다르다.

일흔두 명의 제자들을 어디로 보냈을까 누가10,1

오병이어의 성만찬 의례를 마친 뒤 얼마 있다가 예수는 예루살렘으로 올라가 그곳에서 가르침을 전파하고 갈릴리로 돌아왔다. 그때 예수는 타지방 전도 사업의 일환으로 그의 제자들 가운데 다른 일흔두 명을 선택하여 여러 도시로 그들을 보냈다.

> 이러한 일들 후에 예수는 그의 제자들 가운데 다른 일흔두 명을 구별하여 그 앞에서 둘 둘씩 그가 미래에 가려고 하는 모든 장소와 도시로 보냈다.(누가 10,1)

여기서 '다른'이라고 표현한 것은 예수가 그의 열두 제자들을 부른 방식과는 다른 방법으로 선택된 제자들이라는 뜻이다. 이들 일흔두 명은 열두 지파에서 각각 여섯 명으로 구성된 것이다. 그런데 왜 여섯 명일까? 그 해답은 로마에서 발견된 이집트식 황도 십이성좌의 부분에서 쉽게 찾을 수 있다.

이 그림에서 열두 지파의 여섯 명과 관련하여 주의 깊게 볼 부분은 각 궁宮마다 3명씩 2줄에 그려져 있는 것이다. 안쪽 부분의 3줄에 걸쳐 십이성좌가 각 궁마다 그림으로 표현되어 있고 그 위에 서 있는 사람들

은 각 궁의 문지기들이다. 맨 바깥 줄의 원 안에 있는 흉상들은 문지기들이 섬기는 신들이다. 문지기들은 매일 태양이 지나갈 때 태양신을 찬양하고 매달 온 세상에 태양신의 탄생을 알리며 십이성좌의 움직임을 선포하는 역할을 한다. 그들의 선포로 세상의 질서와 조화가 구현된다고 이야기한다.

이 그림에서 복음서의 일흔두 명의 파견 이야기와 관련해 주목할 만한 것은 문지기와 그와 동행하는 신이 있다는 점이다. 각 선포자마다 자기와 함께하는 수호신이 있다는 말이다. 누가복음서에서 일흔두 명을 '둘 둘씩 그가 미래에 가려고 하는 모든 장소와 도시로' 보냈다는 문구와 조응한다(누가복음서의 다른 사본에 일흔 명으로 기록된 것도 있다. 일흔두 명과 일흔 명의 두 전승이 있음을 알 수 있다).

예수는 그의 제자들 가운데 일흔두 명을 선택하여 '메시아의 도래到來'라는 기쁜 소식을 '온 세상의 전도' 사업으로 그들을 여러 지방에 보냈다는 기록이다.('온 세상'의 맥락에서는 일흔두 명의 전승이 보다 올바르다.)

5-5 로마에서 발견된 이집트식 황도 십이성좌
1·2세기의 것으로 추정된다.

열두 제자의 전도 대상은 메소포타미아, 소아시아, 이집트, 지중해 연안 지방 등 타국에 흩어져 살고 있는 유대인들이었으며 그들의 임무는 병든 이들을 고쳐주고 '새 언약의 복음'을 선포하는 것이었다. 예수는 그들에게 치유의 권능을 주어 세상 각지로 보냈다. "여러분이 어느 도시에 들어가든지 그들이 여러분을 받아들이면 여러분에게 차려주는 것을 먹으시오. 그리고 거기에 병든 이들을 고쳐주시오. 그리고 그들에게 '하느님의 왕국이 여러분에게 가까이 왔습니다'고 말하시오."(누가 10,8~9). '하느님의 왕국이 가까이 왔다'는 말은 메시아의 시대가 곧 온다는 뜻이다. 메시아가 와서 선한 자와 악한 자를 구별하고 심판하는 시대를 말한다. 그들이 선포할 주된 메시지는 메시아의 시대에 도래한 나사렛 예수가 메시아임을 증언하는 것이다. 그 내용은 예수가 부활한 이후 제자들에게 나타나 하는 말에서 읽을 수 있다. "그러나 거룩하신 분의 영이 여러분에게 내릴 때에 여러분은 그 힘을 받을 것이며 예루살렘과 온 유대아 (지역)와 사마리아인들 사이뿐 아니라 땅끝까지 여러분은 나의 증인들이 될 것입니다."(사도행전 1,8)

일흔두 명의 제자들이 그들의 임무를 성공적으로 완수하고 돌아와 예수에게 "우리 선생님(아도네누), 귀신들조차 당신의 이름으로 말미암아 우리에게 굴복합니다"라고 보고했다. 그러자 예수는 그들에게 이렇게 말한다.

나는 사탄이 번갯불처럼 하늘에서 떨어지는 것을 보았습니다. 보시오, 내가 여러분에게 뱀과 전갈 그리고 원수의 모든 힘을 짓밟는 권한을 주었습니다. 그래서 어떤 것도 여러분을 해치지 못할 것입니다.(누가 10,18~19)

예수가 그들을 세상 각지로 보낸 현실적인 목적은 뱀과 전갈 그리고 원수의 모든 힘보다 예수의 힘이 더 강하다는 것을 알려주기 위한 것이다. 그런데 '뱀과 전갈' 그리고 '원수'는 누구를 가리킬까? 단순히 세상에서 악한 짓을 자행하는 범죄자들을 향한 말은 아니다. '뱀과 전갈' 그리고 '원수'라는 단어들이 상징하는 그 구체적인 대상이 있을 것이다. 일흔두 명의 전도자들이 돌아온 후 어느 날 예수가 그의 제자들을 가르치며 말하는 데에서도 '뱀과 전갈'이 언급된다.

> 여러분 가운데 누가 아버지로서 그의 아들이 그에게 빵을 청하는데 돌을 던져주겠습니까? 물고기를 청하는데 물고기 대신 뱀을 던져주겠습니까? 달걀을 청하는데 그에게 전갈을 던져주겠습니까?(누가 11,11~12)

랍비들의 학교 전통에 따르면 학교 선생이 학생을 아들이라고 불렀다. 이런 맥락과 비교해보면 아버지는 선생을, 아들은 학생을 가리킨다. 빵이나 물고기 등은 선생의 가르침이다. 학생이 선생에게 토라의 법규에 대한 할라카(법도)를 가르쳐달라고 하는데 쓸모없는 돌과 같은 해석이나 교묘한 뱀과 같은 속임수나 독침을 쏘는 전갈과 같은 독설을 가르쳐주겠는가? '뱀과 전갈'의 은유적인 표현은 요하난 벤 자카이 랍반의 수제자였던 엘리에제르 벤 후르카누스 랍비의 언명에서 찾아볼 수 있다.

> 현자들의 화로에 마주 앉아 몸을 따뜻하게 하라.
> 그러나 그들의 타는 숯에 데지 않게 조심할 것이다.
> 그들의 입맞춤은 여우의 입맞춤이고

그들의 침은 전갈의 침이며

그들의 속삭임은 독사의 속삭임이다.

그들의 모든 말은 불타는 숯 같다.(《선조들의 어록》 2,10)

성경해석에 대한 랍비 동료들 사이의 언쟁이 '타는 숯'이라고 말할 정도로 심각한 것임을 알 수 있다. '뱀과 전갈'은 바리새들 사이에서 서로 비난하는 은어로 통용되었다는 것을 알 수 있다. 동료들의 위선을 '독사의 속삭임'이라고 전하는 문구는 바리새들에게 일곱 차례의 불행을 선언하는 예수의 언명에서도 읽을 수 있다. "뱀들이여, 독사의 종자여. 여러분이 어떻게 지옥에 갈 심판을 피하겠습니까?"(마태 23,33)

또한 많은 바리새들과 사두개들이 세례자 요한의 세례를 받으러 왔을 때 요한이 그들에게 말하는 저주의 말투에서도 회개와 독사의 두 단어가 사용되는 것을 볼 수 있다. "독사의 종자여, 닥쳐올 진노를 피하라고 누가 여러분에게 일러주었습니까? 회개에 합당한 열매를 맺으시오."(마태 3,7~8) '뱀과 전갈'은 바리새의 선생들을 지목한 은어다.

그러면 '원수'는 누구를 가리킬까? 그 해답은 '가라지의 비유'에 나오는 '원수'와 같은 맥락에서 이해할 수 있다. '원수'는 엣세네와 관련된 단어로 보인다. 일흔두 명의 전도자들은 엣세네 거류지를 방문하여 그들이 기다리는 메시아가 왔다고 선포한 것으로 이해할 수 있다.

예수가 일흔두 명의 제자들을 보낸 지역은 유대인들의 거류지며 바리새들의 회당과 엣세네 거류지였다고 짐작된다. 예수는 각지에 흩어져 살고 있는 유대인들의 사회에 하느님의 왕국이 가까이 왔다는 기쁜 소식과 그 복음을 전하는 메시아가 왔다는 메시지를 알리고 예수 공동체에 들어올 것을 종용하기 위해 일흔두 명의 전도자들을 파견한 것이다.(바리새나 엣세네의 지도자들이 이런 예수의 행보를 어떻게 받아들였을까?)

번갯불처럼 하늘에서 떨어진 사탄은 누구일까 누가10,18

예수는 타지방 전도 사업을 마치고 돌아온 전도자들에게 "나는 사탄이 번갯불처럼 하늘에서 떨어지는 것을 보았습니다"(누가 10,18)라고 말했다. 누가 그 사탄일까?

예수의 사랑하는 제자 요한이 전하는 복음서에 보면 예수가 유월절에 그의 제자들과 함께 최후 만찬을 하기 위해 예루살렘에 입성한 다음 그들에게 자신의 마지막 시간이 다가왔다고 말하는 단락이 나온다.

> 보십시오, 지금 내 목숨이 두려워하고 있습니다. 무엇을 말씀드릴까요? "나의 아버지, 이 시간에서 나를 구원해주소서 (라고 할까요?)"
>
> 그러나 실상 나는 이 시간을 위해 왔습니다. "아버지, 당신의 이름을 영광스럽게 하소서."
>
> 그러자 하늘에서 소리가 들렸다.
>
> "나는 영광스럽게 하였고 또다시 영광스럽게 하리라."
>
> 서 있던 무리가 들었으며 천둥이 울렸다고 말했다. 그러나 다른 이들은 천사가 그에게 이야기했다고 말했다.
>
> 예수는 대답하여 그들에게 말했다.
>
> "이 소리는 나를 위해서가 아니라 여러분을 위해서입니다. 지금 이 세상의 심판이 있습니다. 지금 이 세상의 두목이 밖으로 쫓겨날 것입니다. 내가 땅에서 들려 올라가게 되고 모든 사람을 내게로 이끌어올 것입니다."
>
> (중략)

예수는 그들에게 말했다.

"아직 조금은 여러분과 함께 빛이 있습니다. 아직까지는 걸어 다니십시오. 어둠이 여러분을 덮치지 못하도록 여러분과 함께 빛이 있습니다. 어둠에 걷는 이는 누구나 자기가 어디로 가는지 알지 못합니다. 아직 여러분에게 빛이 있습니다. 빛을 믿으시오. 그래서 빛의 아들들이 되십시오."(요한 12,27~36)

예수는 제자들에게 자기가 곧 처형당할 것을 일러주고 그가 떠난 다음에도 빛의 자식들이 되라고 당부하는 장면이다. 예수는 죽음에 직면해서 자신의 혼란스러운 감정을 드러낸다. 그러나 자신의 운명을 잘 알고 있었기 때문에 평정을 찾고 자기 죽음의 영광을 돌린다. 그러자 하느님의 응답이 들렸다. 하느님은 예전 창조 때에 그분의 이름을 영광스럽게 했고 이제 메시아 예수의 죽음으로 다시 한 번 그분의 이름을 영광스럽게 하겠다는 말이다. 천둥과 같은 큰 소리는 천사가 하느님의 말을 전하는 소리다. 예수를 따르는 무리들을 위해 지금 심판이 있을 것이며 이 세상의 두목이 심판을 받고 밖으로 쫓겨날 것이라고 말한다. 세상 밖으로 쫓겨난다는 말은 지옥으로 떨어진다는 뜻이다.

예수의 마지막 당부에서 그 두목의 실체를 파악할 수 있다. 그는 어둠의 자식들의 우두머리다. 예수는 빛의 자식들의 선생이고 그는 어둠의 자식들의 선생이다. 이는 '빛의 자식들과 어둠의 자식들의 전쟁'이라는 엣세네 공동체의 핵심 사상을 반영한다.

하늘에서 땅으로 떨어진 그 사탄이 어둠의 자식들의 두목일 것이다. 그리고 그 사탄이 '가라지의 비유'에서 "그렇지만 가라지는 악한 자의 아들들이고 그것을 뿌린 원수, 그는 사탄입니다"(마태 13,39)라고 말하는

'원수'라고 본다. 그 원수는 엣세네의 우두머리다.(8장 〈가라지의 비유〉 참조) 사탄이 번갯불처럼 하늘에서 떨어졌다는 문구에서 '하늘'은 엣세네 공동체를 가리키는 은유적 표현이다. 엣세네 사람들은 그들의 공동체를 성전이라고 여겼으며 그들은 하느님 왕국에 산다고 느꼈다.

복음전도자라는 요한이 승천한 메시아 예수의 계시로 보았다는 장면에서도 이처럼 땅에 떨어진 사탄을 볼 수 있다. '그 커다란 용은 내던져졌다. 그 오래된 뱀은 악마요 사탄이라고 불렸으며 온 누리를 유혹하는 자였다. 그는 땅 위에 내던져졌고 그의 천사들도 그와 함께 내던져졌다. 그리고 나는 하늘에서 큰 소리를 들었다. 이렇게 말한다. "이제 하느님의 구원과 권능과 왕국, 그리고 그분의 메시아의 권한이 있다. 우리 하느님 앞에서 낮과 밤으로 우리 형제들을 고발한 그 고발자가 내던져졌기 때문이다."(요한계시록 12,9~10) 요한계시록의 악마이며 사탄인 유혹자도 같은 맥락에서 이해할 수 있다. 그 악마는 어둠의 자식들의 두목이다. 그가 하느님의 심판을 받고 땅 위에 내던져질 때 그를 믿고 따르는 그의 측근자들도 그와 함께 내던져졌다는 말이다. 그는 예수 공동체 형제들을 괴롭힌 엣세네의 우두머리다. 그와 그 추종자들이 심판의 날에 지옥으로 떨어진다는 계시다.

초기 유대교 현자들의 전승에 사악한 천사가 하늘에서 쫓겨나 용/뱀이 되었다는 이야기가 있다. 이 사악한 천사는 사마엘이라고 불리는 사탄(방해꾼, 유혹자)이다. 에덴동산 이야기에 대한 미드라쉬에서 읽어볼 수 있다.

(하느님이 아담에게 말했다.)

"네가 벗었다고 누가 너에게 이야기했느냐? 내가 너에게 먹지 말라고

명령한 그 나무에서 먹었느냐?"(창세기 3,11)

아담은 찬미 받으시는 거룩하신 분 앞에서 말했다.

"온 세상의 주님이시여, 제가 홀로 있을 때 저는 당신에게 죄를 짓지 않았습니다. 그러나 당신께서 저에게 데려오신 여자가 저를 당신의 말씀에서 꾀었습니다." 이렇게 말한다. "당신께서 저와 함께 있으라고 주신 여자 그녀가 나무에서 저에게 주기에 먹었습니다."(창세기 3,12)

찬미 받으시는 거룩하신 분이 하와에게 말했다.

"네가 죄짓는 것도 충분치 않아 아담을 죄짓게 했느냐?"

그녀는 그분 앞에서 말했다.

"세상의 주님이시여, 뱀이 제 생각(지식)을 빗나가게 하여 당신 앞에서 죄지었습니다." 이렇게 말한다. "뱀이 나를 속여서 제가 먹었습니다." (창세기 3,13)

그분은 그들 셋을 데려와서 아홉 가지의 저주와 죽음에 해당하는 판결을 그들에게 내렸다.

그분은 하늘의 거룩한 장소에서 사마엘과 그의 군대를 내던졌다. 그리고 그분은 뱀의 발을 자르고 모든 짐승보다, 모든 가축보다 그를 더 저주했다. 그리고 큰 고통으로 7년에 한 번씩 허물을 벗을 것이라고 그에게 훈령을 내렸다. 그는 땅 위에서 그의 배로 (몸을) 끌고 다닐 것이며 그의 먹이는 그의 배 속에서 흙 부스러기로 바뀔 것이다. 독사들의 쓸개즙이며 그의 입에 죽음이 있다.

그분은 그와 여자 사이에 미움을 주었다. 그래서 그의 머리를 짓밟는다. 이 모든 것(즉, 저주) 이후에 죽음이다. 《엘리에제르 랍비의 해설집》 14장)

초기 유대교 아가다(짧은 이야기)에 따르면 사마엘이 뱀에 올라타고 하와에게 와서 그녀를 임신시켰으며 여기서 태어난 아이가 카인이라고 이야기한다. ['아가다'는 히브리 성경에 나오는 사건을 소재로 좀 더 색다르게 풀어 쓴 것으로 짧은 소설도 있고 유명한 랍비들의 일화도 있다. 또한 항간에 떠도는 민담을 수집한 것도 있다. 아가다는 구전으로 전해지다가 미드라쉬(해석서)나 탈무드 등에 수록되었다.]

> 뱀 위에 탄 사마엘이 하와에게 와서 그녀는 임신했으며 이후에 아담이 그녀에게 와서 그녀는 아벨을 가졌다. 이렇게 말한다. "아담은 그의 아내 하와를 알았다."(창세기 4,1)
>
> 그가 무엇을 알았는가?
>
> 그녀가 임신했다는 것을 (알았다).
>
> 그리고 그녀는 그(카인)의 모습이 아래의 것들 같지 않고 위의 것들 같다고 보았다.
>
> 그녀는 들여다보고 말했다.
>
> "나는 주님YHWH에게서 사내를 샀다."(창세기 4,1) 《엘리에제르 랍비의 해설집》 21장 앞부분)

카인과 아벨 이야기에서 하느님이 카인의 제물을 들여다보지 않자 카인은 하느님에게 분통을 터뜨렸다.(창세기 4,2~5) 그가 하느님에게 분노를 일으킬 정도로 악한 성향이 있는 이유는 사악한 천사가 여인을 꾀어서 생긴 아들이기 때문이라고 초기 랍비들은 풀이했다. 카인의 모습이 위의 것들 같다는 것은 그가 천사를 닮았다는 뜻이다. '아래의 것들'은 땅에 사는 사람이나 짐승을 뜻한다.

사마엘은 원래 하늘에서 하느님의 곁에서 시중들던 큰 천사였는데 사악한 마음을 가지고 하와를 유혹하여 임신하게 만들었다는 이야기다. 에덴동산 이야기에서 하와가 속게 만든 장본인이 뱀이며 그 뱀이 다름 아닌 사마엘 천사라는 해석이다. 뱀으로 변장한 사악한 사마엘 천사가 순결한 하와를 죄짓게 만들었기 때문에 하느님은 그를 에덴동산에서 내쫓았다는 이야기다. 요한계시록에서 '악마요 사탄이라고 불렸던 오래된 뱀'은 하와를 유혹한 뱀이며 그가 사마엘 천사다. 사마엘은 온 누리를 유혹하는 사탄의 대명사로 여겨진 천사다.

카인과 아벨 이야기에서 사마엘이 하늘/에덴동산에서 쫓겨난 천사지만 카인의 모습이 천사 같아서 그녀는 하느님에게서 사내를 샀다고 말한다. 카인은 사악한 천사에게서 얻은 아들이라는 뜻이다. 팔레스티나 아람어 번역본인 《타르굼》의 창세기 4,1의 번역에서 그 뜻을 분명히 알 수 있다.

> 아담은 천사 사마엘에 의해 임신한 그의 아내 하와를 알았다. 그녀는 임신하고 카인을 가졌다. 그는 땅의 것 같지 않고 하늘의 것 같았다.
> 그녀는 말했다.
> "나는 YHWH의 천사인 사내를 샀다."

신약성경에서도 이런 전승을 읽을 수 있다. "나는 여러분을 한 남자와 약혼시켰으니, 그것은 순결한 처녀로 메시아에게 바치려는 것입니다. 뱀이 간계로 하와를 속였듯이."(고린도후서 11,2~3); "아담이 속은 것이 아니라, 여자가 속아 넘어가서 죄를 범하게 되었습니다. 그러나 여자는 아이를 낳음으로써 구원을 받을 것입니다."(디모데전서 2,14~15) 하와가 사악한 천사에게서 얻은 아들로 인해 세상에 살인이라는 범죄가 생겼으며, 하늘에서 땅 위로 떨어진 사악한 사마엘 천사는 사람들에게 하느님의 가르침(토라)을 올바르게 가르치지 않고 죄짓게 유혹하여 어둠의 자식들로 만들어 그들을 지배한다는 이야기다.

일흔두 명의 전도자들이 임무를 마치고 돌아와 예수에게 그들의 활동을 보고하자 예수는 그 오래된 뱀이라고 불리는 사탄인 어둠의 두목이 바로 엣세네 지도자라고 말하며 그를 비판한 것이다.(이런 이야기를 듣는 엣세네 사제들은 무슨 마음을 먹었을까?)

일흔 vs. 일흔둘

예수가 타지방 전도 사업으로 보낸 그의 제자들이 일흔두 명이라는 기록과 함께 일흔 명이라고 주장하는 전승도 있었던 것이 확실하다.(누가 10,1) 일흔과 일흔둘 사이에 무슨 관계가 있기에 이렇게 두 가지 숫자가 전해졌을까?

일흔둘은 위에서 살펴보았듯이 황도대를 지나는 하늘의 십이성좌를 12로 구분하고 각 궁마다 세 명의 문지기와 그들과 동행하는 세 명의 신들을 계산해서 나온 숫자다. 세상에 들어가는 성문을 지키고 지나가는 사람들에게 태양신을 찬양하는 문지기들이 모두 일흔두 명이라는 말이다.

기원전 3세기경 알렉산드리아에서 프톨레마이오스 2세의 요청으로 유대교 현자 일흔두 명이 모세오경을 그리스어로 번역했다고 기원전 2세기에 기록된 한 편지에서 말한다. 이것을 《칠십인역Septuaginta》이라고 부른다. 그러나 탈무드에 전해진 이야기에 따르면, 일흔 명의 현자들에게 각기 제 방에서 번역하라고 지시했는데 나중에 그 번역들을 검토해보니 히브리어 원본을 수정한 부분이 모두 같았다고 한다. (《칠십인역》이라고 책 제목이 정해진 것 자체가 일흔과 일흔둘의 전승이 엇갈리고 있는 것을 보여준다.)

창세기 10장에 나오는 노아의 세 아들의 후손은 모두 일흔이다. 그러나 《칠십인역》에 따르면 그 수효가 일흔둘이다. 이처럼 일흔둘과 일흔이 혼용된 것은 단지 누가복음서에 전해진 예수의 다른 제자들뿐만은 아니다.

초기 유대교 해석자들은 세상의 언어가 모두 일흔 가지며 모든 민족의 수도 일흔이라고 이야기했다. 온 세상의 민족과 언어가 일흔 개라는 해석은 창세기의 '바벨탑' 이야기에 대한 미드라쉬에 나온다. "거기에서 YHWH는 온 땅 위의 언어를 혼동시켰고 온 땅 위에서 그들을 흩어지게 했다."(창세기 11,9) 랍비들은 하느님이 몇 개의 언어로 사람들을 혼동하게 만들었으며 흩어진 민족들은 모두 몇일까? 하는 질문을 던졌다.

> 테라흐의 아들 아브람이 지나가며 그들이 도시를 짓고 있는 것을 보았다. 그는 그의 하느님의 이름으로 그들을 저주했다.
> 그는 말했다.
> "'삼키십시오, 주님, 그들의 언어를 나누십시오.'(시편 55,9) 그들은 그의 말을 땅바닥에 버려진 돌처럼 거부했다. 선택되고 좋은 돌은 모두 집의 모퉁이에 놓는 것이 아닐까? 그것에 대하여 이렇게 쓰여 있다. '건축자들이 가벼이 여기는 돌이 모퉁이의 머리가 되었다.'(시편 118, 22)"
> 심온 랍비가 말했다.
> "찬미 받으시는 거룩하신 분은 그분의 영광의 보좌를 둘러싼 일흔 명

의 천사들을 불러 그들에게 말했다. '와서 그들의 언어를 뒤섞자.'"

찬미 받으시는 거룩하신 분이 내려갔다는 것을 어떻게 아는가?

이렇게 말한다. "자, 우리가 내려가자."(창세기 11, 7) "내가 내려가겠다"라고 쓰여 있지 않고 "우리가 내려가자."라고 (쓰여 있다).

그들 사이에 주사위가 던져졌다는 것을 어떻게 아는가?

이렇게 말한다. "지존하신 분이 민족들에게 상속을 나눌 때에."(신명기 32,8)

찬미 받으시는 거룩하신 분의 주사위는 아브라함과 그의 자손에 떨어졌다. 이렇게 말한다. "참으로 YHWH의 몫은 그분의 백성이며 야곱은 그분의 상속 배분이다."(신명기 32,9)

찬미 받으시는 거룩하신 분이 말했다.

"배분은 나에게 떨어진 주사위며 나의 영혼이 그를 원한다."

이렇게 말한다. "나에게 즐거움으로 배분이 떨어졌다."(시편 16,6)

찬미 받으시는 거룩하신 분이 내려갔으며, 그분의 영광의 보좌를 둘러싼 일흔 명의 천사들도 (내려갔다). 그리고 그들의 언어를 일흔 개의 민족과 일흔 개의 언어로 혼동시켰다. 저마다 각 민족은 자기 글씨와 자기 언어를 가졌으며, 나라마다 천사를 임명했다. 이스라엘은 그분의 몫과 그분의 배분에 떨어졌다. 이것에 대하여 이렇게 말한다. "참으로 YHWH의 몫은 그분의 백성이다."(신명기 32,9)

태초에 사람들은 한 언어를 사용하였는데 그들이 하느님의 가르침에 거슬리는 언행을 모의하자 하느님은 일흔 명의 천사들을 데리고 땅에 내려와 그들이 서로 소통하지 못하게 그들의 언어를 뒤섞어버렸다는 이야기다. 하늘에서 하느님의 시중을 드는 큰 천사들의 수효가 모두 일

흔이라는 것이다. 왜 일흔일까? 아래 잠언 미드라쉬에서 그 실마리를
찾아볼 수 있다.

> "네 입이 아니라 낯선 이가, 네 입술이 아니라 낯모르는 이가 너를 칭
> 찬할 것이다."(잠언 27,2)
> 아바 랍비는 말했다.
> "사람이 자기 이름에 대한 말을 자기 입으로 말하는 것은 부끄러운 것
> 이다. 그래서 '네 입술이 아니라 낯모르는 이가'라고 말했다.[05]
> '쇠는 쇠로 다듬어진다.'(잠언 27,17)
> 이것은 모세와 사악한 파라오를 말한다. 그들은 말로 서로를 죽이려고
> 했다.
> 다른 설명.
> 이것은 아론의 지팡이와 이집트의 요술사들이다. 그들은 마술로 서로
> 를 죽이려고 했다.[06]
> 제이라 랍비는 말했다.
> 모세가 파라오 앞에 들어왔을 때 그는 그에게 "누가 너를 보냈느냐?"
> 라고 말했다.
> 모세는 그에게 말했다.
> "히브리인들의 하느님입니다."(출애굽기 7,16)
> 그는 그에게 "그가 무엇을 말했느냐?" 하고 말했다.
> 그는 그에게 말했다.
> "내 백성을 보내어서 그들이 나를 섬기게 하라."(출애굽기 8,16)
> 그는 그에게 말했다.
> "참으로 이 세상에 내가 알지 못하는 신이 있느냐? 나는 YHWH를 알

지 못한다."(출애굽기 5,2)

그(파라오)는 그(모세)에게 말했다.

"맹세컨대 내가 알고 있는 모든 신들은 각각 나에게 편지를 보냈다. 그러나 너희가 거론하는 신은 그의 날들에[07] 나에게 편지를 보내지 않았다. 그러나 잠깐 기다려보라. 모든 왕들의 편지를 모아놓은 보관함을 가져오라고 하겠다."

곧바로 그는 전갈을 보내어 그의 보관함을 가져왔다. 그리고 일흔 개의 언어를 아는 일흔 명의 서사들도 왔다. 그들은 그 앞에서 편지를 읽기 시작했다. 그러나 그들이 찬미 받으시는 거룩하신 분의 이름을 발견하지 못하자 그는 그들 앞에서 말했다.

"내가 너에게 그렇게 말하지 않았더냐? 나는 YHWH를 알지 못한다."

곧바로 그는 전갈을 보내어 이집트의 현자들을 데려왔다. 그는 그들에게 말했다.

"너희는 살면서 그들의 신의 이름을 들어본 적이 있는가?"

그들은 그에게 말했다.

"우리는 그가 현자들의 아들이고 옛날 왕들의 아들이라고 그렇게 들었습니다. 이렇게 전해집니다. '정말로 쪼안의 지도자들은 미련하다. 파라오의 현명한 조언자들은 우둔한 조언을 한다. 너희는 어떻게 파라오에게 '내가 현자들의 아들이고 옛날 왕들의 아들이다'라고 말할 수 있느냐?"(이사야 19,11)[08]

찬미 받으시는 거룩하신 분은 그들에게 말했다.

"멍청하구나. 이 세상에서 너희는 너희 자신을 현자라고 부르면서 나를 현자들의 아들이라고 하느냐? 맹세코, 나는 이 세상에서 너희 지혜가 사라져버리게 하겠다."

이렇게 말한다. "그 현자들의 지혜는 사라지고 그 분별력이 있는 자들의 이해가 감추어질 것이다."(이사야 29,14)

모세는 파라오의 이러한 말에 대해 그 자신을 기만하는 것으로 보고 전능하신 분 앞에 돌아와 그분 앞에서 말했다.

"세상의 주님, 내가 처음부터 당신 앞에서 그렇게 말하지 않았습니까? '제발 당신께서 보내실 자의 손에 보내십시오.'(출애굽기 4,13) 이제 그는 앉아서 말로 나를 기만하려고 나에게 '나는 YHWH를 알지 못한다'고 말합니다."

그분은 그에게 말했다.

"맹세코, 그가 '나는 YHWH를 알지 못한다'고 말했지만 끝내 그는 알게 될 것이다. 그가 '나는 이스라엘 역시 보내지 않겠다'(출애굽기 5,2)라고 말하지만 끝내 그는 그의 의지에도 불구하고 그들을 보낼 것이다."

그 당시 사람들은 이집트가 세상에서 가장 큰 나라로 생각했으며 파라오는 가장 지혜로운 사람이라고 여겼다. 그가 가장 지혜로운 까닭은 세상의 모든 나라의 최고신들에게서 편지를 받아 보기 때문이다. 옛날부터 고대 이집트뿐 아니라 고대 메소포타미아에서도 신들과 소통하는 사람은 지혜롭다고 말했다. 신들의 비밀을 배울 수 있기 때문이다.

파라오는 모세가 이스라엘의 하느님이 자기를 보냈다고 말하자 그런 이름을 들어본 적이 없다고 하며 신들의 편지를 가져와 읽어보라고 말한다. 그러면서 편지를 읽고 번역할 일흔 명의 서사들도 함께 데려오라고 덧붙인다. 세상의 신들이 모두 일흔이며 각 신은 그 신을 수호신으로 섬기는 민족의 언어로 말한다는 생각을 엿볼 수 있다. 세상에는 일흔 개의 민족이 있고 각기 자기 고유의 언어를 가지고 있다는 뜻이다.

그런데 파라오는 그들의 편지 가운데 YHWH라는 이름으로 온 것이 없다고 말한다. 왜 그럴까? 이스라엘 민족의 수호신 YHWH는 세상에 다른 신들이 없고 오직 YHWH만이 세상의 하느님이라고 말하기 때문이다. 이집트 왕은 신들에게서 편지 받기를 원했기 때문에 다른 신들이 없다고 주장하는 YHWH의 입장에서는 그에게 편지를 보낼 필요가 없다. YHWH가 그에게 편지를 보낸다면 YHWH는 다른 신들 가운데 하나가 되는 자가당착에 걸린다. 이처럼 세상에 일흔 개의 민족과 일흔 개의 언어가 있다는 것은 초기 유대교 현자들의 성경해석에서 생긴 전승이다.

요나의 표징은 무엇을 가리킬까 마태 16,1~4

예수는 갈릴리 호숫가 근처에서 많은 불구자들을 치유하여 벙어리들이 말하고, 절름발이들이 걷고, 소경들이 보게 했다. 군중은 놀라며 하느님을 찬양했다. 예수는 그곳에 모인 많은 사람들이 굶주린 것을 보고 일곱 덩어리 빵과 작은 물고기 몇 마리로 그들을 배불리 먹게 했다. 먹은 사람들은 여자들과 어린이들 외에 남자들만도 사천 명이었다고 한다. 그리고 예수는 그들을 보낸 다음에 배를 타고 마가단 지역으로 갔다.(마태 15,29~39) (아마도 마가단은 예수가 사천 명을 먹였던 반대편 호숫가 근처 같다.) 그곳에서 바리새 사람들과 사두개 사람들은 예수를 시험하려고 다가와 하늘에서의 표징을 그들에게 보여 보라고 청했다. 그러자 예수는 그들에게 이렇게 대답한다.

저녁이 될 때 "맑겠구나. 하늘이 붉으니까" 아침에는 "오늘은 비 내리 겠구나. 하늘이 붉고 흐리니까"라고 말합니다.

위선자들이여, 여러분은 하늘의 징조(얼굴)는 분별할 줄 알면서 이 시대의 표징들에 대해서는 분별시킬 줄 알지 못합니까?

악하고 간음하는 세대가 표징을 청하지만 표징은 주어지지 않고 단지 예언자 요나의 표징뿐입니다.(마태 16,1~4)

그러고 나서 예수는 그들을 내버려두고 갔다. 바리새 사람들과 사두개 사람들이 예수의 무엇을 시험하려고 했는지, 그리고 그들의 속셈을 알아차린 예수가 왜 요나의 표징을 이야기했는지에 대해서는 복음서에 설명이 없다. '하늘의 표징'을 보여 보라는 말뿐이다. 하늘의 표징이 무엇이기에 그들 앞에서 보여 보라며 시험하려 들었을까? 요나의 표징이 무엇인지를 파악하면 이 문제는 풀릴 것 같다. 이를 알아보기 위해 '다섯째 날에 요나는 하느님 면전에서 도망갔다'로 시작하는 《요나서 미드라쉬》를 읽어보면 예수가 요나의 표징에 대해 무엇을 이야기하려는지 살펴볼 수 있다.

(요나가 탄) 배가 하루 길을 떠나가는데 바다에서 오른쪽과 왼쪽으로 회오리바람이 그들에게 들이닥쳤다. 모든 배들은 제 길을 가며 잔잔한 바다를 평화롭게 지나치고 있었으나, 요나가 들어가 탄 배는 큰 곤경에 처했다. 이렇게 말한다. "배가 부서지게 생겼다."(요나 1,4)

랍비 한나니야는 말했다.

"그 배에 일흔 개의 언어가 있었다. 저마다 자기 손으로 역겨워했다. 이렇게 말한다. '뱃사람들은 두려워했으며 저마다 자기 신神에게 외쳤

다."(요나 1,5)

그들은 엎드려 절하며 말했다.

"저마다 자기 신의 이름을 부를 것이다. 그래서 응답하고 우리를 곤경에서 구하는 신이 바로 신일 것이다."

저마다 자기 신을 불렀으나 되는 일이 없었다. 요나는 자기 영혼의 곤경으로 졸다가 잠들었다.[09]

선장이 그에게 와서 말했다.

"도대체 우리는 죽고 사는 판에 서 있는데 당신은 졸다가 잠을 자다니 당신은 어느 백성이요?"

그는 그에게 말했다.

"나는 히브리인입니다."

그는 그에게 말했다.

"우리는 히브리인의 하느님이 위대하다는 것을 듣지 않았는가? 일어서서 당신의 하느님을 부르시오. 아마도 하느님이 우리를 위해 좀 행할 것입니다.(요나 1,6) 그분이 여러분에게 갈대바다에서 행한 것처럼 우리와 함께 기적을 행할 것입니다."

그는 그들에게 말했다.

"여러분 때문에 잘못된 것이 아닙니다. 참으로 나로 인해 이 곤경이 여러분에게 닥친 것입니다. 나를 들어 올려 바다에 내던지십시오. 바다는 여러분에게 잔잔해질 것입니다. 이렇게 전해집니다. '나를 들어 올려 바다에 내던지십시오.'"(요나 1,12)

랍비 심온은 말했다.

"사람들은 요나를 바다에 던지려 들지 않고 그들 사이에 주사위를 던졌다. 주사위가 요나에게 떨어졌다. 이렇게 말한다. '주사위가 요나에

게 떨어졌다."(요나 1,7)

그들은 무엇을 했을까?

그들은 배에 있는 물건들을 모아 그것들이 있는 것보다 가볍게 하려고 그것들을 바다로 내던졌다. 그러나 전혀 되는 일이 없었다. 그들은 육지로 돌아가려고 하였으나 그렇게 할 수 없었다.

그들은 무엇을 했을까?

그들은 요나를 데려와 배의 양편에 서서 말했다.

"세상의 하느님, 주님이시여, 우리에게 깨끗한 피를 주지 마십시오. 우리는 이 사람의 본바탕이 무엇인지를 모릅니다."

그는 그들에게 말했다.

"나로 인해 이 곤경이 여러분에게 닥친 것입니다."

(중략)

(요나는 자기를 바다에 던져달라고 해서 그들은 그를 바다에 던졌고 바다는 평온해졌다.)

뱃사람들은 찬미 받으시는 거룩하신 분이 요나와 함께 행한 모든 표징들과 큰 놀라움을 보았다. 곧바로 그들은 서서 저마다 자기 신을 바다에 내던졌다. 이렇게 말한다. "헛되고 허망한 것들을 섬기는 자들은 그들의 자비를 저버린다."(요나 2,9)

그들은 야포(욥바)로 돌아와 예루살렘으로 올라와서 할례를 받았다. 이렇게 말한다. "뱃사람들은 주님YHWH을 더욱더 두려워했고 주님을 위해 희생 제물을 드렸다."(요나 1,16)

그들이 참으로 희생 제물을 드렸는가?

이방인들에게서는 희생 제물을 받아들이지 못하지 않는가?

그러나 이것은 바로 언약의 피며 희생 제물과 같은 것이다. 그들은 서원을 했으며 저마다 자기 아내와 그에게 속한 모든 식구들을 데려와 요나의 하느님의 두려움에 (할례를) 이행했다. 그들은 서원을 했으며 이행했다. 그들에 대하여 이렇게 말한다. "개종자들, 의로운 개종자들을 위하여."

배에 일흔 개의 언어가 있다는 것은 서로 다른 언어를 사용하는 일흔 개 민족들의 대표자들이 배에 탔다는 뜻이다. 세상의 모든 민족들이 그 배에 탔다는 셈이다. 요나가 히브리인이라고 말하자 히브리인들의 하느님이 갈대바다의 기적을 일으켰다는 것을 알았다고 말하는 것은 세상의 민족들이 토라(모세오경)에 대해 아는 바가 있다는 뜻이다.

뱃사람들이 요나를 잡아다 그냥 바다에 던진 것이 아니라 '깨끗한 피'를 운운한다. 그들이 토라에서 이야기하는 '깨끗한 피'의 의미를 알고 있다는 말이다. '깨끗한 피'는 '카인과 아벨' 이야기에서 분통이 터진 카인이 아벨을 밀쳐 넘어지게 하여 흘린 피를 가리킨다. 난간에 서 있는 요나에게서 '깨끗한 피'를 흘리게 하는 잘못을 저지르지 않으려고 애쓰는 뱃사람들의 참된 모습을 보여준다. 이렇게 죄를 짓지 않으려고 노력하는 사람들이기 때문에 요나의 희생으로 인해 바다가 잔잔해지는 기적을 보자 그들은 이스라엘의 하느님을 찬양하며 그들의 신들을 바다에 던져버린 것이다. 이런 이방인들은 토라의 계명을 지킬 수 있다는 말이다.

토라의 계명을 지키는 이방인들이 받은 할례는 '깨끗한 피'를 흘리게 한 속죄의 표징이며 희생 제물과 같다고 한다. 속죄를 하고 '언약의 피'로 언약을 맺는 의례에서 이 미드라쉬의 의도를 파악할 수 있다. 복음서의 내용과 비교할 수 있는 중요한 부분이다. 최후 만찬이 바로 '언약의 피'로 예수와 그의 제자들이 언약을 맺는 의례다. 예수는 세상의 죄를 없애기 위해 하느님에게 바치는 속죄의 희생양으로 설명된다. 세례자 요한이 예수를 바라보며 이렇게 말한다. "보시오, 세상의 죄를 없애는 하느님의 양입니다."(요한 1,29) 예수는 '깨끗한 피'의 대명사다.

마지막 인용문 '개종자들, 의로운 개종자들을 위하여'라는 문구는 유대교 일상기도인 〈18조 기도문〉의 13번째 문구다. 《요나서 미드라쉬》가 의도하는 방향은 히브리인의 자발적인 희생(순교)으로 이방인을 포함한 세상의 구원이 이루어진다는 것이다. 랍비들은 개종자도 유대교의 종교 예식에 참여할 수 있다는 해석의 근거를 요나서에서 발견했다. 이러한 맥락에서 개종자에게도 하느님은 구원의 약속을 할 수 있다는 논리가 초기 유대교 랍비들 사이에 오가던 논쟁이었다.(샴마이와 힐렐 사이에 이방인의 개종에 대한 일화에서도 이런 문제를 볼 수 있다. 2장 〈샴마이와 힐렐의 논쟁〉 참조) 한편 엣세네에도 개종자들이 상당수 있었다는 것은 그들의 규례에서 읽어볼 수 있다.

> 모든 거류민의 규례.
> 모두가 그들의 이름(을 부름)으로 감찰 받는다.
> 첫째는 사제들, 둘째는 레위인들, 셋째는 이스라엘 자식들, 넷째는 개종자.
> 차례차례로 그들의 이름을 기록한다.
> 첫째는 사제들, 둘째는 레위인들, 셋째는 이스라엘 자식들, 넷째는 개종자.
> 그리고 앉아서 모두가 질문을 받는다.(〈새 언약의 규례〉 xiii, 3~6)

위에서 인용한 복음서에서 바리새들과 사두개들이 예수에게 '하늘의 표징'을 보여 보라고 한 것을 《요나서 미드라쉬》와 비교해보면 하늘에 기도해서 호수에 회오리바람을 일으켜 지나가는 이방인들이 타고 다니는 배들이 흔들리게 한 뒤 그치게 하여 그들이 개종하려고 하는지 해보라는 말로 짐작할 수 있다. 그래서 예수는 요나의 표징을 그 대답으로 말한 것이고 그들이 아무 대꾸도 하지 않자 예수는 그 자리를 떠난 것이다. 예수가 자신을 희생양으로 하느님에게 바치며 세상의 죄를 없애려고 하는 그의 참마음(소명/야망)을 알아차렸기 때문일 것이다.

《요나서 미드라쉬》 첫 부분에 그 배에 일흔 개의 언어가 있다고 말하는 것도 토라는 온 세상 사람들을 위해 하느님이 준 것이지 오직 이스라엘 민족을 위한 것이 아니라는 점을 밝히는 해석이다. 예수도 마찬가지다. 그의 사명은 이방인들에게도 토라의 희망을 주고 그들이 속죄하고 새 언약의 동반자가 되게 하는 것이다. [당시 갈릴리 지방에는 티베리아스와 같은 그리스식 도시들이 여럿 있었고 당연히 이방인들도 많이 살았다. 티베리아스는 헤롯 안티파스가 20년경에 건설한 도시며 갈릴리 지방의 수도였다. 티베리아스는 안티파스를 지지했던 로마 황제 티베리우스의 이름을 따온 것이다. 티베리아스에서 지중해 쪽으로 반나절 거리에 위치한 찌포리나 지중해 연안에 헤롯 1세가 건설한 카이사리아 등도 원형극장과 김나지움이 있는 그리스풍의 도시였다. 갈릴리 호수를 중심으로 티베리아스는 남쪽에, 유대인들의 마을은 주로 북쪽(가버나움)과 서쪽(막달라)에 있었다.]

의로운 개종자들이 새 언약의 공동체가 들어와 의로운 세상이 되는 것이 이 세대가 분별해볼 수 있는 표징이다. 토라의 계명을 지키는 의로운 개종자들이 세상에 가득 차는 날에 하느님의 왕국(천국)이 세워진다는 말이다. 특히 그 배에 탄 온 세상을 대표하는 이방인들이 개종했다는 이야기는 초대교회에서 '구원의 배'라는 상징 그림을 사용했던 전승과 상통할 수 있는 미드라쉬에 속한다.

예수 공동체의 기적적인 표징은 이방인들을 공동체에 서원자로 받아들이며 유대인과 차별을 두지 않았다는 점이다. 이러한 종교 평등주의는 바리새나 사두개뿐 아니라 엣세네에게도 파격적인 처사였으며 예수는 《요나서 미드라쉬》의 의로운 개종자와 같은 예를 요나의 표징으로 여겨 그들에게 말한 것이다. 그래서 복음서의 끝 부분은 모두 세상 끝까지 온 민족들에게 복음을 전파하라는 말로 마친다. "그러므로 여러분은 가서 모든 민족들을 제자로 삼으십시오."(마태 28,19); "그들은 떠나가서 모든 곳에 (복음을) 선포했다"(마가 16,20); "모든 민족에게 그분의 이름으로 죄를 용서하기 위한 회개가 선포된다는 것입니다."(누가 24,47) (예수와 바리새들이 서로 잘 알고 있는 미드라쉬가 있었다는 것쯤은 이러한 맥락에서 어느 정도 알 수 있다.)

[한편, 같은 요나의 표징 문구가 다른 맥락에서도 나온다. 그에 대한 요나의 표징은 이러하다. "요나가 바다 괴물의 배 속에서 사흘 낮 사흘 밤을 지냈던 것처럼 아담의 아들도 그렇게 땅속에서 사흘 낮 사흘 밤을 지내게 될 것입니다."(마태 12,38~39) 예수가 무덤 굴속에 있다가 요나처럼 사흘째 되는 날에 세상으로 나온다는 표징을 말한다.]

영광스러운 변모는 무슨 표징일까 마태 17,2~5

어느 날 예수는 베드로와 야고보(야곱)와 그의 형제 요한(요하난)을 따로 데리고 나가서 높은 산으로 올라갔다.

그리고 예수는 그들 앞에서 모습이 변했으며 그 얼굴은 해처럼 빛나고 그 옷은 빛처럼 하얘졌다.(마태 17,2)

그런데 높은 산에서 예수의 모습이 이처럼 빛나고 있을 때 모세와 엘리야가 그들에게 나타나며 아래와 같은 사건이 일어났다.

그들이 그와 말하고 있을 때 모세와 엘리야가 그들에게 나타났다.
베드로가 예수에게 대답하여 말했다.
"선생님(아도네뉴), 우리가 여기 있는 것이 좋습니다. 당신이 원하신다면 우리가 여기에 초막 셋을 짓겠습니다. 하나는 당신에게, 하나는 모세에게, 하나는 엘리야에게."
아직 말하고 있는데 홀연 빛나는 구름이 그들을 감쌌다. 그리고 구름에서 소리가 났다. 이렇게 말한다. "이는 내 사랑하는 아들이요(시편 2,7), 그에게 내 즐거움이 있다(이사야 42,1)." "그(의 말)를 들어라."(신명기 18,15)(마태 17,3~5)

제자들은 두려워 얼굴을 땅에 대며 떨었다고 전한다. 위 본문에서 눈여겨 볼 부분은 구름에서 소리 나며 말한 성경구절이다. 이와 같은 인용문은 예수가 '서른 살'쯤 되었을 때 세례자 요한에게 가서 요르단 강물에 세례를 받는 장면에서도 사용된다. 하느님의 바람이 비둘기처럼 내려와 그 위에 이르렀다. 그때 하늘에서 소리가 (나며) 말했다. "그는 사랑받는 내 아들이다. 너에게 내 즐거움이 있다."(마태 3,16~17) 이것은 예수가 세례자 요한 앞에서 자신의 공동체를 시작하는 선포식을 보여준다(4장 〈서른 살쯤에 하느님의 사랑 받는 아들이 되었다〉 참조).

한편 높은 산 위에서의 장면에 다시 한 번 "그는 사랑받는 내 아들이다"라고 구름에서 소리가 울리는 사건은 모세와 엘리야가 나타난 가운데 예수가 가장 신임하는 세 제자들 앞에서 그가 메시아임을 확인하는 의례라고 볼 수 있다. 그래서 이 경우 '그(의 말)를 들어라'는 구절이 덧붙여진 것이다. 세 제자는 예수의 말을 듣고 세상에 전파하는 대변인이 되라는 뜻이다(여기서 세 명의 수제자는 엣세네파의 최고 지도층 세 사제와 같은 맥락에서 이해할 수 있다).

좋은 기억의 엘리야

그런데 이런 의례에서 모세와 엘리야가 나타나야 할 까닭이 무엇일까? 초기 유대교 전승에서 모세와 엘리야의 역할이 무엇인가를 알아보아야 하겠다. 복음서에서 엘리야의 등장은 마지막 시대를 선포하는 예언자로서의 역할과 관련된다. 높은 산에서 예수와 그의 세 제자들이 모세와 엘리야를 만난 다음, 산에서 내려올 때 예수는 그들에게 "아담의 아들이 망자들 가운데 일으켜질 때까지 이 현시를 아무에게도 말하지 마시오"라고 말했다.(마태 17,9) 그런데 제자들이 예수에게 "그러면 왜 서사들은 (마지막 날에) 엘리야가 먼저 와야 한다고 말합니까?"라고 질문했다. 엘리야가 모든 것을 바로잡기 위해 먼저 온다고 예수는 대답하며 이미 엘리야가 왔으나 사람들이 그를 알아보지 못한다며 "이처럼 아담의 아들도 미래에 그들에게 고난을 겪을 것입니다"라고 말했다.(마태 17,12) 그들은 예수가 세례자 요한을 두고 말하는 것을 알아차렸다. 엘리야는 세례자 요한처럼 메시아의 등장을 선포하는 역할을 한다.

높은 산에서의 사건에서 모세와 엘리야가 나타난 것은 아담의 아들이 죽었다가 다시 일어난다는 앞일을 알려주는 역할을 하며 이를 비밀로 해야 하기 때문에 예수는 그와 가장 가까운 세 명의 제자들만을 높은 산으로 데리고 갔었다. 엘리야가 부활과 관련되어 나오는 단락을 초기 랍비 유대교 문헌에서 찾아볼 수 있다.

《미쉬나》에서 가르친다.
핀하스 벤 야이르 랍비는 말했다.[10]
"주의 깊음은 깨끗함에 이르게 하고,
깨끗함은 정결함에 이르게 하고,
정결함은 거룩함에 이르게 하고,
거룩함은 겸손에 이르게 하고,
겸손은 죄를 두려워함에 이르게 하고,
죄를 두려워함은 경건함에 이르게 하고,
경건함은 거룩하신 분의 영에 이르게 하고,
거룩하신 분의 영은 죽은 자들의 살아남(부활)에 이르게 하고,
죽은 자들의 살아남은 좋은 기억의 엘리야에 이르게 한다."(《아보다 자라》, 20b)

'좋은 기억의 엘리야'는 열왕기에 나오는 예언자 엘리야를 말한다. '좋은 기억'이라는 숙어는 죽은 자를 뜻하는 우회적인 표현이다. 초기 유대교 문헌에 엘리야는 망자의 부활과 연관된 일에 자주 등장한다. 높은 산에 나타난 엘리야는 예수가 죽을 것을 알려주는 통보자 역할을 한다. 그래서 예수는 아담의 아들이 망자들 가운데 일으켜질 때까지 모세와 엘리야가 나타난 것을 아무에게도 말하지 말라고 제자들에게 일러 둔 것이다.

초기 유대교 전승에 따르면 이스라엘 역사(히브리 성경의 역사)에서 세 사람이 하늘로 올라갔다고 이야기한다. 에녹(하녹)과 모세 그리고 엘리야라고 말한다. 에녹이 하늘로 올라간 배경은 하느님이 그를 데려갔다(창세기 5,24)고 했기 때문이다. 에녹(하녹)은 하늘의 성전 도시를 짓기 위해 올라갔다고 이야기한다(12장 〈낙원에 들어간 네 명〉 이야기 참조). 모세가 하늘로 올라갔다는 구전은 모세의 무덤이 어디 있는지 모르기 때문이다. "오늘날까지 그 무덤이 어디에 있는지를 아는 사람은 아무도 없다."(신명기 34,6) 엘리야는 불 마차를 타고 하늘로 올라갔기 때문에 하느님과 함께 천상의 길을 거닐고 있다는 전승이 전해졌다. "그들(엘리야와 엘리샤)이 여전히 걸어가며 말하고 있었다. 보아라, 불 전차와 불 말들을! 그것이 둘 사이를 갈라놓았다. 엘리야는 회오리바람에 하늘로 올라갔다."(열왕기하 2,11) 초기 랍비 유대교의 미드라쉬에 모세와 엘리야가 구원자로 등장하는 이야기가 나온다.

"어찌하여 제가 원수의 핍박으로 슬피 걸어야 합니까?"(시편 43,2)
(하느님이 이스라엘 백성에게 말했다.)
"내가 그때 (이집트에서) 너에게 구원을 보내지 않았느냐?"
이렇게 말한다. "그분은 그분의 종, 모세와 그분이 선택한 아론을 보냈다."(시편 105,26)
그래서 그분은 우리에게 그들을 대응하여 다른 둘을 보낸다. 이렇게 말한다. "당신의 빛과 당신의 진리를 보내십시오."(시편 43,3)
그래서 하느님은 그들에게 말했다.
"내가 너희에게 구원을 다시 보내겠다."
이렇게 말한다. "나의 종, 모세의 토라를 기억하라. 보아라, 내가 너희에게 엘리야 예언자를 보낸다."(말라기 3,22~23) 그래서 한 이름이 알려졌다.

두 번째 이름은 이렇다.

"여기 나의 종이 있다. 그에게 내 즐거움이 있으며 내가 사랑하는 자고 내 목숨이 원하는 자다."(이사야 42,1) 이렇게 말한다. "당신의 빛과 당신의 진리를 보내십시오. 그들이 저를 인도합니다. 그들이 저를 당신의 거룩한 산, 당신의 거처로 데리고 갑니다."(시편 43,3)(《시편 미드라쉬》43,2)

옛날에 하느님은 이집트에서 종살이하던 이스라엘을 구원하기 위해 모세와 그의 형 아론을 이집트 왕에게 보냈다. 모세는 이집트에서 이스라엘 백성을 구해내어 시나이 산으로 데리고 왔으며 그곳에서 이스라엘은 하느님의 법(토라)을 받고 하느님의 백성으로 살겠다는 맹세를 했다. 과거의 구원은 모세에 의해 이루어졌다.

그다음 이스라엘을 구한 인물이 엘리야 예언자라고 말한다. 엘리야가 YHWH 하느님의 예언자로 활동할 당시(기원전 885년경) 바알의 예언자는 450명이고 아쉐라의 예언자는 400명이나 되었지만, YHWH의 예언자는 엘리야 혼자뿐이었다고 전한다.(열왕기상 18,19) (아쉐라는 가나안의 여신이며 바알의 배우자로 등장한다.) 이스라엘 사람들이 그들의 하느님뿐 아니라 바알과 아쉐라도 섬기는 상황에서 엘리야는 바알의 예언자들과 승부를 걸었다. 엘리야는 이스라엘 백성이 모인 앞에서 소를 나뭇단 위에 올려놓고 바알이나 하느님 가운데 누가 이 나뭇단에 불을 지펴 소를 태울 수 있는지 경쟁하기로 한다. 바알의 예언자들은 하루 종일 바알을 큰 소리로 불러보지만 아무런 응답이 없었다. 엘리야가 "YHWH가 이스라엘의 하느님이다"라고 외치며 기도하자 하늘에서 불이 떨어져서 제물과 나뭇단을 태웠다(열왕기상 18, 21~40). 이로 인해 이스라엘 백성이 지옥에 떨어지지 않고 구제되었다.

그다음으로 나오는 구원자는 이사야서에서 언급된 '하느님의 종'이다. 하느님이 그의 손을 붙잡아주어 그는 보지 못하는 눈을 뜨게 하고 어둠에 앉아 있는 이들을 감방에서 풀어줄 것이라고 말한다.(이사야 42,6~7) 고난에 처한 이스라엘을 구원한다는 예언이다. 그래서 하느님의 빛과 진리는 '하느님의 종'이 원수의 핍박을 받으며 슬피 걸어갈 때에 구원의 손길을 뻗칠 것이라는 해석이다. 여기서 하느님의 빛과 진리는 구원의 시대에 나타나는 메시아를 은유적으로 표현하는 낱말이다.

복음서에 이사야 42,1~4가 인용된 단락을 찾아볼 수 있다. 예수가 어느 안식일에 손이 오그라든 병자를 낫게 하자 바리새들은 그가 안식일을 속되게 했다고 그를 없애버리기로 모의했다. 예수는 많은 병자를 고쳐주었고 바리새들을 꾸짖었다. 그러므로 이사야 예언자의 말이 이루어졌다고 전한다.(마태 12,9~17) "여기 나의 종이 있다. 나의 즐거움이 그에게 있고 내가 사랑하는 자고 내 목숨이 원하는 자다. 내가 그에게 내 영을 주겠으니 그가 민족들에게 공정을 알리리라."(이사야 42,1)

높은 산에서의 '영광스러운 변모' 일화와 위에서 읽어본 《시편 미드라쉬》를 비교해볼 수 있다. 모세와 엘리야가 등장하는 것과 이사야서의 인용 이외에도 여러 단어들이 대조된다. 빛나는 예수의 얼굴/하느님의 빛, 높은 산/거룩한 산, 초막/거처 등. 시편 43장의 마지막 구절은 이렇게 말한다. "하느님에게 소망을 두어라. 내가 아직도 그분을 찬양하기 때문이다. 내 얼굴의 구원(예슈아)이여, 나의 하느님이여."(시편 43,5)('내 얼굴의 구원'은 직역이며 하느님의 구원으로 얼굴이 빛나는 것을 뜻한다.) 해처럼 빛나는 예수(예슈아)의 얼굴은 하느님의 구원(예슈아)을 표상한다.

신명기 미드라쉬에 보면 모세가 죽을 시간에 하느님은 천사 사마엘을 모세에게 보내 그의 혼을 가져오게 했다. 그러자 모세는 해처럼 빛났다고 말한다.(《신명기 미드라쉬 랍바》 11,10) 이것은 모세가 두 개의 석판을 손에 들고 시나이 산에서 내려올 때에 그의 얼굴에서 빛이 났다(출애굽기 34,29)는 구절에 대한 구전이다. 이와 비교해보면 '하느님의 빛'과 해처럼 빛나는 예수의 얼굴은 모세에 대한 구전을 말한다. 그렇다면 '하느님의 진리'는 엘리야로 이해할 수 있다. 엘리야는 하느님의 진리가 도래한 기쁜 소식을 선포하기 위해 높은 산에 나타난 것이며 또한 그 하느님의 진리는 죽음에서 일어선다는 확신을 엘리야를 통해 알려준 것이다. 랍비 문헌에서 엘리야가 죽음을 알리는 통보자 노릇을 하는 이야기를 읽어볼 수 있다.

"그녀(지혜)가 또한 상을 차렸다."(잠언 9,2)
아키바 랍비가 감옥에 있었으며 그의 제자인 게라사 사람 예호슈아 랍비가 그를 시중들었을 때의 일화다.
어느 명절 전날 예호슈아 랍비는 휴가를 얻어 자기 집으로 갔다. 그런데 엘리야가 와서 그의 집 문지방에 서 있었다.
그(예호슈아 랍비)는 그에게 "스승님(랍), 안녕하십니까?" 하고 말했다.
그는 그에게 "랍비, 스승님, 안녕하십니까?" 하고 말했다.
그는 그에게 "당신은 필요한 것이 없습니까?"라고 말했다.
그(엘리야)는 그에게 말했다.
"나는 사제며 감옥에 있는 아키바 랍비가 죽었다는 것을 당신에게 알려주려고 왔습니다."

즉시 그들 둘은 감옥으로 돌아갔다. 감옥의 대문이 열려 있었고 감옥 간수가 잠자고 있는 것을 발견했다. 감옥에 있던 모든 사람들이 잠자고 있었다. 그들은 아키바 랍비를 침대에 눕혀놓고 밖으로 나갔다. 그가 죽자마자 엘리야는 좋은 일을 하겠다며 그를 어깨에 메었다.

예호슈아 랍비는 이것을 보자 엘리야에게 말했다.

"스승님, 당신은 나에게 '나는 엘리야 사제다'라고 말하지 않았습니까? 사제가 주검과 (접촉하는 것은) 부정한 것으로 금지되어 있습니다."

그는 그에게 말했다.

"됐습니다. 내 아들, 예호슈아 랍비여. 다행스럽게도 (주검이) 의인들과 그들의 제자들에게는 부정하지 않습니다."

그들은 카이사리아의 네 아치형 성문에 도달하기까지 밤새껏 그를 짊어지고 갔다. 그들은 거기에 도착하자 세 계단을 올라가고 내리막길을 내려왔다. 한 동굴이 그 안쪽으로 열려 있었다. 거기에서 의자와 긴 의자, 상床과 등잔을 보았다. 그들은 아키바 랍비를 침상에 눕히고 나갔다. 그들이 나가자 동굴이 닫혔으며 등잔에 불이 밝혀졌다.

엘리야는 이렇게 열려 있었던 것을 보고 말했다.

"여러분 의인들은 행복합니다. 토라에 종사하는 여러분은 행복합니다. 하느님을 두려워하는 여러분은 행복합니다. 오는 미래에 에덴동산의 한 자리가 여러분에게는 숨겨졌고 보이지 않지만 여러분을 위해 지켜집니다. 아키바 랍비여, 당신이 죽는 때에 쉴 곳을 찾았으니 당신은 행복합니다."

이렇게 말한다. "그녀(지혜)가 또한 상을 차렸다."(《잠언 미드라쉬》 9, 2)

사제가 주검과 접촉하는 것은 부정한 것으로 금지되었다.(레위기 21,1

이하) 《미쉬나》에도 사제가 주검과 접촉하지 않아야 하는 여러 판례를 규정해 놓았다. 그러나 아키바의 이야기에서 엘리야가 죽은 아키바를 자기 어깨에 올려놓은 것은 의인과 그의 제자의 관계를 가족으로 해석한 것이다. 그래서 또한 '내 아들아'라고 부른다. 유대교 규례에 따르면 죽은 부모를 장사 지내는 상주의 역할은 그들의 아들이 맡는다. 아키바의 일화에서 그를 장사 지낸 사람은 그의 가족이 아니라 그의 제자들이다. 그 이유는 토라 교사가 부모를 선행先行한다는 《미쉬나》의 가르침에 의거한 것이다(6장 〈죽은 아버지는 망자들이 묻게 하시오〉 참조). 아키바는 천상의 에덴동산에 들어갔다 온전히 나왔다고 이야기한다(12장 〈낙원에 들어간 네 명 이야기〉 참조). 엘리야는 아키바 랍비가 죽어서도 에덴동산에 쉴 곳을 찾았다고 알려주는 역할을 한다. 에덴동산은 하느님 왕국을 말한다.

이처럼 '영광스러운 변모' 일화에서도 엘리야는 '아담의 아들'인 메시아 예수가 죽어서 하늘에 올라갈 것을 세 제자들에게 확인시켜주려고 등장한 것이다.

모세와 죽음의 천사

그렇다면 모세는 무슨 내용을 전달하기 위해 높은 산에 나타났을까? '모세와 다섯 천사'라는 이야기에서 조금은 살펴볼 수 있다.

모세가 시나이 산 꼭대기에서 사십일 동안 하느님과 함께 있다가 (그동안 모세는 하느님에게서 토라를 배웠다고 초기 유대교 구전에 이야기한다) 하느님이 그분의 손가락으로 써준 석판을 들고 내려온다. 그런데 산기슭에서는 모세가 내려오지 않는다고 금송아지 형상을 만들어 제단에 올려놓고 "이스라엘아, 이들이 너를 이집트 땅에서 데리고 올라온 너의 하느

님이다"(출애굽기 32,4)라고 외치며 춤추는 사건이 발생했다. 이스라엘 백
성의 음행을 본 하느님은 그들을 없애버리려고 죽음의 다섯 천사를 만
들었다는 이야기가 랍비 문헌에 나온다.

찬미 받으시는 거룩하신 분은 모든 이스라엘을 부수려고 다섯 천사를
보냈다. 그들은 이러하다.
'분노, 화禍, 열화, 파멸, 진노.'
모세가 (이 말씀을) 듣고 아브라함과 이츠학과 야곱을 만나러 나갔다.
그는 말했다.
"만일 여러분이 내세의 아들이면 이 시간에 내 앞에 서십시오. 보십시
오, 여러분의 자식들이 도살장의 양 떼처럼 넘겨졌습니다."
그 세 선조들은 그 앞에 섰다. 모세는 그분 앞에서 말했다.
"온 세상의 주님이시여, 당신은 그들의 씨를 하늘의 별처럼 늘리겠다
고 그렇게 맹세하지 않았습니까?"
이렇게 말한다. "당신은 당신의 종 아브라함과 이츠학과 이스라엘을
위해 당신에게 맹세하신 것을 기억하십시오. 당신은 그들에게 '내가
하늘의 별처럼 그들의 씨를 늘리겠다'고 말씀하셨습니다."(출애굽기
32,13)
세 선조들 덕분에 세 천사 '분노, 화, 열화'는 이스라엘 (백성)에게서 멈
추었다. 그러나 둘은 남았다.
모세는 찬미 받으시는 거룩하신 분에게 말했다.
"세상의 주님이시여, 당신이 그들에게 약속하신 맹세를 위하여 이스라
엘에게서 (천사) '파멸'을 멈추게 하십시오."
이렇게 말한다. "당신이 그들을 위해 당신에게 하신 맹세."(출애굽기

32,13)

'파멸'은 멈추었다. 이렇게 말한다. "그분은 자비로우며 죄를 용서해주고 파멸하지 않으신다."(시편 78,38)

모세는 또 그분 앞에서 말했다.

"당신이 나에게 약속하신 맹세를 위하여 이스라엘에게서 (천사) '진노'를 멈추게 하십시오."

[이렇게 말한다. "당신의 진노에서 돌아가십시오."(출애굽기 32,12)]

모세는 무엇을 했느냐?

그는 갓 자식들의 거류지인 큰 주택처럼 땅을 팠으며 감옥소에 갇힌 사람처럼 (천사) '진노'를 땅에 숨겼다.[11] 이스라엘이 죄를 지을 때마다 그는 올라와 그의 입을 벌려 그 바람(입김)으로 입 맞추어 이스라엘을 파멸시키려고 했다. 그래서 그의 이름을 페오르(입을 벌린 자)라고 불렀다.

(그가 올라왔을 때) 모세는 그에게 (하느님의) 이름을 상기시키고 그를 땅 밑으로 내려뜨렸다.

모세가 죽었을 때 찬미 받으시는 거룩하신 분은 어떻게 했느냐?

그의 무덤을 그의 상대편에 만들어주었다. 이스라엘이 죄지을 때마다 그('진노')가 그의 입을 열고 이스라엘을 파멸하기 위해 그 바람으로 입 맞추려고 하면 그는 그의 상대편에 (있는) 모세의 무덤을 보고 두려워하며 뒤로 돌아 되돌아간다. 이렇게 말한다. "그분은 페오르의 집 앞, 모압 땅의 계곡에 그(모세)를 묻었다."(신명기 34,6)(《엘리에제르 랍비의 해설집》 45장)

땅을 파고 감옥소에 갇힌 사람처럼 천사 '진노'를 땅에 숨겼다는 전승처럼 악인들을 땅속에 숨기는 은유는 히브리 성경에 몇 군데 나온다.

"그들을 모두 흙 속에 숨기고 그 숨긴 곳에서 그들을 염포로 묶어보아라."(욥기 40,13) 또한 땅바닥이 갈라져 저승이 코라흐(코라)의 자손과 재산을 모두 삼켜버린 이야기(민수기 16,25~34)에서도 볼 수 있다. 이스라엘이 죄를 지었을 때 하느님이 죽음의 천사 진노로 하여금 그 무덤에서 불어오는 바람에 입 맞추어 이스라엘을 저승에 떨어뜨리려고 하면 모세가 나타나 막아준다는 이야기다.

예수는 그의 제자 유다의 입맞춤으로 인해 선동자로 몰리게 되어 산헤드린에서 심판을 받고 빌라도에게 넘겨져 십자가형에 처형되었다. 그는 무덤 굴에 들어갔다가 다음 날 일어서고 무덤에서 나와 하늘로 올라가 하느님의 오른편에 앉을 계획이 짜여 있다.(그러한 운명을 타고 태어났다.) '영광스러운 변모' 사화에서 예수는 하느님의 천사 '진노'를 달래주는 모세를 만나 앞날을 상의하고 있었다고 상상할 수 있다.

06

십계명 해석과
천국의 가르침

마태가 전한 복음서에 따르면 예수가 제자들을 만들고 전도 여행을 했으며 곧이어 '예수가 군중들을 보고 산에 올라갔다. 그가 앉자 그의 제자들이 그에게 다가왔다. 그리고 그는 입을 열고 그들을 가르쳤다'(마태 5,1~2)고 이야기한다. 그는 "여러분은 땅에 소금과 빛입니다"라고 말한 다음 "내가 토라(모세오경)와 예언서를 파헤치려고 온 줄로 여기지 마십시오. 파헤치려고 온 것이 아니라 채우려고 왔습니다"라고 선언하며 다음과 같이 부연 설명한다.

하늘과 땅이 사라질 때까지, 모든 것이 이루어질 때까지 토라에서 작은 한 글자나 한 단어도 사라지지 않을 것입니다. 그러므로 누구든 이런 작은 계명 가운데

하나라도 어기거나 사람들에게 그렇게 가르치면 하늘 왕국(천국)에서 작은 자라
고 불릴 것입니다.
그러나 (그대로) 행하고 가르치는 사람은 모두 하늘 왕국에서 큰 자라고 불릴 것
입니다.(마태 5,18~19)

여기서 알 수 있듯이 예수는 히브리 성경의 구절을 잘못 인용하거나 임의로 파헤쳐
없애버릴 사람은 아니다.

'살인하는 자는 재판에 넘겨진다'고 들었다 마태 5,21

이어서 예수는 '살인하지 마라'는 십계명 6항부터 해석하기 시작했다.

> '살인하지 마라'. 살인하는 자는 재판에 넘겨질 것이라고 이전 사람들
> 에게 말하는 것을 여러분은 들었습니다. 그러나 나는 여러분에게 말합
> 니다.
> 자기 형제에게 이유 없이 성내는 자는 누구나 재판에 불려가야 합니다.
> 누구든 자기 형제더러 "바보"라고 말하는 자는 산헤드린에 불려가야
> 합니다. 누구든 "어리석은 자"라고 말하면 불붙는 지옥에 불려가야 합
> 니다.(마태 5,21~22)

여기서 '내가 여러분에게 말합니다'라는 말은 인용구에 대한 예수
의 해석을 뜻한다. 그런데 예수는 그의 제자들에게 그들이 십계명에
대한 해석을 이전에 들었다고 말한다. 누구에게서 토라를 들었다는 말
은 토라를 배웠다는 말이다. 그들은 어디에서 토라의 법규를 들었을
까? 그 당시 토라를 배울 수 있는 곳은 바리새들이 운영하는 미드라쉬
(성경해석) 학교와 엣세네에 들어온 예비자들을 위한 엣세네의 교육기관
이다. 사두개들에게는 공공 학교가 없었던 것 같고 성전에서 사제들이
자체적으로 가르쳤을 것 같다. 예수의 제자들이 그를 만나기 전에 어
느 부류에 속했었는지는 분명하지 않지만 그들은 이미 토라를 배운 사
람들이다.

여기서 '형제'는 공동체 일원을 뜻한다. 이런 잘못을 하면 재판에 걸
려들 수 있으니까 자기 형제들 사이에 말조심하라는 것이다. 예수의 해
석에 대한 구체적인 맥락은 엣세네의 규례에서 찾아볼 수 있다.

만일 그의 이웃에게 모질게 말하거나 알면서 속이는 자는 6개월 회개할 것이다.

그의 이웃을 위해 기부하지 않으면 3개월 벌 받는다. 만일 단합체의 재산에 기부하지 않아 손해를 보면 그는 앞당겨 갚을 것이다. 만일 그의 손으로 갚을 수 없으면 60일 벌 받는다.

그의 이웃에게 재판 없이 적의를 품은 자는 일 년 벌 받는다. 무슨 일이든 그의 목숨을 걸고 보복하면 마찬가지다.

어리석은 일을 그의 입에 담은 자는 3개월. 그의 이웃이 말하는 중에 말한 자에게 10일.

대중의 모임에 누워서 자는 30일 벌 받는다. 또한 대중의 모임에서 이유 없이 나가는 사람이 한 모임에서 세 번 이상 그러면 10일 벌 받는다. 만일 투표하지 않고 있다가 떠나면 30일 벌 받는다.

그의 이웃 앞에서 인간적인 이유 없이 벌거벗고 걸은 자는 6개월 벌 받는다. 대중의 모임 속에 침을 뱉은 사람은 30일 벌 받는다. 자기 옷 밑으로 (넣은) 손을 꺼내며 몸을 드러내 보이면 30일 벌 받는다. 그의 목소리를 들으라고 얼간이 짓을 하는 자는 30일 벌 받는다. 그의 왼손을 꺼내어 손짓으로 이야기하는 자는[01] 10일 벌 받는다.

그의 이웃에게 험담하고 다니는 사람은 일 년 동안 대중의 정결례에서 구별되며 벌 받는다. 대중에게 험담하고 다니는 사람은 그들로부터 쫓겨나가 다시는 돌아오지 못한다. 단합체의 근본에 대해 불평하는 사람은 쫓겨나가 돌아오지 못한다. 만일 그의 이웃에 대해 재판 없이 불평을 하면 6개월 벌 받는다.(《단합체의 규례》 vii,5~18)

벌을 받는 구체적인 방법은 공동 식탁에 참가하지 못하는 것이다. 아래와 같은 엣세네의 규례에서 좀 더 확실한 성경해석적인 근거를 읽어 볼 수 있다.

언약에 들어온 자가 증인들 앞에서 비판 없이 그의 이웃을 비난하거나 분노에 차서 비난하거나 그를 천시할 만하게 장로들에게 이야기하면 그는 복수를 하는 것이며 원한을 갖는 것이다. 이렇게 쓰여 있지 않느냐? "(하느님)은 그의 원수에게 복수하며 그의 적에게 원한을 갖는다." (나훔 1,2)

그가 그날에서 다음 날까지 입을 닫고 있다가 분노에 차서 그를 비난하면 이 일로 죽음을 초래하는 것과 같다. 하느님의 명령에 서약하지 않았음을 답해준다. "너는 네 이웃을 비판할 것이며 그로 인하여 죄지음을 짊어지지 않을 것이다."(레위기 19,17)(〈새 언약의 규례〉 vi,4~8)

예수의 말에 '이유 없이 성내는 자'는 그 이웃에게 비판 없이 비난하는 언행이고, 자기 형제더러 '바보'라고 말하는 것은 분노에 차서 비난하는 욕설이며, 원로들에게 그는 '어리석은 자'라고 말하는 것은 그를 천시하는 말이다. 그런데 이렇게 비난하면 비난 받은 사람이 비난한 자를 죽일 수가 있다는 말이다. 그러므로 남을 비난하기에 앞서 하루라도 입을 다물고 있지 말고 그에게 가서 비난 받을 만한 것을 비판하라는 조언이다. 예수의 해석은 엣세네의 규례에 그 바탕을 두고 있다.

왜 형제와 먼저 화해를 하라고 할까 마태 5,23~25
이어서 예수는 다음과 같이 가르쳤다.

그러므로 당신이 제단에 예물을 갖다 바치려 할 때 형제가 당신에게 어떤 원한을 품고 있는 것이 거기서 생각나거든 당신의 예물을 거기 제단 앞에 두고 먼저 물러가서 당신 형제와 화해하시오.(마태 5,23~25)

('형제'는 공동체 일원을 뜻한다.) 왜 먼저 화해를 하라고 가르칠까? 무엇의 먼저를 말하는 것일까? 그 해답은 주기도문에 이어 전해진 아래와 같은 가르침에서 찾아볼 수 있다.

사람들에게 그들의 잘못을 용서하면 여러분 하늘의 아버지도 여러분을 용서할 것입니다. 그러나 사람들을 용서하지 않으면 여러분의 아버지도 여러분의 잘못을 용서하지 않을 것입니다.(마태 6,14~15)

사람이 그에게 잘못한 사람을 먼저 용서해야 하느님이 그를 용서할 수 있다는 논리다. 《미쉬나》에 사람이 잘못하면 어떻게 용서 받을 수 있는지에 대한 법규 해석이 나온다. 이에 대해 여러 랍비들의 해석과 '랍과 가축 도살자의 말다툼'이라는 제목의 흥미로운 일화가 편집된 단락을 탈무드에서 읽어볼 수 있다.(《바빌로니아 탈무드》, 〈요마〉 85a~b)

《미쉬나》에서 이렇게 가르친다.
사람이 하느님에게 잘못했으면 속죄일에 용서 받을 수 있다.
사람이 (다른) 사람에게 잘못했는데 그가 그 사람에게 사과하지 않았으면 속죄일에 용서 받을 수 없다.
게마라
요셉 바르 헬베 랍비는 아바후 랍비에게 아래와 같이 반대 의견을 냈다.

"사람이 (다른) 사람에게 잘못했는데 그가 그 사람에게 사과하지 않았으면 속죄일에 용서 받을 수 없다는 것이 어떻게 가능합니까? 이렇게 쓰여 있습니다. '사람이 (다른) 사람에게 죄를 지으면 하느님이 중재하여 준다.'(사무엘상 2,25) 여기에서 하느님은 (무슨 역할을 한다는) 뜻입니까? 심판관입니다."

사람이 다른 사람에게 잘못했으면 하느님이 중재해준다고 성경에 쓰여 있는데 《미쉬나》에서는 이런 경우 속죄일에 용서 받을 수 없다고 어떻게 말할 수 있을까 하는 질문이다. 속죄일에 죄지은 자를 용서하는 것은 하느님의 일이기 때문에 사람이 잘못했어도 속죄일에 용서 받을 수 있다고 반론한다. 그런데 《미쉬나》의 견해가 틀렸다면 인용구에서 하느님은 무슨 역할을 하는 하느님이냐는 질문이 생긴다. '중재'를 심판이라고 해석하는 것은 심판관의 역할 가운데 중재의 임무가 있기 때문이다.

만일 그렇다면 그 구절의 마지막 부분을 읽어보라.
"사람이 주님께 죄를 지으면 누가 그를 위해 빌어주느냐?"
이것은 어떻게 이해해야 되는가를 말한다.
사람이 다른 사람에게 잘못하고 그에게 사과한다면 하느님은 용서하신다. 그러나 하느님에게 잘못한 경우 누가 그를 위해 중재할 수 있을까? 오직 회개와 선행뿐이다.

하느님이 심판관이면 사람이 하느님에게 잘못했을 경우 누가 죄지은 자를 위해 중재해줄 수 있을까? 당연히 없다. 왜냐하면 이런 경우 중재자는 오직 한 분 심판관인 하느님뿐이기 때문이다. 따라서 이 경우 죄지은 자는 스스로 회개하고 선행을 해야 속죄일에 용서를 받을 수 있다는 결론이다.

이츠학 랍비는 말했다.

"누구든 그의 이웃에게 언사로 상처를 주었으면 용서 받기 위해 반드시 그에게 사과해야 한다. 왜냐하면 이렇게 말한다. '내 아들아, 만일 네가 네 이웃을 위해 보증을 섰다면, (혹은) 네가 낯선 자에게 네 손바닥을 쳤다면(즉 계약을 맺었다면), 너는 네 입의 말에 말려들었고 너희 입의 말에 붙잡혔다. 내 아들아, 이렇게 하라, 그러면 구해진다. 왜냐하면 네가 이웃의 손에 걸려들었기 때문이다. 가서 네 이웃에게 간청하고 간구하라.'"(잠언 6,1~3)

사람이 그 이웃을 위해 보증을 섰거나 맹세를 했다면 그는 자기 말을 지켜야 한다. 이 맹세를 풀기 위해서는 먼저 상대방에게 가서 그에게 사과를 청하고 심지어 자기 친구들의 힘을 빌려서라도 상대방의 동의를 얻도록 간구해야 한다.

게마라에서는 이 구절의 해석에 이렇게 덧붙였다. "만일 너에게 돈이 있으면 그에게 후한 손을 펴라. 그렇지 않으면 친구들과 함께 그에게 간구하라."

우선 자기에게 돈이 있으면 상대방에게 돈을 잘 써보라는 말이다. 그것으로 되지 않으면 친구들을 동원하여 그에게 사과를 강하게 요구해보는 것이 좋다.

요씨 바르 하니나는 말했다.

"누구든 그의 이웃에게 자기를 (맹세에서) 풀어달라고 요청할 때 그에게 세 번 이상 부탁하지 마라. 왜냐하면 이렇게 말한다. '(야곱이 죽은 후에 요셉의 형제들은 용서를 구하기 위해 그[요셉]에게 그의 아버지 야곱의 유언을 전해주었다.) 제발 네 형들의 죄악과 그들이 너에게 저지른 그들의 죄를 용서해주어라. 이제 네 아버지 하느님의 종들의 죄악을 용서해주어라.'"
(창세기 50,17)

여기에서 세 번 이상 부탁하지 마라는 근거는 야곱이 그의 아들에게 말한 유언을 '① 형제들의 죄악을 용서하라; ② 그들의 죄를 용서하라; ③ 하느님의 종들의 죄악을 용서하라' 이렇게 세 문장으로 나눈 데에서 찾을 수 있다.

언제인가 랍은 가축 도살자와 말다툼을 한 적이 있었다. 후자는 속죄일 (욤 키푸르) 전야에 그에게 오지 않았다.
그러자 그는 말했다. "내가 친히 그에게 사과를 하러 가야겠다."

비록 잘못을 한 사람이 사과하러 오지 않아도 랍비의 입장에서 가해자에게 가서 화해를 요청해보자는 것이다. 위에서 인용된 미쉬나(법규 해석)에 따라 사람이 다른 사람에게 잘못을 했으면 속죄일 전에 그와 화해를 해야 속죄일에 하느님의 용서를 받을 수 있기 때문이다. 상대방의 입장에서도 말다툼으로 죄를 범했으면 속죄일에 용서를 받아야 한다.

(도중에) 후나 랍이 그와 마주쳤다. 그는 그에게 말했다.
"스승님께서는 어디에 가십니까?"

그는 대답했다.

"아무개와 화해하려고."

그러자 그는 말했다.

"아바는 살해를 초래할 것입니다."[02]

후나 랍이 이렇게 확신할 수 있었던 것은 가축 도살자가 속죄일 전에 랍에게 와서 사과를 청해야 했는데 오지 않은 것을 보면 랍비가 그에게 화해를 청해도 들어주지 않고 오히려 더욱더 성나게 할 사건이 일어날 것이라고 예견했기 때문이다.

어쨌든 그는 갔다.

가축 도살자는 자리에 앉아 소머리를 두들기고 있었다. 그가 눈을 치켜 뜨고 그를 보자 말했다.

"가시오, 아바. 나는 당신과 상관할 게 없소."

그가 소머리를 두들기고 있을 때 뼈가 부러지며 튕겨 올라 그의 목에 박혀 그는 그만 죽었다.

후나 랍이 예측한대로 살해 사건이 일어났는데 과연 랍이 가축 도살 자의 죽음을 초래한 것이냐, 아니면 사과를 받아들이지 않은 가축 도살 자가 결국 천벌을 받게 된 것이냐는 논쟁이 생긴다. 랍은 자신도 속죄 일에 용서를 받기 위해 가해자를 찾아갔지만, 가해자는 상대방의 사과 를 받아들이지 않고 전혀 화해할 의사가 없다며 흥분했기 때문에 스스 로 죽음을 초래한 것이라고 볼 수 있다. 랍비들은 '랍과 가축 도살자의 말다툼' 일화에서 가축 도살자가 천벌을 받았다고 이해한다. 따라서 랍은 하느님의 벌을 초래할 만큼 매우 민감하고 위험한 인물인 것을 알수 있다.

이 이야기의 흐름으로 보면 사과를 해야 하는 사람은 가축 도살자다. 그러나 그가 오히려 랍에게 화를 내며 사과를 받아들이지 않는다는 것을 보아도 둘 사이에 생겼던 말다툼은 매우 심각했으며 랍이 그에게 깊은 상처를 준 것으로 볼 수 있다.(비록 가축 도살자라고 해도 랍비와 같은 지식인보다 마음이 덜 착하다고 말할 수는 없다.)

랍은 첫 번째 속죄일을 기다려 그가 오지 않으면 다음 속죄일을 기다릴 수도 있다. 그러나 랍은 가축 도살자를 무시하고 첫 번째 속죄일 전야에 그에게 달려가 문제를 당장 해결하려고 한 것이다. 이는 그의 오만함을 여실히 보여주는 언행이다. 가축 도살자에게 보여준 그의 화해의 제스처는 진실한 것이 아닌 것을 알 수 있다.(비록 화해를 거절한 사람이 천벌을 받았다고 해도 그렇다.)

복음서의 일화에서 예수가 말한 '제단에 예물을 갖다 바치려 할 때' 는 앞에서 읽어본 《미쉬나》의 예와 비교하면 속죄일이라고 볼 수 있다. "당신의 예물을 거기 제단 앞에 두고 먼저 물러가서 당신 형제와 화해하시오"라고 말하는 것은 하느님의 제단에 두고 맹세하는 격이다. 따라서 그 화해의 요청은 진실해야 한다. 그렇지 않으면 하느님을 속이는 셈이며 이는 죽음을 초래하는 큰 죄다.

또한 "잘못한 사람들에게 그들의 잘못을 용서하라"는 가르침은 잘못한 사람을 일방적으로 용서하라는 말이 아니고, 그 사람과 화해하라는 뜻으로 이해하는 것이 바람직하다.

한편 "잘못한 사람들을 용서하지 않으면 하느님도 여러분의 잘못을 용서하지 않을 것입니다"라는 예수의 가르침은 《미쉬나》에서 "사람이

(다른) 사람에게 잘못했는데 그가 그 사람에게 사과하지 않았으면 속죄일에 용서 받을 수 없다"는 해석과 비슷한 내용이다. 이런 경우 오직 회개와 선행으로 하느님의 용서를 구할 수 있다.

초기 유대교 문헌에 선행은 흔히 자선으로 표현된다. 예수가 자선을 하라고 강조하는 이유를 여기에서도 찾아볼 수 있다. 초기 랍비들의 미드라쉬에 보면 자선한 사람은 지옥의 심판에서도 구제될 있다고 해설한다(6장 〈오른손이 하는 자선을 왼손이 모르게 할 수 있을까〉 참조).

남의 아내를 탐내어 보아도 간음한 것일까 마태5,28

그다음으로 예수는 '간음하지 마라'는 계명에 대해 이렇게 가르친다. "남의 아내를 탐내어 바라보는 자는 누구나 이미 제 마음으로 그녀와 간음한 것입니다."(마태 5,28) 남의 아내를 탐내어 쳐다보아도 간음했다고 고발당할까? 혼인한 여자가 간음했다고 고발당한 경우를 우선 알아보자.

모세 법규에 혼인한 여자가 간음했다고 고발당하면 사제가 간음을 밝히는 절차를 밟아 그녀가 결백한지를 알아내야 한다고 규정한다.(민수기 5,11~28) 《미쉬나》에 간음을 밝히는 절차에 대해 설명하는 단락이 있다. 혼인한 여자가 자기 남편이 아닌 다른 사내에 의해 임신하게 되었다고 고소당하여 자백을 강요하면 그녀에게 검은 옷을 입히고 그녀를 예루살렘 성전의 동쪽 문으로 데려와 거기에서 사제가 그녀의 머리카락을 풀어헤치고 그녀의 옷을 찢어 젖가슴이 겉으로 보이게 한다.(《소타》 1,5~6) 그리고 나서 사제는 그녀에게 거룩한 물과 성전의 흙과 그녀를 고소한 고소장에 쓴 잉크를 섞은 액체를 마시게 한다. 이 액체를 마셔

유산이 되고 안색이 변하면 그녀의 죄는 확실하다고 인정했다.(《소타》 3,4) 고대로부터 간음했다고 의심 받은 여인이 받는 고통은 매우 혹심했지만 남편의 경우는 그렇지 않았다.

그런데 남의 아내를 탐내어 쳐다보아도 간음한 남자라고 말한 예수의 해석은 매우 이례적이다. 그의 십계명 해석의 근거를 엣세네의 규례에서 찾아볼 수 있다.

> 남자는 그의 남자나 여자 형제의 딸을 (아내로) 취했다.
> 그러나 모세는 말했다.
> "너는 네 어머니의 자매에게 가까이 가지 않을 것이다. 그녀는 네 어머니의 친족이다."(레위기 18,13)
> 근친상간近親相姦의 법령이 남자에 대해 쓰였지만 여자에게도 마찬가지다. 한 형제의 딸이 그녀 아버지의 형제 음부를 드러낼 때 그녀는 친족이다.(《새 언약의 규례》 v,8~11)

모세 법규에는 남자에 대해서만 규정하지만 남녀 모두 같은 기준으로 판단해야 한다고 엣세네의 규례는 해석한다. 〈성전 책〉에 다음과 같은 법규가 나온다. "사람은 그의 형제의 딸이나 그의 자매의 딸을 취하지 않을 것이다. 그것은 혐오스럽다."(65,16~17) "남의 아내를 탐내어 바라보지 마라"고 하는 예수의 가르침은 엣세네의 이러한 근본정신에서 찾아볼 수 있다.

이어서 "자기 아내를 내보내는 사람은 그녀에게 이혼장을 주라"(신명기 24,1)라고 말하지만 예수는 그의 제자들에게 "음행한 경우를 제외하고 자기 아내를 내보내는 자는 누구든지 그녀를 간음하게 하는 것입니

다. 이혼녀와 혼인하는 자는 간음하는 것입니다"(마태 5,31~32)라고 가르
친다. 아내가 음행한 경우에 이혼할 수 있다는 것이다. 엣세네의 규례
에서 보다 구체적으로 읽어볼 수 있다.

> 여자의 맹세에 대하여 이렇게 말했다. "그녀의 남편이 그녀의 맹세를
> 무효로 할 수 있다."(민수기 30,7~17)
> 남편이 그녀가 서약할지를 모르면 그녀의 맹세를 무효로 할 수 없다.
> 언약을 어기면 그는 그것을 무효로 할 것이며 서약하지 못하게 할 것이
> 다.(〈새 언약의 규례〉 xvi, 10~12)

모세 법규에 이혼할 수 있다고 말하지만 그것은 조건적이다. 남편이
아내의 맹세를 무효로 한다는 것은 남편이 그의 아내와 이혼한다는 말
이다. 그러나 아내가 이혼에 동의(서약)하지 않으면 이혼이 성립되지 않
는다. 아내가 이혼하겠다고 서약하면 남편은 그녀에게 위자료를 지불
해야 한다. 그러나 아내가 언약을 어긴 경우, 즉 그녀가 음행을 했거나
십계명을 어기는 죄를 지었으면 그녀를 쫓아낼 수 있다. 그러나 간음하
다가 붙잡힌 경우 그 처벌은 다른 절차 없이 돌로 처형당했다. 따라서
원칙적으로 아내가 간음한 경우 그것이 명백한 사실로 입증되면 이혼
절차까지도 필요하지 않았다.

또 다른 이야기에서 이혼에 대한 예수의 해석을 읽을 수 있다. 바리
새들이 예수에게 다가와서 물었다. "어떤 사유로든지 사람이 자기 아내
를 쫓아내도 됩니까?" 이에 대해 예수의 대답은 매우 단호했다.

> "여러분은 창세기에서 그분이 남성과 여성, 그들을 만든 것과 그러므

로 사람은 그의 아버지와 그의 어머니를 떠나 그의 아내에게 밀착하여 그들 둘은 한 살[肉]이 되었다는 것을 읽지 않았습니까? 따라서 그들은 둘이 아니라 한 몸입니다. 그러므로 하느님이 짝지어준 것을 사람(아담)이 갈라놓아서는 안 됩니다."

그러자 바리새들이 예수에게 물었다.

"그렇다면 왜 모세는 이혼장을 주고 그녀를 내보내라고 명령했습니까?"

예수는 그들에게 말했다.

"(중략) 간음 행위를 하지 않았는데 자기 아내를 버리고 다른 여자와 혼인하는 자는 간음한 것입니다."(마태 19,3~9)

예수는 아내가 음행한 경우를 제외하고 이혼의 사유가 되지 않는다고 말했다. 그 법적 근거는 창세기 1장에서 인용하여 논박한다. 예수의 이러한 가르침은 엣세네의 규례와 비슷하다. 엣세네는 이혼에 대해 매우 엄격하게 규제했다. 이렇게 규정한다.

그들(설교자들)이 두 여자를 살아 있는 동안 택하여 간음했다. 창조의 기본인 남자와 여자, 그분은 그들을 만들어냈으며 배[方舟]에 들어오는 것들도 둘둘씩 배로 들어왔다. 지도자에 대하여 이렇게 쓰여 있다. "그에게 아내를 많이 두지 않을 것이다."(신명기 17,17)(〈새 언약의 규례〉 iv, 21~v, 2)

둘 둘씩 배로 들어왔다는 것은 노아의 홍수 이야기에 나오는 내용이다. 음행을 제외하고 이혼의 사유가 되지 않는다는 예수의 해석 근거는 창조의 질서에서 이해할 수 있다. 창조부터 노아의 홍수에 이르기까지 혼인의 근본은 둘이라는 말이다. 부부지간이 둘 사이가 아닌 경우는 창조의 근본 원칙에 위배된다. 그런 경우 이혼의 사유가 된다. 예수도 이와 같은 논법으로 바리새들에게 논리를 폈다. 이처럼 예수는 바리새들에게 엣세네 규례를 들고 논쟁하는 중이었다.

바리새들의 샴마이파와 힐렐파는 이혼에 대해 다른 견해를 가졌다.

> 샴마이파는 말한다.
> 사람은 그의 아내에게서 부정을 찾아내지 않았다면 그녀와 이혼할 수 없다. 이렇게 말했다. "왜냐하면 그는 한 문제에서 그녀의 추한 점을 발견했기 때문이다."
> 그러나 힐렐파는 말한다.
> 남편은 어떤 이유에서든지 그의 아내와 이혼할 권리가 있다. 심지어 그녀가 그를 위해 음식을 못 먹게 만들었다고 해도 그렇다. 이렇게 말했다. "왜냐하면 그는 한 문제에서 그녀의 추한 점을 발견했다."(《미쉬나》 기틴 9, 10)

힐렐의 견해에 따르면 아내에게서 한 문제의 추한 점을 발견했으면 다른 문제에서도 또 발견할 수 있으므로 한 문제에서 생긴 일로 미루어 이혼이 가능하다는 설명이다. 다른 랍비들도 아내가 자기 집에서 이웃들이 그녀의 목소리를 들을 만큼 큰 소리로 야단을 쳐도 이혼 사유가 된다고 하며 아내가 머리를 헝클어뜨린 채 밖에 나가도 이혼 사유가 된다고 말했다.(《크투보트》 7, 6) 또한 아내의 동의 없이도 그녀를 밖으로 내보낼 수 있다.(《예바모트》 14, 1)

여자는 이혼하는 데 재판소에 나와 심리를 받을 필요가 없다. 심지어 남편이 잔인하거나 음란하거나 혹은 무책임하다고 해도 아내는 이혼소송을 제기할 수 없다. 이러한 경향은 이미 기원전 1세기 문헌에서도 볼 수 있다. "만일 네 아내가 네 지시를 따르지 않으면 그녀와 별거해라." 《벤씨라》 25,26) 이런 경향이 강한 사회에서 예수는 이혼 문제에 대해 엣세네와 샴마이파의 법도를 옳다고 보았다.

손으로 잘못했으면 그 손을 잘라버리라는 말일까 마태 5,29~30

예수는 남의 아내를 탐내어 보아도 제 마음으로 간음한 것이라고 해석하며 이렇게 부연한다.

> 그러나 만일 당신의 오른쪽 눈이 당신을 실망시킨다면 그것을 빼어 당신에게서 내던지시오. 당신의 지체 하나가 없어지더라도 당신의 온몸이 지옥으로 떨어지지 않는 것이 당신에게 낫습니다.
> 당신의 오른손이 당신을 실망시킨다면 그것을 찍어 당신에게서 내던지시오. 당신의 지체 하나가 없어지더라도 당신의 온몸이 지옥으로 떨어지지 않는 것이 당신에게 낫습니다.(마태 5,29~30)

오른손이 죄를 지었다고 오른손을 잘라 던져버리라는 말인가? 아니면 오른손으로 죄를 지었지만 왼손으로 선행을 한다면 속죄된다는 말인가?《잠언 미드라쉬》에서 그 해답을 찾을 수 있다.

"(이) 손이 (저) 손의 악을 깨끗하게 하지 못한다."(잠언 11,21)
와서 보시오. 사람에게는 두 손이 있다. 만일 한 손으로 훔치고 (다른)

한 손으로 자선을 했다면 '(하느님은 그를) 깨끗하게 하지 않는다.'

이처럼 오는 미래에 찬미 받으시는 거룩하신 분은 사악한 자들에게 말한다. "내가 너희를 위해 두 세상을 만들어냈다. 하나는 선행을 하도록 그리고 다른 하나는 보수를 받도록 했다. 이제 너희가 살고 있는 이 세상에서 선행을 하지 않았는데 너희가 보수를 요구할 수 있을까? 내가 사람에게 두 손을 만들어주었는데 그가 한 손으로는 잘못을 하고 (다른) 한 손으로는 자선을 한다면 그게 무엇일까?" 이렇게 쓰여 있다. '(이) 손이 (저) 손의 악을 깨끗하게 하지 못한다.'

그러나 여러분은 지옥의 심판에서 구해질 것이라고 해설한다. 그러나 '(하느님은 그를) 깨끗하게 하지 않는다.'

요하난 랍비는 말했다.

"한 사람이 나가서 잘못을 저지르고 창녀에게 보수(대가)를 주었다는 비유를 들겠다. 그가 그녀의 집 문지방을 채 나가기도 전에 한 가난한 자가 그와 마주쳤다. 그는 그에게 '나에게 자선을 베푸시오'라고 말했다. 그는 그에게 (돈을) 주자 그는 가버렸다. 그 사람은 말했다.

"만일 찬미 받으시는 거룩하신 분이 내 악행에 대해 내가 속죄할 것을 원하지 않았다면 그 가난한 자를 보내 내가 그에게 자선을 베풀어 내가 한 짓에 대해 속죄하게 하지 않았을 것이다."

그러나 찬미 받으시는 거룩하신 분은 말했다.

"사악한 자여, 그렇게 생각하지 마라. 오히려 가서 솔로몬의 지혜를 배워라." 그는 분명하게 말한다. '(이) 손이 (저) 손의 악을 깨끗하게 하지 못한다.'

다른 설명. '(이) 손이 (저) 손의 악을 깨끗하게 하지 못한다.'

엘리에제르 랍비는(가) 예호슈아 랍비에게 질문했다.

"'(이) 손이 (저) 손의 악을 깨끗하게 하지 못한다'라는 뜻이 무엇입니까?"

그(예호슈아)는 그에게 말했다.

"이 손이 그 피조물을 먹는다면 그게 무엇입니까? 만일 사람이 한 손으로 계명을 행하고 (다른) 한 손으로는 벌 받을 짓을 했다면 이것은 그것에 대해 속죄하지 못합니다. 이렇게 쓰여 있습니다. '(이) 손이 (저) 손의 악을 깨끗하게 하지 못한다.'

사람이 그의 동료와의 사이에 문제가 있어서 그는 입으로 맹세를 하고 마음으로 취소한다면 당신은 그가 깨끗하다고 말할 수 있습니까? 이것은 '(이) 손이 (저) 손에' 대한 경우입니다. 이렇게 말합니다. '(하느님은 그를) 깨끗하게 하지 않는다.'

십계명에도 이렇게 말합니다. '주님YHWH은 그분의 이름을 하찮게 짊어지는(부르는) 자를 깨끗하게 하지 않는다.'(출애굽기 20,7)[03] 맹세에 대해 위(동료와의 사이)에서 말한 문제가 무엇인가는 바로 여기(십계명)에서 맹세에 대해 말하는 것입니다."

엘리에제르 랍비는 말했다.

"그렇지 않습니다. 이 구절의 끝에서 분명히 이렇게 말합니다. '의인들의 자손은 구원된다.'(잠언 11,21)

만일 여러분이 선조들의 아들인 의인을 보았다면[04] 그가 빨리 죄짓지 않는다는 것을 압니다. 왜 그렇습니까? 그는 생각해보며 말합니다. '내가 잠시 내 성향을 누르자. 그래서 잠시라도 내 세상에서의 (보수를) 잃어버리지 말자.' 그러면 그는 지옥의 심판에서 구해질 것입니다. 이렇게 전해집니다. '의인들의 자손은 구원된다.'

그러나 사악한 자는 그렇게 말하지 않으며 창녀에게로 가서 그의 목숨과 성향의 욕망을 채우기 위해 그녀에게 맹세합니다. 그런 다음에 그 맹세를 어깁니다.

거룩하신 분의 영은 그에게 맹세하여 말합니다.

'네가 잘못을 저지르는 것으로 충분하지 않을까? 너는 거짓말로 내 이름을 불렀다. 네가 사는 한 너는 지옥의 심판에서 깨끗하게 되지 않을 것이다.'"

시몬 랍비는 말했다.

"무슨 이유로 그런 자를 악하다고 부를까? 왜냐하면 악한 성향을 악하다고 부르기 때문이다. 이렇게 말한다. '사람 마음의 성향은 어릴 적부터 악하다.'(창세기 8,21) 그는 악하다. 이렇게 말한다. '(이) 손이 (제) 손의 악을 깨끗하게 하지 못한다.' 그리고 이렇게 쓰여 있다. '의인들의 자손은 구원된다.'

그래서 찬미 받으시는 거룩하신 분은 의인들의 마음속에 죄짓지 않는 것을 주었다. 그러므로 지옥의 심판에서 구원될 것이다."

다른 설명. '의인들의 자손은 구원된다.' 이들은 노아의 자식들이며 노아의 공덕 때문에 홍수에서 구제되었다.

한 손이 죄를 지었다고 다른 손으로 깨끗하게 하지 못한다는 이야기다. 한 번은 훔치고 다른 한 번은 자선을 했다면 그 자선 행위로 자기의 훔친 잘못이 없어지지 않는다. 하느님이 그를 깨끗하게 하지 않는다는 뜻이며 이는 예수의 가르침에서 '몸이 지옥으로 떨어진다'는 표현과 상응한다.

사악한 자가 창녀에게 하느님의 이름으로 약속한 경우 그 사악한 자는 하느님의 이름을 속되게 하였기 때문에 그는 지옥으로 떨어지게 되는 벌을 받는다. 그런데 사람은 어릴 적부터 악한 성향을 가지고 있기 때문에 한 손으로 죄를 짓고 다른 손으로 자선을 베풀어 속죄를 받으려고 한다. 그렇지만 어떤 경우도 한 손의 악행을 다른 손이 깨끗하게 하지 못한다. 그래서 한 손이 죄를 짓지 않게 토라 공부를 하고 배운 대로 행하여 지옥의 심판에서 구원되라는 말이다. 그래야 노아가 온전해서 그의 자식들이 온 세상의 부족장들이 될 수 있었던 것처럼 자기 자식들이 의인의 후손이라는 영예를 가지게 하라는 뜻이다.

남의 아내를 탐내어 바라보는 사람은 악한 성향이 있으며 그런 사람은 창녀에게 가서 하느님의 이름으로 맹세하는 부류의 사람이라고 예수가 말한 것이다. 그래서 그런 사람은 간음한 것이나 다름없다는 말이다. 이는 "손이 손의 악을 깨끗하게 하지 못한다"는 잠언 구절에 대한 예수의 미드라쉬다.

어떤 남자가 이혼녀와 혼인하면 간음한 게 되는 걸까 마태 5,32

'간음하지 마라'고 하는 계명에 대해 해석하면서 예수는 그의 제자들에게 이혼녀와 혼인하면 간음 행위로 여겨진다고 가르쳤다. '이혼녀와 혼인한 자는 간음한 자입니다.'(마태 5,32) 이혼녀는 재혼하지 마라는 가르침일까? 고대 메소포타미아의 법에서도 이혼에 대한 규정이 있었으며 이혼녀는 위자료를 받았다. 그런데 이혼녀와 혼인하면 간음하는 행위라고 가르친다면 이는 이혼녀에 대한 불공평한 처사다. 그 문제는 어느 경우에 그렇게 여겨지는가 하는 것이다. 어떤 직업의 남자가 이혼녀와 혼인하면 그렇게 여겨질 수 있을까? 라는 질문에서 그 해답을 찾을 수 있다.

당시 유대교 법규에 따르면 이혼녀와 혼인하지 못하는 남자는 사제인 경우다. 예수의 가르침이 누구를 향한 내용인지를 파악하면 이 문제는 쉽게 풀린다. 그가 간음에 대한 계명을 가르치는 대상은 그의 제자들이다. 제자들 가운데 누군가 사제라면 예수의 이러한 해석은 귀담아 들을 상대가 있다는 말이다.

예수의 제자들 모두가 사제인지는 모르겠지만 적어도 베드로가 사제였음은 '빈 무덤' 이야기에서 알 수 있다. 안식일이 지난 다음 날 새벽에 막달라 마리아와 요안나 등 여인들이 향유를 가지고 무덤 굴로 갔다. 무덤 굴 바위가 열려 있어서 안으로 들어가 보니 예수의 시신은 보이지 않고 수의만 있었다. 그녀들은 무덤에서 돌아와 제자들에게 이 일을 알려주었다. "그 제자들은 그녀들의 눈으로 (본) 이 말들이 헛소리처럼 들려 믿지 않았다. 그러나 베드로는 일어나 무덤으로 달려가 보니 수의가 홀로 놓여 있는 것을 보았다."(누가 24,11~12) 베드로는 무덤 굴 입구에서 안쪽을 들여다보고 수의만 있는 것을 보았다는 뜻이다. 베드로가 그 여인들처럼 무덤 굴 안으로 들어가지 않은 이유는 무엇일까?

유대교 법규에 따르면 시체는 부정하기 때문에 사제는 시체에 가까이 가면 안 된다. 심지어 시체가 있는 방 안에도 들어가면 안 된다. 엣세네의 규례에서 읽어볼 수 있다. "시체가 방에 있으면 벽에 온갖 못이나 쐐기가 부정해진다."(《새 언약의 규례》 xii,18) 예수가 이혼에 대해 그의 제자들에게 가르친 이 예화에서 예수뿐 아니라 그의 제자들 가운데 엣세네 사제가 있었음을 찾아낼 수 있다.

왜 하느님의 이름으로는 맹세하지 말라고 할까 마태 5,34~37
그다음으로 '거짓 맹세를 하지 마라'는 계명에 대해 가르쳤다. 예수는 이렇게 말한다.

> 그러나 아예 맹세를 하지 마시오. 하늘로 맹세하지 마시오. 그것은 하느님의 보좌이기 때문입니다. 땅으로 맹세하지 마시오. 그것은 그분의 발판이기 때문입니다.
> (중략)
> 당신의 머리로 맹세하지 마시오. 여러분이 (맹세의) 말을 할 때 "예" 할 것은 "예" 하고, "아니요" 할 것은 "아니요" 하시오. 여기에 보태는 것은 악함에서 나오는 것입니다.(마태 5,34~37)

'하늘과 땅으로 맹세하지 마라'는 표현은 '하느님의 창조를 두고 맹세하지 마라'는 뜻이다. 하느님의 이름으로 맹세하지 말라는 가르침이다. 머리로 맹세하지 말라는 것은 자기 목숨을 걸고 맹세하지도 말라는 뜻이다. 만일 자기 목숨을 걸고 맹세했는데 어기게 되는 상황이 생기면 어떻게 하겠는가? 이는 죽음을 초래한다. 그렇다면 왜 하느님의 이름으로도 맹세하지 말라고 할까? 그 해답은 엣세네의 규례에서 읽어볼 수 있다.

> 알레프와 라메드로 또한 알레프와 달레트로 맹세하지 않을 것이다. 언약의 저주로 맹세할 것이다. 모세의 토라를 언급하지 않을 것이다. 여기에 이름의 해석이 있기 때문이다.
> 만일 그가 (토라로) 맹세하고 어기면 (하느님의) 이름을 속되게 하는 것이다. 만일 언약의 저주로 재판관에게 와서 (맹세하고) 어긴다면 그가 죄짓는 것이며 참회하고 돌아올 수 있고 죽을죄를 짊어지지 않는다.(《새 언

알레프(א)와 라메드(ל)는 엘로힘(אלהים, 하느님)의 첫 두 자음자다. 하느님의 이름 YHWH(יהוה)는 거룩하기 때문에 YHWH를 '나의 주 主'의 뜻인 아도나이(אדוני)로 읽었으며 알레프(א)와 달레트(ד)는 아도 나이의 첫 두 자음자다. 하느님의 이름으로 맹세하지 않을 것을 말한다. 모세의 토라에 YHWH 이름의 해석이 있다고 하는 것은 하느님과 모세 의 이야기에 나온다(출애굽기 3장). YHWH 이름의 해석은 '에흐예(אהיה, 내가 있겠다)'에 대한 내용을 말한다.

[YHWH 하느님은 모세에게 이집트에 가서 고난과 핍박에 시달리는 이스라엘 백성을 이끌어내라고 말하자, 모세는 그들에게 가서 YHWH 가 누구인지를 어떻게 증언하느냐고 반문한다. 그러자 하느님은 그에 게 이렇게 말한다. "참으로 '에흐예(내가 있겠다)'가 너와 함께. 이것이 (내 가) 너에게 (알려주는) 표징이다. 네가 백성을 이집트에서 데려와 이 산에 서 하느님을 섬기라고 내가 너를 보낸다." 모세는 YHWH 하느님에게 다시 묻는다. "보십시오. 내가 이스라엘인들에게 가서 너희 선조들의 하느님이 너희에게 나를 보냈다고 그들에게 말한다면 그들은 나에게 그분의 이름이 무엇이냐고 말할 것입니다. 무엇이라고 그들에게 말합 니까?" 하느님은 모세에게 "에흐예는 내가 (너희와 함께) 있겠다는 것이 다"고 '에흐예'라는 표징이 무슨 뜻인지를 알려주며 '에흐예가 나를 너희에게 보냈다'고 그들에게 전하고 또한 '아브라함의 하느님, 이츠 학의 하느님, 야곱의 하느님인 YHWH가 나를 너희에게 보냈다. 이것 이 영원히 내 이름이며 이것이 대대로 내 명성이다'고 말하면 그들이 알아들을 것이라고 한다.(출애굽기 3,10~15) YHWH는 이스라엘 백성의

선조들의 하느님이며 YHWH가 바로 그 하느님의 이름이라는 것이다. 그리고 그 이름의 뜻은 '내가 (이스라엘과 함께) 있겠다'는 말이다. '에흐예 (내가 있겠다)'는 YHWH의 이름 해석이다.]

하느님의 이름으로 맹세하고 어기면 하느님의 이름으로 거짓말을 하는 셈이다. 하느님의 이름을 헛되이(속되게) 하는 행위는 십계명 3항을 어기는 중죄에 속하며 이는 죽음을 초래하는 벌을 받았다.(레위기 24,10 ~16) 따라서 언약의 저주로 맹세한다면 어쩔 수 없는 경우 어겨도 언약의 저주를 받을 것이며 회개하고 돌아올 수 있다. 언약의 저주로 맹세하면 적어도 죽음은 피할 수 있다. 엣세네 규례에서 '저주의 맹세'에 대해 규정한 부분을 읽어볼 수 있다.

> '네 자신의 손으로 구원하지 않을 것이다'라는 맹세에 관하여.
> 재판관들 앞에 나가지 않거나 그들의 말(동의) 없이 들판에서 맹세하게 하고 자기 손으로 구원하는 것이다.
> (무엇을) 잃어버린 경우에
> 거류지의 재산에서 누가 훔쳐갔는지 알려지지 않았고 (분명히) 훔쳐간 것이면 그 주인이 저주의 맹세를 할 것이다. 이것을 듣고 그가 누구인지를 아는 자가 말하지 않으면 그도 죄짓는 것이다. (《새 계약의 규례》 ix,9~12)

《미쉬나》에 사람이 서약을 하고 훗날 파기할 수 있으나 반드시 서약을 한 당사자 앞에서 파기하여야 한다는 규정이 있다. 탈무드에는 이 《미쉬나》규례에 대해 여러 가지 경우의 예들이 나온다. 한 예를 들어 어떤 사람이 이웃집에는 절대로 들어가지 않겠다고 맹세를 했다. 그런데 그 이웃의 집이 회당으로 바뀌었다. 그러면 그 사람은 회당에 들어갈 수 없다는 문제가 생긴다. 이처럼 사람은 그의 서약을 파기해야 할 경우가 있으며, 그런 경우 그는 반드시 당사자 앞에서 그 계약을 파기해야 한다는 규정이다. 만일 당사자가 죽었으면, 그의 무덤에 열 사람이 모여 그 회중 앞에서 그의 서약을 풀 수 있다.

오른뺨을 맞았는데 왜 다른 뺨을 돌려 대라고 할까 마태5,39

예수는 다음으로 이렇게 가르쳤다.

> "눈에는 눈으로, 이에는 이로"라고 말하는 것을 여러분은 들었습니다. 그러나 나는 여러분에게 말합니다.
> 악한 사람에게 맞서지 마시오. 누가 당신의 오른뺨을 때리거든 그에게 다른 편 뺨을 돌려대시오. 당신을 재판에 걸어 당신의 속옷을 가지려 하는 사람에게는 겉옷마저 내주시오. 누가 당신에게 천 걸음 가자고 강요하거든 그와 함께 이천 걸음을 가시오. 당신에게 청하는 사람에게는 주고 당신에게 꾸려는 사람에게는 물리치지 마시오.(마태 5,38~42)

이 단락을 읽는 사람이면 누구나 이는 현실적이 아니라고 문제점을 제기할 것 같다. 남이 자기에게 악한 짓을 했는데 이에 맞서지 마라는 조언은 사회악을 더욱더 조장하는 길이다. 더욱이 누가 내 오른뺨을 때렸는데 그에 맞서 대항하지 말고 오히려 자기의 다른 뺨을 돌려 대라는 주문은 이 세상뿐 아니라 어느 세상에 살아도 올바른 삶의 태도가 아니다. 그렇다면 과연 다른 뺨을 돌려 대라는 예수의 가르침은 어떻게 이해할 수 있을까?

이 단락은 십계명의 6~10항을 가르치는 전체 단원(마태 5,21~48) 가운데 나온다. 전체의 앞뒤 순서와 비교해보면 이 단락은 '도둑질하지 마라'는 계명에 대한 가르침이라고 볼 수 있다. 그 순서를 보면 이러하다. '살인하지 마라'(마태 5,21~26), '간음하지 마라'(마태 5,27~32), '거짓 맹세하지 마라(거짓 증언하지 마라)'(마태 5,33~37), '도둑질하지 마라'(마태 5,38~42), '원수를 미워하지 마라(남의 소유를 탐내지 마라)'(마태 5,43~48).

도둑질을 손으로 한 경우 '눈은 눈으로'의 동태복수법lex talionis을 적용한다면 도둑의 손을 잘라야 한다.(오늘날에도 일부 종교 국가에서 하는 것처럼.) 가령 어느 사람이 도둑질을 했는데 도둑맞은 자가 그에게서 자기가 잃어버린 물건의 가치에 합당한 것을 훔쳤고 이로 인해 재판에 서게 되었다면 그도 '손에는 손으로'라는 벌을 받아야 할까? 예수가 '눈에는 눈으로'라는 벌칙을 인용하며 다른 대안을 제시하는 것은 도둑질하는 근본 동기를 찾아보자는 말이다. 보다 근원적인 문제는 어떻게 도둑질을 하지 않을 수 있을까? 하는 것이다. 누가 자기 물건을 도둑질했다고 '눈에는 눈으로'라는 동태복수법에 따라 그 사람에게 맞서 그 사람의 것을 도둑질하지 마라고 가르친 것이다. 그렇다고 도둑질한 사람을 묵인하라는 말도 아니다. 악행에 저항하는 것은 토라의 기본 정신이다.

도둑질을 하지 마라는 계명의 범주에서 이해하면 이런 경우를 생각해볼 수 있다. 어떤 사람이 도둑을 맞았는데 그 잃어버린 물건의 행방을 알게 되어 의심하는 사람에게 가서 도둑질했다고 비난하며 분노에 차서 상대방의 뺨을 때린 경우다. 흔히 남의 뺨을 때리는 경우는 몹시 화가 나거나 분노에 차서 일어난다. '당신'은 의심 받은 사람이다. 만일 당신이 정말로 도둑질을 했다면, 오른뺨을 맞았다고 본능적으로 그 사람의 뺨을 때리면 안 된다. [오른뺨을 맞았다는 것은 상대방이 왼쪽 손으로 때렸기 때문이다.(물론 다르게 상상할 수도 있겠지만.) 고대 근동 문화에서도 그렇지만 예수 당시 문화에 비추어 보아도 왼손으로 불결한 일을 처리했기 때문에 왼손은 불결한 것으로 여겼다. 엣세네 규례의 예를 들어, "자기 왼손을 꺼내어 손짓으로 이야기하는 자는 10일 벌 받는다"고 정한 것을 볼 수 있다. 왼손으로 손짓하며 이야기하는 것은 상대방을 비난하거나 멸시하는 언행이다. 따라서 상대방이 왼손으로 오른뺨을 때리는 경우는 그 사람을 경멸하는 행동이다. 그런데 이렇게 멸시 당했다며 자신의 과오를 인정하지 않고 화가 나서 맞대응했다면 더욱 큰 문제가 야기된다.] 왜냐하면 그 사람은 당신을 도둑으로 재판소에 고소할 것이고 도둑질한 사실이 드러나면 그 벌은 뺨을 맞는 정도보다 훨씬 더 가혹하기 때문이다. 그래서 다른 편 뺨을 돌려대고 그 사람의 선처를 구하라는 말이다.

다른 경우. 당신은 도둑질을 하지 않았는데 의심 받게 되어 오른뺨을 맞았다. 멸시당한 분노를 참지 못하고 당신도 상대방의 오른뺨을 때렸다면 둘 다 재판에 회부되고 도둑질에 대한 혐의는 풀리지 않은 채 서로가 분노에 차서 서로를 모욕한 결과를 낳게 된다. 그에 대한 벌 또한 심각하다. 그런데 자신이 결백하다면 비록 오른뺨을 맞았다고 해도 참고 다른 뺨을 돌려대어 만일 상대방이 그 뺨마저 때린다면 당신은 재판에서 이길 수 있고 벌은 뺨을 때린 사람이 받는다. 따라서 다른 뺨을 돌려 대라고 가르치는 것이 더 합리적이다. 엣세네의 규례에서 아래와 같은 잃어버린 물건에 대한 경우를 읽어볼 수 있다.

(무엇을) 잃어버린 경우에

거류지의 재산에서 누가 훔쳐갔는지 알려지지 않았고 (분명히) 훔쳐간 것이면 그 주인이 저주의 맹세를 할 것이다. 이것을 듣고 그가 누구인지를 아는 자가 말하지 않으면 그도 죄짓는 것이다. 주인이 없는 것을 돌려준 자가 죄지은 자일 경우에 돌려준 자는 사제 앞에서 참회할 것이다.(《새 계약의 규례》 ix, 11~12)

도둑질하는 것은 일반적으로 궁핍하기 때문이다.(물론 도둑질이 즐거워서 하는 경우도 있겠지만 이런 정신적인 질환의 예는 예외로 치고.) 잠언에 굶주려서 도둑질했다고 도둑을 멸시하지 마라는 문구가 나온다. 왜 무시하지 마라는지에 대해 잠언 미드라쉬에서 살펴볼 수 있다.

"굶주려서 그의 목숨(허기진 배)을 채우기 위해 도둑질을 했다고 그 도둑을 멸시하지 않을 것이다."잠언 6,30)
만일 무지한 백성이 토라의 말을 (공부한다고) 자기 자신을 망치는 것을 여러분이 보았다고 해도 그를 멸시하지 마라. 그에게 "어제는 무지한 백성이었는데 오늘은 (학교) 동료로구나"라고 말하지 마라.
왜 그럴까?
'굶주려서 그의 목숨을 채우기 위해.'
여기서 '굶주림'은 다름 아닌 토라의 굶주림이다. 이렇게 말한다. "빵에 굶주림이거나 물에 목마름이 아니라 참으로 주님의 말씀을 듣기 위해서다."(아모스 8,11)
다른 설명. '그 도둑을 멸시하지 않을 것이다.'
사악함에서 돌아와 회개를 한 사악한 도둑을 보았다면 그를 멸시하지 마라.

왜 그럴까?

'굶주려서 그의 목숨을 채우기 위해.'

그다음에 무엇이라고 쓰여 있는가?

"그러나 발견되면 그는 일곱(의) 배로 갚을 것이다."(잠언 6,31)

이것은 토라를 공부하고는 처음의 타락으로 돌아가는 무지한 백성이다. 찬미 받으시는 거룩하신 분은 지옥의 열네 군데 불가마에 그를 (보내는 것으로) 갚아준다. 이것으로 충분하지 않으며 그에게 있는 것과 그의 집과 그의 재산을 (빼앗아 간다). 이렇게 말한다. "그의 집의 모든 재산을 줄 것이다."(잠언 6,31)

다른 설명. '그러나 발견되면 그는 일곱(의) 배로 갚을 것이다.'

이것은 공공의 임무를 맡은 재판관을 말한다. 만일 그가 진실로 재판을 하지 않고 진실한 판결을 내리지 않으면 찬미 받으시는 거룩하신 분은 지옥의 열네 군데 불가마에 그를 (보내는 것으로) 갚아준다. 이것으로 충분하지 않으며 그에게 있는 것과 그의 집과 그의 재산을 (빼앗아 간다). 이렇게 말한다. "그의 집의 모든 재산을 줄 것이다."(《잠언 미드라쉬》 6,30)

토라를 공부한다고 생업까지 포기하여 굶주리게 되면 끝내 도둑질하게 될 수도 있다. '처음의 타락'은 에덴동산 이야기에서 아담과 그의 아내가 지은 죄를 말한다. 아담의 아내가 하느님이 먹지 마라고 지시한 나무의 열매를 취하여 아담에게도 주고 그들이 먹었다는 것이다. 남의 소유물을 훔친 행동이다. 절도죄를 지은 사람은 지옥의 열네 군데 불가마에 떨어진다.(열넷은 일곱의 두 배를 말한다.) 재판관이 진실한 판결을 내리지 않는 것도 도둑질의 범주에 속한다. 잘못된 판결로 재산의 손실을 유발할 수 있기 때문이다.

이 미드라쉬가 말하는 핵심은 굶주려서 도둑질했다는 것은 변명에 불과하며 벌을 받아야 한다는 데 있다. 궁핍하다고 도둑질을 하는 것을 허용한다면 이는 사회적 혼란을 야기한다. 이에 대한 처방책을 잠언 미드라쉬에서 찾아볼 수 있다.

> "만일 너를 미워하는 이가 굶주리면 그에게 빵을 먹게 하고 목말라 하거든 물을 마시게 하라."(잠언 25,21)
> 하마 바르 하나니야 랍비는 말했다.
> "심지어 그가 당신을 죽이려고 일찍 일어나 당신 집에 왔는데 그가 굶주렸거나 목말라 하면 그에게 먹을 것과 마실 것을 주시오. 왜 그럴까요? '네가 타는 숯을 그의 머리 위에 올려놓는 격이다. 주님께서 너에게 갚아주실 것이다.'(잠언 25,22) '그분이 너에게 갚아주신다'라는 것은 '그분이 너를 평안하게 해주실 것이다'라고 읽을 수 있습니다."(《잠언 미드라쉬》 25,21)

이런 맥락에서 '악한 사람에게 맞서지 마시오'라고 말한 의미를 살필 수 있다. 자기의 원수라고 해도 그가 궁핍하면 우선 도와주라고 가르친다. 하물며 자기 이웃이라면 더할 나위가 있겠는가! 자기 것을 필요한 사람에게 거저 준다고 없어지는 것이 아니라 하느님이 갚아주기 때문에 마음에 평화를 가질 수 있다는 해설이다.

'누가 당신의 오른뺨을 때리거든 그에게 다른 편 뺨을 돌려대시오'라는 가르침은 보복하지 마라는 뜻이다. 그래서 '도둑질하지 마라'는 계명을 설명하기 위해 '눈은 눈으로'라는 문구를 먼저 인용한 것이다.

'너는 보복하지 않을 것이다'는 모세오경의 법규에 대한 아래와 같은 미드라쉬와 비교해볼 수 있다.

'너는 보복하지 않을 것이다.'(레위기 19,18)

보복하는 한계는 어디까지냐?

한 사람이 어떤 이에게 "당신 낫을 나에게 빌려주시오"라고 말하자, 어떤 이는 그렇게 하지 않았다.

다음 날 그 어떤 이가 그에게 "나에게 삽을 빌려주시오"라고 말하자, 그는 "당신 낫을 나에게 빌려주지 않았기 때문에 당신에게 내 삽을 빌려주지 않겠소"라고 대답했다.

이런 상황에 대해 이렇게 말한다. '너는 보복하지 않을 것이다. 그리고 앙심 품지 않을 것이다.'

앙심의 한계는 어디까지냐?

한 사람이 어떤 이에게 "당신의 삽을 나에게 빌려주시오"라고 말하자, 그는 그렇게 하지 않았다.

다음 날 그 어떤 이는 그에게 "당신의 낫을 나에게 빌려주시오"라고 말하자, 그는 "나는 당신 같지 않습니다. 당신은 당신의 삽을 나에게 빌려주지 않았지만 여기 내 낫을 가져가시오"라고 말했다.

이런 상황에 대해 이렇게 말한다. '앙심 품지 않을 것이다. 그리고 너는 네 이웃을 너처럼 사랑할 것이다.'

아키바 랍비는 말했다.

"이것이 토라를 망라하는 원칙이다."(《씨프라》 CC, Ⅲ 4,5,7)

랍비들의 이러한 해석은 '당신에게 청하는 사람에게는 주고 당신에

게 꾸려는 사람에게는 물리치지 마시오'라는 언명과도 조응한다. 이와
대비해서 읽어보면 '누가 당신의 오른뺨을 때리거든'(누가 당신에게 꾸려
고 하거든 혹은 빌려달라고 하거든) '그에게 다른 편 뺨을 돌려대시오'(그 요청
을 물리치지 마시오, 혹은 내 것을 가져가시오). 그렇게 되면 서로가 앙심을 품
지 않을 것이며 도둑질하지 않을 것이다.

엣세네의 성경해석에서도 이와 비슷한 해석을 읽어볼 수 있다.

> '사악한 자는 (남에게) 빌리고 갚지 않으나 의로운 자는 (남을) 가엽게 여
> 기고 준다.'(시편 37, 21)
> 그 해석. 가난한 자들의 공동체에 대한 것이다.(《시편 37편 해석》 9~10)

가난한 자들의 공동체는 자기들을 말한다. 그들이 가난하다고 말하
는 이유는 사유재산을 공동체에 헌납하고 개인적으로 가지고 있는 재
산이 없기 때문이다. 공동체에서 공동체 사람들의 생활을 운영하므로
도둑질하거나 이로 인해 앙심을 품는 일이 거의 일어나지 않는다. 예수
가 '오른뺨' 운운하는 것은 공동재산으로 사는 공동체의 삶이 도둑질
없는 좋은 사회라는 설명이다.

"속옷을 가지려는 사람에게 겉옷을 내주시오" 마태 5, 40

예수의 십계명 해석은 다음과 같이 이어진다. "당신을 재판에 걸어
당신의 속옷을 가지려는 사람에게 겉옷을 내주시오."(마태 5, 40) 당신의
속옷을 가지려는 사람이 당신을 재판에 건 이유는 당신이 그의 속옷을
훔쳐갔다고 여겼기 때문이다. 만일 당신이 훔쳐가지 않았다면 그것을
입증해야 한다. 만일 서로가 입증할 증거나 증인이 없다면 어떻게 될

까?

이런 경우에 대한 대표적인 예화로 '솔로몬의 재판'(열왕기하 3,16~28)이라는 이야기를 흔히 든다. 이 예화의 줄거리는 이러하다. 한 집에 창녀 두 사람이 살고 있었는데 한 창녀가 아들을 낳았고 사흘 뒤 다른 창녀가 아들을 낳았다. 그때 그 집에는 그 둘만 살고 있었다. 어느 날 밤 한 아기가 죽었는데 죽은 아기의 어머니는 그를 다른 어머니의 품에 뉘어놓고 그녀의 아기를 자기 품에 안고 다시 잤다. 아침에 그 어머니는 죽어 있는 아기가 자기 아들이 아닌 것을 알았다. 두 어머니는 서로 죽은 아기와 산 아기를 바꾸었다고 하며 살아 있는 아기가 자기의 아들이라고 주장했다. 솔로몬은 그들의 말다툼을 듣고 신하에게 칼로 그 살아 있는 아기를 둘로 나누어서 각 반쪽씩 그들에게 주라고 말했다. 그러자 죽은 아기를 품에 안고 있었던 여자는 살아 있는 아이를 저 여자에게 주어도 좋으니 아기를 죽이지 말아달라고 애원했다. 그러나 다른 여자는 어차피 자기 아기도 그녀의 아기도 안 될 테니까 나누어 갖자고 말했다. 그러자 솔로몬은 "저 여자가 그 아이의 어머니다" 하고 말하며 살아 있는 아이를 죽이지 말고 아이를 양보한 어머니에게 주라고 판결을 내렸다. 이스라엘 백성은 솔로몬의 판결을 듣고 하느님이 준 지혜로 공정하게 판결한 것이라며 왕을 두려워했다.

이 예화는 어떤 사람이 자기 물건을 잃어버렸는데, 잃어버린 물건의 소유자가 어떤 사람의 집에서 그 물건을 찾았을 경우에 생기는 분쟁을 이야기한다. 그런데 훔쳐간 사람은 그 물건이 자기 소유라고 주장하고 잃어버린 사람도 자기의 소유라고 주장한다면 그들은 자기의 소유라는 것을 입증할 증인이나 증거를 제시하여야 한다. 만일 서로가 입증하지 못하면 그 물건의 값어치를 둘로 나누어 각자에게 주는 것이 고대 이스라엘 사회의 상례였다. 물건의 소유자가 그것이 자기의 소유임을 밝힐 수 없는 것은 법적으로 보호 받지 못한다는 말이다. 그런데 그 물건을 팔아 둘로 나눈다면 원래 그 물건의 가치를 상실하게 된다.

솔로몬은 두 어머니에게 객관적인 증거가 없기 때문에 살아 있는 아기를 반으로 나누라고 하여 누가 거짓 증언을 하는지 찾아내고자 했다. 다행히 두 여자는 서로 상반된 의견을 내놓아 솔로몬은 누가 거짓 증언을 하는지 쉽게 판단할 수 있었다. 그 아기를 반으로 나누지 마라고 말하는 여인은 그 아이의 가치를 상실해서는 안 된다고 여기는 양심적인 사람이다. 그러나 그 반대로 나누어도 된다고 말하는 여인은 잃어버린 물건의 가치에 대해 관심이 없는 사람이다. 그 여자는 아이의 생명을 헛되게 만드는 꼴이다. 그녀가 잘못된 증언을 하는 것이다. 십계명에 '네 이웃에게 잘못된 증거로 대답해서는 안 된다'(신명기 5,17)고 하며, 모세 법규에 만일 네 형제가 잃은 것을 발견하면 그에게 돌려주어야 한다. 그렇지 않고 그것을 남에게 팔거나 자기 소유로 하게 되면 거짓 증언을 하지 마라는 계명을 어기게 된다(신명기 22,1~4)고 말한다. 솔로몬은 헛된 말(그 아이를 반으로 잘라도 된다)을 하는 여자가 바로 거짓 증언하는 것으로 판단했다.

예수가 속옷을 가지려는 자에게 겉옷을 주라고 말하는 배경을 '솔로몬의 재판'과 비교해서 읽어볼 수 있다. 속옷을 훔쳐갔다고 고소했지만 그것을 입증할 증거나 증인을 찾지 못한 경우에 재판관은 그 속옷을 반으로 잘라 나누어 가지라고 판결을 낸다면 그 속옷은 속옷의 가치가 없어진다. 혹은 그 속옷을 팔아 반으로 나누라고 판결할 수도 있다. 속옷을 반으로 나누면 그 가치를 상실한다. 팔아서 반으로 나누면 (그 돈으로는 아무도) 그런 속옷을 사지 못한다. 재판에 걸어 속옷을 가지려는 사람은 비양심적인 사람이다. 그런데 그 사람에게 자기 겉옷을 준다고 한다면 재판관은 누가 양심적이며 그 속옷의 주인인지를 판단할 수 있을 것이다.

솔로몬은 모세의 토라를 잘 배우고 바르게 실행한 지혜로운 통치자이며 지혜의 대명사로 불릴 만큼 현자로 기억된다. 이런 배경에서 겉옷을 내주라는 예수의 가르침을 이해할 수 있다. 예수의 성경해석 지식은 랍비 유대교의 미드라쉬나 엣세네의 성경해석에서 발견할 수 있다.

'네 원수를 미워하라'고 들었다 마태5,43

예수가 엣세네의 규례를 들고 바리새들과 논쟁을 하는 일화들도 있지만 그가 엣세네 규례를 정면으로 반대하며 제자들에게 가르치는 부분도 발견할 수 있다. '원수를 미워하라'는 말에 대한 그의 해석을 살펴본다. 예수는 그의 제자들에게 십계명에 대해 가르치며 이렇게 말한다.

'네 이웃을 사랑하고 네 원수를 미워하라'고 말하는 것을 여러분은 들었습니다. 그러나 나는 여러분에게 말합니다.

여러분의 원수를 사랑하고 여러분을 저주하는 사람들에게 축복기도를 해주시오. (중략)

하느님은 선한 사람들에게나 악한 사람들에게나 그분의 해를 떠오르게 하며 의로운 사람들에게나 사악한 사람들에게나 그분의 비를 내리게 합니다. 만일 여러분이 사랑하는 사람들을 사랑한다면 여러분이 (하느님에게서) 무슨 보수를 받겠습니까? 세리들도 그것은 하지 않습니까? 만일 여러분이 여러분의 형제들에게만 안녕하냐고 물어본다면 여러분

이 무엇을 더 낮게 한단 말입니까? 세리들도 그것은 하지 않습니까?(마태 5,43~48)

'원수를 미워하라'는 인용문이 히브리 성경에 나오는 듯 보인다. 그러나 히브리 성경 어느 곳에도 없고 바리새의 미쉬나(법규 해석)에도 없다. 오직 사해문헌에 나오는 문구다. 엣세네 공동체의 기본 규례 가운데 하나가 그들의 원수를 미워하라는 지침이다. 엣세네의 기본 규례서는 이렇게 시작한다.

> 단합체(약하드)의 규례에 [따라] 살기 위해 [⋯] [온 마음과 목숨으로] 하느님을 찾고 그분 앞에서 선善하고 바른 일을 행한다. 모세와 그의 종 예언자들을 통하여 그분이 명령했듯이 그분이 선택한 모든 것을 사랑하고 그분이 거절한 모든 것을 미워한다.(⟨단합체의 규례⟩ i,1~4)

하느님이 거절한 것들은 엣세네 공동체의 원수들이다. 하느님이 선택한 것들은 엣세네 공동체를 뜻한다. 하느님에게서 선택되었다고 자랑하는 엣세네 공동체에서는 서로를 이웃이나 형제라고 불렀다. 그들은 자기 이웃을 자기처럼 사랑하라고 가르쳤고 스스로 빛의 자식들이라고 불렀으나 공동체 이외의 사람들은 어둠의 자식들이라고 부르면서 그들의 원수로 여겼으며 그들을 미워하라고 가르쳤다.

> 빛의 모든 자식들을 사랑하고 어둠의 모든 자식들을 미워할 것이다.
> ⟨단합체의 규례⟩ i,10)

히브리 성경 본문에는 '네 이웃을 너처럼 사랑하라'고 쓰여 있는데 여기서 '이웃'을 엣세네 공동체의 일원인 '형제'로 바꾸어 해석한다. 예를 들어, '각자 그의 형제를 자기처럼 사랑할 것이며 가난한 자와 거지와 떠돌이의 손을 잡아줄 것이다.'(《새 언약의 규례》 iv,21)

한편 신약성경에서도 이와 같은 해석을 읽어볼 수 있다 : '우리가 형제를 사랑하므로 죽음에서 생명으로 들어온다는 것을 안다.'(요한1서 3,14) '형제'는 초대교회의 일원을 말한다. '네 이웃을 사랑하고 네 원수를 미워하라'는 인용문에서 '네 이웃'도 공동체의 일원을 가리킨다.

엣세네들이 미워하는 어둠의 자식들은 특별히 바리새와 사두개 그리고 로마 사람이었다. 예수가 원수를 미워하지 말고 사랑하라고 말하는 가르침은 엣세네의 규례가 잘못되었으니 따르지 말라는 매우 심각한 발언이다. 예수는 엣세네 공동체 사람들이 자기들끼리만 서로 돕고 남들은 미워하는 매우 이기적인 삶을 살아간다고 비판한 것이다.

엣세네들은 여러 도시에 집단 거주지를 형성했다. 예루살렘에도 그들의 거주지가 있었으며 시온 산을 중심으로 형성되었다. 요세푸스의 기록에 따르면 1세기에 예루살렘의 남서쪽에 '엣세네 성문'이 있었다고 한다. 엣세네 성문은 엣세네 사람들이 모여 살던 집단 거주지 근처에 있었던 성문으로 시온 산의 남쪽에 위치했다(9장 그림 9-2 참조).

엣세네 사람들은 집단으로 모여 살며 자기 공동체 이외의 사람들을 미워하고 심지어 가까운 동네 사람들이 지나가더라도 그들에게 안녕하냐고 인사하기는커녕 저주하는 말을 할 정도였다. 엣세네 사람들이 공동체를 이루면서 원래부터 살고 있던 그 지역 사람들을 이렇게 멸시하고 따돌려 결국 그들을 타 지역으로 이사하게 만들었다. 자기들의 공동체를 확장하기 위해 주변 사람들을 어둠의 자식들이라고 미워하며 자기가 살던 곳을 떠나게 만든 엣세네들을 예수는 비난하는 것이다. 엣세네들이 이처럼 동네 사람들을 저주하고 미워하는 그 숨겨진 의도는 그들 공동체 지역을 보다 크게 확보하기 위해 남의 거주지를 가로채려고 탐심을 품은 것이다. 예수는 엣세네들을 '네 이웃의 재산을 탐내지 마라'는 계명을 어기는 부류로 여겼다.

따라서 예수가 "'네 이웃을 사랑하고 네 원수를 미워하라'고 말하는 것을 여러분은 들었습니다. 그러나 나는 여러분에게 말합니다" 하며 그의 제자들에게 가르치는 이 단락은 엣세네들을 향해 그들의 규례를 비판하는 것이다. 또한 예수가 그의 제자들에게 '여러분이 이런 구절을 들었다'고 말하는 것은 그들이 엣세네 문헌에 익숙하다는 점을 보여준다.

오른손이 하는 자선을 왼손이 모르게 할 수 있을까 마태6,3

예수는 십계명 6~10항에 대해 새롭게 해석하고 마지막으로 자선에 대해 말한다. "여러분은 사람들에게 보이려고 그들 앞에서 자선을 행하지 않도록 조심하시오. 그렇지 않으면 하늘에 계신 여러분의 아버지에게서 보수를 받지 못합니다. 그러므로 당신이 자선을 행할 때에는 위선자들이 칭찬 받으려고 회당과 사거리에서 행하듯이 스스로 뽈 나팔을 불지 마시오."(마태 6,1~2) 그러고는 다음과 같이 자선을 하라고 가르친다.

당신이 자선을 베풀 때에 당신의 오른(편)이 무엇을 하는지 당신의 왼(편)이 모르게 하시오. 그리하여 당신의 자선이 숨겨져 있게 하시오.(마

태 6,3)

흔히 이 문장을 당신의 오른손이 행한 것을 왼손이 모르게 하라고 번역한다. 사람이 자기 오른손으로 자선한 것을 왼손이 어떻게 모르게 할 수 있을까?(아무리 은유적인 표현이라고 하더라도.) 자선을 베풀 때에 왜 숨기라고 말할까? 이에 대한 해답은 잠언 미드라쉬에서 찾아볼 수 있다.

"재물은 진노의 날에 쓸모없다."(잠언11,4)

그렇다면 그에게 무엇이 쓸모 있을까?

토라의 말씀이다. 이는 생명에 비유한다. 이렇게 말한다. "교훈을 지키는 이는 생명의 길(에 있다)."(잠언 10,17) 그리고 "정의(자선)는 죽음에서 구한다."(잠언 11,4)

그러나 자선이 지옥의 심판에서 (자선한 사람을) 구할까?

그럴 만한 이들에게 주는 사람이 있지만 그럴 만하지 않은 이들에게 주는 사람도 있다. 만일 그럴 만하지 않은 이들에게 주는 사람이 그 (자선)으로 구제될 수 있을까?

그래서 자선은 다름 아닌 토라를 말한다. 이렇게 말한다. "하느님이 우리에게 명령한 것처럼 우리가 주님YHWH 하느님 앞에서 이 모든 계명을 행하겠다는 것을 지키면 우리에게 정의(자선)가 있을(생길) 것이다."(신명기 6,25)

누구든 원한다면 요세 랍비의 말을 들어볼 것이다.[05]

"내 몫(역할)이 자선 관리자들과 함께 있기를 바라지 자선을 나누는 자들과 함께 있기를 바라지 않는다. 그것을 받는 자는 누구에게서 받는지를 알지만 그것을 주는 자는 누구에게 주는지를 알지 못한다."

하니나 벤 도싸는 말했다.

"지옥의 심판에서 사람을 구하는 자선은 오직 토라다. 이렇게 말한다.
'정의(자선)는 죽음에서 구한다.'"(《잠언 미드라쉬》 11,4)

하느님의 계명을 잘 지키면 자선을 행하려는 마음이 스스로 생길 것
이다. 어떻게 자선을 해야 자선한 사람이 죽음에서 구해질 수 있을까?
위의 미드라쉬에서 보면 자선을 받아 관리하는 사람과 자선을 나누는
사람이 서로 다르다. 따라서 자선 분배자는 자선 받은 사람을 알지만
자선 받는 사람은 누가 자선을 베풀었는지 알지 못한다. 이렇게 함으로
써 자선을 행한 사람이 누구에게 그의 자선이 돌아갔는지를 모르게 하
여 자선 받은 사람을 보호하려는 방책이다.

자선을 할 때 오른편과 왼편을 말하는 예수의 가르침을 위의 잠언 미
드라쉬와 비교해보면 오른쪽과 왼쪽이 무엇을 지시하는지 알 수 있다.
오른편과 왼편은 자선을 받는 자와 자선을 나누어주는 자로 대비해볼
수 있다. 자선을 베풀 때에 자선 분배자가 그것을 누구에게 나누어주었
는지 자선 받아 관리하는 자가 모르게 해서 자기의 자선이 누구에게 돌
아가는지를 숨기게 하라는 가르침으로 이해할 수 있다. 다시 말해서,
'당신이 자선을 베풀 때에 당신의 오른편(자선을 나누어주는 자)이 무엇을
하는지 당신의 왼편(자선을 받은 자)이 모르게 하시오. 그리하여 당신의
자선이 숨겨져 있게 하시오'라고 이해할 수 있다. 그렇게 자선을 하면
지옥의 심판에서 구제될 수 있다고 랍비들은 말한다.

"비밀리에 주는 선물은 화를 누그러뜨린다."(잠언 21,14)
요하난 (벤 자카이) 랍비는 말했다.

"누구든 비밀리에 자선을 행하면 찬미 받으시는 거룩하신 분이 그와 그의 집안사람들에게서 '화禍'라고 불리는 죽음의 천사를 누그러뜨린다." 레비 랍비는 말했다.

"자선을 하는 자의 보수는 그것을 받는 자의 것보다 더 크다. 자선을 하는 자는 자선이라는 이름으로 행하지만, 받는 자는 그가 받을 만한지 아닌지를 알지 못하기 때문이다."

《미쉬나》에서 가르친다.

다섯 개 금전이 있는 자가 그것으로 생업을 하면 자선을 받지 않을 것이다. 누구든 자선을 받을 필요가 없는데 받았다면 (받은 것이) 다른 이에게 필요하게 될 때까지 늙어도 죽지 않을 것이다.

누구든 자선이 필요한데 받지 않았다면 (그가 잘되어) 그의 것을 다른 이에게 나누어줄 때까지 이 세상에서 떠나지 않을 것이다. 그렇다. 그분이 말했다. "주님YHWH이 확신하는 용감한 자는 복 받는다."(예레미야 17,7)

자선이 필요한데도 받지 않은 사람은 용감하다는 말이다. [금전 하나는 로마의 화폐 단위로 10데나리온에 해당한다. 예수 당시 하루 품삯이 1데나리온 정도 됐다.] 반면에 자선을 받지 않아도 되는 사람이 받았다면 죽을 때까지 그것은 빚으로 남는다. 자선을 해서 받는 보수는 하느님에게서 받는 복이다. 비밀리에 자선한 사람이 죽음에서 구해질 수 있는 이유는 하느님이 죽음의 천사가 그에게 다가오는 때를 늦추어주기 때문이다. '용감하게' 자선하는 사람이 받는 보수가 바로 이것이다. '죽음의 천사'에 대한 미드라쉬에서 누가 용감한지를 보여준다.

쉬무엘 바르 이츠학 랍비는 말했다.

"'보라, 매우 좋았다'(창세기 1,31). 이것은 생명의 천사다.

'그리고 보라, 매우 좋았다'(창세기 1,31). 이것은 죽음의 천사다.

정녕 죽음의 천사가 매우 좋을까?

놀랍게도 그렇다.

이것은 잔치를 베푸는 왕에 (비유할 수 있다).

왕은 손님들을 초대하고 그들 앞에 좋은(맛있는) 것으로 가득 찬 접시들을 내놓았다. 그는 말했다.

'누구든 먹고 왕을 찬미하면 그는 먹고 즐길 것이다. 그러나 누구든 먹고 왕을 찬미하지 않으면 칼로 그의 목을 벨 것이다.'

이처럼 누구든 계명과 선행을 쌓으면 이는 생명의 천사다.

그러나 누구든 계명과 선행을 쌓지 않으면 이는 죽음의 천사다."(《창세기 미드라쉬 랍바》 9,10)

세상사에 죽음의 천사가 있어서 매우 좋은 이유는 사람들이 죽음의 천사를 두려워하여 하느님의 법도를 지키고 선행을 하여 토라의 길을 택할 수 있기 때문이다. 하느님의 가르침을 배우고 자선하는 사람은 하느님이 베푸는 잔치에서 먹고 즐긴 다음 하느님을 찬미하는 생명의 천사와 같다. 하느님을 찬미하는 사람은 하느님이 확신하는 용감한 자며 그는 하느님에게서 복 받는다. 그 복은 생명의 천사가 죽음의 천사에 맞서 자선하는 의로운 사람들의 죽음의 시각을 늦추어주기 때문이다. 이처럼 예수의 자선에 대한 가르침은 랍비 유대교의 미드라쉬와 비교해보면 그 의미를 보다 분명히 이해할 수 있다.

일곱 개 문장으로 만들어진 주기도문 마태6,9~13

예수는 그의 제자들에게 기도할 때 바리새들이나 사두개들이 사람들에게 드러나 보이려고 회당이나 길거리 모퉁이에서 기도하기를 좋아하는 것처럼 하지 말고 방에 들어가 숨어 있는 하느님에게 기도하라고 하며 신상숭배자들처럼 수다 떨지 마라고 가르쳤다. 그들은 말을 많이 해야 신이 들어주는 줄로 생각하지만 그렇지 않으니까 그들을 닮지 마라는 것이다. 그러므로 이렇게 기도하라고 말한다.

하늘에 계신 우리 아버지!

① 당신의 이름이 거룩하게 될 것입니다.

② 당신의 왕국이 올 것입니다.

③ 당신의 뜻은 하늘에서와 같이 땅에서도 이룰 것입니다.

④ 우리를 위해 오늘 우리의 필요한 빵을 주십시오.

⑤ 그리고 우리 역시 우리에게 잘못한 이들을 용서했듯이 우리를 위해 우리의 잘못을 용서하십시오.

⑥ 그리고 우리를 유혹에 들지 않게 하십시오.

⑦ 그러나 (만일 유혹에 빠진다면) 그 악에서 우리를 구하십시오.(마태 6,9~13)

우리에게 잘 알려진 주기도문은 이와 같이 일곱 개의 문장으로 짜여 있다. [괄호 안의 번호는 편의상 넣은 것이다. 아람어로 보면 ①~③은 미완료형 서술문이고, 나머지는 명령형이다('빵을 주어라, 용서해라, 들지 않게 해라, 구하라'). 주기도문에 이어 나오는 '왕국과 권세와 영광이 영원토록 당신 것입니다' 라는 문구는 후대에 첨가된 부분이다.]

주기도문은 일곱이라는 숫자의 상징성에서 살펴볼 필요가 있다. 고대로부터 숫자는 문맥에 따라 상징성을 나타내려고 사용되는 경우를 볼 수 있다. 초기 랍비 유대교의 성경해석 방법 가운데 성경에서 인용하는 것 이외에도 일정한 수를 정하여 한 주제로 설명하는 방법도 있다. 예를 들어, '세상은 세 기둥 위에 서 있다,' '세상은 열 번의 말씀으로 창조되었다,' '현자에게 일곱 가지 특성이 있다,' '사람에게 네 가지 유형이 있다' 등. 이 가운데 일곱은 상징숫자로 보다 자주 사용되었다. 예를 들어, 하느님은 세상 창조를 마치고 일곱째 날에 쉬었으며 아담의 일곱 번째 자손 레멕(라멕)은 칠백칠십칠 년을 살았다(창세기 5,31). 하느님에게 일곱 개의 눈이 있다(스가랴 4,10)고 말하듯이 지혜에 일곱 개의 기둥이 있다(잠언 9,1)는 전승도 숫자 일곱이 낳은 신화다. 초기 유대교 랍비들은 지혜의 일곱 기둥에 대해 이렇게 해석했다.

'지혜가 자기 집을 지었다'(잠언 9,1).
이것은 토라를 말하며 이것으로 모든 세상을 얻는다.
'(지혜는) 일곱 개의 기둥을 깎았다'(잠언 9,1).
그것은 일곱 개의 창공에서 깎았으며 사람의 자식들에게 준다.
다른 설명. '지혜가 자기 집을 지었다.'
찬미 받으시는 거룩하신 분이 말했다.
"만일 사람이 토라와 지혜를 가르치며 공덕을 쌓는다면 나는 그를 마치 그가 세상 전체를 세운 것처럼 생각하겠다. '(지혜는) 일곱 개의 기둥을 깎았다.'
이것은 일곱 개의 땅을 말한다.
만일 사람이 토라를 이행하며 공덕을 쌓는다면 그는 일곱 개의 땅을 물

려받는다. 그러나 그렇지 않으면 일곱 개의 땅으로 잘려나간다.

여기서 '모든 세상'은 이 세상과 오는 세상을 말한다. 지혜는 하늘에 있는 일곱 개의 창공에서 얻을 수 있다는 말이다. 유대교 신비주의자들은 하느님의 현존(쉐키나)을 보기 위해 창공에 올라간다고 말한다. 바울의 편지에 바울이 아는 사람들 가운데 창공에 올라간 적이 있다고 하는 이야기가 나온다. '그 자신이 셋째 창공에까지 붙들려 갔었다'(고린도후서 12,2). 창공에 오르려는 목적은 지혜를 얻어 집을 짓기(토라를 해석하기) 위해서다.

6-1 메노라 그림
5세기경 이스라엘 땅에 건립된 회당의 바닥 모자이크 그림.
메노라 옆에는 뿔 나팔과 재단이 있으며 그 옆의 그림에는 성전 입구와 지성소에 휘장이 위아래로 걸쳐 있다.

'일곱 개의 땅'은 고대 이스라엘의 주변에 일곱 개 부족이 살고 있었다(여호수아 3,10)는 점에 착안하여 나온 해석이다. 하느님은 이 일곱 부족들을 쫓아낸다고 이스라엘에 약속했다. 따라서 일곱은 맥락에 따라 전체를 의미한다. 그래서 일곱 개의 기둥으로 세상 전체를 세운다고 설명한다. 만일 이스라엘이 토라를 배우고 이행하면 주변 나라들을 하느님의 상속으로 받게 되겠지만 그렇지 않으면 도리어 일곱 개 나라로 (즉 세상의 각지로) 유배된다는 말이다. 유대교의 현자들은 토라를 배우고 행했지만 세상 각지에 흩어져 살게 되었다.

복음서에서 주기도문의 일곱 개 문장 이외에도 일곱은 자주 사용되었던 상징숫자다. 예수는 형제를 용서하려면 '일흔 번 일곱까지'를 하라고 말하며(마태 18,22), 막달라 마리아에게서는 귀신 일곱이 떨어져나갔다(누가 8,2). 예수는 서사들과 바리새들을 위선자들이라고 비난하며 일곱 차례 불행을 선언했다(마태 23,13~33). 요한계시록에 일곱 교회, 일곱 뿔 나팔, 일곱 대접, 일곱 별 등 일곱의 숫자로 사용되는 경우는 헤아릴 수 없이 많다.

유대교의 큰 명절인 유월절과 초막절은 칠일 동안 축제일이며 유대인들은 결혼식에서 일곱 번 축복기도를 하고 칠일 동안 잔치를 베풀었다. 그리스도교의 성령강림일인 오순절은 유대교의 칠칠절에 해당하며 칠칠절은 유월절부터 7주가 지난 다음 날에 시작한다. 유대교의 상징으로 회당 입구나 바닥에 장식된 일곱 촛대의 등잔대인 메노라는 생명나무를 뜻한다. 이렇게 일곱의 상징성이 성경과 유대교 생활에 많이 나오는 것을 보더라도 주기도문이 일곱 개 문장으로 엮어진 것은 결코 우연이 아니겠다.

창조 때 준비되었던 일곱 가지 것들

고대 문헌에 비추어진 일곱은 구원과 승리의 숫자다(12장 〈게마트리아〉 참조). 초기 랍비들은 이러한 맥락에서 창조 때에 일곱 가지 것들이 있었 다고 해석했다.(창세기 1장에 전해진 세상 창조의 목적은 인간을 구원하려는 데 있 으며 YHWH 하느님의 승리를 이야기한다.) 아래와 같은 성경해석에서 창조 때 에 준비되었던 일곱 가지 것들을 읽어볼 수 있다.

"이해가 있는 자에게는 모든 것이 똑바르고 지식을 찾은 자에게는 올 바르다."(잠언 8,9)

하나나 랍비는 말했다.

"와서 보시오. 찬미 받으시는 거룩하신 분이 세상을 만들어내기 전에 그분의 세상에 얼마나 좋은 것을 만들어냈는가! 그것이 무엇일까? 그 것은 토라다. 이렇게 가르친다. 그분이 세상을 만들어내기 전에 일곱 가지가 만들어졌다. 그것들은 이러하다. 토라, 영광의 보좌, 성전, 회 개, 에덴동산, 지옥, 메시아의 이름.

영광의 보좌. 어디에서? 이렇게 말한다. '당신의 보좌는 옛날에 세워 졌습니다'(시편 93,2).

성전. 어디에서? 이렇게 말한다. '처음부터 높은 곳에 세워진 영광스 러운 보좌는 우리의 성전 자리다'(예레미야 17,12).

에덴동산. 어디에서? 이렇게 말한다. '그리고 주님 YHWH 하느님이 옛날부터 에덴에 동산을 가꾸었다'(창세기 2,8).

지옥. 어디에서? 이렇게 말한다. '토펫트는 이전부터 준비되었다'(이사 야 30,33).

회개. 어디에서? 이렇게 말한다. '산들이 생기기 전에, 당신이 땅과 세

상을 형성하기 전에'(시편 90,2). 그다음에 이렇게 쓰여 있다. '당신은
인간을 먼지로 돌아가게 하십니다. 아담(사람)의 자식들아, 돌아와라'
(시편 90,2~3).

메시아의 이름. 어디에서? 이렇게 말한다. '그의 이름은 영원할 것이
며 태양 앞에 (태양이 뜨기 전에) 그의 이름은 싹을 낸다. 모든 민족이 그
에게서 복을 받으며 그들은 그를 행복하게 할 것이다'(시편 72,17).

토라. 어디에서? 이렇게 말한다. '주님은 그분의 길 처음에 나(지혜)를
소유했다. 옛날부터 그분 일에 앞서'(잠언 8,22).(이 구절) 위에 무엇이라
고 쓰여 있는가? '나를 사랑하는 이들이 물질을 물려받게 하고 나는
그들의 보물창고를 채우겠다.'(잠언 8,21)"(《잠언 미드라쉬》 8,9)

초기 유대교 문헌에 따르면 처음에 하느님이 하늘과 땅을 만들어내
기 전에 일곱 가지가 이미 있었다고 해석한다(괄호 숫자는 편의상 넣었다).
이러한 일곱 가지들이 창조 이전에 만들어졌다는 것은 그 단어들이 나
오는 문맥에서 창조 이전과 관련된 표현, 예를 들어, '처음부터, 옛날
에, 예전에, 시작에' 등과 같은 문구를 발견하여 옛날 창조 때에 존재했
다고 논박한 것이다. 토라가 창조 이전에 있었기 때문에 하느님은 토라
를 보고 세상을 만들었다는 이야기다.

'높은 곳'은 하늘을 가리키며 창조의 처음부터 하늘에 성전이 있었
다는 논리다. '하느님이 옛날부터 에덴에 동산을 가꾸었다'고 옮긴 것
은 초기 유대교 랍비들의 해석에 근거한다. '옛날부터'라고 번역한 단
어(미케뎀 מקדם)는 흔히 '동쪽에'라고 번역한다. '동쪽에 있는 에덴에
동산을 가꾸었다.' 그러나 랍비들은 이 단어를 시간적으로 설명했다.
'케뎀'은 공간적으로 동쪽을 뜻하며 시간적으로는 '이전, 예전, 옛날'

등을 뜻한다.

'토펫트'는 힌놈 골짜기에서 거행했던 몰렉 제사를 말한다. 몰렉 제사는 아이들을 불로 태우는 제사를 말한다. 토펫트는 '불타는 곳'으로 볼 수 있다. 따라서 힌놈 골짜기는 지옥(게헤나)으로 비유했다. 유다 왕국의 요시야 왕(기원전 636~609년 재위) 때 신상들을 모두 꺼내어 이곳에 모아 불에 태웠다. 그래서 지옥은 불타는 곳으로 알려지게 되었다. 사람이 잘못하면 지옥에 떨어진다는 명백한 사실을 잘 알라고 지옥의 불이 하느님의 선택에 들어간 것이다. '이전부터', 즉 세상이 아직 만들어지기 전을 뜻한다.

'돌아와라'는 회개하라는 뜻이다. 땅과 세상이 만들어지기 전에 하느님은 흙으로 아담(사람)을 만들어낼 계획을 했으며 인간에게는 한정된 삶이 있다고 정했다. 또한 사람은 악한 성향이 있어 잘못을 저지르게 되기 때문에 세상을 만들기 이전에 하느님은 '아담의 자식들아, 돌아와라'라고 말했다는 것이다.

'태양이 뜨기 전에', 즉 하늘과 땅이 만들어지기 전이라는 말이다. 초기 유대교 문헌에서는 메시아의 이름이 싹을 낸다고 하여 메시아의 이름을 '새싹(쩨막흐)'이라고도 불렀다.

'나(지혜)를 소유했다'는 문구에서 지혜를 토라로 이해한 해석이며 '그분의 일에 앞서'는 하느님의 창조에 앞서, 즉 세상이 만들어지기 전을 뜻한다. 세상 창조의 목적은 하느님을 사랑하는 이들, 즉 토라를 사랑하는 사람들이 물질적으로 풍요해지게 하고 하느님은 그들의 보물창고를 채우겠다는 것이다. 보물창고에 채워지는 보물들은 미쉬나(법규 해석)와 미드라쉬를 말한다.

주기도문의 일곱 개 문장을 창조의 칠 일 동안 만들어진 내용과 창조 때 준비되었던 일곱 가지를 연관해서 아래와 같이 살펴볼 수 있다.

① 하느님의 이름이 거룩하게 될 것입니다

하느님의 이름이 거룩하게 되는 것은 하느님의 이름이 빛나는 것과 같은 뜻이다. 하느님의 이름과 '빛' 사이에 무슨 관련이 있는지에 대해 아래와 같은 미드라쉬에서 찾아볼 수 있다.

> 심온 벤 요하이 랍비는 (아래 구절을) 열었다.[06]
> "사람에게 기쁨은 그의 입의 대답에 있으며, 그의 때의 말이 얼마나 좋은가."(잠언 15,23)
> '사람에게 기쁨이 있다.' 이것은 찬미 받으시는 거룩하신 분을 뜻한다. 이렇게 말한다. "주님은 전쟁의 사람이며, 주님YHWH이 그분의 이름이다."(출애굽기 15,3)[07]
> '그의 입의 대답.' 이렇게 말한다. "그리고 하느님이 말했다. '빛이 있어라!'"(창세기 1,3)
> '그의 입의 대답이 얼마나 좋은가.' 이렇게 말한다. "그리고 하느님이 빛을 보시니 참 좋았다."(창세기 1,4) (《창세기 미드라쉬 랍바》 3,3)

'사람(이쉬)'이라는 단어는 특정한 맥락에서 하느님을 뜻한다. 예를 들어 "주님은 전쟁의 사람(전사戰士)이다"라는 문구에서 입증할 수 있다. 출애굽기 15장은 모세가 부른 승리의 노래로 시작한다.

나는 YHWH께 노래 부르겠다.
참으로 그분은 높고 높으시다.

말과 기병을 바다에 던져 넣으셨다.

나의 힘이요, '야'를 찬양함이다.[08]

나에게 구원이시다.

이분은 나의 엘이며 나는 그분을 모시겠다.[09]

내 선조의 하느님이며

나는 그분을 들어 올리겠다.

YHWH는 전사戰士며

YHWH가 그분의 이름이다.

파라오의 병거와 그의 군대를

바다에 집어던지셨다.

빼어난 그의 장교들이 갈대바다에 잠겼다.(출애굽기 15,1~4)

이집트에서 도망쳐 나오는 이스라엘 백성을 쫓아오는 파라오의 군대를 갈대바다에 빠지게 만든 YHWH 하느님의 권능(힘)을 찬미하는 노래다. YHWH는 "나의 힘이요, '야'를 찬양함이고 구원은 나에게 있다"라는 확신의 표어다. 이 문구는 히브리 성경에 이곳 이외에도 이사야 12장에 나온다. 이사야 12장은 '구원의 샘에서 기쁨으로 물을 긷는다'는 내용이 중심이다.

보라, 나를 구원하신 엘(최고신),

나는 믿고 두려워하지 않는다.

정말로 나의 힘과 찬양은 '야,' YHWH다.

구원은 나에게 있다.

너희는 기쁨으로 물을 긷는다.

구원의 샘에서.

너희는 그날에 말한다.

YHWH에게 감사하여라.(이사야 12,2~4)

이 '구원의 샘'은 히즈키야 왕이 아시리아 침공에 대비하여 만든 지하 수로를 통해 흘러나오는 실로암 우물을 가리킨다. 물을 길으며 하느님의 이름을 찬양하는 기쁨을 이야기한다. 하느님의 이름인 YHWH를 찬양함은 그분의 기쁨이다. 이런 기쁨이 있기 때문에 하느님은 "빛이 있어라"고 말하여 세상을 만들어냈다는 해석이다. 하느님에게 기쁨은 그분의 입에서 나오는 대답이며 그 대답은 다름 아닌 창조 첫째 날에 "빛이 있어라"고 말한 것이다. 창세기 미드라쉬에 그 빛은 하느님의 겉옷에서 나온다고 이야기한다.

> "하느님이 말했다. '빛이 있어라.'"(창세기 1,3)
> 그러나 (어떻게 빛이 있어야 하는지) 설명하지 않았다.
> 어디에서 설명할까?
> "(당신은) 빛을 겉옷처럼 두르셨습니다."(시편 104,2) 《창세기 미드라쉬 랍바》 1,6)

하느님이 빛을 겉옷처럼 두르고 있었다는 말이 무슨 뜻인지 아래 단락에서 찾아볼 수 있다.

> 쉬무엘 바르 나흐만 랍비는 말했다.[10]
> "이것은 찬미 받으시는 거룩하신 분이 겉옷처럼 자신을 그것(빛)으로

두르시고 그 찬란한 광채를 세상의 이 끝에서 저 끝까지 비추시는 것이라고 가르칩니다."(《창세기 미드라쉬 랍바》 3,4)

하느님의 겉옷에서 퍼져 나오는 빛으로 세상 전체를 비춘다는 해석이다. '세상의 이 끝에서 저 끝까지'라는 주제는 복음서에서도 발견할 수 있다. 복음서의 마지막 부분에 덧붙인 결문에 이렇게 전한다. "그 후 (부활한) 예수는 그들(제자들)을 통해 동쪽에서부터 서쪽에 이르기까지 영원한 구원에 대한 거룩한 불멸의 (복음) 선포를 두루 미치게 했다"(마가 16,20). 부활한 예수는 마치 빛을 몸에 두른 것처럼 그의 영원한 구원의 빛을 세상의 동쪽(이 끝)에서 서쪽(저 끝)까지 비춘다고 이해할 수 있다. 복음서에 메시아 예수를 빛으로 표현하는 단락을 많이 읽을 수 있다 ['그(메시아)는 진리의 빛이었으며 세상에 와서 모든 사람에게 비추고 있다'(요한 1,9). 마태 17,1~9; 요한 8,12; 요한 12,35~36 등]. 메시아 예수를 빛이라 부르는 해석의 출발점은 창세기 1,3의 미드라쉬에서 발견할 수 있다. 한편 초기 유대교 미드라쉬의 관점에서 보면 창조의 '빛'을 토라로 해석한다. 창세기 미드라쉬의 아래와 같은 단락에서 읽어볼 수 있다.

시몬 랍비는 말했다.
"여기(창세기 1,3~5)에 빛은 다섯 번 쓰여 있으며, 이것은 모세오경에 알맞다.
하느님이 말했다. '빛이 있어라!'(창세기 1,3) 이것은 창세기에 알맞고 찬미 받으시는 거룩하신 분이 이것에 열중하여 그분의 세상을 만들어 냈다.
'빛이 있었다'(창세기 1,3). 이것은 출애굽기에 알맞고 이스라엘은 이에 따라 어둠에서 빛으로 나아갔다.

'그리고 하느님이 빛을 보니 참 좋았다'(창세기 1,4). 이것은 레위기에 알맞고 이 책에는 많은 법도(할라카)로 가득 차 있다.

'하느님이 빛과 어둠 사이를 갈라놓았다'(창세기 1,4). 이것은 민수기에 알맞고 이 책은 이집트에서 떠나온 것과 (가나안) 땅에 들어가는 것을 갈라놓았다.

'그리고 하느님이 빛을 낮이라고 불렀다'(창세기 1,5). 이것은 신명기에 알맞고 이 책은 많은 법도로 가득 차 있다."

그러나 랍비들은 시몬 랍비의 의견에 반대했다.

"레위기에 많은 법도가 가득 차 있지 않습니까?"

그는 그들에게 말했다.

"그것(신명기) 역시 말씀을 되풀이하고 있습니다."(《창세기 미드라쉬 랍바》 3,5)

창세기 1,3~5에 빛이라는 단어가 다섯 번 나온다. 이 짧은 단락에서 빛이라는 단어를 지시대명사로 바꾸어 쓸 수 있다(예를 들어 '하느님이 말했다. "빛이 있어라!" 그러자 그것이 있었다. 하느님이 그것을 보니 참 좋았다'). 그러나 그렇게 쓰여 있지 않고 '빛'이라는 단어가 반복해서 나온다. '그 이유가 무엇일까'라는 질문에 대한 대답이다. 창조 첫날의 빛은 하느님의 가르침인 모세오경(토라)이라고 해석한다. 빛이 창세기에 알맞다는 점에서 빛에는 창조의 상징성이 있다는 말이다. 하느님이 빛으로 세상을 창조했으며, 또한 노아와 맺은 새 언약으로 새로운 세상이 시작됐고, 야곱을 통해 이스라엘이 세워졌다는 점은 창조를 의미한다. 출애굽기에서는 빛이 구원의 상징이다. 이스라엘 사람들이 어둠의 이집트에서 구원돼 시나이 산에서 하느님의 토라를 받아 구원의 빛인 토라를 가지고 살게 됐다. 광야에서 죽는 사람은 어둠을 말하며 약속의 땅에 들어갈 사람들은 빛의 자식들이다. 그러므로 출애굽기에서 이집트에 살았던 이스라엘 백성의 삶은 어둠을 뜻하고, 시나이 산에서 토라를 받은 사건은 빛을 가리킨다. 토라의 법규와 법도를 빛으로 설명한다. 레위기의 법도와 법규는 어리석음을 퇴치할 수 있는 빛(가르침)이다. 그리고 빛은 생명이다. 신명기에는 레위기의 많은 법도가 되풀이해서 나온다.

또한 하느님의 이름을 거룩하게 하는 것은 십계명 3항과 관련된다. '네 하느님 YHWH의 이름을 잘못되게 외치지 않을 것이다. 왜냐하면 YHWH는 그분의 이름을 잘못되게 외친 자를 깨끗하게 하지(용서하지) 않기 때문이다.'(출애굽기 20,7) 십계명 3항을 지켜야 한다는 말이다. 십계명을 지키는 길은 토라를 공부함으로써 이루어질 수 있다.

복음서에서 메시아 예수가 '창조와 구원, 가르침(토라)과 생명의 빛'으로 상징되는 것을 쉽게 찾아볼 수 있다. 하느님의 이름이 거룩하게 될 수 있는 길은 생명의 빛인 토라를 배우고 행함에서 이룩할 수 있다. 주기도문 1항이 창조 첫째 날 '빛이 있어라'라는 문구에 대한 해석과 창세 처음에 '토라'가 준비되었다는 해석의 관점에서 이해될 수 있다.

② 하느님의 왕국이 올 것입니다

하느님이 창조 둘째 날에 창공을 만들었으며 그것을 만든 이유는 창공에 하느님의 왕국을 세우기 위해서다. 초기 유대교 문헌에 따르면 하늘에는 일곱 개의 창공이 있으며 하느님의 '영광의 보좌'는 일곱 번째에 있다고 이야기한다. 하느님의 왕국이 오기를 기도하는 것은 메시아 예수가 하느님 왕국의 '영광의 보좌'에 앉아 있는 모습을 보기 위해서다. 요하난 벤 자카이 랍비는 이렇게 말했다. '(하느님의) 왕국을 말하지 않는 기도는 기도가 아니다'(《미쉬나》, 〈브라호트〉 12a).

초기 유대교 신비주의자들은 하늘의 왕국에 올라갔다 돌아오는 신비로운 경험을 추구했다. 그 대표적인 예는 135년에 순교한 아키바 랍비의 일화에서 찾아볼 수 있다. 아래 단락은 아키바 랍비와 그의 동료인 이쉬마엘 랍비의 대화로 아키바 랍비의 경험을 이야기한다.

> 이쉬마엘 랍비는 말했다.
> "내가 아키바 랍비에게 사람이 전차(메르카바)에 올라탈 때 말하는 기도를 부탁하고 그가 누구인지를 아는 이스라엘의 하느님 주YHWH 라즈야(하느님의 신비)에게 찬양하기를 청했다."
> 그는 나에게 말했다.
> "깨끗함과 거룩함이 그의 마음에 있어야 합니다."
> 그는 기도를 했다.
> "당신은 영광의 보좌에서 영원히 찬미 받으십니다.
> 당신은 높은 곳의 방, 장엄한 곳에 거居하십니다.
> 당신은 신비하고 신비한 것을, 비밀스럽고 비밀스러운 비밀을 모세에게 밝히셨고 모세는 이스라엘에게 그것들을 가르쳤기 때문에 그들은 토라를 행하는 자들이 될 것이며 배움(탈무드)으로 위대해질 것입니다."
> (〈헤칼로트 라바티(큰 성전들)〉 시작 부분 1)

'메르카바'는 '전차'라는 뜻이며 유대교 신비주의의 전통을 공부하는 여러 방법 가운데 하나다. 서기 2~3세기에 발달했던 초기 유대교 신비주의는 하늘의 성전을 여행하는 방법, 혹은 전차를 타고 하늘을 돌아다니는 방법 등 다양한 형태로 볼 수 있다. 히브리 성경 에스겔서에 나오는 예언자 에스겔의 환시에서 메르카바를 볼 수 있다. ['바퀴들은 내가 듣기에 갈갈(전차 바퀴)이라고 불렀다'(에스겔 10,13).] 이런 주제로 개발된 메르카바 신비 문헌은 전차를 타고 천상 여행을 하는 이야기다

위의 단락에서 하느님이 하늘 왕국의 '영광의 보좌'에 앉아 있는 모습을 상상할 수 있다. 하느님의 신비를 알기 위해 영광의 보좌에 앉아 있는 하느님을 보려고 노력한다. 그런데 그 신비는 다름 아닌 토라에 감추어져 있다는 것이며 토라를 배움으로써 하느님의 신비를 찬양하게 되고 하느님의 왕국에 들어갈 수 있다는 이야기다.

예수가 체포되어 산헤드린에서 심문을 받을 때 그는 "이제부터 여러분은 전능하신 분의 오른편에 앉아 있는 아담의 아들을 볼 것입니다"(마태 26,64)라고 말했다. '전능하신 분'은 하느님의 이름 YHWH을 우회적으로 표현한 낱말이고 '아담의 아들'은 메시아 예수를 가리킨다. 그가 앉아 있는 의자가 바로 '영광의 보좌'다. 승천한 예수가 하늘 왕국에서 요한에게 보여준 환시에서도 읽어볼 수 있다. '나는 죽은 자들이 큰 사람이나 작은 사람이나 모두 보좌 앞에 서 있는 것을 보았다'(요한계시록 20,12). '보좌'는 메시아 예수가 앉아 있는 영광의 보좌다.

'하느님의 왕국이 올 것입니다'라는 기도는 창조 둘째 날 "물 가운데 창공이 있어라"(창세기 1,6) 하는 구절에 대해 하느님은 그곳에 영광의 보좌를 세우기 위해서라고 해석하는 점과 연결된다. 메시아 예수가 영광의 보좌에 앉아 있는 그런 하느님의 왕국이 올 것을 확신하는 기도다.

③ 하느님의 뜻이 땅에서도 이루어질 것입니다

하느님의 뜻이 이루어지는 하늘은 구체적으로 하늘의 성전이다. 하

느님의 뜻이 하늘의 성전에서 이루어지듯이 땅의 성전에서도 그렇게 될 것이라는 기도다. 다시 말해서 하느님이 하늘의 성전에서 땅의 성전으로 내려와주기를 기원하는 말이다. 창세 미드라쉬에서 하느님의 현존이 창공으로 올라갔다가 땅으로 내려오게 되는 연유를 이야기한다.

하느님의 현존은 원래 아래(땅)에 있었는데, 처음 아담이 죄를 짓자 현존은 첫째 창공으로 올라가버렸다.

카인이 죄를 짓자 둘째 창공으로 올라가버렸으며, 에노쉬 세대에서는 셋째 창공으로, 홍수 세대에서는 넷째 창공으로, 바벨탑 세대에서는 다섯째 창공으로, 소돔 때문에 여섯째 창공으로, 아브라함 시절에 이집트 때문에 일곱째 창공으로 올라가버렸다.

그러나 이에 상응하여 일곱 명의 의인이 일어났다. 그들은 '아브라함, 이츠학, 야곱, 레위, 크하트, 암람과 모세'다. 그들은 하느님의 현존을 땅으로 내려오게 했다.

아브라함이 일어나서 (현존을) 여섯째 창공으로 내려오게 했으며, 이츠학이 일어나서 여섯째에서 다섯째로 내려오게 했고, 야곱이 일어나서 다섯째에서 넷째로 내려오게 했고, 레위가 일어나서 넷째에서 셋째로 내려오게 했고, 크하트가 일어나서 셋째에서 둘째로 내려오게 했고, 암람이 일어나서 둘째에서 첫째로 내려오게 했고, 모세가 일어나서 위에서 아래(땅)로 내려오게 했다."

이츠학 랍비는 말했다.

"이렇게 쓰여 있다. '의인들이 땅을 이어받을 것이고 그곳에 영원히 거주할 것이다.'(시편 37,29) 그러면 악인들은 무엇을 할까? 그들은 공중에 날아다닐까? 아니다. 악인들은 하느님의 현존이 땅에 거주하지 못하게 한다."

에덴동산 이야기에서 하느님은 아담과 그의 아내와 함께 동산에 있었다. 그런데 아담과 그의 아내가 먹지 마라고 한 나무의 열매를 먹는 죄를 짓자 하느님의 현존은 하늘로 올라갔다. 카인과 아벨의 이야기에서 하느님이 그들의 제물 가운데 아벨의 것만 받아들이자 화가 난 카인은 아벨을 밀쳐 죽이고 만다. 그러자 하느님의 현존은 이 세상에서 조금 더 멀어져 올라갔다. 에노쉬 세대에 처음으로 YHWH의 이름을 부르며 맹세하기 시작했는데 아담의 딸들이 이방 신들을 섬기는 사람들과 YHWH의 이름으로 혼인하는 죄를 지었다.(창세기 6,1~2) 이로 인해 하느님의 현존은 한층 더 멀어져갔다. 홍수가 끝나고 하느님은 노아와 천궁天弓을 두고 언약을 맺는다. 그러고 나서 하느님은 넷째 창공으로 올라갔다. 바벨탑 이야기에서 사람들이 하늘에 닿는 높은 탑을 만들어 이름을 날리자고 도모했다. 하느님은 사람들이 탑을 짓지 못하게 하기 위해 서로 알아듣지 못하도록 그들의 언어를 혼동시키고 온 땅에 흩어지게 만들었다.(창세기 11,1~9) 그러고는 다시 한층 더 올라갔다. 소돔을 방문한 하느님의 두 천사들을 소돔 사람들이 붙잡아 죽이려고 하자 하느님은 소돔에 유황불을 떨어뜨려 멸망시키고(창세기 19,1~29) 하느님의 현존은 한층 더 올라갔다. '아브라함 시절'은 '세 명의 선조들(아브라함, 이츠학, 야곱)의 시절'을 말한다. 야곱의 아들 요셉이 형제들의 간계로 이집트에 팔려갔기 때문에 하느님은 가장 먼 창공으로 올라가버렸다는 이야기다.

그러나 아브라함부터 모세까지 일곱 명의 의로운 사람들 덕분에 하느님의 현존은 땅에 내려왔다고 말한다. 아론과 모세의 아버지가 암람이고, 암람의 아버지가 크하트며, 크하트의 아버지가 레위다.(출애굽기 6,14~20) 레위는 야곱과 레아 사이에서 태어난 아들(창세기 29,34)이다. 아브라함에서부터 모세로 이어지는 족보에서 의인들이 나왔다. 사람들이 사악했기 때문에 하느님의 현존이 창공으로 올라갔지만 의인들의 공덕으로 현존은 다시 땅에 내려오게 됐다. 그 마지막 단계로 모세는 시나이 산 꼭대기에서 하느님을 만나고 그곳에서 40일 동안 토라를 배우고 난 다음에 하느님의 손가락으로 새긴 석판을 가지고 내려와 그것을 궤 안에 보관함으로써 결국 하느님의 현존은 이스라엘 공동체 가운데 머물러 있게 됐다.

그러나 이스라엘 백성이 신상들을 만들어 섬기는 죄를 지어 하느님의 현존은 하늘로 다시 올라갔다. 이런 성경해석이 있었기 때문에 예수는 메시아의 시대에 하느님의 현존이 다시 땅에 내려와 그분의 뜻대로 될 것을 기도하라는 것이다. 하느님의 뜻이 땅에서도 이루어질 것이라는 기도는 메시아 예수가 이스라엘 백성이 지은 죄를 짊어진 속죄양으로 하느님에게 바쳐졌기 때문에 가능하다.

창조 셋째 날 하느님이 "땅은 새싹을 돋아나게 하고, 땅 위의 풀은 씨를 맺어라"(창세기1,11)고 말했다는 문구에서 '새싹을 돋아나게 하는 좋은 땅'은 예수 공동체며 이는 땅에 세워진 하느님의 성전이라는 해석이다. 하느님의 뜻이 하늘의 성전에서 이루어진 것처럼 땅의 성전인 예수 공동체에서도 이루어질 것을 확신하는 기도다. 땅의 성전이 바로 마지막 시대에 세워질 '아담의 성전'이라는 낱말이다(10장 〈사흘 안에 세울 수 있는 아담의 성전은 무엇일까〉 참조).

④ 오늘 필요한 빵을 주십시오

흔히 주기도문에서 '양식'이라고 번역한 단어는 글자 그대로 '빵'이다. 초기 유대교 문헌에 따르면 특정한 맥락에서 빵은 하느님의 가르침을 은유적으로 표현한다. 이런 해석은 잠언 미드라쉬에서 읽을 수 있다.

'그녀는 상인의 배처럼 멀리서 빵을 가져온다.'(잠언 31,14)
심온 벤 할라프타 랍비는 말했다.
"만일 사람이 토라의 말씀에 자기 자신을 드러내지 않으면 그는 결코 토라를 배우지 못한다. 여기서 양식은 다름 아닌 토라를 말한다. 이렇게 말한다. '가서, 내 빵을 먹어라.'(잠언 9,5)

주기도문의 빵도 잠언 미드라쉬의 단락과 비교해서 이해하면 날마다 우리가 살아가는 데 필요한 토라의 말씀을 달라는 기도다. 유대교에는 613개의 계명이 있다. 이것들은 모두 토라(모세오경)에서 발췌한 인용구들이다. 이 가운데 '하지 마라'는 계명이 365개며 나머지는 '하라'는 계명이다. '하지 마라'는 계명의 숫자는 365일의 상징성을 가지고 있다.

'많은 딸들이 능력을 행사했다.'(잠언 31,29)
첫 번째 아담은 여섯 개 계명을 받았다.
노아는 살아 있는 동물의 뼈마디를 먹지 마라는 계명을 받았다.
아브라함은 할례의 계명을 받았다.
이츠학은 팔 일째에 할례를 받았다.
야콥은 동물의 허벅지 힘줄을 먹지 않는 계명을 받았다.

유다는 수혼娘婚의 계명을 받았다.

이스라엘은 248개의 '하라'는 계명을 받았으며 이것은 사람 몸의 248개의 뼈마디와 상응하고 각 뼈마디는 사람에게 말한다. "청컨대 나와 함께 이 계명을 지키시오."

그리고 365개의 '하지 마라'는 계명이 있으며 이것은 태양의 날들과 상응하고 날마다 사람에게 말한다. "너는 나와 함께 이 잘못을 하지 않을 것을 너에게 요구한다."

유대교 전승에 따르면 아담이 받은 여섯 개 계명은 '하느님을 저주하지 말 것, 도둑질하지 말 것, 법정을 세울 것, 근친상간을 하지 말 것, 살인하지 말 것, 신상숭배를 하지 말 것'이다. 수혼은 자식이 없이 과부가 된 형의 아내와 혼인하여야 하는 혼인 관습이다.

주기도문에서 '오늘'이라고 주목해서 말하는 것은 날마다 한 계명(말씀)씩 익혀 일 년 내내 죄를 짓지 않게 해보라는 뜻이다. 이런 맥락에서 일용할 빵의 의미를 찾아볼 수 있다. 하느님의 가르침을 매일 배워야 한다는 말이다. 그렇지 않으면 다른 믿음으로 갈 수 있기 때문이다.

창조 넷째 날에 하느님이 "하늘의 창공에 빛물체들이 있어라. 그래서 절기와 날수와 햇수의 징표가 되어라"(창세기 1,14)고 말했다. 해와 달과 별들의 움직임에 따라 초승과 안식일 그리고 명절 등을 지키는 징표로 삼게 했다는 뜻이다. '오늘 우리의 필요한 빵'은 오늘이 무슨 날인지 알고 그에 필요한 토라(빵)를 배우게 해달라는 셈이다. 그런데 토라를 배우는 것은 토라의 길로 들어선 것을 말한다. 토라의 길을 걷기 위해 선행되는 것이 회개다. 회개라고 번역하는 단어는 히브리어로 글자 그대로 '돌아오다'를 뜻한다. '아담(사람)의 자식들아, 돌아와라.'(시편 90,3)

복음서의 앞머리에 요한 세례자는 천국(하늘의 왕국)이 가까이 왔으니 먼저 회개하라고 외친다. '돌아오시오(회개하시오). 하늘 왕국이 다가왔습니다.'(마태 3,2) 새로운 복음을 전하는 시대에 들어오기 위해서는 먼저 회개를 해야 하겠다.

이처럼 회개가 선행되어야 하는 이유를 하느님의 창조 사건에서 해석했다. 하느님이 해나 달과 같은 빛물체를 만들어 속죄일을 지키게 하여 사람들로 하여금 하느님의 복을 받게 한다는 것이다. 왜냐하면 사람에게는 악한 성향이 있기 때문에 토라를 어기는 잘못을 한다고 랍비들은 해석한다. 하느님은 그분의 창조를 통해 세상에 복을 내리며 사람도 복을 받게 된다. 그런데 사람은 하느님의 복을 받기 전에 우선 회개를 해야 한다는 말이다. 회개는 인간이 구원을 받기 위한 필수 조건이다. 따라서 '오늘 우리에게 필요한 빵을 주십시오'라고 기도하는 언행에 회개가 선행되어야 한다는 점을 알 수 있다.

⑤ 우리의 잘못을 용서하십시오

'그리고 우리 역시 우리에게 잘못한 이들을 용서했듯이 우리를 위해 우리의 잘못을 용서하십시오.' 여기서 '역시'라는 표현이 사용된 것은 그 앞의 내용이 있기 때문이다. 누가 우리의 잘못을 용서했기 때문에 그 모범에 따라 우리 역시 우리에게 잘못한 이들을 용서했다는 말이다. 그런데 우리가 또다시 잘못해도 용서해달라는 기도다. 우리가 누구에게 잘못한다는 말일까? 하느님에게 우리의 잘못을 용서해달라고 기도하는 내용이기 때문에 '누구'는 하느님이다. 다시 말해서 처음에 우리가 하느님에게 잘못했는데 하느님이 우리의 잘못을 용서했고 그처럼 우리 역시 우리에게 잘못한 이들을 용서했으며 우리가 다시 하느님에게 잘못한다면 하느님에게 용서를 구하라는 말이다.

처음에 우리가 지은 잘못은 에덴동산 이야기에서 아담과 그의 아내가 하느님이 먹지 마라고 말한 나무의 열매를 먹은 그 죄를 뜻한다. 하느님은 아담에게 "동산의 모든 나무에서는 먹어라. 그러나 선과 악을 알게 하는 지식나무에서는 먹지 마라. 네가 그것을 먹을 때, 너는 죽을 것이기 때문이다"고 명령했다.(창세기 2,16~17) 그런데 아담과 그의 아내가 그 지식나무의 열매를 먹었지만 죽지 않고 눈이 열려져 그들이 벌거벗은 것을 알게 되었다는 이야기다. 하느님은 그들을 죽이지 않고 에덴동산에서 쫓아냈다. 하느님은 그들에게 고통스럽게 자식을 낳으며 힘들게 먹고살아야 하는 벌을 주고 그들의 잘못을 용서한 것이다. 주기도문 ⑤항은 에덴동산 이야기와 연관된 내용이다.

에덴동산 이야기에서 'YHWH 하느님이 흙으로 온갖 들짐승들과 하늘의 온갖 새들을 만들었다'(창세기 2,19)는 단락은 창조 다섯째 날에 '하느님이 숨 쉬는 것들을 그 종류에 따라 만들어냈다'(창세기 1,21)고 말하는 단락과 비슷한 내용이다. 그러므로 창조 때에 에덴동산이 준비되었다고 초기 유대교 랍비들은 해석했다. 에덴동산 이야기의 핵심은 하느님이 사람의 죄를 용서한다는 데 있다.

하느님이 사람의 잘못을 용서한다는 확신은 모세 이야기에서 명확하게 읽어볼 수 있다. 하느님이 모세 앞을 지나가며 이스라엘 하느님의 속성을 아래와 같이 말한다. "YHWH는 (사람을) 불쌍히 여기고 너그러운 하느님이다. 분노에 더디고, 자비와 진리에 충만하며, 천대에까지 자비를 베풀고, (사람들의) 죄악과 악행과 죄를 용서한다. 벌하지 않은 채 내버려두지 않고, 조상들의 죄악을 아들 손자를 거쳐 삼대 사대까지 벌한다."(출애굽기 34,6~7)

따라서 우리가 우리에게 잘못한 이들을 용서하는 것은 당연한 처사다. 초기 유대교 현자들은 사람이 다른 사람에게 잘못한 경우 그 사람에게서 사과를 받고 용서한다고 규정했다. 그러므로 우리가 하느님에게 죄를 지으면 용서를 구하라는 말이다. 그렇다면 어떻게 용서를 구할 수 있을까? 그 해결책은 위에서 읽어본 《미쉬나》의 규례에 대한 랍비들의 해석(《바빌로니아 탈무드》, 〈요마〉 85a)에서 찾아볼 수 있다(6장 〈왜 형제와 먼저 화해를 하라고 할까〉 참조). 《미쉬나》의 법규해석(게마라)에 따르면 죄지은 자는 스스로 회개하고 선행을 해야 속죄일에 용서를 받을 수 있다고 말한다. 복음서의 주기도문을 초기 랍비 유대교 문헌과 비교해보면 '우리의 잘못을 용서하십시오'라고 기도하기에 앞서 회개와 선행을 해야 하는 것을 알 수 있다.

⑥ 우리를 유혹에 들지 않게 하십시오

우리가 회개와 선행을 하고 살면서도 하느님에게 잘못할지 모르기 때문에 '그리고 우리를 유혹에 들지 않게 하십시오'라고 기도해야 한다는 말이다. 즉 '그리고'라는 접속사가 필요하다. 유혹에 들지 않게 해달라는 것은 사람에게 유혹에 빠지는 성향이 있기 때문이다. 비록 '하느님이 그분의 모습으로 사람을 만들어냈다'(창세기 1,27)고 해도 사람에게는 하느님을 닮은 선한 성향과 그 반대인 악한 성향이 있다고 초기 유대교 현자들은 말했다. 창세기 미드라쉬에서 'YHWH 하느님이 땅에서 (모은) 흙으로 그 사람(아담)을 빚었다'(창세기 2,7)는 구절 가운데 '그분이 빚었다'는 문장을 아래와 같이 해석하는 단락에서 읽어볼 수 있다.

두 가지 빚어진 것들을 말한다.

선한 성향과 악한 성향이다.

만일 짐승에게 이 두 가지 성향이 있었다면, 그 짐승은 자기를 (희생 제물로 바치기 위해) 죽이려고 손에 칼을 쥔 사람을 보자 두려워하여 죽었을 것이다.(그렇게 되면 그 짐승은 부정하게 되어 제물로 합당하지 않게 된다.)

그러나 보라. 사람에게는 이 두 가지 성향이 있다.

하나냐 바르 이디 랍비는 말했다.

"'그분(하느님)이 사람 (마음)속에 영혼을 붙들어 매어놓았다.'(스가랴 12,1) 이 구절은 사람의 목숨이 자기 (마음)속에서 어려워지면 그렇게 되지 않는다는 것을 가르친다. 만일 어려움에 처하게 되면 그는 자신의 영혼을 떼어내어 던져버린다."(《창세기 미드라쉬 랍바》 14,4)

하느님이 사람의 마음에 착한 성향의 영혼을 붙들어 매어놓았다고 해도 자신의 처지가 그렇게 할 수 없을 경우, 일반적으로 자유의지에 따라 자신의 영혼을 내던지고 자기 자신을 구한다. 그 이유는 창조 처음에 하느님은 사람에게 선한 성향과 악한 성향을 모두 주었기 때문이라고 해석한다. 그러나 초기 유대교에서는 자신의 목숨보다 하느님의 의로움을 구함이 더 중요하다고 행하는 사람을 '짜딕(의인)'이라고 불렀다. 135년에 순교한 아키바 랍비는 다음과 같은 어록을 남겼다. "(사람에게) 모든 것은 예지豫知되며 자유의지는(가) 주어진다. 세상은 선善으로 심판된다. 모든 것은 행함의 양量에 따른다."(《선조들의 어록》 3,15) 사람에게 자유의지가 주어졌지만 하느님은 사람의 행함을 심판할 때 그 선한 성향으로 이루어진 행함을 택한다는 뜻이다.

초기 현자들은 이런 경우를 대변하는 예화로 '아브라함의 시험'(창세기 22,1~13)이라는 이야기를 들어 해설했다. 위의 창세기 미드라쉬에서 짐승에게 두 가지 성향이 있었다면 짐승이 자기를 죽이려는 사람의 칼을 보고 두려워 죽었을 것이라는 해석과 맞물리는 이야기다.(선한 성향의 사람은 그런 상황에서 스스로 죽지 않는다.) 유대교 문헌에는 '아브라함의 시험'이 '아케다(결박)'라는 이름으로 알려졌다. '아케다'는 '이츠학의 결박'이라고 옮길 수 있다(이츠학은 '그가 웃는다'는 뜻이다. 하느님이 아브라함에게 아들을 낳을 것이라고 말하자 '그가 웃었다'는 이야기에서 비롯한 이름이다. 아브라함은 하느님의 말에 대해 웃은 벌로 자기 아들을 희생 제물로 바쳐야 하는 시험을 받았다).

> 아브라함의 시험은 이러하다. "이러한 일들이 있은 뒤에, 하느님이 아브라함을 시험했다."(창세기 22,1)
> 그분은 아브라함의 마음이 토라의 계명을 세우고 지킬 수 있는지를 알기 위해 매번 시험했다. 이렇게 말한다. "이는 아브라함이 내 목소리를 듣고 내 훈령과 내 계명과 내 규정과 내 토라를 지켰기 때문이다."(창세기 26,5)
> (중략)
> 아브라함은 이츠학을 가엽게 여기고 그분 앞에서 말했다.
> "세상의 주님이시여, 어느 아들을 (말씀합니까?) 할례 받지 않은 아들입니까? 할례 받은 아들입니까?"[11]
> 그분이 그에게 말했다.
> "너의 외아들이다."
> 그는 말했다.
> "이는 그 어미의 외아들이고, 그도 그 어미의 외아들입니다."
> 그분은 그에게 말했다.

"네가 사랑하는 자다."

그는 그분에게 말했다.

"내가 이를 사랑하고 그도 사랑합니다."

그분이 말했다.

"이츠학이다. '그를 거기에서 번제물로 올려라.'"(창세기 22.2)

(중략)

그(아브라함)는 장작을 들어 이츠학의 등에 놓았다. 그는 불과 식칼을 자기의 손에 쥐었다.[12] 그들 둘은 함께 걸어갔다.

이츠학은 그의 아버지에게 말했다.

"아버지, 보십시오, 불과 장작을. 어디에 어린양이 있습니까?"

아브라함은 그에게 말했다.

"하느님께서 어린양을 보여주신다, 내 아들아.(창세기 22,8) 네가 바로 어린양이다."

(중략)

이츠학은 그의 아버지 아브라함에게 말했다.

"아버지, 나를 묶어주십시오. 내 두 손과 내 두 발을 묶어주십시오. 그렇지 않으면 제가 두려워 입에서 말이 나와 당신을 저주하며 폭력으로 '네 아버지를 존중하라'는 계명을 어기게 됩니다."

그는 그의 두 손과 두 발을 묶고 제단에 그를 묶어놓았다. 그는 불과 장작을 준비하여 그것들 위에 (그를) 올려놓았다. 사람이 짐승을 제단 위에 (놓고) 잡을 때 하는 것처럼 그는 그의 발을 그 위에 놓았다. 그는 그의 팔과 무릎에 힘을 주어 손을 뻗쳐 식칼을 쥐었다. 이렇게 말한다. "아브라함은 그의 손을 뻗쳐 식칼을 쥐고 그의 아들을 잡으려고 했다." (창세기 22,10)

그는 대사제처럼 곡식예물과 곡주예물을 가져왔다. 찬미 받으시는 거룩하신 분은 앉아서 (아들을) 묶은 아버지와 묶여 있는 아들을 보았다. 그는 손을 뻗쳐 식칼을 들어올렸다.《엘리에제르 랍비의 해설집》 31장)

이츠학이 아버지에게 자기를 묶어달라고 이야기하는 내용은 창세기 22장에는 없고 단지 아브라함이 '그의 아들 이츠학을 묶었다'라고 전한다. 그러나 랍비들은 이츠학이 자기 자유의지로 제단에 묶이기를 원한 것이지, 아브라함이 이츠학을 억지로 묶어 제단에 올린 것이 아니라고 해석한다. 이렇게 전개되는 이야기는 매우 중요한 신학적 주제를 다룬다. 만일 아들을 묶어 제단에 바치려는 아버지의 몸짓에 두려운 나머지 아들이 아버지를 저주하고 폭력으로 그를 때린다면 모세 법규를 어기는 경우며 그 벌은 죽음이다. [자기 아버지와 어머니를 때린 자는 죽어야 한다…. 자기 아버지와 어머니를 저주한 자는 죽어야 한다.' (출애굽기 21,17)] 이츠학이 아버지를 저주하지 않고 아버지의 말씀에 따라 희생양이 되겠다고 순응한 것은 토라의 계명(십계명 5항 '네 아버지와 네 어머니를 존중하라')을 지킨 행위다. 이츠학에게는 하느님의 모습을 닮은 선한 성향이 있으며 그가 십계명을 지킨 공덕으로 다시 살 수 있었다고 해석한다.

초대 교부들은 '이츠학의 결박'을 메시아 예수의 십자가 죽음과 대비하여 해석했다. 예수가 자발적으로 십자가에 묶여 죽은 것이며 아담의 죄를 짊어지고 하느님의 제단에 바쳐진 희생양이라는 말이다. 예수가 죽음에서 다시 일어날 수 있었던 것은 그에게 하느님의 모습을 닮은 선한 성향이 있어서 그는 유혹자의 꾐에 빠지지 않고 하느님의 뜻에 순응했기 때문이다.

이처럼 사람에게는 선한 성향과 악한 성향이 있기 때문에 사탄(유혹자
/방해자)의 유혹에 빠질 소산이 있다고 랍비들은 해설했다. 또한 엣세네
공동체에서도 이러한 사탄의 유혹에 빠지지 않도록 공동체 사람들을
가르쳤다. 이와 관련하여 사해문헌에 나오는 아래 단락은 시사적이다.
(여기서 '그녀'는 변절자를 가리킨다.)

그녀는 모든 죄악의 길의 첫 번째다.
불쌍하구나!
그녀와 거처를 하는 모든 자들에게 멸망!
그녀에게 지지를 하는 모든 자들에게 패망!
정말로 그녀의 길은 죽음의 길이며 그녀의 여행길은 부정不淨한 오솔

6-2 '이츠학의 결박'이 그려진 모자이크
5세기경 갈릴리 호수 남쪽 지역에 건립된 베트 알파 회당 바닥의 일부.
불타는 장작 더미에 묶여 있는 아이 위에는 '이츠학', 식칼을 든 아버지 위에는 '아브라함'이라고 적혀
있다. 가운데 하늘에서 줄무늬가 양쪽으로 난 것은 '아브라함, 아브라함' 하고 부르는 천사의 목소리
고, 손을 내미는 그림 밑에는 '뻗치지 마라', 나무에 매여 있는 숫양 위에는 '여기에 숫양'이라고 쓰여
있다.(창세기 22,11~13)

길이다. 그녀의 발자국은 죄악의 통로며 그녀의 발자취는 사악한 죄악
이다.

그녀의 대문은 죽음의 대문이며 그녀의 집 문지방에서 그녀는 저승으
로 발을 디딘다. [들어온 자는] 아무도 돌아가지 못한다. 그녀와 거처하
는 자는 모두 구덩이로 내려간다. 그녀는 오묘한 곳에서 숨어 기다리며
(…) 그녀는 도시의 사거리에서 베일로 가리고서 마을의 대문에 지켜
서 있다.

그녀는 (…)에서 쉬지 않는다. 그녀의 눈은 여기저기를 힐끗힐끗 쳐다
보며 그녀는 눈꺼풀을 변덕스럽게 치켜든다.

의로운 사람을 보고 그를 빼앗으며 중요한 사람이 걸려 넘어지게 한다.
정직한 자들이 길을 벗어나게 하며 정의로 선택된 자가 명령을 잠그게
한다. (…)에 지지하는 자들을 변덕스럽게 옮기게 하고 정직하게 걷는
자들이 법칙을 바꾸게 한다. 겸손한 자들이 하느님에게 죄악을 범하게
하고 그들의 발걸음을 정의의 길에서 벗어나게 한다.(《변절자의 유혹》
8~16)

세상에는 집 대문이나 사거리에서 사람을 저승으로 유혹하는 자들이
많기 때문에 토라 공부를 열심히 해야 하며 토라를 배우는 목적은 이처
럼 악마의 유혹을 물리칠 수 있는 능력을 터득하기 위해서다. 여기서
악마는 변절자나 배교자를 지칭한다. 그래서 악마를 사탄(유혹자)이라고
부른다. ['잠그다'는 자물쇠로 잠근다는 뜻으로 이해한다. 하느님의 선
택된 자가 법령을 해석하지 못하게 자물쇠로 채운다.] 이러한 문화적
맥락에서 예수가 그의 제자들에게 가르친 '우리를 유혹에 빠지지 않게
하십시오'라는 기도를 이해할 수 있다. 다른 악한 세력에 빠지지 마라

는 경고다. 우리를 악마의 유혹으로 지옥에 떨어지지 않게 해달라는 기도다. 하느님의 모습으로 만든 사람에게는 선한 성향과 악한 성향이 있기 때문에 창조 때에 하느님은 지옥을 준비했다고 랍비들은 해석했다.

초기 유대교 현자들의 가르침에서 유혹자를 대표하는 인물은 에덴동산 이야기의 '뱀'이다. '뱀은 YHWH 하느님이 만든 온갖 들짐승에서 교묘한 것이었다'(창세기 3,1)고 한다. 창세기 미드라쉬에 아래와 같이 해석한다.

"뱀은 교묘했다."(창세기 3,1)
"참으로 지혜가 많은 가운데 화도 많으며 지식을 더하는 자는 근심을 더한다."(전도서 1,18)
사람이 자기에게 지혜를 많이 쌓으면 그는 자신에게 화를 더하게 된다. 또한 그에게 지식을 더하면 그는 자신에게 근심도 더한다.
(중략)
뱀이 위대해진 것처럼 그의 몰락도 그렇다. "그는 어느 짐승보다 교묘했다."(창세기 3,1) "그는 어느 짐승보다 더 저주받을 것이다."(창세기 3,14).
'뱀은 어느 들짐승들보다 교묘했다.'
호샤야 랍비는 말했다.
"그는 갈대처럼 두드러지게 서 있었으며 그에게 발이 있었다."
예레미야 벤 엘아자르 랍비는 말했다.
"그는 에피쿠로스파派였다."
심온 벤 엘아자르 랍비는 말했다.
"그(뱀)는 낙타 같았다. 이 세상은 참 좋은 것을 잃었다. 만약에 이런 일이 생기지 않았더라면 사람은 그의 손에 물품들을 보냈을 것이며, 그는 갔다가 돌아왔을 것이다."(《창세기 미드라쉬 랍바》 19,1)

에덴동산 이야기에서 뱀은 서 있는 인물로 그려진다. 왜냐하면 하느님이 뱀에게 내린 벌 가운데 하나가 기어 다니게 한 것(창세기 3,14)이기 때문이다. 이 구절에 착안하여 뱀은 원래 '갈대처럼 두드러지게 서 있었다'고 연상한 것이다. 에덴동산의 뱀은 고대 메소포타미아 문화의 맥락에서 보면 뱀 신 '닌기쉬지다(좋은 나무의 주主)'를 가리킨다. 닌기쉬지다는 저승 선신善神이며 치유의 신으로 망자들의 혼을 달래주는 역할을 한다. 고대 메소포타미아의 치유의 뱀 신 전승은 고대 그리스로 이어지며, 제우스의 사자使者 헤르메스의 지팡이caduceus에서도 그 상징성을 볼 수 있다. 그의 별자리는 해사海蛇 자리Hydra다(12장 그림 12-2 참조).

'뱀이 교묘했다'는 뜻은 그에게 지혜가 많았지만 화도 많았다는 것이다. 그의 지혜는 아담의 아내로 하여금 지식나무의 열매를 먹게 하여 그녀뿐 아니라 그녀와 함께 먹은 아담의 눈도 떠지게 하여 그들이 벌거벗었다는 것을 알게 한 것이다.(그렇다고 그들이 원래 눈이 멀었는데 그 열매를 먹고 눈이 떠졌다는 것은 아니겠고, 은유적인 표현으로 '눈이 떠졌다'는 '알게 되었다'는 뜻이라고 누구라도 생각할 수 있다.) 이는 자기가 벌거벗은 것을 남이 보면 창피하다는 것을 배웠다는 뜻이다. 그들의 눈이 떠지게 되는 길을 유도한 자가 뱀이다.

초기 유대교 미드라쉬에 보면 에덴동산의 뱀을 왕의 아들을 가르친 가정교사로 비유하는 해설이 종종 나온다. 이런 해석에서 뱀을 낙타로 비유하는 관점을 찾아볼 수 있다. 토라의 지식을 많이 알고 있는 가정교사를 물품을 가득 싣고 다니는 낙타로 은유한 것이다.(물론 낙타가 싣고 온 물품은 토라의 지식이겠다.) 그런데 뱀은 아들을 빗나가게 유도한 교사라고 해석한다. 왜냐하면 아들에게 많은 토라 지식을 가르쳤지만 그로 인해 근심도 더해졌기 때문이다. 이런 점을 에덴동산 이야기에서 읽어볼 수 있다. 뱀은 그 여자에게 하느님이 열매를 먹지 마라고 경고했느냐고 묻는다.

> "'너희는 동산의 모든 나무에서 먹지 마라'고 하느님이 정말로 말했느냐!"
> 그 여자가 뱀에게 말했다.
> "우리는 동산 나무의 열매 중에서 먹어도 된다. 그러나 동산 가운데 있는 나무의 열매 중에서, 하느님이 말했다. '너희는 그것을 먹지 말고, 그것에 손대지 마라. 그렇지 않으면 너희는 죽을 것이다.'"(창세기 3,1~3)

아담의 아내가 하느님의 명령을 전하는 인용문에서 한 개의 동사구가 첨부된 것을 발견할 수 있다. 원래 하느님이 아담에게 경고한 문장에는 없는 문구다. "동산의 모든 나무에서는 먹어라. 그러나 선과 악을 알게 하는 지식나무에서는 먹지 마라. 네가 그것을 먹을 때, 너는 죽을 것이기 때문이다."(창세기 2,16~17) 그녀의 대답에서 '그것에 손대지 마라'는 말이 덧붙여진 것을 알 수 있다. 왜 이러한 금지 문구가 더해졌는지 이렇게 극적으로 상상할 수 있다. 아담과 그의 아내는 하느님의 명령을 곰곰이 생각하면서 근심이 더해지자, 그 나무의 열매를 먹지 않기 위해서는 그 나무에 '손을 대지 않아야 하겠다'고 결심했을 것이다. 그들의 가정교사는 그런 근심을 없애주려고 그녀에게 사실을 밝혀준다.

너희는 죽지 않을 것이다. 너희가 그것을 먹을 때, 너희 눈이 떠져서, 너희가 선과 악을 아는 하느님들처럼 될 것을, 참으로 하느님은 안다.(창세기 3,4~5)

하느님은 그것을 먹으면 죽는다고 말했지만 뱀은 그렇지 않다고 말한다. 누구의 말을 따라야 할까? 비유로 말하면 아버지냐 아니면 가정교사냐? 이 이야기는 뱀의 대답대로 전개된다. 즉, 그들은 가정교사의 가르침을 선택했다. 그 결과 그들의 눈이 열려 벌거벗은 자신이 창피한 것을 알게 되고 하느님이 두려워 나무 속으로 숨었다는 이야기다. 그들에게 토라의 지식이 많아지게 되었다는 말이다. 토라의 시작은 하느님을 두려워하는 데 있다. 'YHWH를 두려워함은 지식의 시작이다.'(잠언 1,7) 'YHWH는 그분의 길 처음에 나(지혜)를 소유했다.'(잠언 8,22) '지혜의 머리(시작)는 YHWH를 두려워함이며 그것(계명)들을 행하는 모든 이에게는 선한 슬기로움이 있다.'(시편 111,10)

아담과 그의 아내로 하여금 하느님을 두려워하는 지혜를 가지게 만든 뱀은 참으로 위대한 일꾼이었다. 그런데 그는 왜 하느님의 벌을 받아야 했을까? 그는 그녀에게 '그들이 선과 악을 아는 하느님들처럼 된다'는 '하느님들의 비밀'을 누설했기 때문이다. 이것이 바로 뱀을 유혹자 혹은 방해자의 뜻인 사탄으로 부르는 이유다. 하느님의 일을 방해하거나 하늘의 비밀을 누설하여 저승의 문으로 들어가게 유도하는 유혹자다. 그래서 뱀을 '에피쿠로스파였다'거나 '낙타 같았다'고 해석한다. 여기서 '에피쿠로스파'는 토라를 경시하고 이방 종교로 변절한 배교자를 뜻한다. 두 발로 서 있었던 뱀은 낙타와 같이 많은 짐을 지고 다녔지만 아담과 그의 아내에게 하늘의 비밀을 알려주는 잘못을 하게 되어 결국 세상은 그를 잃게 되었다는 이야기다.(짐은 토라의 계명을 뜻한다.) '뱀이 위대한 것처럼 그의 몰락도 그렇다'고 해석한 것이다. 유혹자의 말로가 이러하기 때문에 우리가 유혹자의 말을 듣고 지옥에 떨어지지 않도록 '우리를 유혹에 들지 않게 하십시오'라고 기도하라는 말이다.

⑦ 그러나 그 악으로부터 우리를 구하십시오

'그러나 (만일 유혹에 빠진다면) 그 악으로부터 우리를 구하십시오.' 자신을 유혹에 빠지지 않게 해달라고 기도하며 살지만 그래도 유혹에 들게 된다면 그 유혹자로부터 구해달라는 기도다. 그래야 안식을 취할 수 있기 때문이다. 주기도문 ⑦항은 쉬는 날과 관련된 기도문이다. 창조 이렛날에 하느님은 '그분이 하는 모든 일에서 멈추었다. 하느님은 이렛날에게 복을 내리고, 그것을 거룩하게 했다.'(창세기 2,2~3) 창조 이렛날은 안식일이다. 안식일은 복 받는 날이기 때문에 거룩한 날로 여겼다.

히브리 성경에 사람(아담)이 만들어진 이야기가 두 차례 나온다.(창세기 1~3장) 하나는 창조 엿샛날에 만들어진 것이고(창세기 1,27), 다른 하나는 에덴동산에서다.(창세기 2,7)

초기 유대교 해설가들은 이 두 단락을 하나의 연결된 이야기로 보며, 에덴동산의 아담은 창조 엿샛날에 만들어진 사람이라고 해석했다. 그런데 아담과 그의 아내는 그날(엿샛날) 먹지 마라는 열매를 먹는 잘못을 했다. 그들은 죽음에 이르는 죄를 지은 것이다. 그들이 하느님의 명령을 어겼으니 그 대가를 치러야 한다. 방금 만들어낸 아담을 죽여야 하는 비극이 생길 찰나다. 그런데 하느님은 그 죄인을 에덴동산에서 쫓아내기로 결정했다. 왜 그런 결과를 낳았을까 하는 의혹이 생긴다. 왜냐하면 하느님은 분명히 그 나무에서 먹으면 죽을 것이라고 말했기 때문이다. (적어도 하느님은 헛된 말을 하지 않는다. 만일 그 나무 열매를 먹었는데 죽지 않는다면 하느님이 거짓 증언한 것이며 이는 십계명을 지키지 않은 중죄를 범하는 결과를 낳게 된다. 하느님이 사람들에게 지키라고 준 십계명을 자기 스스로 지키지 않는 자가 당착에 빠지게 된다.)

하느님은 자비롭기 때문에 아담과 그의 아내의 잘못을 용서하고 그들을 에덴동산에서 쫓아냈다. 그렇다면 하느님은 그들을 안식일 전에 쫓아내야 할까 아니면 안식일이 지나고 그렇게 해야 할까? 한편 많은 랍비들은 안식일이 지나고 그들을 쫓아냈다고 해설한다. 그러나 일부 랍비들은 거룩한 안식일을 죄인들과 함께 있을 수 없다고 해석하며 안식일이 시작하기 전에 그들을 쫓아냈다고 해설한다. 엘리에제르 벤 후르카누스 랍비는 그 일부에 속했다. 아담이 안식일이 시작되는 날 일곱 시(금요일 오후 1시)에 에덴동산에 들어왔고 만군의 천사들이 그를 찬양했으며 그는 그날 해질 때에 쫓겨나갔다고 해석했다. 《엘리에제르 랍비의 해설집》 19장에 나오는 시편 92편 미드라쉬에서 읽어볼 수 있다.

안식일이 와서 처음 아담을 위해 변호사가 되어 그분 앞에서 말했다.
"세상의 주님이시여, 창조의 엿새 동안 이 세상에서 누구도 살해되지 않았습니다. 당신은 나에게서 (살해의 역사를) 시작하시겠습니까? 그것이 나를 거룩하게 하는 것이며 나를 찬미하는 것입니까?"
이렇게 말한다. '하느님이 이렛날에게 복 내리며 그것을 거룩하게 했다.'(창세기 2,3)
안식일 덕분에 아담은 지옥의 심판에서 구해졌다. 아담이 안식일의 권능을 보고 말했다.
"찬미 받으시는 거룩하신 분이 거저 안식일에게 복 내리고 거룩하게 하지는 않았다."

그는 안식일을 위해 시편과 노래를 부르기 시작했다. 이렇게 말한다.

"시편, 안식일을 위한 노래."(시편 92,1)

이 미드라쉬에서 안식일이 변호사로 의인화되어 하느님 앞에서 아담을 옹호하며 이야기한다. 아담과 그의 아내가 하느님의 법규를 어기고 열매를 먹은 것은 십계명 8항 도둑질하지 마라는 계명을 어긴 경우에 해당하며 이는 처형당해야 하는 죄에 속한다. 그래서 안식일 변호사는 살해의 역사를 자기의 첫날부터 시작해야 하겠냐고 하느님에게 호소하는 것이다. 하느님이 안식일 변호사의 변호를 듣고 죄지은 아담을 안식일에 에덴동산에서 처형하지 않기로 했다. 그 대신 그를 에덴동산에서 쫓아내기로 결정한 것이다. 그래서 아담은 안식일에게 감사하는 마음으로 안식일을 위한 노래를 했다는 말이다. 아래와 같은 창세기 미드라쉬를 읽어볼 수 있다.

처음 아담이 (하느님의) 시중드는 천사들 앞으로 나아가 섰다.

"일일 제사에 대한 환시가 언제까지나 지속되겠습니까?"(다니엘 8,13)

처음 아담에게 내린 판결은 영원할까?

놀랍게도 그렇다.

"파멸을 가져온 그 죄악."(다니엘 8,13)

이처럼 그(아담)의 죄악이 무덤 속까지 파멸을 가져올까?

"성소와 군대를 짓밟히게 한다."(다니엘 8,13)

이처럼 그(아담)와 그의 자손들이 죽음의 천사들에 의해 짓밟히게 될까?

"그는 나에게 말했다. 저녁과 아침이 2,300번 바뀔 때까지입니다. 그러면 성소는 의롭게 될 것입니다."(다니엘 8,14)

아자리야 랍비와 요하난 랍비는 이츠학 랍비의 이름으로 말했다.

"어쨌든 저녁이 되면 아침이 아니고, 아침이 되면 저녁이 아니다. 그러나 그 뜻은 이러하다. 신상숭배자들의 아침이 저녁이 되고, 이스라엘의 저녁이 아침이 된다는 말이다. 그때에 '성소가 의롭게 된다'고 말한다. 그때에 내(하느님)가 그(아담)의 판결을 의롭게 하겠다. 이렇게 말한다. '주님 하느님이 말씀하셨다. 보아라, 그 사람(아담)이 우리 가운데 하나처럼 됐다.'(창세기 3,22)"(《창세기 미드라쉬 랍바》 21,1)

일일 제사는 속죄하기 위한 희생제물(번제물)을 드린다. 매일 번제를 올리는 이유는 에덴동산의 아담이 죄를 지었기 때문이다. 그래서 아담이 지은 죄에 대한 판결이 영원하냐고 반문한다. 그렇다고 말하지만 마지막 단락에서 형세는 반전된다. '무덤에서의 파멸'은 망자가 무덤에서 깨어나지 못하는 상태로 머물러 있는 것이다. 의로운 망자가 처음 아담의 죄로 무덤에 영원히 있어야 하느냐는 반문이다. 유대교 현자들은 죄지은 사람이 회개하면 무덤에서 부활할 수 있다고 가르쳤다. 성소와 군대를 아담과 그의 자손으로 대비하여 해석한 것이며 죽음의 천사들이 그들을 무덤에서 나오지 못하게 하느냐고 반문한다.

저녁은 어둠으로, 아침은 빛으로 대비된다. 지금부터 2,300일이 지나면 의로운 아담이 온다는 계시다. 그때가 되면 신상숭배자들이 어둠에 들어가고 이스라엘 공동체는 빛을 보게 될 것이다. 성소(아담)가 의롭게 된다는 구절은 하느님이 아담에게 의로운 판결을 내린다는 뜻으로 해석하며 그 구체적인 내용은 아담이 하느님처럼 된다는 말이다. 여기서 사람을 의롭게 한다는 것은 부활을 뜻한다.

다니엘 8,13~14에 대한 랍비들의 해석과 예수의 죽음과 부활 사건을 비교해볼 수 있다. 예수가 십자가에서 숨을 거둔 죽음은 처음 아담의 죽음으로 상징된다. 예수는 아담의 죄를 짊어지고 죽었으며 그날 저녁에 무덤 굴(어둠)속으로 들어갔다. 그다음 날은 안식일이며 그날 하느님의 의로운 판결에 따라 그는 '새 아담'이 되어 그다음 날 새벽에 영원한 생명의 빛으로 이 세상에 다시 나타났다. 그때에 신상숭배자들/위선자들은 어둠에 들어가고 의로운 이스라엘(예수 공동체)은 빛을 보게 된다.

처음 아담이 안식일 덕분에 지옥의 심판에서 구해졌듯이 마지막 시대에 새 아담도 같은 전통에서 표징(기적)이 이루어져야 한다. 그래서 메시아 예수도 또한 안식일이 변호인으로 그를 지옥의 사자의 힘에 붙들려 가지 않게 하고 일어나게 한 것이다. 안식일은 해방과 승리를 가져오는 날이다. 창조 이렛날을 쉬는 날로 정한 것은 새 아담의 승리의 날을 기대하기 때문이다. 그래서 창조 때에 새 아담(메시아)의 이름이 밝혀졌으며 메시아 예수가 바로 그 이름이다. 예수가 안식일에 부활함으로써 메시아의 이름은 확인되며 거룩한 안식일을 기억하기 위해 만일 우리가 유혹자의 손에 빠지더라도 그 악에서 우리를 구해달라고 하느님에게 기도하라는 가르침이다.

이처럼 주기도문을 창조의 칠일과 창조 때에 준비된 일곱 가지 것들을 연계해서 해석할 수도 있다. 한편 하느님이 창조한 것들에 반대되는 헛된 일곱 가지를 열거하는 미드라쉬도 읽어볼 수 있다. 이것은 '헛되고 헛되다'(전도서 1,2)에 대한 해석이다.

예후다 바르 시몬 랍비는 말했다.

"코헬렛(전도자)이 말한 일곱 가지 헛된 것들은 창조의 칠 일에 상응한다.

첫째 날은 '처음에 하느님이 하늘과 땅을 만들어냈다.'(창세기 1,1) 그러나 이렇게 쓰여 있다. '하늘은 연기처럼 사라지고 땅은 옷처럼 낡을 것이다.'(이사야 51,6)

둘째 날에 '창공이 있어라.'(창세기 1,6) 그러나 이렇게 쓰여 있다. '하늘은 두루마리처럼 말릴 것이다.'(이사야 34,4)

셋째 날에 '하늘 아래 물이 한곳으로 모여라.'(창세기 1,9) 그러나 이렇게 쓰여 있다. '주님YHWH은 이집트 바다의 혀(물목)를 부술 것이다.'(이사야 11,14)

넷째 날에 '하늘의 창공에 빛들이 있어라.'(창세기 1,14) 그러나 이렇게 쓰여 있다. '달은 수치스러워하고 해는 부끄러워할 것이다.'(이사야 24,23)

다섯째 날에 '물에 살아 숨 쉬는 것들이 떼 지어 다녀라.'(창세기 1,20) 그러나 이렇게 쓰여 있다. '내(하느님)가 하늘의 새와 바다의 물고기를 쓸어버리겠다.'(스바냐 1,3)

여섯째 날에 하느님이 말했다. '우리의 모습으로 우리와 닮게 사람을 만들자.'(창세기 1,26) 그러나 이렇게 쓰여 있다. '내(하느님)가 사람과 짐승을 쓸어버리겠다.'(스바냐 1,3)

안식일에 대해 너는 무슨 할 말이 있을까?

'누구든 안식일을 속되게 하면 그는 죽을 것이다.'(출애굽기 31,14) 그러나 이것은 안식일을 의도적으로 속되게 한 경우이며 부주의로 어긴 경우에는 속죄예물을 가져오면 속죄된다."

베레크야 랍비는 말했다.

"아담이 안식일의 찬란함을 보고 속죄예물을 가져와서 속죄된다는 것을 알았기 때문에 그는 찬미 받으시는 거룩하신 분에게 찬양의 노래를 부르기 시작했으며 이것은 찬양시다. 이렇게 쓰여 있다. '시편, 안식일을 위한 노래'(시편 92,1).

레비 랍비는 말했다.

"(이 시편은) 처음 아담의 말이다."(《전도서 미드라쉬》1,3)

하느님은 사람이 살 수 있는 하늘과 땅을 만들어냈지만 사람이 토라의 가르침을 배우지 않고 잘못한다면 하늘과 땅은 사라질 수도 있다. 하느님은 물이 한곳으로 모이게 하여 바다가 생기게 하였지만, 한편으로는 바다의 물목을 파괴해서 바닷물이 흩어지게도 한다. 하느님이 하늘에 달과 해를 만들어냈지만 사람들이 잘못하면 달과 해는 사람들에게 빛을 비추는 것을 수치스러워한다. 창조의 칠일째 날은 안식일이며 그날은 거룩한 날이다. 그런데 하느님이 쉬는 거룩한 날에 헛것을 만들 실체가 있을 수 있겠느냐고 반문한다. 안식일을 속되게 하는 행위가 결국 인생을 헛되게 만드는 가장 큰 요인이 될 수 있다. [안식일을 속되게 하지 않아야 한다고 토라(모세의 법규)를 지켜야 하는 계명을 대표적으로 설명한다.] 그렇지만 자신의 죄를 참회하고 하느님에게 '악에서 구해주십시오'라고 기도하며 헛된 인생을 반전할 수도 있다.

마지막 시대의 일곱 가지 덕목

창조의 그 '옛날에' 만들어진 일곱 가지 것들이 마지막 시대에 메시아(하느님의 아들)로 이 세상에 온 예수를 통해 이루어진다고 초대교회 지도자들은 일곱 가지로 말했다.

> 하느님은 예전에 여러 번 여러 모양으로 예언자들을 통해 선조들에게 말했으나 이 마지막 시대에는 그분의 아들을 통해 우리에게 말했습니다.
> ① 그분은 그를 만물의 상속자로 삼았고 그를 통해 세상을 만들었습니다.
> ② 그는 그분의 영광의 광채며
> ③ 그분 본체의 형상입니다.
> ④ 그분의 말씀을 권능으로 모든 것을 보존하는 분이며
> ⑤ 그는 스스로 우리의 죄를 정결하게 하는 분입니다.
> ⑥ 높은 곳에서 위대하신 분의 오른편에 앉은 분이며
> ⑦ 그는 천사들보다 높은 상속 받은 이름에 따라 그들보다 높아진 분입니다.(히브리서 1,1~4)

이렇게 일곱 가지로 메시아 예수의 본질을 규정하고 그에게 아래와 같은 일곱 가지 성경 구절이 갖추어져 있다고 설명한다.

> ① 실상 하느님은 천사들 중에서 누구에게 (이렇게) 말한 적이 있습니까? "너는 내 아들이다…."(시편 2,7)
> ② 또한 "나는 그에게 아버지가 될 것이다…."(사무엘하 7,14)
> ③ 또한 그분이 하느님의 맏아들을 세상에 보낼 때에 말했습니다. "하느님의 모든 천사들은 그에게 절해라."(시편 97,7)
> ④ 천사들에 관하여는 이렇게 전해집니다. "그분(하느님)은 그분의 천사

들을 바람으로 여기고 ….”(시편 104,4)

⑤ 그러나 아들에 관하여는 이렇게 전해집니다. “하느님, 당신의 보좌
는 영원무궁하며 ….”(시편 45,7)

⑥ 또한 “당신은 처음부터 땅의 기초를 놓았으며….”(시편 102,26)

⑦ 천사들 중에서 누구에게 말한 적이 있습니까? “내 오른편에 앉아라
….”(시편 110,1)(히브리서 1,5~13)

예수와 일곱의 상징성을 헤아려보라고 엮어놓은 가장 두드러진 예는
요한복음서에 펼쳐 있는 ‘나는 …입니다’라는 문장들이다.

나는 생명의 빵입니다(6,35)

나는 세상의 빛입니다(8,12)

나는 양들의 문입니다(10,7)

나는 어진 목자입니다(10,11)

나는 부활이고 생명입니다(11,25)

나는 길이고 진리며 생명입니다(14,6)

나는 참된 포도나무입니다(15,1)

‘나는 …입니다’라는 일곱 개의 문장은 메시아 예수를 통한 구원과
승리를 대표적으로 표현하는 주제들이다. 이와 같이 일곱이란 숫자로
어떤 주제를 설명하는 방법은 지혜의 전통에서 찾아볼 수 있다. 솔로몬
이 썼다는 잠언과 전도서에 대한 미드라쉬에서 예를 읽어볼 수 있다.

‘빈곤한 자를 강탈하지 마라.’(잠언 22,22)

히야 랍비는 말했다.

"가난은 일곱 가지 이름으로 불린다. 그것들은 이러하다.

가난, 궁핍, 빈약, 빈곤, 눌림, 짓밟힘, 억압.

가난은 그 뜻처럼 그렇다.

궁핍은 모든 것을 그리워해서 무언가를 보고 먹지도 마시지도 못한다.

빈약한 자는 그의 삶이 위험하다.

빈곤한 자는 그의 재산이 빈곤하다.

눌린 자는 이 자리 저 자리에서 두들겨 맞는다.

짓밟힌 자는 여기저기서 짓밟힌다.

억압된 자는 밑바닥 층계까지 억눌린다.

이 가난한 것들로 모두 충분하지 않을까? 이래서 여러분은 그들을 강탈하지 않아야 한다. 그러므로 솔로몬은 그의 지혜로 이렇게 풀이해서 말했다. '빈곤한 자를 강탈하지 마라. 그는 빈곤하기 때문이다.'(《잠언 미드라쉬》 22,22)

가난을 표현하는 단어들이 이렇게 일곱 가지나 되는데 어떻게 가난한 사람을 강탈할 수 있느냐는 말이다.

'헛되고 헛되다.'(전도서 1,2)

이츠학 랍비의 아들(바르) 쉬무엘 랍비는 심온 벤 엘아자르 랍비의 이름으로 가르쳤다.

"코헬렛이 말하는 일곱 가지 헛된 것들은 사람이 경험하는 일곱 가지 세상에 상응한다.

한 살에는 가마에 앉은 임금 같다. 모두 그를 껴안고 그에게 입 맞춘다.

두 살과 세 살에는 돼지와 같다. 손을 하수구에 처박는다.

열 살에는 새끼 염소처럼 뛰어다닌다.

스무 살에는 우는 말[馬] 같다. 겉모습을 꾸미며 여인을 그리워한다.

혼인하자 그는 당나귀 같다.

자식들을 낳자 그는 그들에게 빵과 음식을 가져오기 위해 얼굴이 개처럼 사나워진다.

그가 늙자 원숭이처럼 된다. 이렇게 얘기한 것은 무식한 사람에게 하는 말이고 토라를 공부하는 사람들에게는 이렇게 쓰여 있다. '다윗 왕은 늙었다.'(열왕기상 1,1) 비록 그가 늙었어도 그는 왕이다."(《전도서 미드라쉬》1,2)

헛된 것들이 일곱 가지라고 말하는 것은 헛된 것들이 복수인 점에 착안해서 일곱이라는 상징숫자로 해석한 것이다. 자식을 낳자 개처럼 사나워진다는 것은 자식들을 부양하기 위해 노고한다는 말이다. 토라 공부에 열중한 사람은 늙어도 원숭이처럼 되지 않고 자신의 신분을 그대로 지킨다. 〈선조들의 어록〉에서도 지혜의 전통을 읽을 수 있다.

미진한 자에게 일곱 가지 특성이 있으며

현자에게도 일곱 가지가 있다.

① 현자는 자기보다 더 지혜로운 사람 앞에서는 말하지 않는다.

② 그의 친구의 말 중간에 끼어들지 않는다.

③ 대답하는 데 급하지 않다.

④ 주제에 따라 질문하고 도리에 따라 대답한다.

⑤ 첫째 것은 첫째로 나중 것은 나중에 말한다.

⑥ 그가 들어보지 못한 것에 대하여 들어보지 못했다고 말한다.

⑦ 진실을 고맙게 여긴다.

이와 반대가 미진한 자의 특성이다.(《선조들의 어록》 5,7)

'미진한 자'는 '미완성물'을 뜻하는 단어(골렘)의 번역이다. 랍비들은 하느님이 처음 아담을 만들어낼 때 그를 미완성물로 만들어냈다고 한다. 이렇게 쓰여 있다. '당신(하느님)의 두 눈이 내 미완성물을 보았습니다.'(시편 139,16) 아담에게서 여자가 나오기 전까지 아담(사람)은 아직 미완성물이었다고 해석한다. 하룻날에 만든 아담(사람)이 미완성물인 이유는 만일 아담을 완성물로 만들어 어느 한곳에 살게 하면, 그는 어느 한곳의 법규만 알게 될 것이기 때문이다. 따라서 미완성물로 만들어 세상 어느 곳에 가서 살든지 그곳에서 완성하게 하려는 의도라는 말이다. 사람이 토라를 배움으로써 온전한 인간(현자)이 될 수 있다는 뜻이다. 초대교회의 전통도 초기 랍비 유대교처럼 특별히 지혜로운 자의 특성을 일곱 가지로 묶어 설명하는 내용을 야고보의 편지에서 읽을 수 있다.

'여러분 중에 누가 지혜로우며 배운 자입니까?'

(중략)

위에서의 지혜는

① 정결하며

② 평화가 가득하며

③ 겸손하고

④ 순종하며

⑤ 자비와 선한 열매로 가득하며

⑥ 편견이 없으며

⑦ 체하지 않습니다.(야고보서 3,17)

'위에서'는 하늘을 가리키며 '위에서의 지혜'는 하느님의 가르침(토라)에서 배우는 지혜를 뜻한다. 야고보가 말하는 '지혜롭고 유식한 자'와 〈선조들의 어록〉에서 열거된 현자의 특성이 서로 유사하다. 또한 한쪽이 다른 쪽을 보다 구체적으로 설명하는 것을 발견할 수 있다. ⑦ 체하지 않는 것은 남에게 진실로 고맙게 여기는 태도며, ⑥ 편견이 없으려면 들어보지 못한 것에 대하여는 그렇게 말해야 한다. ④ 순종하는 길은 도리에 따라 대답하는 것이며, ③ 겸손한 자는 대답하는 데 급하지 않아야 한다. ② 이웃 간에 평화가 있으려면 서로의 말 중간에 끼어들지 말아야 한다. 야고보서에서 말하는 지혜와 지식의 일곱 가지 덕목은 엣세네의 규례에서도 찾아볼 수 있다.

이것들이 세상에 (사는) 그들(빛의 자식들)의 길이다.

사람의 마음을 깨우치고 그의 앞에 정의와 진리의 모든 길을 바르게 하며 하느님의 법령에 그의 마음을 두렵게 한다.

겸손의 정신과 인내. 많은 자비와 영원한 선善함. 지혜와 이해. 하느님의 모든 행함에 믿음이 있고 그분의 많은 자비에 기대는 큰 지혜와 행함의 모든 생각에 (따르는) 지식의 정신. 정의의 법령을 열망함. 신실한 성향의 거룩한 생각. 진리의 모든 자식들에게 많은 자비. 더러운 모든 신상을 경멸하는 귀중한 정결. 모든 것을 분별하는 행동의 겸손. 지식의 신비를 진리로 감춤.

이것들이 세상에 (사는) 진리의 자식들에게 (있는) 영혼의 비밀이다.(《새

'신실한 성향(יצר סמוך 예쩨르 싸무크)'이라는 표현은 하느님의 인간 창조와 관련해서 생긴 단어다. 하느님이 하느님과 닮은 아담(사람)을 만들어낸 하느님의 거룩한 생각을 가리킨다. '닮았다'는 말은 '가깝다, 믿을 수 있다'는 뜻이다. 이는 선한 성향이다. 초기 유대교 문헌에 따르면 죄짓는 사람에게 '악한 성향'이 있다고 해설한다. 초대교회 신학에서는 이런 사람을 '옛날의 아담, 회개하기 이전의 아담, 원죄原罪'라고 말한다. '영혼의 비밀'은 공동체의 교리를 남에게 알려주지 않기로 맹세하는 문구다.

야고보서에 나오는 일곱 가지를 엣세네 규례와 대비해서 쉽게 찾아볼 수 있다. ① 정결/더러운 모든 신상을 경멸하는 귀중한 정결; ② 평화로 가득함/신실한 성향의 거룩한 생각; ③ 겸손/모든 것을 분별하는 행동의 겸손; ④ 순종/인내; ⑤ 자비와 선한 열매/많은 자비와 영원한 선함; ⑥ 편견이 없음/행함의 모든 생각에 따르는 정신(이해); ⑦ 체하지 않음/지식의 신비를 진리로 감춤.

이처럼 어떤 목적을 가지고 그 기원이나 원인을 히브리 성경에서 찾아 일곱으로 정리하는 해석 방법은 초기 랍비 유대교와 초대교회에서 통용되고 있었음을 보여준다. 그러나 엣세네 해석자들은 랍비들에 비해 상징숫자로 정리하는 방법을 그다지 활용하지 않았다.

"보물을 하늘에 쌓으시오"하늘이 어디일까마태6,19~20

예수는 그의 제자들에게 십계명에 대해 가르친 다음, 하느님에게 기도하는 기도문을 정해주고 천국에 대해 이야기하며 '보물을 하늘에 쌓아라', '세상사를 걱정하지 마라', 심판하지 마라' 등을 가르쳤다. '하늘에 쌓는 보물'에 대해 이렇게 전한다.

여러분을 위해 보물을 땅에 쌓지 마시오. 그곳에서는 좀과 벌레가 갉아먹으며 그곳에 도둑들이 파고 들어와 훔쳐갑니다. 그러나 여러분을 위해 보물을 하늘에 쌓으시오.(마태 6,19~20)

예수가 설명하는 보물은 무엇을 뜻할까? 잠언 미드라쉬에서 그 보물에 대해 찾아볼 수 있다.

'네가 (아버지의 가르침/계명을) 은처럼 구하고 보물처럼 찾는다면.'(잠언 2,4)
이것은 토라의 말씀이다. 심연의 깊은 곳에 내려가 그것들을 찾는다. 이처럼 사람이 그것들을 좇아가 찾는다면 그런 가운데 지혜와 이해를 얻게 된다.(《잠언 미드라쉬》 2,4)

토라를 보물에 비유한다. 심연의 깊은 곳에 내려가 보물을 찾는다는 잠언은 고대 메소포타미아 문화에서 살펴볼 수 있다. 바빌로니아의 길가메쉬 이야기에 따르면 길가메쉬가 생명을 재생시킬 수 있는 풀을 심연(깊은 곳)에 내려가 찾았다. '길가메쉬는 발에 돌을 묶고 잠수하여 심연(깊은 곳)에서 풀을 보았다.'[13] 이러한 신화소는 오랜 전승으로 고대 근동 사회에 회자되었으며 주변 문학 작품에도 자주 나온다. 길가메쉬 전승과 잠언 미드라쉬의 이 단락을 비교해보면 심연에서 찾는 생명의 풀은 토라다.

초기 유대교의 문화적 배경에서 토라는 생명의 말씀이라고 해석되며 또한 복음서에 '나는 생명의 빵입니다'(요한 6,35)라는 문구처럼 메시아를 생명의 빵이라는 단어로 설명하는 것을 알 수 있다.(여기서 '빵'은 토라로 비유된다.) 아버지의 가르침을 찾는다면 그런 가운데 지혜와 이해를 얻을 수 있다는 것이며 이는 곧 생명의 말씀이라는 뜻이다. 아버지(하느님)의 가르침(지혜)이 생명이다. 그 생명의 말씀은 천국의 보물창고에 쌓여 있다는 뜻이다.

'보물을 하늘에 쌓으시오'라는 말에서 하늘은 '천국'을 가리킨다. 복음서에 전해진 '천국은 밭에 숨겨진 보물과 비슷하다'는 비유에서 그 뜻을 찾을 수 있다.

> 천국은 밭에 숨겨진 보물과 비슷합니다. 어떤 사람이 그것을 발견하자 숨겨두고 기뻐하여 돌아가서 가진 것을 모두 팔아 그 밭을 삽니다.(마태 13,44)

《미쉬나》에 따르면 만일 보물에 (그 소유주의) 표시가 없고 그것이 공유지에서 발견되었다면, 그 발견자가 그것을 소유할 수 있다. 만일 보물에 (그 소유주의) 표시가 있으면, 그 소유주를 찾도록 해야 한다. 만일 보물이 자연 상태(예, 금덩이)이거나 (그 소유주의) 표시가 없으며 사유지에서 발견되었으면, 그것은 그 땅의 소유주에게 속한다.

위의 복음서 비유에서 보물을 발견한 밭을 샀다고 하는 것은 그 밭의 소유주가 그 보물을 자기 것으로 표시하지 않은 상태의 것이며 그가 그 밭을 사야 하는 이유는 그 보물이 발견된 밭이 사유지이기 때문이다.

그 밭은 소유주가 있으며 숨겨진 보물은 소유주가 미처 알지 못한 것이다. 천국은 소유주가 있는 밭에 숨겨진 보물과 비슷하다는 말이다. 소유주가 있는 밭이란 무슨 뜻일까? 우선 '밭'은 무엇을 비유한 낱말인지를 알아보는 것이 순서이겠다. 잠언 미드라쉬의 아래와 같은 해석에서 밭의 뜻에 대해 읽어볼 수 있다.

> '개미에게 가라, 게으름뱅이야.'(잠언 6,6)
>
> 여러분이 살고 있는 세상은 육지와 비슷하고 그 (심판의) 세상은 바다와 비슷하다. 만일 사람이 육지에서 자기 스스로 준비하지 않으면 바다에서 무엇을 먹겠느냐?
>
> 다른 설명.
>
> 여러분이 살고 있는 세상은 현관과 비슷하고 그 (심판의) 세상은 연회장과 비슷하다. 만일 사람이 자기 스스로 현관에서 준비하지 않으면 어떻게 연회장에 들어가겠느냐?
>
> 다른 설명.
>
> 여러분이 살고 있는 세상은 건기와 비슷하고 그 (심판의) 세상은 우기와 비슷하다. 만일 사람이 건기에 밭을 갈고 씨를 뿌려 수확을 하지 않으면 우기에 무엇을 먹겠느냐?
>
> 더욱이 여러분은 개미에게서도 배웠을 것이다. 이렇게 쓰여 있다. '개미에게 가라, 게으름뱅이야. 그 방법을 보고 지혜로워져라.'(잠언 6,6)
>
> 《잠언 미드라쉬》6,6

현관에서 토라 공부를 열심히 하여 연회장에 들어갈 준비를 잘하라는 말이다. 연회장은 오는 세상/천국(하늘 왕국)이고 현관은 이 세상이다.

복음서에서도 천국을 잔치로 비유하는 예화가 나온다.(마태 22,1~14: 25,1~13) 예를 들어, '천국은 저마다 등불을 가지고 신랑을 마중하러 나간 열 처녀와 비유할 수 있습니다…. 슬기로운 처녀들은 자기 등불과 함께 그릇에 기름도 갖고 있었습니다.'(마태 25,1~4) 이처럼 예수의 비유에서도 잔치에 동참하기 위해 준비하는 사람만이 잔치에 들어올 수 있다고 가르친다. 잔치에 동참하려고 준비하는 길은 메시아의 가르침을 배우고 실천하는 것이다.

복음서에 전해진 '가라지의 비유' 등에서도 알 수 있듯이 추수는 천국에 들어갈 수 있는 의로운 사람들을 비유하는 단어다. 밭을 갈고 씨를 뿌리는 비유는 자명하다. '밭'은 토라를 배우는 학교며, 토라 공부는 밭을 갈고 씨를 뿌린다고 말하는 것이다. 예수 공동체도 예수의 가르침을 배우고 실천하는 학교와 같은 유형의 공동체다.

그렇다면 보물이 숨겨진 그 밭이 소유주가 있는 사유지란 무슨 뜻일까? 다시 말하면, 토라와 같은 보물이 사유지에 숨겨져 있다는 말이다. 예수는 갈릴리 지역뿐 아니라 예루살렘 근처의 엣세네 공동체를 돌아다니며 감독의 역할을 했다. 또한 갈릴리 지역에서는 바리새들이 운영하는 회당에 자주 들러 자신의 성경해석을 피력하곤 했다. 한편 예수의 복음 전파 사명에 동조하는 사람들이 예수와 그의 열두 제자들을 중심으로 모여들었다.

당시 상황에서 소유주가 있는 사유지는 엣세네나 바리새, 혹은 예수 공동체 등 분파로 볼 수 있다. 보물(천국)을 발견한 사람이 자기 재산을 모두 팔아 그 밭(학교)의 소유주에게서 밭을 사서 갈고 씨를 뿌려 수확(제자들)한다는 비유다. 그렇다면 보물을 발견한 사람은 누구일까? 훌륭한 수확을 낼 수 있는 밭을 알아볼 수 있는 지혜로운 사람이다. 좋은 밭에 반대되는 것은 사악한 밭이겠다. 엣세네 문헌에 보면 공동체에 들어오지 못하는 경우를 규정하는 규례에서 '사악한 밭'에 대해 설명하는 부분을 읽을 수 있다.

> 자기의 완고한 마음대로 걷기 위해 하느님의 단합체에 (돌아)오기를 거절하는 자는 하느님의 진리의 단합체에 들어오지 못한다. 그의 영혼이 올바른 법령(에 대한) 지식의 근본을 막기 때문이다. 그는 그의 생활을 돌이킬 수 있을 만큼 강하지 않았기에 바른 사람으로 생각되지 않는다. 그의 지식과 힘과 재산을 단합체에 들여오지 않는다. 사악한 흙의 밭을 일구면 그 보답으로 구제해야 하기 때문이다.
> 자기의 완고한 마음대로 놓아두는 자에게는 올바름이 없으며 빛의 길에서 어둠을 쳐다보는 온전한 자들의 눈이라고 생각되지 않는다.(《단합체의 규례》 ii,25~iii 3)

나쁜 흙으로 된 밭을 일구는 사람은 그의 지식과 재산을 가지고 단합체에 들어올 수 없다. 히브리 성경의 다음과 같은 문구에서 그 이유를 찾아볼 수 있다. '너희가 사악(한 땅)을 일구면 죄를 추수할 것이며 너희는 거짓의 열매를 먹을 것이다.'(호세아 10,13) 그의 지식으로 단합체 사람들을 죄짓게 하여 어둠 속에 떨어지게 하기 때문이다. 하느님이 세상을 창조한 목적은 사람들이 어둠에서 벗어나 빛의 길을 걸어가라는 것이다. 빛의 길을 걸어야 진리의 열매를 먹을 수 있다. 빛의 길을 걸어가라고 하느님은 모세를 통해 토라를 보내주었고 토라와 함께 걸어야 하는 것은 하느님과의 약속이다. 그렇게 토라의 길을 걸어가야 어둠 속에 떨어지지 않는다.

단합체가 규례를 가르치는 목적은 천국과 지옥을 분별하는 지식을 쌓기 위해서다. 선과 악을 분별하며 사는 지식인이 좋은 밭을 알아볼 수 있다. 창세기 미드라쉬에서 좋은 밭의 구체적인 뜻을 볼 수 있다.

'하느님은 그분이 만든 모든 것을 보았다. 그리고 보라, 매우 좋았다.' (창세기 1,31)

제이라 랍비는 말했다.

'보라, 매우 좋았다.' 이것은 에덴동산이다.

'그리고 보라, 매우 좋았다.' 이것은 지옥이다.

정녕 지옥이 매우 좋을까?

놀랍게도 그렇다.

(이것은) 농원을 가지고 있는 왕에 비유할 수 있다.

왕은 일꾼들을 농원에 데려왔다. 그는 그 입구에 보물창고를 짓고 말했다.

'누구든 농원의 일에 적합하면 그 보물창고에 들어가시오. 그러나 누구든 농원 일에 적합하지 않으면 그 보물창고에 들어가지 마시오.'

이처럼 누구든 계명과 선행을 쌓으면 이것은 에덴동산이다. 그러나 누구든 계명과 선행을 쌓지 않으면 이것은 지옥이다.(《창세기 미드라쉬 랍바》 9,9)

농원의 비유에서 왕은 하느님을, 농원은 이 세상을, 보물창고는 에덴동산을 뜻한다. 농원(세상)에서 일하는 일꾼들 가운데 왕(하느님)의 명령에 따라 계명과 선행을 하여 공덕을 쌓은 사람은 보물창고(에덴동산)에 들어갈 수 있지만 그렇지 않으면 지옥에 떨어진다는 해석이다. 따라서 지옥이 매우 좋은 이유는 지옥이 있어야 사람들은 지옥에 들어가지 않기 위해 토라 공부에 열중하며 하느님의 길을 따라 살려고 애쓰기 때문이다. 에덴동산에 들어갈 수 있는 적합한 사람들은 좋은 밭을 일군 의로운 자들이며 그 반대는 사악한 자들이다. 토라의 계명과 선행을 쌓으면 이 세상에서 에덴동산에 들어갈 수 있다는 미드라쉬다. 세상사에서 에덴동산(보물창고)은 하느님의 계명과 선행을 하는 의로운 공동체다.

복음서의 '천국은 밭에 숨겨진 보물과 비슷하다'는 비유와 창세기 미드라쉬의 비유를 대비해보면 '보물'은 에덴동산(보물창고)을 뜻한다. 초기 유대교 문헌에 따르면 천국의 에덴동산에 숨겨져 있는 보물은 생명나무며 생명나무는 생명의 말씀인 토라다(12장 〈천상의 에덴동산〉 참조). '천국의 보물'은 토라를 상징하며 보물이 숨겨져 있던 밭(미드라쉬에서 보물창고)은 토라를 가르치는 곳인 토라 공부 학교를 뜻한다. '보물'을 발견한 사람은 계명을 지키고 선행을 하여 농원의 일에 적합한 일꾼이다.

(초대교회 상황에서 보면 보물이 숨겨져 있는 밭은 초대교회며, 보물을 발견한 사람은 적합한 일꾼으로 교회의 봉사자들이다. 자기 소유물을 모두 팔아 밭/교회를 사는 사람은 자신의 소유물을 교회에 헌납하는 자선가며, 보물은 바로 예수의 복음이다. 따라서 그 밭의 소유자는 바로 예수다.)

복음서에서 계명을 지키고 선행을 하여 '보물'을 얻을 수 있다는 주제를 아래와 같은 구절에서 읽어볼 수 있다. '당신이 완전해지려고 하면, 가서 당신의 소유물을 팔아 가난한 사람들에게 주시오. 그러면 하늘에서 보물을 차지할 것입니다.'(마태 19,21) 천국의 보물을 차지하는 길은 토라의 법도를 지키고 가난한 사람들을 위해 자선(선행)을 하는 것이다. 그래서 의로움을 행하는 길은 자선을 베푸는 선행이다.(마태 6,1~4) 보물에 대한 예수의 가르침은 이웃에게 자선을 베풀어 천국에 있는 생명의 책에 공덕이 쌓여 지옥의 심판에서 구해질 것이라는 랍비들의 미드라쉬와 상통한다.

무엇을 먹을까 왜 걱정하지 않아도 될까 마태6,25~34

예수는 자기 목숨을 위해 무엇을 먹을까 걱정하지 않아도 된다고 가르쳤다. 우리에게 무엇이 필요한지 하느님은 알고 있으니까 그 믿음을 굳게 가지라고 말한다.

여러분의 목숨을 위해 무엇을 먹을까 혹은 무엇을 마실까 또 여러분의 몸을 위해 무엇을 입을까 걱정하지 마시오. 목숨은 양식보다 소중하고 몸은 옷보다 더 소중하지 않습니까?

하늘의 새를 쳐다보시오. 누구도 씨를 뿌리지 않고 아무도 추수하지 않으며 곳간에 모아들이지 않습니다. 하늘에 있는 여러분의 아버지는 그것들을 먹여 살립니다. 여러분은 그것들보다 더 중요하지 않습니까?

(중략)

믿음이 적은 사람들이여, 그러므로 여러분은 무엇을 먹을까 혹은 무엇을 마실까 혹은 무엇을 입을까 걱정하지 마시오. 이런 모든 것들은 세상의 민족들이 찾고 있기 때문입니다. 하늘에 있는 여러분의 아버지는 이런 모든 것들이 여러분에게도 필요하다는 것을 알고 있습니다.

그러나 여러분은 먼저 하느님의 왕국과 그분의 의로움을 찾으시오. 그러면 여러분은 이런 것들을 다 곁들여 받게 될 것입니다. 그러므로 내일을 걱정하지 마시오.(마태 6,25~34)

하느님은 누구에게나 필요한 것을 공급해준다는 주제를 설명하기 위해 경중 논리가 사용된 것을 볼 수 있다. 새들도 쉽게 먹고사는데 하느님이 중하게 여기는 사람들이야 무슨 걱정이 있겠느냐는 논리다. 경중 논리는 랍비들의 해석 방법 가운데 가장 잘 사용되는 논리 양식으로, 쉬운 것을 알게 하여 좀 더 어려운 것을 이해할 수 있게 설명하는 방법이다. 아래와 같은 미드라쉬에서 '걱정하지 마라'는 주제를 설명하기 위해 경중 논리 방식이 사용된 예를 읽어볼 수 있다.

> '사람이 태양 아래서 수고한다고 그의 모든 수고가 그에게 무슨 이득이 될까?'(전도서 1,3)
> 야나이 랍비는 말했다.
> "세상살이에서 사람이 고기 한 덩어리를 얻으면 그것으로 요리를 하기까지 얼마나 고생하고 얼마나 힘들까. 그러나 나(하느님)는 너희를 위해 바람 불고 구름이 올라가게 해서 비와 이슬이 내리게 한다. 그리고 식물을 자라게 해서 요리하게 하고 누구에게나 자기 앞에 상을 차리게 한다. 그리고 누구에게나 그가 필요한 것을 주고 어느 누구에게나 그에게 부족한 것을 충분하게 해준다. 그러나 너희는 나에게 햇곡식 한 단을 가져오지 않는다."
> 핀하스 랍비는 말했다.
> "세상살이에서 사람이 비 오는 날에 자기 옷을 세탁하면 그것을 말리기까지 얼마나 고생하고 얼마나 힘들까. 그러나 나(하느님)는 너희를 위해 바람 불고 구름이 올라가게 해서 비와 이슬이 내리게 한다. 그리고 식물을 자라게 해서 말리며 요리하게 하고 누구에게나 자기 앞에 상을 차리게 한다. 그리고 누구에게나 그가 필요한 것을 주고 어느 누구에게

나 그에게 부족한 것을 충분하게 해준다. 그러나 너희는 나에게 햇곡식 한 단을 가져오지 않는다."

베레크야 랍비는 말했다.

"(하느님이 이렇게 말하는 것과 같다.) '나는 공급자다. 내가 요리한 것을 내가 맛보게 하지 마라. 그러면 나는 (너희에게) 무엇이 필요한지를 알게 된다.'"

씨크닌의 예호슈아 랍비는 말했다.

"(하느님이 이렇게 말하는 것과 같다.) '나는 (네 수확을 지키는) 파수꾼이다. 너희는 나에게 내가 파수 보는 일에 대한 임금을 주어야 하지 않겠느냐?'"

엘아자르 랍비는 말했다.

"이렇게 쓰여 있다. '그들은 마음속으로 이렇게 말하지 않았다. '우리가 우리의 하느님 주님을 두려워합시다. 그분은 이른 비와 늦은 비를 제때에 주는 분입니다. 그분은 우리를 위해 추수 주간을 지켜줍니다.'"

(예레미야 5,24)

"(하느님이 이렇게 말하는 것과 같다.) '죗값을 갚아야 할 자들이여, 이제 내가 필요 없다고 여긴다.' 그래서 이렇게 가르친다. '그분은 우리를 위해 추수 주간을 지켜줍니다.' 즉, 그분은 우리를 위해 폭염에서 그것을 지켜주며 우리를 위해 해로운 이슬에서 그것을 지켜준다. 그래서 다윗이 이렇게 말했다. '하느님, 당신께서는 흡족한 비를 뿌리십니다.'(시편 68,10) 만일 비가 필요하면 흡족한 것이다. 만일 이슬이 필요하면 '하느님, 당신은 그것을 뿌리십니다.'"(《전도서 미드라쉬》1,4)

하느님은 누구에게나 필요한 것을 공급해준다. 이러한 미드라쉬에서

'무엇을 먹을까, 무엇을 입을까 걱정하지 마시오'라고 말하는 복음서의 배경을 찾아볼 수 있다. 하느님이 누구에게나 공급해주는 그 보답으로 '너희는 내가 주는 땅에 들어가서 너희의 곡물을 거둘 때 너희 곡물의 햇곡식 한 단을 제사장에게 가져올 것이다'(레위기 23,10)라고 토라에 법규를 정해놓았다. 그렇지만 사람들은 하느님에게 드려야 하는 예물을 가져오는 데에 인색하다. 거저 받았다고 그 보답하기를 주저한다. 하느님은 제때에 비를 내리게 하지만 토라(하느님의 가르침)를 하찮게 여기는 사람들은 비가 내린 뒤 이제 하느님은 더 이상 필요 없다고 생각한다. 그래도 하느님은 다윗과 같은 의로운 사람이 있기 때문에 사람들의 먹을거리를 지켜주기 위해 비를 내린다.

이처럼 파수꾼 노릇을 하며 사람들의 수확을 지켜주는 보답으로 하느님에게 드려야 할 임금은 무엇일까? 토라를 공부하는 노고다. 이렇게 말한다.

후나 랍비와 아하 랍비는 힐파이 랍비의 이름으로 말했다.

"사람은 태양 아래서 수고한다. 그러나 그를 위한 보고寶庫는 태양 위에 있다."

유단 랍비는 말했다.

"태양 아래서의 수고로 그는 이득을 얻지 못한다. 그러나 태양 위에서는 그 이득이 있다."

레비 랍비와 랍비들(의 의견).

레비 랍비는 말했다.

"피조물이 계명과 선행으로 공덕을 쌓을 수 있다는 것이 얼마나 다행스러운가. 더욱이 하느님이 그들에게 빛까지 비추어준다."

랍비들은 말했다.

"의인들이 계명과 선행으로 공덕을 쌓을 수 있다는 것이 얼마나 다행
스러운가. 더욱이 하느님은 미래에 그들의 얼굴을 태양처럼 새롭게 만
든다. 이렇게 쓰여 있다. '그분(하느님)을 사랑하는 이들은 힘차게 떠오
르는 태양처럼 될 것이다'(사사기 5,31)."(《전도서 미드라쉬》 1,4)

사람은 태양 아래서 수고하지만 그 수고에 대한 보답은 하늘 위에 있
다. 하늘 위에서 얻을 보답을 위해 수고한다는 것은 토라 공부를 말한
다. 사람이 토라 공부를 열심히 하면 천국에 들어갈 수 있다는 말이다.
토라 공부로 세상사에서 그 이득을 구하려고 한다면 헛되다. 하느님이
계명과 선행으로 공덕을 쌓는 사람들에게 구원의 빛을 비추어주는 것
은 그들에게 큰 보답이다. 더욱이 현자들이 토라 공부로 얻는 이득은
세상을 비추는 태양처럼 결코 헛되지 않다고 논박한다.

복음서에 나오는 '먼저 하느님의 왕국과 그분의 의로움(쯔다카, 자선)
을 찾으시오. 내일은 걱정하지 마시오'라는 문구는 오늘 무엇보다도 먼
저 하느님의 왕국과 의로움이 무엇인지를 찾으라는 뜻이다. 그것을 찾
는 길은 토라를 공부하는 가운데 알 수 있다. 토라를 배우면 하느님이
비와 이슬을 내리게 하여 열매를 거둬들일 수 있다는 사실을 알게 되고
또한 그 보답으로 하느님에게 예물을 드리는 법규도 토라에서 배운다.
먼저 하느님의 진리를 찾으라는 뜻이다. 하느님의 법규를 지키고 하느
님의 자선을 배워 이웃에게 자선하는 공덕을 쌓으면 태양 위에 (하느님의
왕국에) 있는 보물창고에 기록이 되고 그 덕분에 오는 세상에 태양처럼
빛나게 될 것이다. 이러한 믿음을 가지고 먼저 토라 공부를 시작하면
세상사는 하느님이 돌봐주어 곁들여 받게 된다. 내일의 세상사를 걱정

하지 말고 오늘 먼저 하느님의 진리를 찾으라는 가르침이다.

생계유지가 하느님의 구원이다

세상사를 걱정하지 않고 토라 공부에 전념하는 의로운 삶은 어려운 선택이다. 특히 생업을 하며 토라 공부에 열중할 수 있는 여건을 만들 수 있어야 한다. 그러나 세상사에서 토라의 법규와 상치되는 상황에 처할 수도 있으며 그런 상황에서 토라를 따르는 것과 자기 생계를 유지하는 일 가운데 무엇을 우선 하느냐는 문제도 생긴다. 이에 대한 해석을 '너(아담)는 네 일생 동안 노고勞苦로 먹을 것이다'(창세기 3,17)라는 구절의 미드라쉬에서 읽을 수 있다.

엘리에제르 랍비는 말했다.

"구원이 생계유지에 관련되듯이 생계유지는 구원에 관련된다. 이렇게 말한다. '그분(주님)이 우리를 우리의 원수들로부터 해방시켰습니다.'(시편 136,24) 그리고 또한 그분(주님)은 '모든 육신에게 빵을 주시는 분'(시편 136,25)이다. 구원이 기적이라면 생계유지도 기적이다. 매일 생계를 유지하듯이 구원하는 일도 매일 일어난다."

쉬무엘 바르 나흐만 랍비는 말했다.

"생계유지는 구원보다 더 위대하다. 왜냐하면 구원하는 일은 천사를 통해 이루어지지만 생계를 유지하는 것은 찬미 받으시는 거룩하신 분을 통해 이루어진다. 천사를 통한 구원에 대해 어디에서 알 수 있을까? '모든 악에서 나(야곱)를 구원한 천사'(창세기 48,16)라고 말한다. 찬미 받으시는 거룩하신 분을 통한 생계유지에 대해 '당신(주님)은 당신의 손을 열고 모든 생명을 뜻대로 배불리십니다'(시편 145,16)라고 말한다."

예호슈아 벤 레비 랍비는 말했다.

"생계유지가 갈대바다를 가르는 것보다 더 위대하다. 이렇게 말한다. '갈대바다를 둘로 가르신 분(하느님), 참으로 그분의 자비는 영원합니다.'(시편 136,13) 그리고 '모든 육신에게 빵을 주신 분, 참으로 그분의 자비는 영원합니다'(시편 136,25)라고 말한다."(《창세기 미드라쉬 랍바》 20,9)

에덴동산 이야기에 아담과 그의 아내가 에덴동산에서 쫓겨나가기 전에 하느님에게서 벌을 받는다. 그 가운데 하나가 아담(사람)은 일생 동안 힘든 노동으로 먹고살아야 한다는 것이다. 랍비들은 이 구절에서 사람이 먹고사는 것 때문에 노동만 한다면 언제 토라를 배우고 선행을 하여 구원을 받을 수 있겠느냐고 질문한다.

엘리에제르 랍비는 구원과 생계유지는 같은 범주에 속한다고 해석한다. 토라를 배움으로써 구원의 기적이 일어날 수 있듯이 매일 생계를 유지할 수 있는 것도 극한 상황에서는 기적이라는 설명이다.

한편 쉬무엘 랍비는 어려운 처지에서 생계유지가 구원(토라 공부)에 우선한다고 '일생 동안 노고로 먹고살아야 한다'는 구절을 해석한다. 토라 공부로 구원의 기적이 일어난다고 하더라도 생계를 유지하지 못하면 생명을 건질 수 없다. 예호슈아 랍비는 쉬무엘 랍비의 의견에 동조하여 부연한다. 갈대바다를 둘로 갈라 사람들이 지나갈 수 있게 한 구원은 오직 이스라엘 사람을 위한 것이지만, 모든 사람에게 빵을 주는 것은 인류를 위한 것이기 때문에 생계유지가 갈대바다를 갈라놓은 기적보다 더 위대하다는 말이다. 갈대바다를 갈라 이스라엘 백성을 구원한 것과 모든 사람에게 생명을 주는 것(생계유지)은 모두 하느님의 영원한 자비로 비롯되지만 모든 사람을 구하는 것이 더 큰 일이다.

토라를 공부함으로써 하느님이 사람들의 생계를 유지할 수 있게 해 준다는 것을 알게 되고 이에 따라 사람들이 하느님의 자비와 같은 선행을 한다면 그것이 매일 일어나는 기적이다. 하느님을 따라 걸으면 하느님의 현존이 그와 함께 있기 때문이다. 이렇게 살아가면 이 세상의 삶과 죽음을 걱정하지 않아도 된다고 하는 이야기가 탈무드에 전해진다.

하나나 랍비의 아들 하마 랍비는 말했다.

"토라에서 '너는 너의 하느님 주님YHWH을 따라 걸을 것이다'(신명기 13,5)라는 구절은 무슨 뜻인가?

과연 사람이 하느님의 현존을 따라 걷는 것이 가능한가? '참으로 YH-WH 너희 하느님은 삼키는 불이며 열정의 하느님이다'(신명기 4,24)라고 말하지 않는가?

그러나 그 의미는 사람이 찬미 받으시는 거룩하신 분의 모습을 따라 걸으라는 것이다.

그분이 벌거벗은 자에게 입을 것을 준 것처럼. 이렇게 쓰여 있다. '그리고 YHWH 하느님이 아담과 그의 아내를 위해 가죽옷을 만들어 그들을 입혔다.'(창세기 3,21) 그러므로 너는 벌거벗은 자를 입혀야 한다.

찬미 받으시는 거룩하신 분이 환자를 방문한 것처럼. 이렇게 쓰여 있다. '그리고 YHWH는 맘레의 상수리나무들 옆에서 그(아브라함)에게 나타났다.'(창세기 18,1) 그러므로 너는 환자를 방문해야 한다.

찬미 받으시는 거룩하신 분이 애도자를 위로한 것처럼. 이렇게 쓰여 있다. '아브라함이 죽은 뒤에 하느님이 그의 아들 이츠학에게 복을 내렸다.'(창세기 25,11) 그러므로 너는 애도자를 위로해야 한다.

찬미 받으시는 거룩하신 분이 망자를 장사 지낸 것처럼. 이렇게 쓰여 있다. '그리고 그분(하느님)은 그(모세)를 계곡에 장사 지냈다.'(신명기 34, 6)(《바빌로니아 탈무드》, 〈쏘타〉 14a)

'하느님은 삼키는 불'이라고 말하는데 어떻게 하느님을 따라 걸을 수 있겠냐는 반문이다. 이에 대해 '거룩하신 분의 모습'을 따라 걸으라는 뜻이라고 해석한다. 히브리 성경에 나타난 하느님의 행적을 보고 그와 같이 따라 하라는 말이다. 초기 유대교 구전에 따르면 그때 아브라함은 할례를 받은 후여서 아팠다고 한다. 아버지가 죽은 후 그의 아들을 위로하기 위해 그에게 복을 내려달라고 기도해야 했다. 모세는 그 계곡에 묻혔지만 하느님이 그를 하늘로 데려갔기 때문에 세상에 중요한 일이 생기면 모세는 사람들에게 나타난다고 하는 구전이 있다.

복음서에도 예수가 그의 제자들과 높은 산에 올라갔을 때 모세와 엘리야가 나타나 예수와 함께 이야기를 하고 있었다는 '영광스러운 변모' 일화가 전해진다.(마태 17,1~3) 하느님은 친히 가난한 이들에게는 먹을 것과 입을 것을 가져다주고, 환자를 방문하여 그들의 병을 낫게 해주며, 아들이 죽어 슬퍼하는 자들에게 와서 그들을 위로하고, 죽은 자에게 와서 그를 장사 지낸다. 따라서 하느님을 본받아 토라를 배우고 가르치는 사람은 이렇게 행하여야 한다. 예수의 행적도 이러한 맥락에서 찾아볼 수 있다.

예수가 '여러분의 목숨을 위해 무엇을 먹을까, 무엇을 마실까, 또 여러분의 몸을 위해 무엇을 입을까 걱정하지 마시오'라고 말하는 것은 의로운 삶에 대한 이야기다. '여러분은 먼저 하느님의 왕국과 그분의 의로움을 찾으시오.' 천국과 의로움을 찾는 것은 랍비들의 언어로 토라 공부다. 토라 공부에 열정적인 사람에게는 하느님의 현존과 자비가 기대되기 때문이다.

무엇을 두드리면 무엇이 열릴까 마태7,7~8

예수는 그의 제자들에게 아래와 같이 가르쳤다.

> 청하시오, 여러분에게 주어질 것입니다.
> 찾으시오, 발견할 것입니다.
> 두드리시오, 여러분에게 열려질 것입니다.
> 청하는 이는 누구나 얻으며
> 찾는 이는 발견하고
> 두드리는 이에게는 열려집니다. (마태 7,7~8)

'청하고 찾고 두드리라'는 말은 어떤 맥락에서 사용되던 숙어적 표현일까? 이 문구는 기원전 2세기 말에 활동했던 예호슈아 벤 페라흐 현자의 다음과 같은 언명과 비교해서 그 의미를 보다 분명히 찾아낼 수 있다.

> 너를 위해 선생을 만들어라.
> 너를 위한 동료를 얻어라.
> 어떤 사람이든 호의적으로 판단할 것이다. (〈선조들의 어록〉 1,6)

'선생을 만들어라' 하는 것은 자기에게 배움을 줄 선생을 구하라는 뜻이다. 예수의 언명에 청하라는 의미와 같다. 예수가 '청하라'고 말한 그 목적어는 다름 아닌 토라를 가르치는 교사다. 선생을 청해 그에게서 토라를 배우라는 것이다. '청하시오…'라고 말한 다음 예수는 "여러분 가운데 누가 아버지로서 그의 아들이 그에게 빵을 청하는데 돌을 던져 주겠습니까?"(마태 7,9) 하고 묻는다. 위의 언명과 비교해서 읽어보면 아들이 아버지에게 토라를 가르쳐달라고 청한다는 말이다.

예수의 두 번째 언명의 '찾아라'라는 동사의 목적어는 동료다. 자기와 함께 토라 공부를 계속할 동료를 찾으라는 가르침이다. 혼자 토라를 배우는 것보다 동료와 함께 배우는 것이 어떤 이로움이 있기에 그렇게 말하는 걸까? 감리엘 랍반의 언명과 대조해서 그 해답을 찾을 수 있다.(예수가 활동하던 시기에 감리엘 랍반은 쉰다섯 살 정도 되었다.)

너를 위해 선생을 만들어라.

의심에서 벗어나라.

추측으로 십일조를 많이 내지 마라.(《선조들의 어록》 1,16)

감리엘 랍반의 두 번째 언명에서 말하는 '의심'은 자기 선생의 가르침에 의혹을 품는다는 말이 아니라 토라를 공부하는 자신이 갖게 되는 갖가지 의심을 뜻한다. 자신의 의심에서 벗어나기 위한 길을 동료들과 함께 찾을 수 있다. 예수가 그의 제자들에게 가르치는 두 번째 언명은 동료들과 함께 예수 공동체의 삶에 대한 의심에서 벗어나라는 뜻으로 이해할 수 있다.

그렇다면 예수의 세 번째 언명 '두드리라'는 말은 무슨 뜻일까? 무엇을 두드리라는 말일까? 선생을 구하여 토라를 배우고 동료를 얻어 함께 공부하면서 하느님의 가르침인 토라를 두드리면 그 뜻이 밝혀질 수 있다는 말이다. 올바른 토라의 해석을 가리킨다. 그렇게 되면 추측으로 십일조를 내지 않고 정확하게 낼 수 있다. 토라에 대한 올바른 이해를 구하라는 뜻이다. 그래야 다른 사람의 의견을 존중하고 바른 판단을 할 수 있다. '두드리시오. 열릴 것입니다'라는 것은 성경해석을 말한다.

여기서 '열다'는 표현은 미드라쉬의 과정에서 좀 더 구체적으로 그 의미를 살펴볼 수 있다. 미드라쉬에서 아무개 해석자가 성경 구절을 '열었다'고 말하는 부분이 나온다. 이는 해석할 본문을 설명하기 위해 다른 성경 구절을 인용하는 것을 말한다. 이런 범주의 '열다'라는 동사는 랍비 문헌의 전문 용어로, 성경 두루마리를 펴서 필요한 구절을 인용한다는 뜻이다. 본문을 설명하기 위해 성경 구절을 인용하고 그 인용 구절을 해석하여 본문의 뜻을 밝히려는 방법이다. 예를 들어,

> "처음에 하느님이 하늘과 땅을 만들어냈다."(창세기 1,1)
>
> 호샤야 랍바 랍비는 열었다.
>
> '나(지혜)는 그분(하느님) 곁에서 조언자(아몬)였으며 나는 하루하루 (그분의) 즐거움이었다."(잠언 8,30)
>
> (그는 말했다.)
>
> "조언자(아몬)는 '가정교사', 아몬은 '덮인', '숨겨진' 또는 '위대한' 이라는 뜻이다."

호샤야 랍비는 창세기 1,1을 해석하기 위해 잠언 8,30을 인용했으며 이때 잠언의 구절을 열었다고 표현한다. 그리고 그는 '조언자'라는 뜻이 무엇인지를 좀 더 자세히 해석한다.(《창세기 미드라쉬 랍바》 1,1 참조) 이

와 같은 구조를 갖고 있는 단락을 복음서에서도 발견할 수 있다. 예수는 안식일에 회당에서 성경을 읽으려고 일어섰다. 이사야 예언자의 책(두루마리)이 그에게 건네지자,

> 예수는 그 책을 열었다. 그는 이렇게 쓰여 있는 곳을 찾았다. '주님의 기운(바람)이 나에게 내렸다. 그분은 나에게 기름을 부었다. 이는 가난한 이들에게 복음을 전하고 마음이 상한 이들을 치유하며….'(이사야 61,1~2)
> 그리고 책(두루마리)을 감아 시중꾼에게 주고 돌아가서 앉았다.
> (중략) 그때 예수는 그들에게 말하기 시작했다.
> "오늘 이렇게 쓰인 (말씀)이 여러분의 귀에서 이루어졌습니다."(누가 4,16 ~21)

회당의 안식일 예배 성경 봉독 관습에 따르면 안식일이 시작되는 저녁에 모세오경의 부분을 읽고 그다음 날 오후에 이사야서나 다른 예언서 등을 읽는다(안식일은 금요일에 해가 지는 시각부터 그다음 날 해 질 때까지다). 안식일 오후 시간에 읽는 성경 단락은 그 전날 봉독한 모세오경의 내용을 설명할 수 있는 구절이다. 예수는 모세오경의 인용구를 해석하기 위해 이사야서의 한 대목을 열고(인용하고) 이에 대해 해석하기 시작한 것이다.

예수의 세 번째 언명인 '두드리시오. 열릴 것입니다'의 진의는 이러한 성경해석의 맥락에서 찾을 수 있다. 토라를 두드리면 그 해석이 열린다는 뜻이다. 선생에게서 토라를 배우고 동료들과 함께 토라를 두드리면 올바른 해석이 열린다.

다른 경우, 예수는 이렇게 가르쳤다. "여러분 가운데 둘이 청하는 모든 것에 땅에서 동의하면 하늘에 계신 내 아버지께서 그들에게 계실 것입니다. 사실 둘이나 셋이 내 이름으로 모여 있는 거기 그들 가운데 나도 있습니다."(마태 18,19~20) '땅에서 동의한다'는 말에서 '땅'은 공동체를 가리킨다. 공동체에서 두 사람이 청하는 교사에 동의하면 하느님의 현존도 그 교사와 함께 있을 것이라는 뜻이다.

그런데 '둘'이라고 가르치는 점을 주목해야 한다. 혼자가 아니라 둘이상이어야 한다는 말이다. 동료들과 함께 교사를 청하라는 뜻이다. 하느님이 그 교사와 함께 있을 것이라는 말은 하느님의 영(거룩하신 분의 영)이 그들과 함께 있을 것이라는 뜻이다. 함께 공부하는 교사와 학생들에게 거룩하신 분의 영(하느님의 현존)이 계시를 보여준다는 말이다. 초기유대교 문헌에서도 이러한 관점을 읽어볼 수 있다.

> 하나니야 벤 트라디욘 랍비는 말한다.[14]
> 둘이 앉아 그들 사이에 토라를 말하지 않으면 이것이야말로 조롱꾼들의 자리다. 이렇게 말한다. "(복 받는 자는) 조롱꾼들의 자리에 앉지 않는다."(시편 1,1)
> 그러나 둘이 앉아 그들 사이에 토라를 말한다면 현존하시는 분(쉐키나)이 그들 사이에 머물러 있다. 이렇게 말한다. "그러므로 주님YH-WH을 두려워하는 자들이 서로 말하여 주님YHWH은 귀담아들었다. 그분은 (그들의 말을) 들었으며 주님YHWH을 두려워하고 그분의 이름을 생각하는 자들을 위해 그분 앞에서 기억의 책에 기록될 것이다."(말라기 3,16)

이것은 둘에 대한 것이지만 비록 한 사람이 앉아 토라에 열심이어도 찬미 받으시는 거룩하신 분이 그에게 보답을 확실히 한다고 어떻게 알 수 있느냐? 이렇게 말한다. "(하느님은) 그에게 (보답을) 짊어지게 하셨으니 홀로 앉아 조용하라."(애가 3,28) (〈선조들의 어록〉 3,2)

심온 랍비가 말한다.

셋이 한 식탁에 앉아 먹으며 토라를 말하지 않는다면 그들은 마치 망자에게 바친 제물을 먹는 것이다. 이렇게 말한다. "온갖 식탁이 토한 것으로 차서 더럽지 않은 곳이 없다."(이사야 28,8)

그러나 셋이 한 식탁에 앉아 먹으며 토라를 말하면 그들은 마치 하느님의 식탁에서 먹는 것이다. 이렇게 말한다. "그가 나에게 말했다. "이것이 주님YHWH 앞에 있는 식탁이다."(에스겔 41,22) (〈선조들의 어록〉 3,3)

'현존하는 분'이라고 번역한 단어 쉐키나는 복음서에서 '육신이 말씀이 되어 우리에게 현존합니다'(요한 1,14)라고 설명한다. 망자에게 제물을 바치는 것은 신상숭배를 말한다. "YHWH여, 우리의 하느님이여. 당신이 아닌 주主들이 우리를 다스리고 있습니다. 우리는 오직 당신에게 당신의 이름을 부를 것입니다. 그들은 망자들이며 살지 못합니다. 그들은 허깨비고 일어서지 못합니다."(이사야 26,13~14) 여기서 망자들은 신상을 가리킨다.

하나니야 마을 사람인 할프타 벤 도싸 랍비는 말했다.

열 사람이 앉아 토라 공부에 열심이면 현존하시는 분이 그들 사이에 머물러 있다. 이렇게 말한다. "하느님은 하느님의 회중에 나타나신다."(시편 82,1)

다섯에게도 그러냐? 이렇게 말한다. "(하느님)은 땅 위에 그분의 공동체를 세웠다."(아모스 9,6)

셋에게도 그러냐? 이렇게 말한다. "하느님은 심판관들 가운데서 심판한다."(시편 82,1)

둘에게도 그러냐? 이렇게 말한다. "그래서 주님YHWH을 두려워하는 자들이 서로 말하여 주님YHWH은 귀담아듣는다."(말라기 3,16)

혼자에게도 그러냐? 이렇게 말씀했다. "내(하느님)가 내 이름을 기억시킬 모든 곳에 나는 너에게 와서 너에게 복을 내리겠다."(출애굽기 20,24)

(《선조들의 어록》 3,6)

유대교 법도에 따르면 열 명 이상이 모여야 기도문을 읽는 예배의 형식을 갖출 수 있다. 하느님은 열 명 이상이 모이는 곳에 나타난다는 해석이다. 하느님의 공동체는 다섯 명이 모이면 세울 수 있다는 말이다. 고대 이스라엘 사회에서 재판소의 심판관은 세 명이었다. 《미쉬나》에도 심판관이 세 명이 있어야 재판을 할 수 있다고 규정한다. 두 명이 모여도 하느님의 현존이 있을 수 있다는 말은 인용문에서 '서로'를 둘로 해석한 결과다. 혼자 토라를 공부하는 곳에도 하느님이 있을 수 있다는 주장을 입증하는 인용문에서 '너에게 와서'의 '너'가 단수 2인칭이라는 점을 들어 설명한 것이다.

토라를 공부하는 곳에는 하느님의 현존이 있다는 점을 부각하는 선조들의 가르침이다. 하느님의 현존이 토라를 공부하는 사람들에게 머물러 있는 이유는 그들에게 계시를 주기 위해서다. 이런 맥락에서의 계시는 다름 아닌 성경 구절이다. 또한 하느님의 계시로 이루어진 토라의 해석(미드라쉬와 미쉬나)도 포함된다. 그렇다면 거룩하신 분의 영이 계시하는 성경 구절로 무엇을 하라는 뜻일까? 하는 질문이 생긴다.

(물론 토라를 공부하고 행하는 데에서 구원을 얻을 것이라는 명제는 어느 누구나 다 잘 알고 있는 법도며 예수가 구태여 그의 제자들에게 그런 평범한 가르침을 주었다고는 생각되지 않는다.)

예수는 자신이 메시아며 하느님의 아들로 이 세상에 왔다는 것을 토라(성경 구절)와 치유의 기적을 통해 입증하려고 했으며 그의 제자들에게 그렇게 가르치고 보여주었다. 예수가 메시아인 것을 증명하기 위해서 자신이 하느님의 권능으로 치유의 기적을 일으킨다고 보여주었다. 기적만으로 하느님의 아들임을 증명하는 것은 충분하지 않다. 그 무엇보다도 예수는 하느님의 법(토라)을 메시아의 시대라는 시대적 요구에 적합한 성경해석을 통해 모두에게 가르쳤다.

예수는 만민에게 토라를 가르치는 사업이 가장 절실한 것을 확신했으며 이를 위해 제자들을 양성하여 토라의 목적을 명백하게 밝혀주었다. 예수는 열두 제자를 여러 지방에 보내어 '하느님의 왕국이 가까이 왔다'고 선포하라고 이르며 병든 사람을 치유하고 죽은 사람을 살리며 귀신을 쫓아내라고 당부한다. 또한 돈을 가지고 다니지 마라고 조언하며 '일꾼이 그의 양식을 받는 것은 마땅하다'고 덧붙인다.(마태 10,7~10) 사람들에게 토라를 가르치는 교사의 자격으로 하느님의 복음을 가르치라는 말이다. 예수가 이 기쁜 소식을 세상의 끝까지 알리기 위해 일흔두 명의 제자들을 선택하여 여러 지방의 회당과 엣세네 거류지로 보낸 것도 토라의 바른 이해를 드러내기 위함이었다. '청하고 찾고 두드리라'는 예수의 가르침에서 바리새 선생들의 학풍을 느낄 수 있다.

죽은 아버지는 망자들이 묻게 하시오 마태8,19~22

복음서에 천국의 지혜를 가르치는 선생을 따라가라는 일화가 나온다. '망자들이 그들의 망자를 묻게 하고 당신은 나를 따르시오'라고 말하는 단락에서 읽어볼 수 있다.

> 그런데 한 서사가 다가와서 예수에게 말했다.
> "선생님(아도니), 당신이 어디로 가시든지 당신을 따르겠습니다."
> 그러자 예수가 그에게 말했다.
> "여우들도 굴이 있고 하늘의 새도 피난처가 있지만 아담의 아들은 자기 머리를 놓을 곳이 없소."
> 예수의 제자들 가운데 다른 이가 예수에게 말했다.
> "선생님(아도니), 제가 돌아가서 먼저 제 아버지의 장사를 지내도록 허락해주십시오."
> 예수가 그에게 말했다.
> "당신은 나를 따르시오. 망자들이 그들의 망자를 묻게 하시오."(마태 8, 19~22)

'망자들이 그들의 망자를 묻게 하라'는 내용의 일화를 해석하는 데 많은 문제점이 제기된다. 과연 망자들이 어떻게 망자를 장사 지낼 수 있을까? 아버지가 죽었으면 그 아들이 아버지를 장사 지내는 것이 상식인데 (물론 다른 민족에게도 아버지의 장사를 지내지 마라는 것은 예禮가 아니다.) 더욱이 예수 당시의 유대교는 종교 예법을 지키는 사회였다고 하는데 어떻게 그럴 수 있을까?

유대교의 장례 규례에 따르면 죽은 부모를 장사 지내는 상주의 역할은 그들의 아들이 맡는다. 망자는 계명의 의무에서 벗어난다(죽으면 계명의 의무에서 벗어나는 것은 당연한 처사다). 또한 망자의 앞에 있는 사람(즉, 망자의 가족 등)은 망자를 장사 지내는 동안 다른 종교적 의무에서 벗어난다. 망자를 장사 지내는 사람은 종교적 의무에 관하여 망자와 마찬가지로 여긴다는 뜻이다. 망자의 장사를 돌보는 사람들은 장례 기간 동안 망자처럼 죽은 것으로 볼 수 있다. 그러나 장례가 끝나면 망자의 장사를 돌보았던 사람들은 다시 일상생활의 규례로 돌아온다(흔히 장례 기간은 빠르면 하루 늦어도 이틀 정도 걸린다. 장례 후 일주일 동안 망자의 집에서 망자를 위한 애도의 기간을 갖는다).

이와 같은 유대교의 장례 규례와 위 복음서의 내용을 비교해보면 '망자들'은 망자의 장례를 돌볼 수 있는 예수의 제자를 포함한 그의 가족이다. 예수가 '망자들이 망자를 묻게 하시오'라고 말한 것은 '망자의 가족이 망자를 묻게 하시오'라는 뜻이다. 그리고 그의 제자는 '선생을 따라오라'고 말한 것이다. 왜 죽은 아버지의 장사에 가지 말고 선생에게 오라고 말했을까?

이 질문에 대한 해답은 '먼저'라는 지시어에서 찾을 수 있다. 제자는 그의 선생인 예수에게 '먼저' 자기 아버지의 장사를 지내겠으니 허락해달라고 말했다. '먼저'라고 말한 것은 그다음이 있기 때문이다. 제자는 그다음이 누구의 장례라고 생각하고 있었을까? 또한 '먼저' 장사 지내러 가지 마라고 말한 선생은 누구의 장례를 생각하고 있었을까?

그 해답은 '나를 따르라'는 구절에서 찾을 수 있다. 앞에서 인용한 〈바바 메찌아〉에 따르면 아버지와 선생의 경우에 '만일 그의 아버지와 그의 선생이 포로로 붙잡혀 갔으면 그는 먼저 그의 선생의 몸값을 치를 것이며 그 뒤에 그의 아버지의 몸값을 치를 것이다'라고 규정한다. 복음서의 일화를 이에 비추어보면 제자의 아버지와 그의 선생이 죽었을 경우 누구를 먼저 장사 지내야 합니까? 라는 질문과 같은 것이다. 이에 대한 대답 또한 자명하다. 선생의 장사를 먼저 지내야 한다. 선생의 죽음을 돌보는 것이 우선이다.

이 일화에서 예수는 자신의 죽음이 임박한 것을 제자에게 알려준 것이다. 단락 앞부분에서 그 힌트를 읽을 수 있다. 예수는 이렇게 말한다. "하늘의 새도 보금자리가 있는데, 아담의 아들에게는 그의 머리를 놓을 곳이 없다." 즉, '아담의 아들'이 곧 죽을 것이라는 예고다.('아담의 아들' 은 예수의 메시아 호칭이다.) 예수의 다른 제자가 자기 아버지를 장사 지내러 갔는지 아닌지는 전해지지 않아 알 수 없지만 하느님의 지혜를 가르쳐주는 선생을 따르는 길은 그리 쉬운 일이 아닌 것 같다.(예수와 그의 제자들 사이에 오가는 문답의 맥락에서 '교사 전통'을 이해할 수 있다.)

예수 공동체의 교사 전통

예수를 부르는 수식어로 '교사'뿐 아니라 '랍비', '랍(스승)', '선생님 (아돈)', '다윗의 아들', '아담의 아들', '하느님의 아들', '메시아(그리스도)', '예언자', '마지막 아담', '진리' 등 여럿이 나온다. 그 가운데 교사(디다스칼로스 διδάσκαλος)가 가장 많이 나온다(45번). 또한 예수의 호칭 가운데 랍비도 자주 나온다(마태 26,25; 26,49; 마가 9,5; 10,51; 11,21; 14,45; 요한 1,38; 1,49; 3,2; 3,26; 4,31; 6,25; 9,2; 11,8). ["랍비님, 당신이 교사로서 하느님으로부터 오신 줄을 우리는 압니다"(요한 3,2)라는 문구처럼 예수의 호칭으로 교사와 랍비가 가장 많이 사용된 점을 보아도 토라 공부와 관련된 '진리'라는 단어가 특정한 맥락에서 예수의 호칭으로 사용되었다는 점은 매우 흥미롭다(3장 〈예수는 자신을 '진리'라고 불렀다〉 참조).]

교사나 랍비와 같은 예수의 호칭을 살펴보면 예수가 제자들을 가르치고 바리새 사람들과 문답했던 환경은 토라 학교와 같은 공동체다(엣세네도 교사들의 토라 교육이 그들 공동체 생활의 중심이었다). 그런데 예수는 회당을 돌아다니며 가르쳤다고 한다. '그리고 예수는 온 갈릴리 지역을 돌아다니며 회당에서 가르치고 왕국의 복음을 선포하며 백성 가운데 모든 질병과 모든 허약함을 고쳐주었다.'(마태 4,23) 1~5세기에 건축되었던 회당의 터들을 보면 종종 한 건물에 회당과 성경해석학교(베트 미드라쉬)가 있었던 곳이 발견된다. 랍비는 한 건물에서 대중을 위해 강론을 하며 학생들을 가르쳤다고 볼 수 있다.

옛날에 유대교 회당만큼이나 미드라쉬 학교가 많았다고 전한다. 어느 지역에 특수한 여건으로 회당과 미드라쉬 학교 중 어느 하나를 허물어야 하는 경우 유대인들은 회당을 허물었다고 한다. 지혜를 기반으로 이루어진 법규들이 토라에 많이 전해졌으며 사람들이 함께 모여 그 가르침(토라)을 배우고 해석하며 선행하는 공부의 터전이 그만큼 중요하다는 말이다. 초대교회 사람들도 함께 모여 예수의 가르침을 그의 제자들을 통해 배우고 전례를 행하며 기도했다. "그들(예루살렘 교회의 신도들)은 사도들의 가르침(토라)과 친교와 기도와 빵을 나누는 일(성찬례)에 전념했다."(사도행전 2,42) 신약성경에서도 엣세네와 초기 바리새 유대교의 학교 전통을 확실히 읽어볼 수 있다.

토라를 공부하는 곳으로 귀양살이 가라

이처럼 초기 유대교에서 교사나 랍비들의 토라 공부는 종교의 구심점을 이루고 있었다. 학생들이 선생과 함께 배우는 토라 공부는 그리 쉬운 일이 아니다. 〈선조들의 어록〉에 따르면 토라 공부는 미드라쉬 학교에 마치 귀양살이 간 것처럼 해야 한다고 말한다.

> 토라 (공부하는) 곳으로 귀양살이를 갈 것이다.
> 그것이 네 뒤를 따라온다고 말하지 마라.
> 네 동료들이 그것을 네 손에서 이루어준다.
> "네 이해에 너는 기대지 마라."(잠언 3,5) (〈선조들의 어록〉 4,14)

토라 공부가 네 뒤를 따라온다고 생각하지 마라는 것은 토라 공부가 우선이라는 말이다. 토라 공부를 통해 구원의 길을 찾기 때문이다. '동료가 토라 공부를 이루어준다'는 것은 동료들 사이에 견실한 논쟁으로 토라 공부를 성취하라는 뜻이다. 그래서 혼자 스스로 토라(성경)를 해석하고 이해하지 않아야 한다고 경고한다. 미드라쉬 학교에서는 동료들끼리 동아리를 이루어 선조 랍비들의 주장을 논제로 설전을 벌이며 성경해석을 추구했다. 이러한 전통은 유대교의 훌륭한 장점으로 유지되었으며 독단적인 성경해석을 금하여 선조들의 전승을 중요하게 여겼다. 토라 해석자가 되기 위해서는 미드라쉬 학교에서 일정 기간 토라 교육을 받아야만 교사가 될 수 있었다. 미드라쉬 학교에서는 많은 선조들의 해설을 섭렵하여야 하기 때문에 그 공부하는 기간이 매우 길었다. (오히려 끝나는 과정이 없었다고 말하기도 했다.)

토라 공부를 추구했던 젊은이들이 오랫동안 (길게는 10여 년 동안) 미드라쉬 학교에 기거하며 토라 공부에 열중하여 끝내 좋은 교사가 되어 고향에 돌아오는 경우가 종종 있었다. 그 대표적인 예로 135년 로마 군대에 잡혀가 순교한 아키바 랍비의 이야기가 유명하다. 《바빌로니아 탈무드》〈크투보트〉 62b~63a에 수록된 아키바 랍비의 일화는 당시 젊은이들이 미드라쉬 학교를 다니며 교사가 되겠다는 그 열정을 잘 보여준다. 아키바는 마흔 살에 토라 공부를 시작했다. 그는 아내를 떠나 미드라쉬 학교에서 12년 동안 공부하고 1,200명의 제자들을 데리고 고향으로 돌아왔다. 그런데 그의 아내는 그를 만나지 않았다.

> 아키바는 (그녀를) 떠나 미드라쉬 학교에서 12년 동안 공부하며 머물렀다. 그가 돌아올 때 그는 1,200명의 제자들을 데리고 왔다. 그는 한 현자가 그녀에게 이렇게 말하는 것을 들었다.
> "당신은 얼마 동안이나 청상과부로 살아가려는 것입니까?"
> 그녀가 말했다.
> "만일 그가 내가 원하는 것이 무엇인지 마음에 두면 그는 학교에서 12년 더 있을 것입니다."
> 그(아키바)는 말했다.
> "그렇다면 내가 (공부)하는 것은 허락을 받은 것입니다."
> 그는 돌아가서 미드라쉬 학교에서 12년 더 공부하며 머물렀다.

《미쉬나》에 따르면 미드라쉬 학교에서 한 달 동안 공부할 경우에는 아내의 허락이 필요 없지만, 그 이상일 경우 아내의 허락이 요구되었다. 그리고 적어도 일 년에 한 번은 아내에게 돌아가 자식을 낳는 계명을 지키고 돌아와 공부를 계속했다. 아키바 랍비도 이러한 경우인지는 모르겠지만 12년이 지나서야 제자들을 데리고 고향으로 돌아왔다. 아키바 랍비가 그의 제자들을 데리고 돌아온 이유는 그곳에 학교를 세워 학문을 펼칠 계획에서였다. 그러나 그의 아내는 남편이 공부를 마치고 돌아왔는데도 맞아들이지 않은 것이다. 그래서 현자는 그녀에게 "청상

과부로 살아가려는 것입니까?" 하며 반문하는 것이다. 아키바 랍비는 그의 아내에게서 12년의 공부 기간을 가질 수 있도록 허락을 받고 학교로 돌아가서 12년 뒤에 2,400명의 제자들을 데리고 돌아와서 학교를 세웠고 훌륭한 제자들을 키웠다.

[아키바 랍비는 유대인들의 대표로 로마에 가서 황제를 만나 유대인 사회의 안녕과 권익을 주장했던 신망 높은 학자였다. 하드리아누스 황제가 유대교를 탄압하자 이에 항거하여 종교적인 유대인들이 다시 한 번 민족의 자주독립을 시도했다. 아키바 랍비는 이들의 희망을 북돋았다. 반면 아키바 랍비와 가장 절친했던 동료 이쉬마엘 랍비는 항쟁에 관여하지 않고 오직 학문에만 몰두했다. 이처럼 랍비들 사이에도 유대인의 무력적 항거에 대해 견해가 양분되었다. 로마군은 예루살렘과 주변 지역을 모두 점령했으며 항쟁군과 이에 동조한 사람들을 대거 검거했다. 이때 아키바 랍비도 감옥에 갇히게 되었으며 로마군은 그에게 배교하기를 권했으나 그는 그곳에서 순교의 길을 택했다.]

예수도 12명의 제자로 시작해서 77명의 다른 제자들도 양성했으며 죽음에서 일어선 뒤 갈릴리 바닷가에서 '큰 물고기 153마리'를 건졌다고 한다. 그가 올리브 산에서 승천한 뒤에 열린 오순절 성찬 의례에 여러 지방에서 모인 서원자들의 수는 헤아릴 수 없이 많았다. 의로운 선생이 배출한 좋은 제자들은 선생의 가르침을 세상 끝까지 전파하는 복음 사업을 훌륭히 달성했다. 이러한 학교 전통이 초대교회의 근간이며 이는 엣세네나 바리새를 포함해서 초기 유대교 지식인들의 공통된 관심사였다.

07

마지막 시대의
가르침

예수는 그의 열두 제자들을 여러 지방으로 보내면서 그들에게 더러운 영을 쫓아내고 병을 치유하는 권능을 주며 이 렇게 말한다.

내가 이 땅에 평온을 두려고 온 줄로 생각하지 마시오. 내가 평온을 두려고 온 것이 아니라 칼입니다.

참으로 사람과 그 아버지 사이를, 딸과 그 어머니 사이를, 새색시와 그 시어머니

사이를 갈라놓으려고 왔습니다. 사람의 원수는 그의 집의 아들들입니다.(마태 10,34~36)

집안 식구들 사이에 불화를 조성하려고 이 세상에 왔다고 한다면 큰 오해다. 마지막 시대에 메시아가 칼을 들고 백성을 심판한다는 맥락에서 보아도 그 칼로 가족의 분열을 조장한다면 무슨 까닭으로 메시아를 기다리겠는가!

마지막 시대에 평온이 아니라 왜 칼일까 마태 10,34~36

"사람의 원수는 그의 집의 아들들이다"라고 말하는 예수의 의중이 무엇인지를 알기 위해서는 '원수'라는 지시어가 누구를 가리키는지 밝혀보아야 하겠다. 예수는 '사람의 원수'가 있는 그 공동체를 심판하겠다는 말이다. 예수의 말에서 '이 땅'과 '그의 집'은 공동체를 의미한다('이'라고 지시대명사로 번역했는데 이는 정관사다).

예수가 지목하는 '원수의 아들들'은 '어둠의 아들들'이라는 뜻이다. 어둠의 아들들은 빛의 아들들의 반대어며 엣세네 규례에 종종 나오는 표현이다. 예수는 어둠의 아들들을 원수의 아들들이라고 지목하며 엣세네 사람들 사이에 하느님의 진리를 따르는 사람들과 그렇지 않은 사람들을 갈라놓고 칼로 그들을 심판하겠다는 것이다. 이는 마지막 시대에 있을 '빛의 아들들과 어둠의 아들들의 전쟁'과 같은 맥락에서 이해할 수 있다. 엣세네의 성경해석에서 마지막 시대에 일어설 메시아가 칼로 세상을 심판한다는 부분을 찾아볼 수 있다.

> 그(다윗의 새싹)는 모든 [민족을] 지배할 것이다. 마곡은 [그의 …으로 사라질 것이다.] 그의 칼이 모든 백성들을 심판할 것이다.(《이사야서 해석》 20)

마지막 시대에 일어날 메시아의 심판을 말한다. 마곡은 하느님에게 대적하는 군대다. ["아담의 아들아, 네 얼굴을 로쉬 메섹과 투발의 우두머리인 마곡 땅의 곡을 향해라! 그리고 그에게 예언하라."(에스겔 38,2)] 마지막 시대에 있을 마곡과의 전쟁을 이야기하는 해석이다. [곡과 마곡의 전쟁은 요한계시록에서 찾아볼 수 있다. "천년이 끝나면 사탄이 옥에서 풀려나와 땅 사방에 있는 민족들, 곡과 마곡을 미혹하게 하며 그들을 모아서 전쟁하러 나올 것이다."(요한계시록 20,7~8)]

엣세네의 문헌에서 마지막 시대에 하느님의 아들이 이 세상을 칼로 심판하고 평화가 이룩되어 칼은 마지막이 된다고 말하는 단락을 읽어 볼 수 있다.

> 하느님의 백성이 일어나서 모두가 칼에서 쉴 수 있게 할 때까지 그(하느님의 아들)의 왕국은 영원한 왕국이며 그의 모든 길은 정의에 있습니다. 그는 정의로 이 땅을 심판하고 모두가 평화를 이룩하며 칼은 이 땅에서 마지막이 될 것입니다.(《하느님의 아들》 ii,4~6)

'하느님의 백성'은 엣세네 공동체를 말한다. 마지막 시대의 메시아인 하느님의 아들이 정의로 심판하여 "모두가 평화를 이룩하며 칼은 이 땅에서 마지막이 된다"는 내용과 비슷한 구절을 예수 이야기에서 볼 수 있다. 예수가 그의 제자들을 돈주머니도 자루도 신발도 없이 여러 지방으로 파견했을 때 부족한 것이 있었냐고 묻자 그들은 부족한 것이 없었다고 대답한다. 그러자 예수는 지금은 돈주머니나 자루가 있는 사람은 그것을 가져가고 없는 사람은 자기 겉옷을 팔아 칼을 사라고 말한다. 그리고 예수는 이렇게 해석한다. "이것 역시 쓰여 있으며 나에게서 반드시 이루어져야 합니다. '그는 범죄자들과 함께 헤아려졌다'(이사야 53,12). 참으로 이 모든 것이 나에 대한 것이며 완성됩니다."(누가 22,37) [이 말은 예수가 십계명을 해석하기에 앞서 "내가 (토라의 말씀을) 파헤치려고 온 것이 아니라 채우려고 왔습니다"(마태 5,17)라고 말한 내용과 연결된다.] 예수가 인용한 구절의 '그'는 하느님의 의로운 종이며 예수는 그가 미래에 올 메시아라고 해석한 것이며 그가 바로 예수라고 말한 것이다.

그런데 왜 칼을 사라고 했을까? 엣세네 문헌에 칼과 마지막 시대를 해석하는 단락이 나온다.

> 법규와 법칙을 멸시하는 모든 자들은 하느님이 이 땅을 감찰할 때 사악한 자들은 그들의 최후를 맞이할 것이다. 이 사건이 생길 때 스가랴 예언자의 손으로 쓰여졌다.
>
> "하느님은 말했다.
>
> '칼아, 깨어나라, 내 목자, 내 친한 용사에 대항하여. 그 목자를 때려라. 양떼가 흩어질 것이며 내가 내 손을 작은 것들한테 돌릴 것이다.'"
>
> (스가랴 13,7)
>
> (그 해석.) 그것을 지키는 자들은 양떼의 가난한 자들이다.
>
> 그들은 감찰할 시기에 도망갈 것이며 남은 자들은 아론과 이스라엘의 메시아가 올 때 칼에 넘겨질 것이다. 이것은 첫 번째 감찰 시기에 생겼을 때처럼 에스겔의 손으로 말했다. "그들이 탄식하고 신음하는 자들의 이마에 표시를 할 것이다."(에스겔 9,4)
>
> 남은 자들은 언약의 보복의 칼에 넘겨졌다. 이렇게 언약에 들어오는 모든 자들에게는 법령이 있으며 이러한 법칙을 준수하지 못하면 그들은 감찰을 받아 브리알(악마)의 손으로 파멸될 것이다. 그것은 하느님이 감찰하는 날이다.(〈새 언약의 규례〉 xix 6~15)

메시아가 오는 마지막 시대에 언약에 들어온 사람들이 공동체의 규례를 지키지 못하면 언약을 어긴 죄로 보복의 칼에 넘겨지고 악마의 손에 파멸될 것이라는 해석이다. 위에서 읽은 "모두가 평화를 이룩하며 칼은 이 땅에서 마지막이 된다"는 말은 메시아의 시대에 메시아가 평화를 이룩하면 보복의 칼은 그 마지막을 고할 것이라는 뜻이다. 따라서 엣세네의 규례와 복음서의 내용을 함께 읽어보면 그 칼은 예수의 열두 제자들이 여러 지방에 나가 복음을 전파한 것이 세상에 평화를 이룩하는 일이고 그 평화가 왔다는 것을 보여주는 표징이다. 하느님의 아들인 메시아 예수로 말미암아 이 땅에 평화가 이룩되고 칼은 이 세상에서 마지막이 된다는 것을 상징적으로 표현하기 위해 칼을 가지고 다니라는 말이다.

예수가 제자들에게 평온을 두려고 온 것이 아니라 칼이라고 말하는 것은 마지막 시대에 있을 전쟁에 대비하기 위해 엣세네 거주지를 돌아다니며 그들에게 예수의 복음을 전하고 예수가 메시아임을 선포하라는 뜻이다. 예수가 메시아라는 것을 믿지 않는 사람들은 어둠의 자식들로 여기라는 것이다. 그래서 "사람과 그 아버지 사이를, 딸과 그 어머니 사이를, 새색시와 그 시어머니 사이를 갈라놓으려고 왔다"는 이야기며 '사람의 원수는 그의 집의 아들들'이라는 말에서 '그의 집의 아들들'은 예수의 복음을 믿지 않는 엣세네 사람들을 가리킨다. 엣세네의 입장에서 보면 이는 엣세네 사람들 사이에 분열을 조장하는 언행이다. (엣세네 사람들을 향한 예수의 심판을 듣는 엣세네 지도자들은 마음이 불편했을 것이다.)

부모를 더 사랑하는 사람은 왜 제자로 마땅하지 않을까 마태 10,37

예수는 그의 제자들에게 이렇게 가르쳤다.

아버지나 어머니를 나보다 더 사랑하는 이는 나에게 마땅하지 않습니

다. 아들이나 딸을 나보다 더 사랑하는 이는 나에게 마땅하지 않습니다.(마태 10,37)

누가복음서에는 같은 내용을 이렇게 전한다. "누가 내게로 오면서, 제 아버지와 어머니, 형제와 자매, 아내와 자식, 심지어 제 자신을 미워하지 않으면 내 제자가 될 수 없습니다. (…) 그러므로 여러분 가운데 누구든 자기의 모든 소유물을 떠나지 않으면 내 제자가 될 수 없습니다."(누가 14,25·33) 이와 비교해보면 '나에게'라는 말은 '내 제자로'라고 이해할 수 있다. 예수의 제자가 되려면 선생보다 부모나 자식을 더 사랑하거나 자기 소유물에 연연하면 안 된다.

예수를 사랑하고 자기 소유물을 떠나라는 말과 비교되는 성경 구절은 유대교 기도문 시작에 늘 낭송하는 '쉬마'에서 찾아볼 수 있다. "들어라, 이스라엘아, YHWH는 우리의 하느님이고 YHWH는 하나다. 너는 네 마음을 다하고 네 목숨을 다하고 네 정성을 다하여 네 하느님 YHWH을 사랑할 것이다."(신명기 6,4~5) '정성'은 재물을 뜻한다. 자기 목숨과 재물로 하느님을 사랑하라는 말이다. 위의 누가복음서 구절과 상통한다.

메시아 예수를 믿고 따르던 사람들은 그를 '우리의 주님'이라고 불렀다. 쉬마와 대비해서 읽어보면 '우리 마음과 목숨과 정성을 다하여 우리의 주님을 사랑하라'는 말이다. 하느님을 사랑하듯이 하느님의 아들도 중히 여기라는 뜻으로 해석할 수 있다. '나보다 더 사랑하는 이'라는 문구에서 '나'의 숨은 뜻은 하느님의 아들인 것을 알려준다.

예수는 자기 제자가 되려면 부모나 아내와 자식을 떠날 마음을 가져야 한다고 가르쳤다. 그런데 예수보다 부모를 더 사랑하는 사람은 그의 제자가 되기에 마땅하지 않다는 말은 무슨 뜻일까? 십계명에 "부모를 존중하라"고 가르친다. 그렇다면 부모를 존중하는 것과 하느님의 아들을 존중하는 것의 차이를 어떻게 설정해야 할까? 1세기 후반부터 2세기 초반까지 이스라엘 땅에서 활동했던 이쉬마엘 랍비의 미드라쉬에 아래와 같은 예화가 나온다.

(예후다) 랍비가 말했다.

"말씀으로 세상을 만들어낸 분 앞에 값진 것은 부모를 존중하는 것이다. 왜냐하면 그들을 존중하는 것과 그분을 존중하는 것, 그들을 두려워하는 것과 그분을 두려워하는 것, 그들을 저주하는 것과 그분을 저주하는 것은 동등하다고 말했기 때문이다.

이렇게 쓰여 있다. '너의 아버지와 너의 어머니를 존중해라'(출애굽기 20,12), 그리고 그 상대로, '네 정성으로 주님YHWH을 존중해라.'(잠언 3,9) 이처럼 성경에 그들을 존중하는 것과 그분을 존중하는 것은 동등하다고 말한다.

'너희는 각자 그의 부모를 두려워해야 한다'(레위기 19,3), 그리고 그 상대로 '너는 주님YHWH 하느님을 두려워해야 한다.'(신명기 6,13) 이처럼 성경에 그들을 두려워해야 하는 것과 그분을 두려워해야 하는 것이 동등하다고 말한다.

'그리고 자기 아버지나 어머니를 저주한 자는 죽어야 한다'(출애굽기 21,17), 그리고 따라서 '누구든 자기 하느님을 저주한 경우 그 죗값을 갚아야 한다.'(레위기 24,15) 이처럼 성경에 그들을 저주하는 것과 그분을 저주하는 것을 동등하다고 말한다."

랍비는 말했다.

"와서 (이 두 계명을 지키는) 보상이 같다는 것을 보아라.

'네 정성으로 주님YHWH을 존중해라. (…) 그러면 네 곡식 창고는 풍요로 가득 찰 것이다.'(잠언 3,9~10) 그리고 '네 부모를 존중해라. 그러면 네 하느님 주님YHWH이 너에게 준 이 땅에서 너는 오래 살 것이다.'(출애굽기 20,12)

'너는 주님YHWH 하느님을 두려워해야 한다'(신명기 6,13), 그 보상으로 '그러나 내(하느님의) 이름을 두려워하는 너희에게 정의의 태양이 떠올라 그 날개로 치유한다.'(말라기 3,20)

'너희는 각자 부모를 두려워해야 하며 내 안식일을 지킬 것이다.'(레위기 19,3) 그리고 그 보상으로, '네가 안식일 때문에 네 발을 돌린다면 너는 주님YHWH 안에서 기뻐할 것이다.'(이사야 58,13~14)"(《메킬타 데랍 이쉬마엘》 바호데쉬 8)

부모를 존중하는 계명과 하느님을 존중하는 계명은 동등하다는 설명이다. 바리새 사람들은 예수가 하느님을 자기 아버지라고 말함으로써 자기 자신을 하느님과 동등하게 내세웠다고 여겼다.(요한 5,18) 위에 인용한 마태복음서에서 부모를 하느님의 아들인 예수보다 더 사랑하지 말라는 것은 부모를 존중하는 것과 하느님을 존중하는 것이 동등하다는 논리가 합당하지 않다는 뜻이다.

하느님을 존중하는 길은 십계명을 지키는 것이다. 그런데 만일 생계를 전담하고 있는 부모가 토라 공부에 전념하는 자식에게 부모를 위해 토라의 어느 법규를 어기라고 말한다면 어떻게 해야 할까? 초기 랍비들의 레위기 해석서 《씨프라》에 다음과 같은 대목이 나온다(《씨프라Sifra》는 200년경에 편집된 책으로 랍비 문헌 가운데 초기 작품에 속한다).

이렇게 말한다. "너희 누구나 그의 아버지와 어머니를 존중할 것이다."
(출애굽기 20,12).

그러나 만약 그의 아버지와 어머니가 토라에 쓰여 있는 법규 가운데 어
느 하나를 어기라고 말한다면 그는 그들을 따라야 하겠는가?

성경에 이렇게 말한다. "너희는 내 안식일을 지킬 것이다, 나는 너희
하느님 주님YHWH이다."(출애굽기 20,10) (그러므로) 너희 모두는 나를
존중해야 한다.(《씨프라》 195, 2:6)

만일 부모가 "부모를 존중하라"는 십계명 5항을 내세워 토라에서 어
느 계명을 어겨도 된다고 자식에게 가르친다면 그 아들은 이 문제를 해
결하기 위해 어떻게 하겠느냐는 질문이다. 부모가 토라를 가르치는(즉,
해석하는) 과정에서 어느 법규를 어길 수 있다고 말하는 것을 전제로 논
리를 전개하고 있다. 이런 경우, 그는 그의 선생에게 달려가서 물어보
아야 한다. 그때 랍비는 제자에게 어떻게 대답해야 되는지를 가르쳐주
는 대목이다. 그런 경우, 부모의 해석을 따르라고 할 것인가 아니면 계
명을 지키라고 할 것이냐는 문제에 봉착한다. 만일 그 특정한 계명이
중요하기 때문에 부모의 가르침을 따르지 않아야 한다고 말하면 십계
명의 하나를 어기게 되는 중죄를 저지르게 된다. 그렇다고 토라의 계명
을 어길 수도 있다고 하면 부모의 위치가 토라의 권위 위에 있는 것이
다. 그 해답은 매우 간단하다. "너희는 내 안식일을 지킬 것이다. 왜냐
하면 나는 네 하느님 주님이기 때문이다"는 구절에서 그 해답을 찾아낼
수 있다.

만일 안식일을 지키는 것과 안식일을 지키기 위해 부모를 존중해야
하는 계명을 어겨야 하는 상황이 동시에 생겼을 경우 어떻게 해야 할

까? 하는 질문이 생긴다. 그 해답은 자명하다. 안식일을 지키는 것이 우선이다. 왜냐하면 안식일을 지키는 계명은 하느님을 존중하는 일이기 때문이다. 하느님을 존중하는 것과 부모를 존중하는 것 가운데 하나를 택해야 한다면 누구를 택해야 할까? 여기서도 답변은 같다. 부모는 나를 태어나게 해주었지만 하느님은 나에게 오는 세상에 몫을 차지할 수 있는(토라 공부를 할 수 있는) 기회를 주었기 때문이다.

부모의 가르침이 토라(하느님의 가르침)에 상반되는 경우 부모의 해석을 따를 이유가 없다. 부모가 자식에게 십계명의 하나를 어기게 해야 하는 상황을 만들었다면 자식은 십계명을 존중히 여기고 십계명에 따라야 한다. 왜냐하면 하느님은 우리(부모를 포함하여 모두)의 주님이기 때문이다.

이와 관련하여 복음서에 전해진 한 단락을 이해할 수 있다. 예수가 사람들과 논쟁을 하고 있을 때 예수의 어머니와 형제들이 그곳에 왔다. 어떤 사람이 예수에게 "보십시오. 당신의 어머니와 형제들이 밖에서 찾으십니다"라고 말했다. 그러자 예수는 "누가 내 어머니며 내 형제들입니까?" 하고 반문한다. 그리고 그 주변 사람들을 둘러보며 "보시오. (이들이) 내 어머니요, 내 형제들입니다. 하느님의 뜻을 받들고 행하는 사람이 내 형제요, 자매요, 어머니입니다"라고 말한다.(마가 3,31~35) 하느님의 뜻이 부모 형제의 것에 앞서는 것이 옳은 길이라고 가르치는 장면이다.

1세기 중반 바리새들의 총수로 활동했던 감리엘 랍반의 언명에서 하느님의 뜻을 지키기 위해 자기의 뜻을 버리는 것이 옳다고 말하는 것을 읽을 수 있다.

그분(하느님)의 뜻을 네 뜻처럼 행하라.
그래서 그분은 자기의 뜻처럼 네 뜻을 행하실 것이다.

그분의 뜻 때문에 네 뜻을 버려라.

그래서 그분은 네 뜻 때문에 다른 이들의 뜻을 버리실 것이다.

(《선조들의 어록》 2,4)

하느님의 뜻을 자기의 뜻처럼 행하며 살 것이며, 보다 더 중요한 것은 자기의 뜻을 포기하고 하느님의 뜻을 따르라는 교훈이다. 아래와 같은 감리엘 랍반의 해설이 전해진다.

만일 네가 하느님의 뜻을 네 뜻처럼 행했다면 너는 그분의 뜻을 그분의 뜻처럼 행하지 않은 것이다.

만일 네가 네 자신의 뜻을 거부하고 그분의 뜻을 행했다면 너는 그분의 뜻을 그분의 뜻처럼 행한 것이다.

죽지 않으려는 것이 네 뜻이냐?

네가 아직 죽지 않았을 때 죽어라.

살려고 하는 것이 네 뜻이냐?

네가 아직 살고 있을 때 살지 마라.

네 뜻이 거부하는 이 세상의 죽음을 죽는 것이 오는 세상의 죽음을 죽는 것보다 너에게 낫다. 네가 뜻하면 너는 죽지 않기 때문이다.

이 가르침을 "아버지나 어머니를 나보다 더 사랑하는 이는…"이라고 전하는 단락에 "자기 목숨을 얻는 사람은 목숨을 잃을 것이요, 자기 목숨을 잃는 사람은 목숨을 얻을 것입니다"(마태 10,39)라는 문구와 대비해서 읽어보면 하느님의 뜻을 자기 뜻처럼 행한 경우 자기 목숨을 잃을 수 있지만 자기 뜻을 포기하고 하느님의 뜻을 따랐다면 목숨을 얻는다고 이해할 수 있다. 복음서에 예수가 그의 제자들과 함께 겟세마네 동산에 가서 기도하고 있었다. 그때 예수는 다음과 같이 기도한다. "제가 원하는 대로 하지 마시고 아버지께서 원하시는 대로 하십시오."(마가 14,36) 왜냐하면 하느님은 그를 믿는 사람들에게 오는 세상에서 목숨을 얻게 해주기 때문이다.

토라 교사는 제자에게 오는 세상의 몫을 얻게 해준다

메시아 예수는 하느님의 아들이며 하느님의 가르침(토라)을 가르치는 선생이다. '부모/자식을 나보다 더 사랑하는 이는 …'의 문장에서 '나'를 '토라 선생'으로 바꾸어 읽어보자. '부모나 자식을 토라 선생보다 더 사랑하는 이는 토라 선생(의 제자가 되기)에 마땅하지 않다.' 이렇게 토라 선생을 변론하는 문화적 환경은 초기 유대교 사회에서 찾아볼 수 있다.

《미쉬나》에 아래와 같은 예화가 전해진다. 만일 사람이 그의 아버지나 그의 선생이 잃어버린 물건을 찾으러 간다면 그는 먼저 그의 선생이 잃은 것을 찾고 그다음에 그의 아버지가 잃어버린 물건을 찾아야 한다. 왜냐하면 아버지는 이 세상에 자기를 낳았지만, 선생에게서는 오는 세상에 몫을 얻을 수 있는 정도正道를 배울 수 있기 때문이다.

> 만일 학생이 분실했고 그의 아버지가 분실했다면, 자신의 것을 먼저 찾는다. 만일 그가 분실했고 그의 선생이 분실했다면, 자신의 것을 먼저 찾는다.
> 그러나 만일 그의 아버지가 분실했고 그의 선생이 분실했다면, 선생의 것을 먼저 찾는다. 왜냐하면 그의 아버지는 그를 이 세상에 태어나게 했지만 그의 선생은 그에게 지혜를 가르쳐서 그를 오는 세상의 삶으로

데려가기 때문이다. 그러나 만일 그의 아버지가 현자라면 그의 아버지의 것을 먼저 찾는다.

만일 그의 아버지와 그의 선생이 무거운 짐을 짊어지고 간다면, 그는 먼저 그의 선생의 짊을 내려놓을 것이며 그 뒤 그의 아버지의 짐을 내려놓을 것이다.

만일 그의 아버지와 그의 선생이 포로로 붙잡혀 갔으면, 그는 먼저 그의 선생의 몸값을 치를 것이며 그 뒤 그의 아버지의 몸값을 치를 것이다. 그러나 만일 그의 아버지가 현자라면, 그의 아버지의 몸값을 치를 것이며 그 뒤 그의 선생의 몸값을 치를 것이다.(〈바바 메찌아〉 2,4)

토라 공부를 하는 학생이면 위와 같은 순서를 지켜야 하겠다.(현자는 선생이 된 다음에 획득하는 칭호다.) 정녕 토라를 가르쳐서 학생으로 하여금 하느님의 가르침의 지혜를 배울 수 있게 하는 선생이야말로 구원자다. 그래서 하느님의 지식(천국의 보물)을 찾기 위해 우선 토라 선생을 찾아 나섰다.

이와 비슷한 맥락을 복음서의 시작하는 단락에 나오는 네 명의 어부가 예수의 제자가 되는 이야기에서 읽을 수 있다. 예수가 어부들에게 "여러분을 사람 낚는 어부로 삼겠습니다" 하고 말하자 그들은 즉시 그들의 아버지를 남겨두고 예수를 따랐다고 전한다.(마태 4,18~22) 그들이 부모를 떠나 선생을 따라나섰다는 이야기다. 예수의 제자들은 그에게서 복음에 대한 성경해석을 배운 교사로서 많은 사람들을 예수 공동체에 들어오게 했다. 토라 교사는 토라 공부를 통해 제자들을 오는 세상(천국)으로 데려가는 길을 열어준다. 토라 교사인 예수가 그의 제자들에게 "아버지나 어머니를 나보다 더 사랑하는 이는 나에게 마땅하지 않습니다"라고 말하는 문화적 배경은 바리새들의 토라 학교 전통에서 찾아볼 수 있다.

안식일을 기억하고 거룩하게 지킬 것이다

안식일에 작업을 하지 말라는 계명은 유대교에서 가장 중요하게 여기는 계명 가운데 하나다. 일을 하지 않아야 하는 범주에 대해《미쉬나》 2부 1편에 수록된 안식일에 관한 법규에서 찾아볼 수 있다. 안식일에 하지 말아야 하는 일을 39가지 형태로 정했다. 예를 들어, 재단사는 바늘을 쥐지 말고 글 쓰는 이는 펜을 잡지 못하며, 여자는 구멍 뚫린 바늘, 인장을 새긴 반지, 머리띠, 목걸이, 향수병을 지니고 외출해서는 안 된다. 안식일에 금지된 일들은 파종, 가꾸기, 수확, 단으로 묶기, 탈곡, 키질, 씻기, 빨기, 체로 쳐서 가루 만들기, 반죽, 굽기, 양털 깎기, 양털 표백, 양털 두드리기, 양털 염색, 실뽑기, 베틀에 날실을 걸기, 두 실 짜기, 두 실 풀기, 매듭 짓기, 매듭 풀기, 두 뜸 박기, 두 뜸 박으려고 찢기, 두 글자 쓰기, 두 글자 쓰려고 지우기, 집 짓기, 집 헐기, 불 끄기, 불 지피기, 망치 두드리기, 물건 나르기 등이다. 안식일 규례를 어기면 죄를 짓는 것이며 속죄일에 속죄예물을 바쳐야 했다.

그렇지만 안식일에 암탉이 달아나면 붙잡을 때까지 뒤쫓아도 된다. 부인이 자기 자식을 돌아다니도록 해도 된다. 아이가 스스로 걸을 수 있으면 산책이 허용되지만, 아이가 어머니에게 매달리면 산책을 금한다. 이웃에게서 포도주나 올리브기름을 빌릴 수 있다. 단, 빌린다는 말만은 하지 말아야 한다. 부인이 이웃에게서 빵을 빌리는 경우도 마찬가지다. 초대 받아 온 손님들과 접시들의 숫자를 셀 수 있으나, 숫자를 쓰지는 말고 입으로만 세어야 한다. 안식일에 걸어도 되는 거리(2000걸음)에서 안식일이 끝나기를 기다렸다가 약혼녀의 일이나 사망자의 일을 돌보아도 된다. 안식일에 일을 하지 않아야 하며 이런 제약을 두는 근본적인 목적은 안식일에 식구와 함께 집에 머물러 있으며 식구들과 어울리라는 데 있다.(출애굽기 16,29~30 참조)

출애굽기에 대한 이쉬마엘 랍비의 성경해석에서 안식일에 대해 읽어볼 수 있다.

> 엘아자르 벤 하나니야 벤 히즈키야 벤 가론은 말했다.
> "안식일을 기억하고 거룩하게 지킬 것이다."
> 너는 첫날(일요일)부터 안식일을 기억해야 한다. 그래서 만일 좋은 것이 생기면 안식일을 위해 치워놓아라.
> 이츠학 랍비는 말했다.
> 너는 일주일의 요일을 다른 사람들이 말하는 식(일요일, 월요일, 화요일 등)으로 하지 말고 안식일을 향해 첫날, 둘째 날, 셋째 날, 이런 식으로 불러라.(《메킬타 데랍 이쉬마엘》 8.2,7)

좋은 것은 맛있는 음식을 말한다.(유대교의 요일 이름은 '첫째 날, 둘째 날 등, 안식일'이라고 부른다.) 안식일을 기억해야 하는 이유는 하느님이 안식일에게 복을 내렸기 때문이다. ["그리고 하느님이 이렛날에(게) 복을 내리고 그날을 거룩하게 했다."(창세기 2,3) 하느님이 이렛날에 사람에게 복을 내렸다는 뜻이 아니고, 이렛날에게 복을 내렸다는 말이다. 이렛날(안식일)을 의인화한 표현이다.] 그래서 '그분은 맛있는 음식으로 그날에 복을 내렸다'고 해석한다. 아래와 같은 일화에서 안식일을 위해 좋은 것을 치워놓는 이야기를 읽어볼 수 있다.

히야 바르 아바 랍비는 말했다.

"한번은 라오도키아 사람이 나를 (그의 집에) 초대했다. 그는 우리 앞에 있는 테이블에 열여섯 개의 쟁반을 들여왔다. 거기에는 창조 엿새 동안에 만들어진 모든 것이 있었다. 한 아이가 우리 사이에 앉았으며, 그 아이는 '그리고 땅과 그에 가득 찬 것들, 세상과 그곳에 살고 있는 것들은 주님의 것입니다'(시편 24,1)라고 읊었다.

왜 (이 구절을 인용)했을까?

집주인이 그런 대접으로 인해 자기 스스로 자만하지 않도록 하는 것이다.

나는 그에게 말했다.

'주인장, 당신은 무슨 공덕으로 이 모든 영광을 얻을 수 있었습니까?'

그는 나에게 말했다.

'나는 푸주한이었습니다. 나는 평소에 잘생긴 짐승을 보면 안식일을 위해 따로 챙겨놓았습니다.'

나는 그에게 말했다.

'당신은 쓸데없이 공덕을 쌓은 것이 아닙니다.'"(《창세기 미드라쉬 랍바》 11,4)

푸주한이 좋은 고기는 안식일에 먹으려고 준비하는 공덕으로 부자가 되었다는 이야기다. 안식일을 존중하여 복 받았다는 말이다.

안식일이 있기 때문에 로마의 통치 아래에서도 유대교의 규례를 지키며 살 수 있었다는 일화도 찾아볼 수 있다.

우리의 스승(예후다 랍비 대표)은 안토니우스 황제를 위해 안식일에 잔치를 베풀었다. 그는 그에게 식은 음식을 대접했으며 그는 그것을 먹고 흡족해했다. 그는 평일에 그를 위해 잔치를 베풀었다. 그는 끓는 음식을 그에게 대접했다.

그는 그에게 말했다.

"지난번에 먹은 것이 이것보다 더 맛있소."

그는 그에게 말했다.

"이번 것은 재료 하나가 부족합니다."

그러자 그는 그에게 말했다.

"왕실의 식품 창고에도 부족한 것이 있단 말이오?"

그는 그에게 말했다.

"안식일이 부족합니다."

그러자 그는 그에게 말했다.

"당신은 안식일을 가지고 있소?"(《창세기 미드라쉬 랍바》 11,4)

유대인 공동체의 대표였던 예후다 랍비가 안토니우스 황제를 만나 유대인들이 로마의 통치에서 유대교의 전통을 지킬 수 있는 방안을 그와 논의했다고 탈무드에 전한다. 요리는 일의 범주에 속하기 때문에 안식일에 요리를 하지 못하고 안식일에 먹을 음식은 안식일 전날에 준비한다. 그래서 랍비는 황제에게 식은 음식을 대접했다. 랍비는 같은 음식을 한 번은 식은 채로, 한 번은 끓는 채로 대접한 것이다. 황제의 입맛에 식은 음식이 더 맛있던 것은 아마도 그 어떤 상황에 달렸을 것 같다. 그러나 랍비가 안식일이라는 묘수로 답변하여 황제에게 유대교의 전통을 피력한 이야기다.

안식일을 위해 그 전날 음식을 준비하는 것은 안식일이 마치 오는 세상과 같기 때문이라고 해석한다.

> "개미에게 가라, 게으름뱅이야."(잠언 6,6)
> 예후다 벤 페다야 랍비는 말했다.
> "미래에 사악한 자들이 찬미 받으시는 거룩하신 분 앞에서 말할 것이다. '세상의 주님이시여, 오는 미래에 당신 앞에서 회개를 하려고 작정했습니다.'
> 찬미 받으시는 거룩하신 분이 그들에게 말했다.
> '세상의 멍청이들아, 너희가 살고 있는 이 세상은 안식일 전날과도 비슷하고 그 (오는) 세상은 안식일과 비슷하다. 만일 사람이 자기 스스로 안식일 전날에 (음식을) 준비하지 않으면 안식일에 무엇을 먹겠느냐?'"
> 《잠언 미드라쉬》 6,6)

이처럼 안식일에 음식을 준비하는 것을 세상살이로 비유한다. 사람은 살면서 토라를 공부하고 올바르게 행하여 공덕을 많이 쌓아 '오는 세상'에 편히 쉴 수 있게 준비하는 여정으로 설명한다. 매주 안식일에 '오는 세상'의 즐거움을 경험하면서 삶을 살고 있는 것이다. 유대교의 정체성을 가장 두드러지게 표현하는 것이 이와 같은 안식일이다. [초대 교회에서는 안식일에 상응하여 주간의 시작하는 날을 '주±의 날'이라고 불렀다. 랍비 유대교에서 말하는 '오는 세상'은 복음서의 천국(하느님의 왕국)과 같은 맥락에서 이해될 수 있다.]

하나 바르 이츠학 랍비는 말했다.

"(사람이) 부분적으로 실감하는 것에는 세 가지가 있다.

죽음을 부분적으로 실감할 수 있는 것은 잠이다.

예언을 부분적으로 실감할 수 있는 것은 꿈이다.

오는 세상을 부분적으로 실감할 수 있는 것은 안식일이다."(《창세기 미드라쉬 랍바》17, 5)

안식일을 지키는 사람은 안식일마다 오는 세상(천국)의 기쁨을 누린다. 매주 예배에 참석하는 사람은 주일마다 메시아 시대의 기쁨을 누린다는 말이다.

"엿새 동안 너는 노동하고 너의 모든 일을 해라."

그러나 사람이 엿새 만에 자신의 모든 일을 해낼 수 있을까?

실상 안식일에 쉬라는 것은 네가 너의 모든 일을 마치 해낸 것처럼 여기라는 것이다.

다른 설명.

일하면서 안식일에 쉬는 것을 생각해보아라.

이렇게 쓰여 있다. "네가 안식일 때문에 네 발을 돌리면"(이사야 58, 13), 그리고 "그러면 너는 주님YHWH 안에서 네 스스로 즐거울 것이다." (이사야 58,14) (《메킬타 데랍 이쉬마엘》 8.2,9~10)

"그분은 일곱째 날에 쉬었다."

하느님은 (엿새 동안 창조하여서) 피곤하게 되었을까? 이렇게 쓰여 있지 않은가? "이 땅 끝까지 창조한 분은 피곤하지도 지치지도 않는다."(이사야 40,28) 오히려 "그분은 피곤한 자에게 힘을 준다."(이사야 40,29) "주

님YHWH의 말씀으로 하늘이 만들어졌다."(시편 33,6)

그렇다면 성경에는 왜 이렇게 쓰여 있을까? "그리고 그분은 일곱째 날에 쉬었다."

이는 마치 그분이 세상을 엿새 동안 창조하고 일곱째 날에 쉬었다는 것에 관해 썼다는 것이다.

이렇게 추론해보아라.

이제 피곤하지 않은 분이 세상을 엿새 동안 창조하고 일곱째 날에 쉬었다는 것에 관해 썼다면, 사람에 대해서는 (무엇이라고 쓰겠는가?) 이렇게 쓰여 있다. "그러나 사람은 고생하려고 태어났다."(욥기 5,7) 그러니 더 이상 무엇을 말하겠는가?(《메킬타 데랍 이쉬마엘》 8.2,17)

그래서 사람은 안식일에 쉰다는 것이다. 사람은 엿새 동안 일하고 이렛날에 쉬어야 한다는 생각에서 하느님이 안식일에게 복을 내렸다고 해석한다.

"그리고 하느님이 이렛날에(게) 복을 내리고 그날을 거룩하게 했다."(창세기 2,3)

"주님YHWH의 복은 (사람을) 부유하게 하지만 (사람의) 근심은 그것(복)에 보태지 않는다"(잠언 10,22)고 쓰여 있다.

"주님의 복은 (사람을) 부유하게 한다."

이것은 안식일을 뜻한다. 이렇게 말한다. "그리고 하느님이 이렛날에게 복을 내렸다."

그리고 "(사람의) 근심은 그것(복)에 보태지 않는다."

이것은 애도哀悼를 뜻한다. 이렇게 말한다. "왕은 그의 아들을 위해 근

심(애도)했다."(사무엘하 19,3) (《창세기 미드라쉬 랍바》 11,1)

하느님이 안식일에게 복을 내림으로써 안식일과 함께하는 사람은 부유해질 수 있다. 그런데 사람이 안식일 때문에 근심한다고 [예를 들어, 안식일을 위해 무슨 음식을 준비할까? 무슨 옷을 준비할까?(안식일에 입을 옷은 미리 세탁해 두었다가 깨끗한 옷을 입어야 한다) 등등] 해서 안식일에 받을 복 이상으로 더 많은 복을 받지는 않는다. 그 근심이 '애도'를 뜻한다는 해석은 유대교 장례에 대한 말이다. 사람이 죽으면 곧바로(만일 안식일에 죽으면 그다음 날 아침에) 장사 지내고 일주일 동안 망자를 위해 망자의 집에서 곡하는 기간을 갖는다. 이 애도의 일주일 가운데 하루는 안식일이다. 안식일은 복 받은 날이기 때문에 그날에는 곡하지 않는다. 안식일은 거룩한 날이기 때문에 죽음의 천사가 찾아오지 않는다는 이야기다.

안식일이 시작되기 바로 전에 안식일을 위한 촛불을 켜며 찬미의 기도문을 읽는 것이 계명이다.(안식일은 금요일 해가 지는 시각부터 그다음 날 해가 지는 시각까지다.) 이 계명은 그 집의 여주인이 맡아야 한다.

사람들은 예호슈아 랍비에게 질문했다.
"어째서 여자에게 안식일 촛불을 켜는 계명이 주어졌습니까?"
그는 그들에게 말했다.
"왜냐하면 그녀가 처음 아담의 목숨을 꺼버렸기 때문입니다. 그러므로 여자에게 안식일 촛불을 켜는 계명이 주어졌습니다."(《창세기 미드라쉬 랍바》 17,8)

에덴동산 이야기에 아담과 그의 아내는 에덴동산에서 쫓겨남으로써 그들은 영원한 생명을 누릴 수 없고 죽어야 하는 운명이 되었다. 아담의 아내가 금지된 나무의 열매를 집어 아담에게 주어 그도 먹었기 때문이다. '목숨을 꺼버리다'라는 표현은 '불을 켜다'라는 표현과 대조된다. 여자 때문에 이 세상에 죽음이 왔지만 오는 세상과 같은 안식일을 위해 여자가 등잔불을 밝힘으로써 오는 세상에 갈 수 있는 희망을 준다는 말이다. 에덴동산 이야기에서 선과 악을 구별할 수 있게 해주는 지식나무의 열매를 먹어야 하겠다고 결심한 것은 여자다. 그 열매는 토라를 상징한다. 여자가 사람들에게 토라를 배울 수 있는 기회를 만들어주었다는 이야기다. 어둠의 세상에서 토라를 배움으로써 빛의 세상에 살수 있다. 안식일에 반드시 토라를 읽어야 하는 당위성을 말한다.

그런데 하느님이 안식일에 쉰다면 그 쉬는 틈을 타서 악인들이 활개를 칠 것이 아니겠냐고 걱정할 수 있다.

핀하스 랍비는 호사야 랍비의 이름으로 말했다.
"'왜냐하면 하느님이 하려고 만들어낸 모든 일에서 그날에 멈추셨기 때문이다'(창세기 2,3)라는 구절이 그분이 그분 세상의 일에서 쉬었다는 뜻으로 말하겠지만, 그분은 악인들의 일과 의인들의 일에서 쉬는 것은 아니다. 그분은 이들과 저들과 함께 일한다. 그분은 이들에게 대표적인 예와 저들에게 대표적인 예를 보여준다.
악인들에게 벌을 주는 것이 일의 범주에 속한다는 것을 (성경의) 어디에서 알 수 있을까? 이렇게 말한다. '주님YHWH이 그분의 무기고를 열고 그분 분노의 온갖 무기를 꺼냈다. 왜냐하면 이것은 주님YHWH 하느님이 한 일이기 때문이다.'(예레미야 50,25)

의인에게 보상을 준다는 것이 일의 범주에 속한다는 것을 어디에서 알 수 있을까? 이렇게 말한다. '당신을 두려워하는 이들을 위해 당신이 쌓아두신 당신의 좋은 것들이 얼마나 많습니까! 사람들을 상대로 당신께 피신하는 이들을 위해 당신은 일하십니다.'(시편 31,20)"(《창세기 미드라쉬 랍바》 11,10)

안식일에도 하느님은 악인들과 의인들이 행하는 일을 감찰하고 있다. 그래서 심판의 날에 그 대표적인 예를 들어 그들의 죄와 공덕을 판단한다는 해석이다. 하느님은 안식일에도 악인에게 벌을 주고 의인에게 보상을 베푸는 일을 한다. 만일 하느님이 안식일에 쉬고 있다면 사람들은 안식일을 골라 죄를 범할 것이 아니겠는가!

엣세네 공동체는 바리새보다 더 엄격한 안식일 규례를 지켰다. 엣세네 창립자인 의로운 교사가 쓴 규례 책에 안식일에 대한 법규가 나온다.

그 법령에 따라 지켜야 하는 안식일에 관하여.
여섯째 날 태양의 바퀴가 멀리서 문을 채우고 있을 때(해가 질 때)부터 사람은 작업을 하지 않을 것이다. 이렇게 말한다. "안식일을 거룩하게 지켜라."(신명기 5,13)
안식일에 헛소리나 빈말을 하지 않는다. 그의 이웃에서 아무것도 빌리지 않는다. 재산과 이익에 관한 것을 판단하지 않는다. 계속하여 할 작업이나 일에 관한 문제를 말하지 않는다. 안식일에 즐거운 일(돈벌이)을 하려고 들판을 걸어 다니지 않는다.
성 밖으로 천 걸음 이상을 걸어 다니지 않는다. 미리 준비한 것 이외에는 안식일에 먹지 않는다. 들판에 떨어져 있는 것을 먹지 않는다.(공동체) 거류지 이외에서 물을 마시지 않는다. 길가에 내려가 씻을 때 그가 서 있는 곳에서 마실 것이며 어떤 그릇에도 물을 담지 않는다.

안식일에 즐거운 일을 하려고 이방인을 심부름 보내지 않는다.

물로 빨거나 향으로 문지르지 않았으면 때 묻은 옷이나 창고에서 꺼내온 옷을 입지 않는다.

안식일에 (남이) 원한다고 간섭하지 않는다.

가축이 그 짝을 따라간다고 성 밖으로 이천 걸음 이상을 걷지 않는다.

(그 가축을) 주먹으로 때리려고 손을 들어 올리지 않는다. (가축이) 말 안 들으면 집에서 데리고 나가지 않으며 집에서 밖으로 내가거나 밖에서 집으로 들여오지 않는다. 그것이 초막에 있으면 그곳에서 내가지도 그곳으로 들여가지도 않을 것이다.

안식일에 봉한 그릇을 열지 않는다.

안식일에 나가고 들어오는 데 향수를 몸에 지니고 다니지 않는다.

그의 거주지에서 바윗돌이나 흙 덩어리를 주워내지 않는다.

유모가 안식일에 나가고 들어오는 데 갓난아이를 데리고 다니지 않는다.

안식일에 남종과 여종과 고용인을 꾸짖지 않는다.

가축이 안식일에 새끼를 낳게 하지 않는다. 만일 (가축이 그 새끼를) 웅덩이나 구덩이에 떨어뜨려도 안식일에는 그것을 잡아 올리지 않는다.

안식일에 이방인에게 가까운 곳에서 안식일을 지내지 않는다.

안식일에 재산이나 이윤 때문에 안식일을 속되게 하지 않는다.

사람의 목숨이 수원지나 침례소(미크베)에 빠졌는데 그를 사다리나 밧줄이나 다른 도구로 끌어올리지 않는다.(《새 언약의 규례》 x,14~xi,16)

예수의 가르침 가운데 "누가 당신에게 천 걸음을 강요하거든 그와 함께 이천 걸음을 가시오"(마태 5,41)라는 문구가 있다. 이 언명의 맥락은 안식일에 도시 밖으로 몇 걸음까지 허용되느냐는 문제다. 예수는 엣세네 사람들처럼 천 걸음을 고집해서 불이익을 당하지 말고 이천 걸음까지도 걸어가라고 해석하는 것이다.(바리새는 이천 걸음을 할라카로 정했다.) 그래서 예수는 그의 제자들에게 이런 말도 했다. "여러분이 도망치는 일이 겨울이나 안식일에 일어나지 않도록 기도하십시오."(마태 24,20) 가능한 한 안식일을 속되게 만들지 않도록 하느님에게 기도하라는 가르침이다. 바리새의 안식일 규례는 엣세네의 것에 비해 상당히 유연하다. 예수의 입장은 바리새의 규례에 가깝다.

안식일에 밀 이삭을 자르다 마태 12,1~8

안식일의 규례에 대해 논쟁이 생긴 사건 가운데 예수의 제자들이 밀 이삭을 뜯었다는 이야기(마태 12,1~8)를 살펴볼 수 있다. 예수와 그의 제자들이 안식일에 밀밭 사이를 걸어가고 있을 때 제자들이 밀 이삭을 뜯어 먹었다.

> 그분의 제자들은 굶주린 나머지 밀 이삭을 뜯어 먹기 시작했다. 이것을 보고 있던 바리새들이 예수에게 말했다.
> "보시오, 당신의 제자들이 안식일에 해서는 되지 않는 것을 합니다."(마태 12,1~2)

바리새들은 예수에게 그의 제자들이 안식일의 법도(할라카)를 모른다고 시비를 걸은 것이다. 그 당시 바리새들의 안식일에 관한 법해석에 따르면 안식일에 추수하는 것을 금했다. 예수의 제자들이 안식일에 밀 이삭을 손으로 뜯어 먹은 사건에 대한 바리새 랍비들의 논쟁의 초점은 밀 이삭을 뜯어 먹은 것이 추수한 행위냐 그렇지 않느냐는 것이다. 만일 추수한 것으로 간주되면 안식일을 속되게 만든 사람이 받는 벌은 매우 심각했다. 사람이 안식일을 고의로 어기면 그를 돌로 때려죽이거나 나무에 달아 죽였다. 신성모독죄에 해당되는 형벌을 받았다.

한편, 엣세네의 규례에서 보면 안식일에는 아무리 허기지더라도 들판에 떨어져 있는 것을 먹지 않는다. 바리새들은 예수의 제자들이 안식일을 어겼기 때문에 그에 합당한 벌을 받아야 한다고 따지는 것이다. 엣세네의 규례에 따르면 공동체 사람들이 규례를 어길 경우 그 죄에 합당한 벌을 받아야 한다며 조목조목 열거한다. 사람은 실수로 잘못할 수 있다. 안식일에 이러한 경우가 생길 때를 대비해서 이렇게 말한다.

> 안식일이나 절기에 잘못하여 속되게 한 사람은 죽임을 당하지 않는다. 사람들 가운데 그를 지켜볼 것이며 그가 그것에서 치유되면 그를 칠 년까지 지켜볼 것이다. 그 후 그는 회중에 들어올 것이다.(《새 언약의 규례》 xii 4~6)

만일 안식일에 고의로 안식일을 속되게 하는 일을 했다면 그 벌은 처형이다. '그 후에 회중에 들어온다'는 말은 그 후에야 회중과 함께하는 만찬에 동참할 수 있다는 뜻이다. 실수로 안식일의 규례를 어겨도 그 벌은 상당히 오랜 기간을 요구한다.(이는 큰 수치심을 일으키게 한다.) 랍비 유대교에서도 이와 같이 해석한다. "'누구든 안식일을 속되게 하면 그는 죽을 것이다.'(출애굽기 31,14) 그러나 이것은 안식일을 의도적으로 속되게 한 경우이며 부주의로 어긴 경우에는 속죄예물을 가져오면 속죄

된다."(《전도서 미드라쉬》1,3)

예수의 제자들이 바리새들의 말대로 굶주림에 허덕여서 밀 이삭을 추수하여 먹었다고 한다면, 실수로 여겨 그들이 받을 벌은 상대적으로 가볍다. 즉, 우발적인 행동이나 의도하지 않은 행위로 간주하여 중죄에 속하지 않는다. 바리새의 미쉬나(법규 해석)에 따르면 들판에 떨어진 낟알은 집어 먹어도 된다고 했다.

그러나 만일 그 제자들이 굶주렸다는 언사로 속이고 그런 행동을 했다면 안식일의 법규를 어긴 죄로 그들은 예수의 공동체에서 쫓겨나가야 되는 심각한 상황이다. 바리새들의 주장대로 '고의적인 추수 행위'로 판단되면 목숨에까지 위협을 주는 사건이다.

랍비들은 언사로 잘못하는 행위가 마음에 큰 상처를 준다고 가르쳤다. 사람은 하느님의 가르침을 배우고 경제활동을 하지만 잘못하는 경우가 흔하다. 그런데 경제활동에서 잘못하는 것처럼 언사에도 그러하다. 랍비들은 언사를 잘못하는 경우에 대한 할라카(법도)를 아래와 같이 말했다.

"말로 잘못하는 것은 돈으로 잘못하는 것보다 더 심각하다. 왜냐하면 전자의 경우 이렇게 쓰여 있다. '너는 네 하느님을 두려워하라.'(레위기 25,17) 그러나 후자의 경우['너희가 제 동족에게 무엇을 팔거나 또는 제 동족을 통해 살 때에 사람은 자기 형제에게 잘못하지 않을 것이다'(레위기 25,14)]에는 '네 하느님을 두려워하라'는 문구가 쓰여 있지 않다. 전자의 경우는 그 잘못이 그 사람에게 상처를 주지만 후자의 경우는 그의 소유물에 영향을 주는 것이다."(《미쉬나》〈바바 메찌아〉 4,10)

랍비들은 언사의 잘못이 사고파는 행위의 잘못보다 더 심각하다고 설명한다. 왜냐하면 사고파는 것에서는 돈으로 갚아줄 수 있지만 말로 잘못된 경우 갚을 길이 없기 때문이다. 상대방을 말로 모욕하는 행위는 피를 흘리게 하는 것만큼 큰 잘못이다. 따라서 이러한 사람은 오는 세상에 몫을 얻지 못할 뿐 아니라 심지어 사람이 남을 모욕하여 그의 얼굴이 창백해지게 만드는 것보다 불타는 가마 속에 몸을 던지는 것이 낫다고 탈무드에서 가르친다.

그러나 예수의 경우는 다르다. 그는 바리새 사람들에게 안식일에 사제들이 성전에서 안식일을 어겨도 죄가 되지 않는다는 것을 토라에서 읽어보지 못했느냐고 반문하며 "내가 원하는 것은 자비심이지 희생제물이 아니다"(호세아 6,6)라는 말이 무슨 뜻인지 알았더라면 무죄한 사람들을 불의하다고 단정하지는 않았을 것이라고 말한다.(마태 12,5~7)

예수는 그의 제자들의 언행에 대해 나무라지 않고, 이는 그들에게 자선을 베푸는 셈이라고 말한 것이다. 그런데 예수의 반문에는 그들이 엣세네와 연관될 수 있는 중요한 단서가 들어 있다. 이는 안식일에 사제들이 성전에서 안식일을 어겨도 죄가 아니라는 말이며 그래서 그의 제자들은 죄가 없다고 말한 것이다. 예수와 그의 제자들의 공동체는 성전에 버금간다는 뜻이다. 엣세네에서는 단합체가 성전과 같다고 말한다. 예수와 그의 열두 제자들의 단합체는 성전과 같은 역할을 하며 그들이 사제였다는 점을 파악할 수 있다. (예수와 그의 제자들이 엣세네와 가깝다는 점을 알 수 있다. 그래서 바리새들은 예수에게 그의 제자들이 안식일의 법규를 어겼으니까 엣세네 규례에 따라 그들을 공동체에서 쫓아내라고 시비를 건 것이다.)

밀 이삭 사건이 생기고 예수는 어느 회당으로 들어갔다. 그곳에 한쪽 손이 오그라든 사람이 있었다. 사람들은 예수에게 "안식일에 병을 고쳐주어도 됩니까?" 하고 물었다.(마태 12,10) 안식일에 생명이 위험하지 않는 한 병을 고치려고 작업하는 것은 안식일 법규를 어기는 행위다. 여기에 대하여 예수는 아래와 같이 응답한다. "여러분 가운데 양 한 마리를 가진 어떤 사람이 있는데 그것이 안식일에 웅덩이에 빠진다면 그것을 잡아 끌어올리지 않겠습니까? 그런데 사람이 양보다 얼마나 더 귀합니까?"(마태 12,11~12)

《미쉬나》에 따르면 안식일에 가축이 웅덩이에 빠졌을 경우 먹이를 주어 죽지 않게 한다. "가축이 그곳에서 평안히 있을 수 있으면 그곳에서 먹이를 주어도 된다. 그러나 가축이 그곳에서 고통을 느끼는 것 같으면 안식일을 어기는 것일지라도 가축을 다른 곳으로 옮겨야 한다. 왜냐하면 가축의 고통을 풀어주어야 한다고 토라(모세오경)에 말하기 때문이다. '너는 (짐을 싣고 엎드러진 나귀를) 도와야 한다.'(출애굽기 23,5)"(《샤바트》14,3) 예수도 바리새의 법해석이 옳다고 보았으며 그래서 안식일에 웅덩이에 빠진 양을 구해야 한다고 말한 것이다.

그러나 엣세네의 안식일 법규에 따르면 "안식일에 가축이 웅덩이에 빠져도 그것을 끌어올리지 않는다"고 규정했다. 엣세네의 안식일 규례 가운데 가장 문제가 되는 것은 사람이 수원지에 빠졌는데 그를 구하지 않는다는 것이다. 안식일을 어기고 수원지에 물을 길러 갔다가 빠졌다면 죽어도 싸다는 말이다. 그런데 예수는 안식일에 어떤 이웃이 웅덩이에 빠져 그의 생명이 위험한 경우 그를 웅덩이에서 꺼내기 위해 사다리를 가져온다든지 혹은 끈을 매어 던져서 올려온다는 등 여러 방도를 구해야 한다고 가르친다. "안식일에 여러분 가운데 누가 그의 아들이나 그의 소가 웅덩이에 빠진다면 즉시 그를 붙들어 끌어올리지 않겠습니까?"(누가 14,5) 따라서 안식일에 손 오그라든 사람의 손을 펴서 건강하게 하는 행위는 안식일을 어기는 것이 아니라는 주장이다. 그렇지만 옛 세네의 입장에서 보면 예수는 안식일을 어긴 것이다.

《미쉬나》에 따르면 안식일에 사람의 생명이 위험하면 먼저 생명을 구하는 것이 법도(할라카)다. 힐렐이 예루살렘에서 공부할 때 어느 안식일에 생긴 유명한 일화가 전해진다. 어느 겨울 안식일 전날 힐렐은 돈이 없어 학교 청지기가 그를 들여보내지 않았다.(당시에는 토라 학교에 다니기 위해 청지기에게 매일 수업료를 냈다.) 힐렐은 지붕에 올라가 창밖에서 선생들의 해설에 열중했다. 밤에 눈이 내리는데도 불구하고 힐렐은 토라 공부에 심취해 그만 눈 속에 파묻히게 되었다. 다음 날 아침 안식일에 샴마이와 아브탈욘은 방 안이 좀 어두운 것 같아 지붕 창문을 쳐다보았는데 무엇인가 창문을 가리고 있었다. 밖으로 나가보니 힐렐이 지붕 위에 꽁꽁 얼어붙어 있었다. 율법주의자인 샴마이는 비록 안식일이지만 사다리를 가져다놓고 지붕 위에 올라가 눈을 파서 그를 데리고 내려와 씻기고 몸을 문질러주며 화롯가에 앉혔다. 안식일에 창고에서 사다리를 가져와 지붕 밑에 놓는 것은 작업의 범주에 속하기 때문에 이는 안식일을 어기는 행위다. 그러나 샴마이는 "이런 사람을 위해서는 안식일을 어겨도 된다"고 말했다. 안식일에 사람의 생명이 위험하면 그의 생명을 구하는 것이 안식일을 지키는 것에 선행(先行)한다는 법도(할라카)를 적용한 것이다.

예수도 바리새의 할라카에 동의하며 이렇게 말했다. "안식일이 사람을 위해 만들어졌지, 안식일을 위해 사람이 만들어진 것은 아니다."(마가 2,27) 아래 인용문에서 예수의 논리와 같은 해석을 하는 미드라쉬를 읽어볼 수 있다.

"(한 세대는 가고 한 세대는 온다.) 그러나 땅은 영원히 서 있다."(전도서 1,4) 예호슈아 벤 코르하 랍비는 말했다.

"이 구절은 다름 아니라 이렇게 읽을 수 있다. '땅은 가고 땅은 오지만 세대는 영원히 서 있다.' 누가 누구를 위해 만들어졌을까? 땅은 세대를 위해 만들어졌을까? 혹은 세대가 땅을 위해 만들어졌을까? 땅이 세대를 위해 만들어진 것은 다름 아니라 찬미 받으시는 거룩하신 분(이 준) 의무에 세대가 서 있지 않았기 때문이며 따라서 그(사람)는 썩는다. 그러나 땅은 찬미 받으시고 거룩하신 분의 의무에 서 있기 때문에 그래서 땅은 썩지 않는다."

심온 벤 요하이 랍비는 말했다.

"이렇게 쓰여 있다. '참으로 내 백성의 수명이 나무의 수명 같을 것이다.'(이사야 65,22) 여기서 '나무'는 다름 아닌 토라다. 이렇게 말한다. '그것(지혜)은 그것을 지키는 이들에게 생명나무다.'(잠언 3,18) 여기서 무엇이 무엇을 위한 것일까? 토라는 이스라엘을 위한 것일까? 혹은 이스라엘이 토라를 위한 것일까? 토라가 이스라엘을 위한 것이라는 점은 다름 아니라 토라는 이스라엘을 위해 만들어졌다는 것이다. 보시오, 토라는 영원무궁히 존속할 것이다. 그러니 토라의 공덕으로 만들어진 이스라엘이야 더 말할 나위가 있을까."(《전도서 미드라쉬》 1,9)

'땅과 세대'라는 주제는 하느님이 땅과 사람을 만들었다는 창세 이야기와 연관된다. 하느님이 흙으로 빚어 만든 아담(사람)은 그분이 지키라고 말한 의무(계명)를 소홀히 하였기 때문에 그는 썩게 되는 운명(죽음)을 갖게 되었고 아담의 자손들은 그와 닮아 부정하게 된다는 말이다. 그러나 땅은 그렇지 않다는 이야기다. 여기서 땅은 특별한 의미를 지닌다. 땅은 이스라엘 땅을 가리키며 하느님의 가르침(토라)을 배우고 행하는 사람들이 사는 곳을 뜻한다. 시나이 산 이야기에 모세는 하느님으로부터 두 개의 석판(토라)을 받아가지고 이스라엘 백성 앞에 나와 서서 그들이 하느님의 가르침을 영원히 지킬 것이라는 약속을 받는다. 모세가 하느님에게서 받은 토라를 이스라엘 공동체가 지키고 사는 동안 그 땅은 썩지 않는다는 이야기다.

'백성과 나무의 비유'에서 백성은 이스라엘 백성을, 나무는 에덴동산의 생명나무를 뜻한다. 초기 유대교 문헌에서 생명나무가 토라를 은유적으로 표현하는 경우를 자주 볼 수 있다. 토라가 이스라엘을 위해 만들어졌다는 것은 생명나무가 이스라엘을 위해 있다는 말이다. 이스라엘 공동체가 토라를 배우고 가르치는 목표는 에덴동산의 생명나무를 보려고 하는 데 있다.

복음서에서 말하는 예수의 논지는 안식일이 사람을 위해 있는 것이지 사람이 안식일을 위해 있는 것이 아니라는 점이다. 이는 토라와 이스라엘의 관계를 설명하는 랍비들의 관점과 비교해서도 이해할 수 있다. 토라/안식일은 이스라엘/사람을 위해 만들어졌기 때문에 토라/안식일의 공덕으로 만들어진 이스라엘/사람의 존속이 우선이다. 복음서에서 안식일의 규례를 지키지 말라는 것이 아니라 예수는 "안식일에 좋은 일을 해도 됩니다"(마태 12,12)라고 말하는 것처럼 안식일에 불구자를 치유한다든지 가난한 자에게 자선하는 공덕을 쌓는 것이 의로운 법도라는 말이다.

더 나아가 예수는 "아담의 아들이 안식일의 주인이다"(마가 2,28)라고 천명한다. 고대 이스라엘의 전통에 따르면 안식일의 주인은 하느님이다. 하느님이 엿새 동안 세상을 만들어내고 안식일에 쉬었기 때문이다.

마지막 시대에 메시아가 와서 하느님의 구원을 선포하고 하느님의 능력을 받아 하느님의 가르침(토라)을 지키고 선행한 사람들을 구원한다. 복음서의 입장에서 보면 하느님은 예수를 메시아(구원자)며 하느님의 아들로 이 세상에 보냈다. 아담의 아들이 안식일의 주인이라는 말은 예수가 하느님의 아들이며 아담의 아들(새 아담)이라는 뜻이다.

안식일의 규례에 대해 예수는 엣세네의 엄격한 법규주의를 비판하고 바리새의 법도를 택했다. 예수의 안식일에 대한 미쉬나(법해석)는 엣세네 창설자 '의로운 교사'가 열거한 안식일 규례와 사뭇 다르다. 특히 사람의 목숨이 위험에 처했는데도 구하지 않는 엣세네의 규례와는 정면으로 충돌한다.

형제를 몇 번이나 용서하느냐고 왜 물었을까 마태 18,21~22

복음서에 베드로가 예수에게 형제가 죄를 지으면 그를 몇 번이나 용서하느냐고 물어보는 대화가 전해진다.

> 그때 베드로가 그(예수)에게 다가와서 말했다.
> "선생님(아도니), 내 형제가 나에게 죄를 지으면 그를 몇 번이나 용서합니까? 일곱 번까지 합니까?"
> 예수가 그에게 말했다.
> "나는 당신에게 일곱 번까지라고 말하지 않고, 오히려 일흔 번의 일곱까지 (하라고 말하겠습니다)."(마태 18,21~22)

여기서 '일곱 번'과 '일흔 번의 일곱'이라는 주제는 카인의 계보에 나오는 이야기와 연결된다. 창세기에 카인의 계보(창세기 4,17~24)와 아담의 계보(창세기 5,1~32)가 전해진다. 카인의 계보는 카인부터 레멕(라멕)의 두 아들까지 일곱 세대를 말하고, 아담의 계보는 아담부터 레멕의 아들 노아까지 열 세대를 이야기한다. 카인의 계보에 레멕이 그의 아내에게 "만일 카인이 일곱 배 돌려받는다면, 레멕은 일흔일곱이다"라고 말한다. 누가 카인을 해치면 일곱 배로 돌려받지만 레멕을 해치면 일흔일곱 배를 돌려받겠다는 말처럼 들린다.

베드로와 예수의 대화에서 베드로가 말한 '일곱 번까지'는 카인의 '일곱 배'와 상응하고, 예수가 말한 '일흔 번의 일곱까지'는 레멕의 '일흔일곱'을 바꾸어 계산한 것이다. '일흔일곱'은 77을 말하고, '일흔 번의 일곱'은 70×7을 가리킨다. 겉으로 보기에 '일곱과 일흔일곱'이라는 숫자가 나오기 때문에 베드로와 예수의 대화를 카인의 계보에서 레멕의 이야기와 대조해볼 수 있다.

그런데 카인의 계보는 레멕의 두 아들과 여동생 나아마에서 끝나지만, 아담의 계보는 레멕의 아들 노아로 이어져 노아의 세 아들이 세상의 모든 민족들의 조상이 되고 노아의 아들 셈의 후손이 아브라함이다. 이스라엘은 아브라함을 '우리의 선조'라고 부른다. 예수의 족보에는 두 종류가 있는데 하나는 아브라함에서 시작하고(마태 1,1~17) 다른 하나는 아담에서 시작하여 레멕, 노아, 셈으로 이어져 아브라함에 이른다.(누가 3,23~38)

복음서에서 베드로가 예수에게 몇 번 용서하느냐고 물어보는 의도는 예수가 레멕~노아의 계보를 따라 이어지는 메시아인 것을 확인하는 데서 찾아볼 수 있다. 베드로의 질문인 "일곱 번까지요?"는 예수가 레멕에서 끊기는 카인의 족보를 말하느냐는 것이고, 그에 대한 예수의 대답은 일곱(카인의 전통)이 아니라 '일흔일곱'(레멕~노아 전통)이라는 숫자를 제시한 것이다. 그런데 '일흔일곱 번까지 용서하라'고 말하지 않고 공교롭게도 '일흔 번의 일곱까지'라고 예수는 말했다. '일흔 번의 일곱'은 마지막 시대를 산출하는 계산이다. 베드로와 예수의 대화는 단순히 '몇 번이고 용서하라'는 것이 아니라 '일흔 번의 일곱(70×7)'이 가리키는 숨은 뜻이 있다는 것을 알려준 것이다.

일흔 번의 일곱

예수의 '일흔 번의 일곱'에 대한 해석의 시작은 '일흔'과 '일곱'이 관련된 단락에서 찾아야 하겠다. 예수 당시에 묵시문학이 유행했고(신약성경에 다니엘서가 자주 인용되는 것을 보아도 알 수 있으며) 또한 새 시대의 시작이 언제부터인지를 추구하는 풍조가 매우 성행했다. 마지막 시대의 때를 계산해낼 수 있는 기본적인 묵시문헌은 《다니엘서》,《에녹서》,《희년서》 등이었다. 초기 유대교 여러 분파들 사이에 서로 그 연대를 산출하는 기준 연도가 달랐으며 세대가 지나면서 수정되고 재조정되었다. 이런 연대표 작성의 한 예를 기원전 150년경에 편집된 다니엘서에서도 찾아볼 수 있다.

> 일흔 주周들이 네 백성과 네 거룩한 도성을 위해 정해졌으니 사악이 그치고 죄가 끝난다. 악행은 속죄되며 영원한 정의가 드러난다. 환시와 예언이 날인되고 거룩하고 거룩한 분이 기름 부음을 받을 것이다.(다니엘 9,24)

천사 가브리엘이 다니엘에게 전한 환영은 예루살렘 성전의 개축에서 메시아의 도래까지의 기간을 설정한 것이다. '주周들'이라고 번역한 단어가 문제이지만 '일곱들'이라고 이해하면 일흔 해에 '일곱들'(일곱번), 즉 70×7년을 가리킨다. 예루살렘 성전의 개축은 바빌론 유배에서 돌아온 다윗 왕족 출신 즈루바벨 총독과 대사제 예슈아에 의해 중건되고 헌당되었던 것을 말한다. 그해는 대략 기원전 515년경이다(에스라 6, 15). 그로부터 490년을 계산하면 메시아(기름 부음을 받을 자)가 탄생하는 해가 결정된다.

한편, 엣세네의 해석자들은 마지막 시대를 390+20년으로 계산했다.

> 그러나 (하느님은) 선조들의 계약을 기억하고 이스라엘에게 남은 자를 남겨놓아 그들을 파멸로 넘겨주지 않았다. 390년, 분노의 마지막 시대에, 바빌로니아의 왕 네부카드네짜르(느부갓네살)의 손에 넘겨준 후 그들을 감찰했다.
> 이스라엘과 아론에 새싹이 나와 뿌리가 내려져 그분의 땅을 상속 받게 했고 그 흙에서 (소출하는) 좋은 것들로 풍요해지게 했다. 사람들은 그들의 죄를 깨달았고 자신들이 죄지었다는 것을 알았다. 20년 동안 그들은 장님처럼 길을 헤매고 있었다.
> 하느님은 온전한 마음으로 그분을 찾는 그들의 행함을 보고 그분 마음의 길을 인도할 의로운 교사를 그들에게 세워주었다.(《새 계약의 규례》 i,5~12)

엣세네 해석자가 주장하는 390년의 배경은 에스겔서를 따른 것이다. "그들의 죄지은 햇수로 390일을 주겠다. 너는 이스라엘의 죄를 짊어질 것이다."(에스겔 4,5) ('새싹'은 메시아를 뜻한다.) 네부카드네짜르가 예루살렘을 점령한 해가 기원전 587/586년이었으며 그 후 390+20년을 계산하면 의로운 교사가 엣세네 공동체를 세운 해는 기원전 177/176년쯤 된다.

그러나 위에서 읽은 다니엘서에 따르면 이스라엘의 악행이 속죄되는 기간이 70×7년 걸린다. 그 마지막 시대에 이스라엘을 완전히 구원하기 위해 이스라엘의 모든 죄를 짊어지고 대속할 메시아가 태어난다고 해석한다. [이 방식으로 계산하면 그 당시 이스라엘 땅은 '화난 젊은 사자'로 일컫는 예루살렘의 대사제며 왕이었던 얀네우스(기원전 103~76년 재위) 시절이다. 그는 포악한 군주로 그에 항거하던 바리새 사람 800여 명을 십자가형에 처단할 정도였다(10장 〈십자가형의 공포〉 참조).]

복음서에서 예수가 베드로에게 '일흔 번의 일곱까지'라고 말한 뜻은 이스라엘이 예루살렘 성전의 개축에서 메시아의 도래까지의 속죄되는 (용서 받는) 기간을 알려주는 것이다. 이스라엘이 속죄되는 기간이 70×7년 걸리는 것처럼 자기 형제의 죄를 용서하는 마음도 70×7번까지 용서하여야 된다는 해석이다.

다니엘서에서 말하는 70×7년의 유배와 심판은 예레미야의 예언에 의거한 것이다.(예레미야 25,11~12) "이 땅의 민족들은 70년 동안 바빌론 왕을 섬길 것이다." [유배의 70년 또한 바빌로니아 예언 문헌에 나오는 숫자다. 기원전 1225년경 아시리아 왕 투쿨티-닌우르타가 바빌론을 침공하여 도시를 함락하고 국가 수호신 마르둑의 신상을 약탈하여 앗슈르로 옮겨갔다. 이후 바빌론의 예언자들은 마르둑 신상이 언제 귀환될 것인지를 점쳤으며 그 결과 70년설이 가장 유행했다. 실상 마르둑 신상이 바빌론으로 돌아온 것은 기원전 1125년경 바빌로니아 왕 네부카드네짜르의 동방원정 때로, 몇 세대 전에 수사(페르시아의 도시)로 이송

되었던 그 신상을 그제야 탈환했다.]

히브리 성경에 인간의 수명을 70년으로 말하는 것도 고대 근동 문화에 있는 오래된 전승이다. "우리의 인생은 기껏 70년이며 용맹하다면 80년입니다."(시편 90,10) 이집트에서 죽은 야곱을 위하여 "이집트인들은 야곱의 죽음을 애도하며 70일 동안 곡했다."(창세기 50,3) 그리고 그의 장례 행렬이 요르단 강 건너편에 이르러 요셉은 7일 동안 애도했다.(창세기 50,10) 이처럼 시간을 가리키는 70의 숫자는 온전함을 상징한다. '안식일 위해 아담이 부른 노래' 시편 92편의 미드라쉬에 아담은 다윗에게 70년의 생애를 더해주며 또한 그의 자손인 메시아에게도 많은 세대를 더해준다는 단락이 나온다.

> "참으로, 주님, 당신의 행하심이 저를 기쁘게 하십니다."(시편 92,5)
> 아담은 말했다.
> "찬미 받으시는 거룩하신 분이 나를 기쁘게 하고 에덴동산에 들어오게 했다. 나에게 네 왕국의 흥망성쇠를 보여주었다. 나에게 이새의 아들인 다윗의 아들이 미래에 와서 지배함을 보여주었다. 나는 내 (사는) 햇수에서 70년을 취하여 그의 나날에 더해주었다."
> 이렇게 말한다. "왕의 날들에 날들을 더하시고, 그의 햇수는 여러 세대와 같습니다."(시편 61,7)(《엘리에제르 랍비의 해설집》 19장)

네 왕국은 바빌로니아, 메디아, 마케도니아, 시리아를 가리킨다(메디아는 페르시아, 마케도니아는 그리스, 시리아는 로마를 지칭한다). '흥망성쇠'는 글자 그대로 '그들의 지배와 멸망'을 번역한 것이다. '다윗의 아들'과 '미래에 와서 지배'하는 것은 메시아와 메시아 왕국을 말한다. 초기 유대교 문헌에 따르면 세상을 두 시대로 구분하여 현세는 우리가 사는 기간을 말하고 오는 세상은 메시아 시대로 해석했다. 아담의 햇수를 70년으로 간주한 것은 "우리 햇수는 70년이다"(시편 90,10)에서 읽을 수 있으며, 아담이 자기의 70년을 취하여 다윗의 아들(메시아 왕)에게 더해준다는 말이다.

메시아와 그의 시기에 대한 해석에 70년/세대가 관련된다는 것을 초기 유대교 미드라쉬에서 읽을 수 있다. 예수와 베드로의 대화에서 '일흔 번의 일곱까지'를 말하는 예수의 의도는 깨끗한 피를 흘린 아벨의 피의 대가를 이야기하는 대목에서 찾을 수 있다. 아벨의 억울함은 '깨끗한 피'의 상징어로 사용되었다. "세상이 창조된 이래 모든 예언자들이 흘린 피(의 대가)가 이 세대에 요구될 것이다. 아벨의 피에서 성전과 제단 사이에서 살해된 즈카리야의 피까지."(누가 11,50~51) 메시아가 갚아야 할 이스라엘이 흘린 피의 죗값은 아벨의 피의 대가인 카인의 일곱 세대뿐 아니라 수많은 세대가 지난 즈카리야의 것까지도 갚아야 한다는 해석이다.

예수가 '일흔 번의 일곱'을 '용서의 장'으로 사용한 것은 히브리 성경에 나오는 상징숫자 일흔이 때로는 하느님의 보복과 진노의 숫자로 표상된다는 점에서도 이해할 수 있다. 하느님의 언약궤가 베트-쉐메쉬를 지나갈 때 그 주민들이 언약궤를 보았기 때문에 일흔 명을 죽였다. "백성 가운데 일흔 명을 치셨다"(사무엘상 6,19); 다윗이 인구조사를 한 죗값으로 하느님은 이스라엘에 역병을 일으켜 "백성 가운데 칠만 명이 죽었다."(사무엘하 24,15) (칠만은 히브리어로 칠십-천이다. 즉, 천 명을 칠십 번 곱한 숫자다.) 아합의 아들 일흔 명이 죽은 것은 하느님이 아합의 아들 세대에 재앙을 내리겠다고 전한 엘리야의 예언이 이루어졌다고 말한다.(열왕기상 21,29; 열왕기하 10,10)

예수가 '일흔 번의 일곱'을 용서의 숫자로 선정한 의도는 분노의 숫자 일흔을 이기는 승리의 숫자(7)로 곱한 데에서도 찾아볼 수 있다. 이런 해석을 뒷받침하는 인용구는 아담의 계보에 나온다. 일흔일곱을 되돌려 받겠다는 레멕이 산 햇수를 칠백칠십칠 년이라고 말하는 것도 일곱의 상징성을 극대화한 결과($7+7\times10+7\times10\times10$)다.

> 레멕이 백팔십이 년을 살았을 때, 아들을 낳았다. 그의 이름을 노아라고 불렀다. "YHWH가 저주한 흙에서 우리 일과 우리 손의 고통에서 이 아이가 우리를 위로해줄 것이다"라고 한다.
> 레멕은 노아를 낳은 후, 오백구십오 년을 살았고, 아들들과 딸들을 낳았다. 레멕이 산 모든 햇수는 칠백칠십칠 년이었고, 죽었다.
> 노아가 오백 살이었을 때, 노아는 셈과 함과 야펫을 낳았다.(창세기 5,28~32)

예수의 족보가 노아로 이어지는 가장 큰 이유는 레멕이 노아를 낳고 "이 아이가 우리를 위로해줄 것이다" 하고 축복한 말에서 찾을 수 있다. '위로하다'라는 단어가 핵심이다. 초기 유대교 문헌에 따르면 마지막의 시대에 거룩하신 분의 영이 위로자(메낙헴)를 보낸다고 이야기한다.(3장〈누가 '진리의 영'이라고 불리는 '다른 위로자'일까〉 참조) 예수가 "일곱 번까지가 아니라 일흔 번의 일곱까지"라고 말하는 것은 마지막 시대에 도래하는 그 위로자가 바로 자신이라는 뜻이다.

첫째가 말째가 되고 말째가 첫째가 되는 경우 마태 19,30

어느 날 어떤 부유한 젊은이가 예수에게 와서 어떻게 하면 영원한 생명을 얻을 수 있냐고 물었다. 예수는 자신이 소유한 모든 재산을 팔아 가난한 사람에게 주고 예수를 따르라고 말했다. 그는 예수의 말을 듣고 근심하면서 물러갔다고 전한다. 예수는 그의 제자들에게 부자가 하느님 왕국에 들어가는 것보다 낙타가 바늘구멍으로 빠져나가는 것이 더 쉽다고 가르쳤다. 그때 베드로가 예수에게 자기들은 모든 것을 버리고 선생을 따랐는데 얼마나 구원 받기가 어려운지 질문했다. 예수는 이렇게 대답한다.

> 아담의 아들이 영광스러운 그의 보좌에 앉게 되는 새 세상에, 여러분도 역시 열두 보좌에 앉을 것이며 이스라엘의 열두 지파를 재판할 것입니다.
> 내 이름 때문에 집이나 형제나 자매나 아버지나 어머니나 아내나 자식이나 밭을 떠나는 자는 누구든 백 배로 받을 것이며 영원한 생명을 상속 받을 것입니다. 그러나 무리 (가운데) 첫째들이 말째들이 되고 말째들이 첫째들이 될 입니다.(마태 19,28~30)

예수가 죽음에서 일어선 다음 하늘로 올라가면 열두 제자들이 초대 교회를 맡아 운영할 것이라는 뜻이다. 가족이나 집과 밭을 떠나 예수의 이름으로 모이는 공동체에 들어온 사람들은 영원한 생명을 얻을 것이라는 말이다. 랍비 유대교에서 학생들이 가족을 떠나 토라 학교에 가서 머물며 공부하는 것과 비슷한 이야기다.

아담의 아들이 가운데 보좌에 앉고 그 주위에 열두 제자들이 좌우로 앉아 재판하는 것은 랍비 유대교의 법정 모습과 비교된다. 탈무드에 전해진 산헤드린의 재판 과정을 읽어볼 수 있다.

> 《미쉬나》에서 가르친다.
>
> 산헤드린은 반타원형으로 형성되어 그 구성원들이 서로 볼 수 있었다. 두 명의 법정 서기들이 재판관들의 앞에서 한 사람은 오른편에 다른 사람은 왼편에 서 있었다. 그들은 석방될 사람을 위한 심리와 유죄판결을 받을 사람의 심리를 기록했다.
>
> 유다 랍비는 말했다.
>
> "세 명의 법정 서기들이 있었다. 하나는 석방자를 위한 심리, 두 번째는 죄인을 위한 심리, 세 번째 사람은 석방자와 죄인을 위한 심리를 모두 기록했다. 그리고 토라의 학생들이 세 줄로 재판관들 앞에 앉았다. 각자 자기 자리를 알았다. 만일 (심리를) 맡길 사람이 필요하면 위임될 자는 첫 번째 줄에서 나오며, 이런 경우 두 번째 줄의 학생이 첫 번째 줄로 올라가고 세 번째 줄의 학생이 두 번째 줄로 올라갔다. 그리고 방청객 가운데 가장 유능한 사람이 선택되어 세 번째 줄의 자리에 앉게 했다. 그리고 (심리가 끝나고) 돌아온 자(학생)는 첫 번째 줄의 자리에 앉지 않고 (방청객 자리 가운데) 그에게 적합한 자리에 앉았다."(《바빌로니아 탈무드》, 〈산헤드린〉 36b)

산헤드린은 반타원형의 형태로 모여 의원(재판관)들이 서로 마주 보거나 옆으로 볼 수 있어 토론과 논박을 수월하게 진행할 수 있는 장소임을 그 외형에서도 알 수 있다. 또한 방청객은 재판관들을 마주 보게 되어 있다. 산헤드린은 71명의 의원들이 모이며 이보다 작은 단위의 소小

산헤드린은 23명이 모인다. 사형을 판결해야 하는 중요한 사안은 23명의 재판관들이 모이는 소 산헤드린에서 진행되었다. 경범죄는 재판소(베트 딘)에서 다루었다.

산헤드린에서의 판결은 의원들의 투표로 결정되었다. 그러나 찬반의 차이가 하나인 경우(즉, 12명과 11명으로 찬반이 갈린 경우) 판결을 내리지 못하고 이곳에 모인 미드라쉬 학교의 학생들을 순서대로 선출하여 그들의 심리 과정을 거치며 투표에 이르게 했다. (여기에 모인 토라의 학생들은 토라/법규를 공부하고 연구하는 랍비들도 많이 포함되어 있었다. 학생 랍비가 나이를 많이 먹어도 그의 선생이 살아 있거나 그의 문하에 있으면 그는 여전히 학생의 신분이라고 불렸다.) 산헤드린의 투표 판정에 절대적 요소는 찬반의 차이가 적어도 두 명이 되어야 한다는 원칙이다. 이러한 판결 방식은 산헤드린에서 채택된 민주주의라고 볼 수 있다. (마치 테니스 경기에서 듀스와 같은 경우를 비교해볼 수 있다.)

산헤드린에 모인 학생들은 한 줄에 23명씩 3줄로 모두 69명이다. 위의 《미쉬나》에서 '각자는 자기 자리를 알았다'고 말하는 것은 각자의 지식과 연륜에 따라 자신이 앉을 자리를 알고 있다는 뜻이다. 즉, 첫 번째 줄의 학생들이 선배이며 그다음으로 순서가 정해지는 것이다. 따라서 의원들의 판결이 정해지지 않으면 심리를 계속할 학생들은 첫 번째 줄에서 한 명씩 일어나 앞으로 나오게 된다. 두 사람씩 투표를 하여 결정하는 것이다. 그래도 판정이 나지 않으면 그다음 날로 연기했다.

"토라의 학생들이 세 줄로 재판관들 앞에 앉았다."

아바예는 말했다.

"이 말 다음에는 이렇다. 한 사람이 움직이면 모두가 움직였다. 그리고 누군가 '지금까지 내가 첫째 자리에 있었는데 이제 나는 말째에 있다'라고 말할 때 그는 이런 대답을 듣는다. '아바예가 말했다. 사자들 사이에 마지막이 되어라, 그리고 여우들 사이에 첫째가 되지 마라.'"

산헤드린 법정에서 의원들이 토라 학생들을 배심원으로 부를 때에 첫째 자리에서 선택되어 나갔다. 그리고 그의 임무가 끝나면 그는 자기 자리로 돌아가는 것이 아니라 방청객 가운데 학생들의 자리로 옮겨가서 빈자리 어느 곳에 앉는다. 따라서 불려갈 때에는 첫째였지만 이제 말째가 되는 셈이다.

이런 경우 아바예는 '사자와 여우의 비유'를 말했다. '사자와 여우의 비유'는 로마 정치가 율리우스 카이사르의 어록에 나오는 유명한 문구다. 그에 따르면 "작은 도시의 우두머리가 로마의 차석보다 낫다"고 했다. 그러나 유대교 현자들도 이 언명에 빗대어 '사자와 여우의 비유'를 이렇게 말했다. "누구든 맞이하는 일에 앞설 것이다. 사자의 꼬리가 될 것이지 여우의 머리가 되지 마라."(《선조들의 어록》 4,15) 누구든 맞이하여 토라를 가르치라는 말이고 유대인들에게 사자는 유다 지파의 상징인 것처럼 하느님을 두려워하는 의로운 자를 은유하는 경우도 있다. 따라서 사자의 꼬리가 되라는 말이나 아바예의 언명처럼 사자들 사이에 마지막이 되라는 것은 같은 맥락에서 이해할 수 있다. 하느님을 두려워하는 사람들 사이에서 마지막이 되는 것이 교활한 여우들 사이에 우두머리가 되는 것보다 낫다.

위에서 언급한 산헤드린 법정에서의 첫째와 말째를 이와 비교하여 보면 첫째 줄에 앉아 있는 토라 학생들은 재판관들이 해결하지 못한 법정 사건에 관여하게 되어 마치 사자처럼 정정당당하게 자신의 견해를 펼 수 있을 것이다. 그러나 계속 찬반이 비등하게 엇갈리게 되어 둘째와 셋째 줄의 (수준이 좀 떨어지는) 학생들까지 이 사건에 끼어드는 것은 교활한 여우들의 짓으로 볼 수 있다. 실상 지식과 경험이 부족한 학생들의 찬반 의견에 따라 생사가 갈릴 수 있는 것은 사악하고 교활한 짓이다. 한편, 그래도 모든 임무를 완수하고 방청석에 돌아가 앉는 것은 토라의 학생으로서 겸손하며 하느님을 두려워하는 마음가짐을 보여준다. 이러한 맥락에서 첫째가 말째가 되는 경우를 이해할 수 있다. 복음서에서 "무리는 첫째들이 말째들이 되고…"라고 말하는데 이 경우 '무리'는 토라 학생들과 대조된다. 초대교회의 맥락에서 보면 열두 제자들이 재판관이고 '무리'는 교회 봉사자들을 가리키는 낱말로 볼 수 있다.

"그들의 선례처럼 행하지 마시오" 마태23,3

예수는 그의 제자들에게 이렇게 가르쳤다.

> 서사들과 바리새들이 모세의 의자에 앉아 있습니다. 그러므로 그들이 여러분에게 지키라고 (모세오경에서) 말하는 것은 모두 지키고 행하십시오.
> 그러나 그들의 선례처럼 행하지 마십시오. 왜냐하면 그들은 말하지만 행하지 않습니다. (마태 23,2~3)

서사나 바리새 랍비들이 회당의 '모세의 의자'에 앉아서 모세오경을 읽고 지키라는 계명은 행하지만 그들이 법규 해석을 한 선례를 무조건 따라 행하지 말라는 가르침이다. 그들은 모세오경을 읽고 해설하지만 그 법규 해석은 사람들의 세상사에 편리하도록 한 것이기 때문에 논란의 여지가 많다고 비판한 것이다.

바리새 선생들과 서사들의 선례와 전통에 대해 예수의 해석이 다르기 때문에 그들은 논쟁을 많이 했다. 그 가운데 하나로 손 씻는 정결례에 대해 읽어볼 수 있다.

> 그즈음 예루살렘에서 온 바리새들과 서사들이 예수에게 다가와서 그에게 말했다.
>
> "어찌하여 당신의 제자들은 원로들의 전통을 어깁니까? 그들은 빵을 먹을 때에 손을 씻지 않습니다."
>
> 예수는 대답하여 말했다.
>
> "어찌하여 당신들 역시 당신들의 전통을 위해 하느님의 계명을 어깁니까? 보십시오, 하느님이 말했습니다. '네 아버지와 네 어머니를 존중해라.'(출애굽기 20,12) '네 아버지와 네 어머니를 저주한 자는 사형을 받아야 한다.'(출애굽기 21,17) 그러나 당신들은 말합니다. '누구든 아버지나 어머니에게 "나의 제물은 당신이 나에게서 즐거워하는 것입니다"라고 말하는 이는 자기 아버지나 자기 어머니를 존중하지 않는 것이다.' 그러나 당신들은 당신들의 전통을 위해 하느님의 말씀을 파기했습니다. 위선자들이여! 이사야 예언자가 당신들에 대해 잘 예언했습니다. 이렇게 말합니다.
>
> "이 백성이 입술로는 나를 존중하지만 그들의 마음은 나에게서 매우 멀리 있다. 그들은 나를 헛되게 두려워하며 사람들의 계명들의 가르침을 가르친다."(이사야 29,13)(마태 15,1~9)

여기서 '원로들의 전통'은 '선례'와 비슷한 용어다. 현자들이나 랍비들이 모세가 받은 구전 토라(미쉬나)를 전통이라고 말하며 [구전 토라는 모세오경의 법규에 대한 해석으로 예부터 전해 내려온 미쉬나(법규 해석)다] 선례는 모세오경의 법규 해석뿐 아니라 구전 토라의 법규 해석을 포함한다. '빵을 먹기 전에 손을 씻어야 한다'는 계명은 현자들이 모세 법규를 해석한 정결례 전통이다.

예수는 이와 같은 법규 해석이 모세오경의 계명과 서로 충돌하는 결과를 초래하는 경우가 흔하다며 이를 논증하기 위해 출애굽기 20,12와 20,17의 예를 들어 설명한 것이다. 부모에게 "나의 제물은 당신이 나에게서 즐거워하는 것입니다"라고 말하는 자식은 자기 부모를 존중하는 것이 아니라는 해석이 틀렸다는 말이다. 바리새의 선례에 따르면 부모를 위해 제물을 받치는 것은 부모를 존중하는 행위다. 그런데 부모가 자식에게서 즐거워하는 것이 하느님에게 드리는 제물로 합당하지 않다는 해석이다. 부모가 자식에게서 즐거워하는 경우는 자식이 토라 학교를 다니고 좋은 선생이 되는 것이나 세상사에서 돈을 많이 벌어 부자가 되는 것 등을 생각할 수 있겠다. 자식이 성공한 것이 부모를 위해 드리는 제물로 마땅하지 않은 이유는 자식을 성공하게 만든 것이 부모이기 때문이다. 부모가 자식을 바르게 가르쳐 토라 선생이 되는 것은 부모의 공덕이다. 그러므로 부모가 자식 때문에 즐거워하는 것은 마땅하지 제물로는 적합하지 않다.

예수는 그렇지 않다고 논박한다. 그 예는 다른 곳에서 찾아볼 수 있다. '영광스러운 변모' 일화에서 읽어볼 수 있다(5장 〈영광스러운 변모는 무슨 표징일까〉 참조).

그리고 구름에서 소리가 났다. 이렇게 말한다. "이는 내 사랑하는 아들이요(시편 2,7), 그에게 내 즐거움이 있다."(이사야 42,1) "그(의 말)을 들어라."(신명기 18,15)(마태 17,5)

하느님은 그의 사랑하는 아들에게 자기의 즐거움이 있다고 말한다. 그러므로 아들의 말을 들으라고 가르친 것이다. 자식으로 인해 생긴 즐거움은 하느님을 즐겁게 한다는 해석이다. 이는 하느님에게 드리는 제물로 합당하다. 부모를 존중하라는 계명에 대한 바리새들의 해석은 편협하다. 그런 법규 해석이 나오게 되는 동기는 "그들은 나를 헛되게 두려워하며 사람들의 계명들의 가르침을 가르친다"(이사야 29,13)(마태 15,9)라고 이사야 예언자의 말을 인용한 데 있다. '사람들의 계명들'은 모세 법규의 해석인 구전 토라를 뜻한다. 이미 이사야 시대에 미쉬나(법규 해석)가 구전 토라로 전해지고 있었음을 알 수 있다. 예수는 바리새들이나 서서들이 토라를 말하지만 행하지 않는다고 구전 토라(미쉬나)의 부적합성을 논증했다. 이어 예수는 이렇게 말했다.

그들은 사람들에게 보이기 위해 모든 일을 행합니다. 참으로 그들은 그들의 성구갑聖句匣들을 넓적하게 하고 그들의 옷에 (달린) 술을 길게 합니다.(마태 23,5)

이마와 팔에 부착하는 성구갑(phylactery)에는 모세오경에서 선택한 네 구절을 적은 쪽지가 들어 있다. 그래서 성구갑을 착용하는 사람은 보호 받는 힘이 있다고 믿었다. 하느님의 말씀은 악마의 접근을 막아주는 힘이 있다고 믿기 때문에 생긴 관습이다. 모세오경의 구절이 쓰여

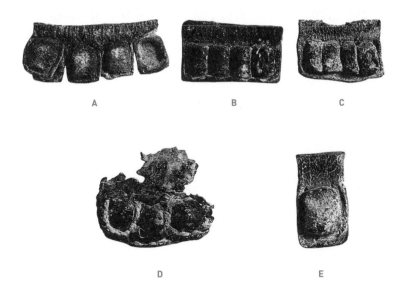

A   B   C

D   E

있는 양피지나 파피루스 종이는 일종의 부적과 같다. 자기 몸에 성구갑을 매어놓거나 옷단에 술을 달아놓거나 자기 집 대문에 메주자를 붙여놓은 사람은 죄를 범하는 잘못에서 자유로워질 수 있다고 탈무드에 말한다.(《바빌로니아 탈무드》, 〈메나호트〉 43b) [고대 이스라엘 사람들은 언제부터인지 이스라엘 하느님의 이름인 '엘 샤다이'(흔히 '전능하신 하느님'이라고 옮김)의 약자 '샤다이'를 양피지 조각에 써서 조그만 함에 넣어 자기 집 문설주에 박아놓았다.(신명기 11,18~20) 이는 그 집과 집안은 하느님의 가호 아래에 있다는 뜻이다. 이것을 메주자라고 부른다.]

성인 남자는 기도할 때 성구갑을 부착해야 한다. 그러나 안식일에는

7-1 엣세네 공동체의 본원이었던 성터에서 발견된 성구갑
A. 길이 3.2cm; 너비 1cm; B~C. 2~2.2cm; 1~1.2cm; D. 2.3cm; 2.6cm; E. 1.3cm; 2.1cm; A~D 머리 부착용; E. 팔 부착용.
히르베트 쿰란 발굴.

성구갑을 부착하거나 못이 박힌 샌들을 신지 못한다. 왜냐하면 조금이라도 무게가 나가는 물건은 '(안식일에) 일하지 마라'는 계명에 어긋나는 짐이기 때문이다. 성구갑이나 옷단에 달린 술은 남에게 보이기 위해 착용하는 것이 아니라 종교적 임무를 이행하는 하나의 수단으로 정착된 관습이다. 예수도 술이 달린 옷을 입고 다녔으며 심지어 옷단의 술을 만지면 병이 낫게 되는 기적도 일어났다.(마태 9,20; 14,36) 바리새뿐 아니라 엣세네 사람들도 성구갑을 착용했다.

예수는 바리새들의 선례를 비판하며 그의 제자들에게 그것을 따라 행하지 마라고 가르친다. "왜냐하면 여러분의 스승(랍)은 하나며 여러분은 모두 형제들이기 때문입니다."(마태 23,8) 그러므로 "여러분 가운데 큰 사람은 여러분을 섬기는 사람이 될 것입니다. 자기 자신을 높이는 자는 낮추어지고 자기 자신을 낮추는 자는 높여질 것입니다."(마태 23,11~12) '첫째가 말째가 되고 말째가 첫째가 된다'는 언명과 비슷한 유형의 말이다. 이와 같은 논조는 힐렐의 가르침으로 전해진 단락에서 읽어볼 수 있다.

힐렐파는 이렇게 가르쳤다.
자신을 낮추는 자는 주님(하느님)이 높이고 자신을 높이는 자는 주님이 낮춘다. 큰 것을 추구하는 자에게서 큰 것이 떠나고 큰 것에서 떠나는 자에게 큰 것이 따라온다.(《바빌로니아 탈무드》, 〈에루빈〉 13b)

토라 교사가 자신을 낮추고 자기의 토라 지식을 가르치면 그의 가르침이 두드러지게 나타나 높임을 받게 된다는 내용이다. 자기가 배운 지식을 높이는 자는 낮추어지고 토라 지식으로 세상사에서 높아지려고 하면 나쁘다는 뜻으로 이해할 수 있다. 아래와 같은 어록이 직설적이다.

랍비 네후니야 벤 하—카나는 말한다.[01]

성경의 멍에를 스스로 짊어지는 자는 권력의 멍에와 세상사의 멍에에서 벗어날 수 있다.

성경의 멍에를 풀어버린 자는 권력의 멍에와 세상사의 멍에를 얻는다.(《선조들의 어록》 3,5)

예수는 바리새들이 토라를 배우고 가르치면서도 세상사에 너무 연연한다고 비난하는 것이다. 그래서 예수는 그들을 위선자이며 눈먼 길잡이라고 공공연히 비방했다.

> 여러분은 불쌍합니다. 서사들과 바리새들, 위선자들이여! 참으로 여러분이 사람들 앞에서 천국을 닫아버렸습니다.
>
> (중략)
>
> 여러분은 불쌍합니다. 눈먼 길잡이들이여!
>
> (중략)
>
> 여러분은 불쌍합니다. 서사들과 바리새들, 위선자들이여! 참으로 여러분은 장식된 무덤들을 닮았습니다. 겉으로는 아름답게 보이지만 속에는 죽은 자들의 뼈와 온갖 더러움으로 가득 찼습니다.
>
> (중략)
>
> 뱀들이여, 독사의 종자여. 여러분이 어떻게 지옥에 갈 심판을 피하겠습니까?(마태 23,13~33)

바리새들의 입장에서 보면 이 얼마나 황당한 악담인가! 예수의 비판을 받고 있는 서사들과 바리새 사람들은 힐렐파 선생들의 가르침을 배우지 못한 사람들일까? 아닐 것 같다.

　서사나 바리새 랍비가 회당에서 윗자리에 앉는 것은 당연하겠다. 회당은 예배소이지만 또한 랍비가 강론을 펴는 곳이고 안식일 낮에는 랍비와 청중이 토론도 하는 배움터다. 서사나 랍비가 회당에서 높은 자리('모세의 자리')에 앉을 수 있는 것은 그들이 토라의 지식을 설명할 수 있는 지식인들이기 때문이겠지만 또한 토라를 공부함으로써 하느님의 구원에 더욱 가까이 다가서 있다고 자부하는 마음이 강하기 때문이다. 아래와 같은 한 랍비의 기도에서 느낄 수 있다.

　　주님, 당신이 내 운명을 길거리에 앉아 있는 사람들과 함께 있지 않고 토라 학교에 앉아 있는 사람들과 함께 있도록 정해주셔서 당신께 감사 드립니다.
　　나와 그들이 아침 일찍 일어나지만 나는 토라의 말씀을 위해 일어나고 그들은 계산이 되지 않는 것을 위해 일어납니다.
　　나와 그들은 일을 하지만 나는 일하고 보상을 받으며 그들은 일하고 보상을 받지 못합니다.
　　나와 그들은 뛰지만 나는 오는 세상의 삶을 위해 뛰고 그들은 파멸의 웅덩이를 향해 뜁니다.(《바빌로니아 탈무드》, 〈브라호트〉 28b)

　그런데 이러한 관점으로 자신의 지위를 높이는 것은 옳지 않다. 예수는 토라를 공부하고 가르치며 자만하는 바리새들을 비판하는 것이다. 토라 지식이 많다고 해서 가난하고 배우지 못한 사람을 가볍게 여기는 서사들은 심판을 받아 지옥에 떨어질 것이라고 저주하는 이야기다.

08

천국의 비유

예수는 비유를 들어 가르친 경우가 많다. 네 복음서에 편집된 비유들은 서로 중복되는 단락도 있지만 그렇지 않기도 하다. 그 빈도수에 따라 다음과 같이 열거해보았다.

씨 뿌리는 자의 비유(마태 13,1~9; 마가 4,1~9; 누가 8,4~8)

겨자씨의 비유(마태 13,31~32; 마가 4,32~32; 누가 13,18~19)

포도원 소작인들의 비유(마태 21,33~46; 마가 12,1~12; 누가 20,9~19)

무화과나무의 비유(마태 24,32~36; 마가 13,28~32; 누가 21,29~33)

달란트의 비유(마태 25,14~30; 마가 13,34; 누가 19,11~27)

집 짓는 사람들의 비유(마태 7,24~27; 누가 6,47~49)

장터에 앉아 외치는 어린이들의 비유(마태 11,16~19; 누가 7,31~35)

누룩의 비유(마태 13,33; 누가 13,20~21)

잃었던 양을 되찾은 목자의 비유(마태 18,12~14; 누가 15,3~7)

왕의 아들 혼인 잔치의 비유(마태 22,1~14; 누가 14,15~24)

청지기 종의 비유(마태 24,45~51; 누가 12,41~46)

가라지의 비유(마태 13,24~30)

보물과 진주 장사꾼의 비유(마태 13,44~46)

그물의 비유(마태 13,47~49)

무자비한 종의 비유(마태 18,23~35)

같은 임금을 주는 포도원 주인의 비유(마태 20,1~16)

두 아들의 비유(마태 21,28~32)

신랑을 기다리는 열 처녀의 비유(마태 25,1~13)

저절로 자라나는 씨의 비유(마가 4,26~29)

어리석은 부자의 비유(누가 12,16~21)

열매 맺지 않는 무화과나무의 비유(누가 13,6~9)

잃었던 은전을 되찾은 여인의 비유(누가 15,8~10)

잃었던 아들을 되찾은 아버지의 비유(누가 15,11~32)

약은 청지기의 비유(누가 16,1~9)

종의 처지에 대한 비유(누가 17,7~10)

과부의 간청을 들어주는 재판관의 비유(누가 18,1~8)

바리새와 세리의 비유(누가 18,9~14)

목자와 양들의 비유(요한 10,1~6)

마태복음서와 누가복음서에는 다른 복음서보다 서로 겹치는 비유가 상대적으로 많
다. 요한복음서에는 비유가 드물다.

씨 뿌리는 자의 비유 마태 13,3~8

예수가 가르친 비유들 가운데 '씨 뿌리는 자의 비유'는 당시 여러 분파의 속성을 이해하는 데 좋은 예화다.('씨 뿌리는 자의 비유'는 예수가 열두 제자들을 만들고 그들에게 가르친 첫 번째 비유다.) '씨 뿌리는 자의 비유'는 아래와 같다.

> 보시오. 씨 뿌리는 자가 씨를 뿌리러 나갔습니다.
> 그가 씨를 뿌릴 때에 어떤 것들은 길가에 떨어져, 새들이 와서 먹었습니다.
> 그리고 다른 것들은 흙이 많지 않은 돌밭에 떨어졌습니다. 흙이 깊지 않아서 곧 싹이 돋아났습니다. 그러나 해가 솟아오르자 타버렸습니다. 뿌리가 없었기 때문에 말라버렸습니다.
> 또 다른 것들은 가시덤불 사이에 떨어졌습니다. 가시덤불이 커가자 숨이 막혀버렸습니다.
> 그리고 다른 것들은 좋은 땅에 떨어져 열매를 맺었습니다. 어떤 것은 백배, 어떤 것은 육십 배, 어떤 것은 삼십 배(가 되었습니다).(마태 13,3~8)

이에 대한 예수의 해석도 함께 전해진다.(예수의 비유들 가운데 그것을 해석하는 경우는 몇 안 된다.)

> 왕국의 말씀을 들은 자가 누구든 그것을 이해하지 못하면 악한 자가 와서 그의 마음에 뿌려진 말씀을 빼앗아 갑니다. 이는 길가에 뿌려진 자입니다.
> 돌밭에 뿌려진 자. 그는 말씀을 듣고 즉시 기쁨으로 그것을 받아들인

자입니다. 그러나 그에게 뿌리가 없어 한때뿐입니다. 말씀 때문에 고난과 박해가 오면 그는 빨리 실패합니다.

가시덤불 사이에 뿌려진 자. 그는 말씀을 들었지만 이 세상 걱정과 재물의 유혹이 있는 자입니다. 말씀을 숨 막히게 하여 열매가 없을 것입니다.

좋은 땅에 뿌려진 자. 그는 말씀을 듣고 이해한 자입니다. 그는 열매를 맺고 백 배, 육십 배, 삼십 배의 열매를 냅니다.(마태 13,19~23)

'씨 뿌리는 자의 비유'는 네 가지 부류의 사람을 이야기한다. '길가에 있는 사람, 돌밭에 뿌려진 사람, 가시덤불에 뿌려진 사람, 좋은 땅에 뿌려진 사람'이다. '씨'는 하느님의 말씀을 가리킨다. '좋은 땅'은 좋은 공동체를, '가시덤불'은 재물에 욕심이 많은 사람을 뜻한다. '돌밭'과 '길가'는 무엇을 은유적으로 표현한 것일까? 사람들을 네 부류로 대별하여 하느님의 왕국을 설명하는 '씨 뿌리는 자의 비유'는 초기 유대교 사회의 맥락에서 이해해야 그 의도를 파악할 수 있다. 초기 랍비들의 어록과 비교해보면 좀 더 구체적인 내용을 발견할 수 있다.

사람에게는 네 가지 유형이 있다

초기 유대교 현자들은 사람의 성격이나 기질, 특성 등을 네 가지 유형으로 대별해볼 수 있다고 했다.(《선조들의 어록》 5,10~15)

사람에게는 네 가지 유형이 있다.

'내 것은 내 것이고 네 것은 네 것이다'고 말하는 자. 이는 보통 유형이다. 이를 소돔의 유형이라고 말하는 이들도 있다.

'내 것은 네 것이고 네 것은 내 것이다.' 무지한 자.

'네 것은 네 것이고 내 것은 네 것이다.' 자비로운 자.

'내 것은 내 것이고 네 것은 내 것이다.' 사악한 자.

'소돔의 유형'은 소돔 사람들과 롯의 말다툼에 근거한다. 소돔을 방문한 두 천사를 롯이 집에 들였는데 소돔 사람들이 그들을 내어달라고 다투는 이야기다.(창세기 19,1~11) '무지한 자'는 '이 땅의 백성(암 하아레쯔)'을 의역한 것이다.

초기 랍비 유대교 문헌에 따르면 토라를 배우지 못한 자를 통칭하여 '암 하아레쯔'라고 불렀다. 복음서에 나오는 이야기에도 암 하아레쯔가 언급된다. 군중 가운데 어떤 이는 예수가 예언자 혹은 메시아라고 하자 바리새들은 말한다. "의회 의원들이나 바리새들 가운데 어느 누구가 그(예수)를 믿었느냐? 토라를 모르는 바로 이 무리를 제외하고 (말이다). 그들은 저주 받는다."(요한 7,48~49) 바리새들은 예수를 따르고 그를 메시아로 믿는 회중을 '토라를 모르는 무리', 즉 '이 땅의 백성'(무지한 자들)이라고 말했다.

초기 랍비 유대교에서 '암 하아레쯔'라는 부류의 사람들을 내 것과 남의 것을 구별하지 않고 재산을 공동으로 소유하는 공동체 사람들에 빗대어 말했다. 이렇게 말하는 데는 그들의 의도가 담겨져 있다. 사유 재산을 공동체에 헌납하고 집단 거주지에서 공동체 생활을 하던 사람들이 이렇게 행동한다고 랍비들은 해설했다. 자신의 재산이 적은 사람도 공동체의 재산이 모두 자기 재산인 것처럼 자부심을 가지고 살던 공동체 일원을 가리켜 비유하는 말이다. 바리새들은 엣세네나 예수 공동체가 이런 부류에 속한다고 이야기했다.

'씨 뿌리는 자의 비유'를 들어 세상사를 가르치는 예수의 입장에서 보면 소돔의 유형에 속하는 사람들은 바리새들일 것이고 재물에 욕심이 많은 사악한 자는 사두개들, 그리고 내 것과 네 것을 헷갈리는 사람들은 엣세네들임에 틀림없다. 물론 좋은 땅에 뿌려져 많은 수확을 거두어들이는 사람들은 자비로운 예수 공동체이겠다.

모든 사람을 이렇게 네 가지 잣대로 구분하여 각자 각 유형에 전적으로 속한다고 말할 수는 없다. 누구나 어느 정도를 가지고 있기 때문이다. 그러나 사람의 성격이나 기질, 특성을 이렇게 네 가지로 나누어 어느 부류에 더 많이 해당되는지를 보는 것은 기본적으로 타당하다. 사람의 기질도 네 가지 유형으로 분별했다.

쉽게 성내고 쉽게 풀어지는 자.
어렵게 성내고 어렵게 풀어지는 자.
어렵게 성내고 쉽게 풀어지는 자.
쉽게 성내고 어렵게 풀어지는 자.

이 가운데 네 번째가 사악한 사람이며 이러한 기질의 소유자는 내 것은 내 것이고 네 것도 내 것이라고 여기는 사람이다. 그러나 내 것은 내 것이고 네 것은 네 것이라고 여기는 사람은 기질에 있어서 첫 번째에 해당된다. 초기 유대교에서 발전된 기본 교육 방침은 미쉬나를 따르는 것이다. 미쉬나가 추구하는 가장 보편적인 진리는 우선 법을 지키고 선과 악을 구별하여 삶을 살아가는 것이다. 사회가 바르게 유지되는 보편성은 내 것과 네 것을 구별하는 정신에서 찾아진다. 재판관의 특성이 바로 여기에 있다. 고대 이스라엘 역사에 나타나는 하느님은 재판관의 특질을 가지고 있다. 그래서 그런지 히브리 성경에 나오는 이야기에 YHWH 하느님은 쉽게 성내고 쉽게 풀어지는 경우가 흔하다.

자비로운 사람은 당연히 어렵게 성내고 쉽게 풀어지는 기질의 소유자다. 내 것과 네 것을 구별하지 않는 성격의 소유자는 기질에서 어렵게 성내고 한번 화를 냈으면 쉽게 풀어지지 않는 사람이다. 내 것과 네 것을 공동으로 여기는 사람들은 서로가 형제와 이웃이라고 생각하기 때문에 서로에게 쉽게 화를 내지 않는다. 그러나 일단 잘못하여 화를 일으키게 되면 화를 불러온 사람은 큰 벌을 받게 된다. 엣세네 공동체의 규례에서 그런 예를 읽어볼 수 있다.

> 자기 친구의 사지가 흔들리도록 성나게 말하고 그의 앞에 기록된 자기 이웃의 결정을 말하며(비난하며) 그 구원을 그의 손에 두는 사람은 일 년 벌 받는다.
>
> (중략)
>
> 만일 책에 기록된 사제들 중에 한 사제에게 열화로 말하면 그는 일 년 벌 받으며 대중의 정결례에서 그의 영혼을 위해 구별된다. 만일 그가 실수로 말하면 그는 육 개월 벌 받는다.
>
> 알면서 감춘 자는 육 개월 벌 받는다. 알면서 자기 이웃을 재판 없이 모욕한 사람은 일 년 벌 받으며 그는 구별된다.
>
> 자기 이웃에게 모질게 말하거나 알면서 속이는 자는 육 개월 회개할 것이다.(《단합체의 규례》 vi, 27~vii,5)

('그의 앞에 기록되었다'는 말은 그 사람보다 이전에 공동체에 들어온 사람을 뜻한다. 그의 결정에 반대하여 말하고 자기 뜻대로 처리하면 그렇다는 말이다.) 이처럼 엣

세네에서는 자기 이웃에게 올바른 절차 없이 화내는 언행을 심각한 죄로 여겼다. 자기 이웃을 자기처럼 여겨서 그에게 좀처럼 화를 내지 않지만 일단 분노를 터뜨리면 쉽게 가라앉지 않기 때문에 벌을 받는 기간도 비교적 길다.

한편, 자선을 하는 사람도 네 가지 유형으로 분별할 수 있다.

> 자기는 주고 남들이 주지 않기를 원하는 자. 그의 눈은 남들의 것에 악하다.
> 남들은 주고 그는 주지 않기를 원하는 자. 그의 눈은 자기 것에 악하다.
> 자기도 주고 남들도 주기를 원하는 자. 자비로운 자다.
> 자기는 주지 않고 남들도 주지 않기를 원하는 자. 사악한 자다.

자선을 하는 목적은 남을 돕기 위한 것이다. 남을 돕는 행동은 의로운 마음에서 나온다. 히브리어 자선(쯔다카)은 정의(쩨데크)에서 파생된 단어다. 자선은 의로운 행동이란 뜻이다. 자비로운 자는 모두 함께 어려운 사람들을 돕자고 나서는 의로운 사람이다. 그 반대야 물론 재물에 대한 욕심이 우선이기 때문에 본인은 내지 않고 또한 남들이 의로움을 행하는 것을 싫어하는 심보다.

보통 사람은 자기는 자선을 하며 뽐내기를 원하지만 (악한 눈으로 남을 바라보며) 남들은 그렇지 않기를 (적어도 속으로) 원하는 사람이다. 복음서에 보면 바리새 사람들이 이런 부류에 속한다고 말한다. "여러분은 사람들에게 보이려고 그들 앞에서 자선을 행하지 않도록 조심하시오…. 그러므로 당신이 자선을 행할 때에는 위선자들이 칭찬 받으려고 회당과 사거리에서 행하듯이 스스로 뿔 나팔을 불지 마시오."(마태 6,1~2)

한편, 남들은 자선을 하고 자기는 하지 않아도 된다고 생각하는 사람은 남들이 베푼 자선에 자기 것이 포함된다고 여기기 때문이다. 이웃을 자기처럼 여기고 그의 자선이 마치 자기 것인 양 생각하는 사람이다. 이런 부류의 사람을 두고 자기 것을 악한 눈으로 쳐다보는 헷갈리는 무지한 자라고 말하는 것이다.

성전에 내는 성전세도 일종의 자선이다.(물론 성전세는 종교적 의무이지만.) 하느님에게 내는 의로운 헌금이라고 말할 수 있다. 고대로부터 대부분의 민족은 그들의 신을 섬기는 신전이 있었고 신전을 운영하기 위해 제물이라는 명목으로 세금을 거두어들였다. 고대 이스라엘에서도 그랬고 초기 유대교 사회에서도 마찬가지였다. 모든 유대인들은 예루살렘 성전에 성전세로 성년 남자 한 명당 매년 반 쉐켈을 내야 했다.

예수가 성전세를 냈다는 이야기가 복음서에 나온다. 예수와 제자들이 갈릴리 지역의 가버나움에 있는 베드로의 집에 갔었을 때 성전세를 거두어들이는 관리들이 베드로에게 다가와서 그에게 "여러분의 스승은 성전세를 내지 않습니까?" 하고 물었다. 그러자 베드로는 낸다고 대답하고는 집으로 들어가서 예수와 이야기했다. 예수는 그에게 낚시를 던져 물고기가 올라와 입을 열면 은전 한 닢을 발견할 수 있을 테니까 그것을 가져다가 그와 베드로의 몫으로 그들에게 주라고 말했다.(마태 17,24~27) 성전세를 받으러 다니는 관리는 사두개 사람이다. 관리들이 예수의 제자들에게 그들의 선생이 성전세를 내지 않느냐고 물은 까닭은 예수와 그의 공동체가 성전세를 내는 데 별로 관심이 없었기 때문일 것이다.

엣세네 사람들은 자기들이 하느님에게서 구원 받았다고 하는 자긍심을 가지고 살았으며, 다른 유대인들은 예루살렘 성전세를 내야 하겠지만 자기들은 내지 않아도 된다고 자부했다. 바리새와 사두개들의 입장에서 보면 엣세네 사람들과 같은 부류의 사람들이 토라(모세의 법규)에 무지한 자라고 치부되는 것은 당연하겠다. 엣세네가 헷갈리는 부류에 속한다고 비난 받을 만하겠다.(이런 관점에서 보면 성전 관리가 예수에게 성전세를 받으려고 했던 이유는 예수와 그의 제자들이 엣세네와 같은 헷갈리는 부류로 보였기 때문일 것이다.)

토라 공부를 하는 학생도 네 가지 유형으로 분별했다.

빨리 알아듣고 빨리 잊어버리는 자. 그의 이득은 그의 손해로 나타난다.
어렵게 알아듣고 어렵게 잊어버리는 자. 그의 손해는 그의 이득으로 나타난다.
빨리 알아듣고 어렵게 잊어버리는 자. 이는 좋은 부류다.
어렵게 알아듣고 빨리 잊어버리는 자. 이는 악한 부류다.

미드라쉬 학교에 다니는 자들에게도 네 가지 유형이 있다.

다니지만 행하지 않는 자. 다니는 이득이 자기 손에 있다.
행하지만 다니지 않는 자. 행하는 이득이 자기 손에 있다.
다니고 행하는 자. 자비로운 자.
다니지 않고 행하지 않는 자. 사악한 자.

이와 같은 네 가지 유형은 선생 밑에서 공부하는 제자들에게도 적용된다. 〈선조들의 어록〉을 해석한 〈나탄 랍비의 어록〉에 제자들에게도 네 가지 유형이 있다고 말한다.(〈나탄 랍비의 어록〉 40장)

자기도 공부하고 남들도 공부하기를 바라는 자. 좋은(착한) 눈.

자기는 공부하고 남들은 공부하지 않기를 원하는 자.

남들은 공부해도 자기는 공부하지 않기를 원하는 자.

자기도 공부하지 않고 남들도 공부하지 않기를 원하는 자. 악한 눈.

'좋은(착한) 눈'은 선한 성향의 성격을 뜻한다. "착한 눈을 가진 사람은 복 받을 것이다. 그는 가난한 자에게 빵을 준다."(잠언 22,9) 한편, '악한 눈'은 탐욕과 질투를 말한다. "악한 눈을 가진 사람은 재산에만 급급하여 궁핍이 그에게 올 줄은 알지 못한다."(잠언 28,22)

빨리 알아듣고 어렵게 잊어버리는 사람은 자기도 공부하고 남들도 공부하기를 바라는 착한 눈을 가졌으며, 자선을 할 때에도 자기도 내고 남들도 내기를 원하는 자비로운 사람이다. 그러나 어렵게 알아듣고 빨리 잊어버리는 사람은 자기도 공부하지 않고 남들도 공부하지 않기를 원하는 악한 눈을 가졌으며 헌금할 때에도 재물에 욕심이 많아 자기도 내지 않고 남들도 내지 않았으면 하는 사악한 사람이다.

랍비들의 가르침에 따르면 토라 공부는 구원을 받을 수 있는 길이다. 그런데 자기는 공부하고 남들은 공부하지 않기를 바라는 자는 자선을 할 때 자기는 내지만 남들이 내는 것을 꺼리는 사람이다. 사람들은 보통 자기가 먼저라고 생각한다. 자기가 먼저 구원 받고 싶은 것이다.(이기주의라고 말할 수 있겠다.) 토라 학교에서 배우지만 행하지 않는 부류의 사람이다. 그렇게 해서 얻은 이득은 자기 손에 머물러 있지, 하느님이 쳐다보고 받아들이지 않는다. 오는 세상에서는 손해를 보게 된다. 다시 말해서, "누구든 계명과 선행을 쌓으면 이것은 에덴동산이다. 그러나 누구든 계명과 선행을 쌓지 않으면 이것은 지옥이다"라고 말하는 창세기 미드라쉬의 해석과 상응한다. 이는 예수의 다음과 같은 비유와 비교해볼 수 있다. "그러므로 누구든 나(예수)의 이 말을 듣고 그대로 행하는 사람은 바위 위에 자기 집을 지은 슬기로운 사람과 같습니다. (…) 그러나 누구든 나의 이 말을 듣고 그대로 행하지 않는 사람은 모래 위에 자기 집을 지은 어리석은 사람과 같습니다."(마태 7,24~27) '나(예수)의 이 말'은 토라의 계명과 대비되며, '그대로 행하는' 것은 선행이라고 볼 수 있다. 계명과 선행이 서로 다른 범주의 것이 아니라 계명을 배우고 계명에 따라 행하는 것이 선행이다. 하느님의 법도를 배우고 행함을 말하며, 이것은 신약성경의 언어로 '믿고 행함'을 뜻한다. 예수의 가르침을 배워서 믿는데 그대로 선행/자선을 하지 않으면 구원이 없다는 말이다.

남들은 토라 공부를 하러 학교에 다녀도 자기는 학교를 다니며 공부하지 않아도 된다고 여기는 사람은 헌금을 낼 때에도 남들은 내도 자기는 내지 않아도 좋다고 한다. 남들이 공부하고 자선을 베푸는 일에 자기 몫도 포함된다고 생각하기 때문이다. 이런 부류의 사람이 선행을 해도 그는 남을 위해 선행을 한 것이 아니라, 자기와 남을 분별하지 않고 행한 것이기 때문에 그가 행해서 얻는 이득은 자기 손에 머물러 있다. 헌금을 해서 자기 재산에 손해를 보는 것이 아니라 이득으로 머물러 있는 격이다. 공동으로 재산 관리를 하는 공동체의 경우에 흔히 볼 수 있는 상황이다. 바리새들은 예수의 공동체가 이런 부류에 속한다고 말했다.

바리새들의 관점에서 보면 예수 공동체는 랍비들의 방식대로 토라를 공부하지 않고 새로운 복음을 전파한다고 비난하면서, 이렇게 토라를 설명하는 예수 공동체를 무지하며 헷갈리는 무리로 여겼다. 예수 공동체는 남들은 토라 공부를 하여도 그들은 바리새 방식의 토라 공부를 할 필요가 없다고 생각하는 사람들이라고 비난하는 것이다. 예수 공동체에서의 토라 공부는 메시아(구원자)의 가르침(토라)을 배우고 행하는 것이다. 바리새들은 이것을 이해하려고 들지 않았다.

누가 기쁜 소식을 빼앗아 가는 원수였을까

복음서의 '씨 뿌리는 자의 비유'와 〈선조들의 어록〉의 네 가지 유형을 비교해서 살펴보면, 씨(하느님 왕국의 말씀)를 뿌리는 자의 가르침을 듣고 이해한 사람은 착한 눈을 가진 자이며 자비로운 자다. 그는 하느님의 가르침에 따라 살며 많은 사람들을 가르쳐 바른길을 걷게 하는 의인이다. 따라서 '좋은 땅'은 착하고 자비로우며 의로운 사람들이 함께 모여 사는 공동체를 말한다. 예수 공동체의 관점에서 보면, 좋은 땅은 물론 예수 공동체이며 이들은 서로를 돕고 사는 형제들이다. 불구자들과 가난한 사람들에게 구원의 손길을 뻗친 예수 공동체는 자비롭고 의로운 사람들이라고 가르치는 것이다.

가시덤불에 뿌려진 사람은 탐욕과 질투가 많은 사악한 자다. 자기 재산은 물론 자기 것이고 남의 재산도 자기 것인 양 성전에 제물을 바치라고 강요하는 사제들이 이러한 부류에 속한다. 성전을 통해 이득을 얻는 일에만 열중한 사두개들과 로마 정권에 아부하는 자들이 가시덤불이다. 그들은 사리사욕에만 눈이 먼 사악한 사람들이라는 것이다.

돌밭에 뿌려진 사람은 즉시 기뻐하고 상황이 어려워지면 곧 슬퍼하는 유형이다. 쉽게 성내고 쉽게 풀어지는 자다. 내 것은 내 것이고 네 것은 네 것이라고 사리가 분명한 사람을 가리킨다. 이러한 사람은 자기는 토라 공부를 하지만 공부할 처지가 되지 못한 사람들에게는 무관심하게 될 수 있다. 예수는 바리새들의 토라 학교야말로 돌밭이고 그들만 토라 공부에 전념하여 구원에 이르려고 하며 가난한 사람들이나 불구자들, 무지한 천민들에게는 토라 공부를 할 자리를 주지 않는다고 비난했다. 예수가 바리새들을 그토록 저주하는 까닭이 여기에 있다.

돌밭에서 공부하는 사람에게 어려움이 닥치면 배운 지식이 부족하여 쉽게 마음을 바꿀 수 있다는 뜻이다. 따라서 공부는 혼자 하는 것이 아니고 동료와 함께 배우는 것이며, 자기가 토라를 듣고 깨닫지 못할 때에는 그의 동료가 깨닫게 해주는 것이 유대교 현자들의 가르침이다. 그래서 "너를 위한 동료를 얻어라"라는 언명이 "너를 위해 선생을 구하라"는 것만큼 중요하다(《선조들의 어록》 1,6)고 말한다. 자기만 홀로 토라를 공부한다고 구원 받는 것이 아니라 토라를 공부하는 동료가 있어야 고난이 닥쳐도 견딜 수 있다. 동료는 돌밭에서 구하는 것이 아니라 '좋은 땅'에서 찾을 수 있다. 바리새들에게 좋은 땅은 좋은 교사가 가르치고 착한 눈을 가진 동료들과 함께 공부하는 미드라쉬 학교다. 이웃을 중히 여기는 것이 가장 중요한 덕목이라고 가르치는 바리새들은 인본주의자들이다. 유대인들의 항쟁이 일어난 67~70년의 상황에서 보면, 그들은 무력으로 로마에 투쟁하는 방법이 결국 참사를 초래할 것이라고 판단했으며 무력으로는 인간을 중히 여길 수 없다고 이해했다. '씨 뿌리는 자의 비유'에서 좋은 땅은 그들의 학교라고 주장할 법하다. 한편 예수에게는 그의 제자들이 좋은 땅이다. '씨 뿌리는 자의 비유'는 그의 제자들에게 좋은 교사가 되라고 가르치는 비유다.

길가에 있는 사람들이 하느님의 말씀(토라)을 배우는데 곧 악한 자가 와서 그가 배운 지식을 빼앗아 간다. 마가복음서에서는 사탄(방해꾼)이 와서 그 말씀을 빼앗아 간다고 전한다.(마가 4,15) 이런 사람은 토라를 어렵게 알아듣지만 잘 잊어버리지는 않는 부류에 속한다. 토라 공부를 조금 하고서 많이 안다고 생각하기 때문에 더 이상 깊이 공부하지 않는 사람이다. 이러한 유형의 사람은 토라를 배우며 "네 것이 내 것이고 내 것이 네 것이다"고 말하는 자다. 내 것과 네 것을 헷갈리며 오는 세상의 복음과 자기 생각을 분별하지 못한다. 그런 사람에게는 사탄이 찾아와서 그동안 배운 지식을 쉽게 흔들어놓는다는 말이다. 변절할 가능성이 많은 사람이다. 예수 공동체에 들어왔다가 악한 자(다른 파의 설교자)의 설득에 빠지는 유형을 가리킨다. 혹은 바리새 학교에 들어가 공부하겠다고 결심한 사람이 조금 공부하고 나서 이제 더 배울 것이 없다고 생각하고는 다른 학문이나 이방 종교로 전향하는 사람이다.

길가에 있는 사람의 마음에서 믿음을 빼앗아 가는 사탄은 누구를 가리킬까? 마가복음에서는 "길가에 있는 사람들이란 말씀을 듣고 사탄이 와서…"라고 말하는데, 마태복음은 '악한 자'가 와서, 그리고 누가복음은 '원수'가 와서 (하느님 왕국의) 말씀을 그 마음에서 빼앗아 간다고 전한다. '악한 자'는 일반적인 표현이지만 복음서에서는 '원수'라는 단어가 특정한 부류를 지목하는 경우를 읽을 수 있다. '원수'는 사탄이 누구를 가리키는지를 밝히는 데 중요한 단서다. 그 대표적인 예는 "네 이웃을 사랑하고 네 원수를 미워하라고 말하는 것을 여러분은 들었습니다…. 그러나 여러분의 원수를 사랑하시오"(마태 5,43~44)라는 문구다. "네 원수를 미워하라"고 말하는 법규는 엣세네와 연관된다. 엣세네 교사들은 원수를 미워하라고 가르치지만 그들을 원수로 여기지 말고 사랑하라는 말이다. 여기서 '원수'는 구체적으로 엣세네 사람을 가리키는 은유적인 표현이다(6장 〈"네 원수를 미워하라"고 들었다〉 참조).

이처럼 '씨 뿌리는 자의 비유'에서도 원수는 엣세네 교사를 가리키며 그가 와서 예수 공동체 사람들의 마음을 뒤바뀌게 할 수 있으니까 조심하라는 말이다. 예수의 복음 전파 사명에 비추어보면 엣세네 공동체가 기다리는 메시아는 예수다. 엣세네 지도자들의 관점에서 보면 예수와 같은 메시아는 그들이 기다리는 메시아가 아니기 때문에 예수의 제자들 가운데 그런 의혹을 가지고 있는 사람이 있다면 엣세네 교사가 찾아와 그를 변절하게 만들 수 있다. 그 지도자들은 예수의 가르침을 듣고 믿는 사람들에게서 복음을 빼앗아 간다는 것이다. 예수 공동체와 엣세네 사이에 심각한 갈등이 있었음을 짐작할 수 있다.

마음으로 가난한 자는 무슨 뜻일까 마태 5.3

예수 공동체는 착한 눈을 가진 사람들이 모여 예수의 가르침을 믿고 행하며 스스로를 빛의 자식들이라고 말했다. 이는 가난한 자에게 빵을 주는 착한 사람들로, 천대 받는 사람들의 구제를 먼저 생각하는 의로운 사람들이다. 바리새들과 사두개 사람들은 예수 공동체 삶의 길을 부정적으로 보며, 그들의 행동이 토라의 법규에 어긋난다고 시비를 걸어오지만 하느님이 그들의 의로움을 볼 것이라고 예수는 그의 제자들에게 가르쳤다. 랍비들의 미드라쉬에서 가난한 사람을 도운 착한 여자가 동네 사람들의 험담에 시달리며 하느님에게 절규하는 이야기를 읽어볼 수 있다.

유다 랍비는 말했다.
"그들은 소돔에서 (아래와 같이) 선포했다. 누구든지 가난하고 가련한 자에게서 빵 한 덩어리를 자기 손으로 움켜쥐면 그를 불 속에 태울 것이다."
롯의 딸 플로티트는 소돔의 고관들 중의 한 사람과 결혼했다. 그녀는 도시 사거리에서 몹시 가난한 사람을 보았다. 그녀의 마음은 그 때문에

슬펐다. 이렇게 말한다. "내 마음이 가난한 자를 위해 슬퍼하지 않았느냐?"(욥기 30, 25)

그녀는 무엇을 했는가?

그녀가 물을 길으러 나가는 날마다 집안의 온갖 음식을 그녀의 항아리에 넣어 그것으로 그 가난한 자를 먹여 살렸다.

소돔 사람들이 말했다.

"이 가난한 자는 어떻게 스스로 살아가는가?"

그들이 이 사실을 알고 나서 그녀를 불태워 죽이려고 데려왔다.

그녀는 말했다.

"세상의 하느님이시여, 소돔 사람들에게서 나의 공정과 결의를 돌보아주십시오."

그녀의 외침은 영광의 보좌 앞에 올라갔으며 찬미 받으시고 거룩하신 분이 말했다.

"내가 좀 내려가서 과연 나에게 들려온 그녀의 외침이 그러했는지를, 그리고 이 젊은 여인의 외침처럼 소돔 사람들이 행했는지를 보겠다. 내가 그 기반을 위로 그리고 그 표면을 아래로 뒤집을 것이다." 이렇게 말한다. "그녀의 외침이 그러했는지를."(창세기 18,21)

'그들의 외침이 그러했는지'라고 쓰여 있지 않고 '그녀의 외침이 그러했는지'라고 (쓰여 있다). 참으로 그분은 말씀하신다. "현자들과 걷는 자는 지혜로워지고 어리석은 자들과 어울리는 자는 악해진다."(잠언 13, 20)(《엘리에제르 랍비의 해설집》 25장)

이처럼 가난한 자에게 자비심을 일으키는 사람은 하느님의 가르침을 배우고 행하는 현자들과 함께 토라의 길을 걷는 의로운 자다. 가난한 자와 함께 자신의 재산을 나눌 수 있는 사람을 부정적으로 여기는 사람들은 하느님이 그들의 외침을 들어주지 않는다고 랍비들은 이야기한다. 〈선조들의 어록〉에 이웃에게 자비를 한껏 베푸는 사람은 복 받는다고 말한다. 가난한 이웃을 위해 자선함에 자선을 한다는 말이다. 복음서에서도 가난한 사람들에게 자기 재산을 나누어주면 영원한 생명을 얻을 수 있다고 말하는 단락을 읽어볼 수 있다.

그리고 한 사람이 다가와서 예수께 물었다.

"선생님(아도니), 제가 영원한 생명을 얻으려면 어떤 선행을 해야 합니까?"

그분은 그에게 말했다.

"당신이 생명으로 들어가고자 하면 계명을 지키시오."

그는 그분에게 말했다.

"어느 것들입니까?"

그분은 말했다.

"살인하지 마라, 간음하지 마라, 도둑질하지 마라, 거짓 증언을 하지 마라, 아버지와 어머니를 존중하라, 그리고 네 이웃을 너처럼 사랑하라."

그 젊은이는 예수에게 말했다.

"그런 것들은 모두 지켰습니다. 아직 무엇이 부족합니까?"

예수는 그에게 말했다.

"당신이 완전해지려고 하면, 가서 당신이 소유하고 있는 것을 팔아 가난한 사람에게 주시오. 그러면 하늘에서 보물을 차지하게 될 것입니다. 그리고 와서 나를 따르시오."

그러나 젊은이는 그 말씀을 듣고 근심하면서 갔다. 사실 그는 많은 재산을 가지고 있었다.(마태 19,16~22)

영원한 생명을 얻기 위해서는 선행을 해야 한다. 그 첫 번째 길은 십계명을 지키고 이웃을 사랑하는 것이다. 그 젊은이는 이런 계명들은 모두 지키고 산다며 아직 부족한 것이 무엇인지를 가르쳐달라고 말한다. 이에 대한 대답으로 "당신이 완전해지려고 하면", 즉 토라의 가르침을 완성하려면 무엇이 필요한가라는 설명이다. 그 완성하는 길은 자기 재산을 가난한 사람들에게 자선하는 것이며, 이로써 하늘의 보물(영원한 생명)을 차지할 수 있다는 가르침이다. 토라를 배우고 계명을 지키며 자선하여 영원한 생명을 얻을 수 있다는 말이다. 이것이 바로 예수의 가르침을 따르는 길이다. 영생을 추구하는 이 젊은이가 과연 그의 많은 재산을 가난한 사람에게 주고 예수를 따라갔는지는 알 수 없다. 그러나 적어도 어떻게 하면 영생을 얻을 수 있는지에 대한 예수의 해답은 알수 있다.

복음서에 보면 "가난한 자는 복 받을 것입니다. 천국이 그들 것입니다"(누가 6,20)라고 말한 예수의 어록이 전해진다. 여기서 '가난한 자'는 예수 공동체에 들어와 예수의 가르침을 배우고 행하는 사람을 가리킨다. 이렇게 해석할 수 있는 단서는 같은 단락을 기록한 다른 복음서에서 찾을 수 있다.

마음으로 가난한 자는 복 받을 것입니다. 천국이 그들 것입니다.(마태 5,3)

'마음으로'라는 단어를 덧붙여 보다 명백히 전하려는 것이다. '마음'은 히브리어로 '레브(לב)'다. 이 단어가 어느 특정한 맥락에서는 모세오경(토라)을 은유적으로 표현한다. 이러한 상징성을 가지게 된 기원은 안식일에 회당에서 모세오경을 읽는 관습에서 찾을 수 있다. 1~4세기 '이스라엘 땅'의 회당에서는 모세오경을 3년 단위로 처음부터 끝까지 읽었다. 그러나 3~6세기 바빌로니아의 회당에서는 일 년 단위로 읽었다(중세 시대까지도 3년 단위로 읽던 회당이 있었으나 그 이후로는 모두 일 년 단위로 바뀌었다).

모세오경의 마지막 부분인 신명기 33~34장의 독송을 끝내고 다시 창세기 시작 부분을 읽는 날은 축제의 날로 초막절에 이 행사를 했다. 이날을 '심하트 토라(토라의 기쁨)'라고 부른다. 신명기의 마지막 단어가 '이스라엘'이며 이스라엘의 마지막 글자는 라메드(ל ㄹ)다. 그리고 새로 읽는 창세기 1,1은 '처음에'(베-레쉬트)의 베트(ב ㅂ)로 시작한다. 라메드와 베트를 합친 단어 레브(לב)는 '마음'이라는 뜻이다. 모세오경을 독송하는 관습의 맥락에서 보면 레브(마음)는 토라 공부를 상징적으로 표현한다. 하느님의 가르침을 배우는 것은 마음(레브)에서 일어나야 한다는 말이다.

'마음으로 가난한 자'(마태 5,3)라는 숙어를 모세오경의 은유적 표현인 레브(토라 공부)와 비교하면 '레브(토라 공부)로 가난한 자', 즉 하느님의 가르침을 배우고 실천하는 데 전념하여 돈벌이에는 급급하지 않아 구차한 삶을 사는 사람을 뜻한다(우리말 번역 성경에 흔히 '마음이 가난한 자'라고 번역되어 있는데 이는 의역이다).

가난한 삶을 살더라도 토라 공부에 전념하는 것이 하느님의 길이라는 말이다. 그 대표적인 예로 〈선조들의 어록〉(6,4)에 전해진 힐렐의 언명을 읽어볼 수 있다. "이것이 토라의 길이다. 네가 빵을 소금에 찍어 먹고 물을 잣대로 재어 마시며 땅바닥에 누워 자고 구차한 삶을 살면서도 토라(공부)에 애쓰며 그렇게 행한다면 '너는 행복하며 너에게 좋은 것이다.'(시편 128,2) 이 세상에서 행복하며 오는 세상에서도 좋은 것이다."

하느님은 토라 공부에 전념하는 가난한 자들의 외침에 귀를 기울이고 그들을 불쌍히 여기기 때문에 착한 눈(마음)을 가지고 싶다면 하느님의 가르침을 배우고 행하라는 뜻이다. 이렇게 행하는 사람은 자기도 공부하고 남들도 공부하기를 바란다. 그래야 모두 하느님의 구원 사업에 동참할 수 있기 때문이다.

엣세네 문헌에도 가난한 자의 삶이 그들 공동체의 길이라고 자부하는 글을 읽어볼 수 있다. 이들이 남긴 시편 37편에 대한 해석에 이렇게 말한다.

"겸손한 자들이 이 땅을 이어받으며 그들은 많은 평화에 즐거워한다."
(시편 37,11)
그 해석. 이는 가난한 자들에 대한 것이다. 그들은 참회의 기간을 얻고 악마의 모든 올가미에서 구해질 것이다.

'가난한 자들'은 그들 공동체를 뜻하며 그들은 가난한 자들을 도와주고 구원의 길에 동참할 수 있게 이끌어준다고 말한다. 아래와 같은 엣세네의 규례에서 읽어볼 수 있다.

누가 자기 백성 중에 가난한 자들을 약탈하고 과부들을 희생자로 만들고 고아들을 죽이겠느냐? 부정不淨한 것과 정淨한 것 사이를 갈라놓을

것이며 거룩한 것과 세속한 것 사이를 알아야 할 것이다.(《새 언약의 규례》 vi 16~17)

사람은 그의 형제(공동체 일원)를 자기처럼 사랑할 것이며 가난한 자와 거지와 떠돌이의 손을 잡아줄 것이다. 사람은 그 형제의 평안을 추구할 것이며 사람은 그의 육신의 친척을 속이지 않을 것이다.(《새 언약의 규례》 vi 21~vii 1)

이것은 온갖 필요에 대비하는 무리의 규례다.
매달 이틀 일한 임금을 감독과 재판관의 손에 주며 이것으로 환자를 도와주고 가난한 자와 궁핍한 자를 붙잡아주며 [기운] 없는 노인과 죽어가는 사람과 외국인에게 잡혀간 자와 가까운 친척이 없는 처녀와 일자리가 없는 젊은이와 […]이 없는 동료를 [도와준다.](《새 언약의 규례》 xiv 13~16)

복음서에서 예수가 가난한 자들을 붙잡아주고 그들에게 복음을 가르치며 구원의 길을 열어준 것은 엣세네의 기본 강령과 같다. 물론 바리새들의 가르침도 힐렐의 언명에서 본 것처럼 마찬가지다. 엣세네나 바리새, 또한 예수 공동체 모두 지혜로운 사람은 자비롭고 의롭다고 말했다.
랍비들의 미드라쉬 가운데 한 부유한 랍비가 그의 동료와 제자들이 가난함에도 불구하고 열심히 공부하는 것을 보고 밭을 사서 그곳에서 나오는 수확으로 좀 편하게 공부하라고 그들에게 돈을 주었는데 그들은 그 돈의 일부로 토라 두루마리를 사고 나머지는 모두 가난한 사람에게 주었다는 일화가 있다.

타르폰 랍비는 아키바 랍비에게 여섯 개 은전 센테나리(100)를 주고 그에게 말했다.

"가서 땅을 좀 사시오. 그래서 우리가 그것에서 먹고살며 토라 공부에 함께 열중합시다."

그는 돈을 가져다 서사들과 미쉬나 선생들과 토라를 공부하는 사람들에게 건네주었다.

얼마 후에 타르폰 랍비는 그를 만나 그에게 말했다.

"내가 당신에게 말한 땅은 샀소?"

그는 그렇다고 대답했다.

그는 그에게 "그래서 좋습니까?"라고 물었다.

그는 그에게 그렇다고 대답했다.

그는 그에게 말했다.

"그렇다면 그것을 나에게 보여주고 싶지 않습니까?"

그는 그를 데리고 서사들과 미쉬나 선생들과 토라 공부를 하는 사람들과 그들이 매입한 토라 두루마리를 보여주었다.

그는 그에게 말했다.

"그냥 일하는 사람은 없소? 밭을 일구는 이는 어디 있습니까?"

그는 그에게 말했다.

"그것은 다윗 왕과 함께 있습니다. 이것에 대해 이렇게 쓰여 있습니다. '행복하여라, 주님을 두려워하는 자여. 그는 그분의 계명들로 매우 즐거워한다. 그의 후손은 땅에서 용맹하게 되고 의로운 자들의 세대는 복받을 것이다. (중략) 그는 가난한 이들에게 나누어주고 그의 정의(자선)는 영원히 서 있다.'(시편 112,1~2; 9)"《레위기 미드라쉬 랍바》 34,6)

타르폰 랍비는 부유한 사제 집안에서 태어나 상속 받은 재산이 많았다. 그는 동료 랍비들이 보다 편하게 공부할 수 있도록 아키바 랍비에게 돈을 주어 농토를 사도록 했다. 토라 학교에서 공부하는 사람들 가운데 물론 토라 공부에만 전념하는 사람들도 있었으나 대부분은 생업에 종사하며 학교에 다녔다. 따라서 생업에 필요한 시간이 많을수록 토라 공부에 미진하게 되는 것은 당연했다. 그래서 타르폰 랍비는 학교 옆에 밭을 매입하여 수확을 내고 그 수입으로 학생들의 생활을 돕자는 취지였다. 그러나 아키바 랍비와 그 동료들은 가난하게 살아도 생업에 보내는 시간을 늘리지 않고 토라 공부에 매진하는 랍비들이었다. 그래서 그들은 받은 돈으로 현세의 땅 대신에 오는 세상의 땅을 살 수 있는 토라 두루마리를 구입해서 보다 많은 사람들이 토라를 공부할 수 있도록 한 것이다. 그리고 남은 돈은 가난한 사람들에게 자선하여 의로운 삶의 길을 실천했다.

가난해도 토라 공부에 전념하는 의로운 삶을 걷는 사람들은 오는 세상(하느님의 왕국, 천국)에 한자리를 얻어 천사들과 함께 하느님과 그분의 메시아를 찬양하려는 데 있다. 《잠언 미드라쉬》에 가난과 메시아를 엮어 해석하는 문구가 나온다.

"네 가난이 보행자처럼 온다."(잠언 6,11)
이것은 이스라엘의 우두머리로 오는 미래의 메시아 왕이다. 이렇게 말한다. "그들의 왕이 그들을 앞서 가며 주님YHWH은 그들의 선두에 (간다)."(미가 2,13)

여기서 '가난'이라고 번역한 단어 레쉬(רָאשׁ)는 레쉬(רִישׁ)와 같은 단어며 레쉬(רֵאשׁ)를 로쉬(רֹאשׁ, '머리, 우두머리')로 풀이한 것이다. 가난과 메시아가 연결된 점을 발견할 수 있다. 이런 맥락에서 "마음으로 가난한 자는 복 받을 것입니다. 천국이 그들 것입니다"라고 말한 예수의 마음을 이해할 수 있다. 가난한 자들의 우두머리가 메시아다. 가난한 자들이 이스라엘 공동체며 이스라엘 공동체는 토라를 공부하고 토라의 길을 걷는다.(예수의 입장에서 보면 예수 공동체가 이스라엘이다.) 그냥 가난해서 복을 받는다는 뜻이 아니라 토라('레브' 마음)로 인해 가난하게 사는 사람은 복을 받아 천국에 한자리를 차지한다는 뜻이다.

"나는 내 마음과 말했다"
마음에 대해 아래와 같은 흥미로운 단락이 《전도서 미드라쉬》에 전해진다.

"나는 내 마음과 말했다."(전도서 1,16)
마음은 본다. 이렇게 말한다. "내 마음은 많은 지혜와 지식을 보았다."(전도서 1,16)
마음은 듣는다. 이렇게 말한다. "당신(하느님)의 종에게 듣는 마음을 주십시오."(열왕기상 3,9)
마음은 말한다. 이렇게 말한다. "나는 내 마음과 말했다."(전도서 1,16)
마음은 걷는다. 이렇게 말한다. "내 마음이 가지 않았느냐?"(열왕기하 5,26)
마음은 쓰러진다. 이렇게 말한다. "사람의 마음이 그 때문에 쓰러지지 않게 하시오."(사무엘상 17,32)
마음은 서 있다. 이렇게 말한다. "네 마음이 서겠느냐."(에스겔 22,14)

마음은 기뻐한다. 이렇게 말한다. "그러므로 내 마음은 기쁘고 내 영광은 즐겁다."(시편 16,9)

마음은 외친다. 이렇게 말한다. "너희 마음은 주님께 외친다."(애가 2,18)

마음은 위로 받는다. 이렇게 말한다. "(너희는 위로하라…) 예루살렘의 마음에 말해라."(이사야 40,2)

마음은 미안해한다. 이렇게 말한다. "네 마음에 아까워하지 않을 것이다."(신명기 15,10)

마음은 완고해진다. 이렇게 말한다. "주님은 파라오의 마음을 완고하게 하셨다."(출애굽기 9,12)

마음은 겁낸다. 이렇게 말한다. "너희 마음에 겁내지 마라."(신명기 20,3)

마음은 괴로워한다. 이렇게 말한다. "그분(하느님)은 마음속으로 괴로워하셨다."(창세기 6,6)

마음은 두려워한다. 이렇게 말한다. "네 마음의 두려움 때문에."(신명기 28,67)

마음은 부서진다. 이렇게 말한다. "부서지고 꺾인 마음."(시편 51,19)

마음은 자랑스럽게 된다. 이렇게 말한다. "너희 마음을 들어 올려라." (신명기 8,14)

마음은 배반한다. 이렇게 말한다. "이 백성에게는 배반하고 반역하는 마음이 있다."(예레미야 5,23)

마음은 고안한다. 이렇게 말한다. "그(여로보암)는 자기 마음에서 고안한 달[月]에."(열왕기상 12,33)

마음은 고집스럽다. 이렇게 말한다. "내가 내 마음의 고집대로 걷겠다."(신명기 29,18)

마음은 넘친다. 이렇게 말한다. "내 마음은 좋은 말씀으로 넘칩니다."

(시편 45,2)

마음은 생각한다. 이렇게 말한다. "사람의 마음에는 생각이 많다."(잠언 19,21)

마음은 원한다. 이렇게 말한다. "당신(하느님)은 그의 마음이 원하는 것을 주십니다."(시편 21,3)

마음은 떠돈다. 이렇게 말한다. "네 마음이 그녀(창녀)의 길에서 떠돌게 하지 마라."(잠언 7,25)

마음은 매음을 한다. 이렇게 말한다. "너희 마음이나 눈에 따라가지 않을 것이다. 그러면 그들(이방인들)을 따라 매음하게 된다."(민수기 15,39)

마음은 상쾌하게 한다. 이렇게 말한다. "여러분의 마음을 상쾌하게 하십시오."(창세기 18,5)

마음은 도둑맞는다. 이렇게 말한다. "야곱은 라반의 마음을 훔쳐갔다." (창세기 31,20)

마음은 겸손해진다. 이렇게 말한다. "그리하여 할례 받지 못한 그들의 마음이 겸손해졌다."(레위기 26,41)

마음은 유혹한다. 이렇게 말한다. "그는 그 소녀를 사랑하게 되었다. 그는 그녀의 마음에 말했다."(창세기 34,3)

마음은 잘못한다. 이렇게 말한다. "내 마음에 잘못했다."(이사야 21,4)

마음은 두근거린다. 이렇게 말한다. "그의 마음은 두근거리고 있었다." (사무엘상 4,13)

마음은 깨어 있다. 이렇게 말한다. "나는 자고 있지만 내 마음은 깨어 있다."(아가 5,2)

마음은 사랑한다. 이렇게 말한다. "너는 네 하느님 주님을 네 온 마음으로 사랑할 것이다."(신명기 6,5)

마음은 미워한다. 이렇게 말한다. "너는 네 형제를 네 마음으로 미워하지 않을 것이다."(레위기 19,17)

마음은 부러워한다. 이렇게 말한다. "네 마음이 죄인들을 부러워하지 않게 하라."(잠언 23,17)

마음은 조사 받는다. 이렇게 말한다. "나 주님은 마음을 조사한다."(예레미야 17,10)

마음은 찢겨진다. 이렇게 말한다. "너희 마음을 찢어라. 너희 옷이 아니다."(요엘 2,13)

마음은 (성경을) 낭송한다. 이렇게 말한다. "내 마음의 낭송은 분별력이다."(시편 49,4)

마음은 불과 같다. 이렇게 말한다. "내 마음속에 불같은 것이 있었다."(예레미야 20,9)

마음은 돌과 같다. 이렇게 말한다. "나(하느님)는 너희 몸에서 돌 (같은) 마음을 치우겠다."(에스겔 36,26)

마음은 회개로 돌아가게 한다. 이렇게 말한다. "그는 그의 온 마음으로 주님께 돌아갔다."(열왕기하 23,25)

마음은 뜨겁다. 이렇게 말한다. "참으로 그의 마음은 뜨거워졌다."(신명기 19,6)

마음은 죽는다. 이렇게 말한다. "그의 마음은 자신 속에서 죽었다."(사무엘상 25,37)

마음은 녹는다. 이렇게 말한다. "백성의 마음이 녹았다."(여호수아 7,5)

마음은 말씀을 받아들인다. 이렇게 말한다. "내(하느님)가 오늘 너에게 명령하는 이 말씀을 네 마음에 둘 것이다."(신명기 6,6)

마음은 두려움을 받아들인다. 이렇게 말한다. "나는 그들의 마음속에

나에 대한 경외심을 심어주겠다."(예레미야 32,40)

마음은 감사한다. 이렇게 말한다. "나는 주님께 온 마음으로 감사드립니다."(시편 111,1)

마음은 탐낸다. 이렇게 말한다. "너는 네 마음에 그녀(낯모르는 여자)의 아름다움을 탐내지 마라."(잠언 6,25)

마음은 힘들게 된다. 이렇게 말한다. "자기 마음을 힘들게 하는 자는 악에 떨어진다."(잠언 28,14)

마음은 좋게 한다. 이렇게 말한다. "그들의 마음이 좋았을 때가 되어."(사사기 16,25)

마음은 속임수를 쓴다. 이렇게 말한다. "악을 꾸미는 자의 마음에 속임수가 있다."(잠언 12,20)

마음은 그 속에서 말한다. 이렇게 말한다. "한나, 그녀는 자기 마음에서 말하여 입술만 움직이고 음성은 들리지 않았다."(사무엘상 1,13)

마음은 뇌물을 좋아한다. 이렇게 말한다. "네 눈과 네 마음은 탐욕을 위할 뿐이다."(예레미야 22,17)

마음은 말씀을 적는다. 이렇게 말한다. "네 마음의 판 위에 그것들(가르침)을 써라."(잠언 3,3)

마음은 꾸민다. 이렇게 말한다. "마음은 간악한 계획을 꾸민다."(잠언 6, 18)

마음은 계명을 받아들인다. 이렇게 말한다. "마음이 지혜로운 자는 계명을 받아들인다."(잠언 10,8)

마음은 교만해진다. 이렇게 말한다. "네 마음의 교만이 너를 속였다."(오바디야 1,3)

마음은 준비를 한다. 이렇게 말한다. "사람에게 마음의 계획이 있다."

(잠언 16,1)

마음은 크게 된다. 이렇게 말한다. "네 마음이 너를 들어 올린다."(역대
지하25,19)

그러므로 "나는 내 마음과 말했다. '보라, 나는 크게 되었다. 나는 내
이전에 예루살렘에 있었던 모든 이들 위에 지혜를 더했다. 내 마음은
많은 지혜와 지식을 보았다.'"(전도서 1,16)

'나는 내 마음과 말했다'라는 표현은 마음을 의인화한 것이다. 히브
리 성경에서는 마음을 의인화시켜 이야기하는 문구들을 많이 찾을 수
있다. 마음은 보고 듣고 말하며 속임수를 쓰고 사악한 궁리도 한다. 마
음에는 착한 마음과 악한 마음이 있다. 내가 나의 착한 마음과 말했다면
그 결과가 좋겠지만 그 반대라면 나쁜 결과를 초래하는 것은 당연하다.
그렇다면 내가 내 마음과 말해서 지혜로워졌다고 기뻐할 이유가 없다.

마음은 사람의 모든 것을 대표하는 척도다. 자기 마음이 곧 자신自身
이라는 뜻이다. 자기 마음이 자기 자신이기 때문에 나와 내 마음은 서
로 다르지 않다는 것이다. 말과 마음이 다르지 않다는 뜻이겠다. 그래
서 자기 마음을 보고 말할 수 있는 사람은 지혜롭다는 이야기다. 지혜
는 마음에서 나온다.

랍비들의 잠언 미드라쉬에 보면 마음에서 나오는 지혜는 토라에 앞
서 있다고 해석한다. 토라가 마음에서 나온다고 해석하는 의도를 읽어
볼 수 있다.

"이스라엘의 왕 다윗의 아들 솔로몬의 잠언."(잠언 1,1)
탄후마 벤 하닐라이 랍비는 (아래 구절을) 열었다.[01]

"지혜는 어디에서 찾으며 이해의 자리는 어디입니까?"(욥기 28,12)

(그는 말했다.)

"'지혜는 어디에서 찾습니까?'

이것(이 질문)은 사십일 동안 단식하며 앉아 있던 솔로몬을 가리키며, 편재하시는 분(하느님)이 그에게 지혜와 이해의 영靈을 주려고 했다. 그는 헤매며 그것을 찾았다.

찬미 받으시는 거룩하신 분이 그에게 질문했다.

'내가 너에게 줄 것이 무엇인지를 물어보아라.'(열왕기상 3,5)

그는 그분 앞에서 말했다.

'세상의 주님이시여, 나는 당신에게서 은이나 금을 청하지 않으며 오직 지혜를 원합니다.' 이렇게 말한다. '그러니 당신은 당신 종에게 듣는 마음을 주시어 당신의 백성을 심판하고 (선과 악을 분별하게 해주십시오).'(열왕기상 3,9)

찬미 받으시는 거룩하신 분이 그에게 대답하여 말했다.

'네가 은이나 금을 바라지 않고 오직 지혜를 청했기 때문에 "지혜와 지식이 너에게 선물로 주어졌다."(역대지하 1,12)'

그뿐 아니라 지혜는 토라보다 앞서 있다. 이렇게 말한다. '지혜의 머리(시작)는 주님YHWH을 두려워함이며 그것(가르침)들을 행하는 모든 이에게는 선한 슬기로움이 있습니다.'(시편 111,10)"

복음서에는 예수가 광야에서 40일 동안 단식하며 사탄의 유혹을 물리쳤다고 전한다. 이 일화를 잠언 미드라쉬와 비교하면 예수는 사탄의 유혹을 물리쳤을 뿐 아니라 하느님의 영의 힘으로 지혜와 이해를 얻었다고 볼 수 있다. '듣는 마음'이 지혜라고 해석한다. '지혜는 토라보다 앞서 있다'는 말은 '지혜의 머리(시작)는 주님YHWH을 두려워함이다'라는 문구의 해석이다. 하느님을 두려워하는 마음이 토라며 그 앞에 지혜가 있다는 뜻이다. 토라는 하느님을 두려워하는 마음으로 만들어졌다. 이런 문맥에서 '지혜가 토라보다 앞서 있다'는 주제를 이해할 수 있다. '하느님의 가르침을 행하는 사람들에게 선한 슬기로움이 있다'는 구절에서 '슬기로움'은 지식을 습득하여 합리적인 마음이 생기는 것을 뜻한다. 이 문맥은 에덴동산 이야기에서 아담의 아내가 선과 악을 구별하는 지식나무의 열매를 보고 "슬기롭게 되기에 탐스럽다"(창세기 3,6)고 말하는 것과 상통한다.

다른 설명. "지혜는 어디에서 찾습니까?"
이것은 솔로몬이 어디에서 지혜를 찾을까 고심했다는 것을 가르친다.
예호슈아 랍비와 엘리에제르 랍비(는 서로 다른 의견을 말했다.)[02]
엘리에제르 랍비는 말했다.
"(지혜는) 머리에 있다."
예호슈아 랍비는 말했다.
"(지혜는) 마음에 있다. 이것에 대해 이렇게 쓰여 있다. '당신은 내 마음에 기쁨을 주셨습니다.'(시편 4,8) 이렇게 쓰여 있다. '내 아들아, 지혜로워져서 내 마음을 기쁘게 하라.'(잠언 27,11)"
어째서 지혜가 마음에 주어지는가?
왜냐하면 사지四肢가 마음에 달려 있기 때문이다.
솔로몬이 말했다.
"나는 내 아버지가 (지혜를) 연 것처럼 (그렇게) 하지 않을 것이다. 그분은 그분의 지혜를 (히브리어 알파벳의) 첫 번째 글자로 시작하여 (알파벳의) 가운데 글자로 끝내셨다. 첫 번째 글자에 대해 이렇게 쓰여 있다. '복 받는 이는 악인의 조언에 따라 걷지 않는 자다.'(시편 1,1) 가운데 글자로 끝내는 것에 대해 이렇게 말한다. '모든 생명은 주님을 찬양하라.'(시편 150,6) 그러나 나는 (지혜의) 시작을 (알파벳의) 가운데 글자로 열고 (알파벳의) 마지막 글자로 끝맺는다. 나는 지혜가 주어진 곳에서 (내 지혜를) 연다."

그곳은 어디인가?

마음에.

그러면 마음은 어디에 주어졌는가?

가운데에.

따라서 다윗은 엘리에제르 랍비의 말처럼 고심했으며 솔로몬은 예호수아 랍비의 말처럼 고심했다고 보인다. 더욱이 마음은 찬미 받으시는 거룩하신 분의 손에 주어졌다. "왕의 마음은 시냇물, 주님YHWH의 손 안에 있으니 그분이 원하시면 어디라도 이끄신다"(잠언 21,1)고 쓰여 있는 것처럼 그러하다. 찬미 받으시는 거룩하신 분의 손에 마음이 주어졌기 때문에 그분이 원하는 곳으로 이끈다.

솔로몬은 지혜가 마음에 주어진 것을 보았기 때문에 지혜가 주어진 곳에서 나는 시작한다고 말한 것이다. 그래서 그는 말한다. "다윗의 아들 솔로몬의 잠언."(잠언 1,1)

누가 다윗의 아들인가?

그가 다윗의 아들이라는 것은 잘 알려져 있지 않은가? 그러나 그가 일한 모든 것은 이스라엘의 왕 다윗의 영광을 위해 일했다. 그가 이스라엘의 왕인 것은 잘 알려져 있지 않은가? 따라서 그가 일한 것은 이스라엘의 영광을 위해 일한 것이다.

솔로몬의 아버지 다윗은 그의 지혜를 기도문이나 찬미가 등 노래로 말했다. 전통적으로 시편은 다윗이 지은 책으로 여겨진다. 시편 1,1의 첫 문구인 '복 받는 이'라고 번역한 단어(아쉬레 אשרי)의 첫 번째 글자가 알레프(א)이며 시편의 마지막 절(150,6)은 '모든(콜 כל)'의 카프(כ)로 시작한다. 히브리어 알파벳은 모두 22자이며, 알파벳의 첫 번째 글자는 알레프이고 카프는 11번째다. 따라서 시편은 알파벳의 첫 번째 글자 알레프에서 시작하여 중간의 11번째 글자 카프로 끝난다.

한편, 솔로몬의 잠언은 '미쉴레(משלי, 잠언)'로 시작하며 잠언의 마지막 절('그녀 손의 결실을 그녀에게 주어라')은 '주어라(트누 תנו)'로 시작한다. 따라서 솔로몬의 잠언은 히브리어 알파벳의 13번째 글자인 멤(מ)에서 시작하여 알파벳의 마지막 글자인 타브(ת)로 끝난다.

이처럼 시편과 잠언의 시작과 끝의 글자에 착안하여 다윗은 히브리어 알파벳의 가운데(11번째 글자)에서 그의 지혜의 말을 끝냈고, 솔로몬은 아버지의 지혜를 선물로 받아 알파벳의 중간인 13번째 글자부터 자기의 지혜를 말하여 지혜를 완성했다는 해석이다.

그렇다면 아버지와 아들의 지혜를 연결해주는 자리는 당연히 히브리어 알파벳의 12번째 글자인 라메드(ל)다. 따라서 지혜를 주는 자리는 라메드(ל)로 만든 단어다. 그 자리를 '마음'이라고 말할 수 있는 이유는 '마음'을 뜻하는 단어가 히브리어로 '레브(לב)'다. 레브는 라메드(ל)로 시작하며, 라메드는 다윗이 말하는 지혜의 시작~끝(알레프~카프)과 솔로몬의 잠언의 시작~끝(멤~타브) 사이에 있다. 즉, 마음(레브)은 그들 가운데 있다고 설명하는 것이다. '마음(레브)'이라는 단어의 첫 글자인 라메드를 다윗의 시편과 솔로몬의 잠언을 이어주는 글자로 풀이한 것이다.

따라서 다윗의 시편은 알파벳 순서의 시작, 즉 '머리'를 나타내며, 솔로몬의 것은 가운데, 즉 '머리'을 드러낸다고 해석한 것을 볼 수 있다. 솔로몬은 혈통으로 다윗의 아들만이 아니라 그의 아버지가 만든 시편을 계승하여 잠언을 만들었다는 뜻이다. 다윗이 그의 시편을 알레프에서 시작해서 카프로 끝나게 만들었고 그의 아들은 자신의 잠언을 만들 때 당연히 카프를 이어가는 글자로 시작해서 알파벳의 마지막 글자로 완성했다는 랍비들의 해설이다.

그러므로 아버지와 아들이 알파벳의 첫 번째 글자와 마지막 글자로 시편의 시작 문구와 잠언의 끝 문구를 장식했다고 설명한다. 이렇게 '다윗의 아들 솔로몬의 잠언'이라는 문구를 이해할 수도 있다. 하느님의 집(예루살렘 성전)을 지은 솔로몬의 업적은 이스라엘 왕국을 세운 자기 아버지 다윗의 영광을 위한 것이며 그들은 이스라엘의 영광을 위해 일했다는 결론을 얻는다.

이런 해석의 전통에서 예수가 말한 '마음으로 가난한 자는 복 받는다'라는 문구를 이해할 수 있다. 예수가 '마음(레브)'을 말하는 의도는 솔로몬이 다윗의 영광을 드러냈듯이 자기도 마음으로 가난한 자들에게 복을 주며 마지막 시대에 다윗의 영광을 다시 한 번 드러내겠다는 데에서 찾을 수 있다.

가라지의 비유 마태 13,24~30

마태가 전한 복음서에 따르면 '씨 뿌리는 자의 비유'에 이어 곧 '가라지의 비유'가 나오는데 여기서도 흥미롭게 '원수'를 이야기한다. 가라지의 비유는 아래와 같다.

천국은 자기 밭에 좋은 씨를 뿌리는 사람과 같습니다. 사람들이 잘 때 그의 원수가 와서 밀 가운데 가라지를 뿌리고 갔습니다. 그러나 줄기가 돋아 열매를 맺을 때 가라지도 보입니다.

그러자 집주인의 종들이 다가와서 그에게 말했습니다.

"주인이시여, 밭에 좋은 씨를 뿌리지 않았습니까? 가라지가 어디에서 생겼습니까?"

그는 그들에게 말했습니다.

"원수 놈이 그렇게 했다."

그의 종들이 그에게 말했습니다.

"당신은 우리가 가서 그것들을 그러모으기를 원하십니까?"

그러나 그는 그들에게 말했습니다.

"너희가 가라지를 그러모을 때에 그것과 함께 밀도 뽑아버리면 어떻게 하겠느냐? 둘 다 추수까지 자라도록 내버려두어라. 그러면 추수 때에 내가 추수꾼들에게 '먼저 가라지를 그러모아 태울 수 있도록 단으로 묶으시오. 그러나 밀은 내 곳간에 모아들이시오'라고 말하겠다."(마태 13,24~30)

이에 대한 예수의 해석도 함께 전해진다.

좋은 씨를 뿌리는 이, 그는 아담의 아들이고 밭은 세상입니다. 그리고 좋은 씨는 왕국의 자식들입니다. 그렇지만 가라지는 악한 자의 자식들이고 그것을 뿌린 원수, 그는 사탄입니다.

추수는 세상의 끝 시대이고 추수꾼들은 천사들입니다. 그러므로 가라지를 그러모아 불에 태우듯이 이 세상의 끝 시대에도 그렇게 될 것입니다. 아담의 아들이 그의 천사들을 파견하여 그의 왕국에서 실패하게 하는 모든 것들과 죄악을 저지르는 자들을 모두 그러모아 불가마에 던질 것입니다.

거기서는 울고 이를 갈게 될 것입니다. 그때 의인들은 그들 아버지의 왕국에서 태양처럼 빛날 것입니다.(마태 13,37~43)

'아담의 아들'은 메시아를 가리킨다. 왕국의 아들들과 악한 자의 아들들은 빛의 자식들과 어둠의 자식들을 뜻한다. 가라지를 뿌린 악한 자는 어둠의 세력을 지배하는 사탄이고 그는 빛의 자식들의 원수다(사탄은 '방해꾼, 적, 고발자, 유혹자' 등을 뜻한다). 사탄이 어둠의 자식들을 빛의 자식들이 사는 세상에 들어가게 하여 빛의 자식들을 죄짓게 유혹하겠지만 그들이 다 자랄 때까지 내버려두라고 예수는 말한다. 왜냐하면 처음에는 이 둘을 구별하기 어렵기 때문이다. 어둠의 자식들이 빛의 공동체에 들어와 빛의 자식들처럼 행동한다는 것이다. 그러나 마지막 시대가 오면 하느님의 천사들이 빛의 자식들과 어둠의 자식들을 구별할 수 있기 때문이다. 그들이 함께 사는 동안 빛의 자식들이 변절할 수도 있고 어둠의 자식들이 빛을 찾아올 수도 있다는 말이다. 빛의 천사들만이 그들을 분별할 수 있다. 세상의 마지막 시대에 어둠의 자식들은 하느님의 심판을 받고 불지옥에 떨어진다. 메시아 예수가 좋은 씨(그의 제자들)를 뿌린 세상(그들의 공동체/초대교회)에 사탄이 그 공동체에 어둠의 자식들을 들어가게 하여 공동체 사람들을 변절하도록 유혹할 것이지만 예수의 가르침을 붙들고 있으면 마지막 시대에 의인으로 불릴 것이라는 뜻이다.

'가라지의 비유'에서 주목할 주제는 빛의 자식들과 어둠의 자식들, 가라지를 뿌린 악한 자 사탄, 그리고 사탄이 뿌린 가라지의 유혹, 세상 끝 날의 심판과 천국에 자리를 차지하는 의인들이다.

우선 '가라지의 비유'에서 '가라지'라는 낱말이 무슨 뜻으로 사용되었는지를 찾아보아야 하겠다. 랍비들의 미드라쉬에서 가라지를 음행으로 해석하는 부분을 읽어볼 수 있다.

> "사람부터 가축과 기는 것들과 하늘의 새들까지."(창세기 6,7)
>
> 아자르야 랍비는 예후다 랍비의 이름으로 말했다.
>
> "홍수 세대에는 모두가 부정하게 행했다. 개는 늑대와, 그리고 닭은 공작과 교접했다. 이렇게 쓰여 있다. '참으로 온갖 살[肉]이 땅 위에서 그 길을 부패하게 만들었다.'(창세기 6,12)"
>
> 율리아 벤 티베리우스 랍비는 이츠학 랍비의 이름으로 말했다.
>
> "심지어 땅도 타락시켰다. 밀을 심었으나 가라지(조닌)가 자랐다. 왜냐하면 우리가 지금 발견한 가라지는 홍수 세대에서 온 것이기 때문이다."(《창세기 미드라쉬 랍바》 28,8)

하느님이 홍수를 일으켜 땅 위에서 만들어낸 모든 것을 없애겠다고 판단한 이유는 사람부터 가축, 심지어 새들까지 사악함이 많아졌기 때문이다. 랍비의 해석은 그들의 음행 때문이라는 것이다. 그래서 이렇게 말한다. "땅은 하느님 앞에 부패되었고, 땅은 부정으로 가득 찼다."(창세기 6,11) 그렇다면 땅이 왜 부패되었을까? 밀을 심었는데 가라지가 자랐기 때문이라고 해석한다. 땅이 잘못해서 가라지를 자라게 했다는 이야기다. 가라지는 히브리어로 '조닌(זונין)'이며 이와 비슷하게 발음되는 단어 '조나(זונה)'는 창녀를 뜻한다. '조닌(가라지)'이라는 낱말을 사용한 의도는 땅이 부패했다는 그 가장 큰 이유로 사람부터 가축, 새들까지 음행을 했다는 데에서 찾아볼 수 있다. 많은 경우에 음행은 신상숭배를 은유적으로 표현한다. 하느님은 빛의 자식들을 만들려고 밀을 심었는데 속임의 가르침과 거짓으로 하느님의 백성을 잘못되게 만드는 가라지가 자랐다는 말이다. 그 책임은 땅이 짊어져야 한다.

복음서의 가라지 비유와 창세기 6,7에 대한 랍비의 미드라쉬를 비교해보면 악한 자들이 세상에서 음행을 저지르며 좋은 사람들을 유혹한다고 이해할 수 있다. 엣세네의 〈나훔서 해석〉에서 찾아볼 수 있다.

> "호의를 받은 창녀의 많은 음행과 마술의 여주인 때문이다. 그녀의 음행으로 민족들과 그녀의 마술로 가족들을 판다."(나훔 3,4)
> 그 해석. 에프라임을 잘못 인도하는 자들에 대한 것이다. 그들은 그들의 속임의 가르침과 거짓의 혀와 간계한 입술로 무리를 잘못 인도한다. 왕들과 지도자들과 사제들과 백성들과 또한 그들과 합세한 이방인, 도시들과 가족들이 그들의 조언으로 사라지며 존경 받는 자들과 통치자들이 그들의 혀에 따라 쓰러진다.

에프라임은 바리새를 지칭한다. 바리새 지도자들이 거짓된 토라 해석으로 무리를 유혹한다고 비난하는 말이다. 음행을 속임의 거짓말과 간계한 입술로 해석한 것이다. '무리'는 엣세네와 같은 공동체를 가리킨다. 바리새 지도자들의 가르침을 따른 모든 사람들은 마지막 시대에 심판을 받아 멸망할 것이라는 뜻이다.

> "나는 너에게 오물을 던져 너를 천하게 만들어 너를 역겹게 할 것이다. 너를 보는 모든 자들이 네게서 피할 것이다."(나훔 3,6~7)

그 해석. 부드러운 것을 추구하는 자들에 대한 것이다. 마지막 시대에 사악한 그들의 행함이 모든 이스라엘에 밝혀질 것이다. 무리가 그들의 죄를 이해하고 그들을 미워하며 그들이 죄짓고 오만함에 역겨워한다. 유다의 영광이 밝혀질 때에 에프라임의 단순한 자들은 그들의 회중에서 피할 것이며 그들은 그들을 잘못 인도한 자들을 떠나 이스라엘에 합세한다.(〈나훔서 해석〉 ii,1~iii,5)

마지막 시대에 바리새 지도자들의 잘못된 언행은 심판을 받게 되고 엣세네의 무리는 그들의 오만한 태도를 역겨워하며 그들의 가르침을 믿지 않을 것이라는 해석이다. 유다는 엣세네를 가리킨다. 마지막 시대에 (메시아가 온 세상에서) 하느님은 유다의 영광을 드러낼 것이며 바리새 지도자를 따르던 보통 사람들은 그들을 떠나 엣세네에 들어올 것이라는 말이다(여기서 '이스라엘'은 엣세네 공동체를 가리킨다).

'가라지의 비유'를 〈나훔서의 해석〉과 비교해보면 '세상의 끝 시대'는 물론 마지막 시대와 같은 표현이다. '악한 자의 아들들인 가라지'는 음행과 마술로 백성을 팔아먹는 사악한 자들이며 속임과 간계한 입술로 무리를 잘못 인도하는 자들이다. 이러한 가라지는 거짓과 속임으로 토라를 해석하는 부드러운 것을 추구하는 자들이다.

누룩을 왜 조심해야 할까

'부드러운 것'은 누룩이 들어간 빵을 가리킨다. 복음서에 "여러분은 바리새들과 사두개들의 누룩을 조심하고 경계하시오. (중략) 그들은 빵의 누룩이 아니라 바리새들과 사두개들의 가르침을 경계하라는 말인 줄 깨달았다"(마태 16,5~12)라는 단락이나 "여러분은 스스로 바리새들의 누룩을, 곧 그 위선을 조심하시오"(누가 12,1)라는 구절에서 볼 수 있듯이 누룩은 바리새나 사두개의 가르침이 위선적이라는 뜻이다.

바울은 고린도 교회의 교인들에게 비유하여 "여러분은 누룩을 넣지 않은 반죽입니다"라고 말했다.(고린도전서 5,7)(누룩을 넣지 않고 만든 빵인 '무교병'은 유월절에 먹는다. 이집트에서 종살이하던 이스라엘 사람들이 급하게 도망 나온 해방의 역사를 기억하기 위해 집 안에서 누룩이 들어간 빵은 모두 없애고 누룩 없이 만든 빵을 칠 일 동안 먹는다.) '누룩을 넣지 않은 반죽'은 위선적이지 않은 교인을 뜻한다. '부드러운 것을 추구하는 사람들'이 토라를 잘못 가르치고 행한다는 말이다. 엣세네 문헌에서 다음과 같은 구절을 읽어볼 수 있다. "(변절자는) 인간을 웅덩이의 길에 빠지게 하고 사람의 자식들을 부드러운 말로 유혹한다."(《변절자의 유혹》 17) 랍비들의 미드라쉬에서도 누룩의 비유를 읽어볼 수 있다.

"그분이 말했다. 네가 벌거벗었다고 누가 너에게 이야기했느냐?"(창세기 3,11)

레비 랍비는 말했다.

"이것은 누룩을 빌리려고 마술사의 아내에게 찾아간 한 여인에 비유할 수 있다.

그녀는 그녀에게 말했다.

'당신 남편은 당신과 무엇을 합니까?'

그녀는 그녀에게 말했다.

'그는 나와 온갖 좋은 것을 합니다. 그런데 뱀과 전갈로 가득 찬 이 궤짝은 나에게 허락하지 않았습니다.'

그녀는 그녀에게 말했다.

'그의 온갖 값진 것들이 거기에 있으며 그는 다른 여자와 혼인하길 원하고 그것을 그녀에게 줄 것입니다.'

그녀는 어떻게 했을까?

그녀는 그녀의 손을 그 속에 넣었다. 그러자 그것들이 그녀를 물기 시작했다. 그녀의 남편은 (집에) 돌아오자 그녀가 외치는 소리를 들었다. 그는 그녀에게 말했다.

'당신은 이 궤짝을 만졌군요?'

이처럼 찬미 받으시는 거룩하신 분이 처음 아담에게 말했다.

'내가 너에게 먹지 마라고 명령한 그 나무에서 먹었느냐?'(창세기 3,11)"(《창세기 미드라쉬 랍바》 19,10)

마술사의 아내가 그녀에게서 누룩을 빌리려고 온 여인을 빗가게 유도한 비유다. 누룩을 빌리려고 찾아갔다가 마술사 아내의 질문에 오도誤導되어 뱀과 전갈에 물렸다는 이야기다. 그래서 에덴동산 이야기에 하느님이 하지 말라고 명령한 행동을 하는 사람은 이와 같다는 비유다. 예수가 누룩을 조심하라고 말하는 맥락도 이러한 비유에서 이해할 수 있다. 바리새 사람들의 위선을 누룩으로 표현한 것은 하와를 빗가게 유도한 뱀의 의도와도 비교할 수 있다.

〈나훔서의 해석〉과 비교하면 부드러운 것을 추구하는 자들인 에프라임이 바로 누룩이며, 복음서의 '가라지의 비유'와 비교하면 에프라임이 가라지다. 가라지는 어둠의 자식들을 뜻한다. '가라지를 밭에 뿌린 악한 자 사탄'은 에프라임을 잘못 인도하는 지도자들이다. '밀밭에 뿌려진 가라지가 밀과 함께 자라는 것'은 에프라임의 지도자들이 속임과 거짓으로 엣세네 무리를 잘못 인도한다는 말과 상통한다. 밀밭은 무리(공동체)를 가리킨다. 가라지가 잘 자라는 밀을 방해/유혹한다는 말이다. '그의 왕국에서 실패하게 하는 모든 것들'은 에프라임의 지도자들의 조언과 그들의 혀를 뜻한다고 볼 수 있으며, '죄악을 저지르는 자들'은 그들의 가르침을 따른 모든 사람들이다. '그들이 불가마에 떨어진다'는 말은 그들이 사라지고 쓰러진다는 해석과 같은 맥락에서 이해할 수 있다. '의인들은 그들 아버지의 왕국에서 태양처럼 빛날 것이다'라는 말은 유다의 영광이 밝혀질 것이라는 말과 비슷하다. 의인들은 유다의 자손들, 즉 엣세네 지도자들과 같은 낱말로 사용되었다고 본다. 엣세네 지도자들을 의인들이라고 불렀다.

'가라지의 비유'에서 종들이 밀밭에 뿌려진 가라지를 보고 그 주인에게 가라지를 그러모아 버리면 어떻겠냐고 물어보았을 때 주인이 "둘 다 추수까지 자라도록 내버려두라"고 말한 뜻을 이제 파악할 수 있다. 그 까닭은 〈나훔서의 해석〉에서 "유다의 영광이 밝혀질 때에(즉, 추수 때에) 에프라임의 단순한 자들은 그들의 회중에서 피할 것이며 그들은 그들을 잘못 인도한 자들을 떠나 이스라엘에 합세한다"고 해석한 것처럼 가라지가 밀밭에서 밀과 함께 자라 그들 가운데 가라지 따라가는 것도 있고 가라지 가운데 밀을 따라오는 것도 있기 때문이다. '밀은 내 곳간에 모아들이시오'라는 문구에서 '곳간'은 이스라엘 공동체를 가리키는 상징어다. 예수의 입장에서는 '새 언약의 이스라엘'을 뜻한다.

그렇다면 '가라지의 비유'에서 원수는 누구를 가리킬까? 밀밭에 가라지를 뿌린 악한 자가 사탄(방해꾼/유혹자)인데 그를 왜 '원수'라고 불렀을까? 그 해답은 〈나훔서의 해석〉에서 살펴볼 수 있다. "(엣세네) 무리가 그들의 죄를 이해하고 그들을 미워하며 그들이 죄짓고 오만함에 역겨워한다"는 말에서 그 의도를 짐작할 수 있다. 엣세네 사람들 가운데 바리새 지도자들의 성경해석에 혹했던 무리가 마지막 시대 메시아가 와서 그의 올바른 해석을 듣고 바리새들의 죄가 무엇인지를 이해하고 그들의 거짓을 깨닫게 되며 그들이 얼마나 역겨웠는지를 알게 된다는 말이다. 자기들을 잘못 인도했기 때문에 그 지도자들을 원수라고 말한 것일 수 있다. '가라지의 비유'를 〈나훔서의 해석〉과 함께 읽어보면 비유가 이야기하는 보다 많은 정보를 찾아낼 수 있다. 예수가 엣세네의 성경해석에 대한 상당한 지식을 가지고 있었음을 알 수 있다.

(예수가 복음 사업을 시작하기 전에 광야에서 악마에게 시험을 받을 때 그 악마를 물리치며 "당신은 가시오, 사탄이여!"라고 말했다. 예수의 경험에 비추어 보면 가라지의 비유에서 말하는 사탄이 바로 그 악마를 가리키는 것이 아닐까?)

같은 임금을 주는 포도원 주인의 비유 마태 20,1~16

예수는 '첫째가 말째가 되고 말째가 첫째가 된다'는 가르침에 대해 그의 제자들이 좀 다른 각도에서 보다 쉽게 이해할 수 있도록 '포도원 주인의 비유'를 들어 설명했다. 아침부터 일한 사람이나 오후 늦게 와서 일한 사람이 같은 임금을 받아도 될까? 하는 질문에 대한 비유다.

참으로 천국은 자기 포도원에 일꾼들을 고용하려고 아침에 밖으로 나간 어떤 집주인과 비슷합니다. 일꾼들과 하루에 1데나리온을 주기로 합의하고 그들을 자기 포도원으로 보냈습니다.(마태 20,1~2)

그 주인은 아침에 일꾼들을 포도원으로 보냈으며 오후에도 일꾼들을 불러 고용했다. 저녁이 되자 그는 관리인을 불러 품삯을 치르게 했다.

오후 늦게 고용한 사람이나 아침부터 일한 사람들에게 모두 1데나리온씩 주었다. 그러자 아침 일찍부터 시작한 일꾼이 집주인에게 투덜거렸다. 집주인은 그들에게 처음부터 하루 품삯을 1데나리온으로 합의하지 않았느냐고 따지며 맨 나중에 온 일꾼에게도 같은 품삯을 주고 싶다고 말한다. "내가 원하는 대로 나를 위해 전혀 행하지 못합니까? 혹은 내가 선하다는 것에 대해 당신의 눈이 악합니까? 이와 같이 말째들이 첫째들이 되고 첫째들이 말째들이 됩니다. 참으로 많은 이들이 불리지만 선택되는 이들은 적습니다."(마태 20,15~16)

하루에 1시간 일한 사람이나 10시간 일한 사람의 임금이 같다는 것은, 일꾼의 입장에서 보면 이 비유에서도 말하듯이 부당하지 않을까? 그렇다고 임금을 주는 입장에서 보아 비록 이 비유에서 주인이 자기 것을 가지고 자기 마음대로 하는데 무슨 불평이냐고 말하지만 실상 1시간 노동과 10시간 노동을 같이 취급하는 것도 부당하다. 한편, 일꾼의 수준으로 평가하여 당시에도 전문직 종사자가 1시간 일한 임금과 비전문직 종사자가 10시간 일한 임금이 같을 수는 있다. 그러나 예수는 그렇게 설명하지 않고 불평하는 일꾼의 눈이 악하다고 말한다. 왜 그럴 수 있을까?

이 '포도원 주인의 비유'에 나오는 은유적인 낱말들을 토라 학교의 배경(context)에서 아래와 같이 설정하여 그 의미를 찾아볼 수 있다.

포도원 주인 = 천국의 주인

일꾼들 = 선생들,

포도원 주인이 시키는 일 = 토라를 가르치는 일

그렇다면 1데나리온은 선생이 받는 하루 임금이라고 볼 수 있다. 토라를 가르치는 선생들은 그가 몇 명의 학생들을 가르치든지 하느님에게서 받는 보상은 같다는 논리다. 따라서 선생이 하루에 몇 시간을 가르치든지 이 또한 마찬가지다. 초기 유대교 현자의 어록에서 그 논리를 읽어볼 수 있다. 쏘코 사람인 안티게노스는 이렇게 말했다.

> 보상을 받으려고 주인을 모시는 종처럼 되지 마라.
> 오히려 보상을 받으려 하지 않고 주인을 모시는 종이 되어라.
> 하늘의 두려움이 너희 위에 있어라.(《선조들의 어록》 1, 3)

'하늘의 두려움'은 이 문맥에서 하느님을 두려워함을 뜻한다. 하느님의 보상에 차별이 있다고 생각하는 것은 악한 마음이며 하느님을 두려워하는 마음으로 하느님을 섬기라는 가르침이다.

'보상을 받지 않아도 주인을 모시라'는 안티게노스의 가르침은 일꾼이 하루 종일 일하고 주인에게서 임금을 받지 않아도 된다는 말인가? 실상 온전한 종은 하느님에게서 보상을 기대하지만 보상 받는 것을 조건으로 하느님을 섬기지 않아야 한다는 것이다. 이와 비교해볼 만한 미쉬나의 가르침으로 탈무드에 편집된 아래와 같은 단락을 읽어볼 수 있다.

> 《미쉬나》에서 가르친다.
> 일꾼들을 고용하며 그들에게 (일을) 일찍 시작하고 늦게 끝내라고 말하는 자가 만일 일찍 시작하고 늦게 끝내는 것이 그 지역의 관습에 합당하지 않으면 그들에게 강요할 수 없다.
> 일꾼들에게 음식을 주는 것이 관습인 곳에서는 그들을 먹여야 할 의무

가 있다. 그들에게 후식을 주는 것이 관습인 곳에서는 그들에게 후식을 주어야 한다. 모든 것은 그 지역의 관습에 따라간다.

일꾼에게 일한 대가로 임금을 포함하여 음식과 후식을 제공한다는 의무는 고용주가 적어도 고용인의 기본 생활을 보장해야 된다는 논리다. 그러나 의무에는 그 한계가 있다.

(중략)

심온 벤 감리엘 랍반은 말했다.

"이렇게 말하는 것은 불필요하다. 왜냐하면 모든 일에 있어서 누구든 그 지역의 관습에 따라 행하기 때문이다."

감리엘 랍반은 의무의 한계는 관습에서 정해지는 것이며, 따라서 새로운 규례를 정하여 관습에 부합하게 할(즉, 무엇을 음식으로 제공하겠다고 상세히 밝혀 관습에 새로운 규례를 첨부할) 필요가 없다고 반문한다. 사람은 인간이 공존하는 세상에서 그 한계를 넘어가지 않는다고 생각한 것이다.

게마라

이러한 것은 말없이 가지 않는가? 만일 고용주가 높은 임금을 지불해야 되면 그는 일꾼들에게 이렇게 말하려고 생각할 것이다. "나는 여러분이 일찍 시작하고 늦게 끝내는 것을 가정하여 높은 임금을 주기로 동의합니다."

그러므로 우리 본문(미쉬나)은 그들이 그에게 "당신이 우리의 임금을 올려준다면 우리는 일을 더 잘 돌볼 것입니다"라고 그에게 대답한다는 것을 우리에게 가르친다.

여기까지가 심온 랍반의 설명이다. 높은 임금은 추가 노동을 의미하는 것은 당연하다. 여기에서 중요한 점은 일꾼은 협상의 대상이 아니라는 것이다.

(중략)

당신이 원한다면 누구든 이렇게 말할 수 있다.

"고용주가 토라의 법규에 따라 일꾼을 고용한다고 그들에게 말하는 경우에 속한다."[03]

제라 랍은 가르쳤다. (요시 랍이라고도 말한다.)

"이렇게 쓰여 있다. '당신(하느님)께서 어둠을 드리우니 밤이 됩니다.'(시편 104,20) 이것은 어둠과 같은 이 세상이다.

'(밤)에 숲의 온갖 짐승들이 우글거린다.'(시편 104,20) 이것들은 이 세상에서 죄악을 행하는 자들이며 숲의 짐승들과 비교된다.

'태양이 떠오르자 그들(숲의 짐승들)은 모인다.'(시편 104,22) 태양이 하느님의 사람을 위해 떠오를 때에 죄악을 행하는 자들은 지옥으로 물러난다.

'그들은 그들의 보금자리들에 눕는다.'(시편 104,22) 이것은 '그들의 집들'이라고 읽을 수 있다. 이것은 여기에서 이야기하는 하느님의 사람들이다. 자기 품위에 적합한 집을 가지지 않은 하느님의 사람은 없다.

'사람은 자기 일을 하러 나간다.'(시편 104,23) 하느님의 사람은 자기 보상을 받는다.

'저녁때까지 자기 노동을 한다.'(시편 104,23) 그는 어떻게 자기 작업을

저녁때까지 계속하는지 안다."(《바빌로니아 탈무드》, 〈바바 메찌아〉 83a)

고용주가 토라(법규)에 따라 일꾼을 고용하는 법도를 증명하기 위해 인용한 시편 구절(시편 104,22~23)을 보다 더 확실히 해석하도록 시편 104,20부터 해석하여 전체 의미를 찾으려고 한다. 이 세상을 어둠으로 보고, 태양은 빛의 상징으로 정의를 추구하는 심판관으로 묘사한다. 태양이 뜨는 것은 심판관이 하느님을 믿고 따르는 자를 위해 죄인들을 심판하려고 움직이는 모습이다. 하느님의 심판(태양이 떠오름)으로 악인들이 지옥에 들어가 있는 동안 하느님을 따르는 자들은 그들의 성품(노고)에 따라 그에 적합한 집에 거주하게 된다.

여기서 사람은 하느님을 믿는 자로 해석하며 그의 일은 하느님 일이며 그가 일하여 받는 임금이 곧 하느님에게서 받는 보상이다. 따라서 노동은 하느님의 가르침에 따른 것으로 의로우며 거룩하다. 노동은 미덕이다. 하느님을 믿는 자는 이른 아침부터 해가 질 때까지 자기 노동을 끊임없이 해야 하는 이유를 알고 있으며 중간에 게을리하면 그 보상이 무엇인지를 안다. 그렇다고 높은 임금(좋은 보상)을 받기 위해 자기 작업을 더 잘 돌보는(선행을 많이 하는) 것은 아니다. 오히려 자기가 받는 보상[즉, 자기가 받을 집(오는 세상의 몫)]을 위해 자유의지로 저녁까지 계속해야 하는 것을 설명한다.

복음서에서는 '종의 처지'에 관한 비유를 들어 이와 같은 언명을 이야기한다. 종이 지시받은 대로 했다고 하여 주인이 종에게 고맙다고 하겠느냐? 오히려 그러한 일은 당연히 해야 할 일을 했다고 생각하라는 말이다.(누가 17,7~10)

이와 복음서의 '포도원 주인의 비유'를 비교해보면 하루의 품삯이 1데나리온이라고 약속한 포도원 주인이 아침부터 일한 사람에게나 오후 늦게 와서 일한 사람에게 같은 품삯을 준 것은 보상을 받으려고 주인을 모시는 종처럼 되지 말라는 가르침을 말한다. 주인(하느님)을 모시는 일꾼은 많이 일했다고 많은 보상을 받는다고 생각하지 말라는 비유다. 하느님의 공동체에 늦게 들어온 사람들이나 오래된 사람들이 하느님에게서 받는 복은 같다는 뜻이다. 오래되었다고 더 많은 복을 요구하는 것은 악한 눈으로 보는 언행이다.

두 아들의 비유 마태 21,28~32

예수가 성전에 와서 가르치고 있을 때 사제장들과 백성의 원로들이 그에게 다가와 누가 그에게 가르치는 권한을 주었냐고 시비를 걸었다. 예수는 자기가 무슨 권한으로 이런 일을 하는지 말하지 않겠다고 대답을 피했다(9장 〈무슨 권한으로 가르치느냐고 시비를 걸었다〉 참조). 그러고 나서 예수는 "여러분은 어떻게 생각합니까?" 하며 '두 아들의 비유'를 들어 그가 무슨 권한으로 사람들에게 토라를 가르치는지 설명했다.(마태 21,28~32)

어떤 사람에게 두 아들이 있었는데 맏아들한테 포도원에 가서 일하라고 시켰다. 그러자 그는 싫다고 대답했지만 나중에 뉘우치고 일하러 갔다. 아버지가 다른 아들에게도 같은 말을 하자 그는 "예" 하고 대답하고는 일하러 가지 않았다. 예수는 사제장들과 원로들에게 그 둘 가운데 누가 아버지의 뜻을 행했느냐고 물었다. 그들은 "맏아들"이라고 말했다. 그러자 예수는 세리들과 창녀들이 그들보다 먼저 하느님의 왕국에 들어간다고 말했다. 세례자 요한이 사람들에게 '선행善行(의로움/자선)의 길'에 대해 말하려고 왔을 때 세리들과 창녀들은 그의 말을 믿었지만 사제장들이나 바리새들은 예수가 불구자들을 고쳐주는 것을 보고도 요한이 한 말을 믿지 않았으며 끝내 뉘우치지도 않았기 때문이라고 예수는 말했다.

세례자 요한의 말은 많은 바리새들과 사두개들이 그에게 세례를 받으러 왔을 때 그들에게 한 다음과 같은 내용이다. "나는 회개시키려고 여러분에게 물로 세례를 줍니다. 그러나 내 뒤에 오는 분은 나보다 더 굳건합니다⋯. 그는 거룩하신 분의 영과 불로 세례를 줄 것입니다."(마태 3,11) 요한이 예고한 사람은 메시아 예수며 그가 '거룩하신 분의 영'으로 세례를 베푸는 권한이 하느님에게서 온다는 뜻이다. 그들의 질문에 우회적으로 대답한 것이다. '두 아들의 비유'에서 맏아들이 뉘우치고 아버지의 말을 따른 것은 세리들과 창녀들을 가리키며, 다른 아들은 사두개들과 바리새들이라는 뜻이다. 토라를 배우고 행하라는 하느님의 명령을 싫다고 하여 죄를 지은 사람들이 나중에 뉘우치고 하느님의 말을 믿고 행했기 때문에 하느님의 왕국에 들어갈 수 있지만 처음에 토라를 배우고 행하겠다고 "네, 주님" 하며 약속을 했으나 끝내 그렇게 하지 않은 사두개들과 바리새들은 하느님의 왕국에 들어가지 못한다는 것이다. (바리새 랍비들이나 사두개 사제장들이 하느님의 권한이 자기에게도 있다고 말하는 예수에게 얼마나 많은 적개심을 품었을까?)

포도원 소작인들의 비유 마태 21,33~45

사제장들과 바리새들이 '두 아들의 비유'를 이해하지 못했는지 아니면 좀 더 확실한 비유를 들려주고 싶어서인지 예수는 '포도원 소작인들의 비유'를 들어 더 설명했다. 그는 이사야서에 나오는 '포도원의 노래'를 인용하며 그 비유를 이야기했다.

> 집주인 한 사람이 있었습니다. "그는 포도원을 가꾸고 울타리를 둘러치고 거기에 확을 파고 망대를 세웠습니다."(이사야 5,2)(마태 21,33)

집주인은 이렇게 포도원을 만들고 이를 소작인들에게 도지로 내어주고 나서 떠나 있었다. 열매를 거둘 철이 다가오자 그 소출을 받으려고 주인은 종들을 포도원 농부들에게 보냈다. 그런데 그들은 종들을 죽였고 끝내 소출을 받으러 온 집주인의 아들까지 포도원 밖으로 쫓아내어 죽였다. 여기서 예수는 묻는다. "포도원 주인이 그곳에 온다면 그가 그 농부들을 어떻게 하겠습니까?" 이야기를 듣고 있던 바리새들은 그가 그들을 없애버리고 소출을 제때에 줄 수 있는 다른 소작인들에게 내어줄 것이라고 대답한다. 그러자 예수는 이렇게 말한다.

> "건축자들이 가벼이 여기는 돌이 모퉁이의 머리가 되었다. YHWH에 의해 이것(모퉁이)이 되었다. 이는 우리 눈에 놀라움이다."(시편 118,22~23)
>
> 그러므로 나는 여러분에게 말합니다. 여러분에게서 하느님의 왕국은 빼앗기고 소출을 행하는 백성에게 주어질 것입니다. 그 돌 위에 떨어지는 자는 부스러질 것이고 그 돌이 누구 위에 떨어지면 그를 으스러뜨릴 것입니다.(마태 21,43~44)

'포도원 소작인들의 비유'에서 집주인은 하느님을, 포도원은 이스라엘을, 소작인들은 바리새들과 사두개들을 말한다. 집주인의 종들은 예언자들, 집주인의 아들은 메시아를 가리킨다. 이 비유에 대한 예수의 해석을 들은 사제장들과 바리새들은 그 비유가 자기들을 가리켜 말한 것을 알았다. 그들은 그를 붙잡으려고 요청했으나 예수의 무리들을 두려워했다. 그들이 예수를 예언자로 생각했기 때문이다.

'포도원 소작인들의 비유'의 마지막 단계에서 '건축자들이 가벼이 여기는 돌'이라는 구절이 인용되는 이유는, 비유의 첫머리에 인용된 구절에서 포도원에 세운 망대가 '모퉁이의 머리', 즉 성벽 모퉁이에 쌓아 올린 망루를 가리킨다고 해석했기 때문이다.

'건축자들이 가벼이 여기는 돌이 모퉁이의 머리가 되었다'고 옮긴 문구는 흔히 '건축자들이 버린 돌이 모퉁이의 머릿돌이 되었다'고 번역한다. '머릿돌'이라고 번역한 단어는 글자 그대로 '머리(로쉬)'다. 머릿돌이라고 유추하는 이유는 버린 돌이 모퉁이의 머리가 되었기에 머릿돌로 이해하여 그렇게 번역한 것이다. '모퉁이의 머리(로쉬 피나)'를 '에벤 피나(모퉁이의 돌, 주춧돌)로 쉽게 유추할 수 있다. 일단 '모퉁이의 머릿돌'로 번역하기 때문에, 그것을 다름 아닌 주춧돌로 여기고 거기에서 확장된 갖가지 설명이 생겨난다.

그러나 건축자들이 경시하는 돌들이 모퉁이의 머리가 되었다는 이야기는 사람들이 하찮게 여기는(건축자재로 사용되지 않는) 돌들로, 성벽 모퉁이에 높이 쌓아 망루를 만들어 성벽의 머리가 되었다는 말이다. 이 문구는 기원전 712년경 유다의 왕 히즈키야가 아시리아 군대에 대항하는 방어책으로 성벽 보수 공사를 하면서 성벽 모퉁이에 높은 망루를 짓고 파수꾼을 두어 성 밖의 동태를 살피는 초소로 만들었다는 역사적 사건을 이야기한다.

보라, 내YHWH가 시온에 편제를 만들겠다.

돌로 귀중한 모퉁이의 망루를 세울 것이다.

믿는 이는 두려워하지 않을 것이다.

(중략)

침대는 짧아서 눕지 못하고

이불은 좁아서 펴지 못한다.(이사야 28,16~20)

시온은 예루살렘을 가리킨다. 예루살렘에 전쟁 편제編制인 파수꾼을 만들고 성벽 '모퉁이'에 망루를 세워 그곳에 그들을 배치했다는 말이다. 그리고 침대나 이불을 펴고 누울 수 없다는 것은 망루가 좁은 공간임을 역력히 보여준다. '모퉁이의 망루'를 '모퉁이의 머리'라고 은유적으로 표현한 것이다. 시편에 인용된 '건축자들이 가벼이 여기는…' 단락을 위의 이사야서와 비교하여 다시 읽어볼 수 있다.

건축자들이 가벼이 여기는 돌이 모퉁이의 머리가 되었다.

YHWH로 인해 이것이 되었고

이는 우리의 눈에 놀라움이다.

그것은 오늘 YHWH가 만들었고

우리는 즐거워하고 그것에 기뻐하자.

제발 YHWH여, 구원하소서.

제발 YHWH여, 우리를 구하여주소서.(시편 118,22~25)

'이것'으로 번역한 여성형 지시대명사는 여성형 명사 '모퉁이(피나)'를 가리키며, '그것'으로 번역한 남성형 지시대명사와 전치사구는 '머리/망루'를 뜻한다. YHWH 하느님의 도움으로 성벽의 모퉁이가 보수되고 망루가 만들어졌으니, 아시리아 군대가 침입할 때에 우리들을 구원해달라고 호소하는 기도다.

예수도 '포도원 소작인의 비유'에서 이렇게 이해했다. 그래서 "하느님은 포도원을 가꾸고 (…) 망대를 세웠습니다"라고 이사야서를 인용하며 그 망대는 모퉁이의 머리가 되었다고 말한 것이다. 집주인이 가꾼 포도원에서 열매를 거두어들여 집주인에게 소출을 드릴 농부들이 포도원의 망대에 올라 파수꾼 노릇을 신실히 행하여 앞으로 집주인이 보내는 종들을 미리 알아보고 제때에 소출을 준비할 것이라는 이야기다. 옛세네 문헌에 농원과 모퉁잇돌을 주제로 설명하는 단락이 나온다.

> 이스라엘의 거룩한 집은 영원한 농원에 있으며 거룩하고 거룩한 곳의 비밀은 아론에 있다. 그들은 (하느님의) 심판에 진리의 증인들이며 이 땅을 위해 속죄하기를 원하는 선택된 자들이다. 그들의 보상은 사악한 자들을 돌이키는 것이다. "그것은 시험 받는 방벽防壁이며 귀중한 모퉁잇돌이다."(이사야 28,16)
> 그 기반은 흔들리지 않을 것이며 그 자리에서 기울지 않는다. 아론에게 거룩하고 거룩한 곳의 거주지가 있으며 공의의 언약에 모든 지식으로 좋은 향내 나는 향기를 제단에 바친다.
> 이스라엘에 온전함과 진리의 집이 있으며 영원한 법칙들에 따른 언약을 세운다. 이 땅을 위해 속죄하기를 원하며 사악한 판단을 잘라버리고 거짓이 없을 것이다.(《새 언약의 규례》 viii,8~10)

'이스라엘의 거룩한 집'은 옛세네 공동체를 뜻한다. '농원'은 '포도원'과 같은 은유적 표현이다. '거룩한 곳'은 성전을 가리킨다. '아론'은 대사제로서의 메시아를 뜻한다. '귀중한 모퉁잇돌'의 인용구는 신약성 경에서도 읽을 수 있다. "여러분은 사도들과 예언자들의 기초 위에 건 물을 세웠으며 메시아 예수는 건물의 모퉁잇돌입니다."(에페소 2,20) "그 러므로 그 돌이 믿는 여러분에게는 값진 것이며 믿지 않는 자들에게는 집 짓는 사람들이 버린 그 돌이 모퉁이의 머릿돌이 되어 곧 부딪치는 돌입니다."(베드로전서 2,7) 메시아 예수가 귀중한 모퉁이의 머릿돌이 되어 이 땅을 위해 속죄할 것이라고 이해할 수 있다.

"그 기반은 흔들리지 않을 것이며." 이 문구는 이사야 26,16의 후반 구절인 "믿는 이는 두려워하지 않는다"에 대한 해석이다. 여기에 대한 베드로의 해석에 나온다. "여러분은 선택된 식구이며 왕권에 대한 사제 권을 지녔고 거룩한 백성이며 속량된 공동체입니다. 그래서 어둠에서 그분의 놀라운 빛으로 여러분을 부르신 분의 칭송을 여러분은 선포할 것입니다."(베드로전서 2,9) 이처럼 '포도원 소작인들의 비유'뿐 아니라 베드로와 바울의 편지에서도 엣세네의 규례에 나오는 핵심 문구들을 읽을 수 있다.

'포도원 소작인들의 비유'에 대한 예수의 해석을 들은 바리새들과 사두개들은 매우 언짢아했으며 그를 붙잡아 모독죄로 산헤드린에 고소 하려고 했으나 군중이 두려워 그 자리를 떠났다고 전한다. 그들은 기회 만 되면 예수를 붙잡아 심판대에 세우려고 호시탐탐했다.

왕의 아들 혼인 잔치의 비유 마태 22,1~14

'포도원 소작인들의 비유'에 이어 예수는 '왕의 아들 혼인 잔치의 비유'를 들어 혼인 잔치에 선택되는 사람들은 얼마 되지 않다고 이야기 한다. 천국은 자기 아들의 혼인 잔치를 베푼 어떤 왕과 같다며 비유를 말한다. 왕은 종들을 보내 사람들을 혼인 잔치에 초대했다. 그러나 어떤 이는 자기 밭으로 가고 다른 이는 자기 가게로 갔다. 나머지 사람들은 그 종들을 붙잡아 욕하고 죽였다. 화가 난 왕은 군대를 보내 그 살인자들을 없애고 그들의 고을을 불살라버렸다. 혼인 잔치에 초대 받은 자들이 자격이 없다고 왕은 말하며 종들에게 네거리로 나가 만나는 사람들을 초대하라고 지시한다. 잔칫집은 악한 자들과 선한 자들로 가득 찼다. 왕은 손님들을 보려고 들어갔다가 거기서 혼인 잔치 예복을 입지 않은 사람을 보았다. 왕은 그에게 말했다. "친구, 여기에 어떻게 들어왔소. 혼인 잔치 의복이 없소?" 그는 말문이 막혔다. 그때 왕은 시중꾼들에게 "그의 손발을 묶어 바깥 어둠 속으로 쫓아내라"고 말했다. 예수는 이렇게 말한다. "참으로 부름을 받은 사람들은 많지만 뽑힌 사람은 적습니다."(마태 22,14)

아들의 혼인 잔치에 아무나 만나는 사람들을 초대하라고 했는데 의복을 갖추어 입지 않았다고 쫓아내는 이유가 무엇일까? 많은 사람들이 하느님에게서 부름을 받지만 실상 선택되는 사람은 적다는 말이겠다. 이 '혼인 잔치의 비유'는 《잠언 미드라쉬》에 편집된 아래와 같은 잔치의 비유와 비교해볼 수 있다.

제이라 랍비는 말했다.[04]
"미래에 찬미 받으시는 거룩하신 분이 사악한 자들에 대해 그들을 어떻게 합니까? 미래에 그분은 그들에게 이렇게 말한다.
'사악한 자들아, 너희는 너희 힘으로 헛것을 위해 애썼다. 너희는 토라와 선행에 열중하지 않았으며 내 세상에서 즐거움이 없는 빈 그릇처럼 살았다. 그러니 나는 너희에게 즐거움이 없다. 그들이 세상을 떠나 그냥 갈 것 같으냐? 아니다. 그들은 의인들의 기쁨을 볼 것이며 그런 다음에 지옥에서 심판 받을 것이다.'

잔치를 베푸는 왕의 비유를 들겠다.

왕은 잔치에 모든 사람들을 초청했으나 그때를 정해놓지는 않았다. 왕의 말을 존중한 이들은 가서 목욕을 하고 기름을 발랐다. 그리고 그들은 옷을 세탁하고 그 스스로 잔치에 참석하기 위해 준비했다. 그러나 왕의 말을 존중하지 않은 이들은 가서 그들의 일을 했다. 잔칫날이 오자 왕은 '모두 곧바로 오시오'라고 말했다.

이들은 영광스럽게 왔으나 그들은 수치스럽게 왔다.

왕은 말했다.

'내 잔치에 스스로 준비한 이들은 내 잔치에서 먹을 수 있지만 내 잔치에 스스로 준비하지 않은 이들은 내 잔치에서 먹을 수 없습니다.'

그렇다면 그들이 그곳을 떠나 그냥 갈 것 같은가?

왕은 말했다.

'아닙니다. 이들은 먹고 마시며 기뻐하지만 그들은 두 발로 서서 괴로워하고 스스로 미안한 것을 보고 있을 것입니다.'

이렇게 말한다. '그러므로 주 하느님이 이렇게 말한다. 보라, 내 종들은 먹겠지만 너희는 굶주릴 것이다. 보라, 내 종들은 마시겠지만 너희는 목마를 것이다. 보라, 내 종들은 기뻐하겠지만 너희는 수치스러워할 것이다. 보라, 내 종들은 좋은 마음으로 환호하겠지만 너희는 아픈 마음으로 울부짖으며 넋이 부서져 통곡할 것이다.'(이사야 65,13~14)

무엇이 그들을 그렇게 만들었을까?

그들은 왕의 말을 존중하지 않았기 때문이다. 그들에 대해 솔로몬은 그의 지혜로 이렇게 풀이하여 말했다. '사람 앞에 올바른 길이 있어도 그 마지막은 죽음의 길이다.'(잠언 16,25)

'사람 앞에 올바른 길.' 이것은 찬미 받으시는 거룩하신 분의 말을 존중하는 이들을 말한다.

'그 마지막은 죽음의 길이다.' 이것은 찬미 받으시는 거룩하신 분의 말을 존중하지 않는 이들을 말한다."(《잠언 미드라쉬》 16,11)

제이라 랍비의 '잔치 비유'에서 왕은 하느님을, 잔치는 천국을 뜻한다. 잔치에 초대 받아서 먹을 수 있는 사람들은 하느님의 말을 존중하여 스스로 토라를 공부한 의인들이고, 초대 받았으나 수치스러워서 먹을 수 없는 이들은 토라의 중요성을 경시하고 준비하지 않은 사람들이다. 그들은 잔치에서 구경만 하다가 괴로워하며 떠나는 사람들이다.

이와 같은 비유를 '왕의 아들 혼인 잔치의 비유'와 비교해보면 잔치 예복을 입은 사람은 하느님의 말을 존중하여 스스로 준비한 의로운 사람들을 가리킨다. 그들은 혼인 잔치에서 먹고 마시며 즐거워한다. 그러나 잔치 예복을 입지 않은 사람은 하느님의 말을 존중하지 않아 토라에 관심이 없는 사람들이다. 토라를 배우지 않고 하느님의 잔치에 참석하려는 것은 도리가 아니다. 천국의 잔치에 어울리지 않는다. 그래서 그런 부류의 사람들은 밖으로 내보내라는 말이다. 예수는 천국의 잔치에 초대 받아도 어울리지 않는 부류의 사람들이 바리새들이나 사두개들이라고 지목했다.

달란트의 비유 마태25,14~30

'달란트의 비유'에도 '왕의 아들 혼인 잔치의 비유'처럼 '어둠 속으로 쫓아내라'는 말이 나온다. 한 주인이 자기 종들에게 그들의 능력대로 한 사람에게는 다섯 달란트를, 다른 사람에게는 두 달란트를, 또 다른 이에게는 한 달란트를 맡기고 여행을 떠났다. 그들 가운데 주인에게서 받은 돈을 활용하여 돈을 더 번 사람도 있지만 한 달란트를 받은 종은 자기가 받은 돈을 땅에 숨겼다. 세월이 지나 주인이 돌아왔다. 그는 자기가 맡긴 돈으로 더 벌은 종들에게 '잘했다'고 칭찬했지만 돈을 숨겼다가 그대로 가져온 종에게는 '악하고 게으른 종'이라며 꾸짖고는 그를 바깥 어둠 속으로 쫓아냈다. 돈을 간직했다가 다시 돌려준 종에게 왜 악하고 게으르다며 밖으로 쫓아냈을까?

위에서 읽은 《잠언 미드라쉬》의 같은 단락에 나오는 '과수원 주인의 비유'에서 그 해답을 찾아볼 수 있다.

> "공정한 추와 저울은 주님YHWH의 것이고 주머니의 돌 저울추는 그분의 행하심이다."(잠언 16,11)
>
> '추.' 이것은 토라다.
>
> '저울.' 이것들은 (랍비들의) 판례다.
>
> '주님의 것.' 이것들은 법도(할라카)다.
>
> '주머니의 돌 저울추는 그분의 행하심이다.' 이것은 탈무드다.
>
> 이것들을 행한 자들은 오는 미래에 자기 보수를 받을 것이다.
>
> 갈릴리 사람 요세 랍비는 말했다.
>
> "이것은 큰 과수원을 가진 살과 피의 왕에게 비유할 수 있다. 왕은 과수원 가운데에 높은 망대를 세웠으며 그 가운데 정원이 있다는 것을 보

여주었다. 그는 일꾼들을 고용하여 작업에 열중하도록 임무를 주었다. (아침에) 왕은 일어나서 망대 꼭대기로 올라갔다. 그래서 그는 그들을 볼 수 있고 그들은 그를 볼 수 없었다. 이렇게 말한다. '그러나 주님은 그분의 거룩한 궁전에 계신다. 온 땅은 그분 앞에서 조용히 해라.'(하박국 2,20)

날이 저물자 왕은 내려와서 판가름을 하려고 그들 앞에 서서 말했다. '괭이질한 이들은 나와서 임금을 가져가시오. 쟁기질한 이들은 나와서 임금을 가져가시오. 잡초를 뽑은 이들은 나와서 임금을 가져가시오.' 이렇게 하여 그 가운데에 작업에 열중하지 않은 일꾼들이 남게 되었다. 왕은 말했다.

'이들은 무엇을 했는가?'

그들은 그에게 말했다.

'우리는 가득 찬 그릇을 빈 그릇 속에 비워놓았습니다.'

왕은 말했다.

'가득 찬 그릇을 빈 그릇 속에 비워놓은 그들에게 내가 무슨 호감을 가지겠느냐?'

왕은 덧붙여 말했다.

'내 작업에 열중한 이들은 그 보수를 받을 것이지만, 내 작업에 열중하지 않은 이들은 내보내어서 내 말에 반동한 것으로 처형당할 것이다.' 그러므로 찬미 받으시는 거룩하신 분은 그분의 세상을 만들어내고 사람을 그 가운데 놓았으며 그들에게 토라와 계명들과 선행에 열중하라고 명령했다. 그리고는 그분의 쉐키나(현존)가 하늘에 자리 잡게 하고 거기에서 그분은 그들을 보지만 그들은 그분을 보지 못한다. 오는 미래에 찬미 받으시는 거룩하신 분은 심판대에 앉아 말할 것이다.

'누구든 토라에 열중한 이는 나와서 그 보수를 가져가라.'

이렇게 말한다. '수를 세는 이는 어디에 있을까? 무게를 재는 이는 어디에 있을까? 망대들을 세는 이는 어디에 있을까?'(이사야 33,18)

'수를 세는 이'는 누구인가?

이들은 하늘의 하느님을 위해 어린이들을 가르치는 이들이다. 그들은 와서 그 보수를 가져갈 것이다.

'무게를 재는 이'는 누구인가?

이들은 가벼운 것과 무거운 것을 재는 이들이다. 그들은 와서 그 보수를 가져갈 것이다.

'망대들을 세는 이'는 누구인가?

이것은 법도(할라카)와 아가다를 배우는 이들이다. 그들은 와서 그 보수를 가져갈 것이다."(《잠언 미드라쉬》 16,11)

'과수원의 비유'에서 왕은 하느님을, 큰 과수원은 이스라엘을, 정원은 토라 학교를, 일꾼들은 토라를 공부하는 학생들을 뜻한다. 토라를 열심히 공부한 학생들은 그에 합당한 보수를 받겠지만 공부를 게을리한 사람들은 학교에서 쫓겨난다는 이야기다. [가벼운 것과 무거운 것을 재는 것은 성경해석의 한 방법으로 가벼운 계명을 지킴으로써 무거운 계명을 지킬 수 있게 무엇이 가벼운 것인지를 논리적으로 설명하는 것이다. 복음서의 예로, "하늘의 새를 쳐다보시오. 누구도 씨를 뿌리지 않고 아무도 추수하지 않으며 곳간에 모아들이지 않습니다. 하늘에 있는 여러분의 아버지가 그것들을 먹여 살립니다. 여러분은 그것들보다 더 중요하지 않습니까?"(마태 6,26) 사람이 새들보다 더 귀하다는 말이 아니라, 새들도 하늘의 법칙에 따라 쉽게(가볍게) 사는데 사람이 사는 세상은 새들보다 더 어렵기(무겁기) 때문에 거짓말을 하지 않아야 하는 등 더 중요한 계명을 지켜야 한다는 뜻이다.]

'달란트의 비유'와 '과수원의 비유'를 비교해보면 여행을 떠났다 돌아온 주인은 선생이고 종들은 제자들이다. 주인의 재산은 토라에 대한 지식이다. 선생이 여행을 떠난 동안 자기 제자들에게 능력대로 수준에 맞는 사람들끼리 서로 배워서 토라의 지식을 늘려보라고 한 것이다. (다섯 달란트를 받은 종은 5년 된 학생 정도로 볼 수 있으며 괭이질을 한 일꾼과, 그리고 두 달란트 받은 종은 쟁기질을 한 일꾼과 비교해볼 수 있다.) 그러나 비록 낮은 학년(한 달란트를 받은 종)이라고 해도 스스로 동료들과 함께 배울 마음 없이 그냥 시간만 허비한다면 그 학생은 토라를 공부할 만한 적성을 가지고 있지 않다. 그래서 그를 학교에서 쫓아내는 것이 마땅하다. 이런 학생은 가득 찬 그릇을 빈 그릇 속에 그냥 옮겨 담아놓는 사람, 즉 하느님의 가르침을 배우는 공부에 게으른 사람이다.

하느님이 세상 처음에 사람을 만든 이유는 그들이 토라(하느님의 가르침)를 배우고 계명을 지키며 의로운 선행을 할 것을 기대했기 때문이다. 그래서 하느님은 하느님의 현존(쉐키나)을 포도원의 망루에 올라가게 하여 그곳에서 사람들을 지켜보도록 한 것이라는 이야기다('쉐키나'는 '거룩하신 분의 영'과 비슷한 뜻이다).

'과수원의 비유'는 메시아 예수가 '거룩하신 분의 영과 불'로 세례를 베풀 것이라는 세례자 요한의 말과 조응한다. 쉐키나는 과수원의 망루에 앉아서 사람들의 잘잘못을 보고 그들을 심판하여 죄인들은 어둠으로 쫓아낸다는 뜻이다. 어둠은 지옥을 가리키며 지옥에 떨어지는 것은 지옥의 불에 빠진다는 뜻이다. 그래서 세례자 요한은 메시아가 거룩한 분의 영과 불로 세례를 준다고 말하며 이렇게 부연한다. "그는 손에

키를 들고 타작 마당의 곡식을 깨끗이 가려 밀은 곳간에 모아들이고 쭉정이는 꺼지지 않는 불에 태울 것입니다."(마태 3,12) '밀'은 토라에 열정적인 학생들을, '곳간'은 공동체를, '쭉정이'는 토라 공부에 게으른 학생들을 뜻한다. 예수의 성경해석에 관심이 없는(게으른) 사람들은 어둠 속으로 쫓겨난다는 이야기다.

09

예루살렘 입성에서
최후 만찬까지

예수는 마지막 시대의 메시아로서 새끼 나귀를 타고 예루살렘에 입성하고자 했다. 예수는 그의 제자들에게 이렇게 말했다.

여러분의 맞은편에 있는 그 마을로 가시오. 곧, 매여 있는 암나귀와 그 곁에 있는 새끼 나귀를 볼 것입니다. 풀어서 나에게 데려오시오.(마태 21,2)

다윗의 아들 메시아 예수는 군중들이 환호하는 가운데 새끼 나귀를 타고 다윗의 도시 예루살렘에 들어왔다. 이는 '보아라, 네 왕이 너에게 온다. 그분은 의롭고 구원 받았으며 그분은 겸손하여 나귀를, 망아지와 새끼 나귀를 타고 (온다)'(스가랴 9,9)는 고대 이스라엘 전승이 이루어지게 하려는 것이었다.

제자들이 암나귀와 새끼 나귀를 끌고 와서 새끼 나귀 위에 그들의 겉옷을 얹었다. 예수는 그 위에 올라탔다.

(중략)

그 앞에 가는 무리와 그 뒤를 따라오는 이들이 외쳐 말했다.

"호산나(구원하소서), 다윗의 아들께!

주님의 이름으로 오는 이는 복 받으소서,

호산나(구원하소서), 지극히 높은 곳에서!"

그분이 예루살렘에 들어가자 온 도시는 술렁거리며 "이분이 누구냐?"고 물었

다. 그러자 군중들이 "이분은 갈릴리 출신 예언자 예수입니다" 하고 말했다.(마

태 21,7~11)

왜 새끼 나귀를 타고 예루살렘으로 들어갔을까 마태21,7~11

한편, 마지막 시대의 메시아는 하늘의 구름을 타고 온다는 전승도 있다. 예수는 이렇게 말했다.

> 그 고난의 날들이 지난 뒤에 즉시 해는 어두워지고 달은 빛을 내지 않으며 별들은 하늘에서 떨어지고 하늘의 군대들은 흔들릴 것입니다. 그러면 하늘에 아담의 아들의 표징이 나타날 것입니다. 그러면 땅의 모든 가족들은 가슴을 치며 용맹과 큰 영광과 함께 하늘의 구름 위에 (타고) 오는 아담의 아들을 볼 것입니다.(마태 24,29~30)

아담의 아들이 구름을 타고 온다는 말은 예수가 산헤드린에서도 밝힌 바 있다. "이제부터 여러분은 전능하신 분의 오른편에 앉아 있는 아담의 아들을 볼 것입니다. 그리고 그는 하늘의 구름 위에 옵니다."(마태 26,64) '아담의 아들이 하늘의 구름 위에 올라타고 온다'는 말은 다니엘서 7,13의 문장을 옮긴 것이다.

이처럼 히브리 성경의 전통에 따르면 마지막 시대에 메시아는 새끼 나귀를 타고 온다는 것과 구름 위에 타고 온다는 두 가지 전승이 있다. 초기 유대교 해설자들은 이런 모순을 아래와 같이 해결했다.

> 알렉산드리 랍비는 말했다.
> "예호슈아 랍비가 두 구절을 서로 대비하게 놓았다. 이렇게 쓰여 있다. '보아라, 인간의 아들 같은 이가 하늘의 구름을 타고 오는 것을 볼 것이다.'(다니엘 7,13) 반면 이렇게 쓰여 있다. '보시오, 당신의 왕이 겸손하여 나귀를 타고 너에게 온다.'(스가랴 9,9)"

[그는 이 모순을 아래와 같이 해결했다.]

만일 그들이 (메시아를) 받아들일 만하면 하늘의 구름을 타고 오며 그렇지 않으면 나귀를 타고 온다.(《바빌로니아 탈무드》, 〈산헤드린〉 98a)

이에 비추어 복음서의 내용을 해석하면 예수가 새끼 나귀를 타고 예루살렘에 들어올 때 사람들이 "다윗의 아들, 호산나!" 하고 외치며 예수의 입성을 메시아의 출현으로 맞이했지만 이것은 모든 이스라엘 백성이 그렇게 믿은 것이 아니다. 그를 반갑게 맞이한 사람들은 예수를 따르던 무리였고 나머지는 반신반의했다. 그래서 "이분이 누구냐?"고 물어보자 군중들이 "이분은 갈릴리 출신 예언자 예수입니다" 하고 말했다.(마태 21,11) 대부분의 사람들은 그를 메시아로 여긴 것이 아니라는 뜻이다.

예수가 마지막 시대의 메시아로 받아들여질 수 있는 이벤트는 '하늘의 구름'을 타고 와야 했다. 이 문제는 산헤드린에서 가야파 대사제가 예수를 심문하면서 쟁점으로 떠오른다. 그는 그에게 이렇게 말한다. "살아 있는 하느님을 두고 당신에게 맹세시키거니와 당신이 하느님의 아들 메시아인지 우리에게 말하시오."(마태 26,63) 그러자 예수는 "당신이 말했습니다"라고 대답하며 드디어 메시아 출현의 두 번째 문장("그는 하늘의 구름 위에 올라타고 옵니다")을 인용하여 자신이 오는 세상의 메시아임을 밝혔다. 그러나 실제 사건으로 예수가 하늘의 구름 위에 타고 이 세상에 오는 장면은 없다. 오히려 그가 하늘의 구름에 싸여 하늘로 올라가는 사건만이 생겼을 뿐이다. 부활한 예수가 올리브 산 꼭대기에서 사라지는 광경을 이렇게 묘사했다.

예수가 이런 말들을 했을 때 그는 올려갔다. 그들이 그를 보고 있었으며 구름이 그를 받아들이고 그들의 눈에서 사라졌다. 그들이 하늘을 쳐다보았을 때에 그는 멀어져갔다. 그들 옆에 두 사람이 있었는데 그들은 흰 옷을 입고 있었다. 그들이 그들에게 말했다.

"갈릴리 사람들이여, 여러분은 왜 서 있으면서 하늘을 쳐다봅니까? 여러분으로부터 (떠나) 하늘로 올려간 이 예수가 하늘로 올라간 것을 여러분이 본 것처럼 그렇게 올 것입니다."(사도행전 1,9~11)

흰 옷을 입고 있는 두 사람은 천사들이겠다. 예수가 구름을 타고 하늘로 올라간 것처럼 그렇게 온다는 말이다. 이 이야기를 기준으로 보면 메시아를 받아들이는 마지막 시대의 시작은 예수가 하늘의 구름 위에 타고 오는 그때일 것이다. 두 천사들의 약속은 일주일 뒤 오순절에서 이루어진다.

칠칠절이 다 되자 모두 하나 되어 모여들었을 때였다. 갑자기 세찬 바람이 부는 듯이 하늘에서 소리가 났으며 그곳에 그들이 앉아 있는 온 집을 가득 채웠다. 불(길)처럼 갈라지는 혀들이 그들에게 나타났으며 그들 하나하나 위에 놓였다.

모두 거룩하신 분의 영(바람)으로 가득 찼으며 그들은 영이 그들에게 일러주는 대로 그들 지방의 언어로 말하기 시작했다.(사도행전 2,1~4)

거룩하신 분의 영은 예수의 현존(쉐키나)을 뜻한다. 이 장면을 극적 상상력으로 읽어보면 예수의 현존이 세찬 바람 소리와 함께 타오르는 불길처럼 나타나 그 집에 모인 신도들 위에 내려앉았다. 예수가 마지막 시대의 메시아로 확인될 수 있는 길은 그가 구름을 타고 오는 모습을 믿는 이들에게 보여야 한다. 세찬 바람에 몰려오는 구름에서 나오는 소리를 불길처럼 갈라지는 혀들이라고 표현한 것이 아닐까? 아래와 같은 미드라쉬에서 바람과 타오르는 불이 천사를 뜻한다는 해석을 찾아볼 수 있다.

> 천사들은 언제 만들어졌을까?
> 요하난 랍비는 말했다.[01]
> "천사들은 이튿날에 만들어졌다. 이렇게 쓰여 있다. '물에 그분의 누각의 들보를 얹고 구름을 그분의 수레로 삼으며 바람의 날개들 위에 (타고) 돌아다니는 분(하느님).'(시편 104,3) 그리고 이렇게 쓰여 있다. '그분은 바람들을 그분의 천사들로 만들고 타오르는 불을 그분의 시종으로.'(시편 104,4)"

히브리 성경에 천사들이 종종 나온다(예를 들면 다니엘서). 그러나 그들이 언제, 어떻게 만들어졌는지는 언급이 없다. 따라서 랍비들은 이 문제를 설명하기 위해 성경에서 유추할 만한 문구를 찾는 데 고심했다.

물에 누각의 들보를 놓고 구름을 수레처럼 타고 다니는 것은 창조 이튿날 물 사이에 창공이 생기고 위쪽 창공을 하늘로 만든 것을 표현한다. 하느님이 하늘에서 바람의 날개들 위에 타고 다니는데 그 바람들이 바로 천사들이다. 따라서 하늘과 땅을 오가며 날아다니는 천사들이 창조 이튿날에 만들어졌다는 논리다. 천사와 시종은 병행하는 낱말이다. 하느님의 천사는 하느님의 시종이라는 뜻이다. 따라서 바람과 불도 병행하는 낱말이다. 타오르는 불은 하느님의 영역을 수호하는 천사로 설명하는 것이다.

예를 들어, 에덴동산 이야기에서 하느님이 아담과 그의 아내를 에덴동산에서 쫓아내고 "에덴동산 동쪽에 생명나무로 가는 길을 지키기 위해 크룹(수호신상)들과 번쩍거리는 칼 (같은) 불길을 세웠다."(창세기 3,24) '칼'이 무슨 뜻인가에 대해 창세기 미드라쉬에서 "그분의 시종들은 타오르는 불이다"(시편 104,4)라고 해석한다. 활활 타오르는 불길을 번쩍거리는 칼로 묘사했다는 해석이다. 에덴동산 입구에 크룹들과 천사들을 세워놓았다는 말이다(크룹에 대해 12장 그림 12-11 참조). '타오르는 불' 같은 천사들은 구름을 타고 다니며 천국에 앉아 있는 하느님의 말씀을 세상에 전파하는 일을 한다. 이처럼 사도행전에 전한 오순절 사건은 예수의 현존(거룩하신 분의 영/바람)이 세찬 바람과 함께 소리를 내며 타오르는 불처럼 믿는 이들에게 나타나 보인 것이다(12장 〈오순절에 생긴 일〉 참조).

기도의 집을 강도들의 소굴로 만들었다 마태 21,13

예루살렘에 들어온 예수는 성전으로 가서 성전 앞에서 사고파는 자들을 모두 쫓아내고 환전상들의 탁자와 비둘기를 파는 자들의 의자를 둘러엎었다.

예수는 그들에게 말했다.

"이렇게 쓰여 있습니다. '내 집은 기도의 집이라고 불릴 것이다.'(이사야 56,7) 그렇지만 여러분은 그것을 강도들의 소굴로 만듭니다."

성전에서 소경들과 절름발이들이 그에게 다가오자 그는 그들을 치유해주었다. 사제장들과 바리새들은 예수가 행한 놀라운 일들과 성전에

서 "다윗의 아들에게 호산나!"라고 말하며 외치는 아이들을 보고 언짢아했다.(마태 21,13~15)

여기서 '강도들'은 사제들을 가리킨다. 성전의 사제들이 제사 드리러 온 사람들의 제물을 횡령한다는 뜻이다. 예수는 성전이 기도의 집이라는 구절을 인용하며 메시아 시대의 성전은 기도처지 짐승 제물을 바치는 곳이 아니라는 해석이다. 더욱이 예수는 열두 살 나이에 하느님을 아버지라고 고백한 인물이다(4장 〈"내 아버지의 집에 있어야 합니다"라는 말이 무슨 뜻일까〉 참조). 사제들은 예수의 이러한 언행에 대해 매우 불쾌해했고 가능한 한 빨리 없애버려야 하겠다고 도모했다. "사제장들과 서사들은 이를 듣고서 그를 없애버릴 방도를 찾았다."(마가 11,18)

예수의 이러한 언행의 배경은 엣세네의 규례에서 찾아볼 수 있다. 엣세네 지도자들은 예루살렘 성전 제사를 올바른 제사로 인정하지 않았고 엣세네 공동체를 그들의 성전이라고 해석했다. 또한 엣세네들은 이스라엘의 전통적인 태음력인 윤달이 있는 음력을 사용하지 않고 태양력을 사용하여 그들의 절기를 지켰다. 따라서 명절에 따른 제사 시기도 예루살렘 성전의 달력과는 달랐다. 엣세네들은 안식일에 안식일 번제를 올렸으나("안식일에 안식일 번제물 이외에는 제단에 올려놓지 않는다"(〈새 언약의 규례〉 11, 17), 속죄 제사나 화목 제사 등에 짐승 제물을 바치지 않았으며 기도와 찬양으로 제물을 대신했다.

그들(언약에 들어온 공동체 사람들)은 사악한 죄지음과 부정不淨한 이득에 대해 속죄하며 번제물의 살[肉]이나 희생제물의 기름 없이 이 땅을 위해 자비를 얻는다. 바르게 바친 입술(기도)은 정의의 향기와 (하느님의) 길의

온전함 같으며 열망으로 바치는 헌제와 같다.(《단합체의 규례》 9,4~5)

성전 제사의 속죄제물 대신 기도와 찬양으로 하느님의 자비를 얻는다는 주장이다. 복음서에서도 이와 같은 이야기가 전해진다. 예수가 세리의 집에서 음식을 들게 되었는데 마침 세리들과 죄인들이 와서 예수와 그의 제자들과 함께 음식상을 받았다. 그런데 바리새들이 보고 예수의 제자들에게 "어찌하여 여러분의 스승(랍)이 세리들과 죄인들과 먹습니까?" 하고 말했다. 예수가 그 말을 듣자 그들에게 이렇게 말한다.

건강한 사람들은 의사가 필요하지 않습니다. 그러나 병자들은 매우 필요합니다. 여러분은 가서 '내가 원하는 것은 자비(심)이지 희생제물이 아니다'(호세아 6,6)라고 말이 무엇인지 배우시오. 참으로 나는 의인들을 부르러 온 것이 아니라 죄인들을 부르러 온 것입니다.(마태 9,12~13)

여기서 죄인들은 성전에 죄를 고백하러 갈 수 없는 사람들이다. 그들은 불구자나 심각한 병자들이다. 성전에서 그들을 부정하다고 여겨 그들의 제물을 받아들이지 않기 때문이다. 예수가 죄인들과 함께 음식을 먹는 것은 그들에게 하느님의 구원을 택할 수 있는 길을 보여주는 행동이다. 그래서 그들에게 의사가 필요하다고 말한 것이다. 하느님에게 드리는 제사는 제물이 아니라 이웃에게 자선을 베푸는 사랑이라고 예수는 말한다.

비록 예언서(호세아 등)에서 적합한 문구를 인용하여 제사가 아니라 자비심이라고 제물을 엎어버리는 행동의 타당성을 논박할 수 있겠지만, 예루살렘 성전 사제들의 관점에서 보면 희생제물을 대신하여 오직 기도와 찬양으로 하느님에게 속죄제와 화목제를 할 수 있다는 발상은 매우 위험하다. 왜냐하면 성전의 기능 가운데 가장 중요한 제도를 부정하는 것이기 때문이다. 성전에 오는 이유는 하느님에게 제물을 바치고 자기 죄를 용서해달라고 바라는 것이다. 그런데 예수는 많은 사람들 앞에서 이 제도를 무시해버리자는 운동을 자행했으니 이 파장이 얼마나 컸을까! 예수처럼 성전제사 제도를 다른 형식으로 실행하자는 가르침이나 엣세네의 규례는 사두개와의 갈등을 심화시켰다.

예수 당시 성전 앞에서 희생제물로 바치기에 적합한 짐승을 사고파는 장사는 합법적이며 필요한 영업이었다. 사람들은 필요에 따라 희생제물을 성전에 내야 했다. 예를 들어, 월경이 끝난 여인은 성전에 가서 희생제물을 바쳐야 했다. 때로는 희생제물을 준비하지 못하고 성전에 온 사람들이 있었으며 그들은 성전 앞에서 제사용 비둘기나 양, 염소 등을 구입해서 사제들에게 주었다. 이처럼 일상생활에서 성전에 가지고 가야 할 희생제물이 많았다. 이를 위해 성전 앞에는 제사용 짐승들을 사고파는 장사꾼들이 많았다.

또한 환전상이 성전 앞에서 장사를 해야 하는 이유도 있다. 이스라엘 땅뿐 아니라 각 지방에 흩어져 사는 모든 유대인 성년 남자는 매년 성전세로 은화 반 쉐켈을 내야 했다. 그런데 예루살렘 성전에서는 성전용 은전만을 받았기 때문에 성전 은전을 준비하지 못했으면 환전상에서 바꾸어야만 했다. 성전세를 거두어들인 관리들은 환전상에게서 성전용 은전으로 바꾸어 성전에 냈다. 그런데 예수가 이런 장사꾼들의 영업을 방해했으니 사제들이 예수를 얼마나 못마땅하게 여겼을까!

왜 무화과나무를 저주했을까 마태21,19

예수가 예루살렘 성전에 와서 상인들을 쫓아내고 그들을 나무란 다음 소경들과 절름발이들을 고쳐주었다. 사제장들과 서사들은 예수가 행한 놀라운 일들과 성전에서 "다윗의 아들에게 호산나!" 하며 외치는 아이들을 보고 언짢아했다. 저녁이 되어 그는 성 밖에 있는 마을 베다니로 가서 밤을 지냈다. 베다니는 올리브 산 동쪽에 있는 마을로 그곳에는 가난한 사람들이 살았다고 전한다. 다음 날 아침 예수가 성으로 갈 때 무화과나무를 보고 저주한 일화가 전해진다.

> 예수가 새벽에 성전으로 갈 때 그는 허기졌었다. 마침 무화과나무 한 그루가 길에 있는 것을 보고 그 나무로 갔다. 거기에 오직 잎사귀밖에는 아무것도 찾지 못했다.
> 그러자 예수는 그 나무에게 말했다.
> "이제부터 영원히 너는 열매를 맺지 못할 것이다."
> 그러자 당장 무화과나무는 말라버렸다.(마태 21,18~19)

허기진 예수는 길가에 있는 무화과나무에 가까이 가서 열매가 아직 열리지 않은 것을 보고 이 나무에 다시는 열매가 달리지 않을 것이라고 저주했다는 이야기다. 자기가 배고프다고 열매가 아직 달리지 않은 나무를 저주하는 것은 자기의 분노를 참지 못하는 언사다. 그러나 이 일화는 지식을 얻기에 탐스러운 무화과를 먹고 지혜가 쓸데없이 많아져 근심만 늘어난 바리새 사람들을 비판하는 비유의 이야기다. 랍비들은 선과 악을 구별하는 나무의 열매를 무화과로 이해하는데, 그 해석의 근거는 아담과 하와가 그 열매를 먹고 눈이 열리자 그들이 벌거벗은 것을 알고 무화과나무 잎을 엮어서 자신들의 몸을 가렸다는 이야기에서 찾을 수 있다. 따라서 무화과는 선과 악을 구별할 수 있는 지식을 가르쳐주는 '지식나무' 열매로, 그 상징성을 보여준다.

토라 공부를 빵으로 비유한다는 점을 보면 허기가 난다는 말은 토라 공부에 부족함을 많이 느낀다는 뜻으로 이해할 수 있다. 예수는 허기가 나서(/자신의 토라 지식이 부족하지 않을까 해서) 길가에 있는 무화과나무에(/이른 아침부터 길가에 서서 토론하는 바리새 사람들에게) 가까이 갔는데 그 나무에 (/바리새 학자들에게) 열매(/지식)는 없고 어설픈 잎사귀만이 있다. 그들의 토라 지식은 어설프다는 말이다. 그래서 무화과나무는 꼼짝없이 말라버렸다는 것이다. 예수의 토라 해석에 바리새 선생들은 아무 말도 하지 못했다는 뜻이다. 바리새들의 가르침은 열매를 맺기에는 아직 이르다는 것이다. 그래서 예수는 그의 제자들에게 "여러분이 믿음을 갖고 의심하지 않는다면 이 무화과나무에서 일어난 일을 할 수 있습니다"라고 말한 것이다.

제자들이 예수가 메시아임을 믿고 의심하지 않는다면 예수처럼 바리새들과 논쟁하여 예수가 메시아임을 밝힐 수 있어야 한다는 가르침이다. 탐스러운 도구(토라)를 추구하여 얻은 지식으로 예수가 메시아임을 입증할 수 있어야 한다는 명제다.

특히 무화과나무를 저주함으로써 예수의 논점을 부각시킨 이유는 에덴동산의 아담이 저지른 죄를 더 이상 짓지 않게 한다는 관점에서도 찾아볼 수 있다. 창세기 미드라쉬에 이런 단락이 나온다.

"그리고 그들은 무화과나무 잎을 엮어 치마를 만들어 입었다."(창세기 3,7).

그 무화과나무는 어떠했을까?

아빈 랍비는 말했다.

"그 무화과나무로 인해 이 세상에서 (사람들은) 칠 일 동안 애도하게 되었다."

씨크닌의 예호슈아 랍비는 레비 랍비의 이름으로 말했다.

"그 무화과나무로 인해 이 세상에 애도와 슬픔이 생겼다."

유대교의 장례법에 따르면 망자를 장사하고 망자의 집에서 일주일 동안 애도의 날을 지킨다. 무화과나무로 인해 애도하게 되었다는 것은 아담과 그의 아내가 먹은 무화과 때문에 사람은 죽음을 맞게 되었다는 뜻이다. 에덴동산의 무화과나무로 인해 이 세상에 애도와 슬픔이 생겼기 때문에 '마지막 시대의 아담'인 메시아 예수가 무화과나무를 저주함으로써 오는 세상에서는 애도와 슬픔이 생기지 않게 하겠다는 의도로 이해할 수 있다. 예수의 제자들이 예수가 '새 아담'이고 메시아인 것을 의심하지 않는다면 그들에게도 에덴동산의 무화과 사건과 같은 일이 생기지 않을 마지막 시대의 기쁜 소식을 전할 수 있다는 말이다. 랍비 유대교 문헌에서 알 수 있듯이 무화과나무는 토라의 지식을 탐내는 비유로 사용되었다. (예수는 바리새 현자들의 가르침에 정통하고 있는 것을 알 수 있다.)

무슨 권한으로 가르치느냐고 시비를 걸었다 마태 21,23

예수가 성전에 가서 가르치고 있을 때 사제장들과 백성의 원로들이 그에게 다가와 "당신은 무슨 권한으로 이런 일을 합니까? 누가 당신에게 이런 권한을 주었습니까?" 하고 물었다.(마태 21,23) 이런 질문에는 예수의 대답에 따라 트집 잡아 그를 산헤드린에 고발하려는 의도가 숨겨져 있다.

그러자 예수는 그들에게 세례자 요한의 세례가 어디에서 비롯했는지를 물었다. "그것이 하늘로부터입니까? 혹은 사람들로부터입니까?" 세례를 베푸는 권한을 하늘에서 받았느냐, 아니면 선생들에게서 받았느냐는 질문이다. 그들은 마음속으로 궁리하며 서로 상의했다. 만일 '하늘에서'라고 대답한다면 그들은 우리에게 "어찌하여 여러분은 그를 믿지 않습니까?"라고 말할 것이다. 만일 '사람들로부터'라고 말한다면 군중이 두려웠다. 사람들은 요한을 예언자라고 여겼기 때문이다. 그래서 그들은 모르겠다고 대답했다. 그러자 예수도 자기가 무슨 권한으로 이런 일을 하는지 말하지 않겠다고 대답을 피했다.(마태 21,25~27)

백성의 원로들은 산헤드린의 의원들이다. 그들이 말하는 '권한'은 토라를 가르치는 교사/랍비의 자격이며 예수가 토라를 가르치기 때문에 그들은 그에게 토라 선생의 자격을 누구에게서 받았느냐고 질문한 것이다. 만일 예수가 갈릴리에 있는 바리새 학교 출신이라면 어느 랍비에게서 토라를 가르치는 랍비의 자격을 받았을 것이 틀림없지만 그렇지 않으면 무슨 권한으로 성경을 해석하고 군중에게 가르치느냐고 시비를 건 것이다. 산헤드린의 원로들은 바리새 사람들이기 때문에 예수가 바리새 학교 출신이 아니라는 것은 소문을 들어서 알 것이다. 만일 예수가 엣세네 공동체 출신의 교사라면 바리새 회당이나 예루살렘 성전에 와서 토라를 가르치는 행위는 달갑지 않은 것이다. 토라 교육에 대한 바리새의 전통은 《미쉬나》에 편집된 〈선조들의 어록〉 시작에서 읽어볼 수 있다.

쏘코 사람 안티게노스는 심온 하짜딕에게서 (권한을) 전해 받았다.

그는 말했다.

보상을 받으려고 주인을 모시는 종처럼 되지 마라.

오히려 보상을 받으려 하지 않고 주인을 모시는 종이 되어라.

하늘의 두려움이 너희 위에 있어라.(《선조들의 어록》 1,1~3)

토라를 가르치는 권한은 모세가 시나이 산 꼭대기에서 하느님으로부터 받았다. 그 권한은 예언자들을 통해 크네셋 하그돌라(최고의회)의 의원들에게 전해졌고 심온 하짜딕은 마지막 의원이었다. 안티게노스는 심온 하-짜딕에게서 토라를 가르치는 권한을 전해 받았다.

쏘코는 유대아 지방의 한 마을이었다. 기원전 3세기 후반에 크게 활동했던 안티게노스는 심온으로부터 토라를 해석하고 해석한 것을 규정할 수 있는 권한을 전해 받았다. 이후 계승자들은 그들의 스승으로부터 이러한 권한을 전수했다고 기록한다.

안티게노스의 언명에 대하여서는 적지 않은 오해가 생겼다. 그의 제자 중에 짜독과 보에투스는 안티게노스의 가르침을 잘못 전수하여 분파를 형성했다. 복음서에 등장하는 사두개들은 짜독이 세운 분파의 후예들이다. 사두개들은 히브리어로 짜도킴이며 이 단어는 안티게노스의 제자인 짜독에서 파생된 명칭이다. 사두개들은 바리새들이 주장하는 율법 조항의 해석을 거부했고 내세來世에 올 심판과 그 보답을 믿지 않았다.

이런 문화적 배경에서 사제장들과 산헤드린의 원로들은 예수가 성전에서 가르치는 것을 보고 그가 무슨 권한을 가지고 토라를 해석하는지 알고 싶었던 것이다. 실상 그들은 예수의 정체를 잘 알지 못했던 것 같다. 예수가 토라를 해석하는 방법이나 내용이 바리새들의 것과 그리 동떨어지지 않았으며, 그렇다고 특별히 그의 토라 해석에 큰 문제를 일으키는 점도 찾지 못했다.

그런데 예수는 세례자 요한의 경우를 들어 자신이 어디에서 교사의 자격을 받았는지 우회적으로 대답하려고 했다. 왜 그랬을까? 산헤드린의 원로들이 기다리는 대답은 예수가 엣세네의 창시자인 '의로운 교사'가 쓴 규례를 배웠다는 말일 것 같다. 예수가 엣세네에서 토라 교육을 받았다고 말한다면 사제장들과 원로들은 그를 산헤드린에 고발할 수 있다. 엣세네와 바리새는 서로 적대시했다. 사두개도 마찬가지다. 적대시하는 공동체의 교사가 회당이나 성전에 와서 그곳에 모인 군중에게 엣세네의 토라 해석을 가르친다면 그를 산헤드린에 고발해서 그런 언행을 하지 못하게 종용해야 했을 것이다.

이런 상황을 잘 파악한 예수는 당시 큰 문제로 부각된 세례자 요한의 권한에 대해 질문하며 직답을 피했다. 요한이 세례를 베푸는 언행과 예수가 성전에서 토라를 가르치는 것은 서로가 다른 범주에 속한다. 요한은 "돌아오시오(회개하시오). 천국이 가까이 있습니다"라고 외쳤으며 그는 이사야 예언자에 의해 말해진 그 사람이라며 "광야에서 부르는 이의 소리다. YHWH의 길을 내어라. 그분의 대상로를 곧게 하라"(이사야 40,3)고 선포했다(여기서 '돌아오라'는 말은 어둠의 길을 걷는 데에서 돌아오라는 뜻이다. 흔히 '회개하다'라는 말로 번역한다. '광야에서 부른 이'가 바로 요한이라는 해석이다). 예루살렘과 유대아 지방에 사는 사람들이 그의 말을 믿고 그에게 나가서 자기 죄를 고백하며 요르단 강물에서 세례를 받았다.(마태 3,1~6)

요한이 말하는 세례는 자기 죄에 대해 하느님께 용서를 구하고 토라의 길로 돌아온다는 것을 보여주는 행동이다. 이런 세례는 성전에 들어가기 위해서나 여자가 월경을 한 다음에 혹은 몸과 마음을 깨끗이 하기 위해 침례소(미크베)에 들어갔다 나오는 침례와 크게 다르지 않다. 모세의 법규를 잘 지키는 종교적인 유대인들이면 누구나 요한의 세례에 대해 긍정적인 반응을 보였을 것이다. 바리새와 사두개 그리고 엣세네도 침례소의 의례를 존중했으며 이는 일상생활의 한 부분이었다. 그래서 많은 사람들은 세례자 요한을 마지막 시대를 선포하는 예언자로 여겼다. 엣세네 공동체의 규례에서도 세례자 요한의 회개 선포와 같은 인용구의 문맥을 찾아볼 수 있다.

> (서원자)들이 이스라엘에 단합체로 있을 때 이들의 (품행의) 내용으로 거짓 사람들의 정착지 속에서 구별되며 그분(하느님)의 길을 거기에서 비우기 위해 광야로 간다. 이렇게 쓰여 있다. "광야에 길을 내어라…. 초원에 우리 하느님을 위해 대상로를 곧게 내어라."(이사야 40,3)
> 이것은 모세의 손으로 명령한 토라의 해설이며 때에 따라 밝혀진 모든 것에 따라 행하는 것이고 예언자들은 거룩하신 분의 영으로 밝혀냈다.(〈단합체의 규례〉 viii 13~16)

'광야에 길을 내어라'라는 문구는 마지막 시대를 준비하기 위해 회개하고 천국이 가까이 왔음을 깨달으라는 예언자의 선포로 인식되었다. 엣세네에 들어오는 서원자들은 광야에 나가 자기의 죄를 고백하고 하느님의 용서를 구하는 예식을 가졌다.

그렇다면 회개의 세례를 촉구하는 요한은 어디에서 그런 권한을 받았을까 하며 예수는 바리새들과 사두개들에게 질문한 것이다. 그들의 고민은 세례자 요한의 회개 선포를 무시할 수 없으며 그렇다고 그에 동조할 수도 없다. 요한의 권한이 하늘에서 받은 것이라고 말하면 이는 요한이 자기는 이사야 예언자가 예언한 '광야에서 부르는' 그 사람이라고 하는 해석에 동의하는 것이다. 그렇게 대답하면 예수의 가르침도 마찬가지로 여길 수 있기 때문이다. 요한과 예수의 토라 해석에 동의한다면 바리새들이 예수를 산헤드린에 고발할 이유가 없어진다. 그래서 그들은 마음속으로 궁리를 한 것이다. (그들은 요한과 예수가 사촌지간뿐 아니라 서로 잘 알고 있는 사이라는 소문도 들었을 것이다.) 어떻게 대답하면 이 둘을 피해갈 수 있을까? 대답은 오히려 간단하다. "모르겠습니다." 예수도 자기가 무슨 권한으로 가르치는지 말하지 않겠다고 했다.

"황제의 것은 황제에게 주시오" 마태 22,21

바리새들은 어떻게 하면 말로써 예수에 올가미를 씌울까 의논했다. 그들은 제자들을 헤롯 당원 사람들과 함께 예수에게 보냈다. 그들은 예수에게 이렇게 말했다.

> 교사님, 우리는 당신이 진실로 가르치는 하느님의 길을 믿는다고 압니다. 당신은 아무도 두려워하지 않으며 참으로 당신은 사람들에게 얼굴을 치켜들려고 하지 않습니다. 그러니 주민세를 황제에게 내는 것이 허용되는지 아닌지 하는 문제를 어떻게 생각하는지 우리에게 말씀해주십시오.(마태 22,16~17)

예수는 그들의 악한 의도를 알고 그들에게 주민세를 내는 데나리온을 보여달라고 말했다. 그러고는 그들에게 "이 초상과 글자는 누구의 것입니까?" 하고 물었다. 그들은 "황제의 것입니다"라고 대답했다. 그러자 예수는 그들에게 이렇게 말한다.

> 황제의 것은 황제에게 주십시오.
> 그리고 하느님의 것은 하느님에게.(마태 22,21)

그들은 예수의 응답에 매우 놀랐다고 전한다. "황제의 것은 황제에게, 하느님의 것은 하느님에게"라는 대답의 진의는 데나리온을 보면 풀린다. 그 당시 사용하던 데나리온은 티베리우스 은전이다(그림 4-6 티베리우스 은전 참조). 은전 앞면을 보면 티베리우스의 초상이 있고 얼굴 앞에 CAESAR DIVI라는 문구가 표시되어 있다. 은전에 '황제(CAESAR)'라는 단어와 '신(DIVI)'이라는 단어가 함께 나온다. 이 은전은 황제에게 속하고 또한 신에게도 속한다는 말이다.

예수의 답변은 듣는 이에 따라 다르게 이해될 수도 있지만 은전을 반으로 나눌 수는 없다. 그래서 예수를 올가미에 씌워 빌라도에게 고발하려고 음모했던 헤롯 당원들과 바리새들은 예수의 답변에 놀라 그만 그 자리를 떠났다는 이야기다. 그런데 무엇이 그들을 놀랍게 만들었을까? 은전을 반으로 자를 수 없으니 어떻게 하라는 말인가. 그 응답이 그들의 질문에 적합한 대답일까?

그들은 예수가 황제에게 주민세를 내는 것이 하느님의 길이 아니라고 대답하기를 기대했을 것이다. 그러니까 그들이 예수에게 다가와서 "교사님, 당신은 진리를 가르치는 하느님의 길을 믿습니다. 당신은 아무도 두려워하지 않습니다" 등을 운운했다. 하느님의 길과 로마 황제의 길은 서로 다르다. 하느님의 길을 걷는 사람이 황제의 길에 동참하여 황제에게 주민세를 낸다면 이는 하느님의 길에서 벗어나는 행동이다. 그들은 예수가 이렇게 생각하고 주민세를 내는 일에 부정적일 줄로 예견했을 것이다. 또한 예수가 아무도 두려워하지 않으니까 황제에게 주민세를 내지 않아도 된다고 말할 수 있지 않을까, 라고 그들은 생각했을 것이다. 그러나 예수는 로마 황제에게 주민세를 바치는 경제적 부담을 부정하지 않았으며, 또한 하느님의 길을 믿는 사람으로 하느님에게 바치는 세금도 내야 한다고 말했다. 티베리우스 은전에는 황제도 있고 하느님도 있다는 말이다. 로마 황제가 '하느님의 아들'이라는 명제에 대해서 예수는 부정적이 아니었다.

한편, 예수가 엣세네 사제였다는 가정에서 생각해보면 엣세네 사람들은 로마에 매우 적대적이었기 때문에 예수가 로마에 주민세 내는 것을 반대할 것으로 바리새들은 기대했을 것이고 이것을 빌미로 삼아 로마 총독에게 고발할 계획을 꾸몄을 법하다. 엣세네의 규례나 성경해석서에 보면 엣세네의 지식인들이 로마를 얼마나 혐오했는지 알 수 있다. 따라서 엣세네 사람들은 로마에 주민세 내는 것을 몹시 꺼렸을 것 같다 (이 부분에 대해 역사적인 자료로 확인하기는 어렵다). 그러나 예수의 뜻밖의 대답에 그들은 놀랐다. 하여간 바리새들은 예수를 궁지에 몰아넣기 위해 여러모로 수작했던 것을 알 수 있다.

부활 논쟁에서 깜짝 놀랄 만한 이유가 무엇일까 마태 22,23~33

사두개 사람들이 예수에게 와서 부활이 없다고 주장하면서 예수에게 이렇게 질문한다. "교사님, 모세는 말하기를 '어떤 사람이 자식을 얻지 못한 채 죽는 경우, 그의 형제는 그를 부인과 혼인하여 자기 형제에게 후사를 세워주도록 할 것이다'라고 하였습니다. 우리들 가운데 일곱 형제가 있었습니다. 그런데 첫째가 혼인해 살다가 죽었는데 후사를 얻지 못한 채 그 부인을 자기 형제에게 남겨놓았습니다. 둘째도 셋째도 그러했고 결국 일곱째까지 그러하였습니다. 모두 (죽고) 마침내 그 부인도 죽었습니다. 그러면 그녀가 일어설(부활) 때에 그 여인은 일곱 가운데 누구의 아내가 되겠습니까?"(마태 22,23~28)

예수는 그들이 성경과 하느님의 능력을 알지 못하여 잘못하는 것이 아니냐고 반문하며 망자들이 일어설 때에는 혼인하는 일이 없으며 하느님의 천사들처럼 하늘에 있다고 말했다. 그리고 예수는 그들에게 질문한다. "망자들이 일어서는 것에 관해 하느님이 여러분에게 한 말을 읽어보지 못했습니까? 이렇게 말합니다. '나는 아브라함의 하느님, 이츠학의 하느님, 야곱의 하느님이다.'(출애굽기 3,6) 그분은 죽은 이들의 하느님이 아니라 살아 있는 이들의 하느님입니다."(마태 22,31~32) 군중들은 이 말을 듣고 그의 가르침에 깜짝 놀랐다고 이야기한다.

예수와 사두개들의 대화를 듣고 있던 군중들이 깜짝 놀란 만한 이유가 무엇일까? 이 이야기는 두 단락으로 이루어졌다. 하나는 일곱 형제와 차례로 혼인하게 된 아내가 부활하여 누구와 함께 지내느냐에 대한 것이고 다른 하나는 하느님은 죽은 이의 하느님이 아니라 살아 있는 이의 하느님이라는 것이다.

모세오경에 따르면 형제들이 함께 살다가 그 가운데 하나가 아들 없이 죽었으면 그의 형제가 그의 아내를 자기 아내로 맞이하고 아들을 낳으면 죽은 형제의 이름을 이어받는다고 말한다.(신명기 25,5~6) 이에 근거해서 일곱 형제의 경우를 가정하는 예는 쉽게 설정할 수 있고 질문 또한 부적절하지 않다. 예수가 부활할 때에는 혼인하는 일이 없다고 대답한 것은 사두개들이 기대했던 대답이 아니다. (그들의 질문에 대한 확실한 대답이 아니다. 왜냐하면 그 여인은 이미 여러 형제들과 혼인한 부인이었기 때문이다. 그 여인이 다시 일어설 때 누구의 부인으로 여겨야 하는가? 하는 것이 사두개들의 질문이다. 그 대답은 첫째냐 아니면 모두냐 하는 것이다. 망자가 부활할 때 혼인하느냐고 질문하지 않았다.) [여기서 '부활'이라고 번역하는 단어 anastasis는 ana('위로') stasis('서다'), 즉 '위로 서다 일어서다'는 뜻이다. 히브리어로 '캄(קם 일어서다)'에 해당한다. 누워 있던 망자가 두 발로 일어선다는 뜻이다.]

사두개들의 질문은 둘 중에 하나를 선택하라는 것이며 시비를 걸기 위한 꼬투리를 잡으려는 것이다. 예수는 그들의 의도를 알아차리고 망자가 다시 일어설 때에는 혼인하지 않는다고 엉뚱하게 대답한다. 사두개 사람들은 부활을 믿지 않기 때문에 사람이 죽은 후에도 죽기 전의 상태대로 있다고 여겼다. 예수의 대답은 부활할 때에 망자는 죽기 전의 상태대로 다시 사는 것이 아니라는 말이다. 초기 랍비 유대교 문헌에 따르면 어떤 랍비들은 부활한 다음에도 죽기 전의 상태대로 산다고 말하며(〈산헤드린〉 92b, 〈샤바트〉 60b), 다른 랍비들은 그렇지 않다고 해석한다.(〈브라호트〉 17a)

그렇다면 군중을 그렇게 놀라게 할 만한 예수의 가르침은 무엇인가? 예수가 그의 해석을 입증하기 위해 인용한 문구(출애굽기 3,6)는 하느님이 불타고 있는 떨기나무 숲에 서 있는 모세에게 나타나서 모세를 부르며 그에게 말하는 내용이다. "나는 아브라함의 하느님, 이츠학의 하느님, 야곱의 하느님이다"라고 YHWH 하느님이 모세에게 말하자 모세는 두려워 얼굴을 가리고 있었다. 하느님은 모세에게 이집트에서 고생하고 있는 이스라엘 백성을 데리고 나와 이 산에서 YHWH 하느님에게 예배드리라고 말한다. 모세는 자기가 무슨 힘으로 파라오 앞에 나가 그들을 데리고 나올 수 있느냐고 주저한다. 그때에 하느님은 이렇게 말한다.

"참으로 내가 너와 함께 있겠다['에흐예(내가 있겠다)'가 너와 함께]. 이것이 너에게 표징이다. 네가 백성을 이집트에서 데려와 이 산에서 하느님을 섬기라고 내가 너를 보낸다."

모세는 하느님께 말했다.

"보십시오. 내가 이스라엘인들에게 가서 너희 선조들의 하느님이 너희에게 나를 보냈다고 그들에게 말한다면 그들은 나에게 그분의 이름이 무엇이냐고 물을 것입니다. 무엇이라고 그들에게 말합니까?"

하느님이 모세에게 말했다.

"에흐예는 내가 (너희와 함께) 있겠다는 것이다."

그분은 말했다.

"이스라엘인들에게 이렇게 말해라. '에흐예가 나를 너희에게 보냈다' 라고."

하느님은 모세에게 더 말했다.

"이스라엘인들에게 이렇게 말해라. '아브라함의 하느님, 이츠학의 하느님, 야곱의 하느님인 YHWH가 나를 너희에게 보냈다. 이것이 영원히 내 이름이며 이것이 대대로 내 명성이다'라고."(출애굽기 3,12 ~15)

'내가 너와 함께 있겠다'는 '에흐예 임카'의 번역이며 '에흐예(내가 있겠다)'는 하느님이 말하는 표징(sign)이다. 이스라엘의 하느님의 이름인 YHWH가 무슨 뜻인지를 모세에게 가르쳐주는 장면이다. YHWH는 '내가 있겠다(에흐예)'라는 뜻으로 해석할 수 있다는 말이다. YHWH 하느님은 모세와 함께 언제든지 있다는 뜻이다. 그러면서 '에흐예'라는 낱말이 이스라엘 백성이 믿어도 되는 하느님의 표징임을 입증하기 위해 '아브라함의 하느님, 이츠학의 하느님, 야곱의 하느님인 YHWH가 나를 너희에게 보냈다'고 이스라엘 백성에게 말하라는 것이다. 그러면 그들이 모세의 말을 믿을 것이라는 뜻이다. 이스라엘의 선조들인 아브라함과 이츠학과 야곱이 YHWH 하느님과 함께 있으니까 모세도 YH-WH 하느님이 그와 함께 있다는 것을 걱정하지 말라는 것이다. 살아 있는 모세가 죽은 선조들과 함께 있을 수 없다. 죽은 선조들은 지금 하느님과 함께 살아 있듯이 이스라엘 백성도 하느님과 함께 있으면 죽지 않는다는 뜻이다.

아브라함과 이츠학과 야곱은 분명히 죽은 선조들이며 그들의 무덤도 있다. 그런데 그들이 살아 있다고 말하는 것은 참으로 깜짝 놀랄 만한 해석이다. 아래와 같은 예수의 일화에서 이러한 해석을 이해할 수 있다. 어느 백부장이 그의 종이 중풍으로 괴로워하고 있다며 예수에게 말하자 그는 그의 집을 방문하겠다고 말했다. 그러자 백부장은 자기는 그럴 만한 자격이 되지 못한다고 하며 말 한마디만 하면 자기 종이 낫게 될 것이라고 부탁한다. 예수는 어떤 사람에게도 이런 믿음을 본 적이 없다고 하며 이렇게 말한다.

무리가 동쪽과 서쪽에서 모여들어 천국에서 아브라함과 이츠학과 야곱과 함께 잔치에 앉을 것입니다. 그러나 왕국의 아들들은 바깥 어둠 속으로 쫓겨날 것이며 거기서 울고 이를 갈게 될 것입니다.(마태 8,11~12)

천국은 예수 공동체를 뜻하며 예수를 따르는 '무리'가 이스라엘의 선조들과 함께 잔치에 동참할 것이다. '왕국의 아들들'은 예수 공동체에 들어오지 않은 바리새나 사두개와 같은 사람들을 뜻한다. 여기서 아브라함과 이츠학과 야곱은 죽은 이들이 아니라 살아 있는 선조들로 이해할 수 있다. 예수의 해석에 따르면 이스라엘의 선조들, 아브라함과 이츠학과 야곱은 하느님과 함께 하늘에 살아 있다는 설명이다. 그들은 어떻게 살아 있는 선조들일까? 탈무드에 전해진 감리엘 랍반과 이교도 사이의 대화에서 그 해답을 찾아볼 수 있다(감리엘 랍반은 힐렐의 손자로 힐렐파를 계승했다. 사도 바울이 그의 학생이었다).

이교도들이 감리엘 랍반에게 물었다.

"찬미 받으시는 거룩하신 분이 망자를 살린다는 것을 우리는 어떻게 알 수 있습니까?"

그는 그들에게 토라(모세오경)와 예언서와 성문서에서 (그 입증 문구들을) 대답했으나 그들은 확실한 증거로 받아들이지 않았다.

토라(모세오경)에 이렇게 쓰여 있다. "주님YHWH이 모세에게 말했다. '여기에 너의 선조들과 함께 누워라. 그리고 일어나라.'"(신명기 31,16) 그러나 과연 그럴까?

그들은 그에게 말했다.

"이 구절은 이렇게 읽어야 합니다. '이 백성이 일어날 것이다.'"

예언서에 이렇게 쓰여 있다. "당신(하느님)의 망자들이 살 것이고 나의 죽은 몸이 일어날 것이다. 깨어나라, 환호하라, 흙 부스러기에 누워 있는 이들이여! 너의 이슬은 풀잎의 이슬이다. 땅은 유령들을 쫓아낼 것이다."(이사야 26,19)

그러나 아마도 이 구절은 에스겔이 일으킨 망자들(에스겔 37)을 가리키는 것 같다.

성문서에 이렇게 쓰여 있다. "네 입천장은 좋은 포도주 같다. 내 사랑하는 이에게 곧바로 간다. 잠든 이들의 입술을 말하게 한다."(아가 7,10) 그러나 그것은 단지 그 입술이 움직이게 하는 것으로 볼 수 있다.

그러자 그는 다음 구절을 인용했다. "주님YHWH이 너희 선조들에게 주겠다고 맹세한 땅에서 너희와 너희 자손들이 오래오래 살 것이다." (신명기 11,21) 너희에게가 아니라 지금은 죽은 너희 선조들에게(를 뜻한다). 따라서 부활은 토라(모세오경)에서 인용된다.(《바빌로니아 탈무드》, 〈산헤드린〉90b)

신명기 31,16은 이렇게 번역할 수 있다. '여기에 너의 선조들과 함께 누워라(잠들어라). 그러나 이 백성이 일어나 이 땅의 낯선 신들을 좇으며 음행할 것이다.' 그러나 감리엘 랍반은 모세가 그의 선조들과 함께 잠든 다음 일어날 것이라고 '백성이 일어날 것이다'라는 문장을 둘로 나누어 해석했다. "여기에 너의 선조들과 함께 누워라. 그리고 일어날 것이다. 이 백성은 이 땅의 낯선 신들을 좇으며 음행할 것이다." 따라서 모세는 부활했다고 논박한 것이다. 그러나 이교도들은 감리엘 랍반의 해석을 받아들이지 않았으며 그가 제시한 문구들을 부활의 입증 문구로 동의하지 않았다.

마지막으로 감리엘 랍반은 하느님이 선조들에게 약속한 땅에서 이스라엘 백성과 그들의 자손들이 오래오래 살 것이라는 구절에서 '오래오래 산다'는 말은 부활해서 산다는 뜻이라고 설명한다. 예수가 아브라함과 이츠학과 야곱이 천국에서 잔칫상에 자리 잡고 있으며 예수 공동체에 들어온 무리도 그들과 함께 잔칫상을 받을 것이라는 말이다. 부활할 수 있는 길은 하느님을 따라가는 것이다. 그런데 매일 토라를 공부하는 바리새들과 매일 성전에서 하느님에게 제사를 드리는 사두개 사제들에게 그들은 하느님의 길을 걷지 않는다고 예수가 비난하는 것이다. 부활 논쟁에서 군중이 깜짝 놀란 이유가 바로 이것이다. (이런 말을 듣는 그들의 감정은 어떠했을까?)

'슬기로' 하느님을 사랑하라는 말이 무슨 뜻일까 마태 22,37

바리새 사람들은 예수가 사두개 사제들과의 부활에서 그들의 말문을 막아버렸다는 소문을 듣고 한자리에 모였다. 그들 가운데 토라를 잘 아는 한 서사가 그를 시험하기 위해 "교사님, 토라에서 어느 계명이 중요합니까?" 하고 질문했다. 예수는 그에게 이렇게 대답했다. "'네 마음을 다하고, 네 목숨을 다하고, 네 정성을 다하고, 네 슬기를 다하여, 너의 하느님 주님YHWH을 사랑할 것이다.'(신명기 6,5) 이것이 중요하며 첫 번째 계명입니다. 둘째는 이와 비슷합니다. '네 이웃을 너처럼 사랑할 것이다.'(레위기 19,18) 이 두 계명에 토라(모세오경)와 예언서들이 달려 있습니다."(마태 22,34~40)

다른 복음서에는 예수가 대답한 첫 번째 계명을 아래와 같이 전한다. "모든 계명 가운데 첫째는 이러하다. '들어라, 이스라엘아, 주님YHWH은 우리의 하느님이며 주님YHWH은 하나다. 그리고 네 마음을 다하고, 네 목숨을 다하고, 네 슬기를 다하고, 네 정성을 다하여, 너의 하느님 주님YHWH을 사랑할 것이다.'(신명기 6,4~5)(마가 12,29~30)"(이 인용문은 유대교의 기도문 시작에 낭송하는 '쉬마'다.)

이 일화를 전하는 마가복음서에는 조금 더 이야기가 전개된다. 그러자 서사는 예수에게 이렇게 말했다. "훌륭합니다. 랍비여, 당신은 진리를 말했습니다. 그분은 하나며 '그분 이외에 다른 이는 없습니다.'(신명기 4,35) 그리고 사람(아담)이 마음을 다하고 슬기를 다하고 목숨을 다하고 정성을 다하여 그분을 사랑하는 것과 그가 그의 이웃을 자기처럼 사랑하는 것이 모든 번제나 제물들보다 중요합니다." 예수는 그가 지혜로 대답하는 것을 보고 그에게 말했다. "당신은 하느님 왕국에서 멀리 떨어져 있지 않습니다." 그리하여 어느 누구도 감히 그에게 더 질문하지 못했다.(마가 12,32~34)

이 서사가 예수에게 가장 중요한 계명에 대해 질문한 이유는 예수의 학문이 얼마나 되는지 가늠하고 싶었던 것이다. 바리새 토라 학교에서 배우는 계명에 대해 예수가 얼마나 잘 알고 있는지 떠본 질문이다. 여기에 모인 사람들 가운데 사두개 사제들과 바리새 학자들도 있었다. 이들은 부활 논쟁에서 예수의 토라 실력이 상당하다고 느꼈으며 다시 한 번 확인하고 싶어 그들 가운데 한 서사가 나서 그가 성경해석에 얼마나 능통한지를 알아내려 했던 것이다.

실상 랍비 유대교에서 예수의 답변처럼 '쉬마'와 '이웃 사랑'의 두 인용문이 가장 중요한 계명이다. 따라서 그곳에 모인 지식인들은 모두 그의 답변이 옳다고 수긍했을 것이다. 그런데 그 서사는 예수의 답변에 탄복하며 진리를 말했다고 칭찬한다. 그 이유가 무엇일까? 히브리 성경의 인용문에서 그 실마리를 찾아볼 수 있다.

이와 같은 인용문이 나오는 단락이 누가복음서에서는 조금 다르게 전한다. 어느 서사가 예수에게 어떻게 해야 영원한 생명을 물려받을 수 있냐고 물어보았다. 그러자 예수는 그에게 말했다. "토라에 어떻게 쓰여 있습니까? 당신은 어떻게 읽었습니까?" 그는 이렇게 대답한다. "'너는 네 마음을 다하고 네 목숨을 다하고 네 정성을 다하고 네 슬기를 다하여 너의 하느님 주님YHWH을 사랑할 것이다'(신명기 6,5) 그리고 '네 이웃을 너처럼 (사랑할 것이다).'(레위기 19,18)" 그러자 예수는 그에게 옳다고 말하며 그대로 하면 산다고 대답했다.(누가 10,25~28)

예수가 그의 대답이 옳다고 칭찬한 이유는 그의 질문에 정확하게 대답했기 때문이다. 예수는 영원한 생명을 얻을 수 있는 길이 무엇인지 토라에 어떻게 쓰여 있는가와 그가 그 쓰여 있는 구절을 어떻게 읽었는가 하는 두 가지 질문을 했다(어떻게 읽었느냐는 말은 어떻게 해석했느냐는 뜻이다).

'쉬마'와 '이웃 사랑'의 계명을 지키는 일이 영생을 보장 받는 길이며, 이 두 계명이 모든 계명 가운데 으뜸인 것은 웬만한 사람이면 다 잘 알고 있었을 것이다. 그런데 그 서사가 인용한 '쉬마'나 서사의 질문에 대한 예수의 대답에서의 '쉬마'는 신명기의 '쉬마'와 조금 다르다. 신명기 6,5에는 '마음과 목숨과 정성'의 세 낱말로 쓰여 있으며 '네 슬기를 다하여'라는 문구가 없다. '슬기를 다하여'를 첨가한 것은 일종의 미드라쉬(성경해석)에 속한다.

예수나 그 서사는 이런 성경해석이 들어 있는 인용구로 대답한 것이다. (토라 공부를 꽤나 열심히 한 사람들이다.) 그만큼 토라 지식이 있다는 말이다. 그래서 그 서사는 예수의 답변을 듣고 훌륭하다며 진리를 말했다고 칭찬했다. 하느님을 마음과 목숨과 정성뿐 아니라 슬기로 사랑해야 하는 것이 참되다는 해석이다. ['정성'은 물질적인 것을 뜻한다. '목숨'은 목숨을 다해 열심히 일하겠다는 표현과 같은 맥락에서 살펴볼 수 있다. '마음'은 생각이나 뜻과 같은 문맥과 병행하는 낱말이다.]

그렇다면 '슬기'란 낱말이 하느님을 사랑하는 계명과 무슨 상관일까? 이 낱말이 나오는 대표적인 맥락은 에덴동산 이야기다. 아담의 아내가 지식나무의 열매를 보고 하는 말에서 나온다.

여자는 나무(의 열매)가 먹기에 좋고(맛있고), 그것은 눈(으로 보기에) 예쁘고, 그 나무(의 열매)가 슬기로워지기에 탐스럽다고 보았다. 그녀는 그 열매를 집어 먹었고 그녀와 함께 있던 그녀의 남편에게도 주어 그는 먹었다.(창세기 3,6)

열매의 모습을 묘사하는 동사구가 세 개 나온다. '먹기에 좋다(맛있다), 보기에 예쁘다, 슬기로워지기에 탐스럽다.' 지금도 그렇지만 고대 문헌에도 열매를 보고 맛있게 혹은 예쁘게 생겼다고 말하지 슬기로워지기에 탐스럽다고 말하는 경우는 좀처럼 발견하기 어렵다. 에덴동산 이야기에 아담의 아내가 이렇게 말하는 것은 매우 큰 의미가 담겨 있기 때문이다. 그들은 지식나무의 열매를 먹고 눈이 떠졌다. "그들 둘의 눈이 떠졌고, 그들이 벌거벗은 것을 알았다. 그리고 무화과나무 잎을 엮어, 치마를 만들어 입었다."(창세기 3,7) 열매를 먹고 눈이 떠진 아담과 그의 아내는 자기의 벌거벗은 몸을 남이 보면 창피하다는 것을 배웠다. 슬기로워지기에 탐스러워 먹은 열매는 지식을 배우게 하는 명약이다. 이 문장에 대한 창세기 미드라쉬에 다음과 같은 해석이 나온다.

"그 여자는 그 나무가 먹기에 좋고(맛있고), 보기에 예쁘며, 슬기로워지기에 그 나무가 탐스럽다는 것을 보았다."(창세기 3,6)
요시 바르 짐라 랍비는 말했다.

"이 나무에 대해 세 가지 것을 말한다. 먹기에 좋고(맛있고), 보기에 예쁘며, 지혜를 더해준다. 이 세 가지를 한 문장으로 말했다. 그것(나무)이 좋다고 그녀가 보았던 것은 그것이 좋다는 것이고, 그것이 눈에 예쁘다는 것은 그것이 보기에 아름답다는 것이며, 그 나무가 슬기로워지기에 탐스러웠다는 것은 그것이 지혜를 더해준다는 것이다. 이렇게 말한다. '에즈라흐 사람 에탄의 마스킬(슬기로운 노래).'(시편 89,1)"《창세기 미드라쉬 랍바》 19,5)

지식나무의 열매가 슬기로워지기에 탐스러워 먹는 것은 지혜를 얻는 배움이라는 뜻이다. 그 입증 문구로 '슬기로운 노래(마스킬)'를 인용한 것이다. 예수가 신명기 '쉬마'에 '슬기'라는 낱말이 덧붙은 '쉬마'로 '하느님 사랑'을 말한 것은 하느님을 '마음과 목숨과 정성'뿐 아니라 '지혜'로도 사랑하라고 가르치려는 의도라고 이해할 수 있다.

그 서사도 예수의 대답이 타당하다고 동의하며 그가 답변한 인용구를 다시 한 번 인용하며 말을 바꾸어 설명한다(일종의 부연paraphrase). 그리고 '하느님 사랑과 이웃 사랑'이 번제와 제물들보다 더 중요하다고 부연한다. 예수가 그 서사의 답변을 듣고 그는 지혜로 대답했다고 말한다(랍비들의 세계에서 '지혜'는 토라에서 적합한 문장을 찾아내어 자기의 논리가 입증되면 그것을 지혜라고 부르는 경우가 흔하다).

'쉬마'(신명기 6,5)와 '이웃 사랑'(레위기 19,18)의 두 문장이 하나의 가장 큰 계명이라고 말한다. 하느님을 사랑하는 것과 이웃을 사랑하는 것이 서로 다른 범주의 계명이 아니다. 어떻게 해서 그렇게 해석될 수 있을까? 아래와 같은 미드라쉬에서 살펴볼 수 있다.

"그리고 너는 네 이웃을 너처럼 사랑할 것이다."(레위기 19,18)

아키바 랍비는 말했다.[02]

"이것이 토라에서 중요한 원칙이다."

벤 아자이는 말했다.

"'이것은 아담의 계보의 책이다.'(창세기 5,1) 이것이 오히려 더 중요한 원칙이다."(《씨프라 레위기》 19,18)

벤 아자이는 말했다.

"'이것은 아담의 계보의 책이다.'(창세기 5,1) 이것이 토라에서 중요한 원칙이다."

(아담의 계보가 중요한 이유를 아래와 같이 설명한다.)

아키바 랍비는 말했다.

"'그리고 너는 네 이웃을 너처럼 사랑할 것이다.' 이것이 토라에서 중요한 원칙이다. 그래서 만약 내가 멸시당했다고 네 이웃에게 나와 함께 멸시당하라고 말하지 않을 것이며, 내가 저주 받았다고 네 이웃에게 나와 함께 저주 받으라고 말하지 않을 것이다."

탄후마 랍비는 말했다.[03]

"그러나 만일 당신이 그렇게 행한다면, 당신이 멸시한 이가 누구인지를 아시오. '하느님의 모습으로 그분(하느님)은 그(아담)를 만들어냈다.' (창세기 1,27)"(《창세기 미드라쉬 랍바》 24,7)

자기 이웃을 사랑하라는 이유는 사람이 하느님의 모습으로 만들어졌기 때문이다. 그러므로 사람이 사람을 멸시하는 것은 결국 사람(아담)을 만든 하느님을 멸시한다는 논리다. 따라서 아담의 계보의 책이 토라에서 중요한 원칙이 된다고 입증할 수 있다.

창세기에는 태초 선조들의 족보에 두 가지가 있다. 하나는 아담에서 카인으로 이어지는 계보(창세기 4,17~26)와 다른 하나는 아담에서 에노쉬로 이어지는 계보다.(창세기 5장) (편의상 전자를 '카인의 계보', 후자를 '아담의 계보'라고 부른다.) 카인이 분노에 차서 그의 형제 아벨을 죽였기 때문에 아담은 그의 아내와 다시 잠자리하여 쉐트를 낳았고 그의 아들의 이름이 '인간'을 뜻하는 에노쉬며 그때부터 YHWH 하느님의 이름을 부르기 시작했다고 말한다.(창세기 4,25~26) 아담과는 다른 인간이 새로 태어났다는 뜻이다. 에노쉬에서 이어지는 족보가 노아로 연결된다.

카인의 계보는 노아로 이어지지 않고 끊어지지만, 아담의 계보는 "하느님이 저주한 흙에서 우리를 위로해주기 위해"(창세기 5,29) 태어난 노아로 이어져 결국 홍수에서 살아남은 노아와 그의 가족이 세상의 모든 민족의 조상이 된다. 따라서 아담의 계보 책은 하느님이 만든 사람(아담)의 족보가 담긴 책이다. 아담의 족보 없이는 이스라엘이 존재할 수 없으며 이스라엘이 있기 때문에 하느님은 시나이 산에서 모세를 통해 이스라엘 백성에게 토라를 주었다는 이야기다. 토라에서 가장 중요한 계명인 '이웃 사랑'이 존재할 수 있는 조건은 이스라엘 백성이 있었기 때문이라는 논리며, 노아와 같이 그 세대에 바르고 온전한 조상이 있었기 때문에 가능하다. 하느님이 그분의 모습으로 사람을 만들어냈다는 창조의 의지도 생명력을 얻는다.

이처럼 '이웃 사랑'(레위기)의 해석이 하느님의 인간 창조와 연결되며 '쉬마'(신명기)의 '하느님 사랑'에서 '슬기'를 다하여 하느님을 사랑해야 한다고 부연하는 이유도 인간 창조(에덴동산)와 연관된 추론에서 찾아볼 수 있다. 그러므로 토라에서 가장 큰 계명은 하느님의 인간 창조가 그 근본이 된다. 하느님이 그분의 모습으로 인간을 만들어냈기 때문에 하느님을 사랑하고 이웃을 자기처럼 사랑해야 한다는 논리다. 이와 같이 해석한 예수의 슬기에 탄복한 바리새 사람들은 감히 더 이상 질문할 바가 없었을 만하다.

착한 사마리아 사람의 예화 누가10,29~37

누가복음서에 전해진 이야기에 보면 어떻게 영원한 생명을 얻을 수 있냐고 예수에게 질문한 그 서사가 자기 스스로 의로운 체하려고 예수에게 "누가 내 이웃입니까?" 하고 다시 물었다.(누가 10,29) 자기처럼 사랑할 수 있는 이웃이 누구냐는 질문이다. 여기서 '이웃'은 잘 모르는 옆집 사람을 가리키는 것이 아니라 같은 공동체 사람을 뜻한다. 예수 공동체에서는 이웃을 어떻게 정의하느냐는 질문이다.(아마도 이 서사가 다른 복음서에서 가장 큰 계명이 무엇이냐고 예수에게 물어본 바로 그 사람일 것 같다.)

그러자 예수는 '착한 사마리아 사람'의 이야기를 들어 설명했다. 예수가 누가 이웃이냐고 질문한 서사에게 사마리아 사람의 선행을 예화로 들은 것은 그 당시 유대인들의 정서에서 보면 매우 이례적이지만 예수의 관점에서 보면 그렇지 않다. '착한 사마리아 사람의 예화'(누가 10,30~37)는 잘 알려진 이야기다. 이 예화의 주제는 누가 이웃인가에 대한 것이다.

어떤 사람이 길을 가다가 강도를 만나 모두 **빼앗기고** 두들겨 맞아 목숨을 부지하기 어려운 지경이 된 채 쓰러져 있었다. 마침 한 사제가 그 길로 내려가다가 그를 보고 그냥 지나갔다. 또 레위인이 그곳에 이르러 그를 보고도 마찬가지였다. 그런데 한 사마리아 사람이 나귀를 타고 그곳을 지나가다가 그를 보고 '불쌍히 여겨' 그에게 다가와 기름과 포도주를 부어 그의 상처를 싸매주고 그를 자기 나귀에 태워 여인숙으로 데리고 가서 돌보아주었다. 다음 날 아침 그는 두 데나리온을 여인숙 주인에게 주고 그를 돌보아달라고 하며 만일 비용이 더 들면 자기가 돌아오는 길에 갚아주겠다고 말했다. 예수는 질문자에게 이 세 사람 가운데 누가 강도 맞은 사람의 이웃이 되냐고 물어보았다. 그러자 그는 그를 '불쌍히 여긴' 사람이라고 대답했다. 예수는 그에게 "당신 역시 가서 그렇게 행하시오"라고 말했다. 그 서사가 어떻게 반응했는지에 대해서는 전해지지 않는다.

이 예화에 나오는 등장인물은 강도 맞은 사람과 사제, 레위인 그리고 사마리아 사람이다. 이들 가운데 왜 사마리아 사람이 강도 맞은 사람의 이웃이라고 할 수 있을까? 그 질문자가 대답한 것처럼 그를 불쌍히 여겼기 때문일까? 이웃을 불쌍히 여기라는 말일까? 그렇다면 '네 이웃을 너처럼 불쌍히 여기라'는 말이 된다. 이는 내가 나를 불쌍히 여기라는 뜻인데 (때로는 그럴 수 있겠지만) 잘못된 생각이다. 따라서 '그를 불쌍히 여긴 사람'이 이웃이라는 서사의 대답은 틀렸다. 예수는 사마리아 사람의 예화를 들어 이야기하면서 그 사마리아 사람이 얻어맞아 쓰러져 있는 사람을 보고 '불쌍히 여겨'라는 문구를 넣어 질문자의 생각을 넌지시 알아본 것이다. 그 서사가 '불쌍히 여긴' 사람이 이웃이라고 대답하자 예수는 "당신도 그렇게 행하시오"라고 말한 점에서 짐작할 수 있다. 이는 그를 불쌍히 여기라는 말이 아니라 사마리아 사람이 그 죽어가는 사람에게 다가가서 그 상태가 어떤지 보고 도와준 것처럼 생명을 중하게 여기라는 뜻이다. '그렇게 행하시오'라는 말이 무슨 뜻인지는 사제와 레위인이 그냥 지나친 이유를 찾아보면 분명히 알 수 있다.

사제와 레위인이 그 사람을 보고 그냥 지나친 이유는 종교적인 법규 때문이다. 사제와 레위인은 자기 식구 이외 시체에 접촉하면 부정不淨하게 된다. 그들은 거의 죽은 채 쓰러져 있는 사람을 죽은 것으로 간주하고 지나친 것이다. 바리새의 법해석(미쉬나)에 따르면 모든 생명은 법에 우선하기 때문에 거의 죽은 생명이라도 구하려고 노력해야 한다고 규정했다(7장 〈안식일에 밀 이삭을 자르다〉 참조). 그렇지만 사제들과 레위 사람들은 사두개에 속한 사람들이어서 바리새의 미쉬나를 받아들이지 않았다.

사마리아 사람들도 사두개의 법규처럼 자기 식구 이외 시체에는 접촉하지 않았다. 그런데 이 착한 사마리아 사람은 그러지 않았다. 자기들의 종교법을 어기면서도 거의 죽은 채 쓰러진 사람에게 다가와 그가 죽지 않았다는 것을 확인하고 그를 돌보아 생명을 구한 것이다. 힐렐파 바리새의 법규 해석에 동의한 셈이다. 누가 이웃이냐고 질문한 서사에게 '착한 사마리아 사람'의 예화를 이야기한 배경은 이러한 법규 해석의 맥락에서 이해될 수 있다.

누가 이웃인가

예수가 가르치는 이웃은 종교법에 구속되지 않고 생명을 우선으로 생각한 인도주의자다. '착한 사마리아 사람의 예화'에 등장하는 세 명 모두 종교법을 지켜야 하는 사람들이지만 이교도라고 적대시하는 사마리아 사람이 인간을 중하게 여기는 이웃이라는 가르침이다. 누가 이웃인가? 인간을 중하게 여기는 사람이다. 엣세네의 규례에서 이웃을 중히 여겨야 한다는 구절을 찾아볼 수 있다.

사람은 그의 이웃을 진리와 겸손과 자비로 비판하며 사람에게 분노나 불만이나 오만이나 악령에 의한 질투로 그의 이웃에게 말하지 않을 것이다. 그의 마음속으로 [몰래] 그를 미워하지 않으며 바로 그날 그를 비판할 것이고 죄를 그에게 짊어지게 하지 않을 것이다.

또한 사람은 증인 앞에서 그의 이웃을 비판하지 않고 대중 앞에서 문제를 제기하지 않을 것이다. 사람은 그의 이웃과 함께 사는 그들의 모든 거주지에서 이렇게 걸어 다닐 것이다.(〈단합체의 규례〉 v,25~vi,2)

또한 랍비 유대교의 문헌에 다음과 같은 가르침에서 인간을 중히 여겨야 하는 근거를 읽어볼 수 있다.

벤 조마는 말했다.
어떠한 자가 지혜로운가?
누구에게서나 배우는 자다. 이렇게 말한다. "당신의 증거가 나에게 대화이기 때문에 나를 가르친 모든 이로부터 나는 깨닫게 되었습니다."
(시편 119,99)
어떠한 자가 용감한가?
자기 본성을 누르는 자다. 이렇게 말한다. "노하기를 더디 하는 자는 용사보다 낫고 자기의 감정을 다스리는 자는 도시를 점령한 자보다 낫다."(잠언 16,32)
어떠한 자가 부유한가?
자기 몫에 기뻐하는 자다. 이렇게 말한다. "네 손바닥으로 잰 만큼 네가 먹으니 너는 행복하며 너에게 좋은 것이다."(시편 128,2) 이 세상에서 너는 행복할 것이며 오는 세상에 너에게 좋을 것이다.

어떠한 자가 존중 받는가?

인간을 존중하는 자다. 이렇게 말한다. "나(하느님)는 나를 존중하는 자들을 존중하겠지만 나를 등한히 하는 자들은 하찮게 여겨질 것이다."

(사무엘상 2,30)(〈선조들의 어록〉 4,1)

벤 조마의 언명은 '사람에게는 네 가지 유형이 있다'(본서 8장 참조)는 명제를 해석한 가르침이다. 이와 비교해보면 지혜로운 사람은 자기도 공부하고 남들도 공부하기를 원하는 사람이다. 그래서 누구에게나 배우는 자가 바로 좋은 땅에 뿌려진 씨앗이며 복 받는 사람이다. 부유해지려면 욕심이 있어야 된다는 것은 상식이다(물론 부자가 모두 욕심꾸러기라고 말하는 것은 아니지만 부자가 되려면 내 것에 네 것을 보태야 한다). 사악한 유형이 이러한 범주에 속하지만 부자라고 해서 모두 사악한 것은 아니다. 이상적인 부자는 자기 몫에 기뻐하는 자라고 설명한다.

용감한 사람은 노하기를 더디 하는 사람이다. 네 것이 내 것이고 내 것이 네 것이라고 생각되어야 참으로 용기가 생긴다. 내 것과 네 것을 헷갈려서 끝내 소기의 목적을 달성한 사람은 용감하다. 이상적인 부자가 자기 몫에 기뻐하는 것처럼 이상을 추구하며 나와 남을 구별하지 않는 사람은 용감한 사람이다. 헷갈리는 유형은 종교적 믿음이 강한 사람에게 더 드러난다. 자신이 신의 영역에 속한다고 판단하여 악령을 쫓아내거나 믿음으로 앞장서서 행동하는 경우에 흔히 나타난다.

인간을 존중하는 사람은 하느님을 존중한다는 말이다. 법을 지키고 사회 관습과 윤리를 존중하는 부류의 사람들을 가리킨다. 준법정신이 이를 대표한다. 랍비 유대교에서 가장 기본적으로 가르치는 것이 모세 법규(토라)과 그 법해석(미쉬나)이다. 하느님의 토라를 배우고 지키는 사람이 구원을 받는다는 논리는 랍비 유대교의 근본 사상이다. 따라서 인간을 존중하는 자에게는 하느님의 복이 내리지만 인간을 업신여기면 하느님의 벌/심판을 받는다.

예수가 '착한 사마리아 사람의 예화'에서 말하려는 핵심이 바로 '인간을 존중하라'는 언명이다. "인간을 존중하는 사람은 네 이웃을 자기처럼 사랑하는 사람이다." 인간을 존중해야 내 이웃을 나처럼 사랑할 수 있다.

성경 지식이 많다고 스스로 의롭다며 뽐내던 그 서사는 아무 말도 없이 가버렸다. 아마도 그 서사는 비록 '그를 불쌍히 여기는 사람이 이웃'이라고 말은 했지만 사마리아인과 같은 이교도를 자기 이웃이라고 말할 용기는 없었던 것 같다. 바리새들과 사두개들은 예수의 이러한 태도가 유대교의 전통을 무시하는 불경스러운 언행이라고 보았음이 분명하다. 엣세네들도 사마리아 사람들을 어둠의 자식들이라고 여겼기 때문에 예수의 착한 사마리아 사람이라는 예화는 달갑지 않은 이야기겠다.

착취와 부정으로 가득 찼다 마태 23,25

예수가 서사들과 바리새 사람들의 언행을 비판하며 "여러분 가운데 가장 큰 사람은 여러분을 섬기는 사람이 되어야 합니다. 자신을 높이는 사람은 낮추어지고 자신을 낮추는 사람은 높여질 것입니다"(마태 23,11~12)라고 말했다. 이 단락에서 예수는 그들에게 "여러분은 불쌍하구려! 서사들과 바리새들, 위선자들이여! 참으로 여러분이 사람들 앞에서 천국을 닫아버렸습니다"(마태 23,13)라고 말하며 일곱 차례나 불행을 선언했다. 그 가운데 그들이 착취와 부정으로 재산을 모았다고 저주하는 내용이 나온다.

> 여러분은 불쌍합니다. 서사들과 바리새들, 위선자들이여!
> 여러분은 잔과 대접의 겉은 깨끗이 닦지만 그 속에는 착취와 부정不正
> 이 가득 차 있습니다. (마태 23,25)

다른 복음서에는 '착취와 사악'이라고 조금 다른 단어를 사용한다. "지금 여러분 바리새들은 잔과 접시의 겉은 깨끗이 닦지만 여러분의 속은 착취와 사악이 가득 차 있습니다. (…) 그러니 그 속에 있는 것으로 자선을 하시오."(누가 11,39) 그들이 부정/사악한 방법으로 백성의 재산을 착취한다는 말이다.

예수의 수제자 베드로가 쓴 편지에 따르면 초대교회에 거짓 교사들이 생겨 그들이 진리의 길을 모독할 것이며 교인들의 재산을 착취할 것이라고 경고했다.

> 그리고 재물에 대한 탐욕과 조작된 단어들로 그들(거짓 교사들)은 여러
> 분에게서 이득을 취할 것입니다. (베드로후서 2,3)

바울이 고린도 교회에 보낸 편지에서 자기는 그들에게 잘못한 적이 없으며 그들의 재산을 탐낸 적도 없다고 이렇게 말한다. "우리는 아무에게도 부정한 짓을 하지 않았고 아무도 망쳐놓지 않았으며 아무도 속이지 않았습니다."(고린도후서 7,2) 베드로나 바울이 경고하거나 변호하는 편지에서 짐작할 수 있는 상황은 거짓 교사들이 초대교회에 돌아다니며 교인들을 속여 그들의 재산을 훔쳐간다는 말이다. 교회에 재산을 기

부하라고 속인다든지 헌금을 내라고 종용해 착복한다는 말이다.

그런데 엣세네의 〈하박국서 해석〉에 보면 돌들이 착취당한다고 해석하는 부분이 나온다.

> "불쌍하구나! 그의 집안에서 악한 이득을 얻는 자여!
> (중략)
> 벽에서 돌이 외치며 목재에서 들보가 대답한다."(하박국 2, 9~11)
> [그 해석. …] […]
> 그 돌들은 착취당하며 그 목재의 들보는 잘려진다.

'돌이 외친다'는 표현은 복음서에 전해진 예수의 예루살렘 입성 장면에서 읽을 수 있다. 예수가 예루살렘에 들어가기 위해 새끼 나귀에 올라타고 올리브 산 내리막길에 이르렀을 때에 제자들과 그들을 따르는 무리가 모두 기뻐하며 큰 소리로 하느님을 찬미하며 말한다.

> "주님YHWH의 이름으로 오는 왕은 복 받으신다!
> 하늘에 평화와 높은 곳에 영광!"
> 그러자 군중 가운데 바리새 몇 사람이 예수에게 말했다.
> "랍비님, 당신의 제자들을 꾸짖으십시오."(누가 19,38~39)

'주의 이름으로 오는 왕'은 다윗의 아들로 마지막 시대에 오는 구원자/메시아를 뜻한다. 바리새들은 예수의 제자들이 그의 선생(랍비)을 다윗의 아들로 오는 메시아 왕이라고 선포하는 것에 불만을 품고 있었기 때문에 반기를 든 것이다. 예수를 메시아 왕이라고 선포하는 것은 산헤드린에서 논의된 사항이 아니기 때문에 바리새들은 예수에게 제자들의 입단속을 당부한 것이다. (그 당시 어느 누구가 메시아라는 풍문이 돌면 산헤드린에서 그 문제를 논의했다. 예수가 체포되어 산헤드린에 넘겨진 것도 그런 맥락에서 일어난 사건이다.)

그러자 예수는 이렇게 말한다. "만일 그들이 조용하면 돌들이 외칩니다."(누가 19,40) '돌들'은 무엇을 가리킬까? 제자들이 큰 소리로 하느님을 찬양하며 말한 '높은 곳'은 예루살렘 성전을 뜻한다. 메시아가 예루살렘에서 하느님의 영광을 드러낼 것을 노래한 것이다. '돌들'은 예루살렘 성벽의 돌들을 가리킨다. 만일 제자들이 예수가 메시아인 것을 찬양하지 않는다면 예루살렘 성벽의 돌들이 '하늘에 평화와 높은 곳에 영광!'이라고 외칠 것이라는 뜻이다. 곧이어 예수는 예루살렘 가까이 이르러 그 도시를 보고 울면서 이렇게 말한다.

> 만일 네(예루살렘)가 네 평화에 대한 것들을 알았더라면, 적어도 이 며칠 동안에 (일어날) 것들이라도. 그러나 지금 네 눈에는 가려져 있구나!(누가 19,42)

'이 며칠 동안에 일어날 일'은 메시아 예수가 십자가에 매달리게 되어 고통 속에 죽을 사건이다. '예루살렘의 평화를 안다'는 예수가 구원자/메시아라고 선포함으로써 알게 된다는 뜻이다. 예수의 제자들이 '예루살렘의 평화'를 외치지 않으면 예루살렘 성벽의 돌들이 '하늘에 평화와 높은 곳에 영광'을 선포할 것이다. 돌들이 소리를 내는 것은 은유적 표현이며 실제로는 예루살렘의 주민들이 메시아 예수의 영광을 외칠 것이라는 이야기다.

엣세네의 하박국서 해석자가 '돌들이 착취당한다'고 해석하는 정황은 사악한 사제가 엣세네 공동체를 돌아다니며 감언이설로 그들을 꾀어 그들의 재산을 헌납하게 하고는 그 재산을 착복한다는 말이다. 사도행전에 전해진 초대교회 교인들의 한 일화에서 재산 문제를 읽어볼 수 있다.

사도행전에 나오는 초대교회는 교인들의 재산을 공동으로 소유했다. 누구든지 교인이 되면 자기 밭이나 집을 팔아서 그 대금을 가져와 교회 지도자들에게 맡겼다. 그리고 저마다 필요한 만큼 각자에게 나누어 가지게 했다.(사도행전 4,32~35) 그런데 하난야(아나니아)라는 사람이 자기 아내와 함께 땅을 팔고는 아내도 양해하여 그 값의 일부는 떼어놓고 일부만 사도들의 발치에 가져다놓았다. 교회 공동체에 헌납한 것이다. 그러나 베드로는 그 사실을 알고는 그에게 "하난야, 어찌 된 일입니까? 사탄이 당신의 마음을 다 차지하여 거룩하신 분의 영을 속이게 합니다. (…) 당신은 사람들을 속인 것이 아니라 하느님을 속인 것입니다." 그는 이 말을 듣자 쓰러져 죽었다.(사도행전 5,1~5)

엣세네 공동체나 초대교회에서도 공동체에 헌납하는 재산으로 공동체 최고 지도층에서 부정을 저지르는 일이 종종 있었던 것을 알 수 있다. 또한 엣세네나 초대교회 모두 공동체 일원의 재산을 공동으로 관리했던 점으로 보아 70년 이후 엣세네 공동체가 와해되면서 많은 엣세네 사람들이 초대교회로 흡수되었다고 생각할 수 있다.

가난한 과부의 헌금 마가 12,43~44

예수는 예루살렘 성전 앞마당에 모인 군중에게 계명에 대해 가르치

며 이렇게 말했다.

서사들을 조심하시오. 그들은 기다란 예복을 입고 돌아다니기를 즐기며 사거리에서 인사 받기를 좋아합니다. 회당에서는 높은 좌석을, 잔치에서는 윗자리를 (좋아합니다).

그들은 겉꾸며 길게 기도하는 자들과 함께 과부들의 가산을 (등쳐)먹는 자들입니다. 그들은 더욱 엄한 심판을 받을 것입니다.(마가 12,38~40)

그러고 나서 예수는 (성전의) 헌금함 맞은편에 앉아서 사람들이 헌금함에 동전을 넣는 모습을 바라보고 있었다. 많은 부자들은 많은 돈을 넣었다. 한 가난한 과부가 와서 렙톤 두 개를 넣었다. [렙톤은 그리스 동전이다. 렙톤 두 개는 히브리 동전 1프루타에 상당했다. 1프루타로 석류 하나를 살 수 있었다(10장 〈은전 서른 개〉참조).]

예수는 제자들을 가까이 부르고 그들에게 말했다.

9-1 헤롯 1세 동전. 1렙톤
왼쪽 독수리가 서 있다.
오른쪽 염소 뿔cornucopia 양옆에 $HPW\Delta\ BA\Sigma I\Lambda$(헤롯 왕의)라고 새겨져 있다(염소 뿔은 풍요를 상징한다).

나는 여러분에게 분명히 말합니다.

헌금함에 넣은 모든 사람들보다 저 과부가 더 많이 넣었습니다. 왜냐하면 모두들 남은 돈으로 헌금함에 넣었지만 그녀는 궁핍한 가운데에서 그녀가 가지고 있는 모든 것 그녀의 모든 재산을 넣었기 때문입니다.(마가 12,43~44)

'겉꾸며 길게 기도하는 자들'은 바리새 사람들을 가리킨다. 서사들이 바리새 사람들과 함께 과부의 재산을 등쳐먹는다고 예수는 군중 앞에서 그들의 비행을 비판한다(예를 들어, 그들은 과부의 죽은 남편 기일을 알고 그녀를 위해 길게 기도해주겠다며 큰 비용을 요구한다는 말이다).

반면 성전의 헌금함에 렙톤 두 개를 넣는 과부를 보고 그녀의 자선을 높이 산다. 과부와 높은 의자에 앉기를 좋아하는 서사를 대조해 설명하는 의도는 바리새들이 얼마나 탐욕스러운지를 밝히려는 데 있다. 정함과 부정함을 구별해서 일상생활에서 종교적 과오를 일으키지 않게 도와주는 것을 직업으로 삼고 있는 서사나 바리새 학자들이 자기 백성 가운데 가난한 과부나 힘없는 사람들을 어떻게 약탈할 수 있냐고 외치는 것이다. 엣세네 규례에 아래와 같은 단락은 매우 시사적이다.

자기 백성 중에 가난한 자들을 약탈하고 과부들을 희생자로 만들고 고아들을 죽이겠느냐? 부정不淨한 것과 정淨한 것 사이를 갈라놓을 것이며 거룩한 것과 세속世俗한 것 사이를 알아야 할 것이다.(《새 언약의 규례》 vi,16~17)

토라를 여러 해 동안 배우고 가르쳤더라도 토라로 얻은 지위를 이용해서 이득을 얻으려는 행위는 사악하다. 그런데 서사들과 바리새 선생들이 잔치에 와서 높은 자리에 앉는 것을 추구하고 가난한 과부의 가산을 등쳐먹는다는 비난을 듣고 있으니 그들은 얼마나 화가 날까! 그들이 예수를 제거하려고 도모하는 것은 당연하겠다.

메시아의 도래에 앞서 왜 재난이 있어야 할까 마가13,8

예수가 성전에서 사두개들과 부활에 대해 논쟁을 한 다음 (아마도 날이 저물 즈음이 되어) 성전을 떠나 올리브 산 쪽으로 갈 때에 제자들 중 한 사람이 성전을 보고 이 얼마나 대단한 건물이냐고 말했다. 그러자 예수는 이 웅장한 건물이 남아 있지 않고 허물어질 것이라고 대답했다. 예수와 제자들이 올리브 산에 올라갔다. 예수가 성전 맞은편에 앉아 있을 때에 베드로와 다른 몇 명의 제자들이 그에게 다가가 언제 그러한 일이 일어나며 어떤 표징이 나타나겠냐고 물어보았다. 예수는 그들이 앞으로 어려움에 직면할 터이니 누구에게도 속지 않도록 조심하라고 일러준다. 어떤 무리가 그의 이름으로 와서 '내가 메시아다'라고 말하며 그들을 잘못되게 만들 것이라고 경고하며 전쟁에 대한 소문을 들을 것이지만 당황하지 않아야 한다며 이렇게 말했다.

참으로 민족이 민족을 거슬러 일어나고 왕국이 왕국을 거슬러 일어날 것입니다. 기근과 전염병과 지진이 곳곳에서 생길 것입니다. 그러나 이런 일들은 재난의 시작입니다.

(중략)

형제가 형제를 넘겨주어 죽게 하고 아버지가 자식을 그렇게 할 것입니다. 자식들은 부모를 거슬러 일어나 그들을 죽일 것입니다. 여러분은 내 이름으로 인해 모든 사람들에게 미움 받을 것입니다. 그러나 끝까지 서 있는 자는 살아 있을 것입니다.

(중략)

참으로 그 시기에 고난이 있을 것이며 그와 같은 일은 하느님이 만들어 낸 세상의 그 처음부터 지금까지 없었고 (앞으로도) 없을 것입니다. 주님 YHWH이 그 시기를 줄여주지 않았더라면 어떤 사람도 살아 있지 못할 것입니다. 그러나 그분이 선택한 선민들을 위해 그 시기를 줄여주었습니다.

(중략)

고난에 뒤이은 그 시기에 해는 어두워지고 달은 제 빛을 내지 않으며 별들이 하늘에서 떨어지고 하늘에 있는 군대들이 흔들릴 것입니다. 그러고 나서 큰 권능과 영광과 함께 구름 (타고) 오는 아담의 아들을 볼 것입니다. 그러고 나서 그는 천사들을 보내 땅 끝에서 하늘 끝까지 사방에서 그의 선민들을 모을 것입니다. (마가 13,8 · 12~13 · 19~20 · 24~27)

예수가 말하고 있는 그 재난의 시기는 예수가 죽은 다음 무덤 굴에서 나와 그의 제자들에게 그의 부활을 알려주고 하늘로 올라간 뒤에 생길 사건이다. 왜냐하면 그날에 아담의 아들이 구름을 타고 온다고 말하기 때문이다. 예수가 산헤드린에서 가야파 대사제에게서 심문을 받을 때에 그는 분명하게 "그(아담의 아들)는 하늘의 구름 위에 옵니다"라고 말했다. 그런데 아담의 아들이 그가 선택한 선민들을 불러 모으려고 오기 전에 이 세상은 민족과 민족이 싸우고 기근이 생기며 전염병이 창궐할 것이고 형제들은 서로 다투는 고난의 시기가 있을 것이라고 말한다. 그러나 그 고난의 시기는 하느님의 도움으로 그렇게 길지 않을 것이며 메시아 예수는 다시 온다는 이야기다.

엣세네의 문헌에 보면 마지막 시대에 메시아가 도래하기 전에 전쟁과 환난이 있으나 메시아 왕은 하느님의 권능을 갖추고 정의로 이 세상을 심판하여 평화가 세워진다고 설파한다.

그는 [⋯] 라고 불릴 것이며 그분(하느님)의 이름으로 준비될 것입니다. 그를 하느님의 아들이라고 말할 것이며 그들은 그를 높으신 분(엘욘)의 아들이라고 부를 것입니다. 그들이 본 유성처럼 그의 왕국은 확실할 것이며 그는 이 땅에서 여러 해 동안 통치할 것입니다.

백성이 백성을 짓밟고 민족이 민족을 짓밟을 것입니다. 그러나 하느님의 백성이 일어나서 모두가 칼에서 쉴 수 있게 할 때까지 그의 왕국은 영원한 왕국이며 그의 모든 길은 정의에 있습니다. 그는 정의로 이 땅을 심판하고 모두가 평화를 이룩하며 칼은 이 땅에서 마지막이 될 것입니다.

모든 민족은 그를 숭배하며 위대한 하느님은 그의 권능에 있습니다. 그는 그분(하느님)을 위해 전쟁을 주도하며 그분은 그의 손에 모든 백성들을 넘겨줍니다. 그는 모두를 그 앞에 내던지며 그의 지배는 영원한 지배입니다.(《하느님의 아들》 i,9~ii,9)

엣세네 공동체 사람들은 하느님이 계시하는 메시아를 '높으신 분의 아들'이라고 불렀다('높으신 분의 아들'은 복음서에 전해진 예수의 탄생 이야기에도 나온다. 4장 《거룩하신 분의 영으로 잉태된 구원자》 참조). 그 하느님의 아들이 이 땅에서 여러 해 동안 통치할 것인데 그 시기에 백성이 백성을 죽이고 민족이 민족을 죽이는 재난이 있다고 말한다. 이는 복음서에서 "민족이 민족을 거슬러 일어나고 왕국이 왕국을 거슬러 일어난다"는 문구와 병행한다.

'끝까지 서 있는 자는 살아 있을 것이다'라는 말에서 '끝까지'가 무슨 의미인지는 '하느님의 백성이 일어나 모두가 칼에서 쉴 수 있게 할 때까지'라는 문구에서 좀 더 구체적인 맥락을 볼 수 있다. 하느님이 선택한 선민은 하느님의 백성과 같은 뜻이다. 하느님이 그의 손에 모든 백성을 넘겨준다는 것은 하느님이 선택한 백성을 메시아의 손에 넘겨준다는 뜻이다. 그가 여러 해 동안 이 땅의 그들의 왕국(공동체)에서 주인으로 가르치고 정의를 행하여 평화를 이룩한 다음 이 땅에서 마지막이 되고 하느님은 그의 손(가르침과 권능)에 모든 백성을 넘겨주어 하느님의 왕국(천국)은 영원하다는 뜻이다. 하느님의 아들은 몇 해 동안만 이 땅에 있다가 하느님에게로 가지만 그가 그동안 이 땅에서 하느님의 길(토라)을 가르치고 하느님의 정의를 행사하며 무엇이 평화인지를 모든 백성에게 알려준 소식은 영원할 것이라는 말이다.

이러한 내용을 복음서에서는 기쁜 소식(복음)이라고 말한다. 죽음에서 일어선 예수는 그의 제자들에게 다가와 이렇게 말한다.

> 하늘과 땅의 모든 통치가 나에게 주어졌습니다. 내 아버지가 나를 보낸 것처럼 나 역시 여러분을 보냅니다. 그러므로 가서 모든 민족들을 제자들이 되게 하시오.(마태 28,18~19)

하느님은 죽음에서 일어선 예수가 하늘과 땅을 지배하라고 말했다는 것이다. 위에 인용한 엣세네 문헌에서 '모든 민족은 그를 숭배하며 위대한 하느님은 그의 권능에 있다'는 표현은 예수의 말과 상통하는 점이 있다. 그 하느님의 아들이 영원한 지배자가 된다는 말이다. 다른 복음서에서는 조금 다르게 말한다.

> 온 세상으로 가서 모든 피조물에게 내 복음을 선포하시오. 믿고 세례 받는 이들은 구원 받을 것이며 믿지 않는 이들은 단죄 받을 것입니다.(마가 16,15~16).

위에 인용한 엣세네 문헌에서 '그는 (하느님)을 위해 전쟁을 주도한다. 그는 모두를 그 앞에 내던진다' 등의 표현은 예수의 복음을 믿지 않는 사람들은 단죄 받을 것이라는 말과 상통한다. 메시아가 도래하는 시기에 앞서 전쟁이 있어야 하는 이유가 여기에 있다. 어둠의 자식들을 몰아내어야 메시아의 시대가 펼쳐지기 때문이다. 그러므로 메시아가 오는 시기에 재난과 고난이 있어야 한다. 탈무드에 전해진 아래와 같은 단락에서 좀 더 자세한 내용을 읽어볼 수 있다.

> 이츠학 랍비는 말했다.
> 요하난 (벤 자카이) 랍비는 이렇게 말했다. "다윗의 아들이 오는 시대에 학자들은 몇 되지 않을 것이며 다른 사람들도 그들의 눈에 슬픔과 고통으로 수심이 가득할 것이다. 많은 고난이 있을 것이며 사악한 판결이 갱신될 것이고 다른 일이 끝나기도 전에 새로운 악함이 재빨리 생길 것이다."
> 우리 랍비는 이렇게 가르쳤다.
> 이러한 일들은 칠 년 동안 생길 것이고 그 마지막이 되면 다윗의 아들

이 올 것이다.

첫해에 '나는 한 도시에 비를 내릴 것이고 다른 도시에는 비를 내리지 않겠다.'(아모스 4,7)

둘째 해에는 굶주림의 화살들이 쏟아질 것이다.

셋째 해에는 큰 기근이 들 것이며 이로 인해 남자와 여자, 아이들, 경건한 자들과 거룩한 자들이 죽을 것이다. 따라서 토라는 학생들 사이에 잊혀질 것이다. 넷째 해에는 어떤 것들은 남아돌지만 어떤 것들은 모자랄 것이다.

다섯째 해에는 크게 풍요롭게 되며 사람들은 먹고 마시고 기뻐하며 토라는 학생들 사이에 다시 돌아온다.

여섯째 해에는 소리가 들릴 것이다.

일곱째 해에는 전쟁이 일어나며 그 마지막에 다윗의 아들이 올 것이다. 느헤미야 랍비는 이렇게 가르쳤다.

메시아가 오는 시대에 뻔뻔스러운 일들이 늘어날 것이며 존중함이 비뚤어질 것이다. 포도원은 그 열매를 수확하지만 포도주는 매우 비싸게 된다. 왕국은 이교도로 개종할 것이지만 어느 누구도 그들을 비판하지 않을 것이다.(《바빌로니아 탈무드》, 〈산헤드린〉 97a)

'다윗의 아들'은 메시아를 뜻한다. (메시아의 도래 전에 기근, 거룩한 자들의 죽음, 전쟁 등의 고난이 있으며 그 기간이 칠 년이라는 주제는 요한계시록 11~12장에서 읽어볼 수 있다.) 세상에 사악한 일이 끊임없이 생기고 그로 인한 고난이 만연해지면 마지막 시대가 다가온다고 확신할 수 있다. 여기서 '우리 랍비'는 《미쉬나》를 편찬한 예후다 랍비를 말한다. 기근과 전쟁이 칠 년 동안 지속되고 그다음에 다윗의 아들이 온다는 이야기다. 여섯째 해에 소리가 들린다고 하는데 이 소리는 전쟁을 알리는 뜬소문일 수도 있고 메시아 시대가 오는 것을 알리는 하늘의 나팔 소리일 수도 있다. '뻔뻔스러운 자'에 대해 초기 유대교의 어록에 아래와 같이 전해진다.

> 뻔뻔스러운 자는 지옥으로
> 부끄러워하는 자는 에덴동산으로.
> 주님 우리의 하느님, 우리 선조들의 하느님,
> 당신의 뜻이 당신 앞에서 이루어지소서.
> 성전이 우리 시대에 빨리 세워져서
> 당신의 토라(가르침) 가운데 우리의 몫을 주십시오.(《선조들의 어록》 5,20)

'뻔뻔스러운 자'는 계명을 어기고도 회개하지 않는 사람을 뜻하며 그런 사람들 때문에 인간을 존중하지 않는 일들이 많아진다는 말이다. 그러나 메시아가 오는 시대에는 그 반대로 계명을 지키지 못한 사람들이 부끄러워하며 회개하게 되고 속죄 받아 에덴동산에 들어갈 수 있다.(마지막 시대의 에덴동산은 오는 세상, 하느님의 왕국, 천국 등과 비슷한 범주의 단어다.) 그런 사람들은 하느님의 뜻이 하늘에서 이루어지듯이 땅에서도 이루어지기를 기도하며 하느님의 성전이 하루빨리 세워져 오는 세상에 자기의 몫을 달라고 기원한다.

최후 만찬의 장소는 엣세네 거주지에 있었다 마가14,13~15
예수는 그의 제자들과 함께 '최후 만찬'을 하기 위해 두 명의 제자들을 보내며 미리 가서 준비하라고 말한다. 이미 그 만찬의 장소를 지정해놓았다는 셈이다.

> 성안으로 가시오. 그러면 물 항아리를 지고 있는 남자가 여러분을 만날 것입니다. 그를 따라가시오. 그리고 그가 들어가는 곳을 보아 그 집주인에게 말하시오.
> "우리 스승님이 '내 제자들과 함께 유월절에 (음식을) 먹을 손님방이 어디 있습니까' 하고 말합니다."
> 그러면 그 사람은 자리를 깔아 준비한 큰 다락방을 여러분에게 보여줄 것입니다. 거기에 우리를 위해 준비하시오.(마가 14,13~15)

예수는 그 큰 다락방에서 제자들과 함께 최후 만찬을 하고 "빵과 포도주가 내 몸과 피"라고 말하며 예수를 기억하기 위해 이를 행하라고 당부한다. 그 큰 다락방은 예수 공동체의 성찬의례가 시작된 최초의 장소다. 성찬의례는 종교적 공동체의 전례이며 종교의식을 행함으로 하나의 독립된 단체라는 것을 표명하는 수단이다.

초대교회 전승에 따르면 그 아무개의 큰 다락방이 시온 산 근처에 있었다고 전한다. 예수 공동체의 성찬의례 시발점이 시온 산이라고 말하는 이유는 그곳이 정말로 시온 산에 위치했기 때문이겠다. 또한 이스라엘의 예언서 전통에 하느님의 토라는 시온에서 나온다고 말하는 점도 그러하다. "시온에서 토라(하느님의 가르침)가 나가며 YHWH의 말씀은 예루살렘에서."(이사야 2,3)

그러나 그 최후 만찬의 큰 다락방이 시온에 있어야 하는 까닭은 엣세네 문헌에서 찾을 수 있다. 마지막 시대에 대한 엣세네의 해석에 따르면 '메시아가 시온 산에서 다스릴 것이다'고 말한다.

"YHWH는 너에게 이야기했다. 그(다윗)가 당신을 위해 집을 짓겠다. 나는 네 다음의 자손을 세우겠다. [영원할 때까지] 그의 왕국의 보좌를 확립하겠다. 나는 그에게 아버지가 될 것이며 그는 나에게 아들이 될 것이다."(사무엘하 7,11~14)

(해석.) 그는 다윗의 새싹이며 그는 토라 해설자와 함께 서 있을 것이며 마지막 날에 시온에서 [다스릴 것이다].(〈마지막 시대의 해석〉 10~12)

'다윗의 새싹'은 이스라엘의 메시아를 가리킨다. '토라 해설자'는 짜독(사독)의 자식, 즉 사제다. "단합체 의회에 오는 자들은 모든 지원자들의 앞에서 하느님의 언약에 들어온다. 온 마음과 목숨으로 그분이 명령한 모세의 토라로 돌아오겠다고 그의 목숨을 걸고 맹세할 것이다. 그것에 밝혀진 모든 것은 언약을 지키는 자들이며 그분의 뜻을 추구하는 자들인 짜독의 자식들에게 있다."(〈단합체의 규례〉 v 8~9) [하느님의 뜻은 토라를 가리키며 토라를 추구한다는 말은 토라를 해석하고 가르친다는 뜻이다. 엣세네의 사제는 공동체를 가르치는 교사의 임무를 겸행했다.]

〈마지막 시대의 해석〉에서 '그(다윗의 새싹)가 시온에서 [다스릴 것이다]'라고 복원한 것은 엣세네 공동체 문헌의 한 단락과 비교해본 결과다.

"얼마나 아름다운가! 산山들 위에 평화의 소식을 전하는 전달자의 발(자국)이! 행운을 전달하며 구원의 소식을 전한다. 시온에게 말한다. '너의 하느님이 다스린다.'"(이사야 52,7)

그 해석. 산들은 예언자들이다. […]

전달자는 거룩하신 분의 영의 메시아다.(〈하늘의 대표자 멜키쩨덱〉 15~17)

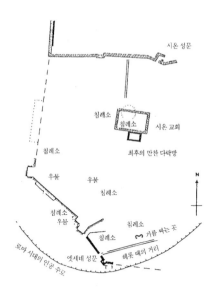

시온 성문

침례소

침례소

시온 교회

침례소

최후의 만찬 다락방

침례소

우물

우물

침례소

침례소
우물

침례소

침례소

기름 짜는 곳

로마 시대의 인장 수로

엣세네 성문

해뜰 때의 거리

N

'거룩하신 분의 영의 메시아'는 전통적으로 이해하는 기름 부어 세운 메시아가 아니라는 말이다. 평화의 소식(복음)을 전하는 구원의 전달자(메시아)가 시온에게 '하느님이 다스린다'고 해석한 것이다.

엣세네 사람들이 마지막 시대에 올 것이라고 기다렸던 다윗의 새싹은 초대교회에서 고백하는 메시아 예수며 그가 세상을 구원한다고 확신했다. 다윗의 새싹(메시아)이 마지막 날에 시온에서 다스릴 것이라는 엣세네의 해석에 걸맞게 예수 또한 시온 산을 택해 그곳에서 최후 만찬을 준비하게 한 것이다.

시온은 예루살렘의 시온 산을 말한다. 엣세네 공동체가 예루살렘의 시온 산에 집단 거주지를 형성하고 살았다. 6세기 요르단의 사해 동쪽

9-2 예루살렘 시온 산 지역의 엣세네 거주지

에 위치한 마다바의 교회 바닥에 그려진 모자이크 지도를 보면, 최후 만찬의 다락방 자리에 세웠다는 '시온 교회'는 시온 성문 쪽에 그려져 있다.

예수가 최후 만찬을 했다는 아무개의 큰 다락방이 시온 산 근처에 있었다는 초대교회 전승은 위에서 살펴본 엣세네 문헌의 메시아에 관한 이러한 해석을 반영한다. 또한 엣세네 사람들이 모여 살았던 시온 성문 근처에서 예수가 그의 제자들과 함께 공동 식탁에서 축복했다는 점도

9-3 마다바 교회 바닥의 모자이크 지도에 보이는 예루살렘

이 지도는 바르 코크바 항쟁을 진압한(135년) 하드리아누스 황제가 예루살렘을 로마식으로 건설한 아일리아 카피톨리나(Aelia Capitolina) 모습을 보여준다. 왼쪽 화살표 비슷한 무늬가 북쪽 성문이다(지금의 다마스쿠스 성문에 해당한다). 가운데 열주 행로가 남북으로 관통하고 그 위쪽으로 뻗은 행로가 성전 산으로 연결된다(성전은 동쪽에 있다). 그 당시에는 그곳에 카피톨리나 주피터 신의 신전이 있었다. 가운데 행로를 가로질러 오른쪽 끝 부분이 엣세네 성문이 있었던 곳이며 그 바로 안쪽에 있는 사각형 무늬의 지붕 건물이 시온 교회라고 본다.

엣세네와 예수 공동체 사이에 관계 있음을 볼 수 있다. 예수가 시온 산에서 최후 만찬을 행한 이유는 자명하다. 예수는 엣세네들이 기대하고 있던 메시아로 그가 이스라엘의 공동체를 다스리는 주主라고 선포하는 의례를 엣세네의 거주지 한복판에서 행한 것이다.

복음서 이야기에서 예수가 그의 제자들에게 물 항아리를 지고 있는 어느 남자가 그들을 만나 어느 집으로 들어갈 것이라고 말하는데 그 어느 남자나 그 집주인은 엣세네 사람들로 예수의 복음을 믿는 이들임에 틀림없다. 사해 근처에 거주지를 두고 있던 엣세네 본부의 지도층 사제들의 입장에서 보면 예수의 최후 만찬과 같은 행위는 도저히 묵과할 수 없었을 것 같다.

살과 피로 세운 새 언약의 공동체 마가14,22~24

예수가 그의 열두 제자들과 함께 식탁에 둘러앉아서 최후 만찬을 행하는 것은 매우 의미 깊은 성찬예식을 말한다. '빵과 포도주'의 성찬예식은 '그 빵이 예수의 몸이고, 포도주는 그의 새 언약의 피다'라고 고백하는 의례다. 예수가 죽고 다시 일어서는 날부터 성찬예식에 모인 사람들은 빵과 포도주를 나누어 먹고 마시며 메시아 예수를 기억하라는 규례라고 볼 수 있다.

그리고 그들(제자들)이 먹고 있을 때에 예수는 빵을 들었다. 그리고 그는 축복하고 떼어서 그들에게 주며 말했다.
"받으시오. 이는 바로 내 몸입니다."
그리고 그는 잔을 들고 감사기도를 하고 축복하며 그들에게 주었다. 모두 그것을 마셨다. 그리고 그는 그들에게 말했다.

"이는 내 피입니다. 새 언약의 피입니다. 무리를 위해 쏟는 것입니다."

(마가 14,22~24)

누가복음서에 전해진 최후 만찬 단락에서는 빵을 떼어 그의 제자들에게 주며 이렇게 말한다. "이는 여러분을 위해 주는 내 몸입니다. 나를 기억하기 위해 이를 행하십시오."(누가 22,19) 예수가 선포하는 '새 언약'은 예수의 몸과 그가 흘린 피를 기억하라는 메시지다. 새 언약은 메시아가 도래한 새 시대에 메시아를 믿고 따르는 사람들이 하느님과 새롭게 맺는 언약을 뜻한다. 옛날 언약은 홍수가 끝난 다음 노아가 천궁天弓을 언약의 표징으로 삼고 하느님과 맺은 언약과, 모세가 이집트에서 이스라엘 백성을 탈출시켜 시나이 산 기슭에서 하느님으로부터 받은 두 개의 석판을 표징으로 세우며 맺은 언약을 말한다.

이제 메시아 예수가 말하는 새 언약은 '예수의 살과 피'를 언약의 표징으로 삼고 하느님과 맺는 언약이다. 옛날에는 이스라엘 백성이 하느님과 언약을 맺었는데 새 시대에 들어서면서 새 언약은 예수를 믿고 따르는 '무리'가 예수와 맺는 것이다. 새 언약의 '무리'는 옛날의 이스라엘이라는 뜻이다. 예수 공동체는 이 의례를 모두冒頭로 성전 의식과 같은 성전 중심의 종교적 공동체를 시작하는 것이다. 예수의 제자들이 예루살렘 성전의 사제들과 같은 역할을 하며 그들이 모인 교회가 바로 성전이다. 이들의 교회에서 행하는 성만찬은 예수의 몸과 '무리를 위해 쏟는 피'를 기억하는 속죄 의례다(메시아 예수가 이 세상의 죄를 짊어지고 흘린 피는 아담의 죄를 속량하기 위해서다. 그래서 예수는 '새 아담'이라고 불린 것이다).

엣세네에서도 성만찬 의례를 거행했다. 마지막 시대에 도래할 두 명의 메시아가 만찬을 주례하며 성찬의례를 거행한다고 엣세네 지도자들은 가르쳤다. 이들은 마지막 시대에 있을 성찬례를 준비하여 그 예전을 만들었다. 〈마지막 시대의 규례〉에 따르면 공동 식탁의 만찬에 대사제로서 메시아가 먼저 착석하고 그다음 이스라엘의 메시아가 들어와 착석한 뒤 그들은 빵과 포도주로 축성했다. 엣세네의 빵과 포도주 성찬예식은 예수 공동체의 최후 만찬과는 그 내용이 다르다.

[이것은] 단합체 의회의 소집에 이름이 불릴 사람들의 모임이다. 그들이 오래 견디고 메시아가 그들에게 [올 때에 관한 것이다.]

[대사제가] 이스라엘의 모든 공동체와 이름 있는 사람들의 소집에 불린 사제들인 아론 자식들의 가장들의 장長으로 올 것이다. 그들은 각자 지위에 따라 그 [앞에] 앉을 것이다.

그 뒤 이스라엘의 메시아가 [올 것이며] [이스라엘 부족]장들은 거류지나 행렬에서의 위치처럼 각자 그의 지위에 따라 그 앞에 앉을 것이다. 공동체 모든 가장들의 장들은 [거룩한 공동체의] 현자들과 함께 각자 지위에 따라 그들 앞에 앉을 것이다. 그들은 빵을 나누고 포도주를 마시기 위해 공동 식탁에 모일 것이다.

[빵과] 마실 포도주를 공동 식탁에 준비할 때 사제 앞에서 누구도 첫 번째 빵과 포도주에 손을 뻗치지 않을 것이다. 그가 첫 번째 빵과 포도주를 축복할 것이고 그들 앞에서 빵에 그의 손을 뻗칠 것이기 때문이다. 그다음으로 이스라엘의 메시아가 빵에 그의 손을 뻗칠 것이며 그다음으로 단합체의 모든 공동체 사람들이 각자 그의 지위에 따라 축복할 것이다.

이것을 법규로 모든 모임에서 행할 것이며 열 명 이상이 모여야 할 것

이다.(《마지막 시대의 규례》 ii 11~22)

　《마지막 시대의 규례》는 메시아가 오는 마지막 시대를 대비해서 엣세네 공동체가 준비해야 하는 사항들을 열거한 문서다. 그 가운데 이러한 성찬예식을 말한 것이다. 이 규례에 따르면 성찬예식에 대사제가 먼저 빵과 포도주를 축복하고 그다음에 이스라엘의 메시아가 빵을 들어 축복하는 순서다. 공동체의 대사제가 이스라엘의 메시아를 초대하는 성찬예식과 같다. 엣세네 성찬예식은 예수의 최후 만찬에서 빵과 포도주를 사용하는 것 이외에는 판이하게 다르다. 엣세네들의 성찬예식은 매일 식사마다 하는 의례로 하느님에게 감사기도를 하고 축복하는 바리새 유대교의 식사 예식의 맥락에서 이해할 수 있다. 반면 초대교회의 성만찬은 속죄 의례에 속한다.(엣세네에서는 성경 구절과 기도문을 읽는 예배 형식을 갖추기 위해서 성인 열 명 이상이 모여야 했다. 이런 제도는 랍비 유대교도 마찬가지였다. 그러나 초대교회에서는 두세 명이 모여도 예배를 드릴 수 있었다.)

빵과 포도주의 성만찬

　복음서에 기록된 '최후 만찬'에 보면 예수는 빵을 들어 축복하고 그다음 포도주로 감사기도를 드린다. 다른 복음서에는 "잔을 들고 감사기도를 드렸다. (…) 그리고 빵을 들고 감사기도를 드렸다"(누가 22,17~19)고 전한다. 그러나 초대교회의 전통에서 보면 빵을 먼저 축복하고 그다음 포도주의 순서였다. "실상 나(바울)는 주님으로부터 전해 받은 것을 여러분에게 전해주었습니다. 곧 주 예수는 그가 잡히던 날 밤에 빵을 들고 감사기도를 드렸습니다… 잔을 들고 말했습니다."(고린도전서 11, 23~25) 이처럼 초대교회의 성만찬은 빵과 포도주의 순서다.

그 당시 바리새들과 사두개들의 식탁 축복 기도는 포도주를 먼저 축복하고 그다음 빵을 축복하는 순서다. 그러나 엣세네 공동체에서는 그 반대다. 먼저 빵을 축복하고 그다음 포도주의 순서다. '최후 만찬'에 나오듯이 초대교회에서도 엣세네처럼 먼저 빵을 들어 축복하고 그다음 포도주로 감사의 기도를 드렸다. 빵과 포도주 순서의 성만찬 의식도 예수 공동체와 엣세네 사이에 깊은 연관이 있었다는 여러 관점들 가운데 하나다.

복음서에 전해진 최후 만찬을 보면 예수는 빵을 들고 축복을 한 다음 "이는 내 몸입니다"고 말했으며 잔을 들고 감사기도를 한 다음 "이는 내 피입니다"고 말했다. 빵과 포도주는 메시아의 몸과 피를 은유적으로 표현한다. 메시아의 몸과 피가 빵과 포도주라는 말이 무슨 뜻일까? 전도서의 한 구절에 대한 미드라쉬에서 먹고 마시는 것은 토라와 선행을 뜻한다고 해석한다.

"사람에게 먹고 마시는 것보다 더 좋은 것은 없다."(전도서 2,24)
탄후마 랍비는 쉬무엘 바르 낙흐만 랍비의 아들 낙흐만 랍비의 이름으로 그리고 메낙흐마 랍비는 말했다.
"이 책(전도서)에서 말하는 먹는 것과 마시는 것은 토라와 선행을 뜻한다."
요나 랍비는 말했다.
"무엇보다도 우선 이렇게 말하는 데서 알 수 있다. '사람에게 태양 아래 먹고 마시며 기뻐하는 것보다 더 좋은 것은 없다. 이것은 하느님이 태양 아래 그에게 준 그의 생애에 그의 노고 속에서 그와 동반한다.'(전도서 8,15) 여기서 '그의 노고'는 그의 세상, 즉 이 세상을 말한다. '그의 생애'는 (결국) 무덤을 말한다. 그렇다면 사람을 묻기 위해 동반하는 무덤 속에 먹고 마시는 것이 있을까? 이것은 다름 아닌 토라와 선행을 뜻한다."(《전도서 미드라쉬》 2,28)

사람이 먹고 마시는 것은 그가 살아 있는 동안에 가능한 일이다. '사람의 노고'는 사람이 이 세상에 살고 있는 동안 애쓰며 일한다는 뜻이다. 그런데 태양 아래에서 먹고 마시는 것(빵과 포도주)이 무덤에까지 동반하느냐고 반문한다. 왜냐하면 삶은 곧 죽음으로 이어지기 때문이다. 사람은 태양 아래 죽음을 맞이한다는 말이다. 먹고 마시는 것이 죽음과 동반한다면 망자는 먹지도 마시지도 못하니까 그것은 토라와 선행일 수밖에 없다. 사람이 죽기 전에 심판을 받게 되는데 그 심판의 기준은 토라와 선행이다. 사람이 토라를 배워 얼마나 잘 지켰느냐가 최후의 심판에서 밝혀지기 때문이다.

이와 비교하여 복음서에 전해진 최후 만찬 이야기를 살펴볼 수 있다. 예수는 그의 제자들에게 빵을 나누어주고 이는 그의 몸이라고 말한 다음 포도주가 담긴 잔을 들어 이는 언약의 피로서 죄를 용서해주려고 많은 사람들을 위해 쏟는 것이라고 말한다. 위 미드라쉬와 비교해보면 메시아의 몸은 먹을 것을, 그리고 그의 피는 마실 것을 은유적으로 표현한다. 그의 몸은 그의 가르침을, 그가 흘린 피는 세상의 죄를 없애려는 선행을 뜻한다. 예수는 제자들에게 그의 몸과 피를 기억하기 위해 성만찬 의례를 행하라고 가르친다. 예수의 가르침과 선행을 기억하고 그 배움에 따라 행하는 마음을 갖는 것이 성만찬의 근본 취지다.

초기 유대교 문헌에 따르면 빵과 포도주는 토라를 은유하는 낱말이다. 포도주의 경우 "솔로몬은 '나는 내 몸을 포도주로 길들여보고자 내 마음속에 작정했다'(전도서 2,3)라고 말했다. 이는 토라의 포도주로 내 몸을 길들여보려 한 것이다." 이렇게 말한다. "'내 마음은 지혜로 이끌어 간다.'(전도서 2,3) 토라의 지혜로 그렇다"(전도서 미드라쉬 2,6)는 미드라쉬를 읽어볼 수 있다. 포도주는 마음을 지혜로 이끄는 토라와 같다는 말이다. 빵의 경우는 에덴동산의 지식나무 열매에 대한 미드라쉬에서 찾아볼 수 있다.

"선과 악을 알게 하는 지식나무."(창세기 2,17)
아담과 하와가 먹은 그 나무는 무엇일까?
메이르 랍비는 말했다.
"그것은 밀이다. 어떤 사람에게 지식이 없다면 사람들이 말하길 '그 사람은 생전에 밀 빵을 먹어보지 못했구나'라고 한다."
이츠학 랍비의 아들 쉬무엘 랍비는 제이라 랍비에게 질문했다.
"정말로 밀입니까?"
그는 그에게 말했다.
"그렇습니다."
그는 그에게 말했다.
"그러나 나무라고 쓰여 있습니다."
그는 그에게 말했다.
"그것은 레바논의 삼나무처럼 높이 자랍니다."
야콥 바르 아하 랍비는 말했다.
"느헤미야 랍비와 랍비들 사이에 논쟁이 있었다.
느헤미야 랍비는 말했다.
'(사람이 빵을 먹기 전에 이렇게 기도한다.) "빵을 (만드는 곡식이) 땅에서 나

오게 하신 분은 (찬미 받으십니다)." 즉, 그분은 이미 빵을 (만드는 곡식이) 땅에서 나오게 했다.'

랍비들은 말했다.

'"빵을 (만드는 곡식이) 땅에서 나오게 하신 분은 (찬미 받으십니다)." 즉, 그분은 미래에 빵을 (만드는 곡식이) 땅에서 나오게 할 것이다.[03] 이렇게 말한다. '땅에 한 줌 (크기)의 곡식(알들)이 생길 것이다.'(시편 72, 16)"(《창세기 미드라쉬 랍바》 15,7)

지식이 없으면 밀 빵을 먹어보지 못했다고 보통 사람들이 말한다. 이는 전문 지식이 없어서 가난하다는 뜻이겠다. 그러나 랍비들의 입장에서 보면 그렇지 않다는 이야기다. 밀은 삼나무처럼 높이 자라기 때문에 나무의 범주에 속한다. '레바논의 삼나무'는 예루살렘 성전을 은유적으로 가리킨다. 예루살렘 성전을 레바논의 삼나무로 장식했기 때문에 생긴 표현이다. 또한 밀은 성전에서 하느님에게 봉헌물로 드리는 첫 반죽 빵을 뜻한다. 따라서 '밀'은 하느님의 집을 뜻하며 밀로 만든 빵은 하느님의 말씀을 가리킨다. 빵을 먹기 전에 하느님에게 감사의 기도를 해야 하는 그 이유를 바로 이런 해석에서 찾아볼 수 있다.

밀은 선과 악을 구별할 수 있는 지식을 뜻한다. 초기 유대교 현자들은 이러한 지식은 토라 공부를 함으로써 습득할 수 있다고 말했다. 물론 성경에 대한 지식이 토라 해석을 통해 이해되기 때문이기도 하지만, 당시 유대교 사회에서 선과 악을 구별하는 지식은 토라의 울타리 안에서 찾을 수 있었다. 토라를 공부함으로써 하느님의 가르침을 이해할 수 있으며, 이로 인해 생명의 원천에 가까이 갈 수 있다는 논리가 강조됐고, 이런 사회에서 토라 공부는 매우 중요한 구원의 수단이 됐다.

토라 공부를 하기 위해 학교에 다니려면 수업료를 내야 했다. 그 당시 사람들이 생활에 여유가 있어서 토라 공부 학교에 다니는 것은 아니었고, 대부분의 학생들은 생업에 종사하며, 그 수입의 일부는 생활에, 다른 일부는 학교 수업료로 사용했다.(힐렐은 나무꾼이었는데 하루 수입의 절반을 수업료로 냈다고 전해진다.) 그러나 밀 빵을 먹어보지도 못할 정도로 가난한 사람은 학교에 다닐 엄두도 내지 못할 것이다. 따라서 가난한 사람은 토라에 무뢰한이 될 수밖에 없다. 이처럼 가난한 자는 무지하다고 여겼으며, 그 무지는 모세의 법규나 종교 규례에 대한 지식이 없다는 뜻이다. 초기 유대교 사회에서 이러한 규례를 터득하지 못한 가난한 사람들은 자연히 소외층에 속하게 됐다. (예수가 가난하고 소외된 사람들을 찾아다니며 그들에게 토라를 가르쳤던 이유는 그들에게 선과 악을 구별할 수 있는 지식을 터득할 수 있는 기회를 주기 위해서였다. 그렇게 됨으로써 가난하더라도 구원의 길에 들어설 수 있었다.)

느헤미야 랍비는 아담이 죄짓기 전에 하느님이 그가 먹을 빵을 준비했다고 설명한다. 여기서 빵은 지식나무의 열매를 뜻한다. 그러나 랍비들은 지식나무 열매는 미래, 즉 메시아 시대를 위해 준비된 빵이라고 풀이한다. 메시아를 위해 준비된 빵이다. 복음서에 전해진 '최후 만찬'에서 메시아 예수가 빵을 들고 감사기도를 드리며 "이는 내 몸이다"고 말하는 문맥을 여기서 찾아볼 수 있다. 메시아의 몸이 에덴동산에 나오는 지식나무 열매라는 뜻이다. 빵은 토라를 상징적으로 말한다.

한 줌 크기의 곡식알처럼 곡식이 풍요한 시대가 올 것이라는 표현이다. 시편 72,16~17은 메시아 시대를 알리는 단락이며, 특히 "그의 이름은 영원할 것이며, 태양(이 생기기) 전에 그의 이름이 싹 돋게 하셨습니다"(시편 72,17)라는 구절은 메시아의 이름을 계시한 문구다.(《창세기 미드

라쉬 랍바》1,4)

　최후 만찬은 메시아 시대에 의로운 공동체를 위해 준비된 빵과 포도주를 먹고 마시는 종교 의례다. 메시아 시대를 준비하는 메시아 예수의 가르침을 먹고 마시는 의례를 뜻한다. 초대교회에서 교인들은 성만찬을 통해 메시아의 시대를 확신했다.

다시 올 때까지 왜 포도주를 마시지 않겠다고 했을까 마가 14,25

　복음서에 보면 예수는 그의 제자들과 함께 빵과 포도주로 최후 만찬을 하고 난 다음 그들에게 이렇게 말한다.

> 내가 하느님 왕국에서 새로운 것을 마실 그날까지, 포도나무 열매로 (빚은) 것을 다시 마시지 않겠습니다.(마가 14,25)

　그리고 그들은 찬양시를 부르며 올리브 산으로 떠났다고 전한다. 초기 유대교의 전통에서 보면 포도주를 마시지 않는 것은 자신을 죄인으로 여긴다는 표현이다(엣세네나 바리새, 사두개 등 모두 마찬가지다). 식탁 의례나 성만찬에서 보았듯이 포도주의 역할은 예배자가 포도주 담긴 잔을 들고 하느님에게 감사기도를 드리는 데 있다. 죄를 지었으면 회개하고 용서를 받은 다음에 포도주의 식탁 의례나 성만찬에 동참할 수 있다. 예수가 하느님 왕국에서 새로운 포도주를 마실 그날까지 포도주를 마시지 않겠다고 말하는 것은 그때까지 성만찬을 위한 축복기도를 하지 않겠다는 뜻이다. 예수가 죽은 다음 일어나 무덤 굴에서 나와 그들을 다시 만나 성만찬을 하겠다는 말이다.

그렇다면 예수는 왜 그들을 하느님 왕국에서 다시 만날 때까지 포도주 잔을 들고 축복기도를 하지 않겠다고 했을까? 그 해답은 그들이 올리브 산으로 가면서 불렀다는 찬양시에서 찾아볼 수 있겠다. 찬양시(할렐)는 '주님을 찬양하라(할렐루야)'는 시편(시편 113~118편)을 말하기도 하지만 일반적으로 하느님에게 감사하며 찬양하는 시도 포함된다.

예수와 그의 제자들이 갔다고 하는 올리브 산은 '올리브의 집이라고 일컫는 산'이다. '올리브의 집'은 올리브기름을 생산하는 집이다. 두 복음서에 전해진 부분을 비교해보면 그곳이 올리브기름 짜는 곳임을 알 수 있다.

> 그즈음 예수는 그들과 함께 겟세마네라고 일컫는 장소에 왔다. 그는 그의 제자들에게 말했다.
>
> "내가 가서 기도할 때까지 여기 앉으시오."
>
> (중략)
>
> 그들은 잠들어 있었다. 그래서 그들에게 말했다.
>
> "유혹에 들지 않도록 일어나 기도하시오."(마태 26,36 · 46)

그러나 다른 복음서에서는 이렇게 전한다. "그(예수)는 (거기서) 떠나 습관대로 올리브의 집(이라고 불리는) 산으로 갔다. 그의 제자들도 또한 그의 뒤를 따라갔다. 그가 그 장소에 도착했을 때 그는 그들에게 '유혹에 들지 않도록 기도하시오'라고 말했다."(누가 22,39~40) 겟세마네(가트-쉐멘)는 '기름 짜는 집'이란 뜻이다('가트'는 포도주나 기름을 담는 큰 통을 뜻하며 때로는 기름 짜는 방이라는 뜻으로도 사용된다. '쉐멘'은 기름이다). '올리브의 집(베트 하제이팀)'은 가트-쉐멘의 또 다른 명칭이다.

따라서 시편들 가운데 올리브기름과 축복기도를 하지 않을 것이라는 문구가 병행하여 나오는 시편을 찾아보면 왜 포도주를 마시지 않겠다는 것인지 그 이유를 알 수 있을 것이다. 시편 92편에서 '푸릇푸릇한 기름'을 살펴볼 수 있다. 랍비들의 해석에 따르면 시편 92편은 아담이 안식일을 위해 부른 찬양시로 알려졌다.(《엘리에제르 랍비의 해설집》 19장)

"사악한 자들이 풀처럼 돋아날 때."(시편 92,8)

사악한 자들이 풀처럼 많아져서 땅의 표면을 덮는 것을 당신이 볼 때에 모든 신상숭배자들이 피어난다. 그들과 그들의 행함은 메시아의 날에 악한 죄다. 사악한 자들은 풀처럼 많아진다.

찬미 받으시고 거룩하신 분이 그들이 많아지지 않게 하며 그들은 이 세상과 오는 세상에 멸망하게 된다. 이렇게 말한다. "그들을 영영 멸망하게 하십니다. 당신은 영원히 높이 계십니다, 주님YHWH."(시편 92,8~9) 다윗은 사악한 자들이 풀처럼 많아져서 땅의 표면을 덮은 것을 보았으며 모든 신상숭배자들이 (꽃처럼) 피어났다. 그들과 그들의 행함은 죄였다. 그들이 미래에 멸망할 것이라는 것을 볼 때까지 그는 할렐루야를 말하지 않았다. 이렇게 말한다. "죄인들은 땅에서 없어질 것이다. 악인들은 더 이상 남아 있지 않을 것이다, 내 영혼아, 주님을 찬미하라. 할렐루야."(시편 104,35)

그래서 찬미 받으시는 거룩하신 분이 왕이며 높은 곳과 낮은 곳에 높이 있다. 이렇게 말한다. "주님, 당신은 영원히 높이 계십니다. 보십시오, 주님, 당신의 원수들을. 참으로 당신의 원수들이 멸망할 것이며 죄악을 행하는 자들은 모두 흩어질 것입니다."(시편 92,9~10)

이스라엘은 찬미 받으시는 거룩하신 분 앞에서 말했다.

"세상의 주님이시여, 당신의 원수들이 힘든 올무를 우리 목에 걸었으나 그들이 멸망할 것을 우리는 알고 있습니다." 이렇게 말한다. "보십시오, 참으로 당신의 원수들은 멸망할 것입니다."(시편 92,10)

모든 사악한 자들은 바람 앞에 겨처럼 흩어질 것이다. 이렇게 말한다. "죄악을 행하는 자는 모두 흩어질 것이다."(시편 92,10)

초대교회 전승에 따르면 사악한 자들은 지옥에 들어가 그곳에서 영원히 살 것이라고 해석한다. 메시아의 시대에 사악한 자들이 풀처럼 많다는 말은 "멸망으로 인도하는 문은 넓고 길은 넓어서 그리로 들어서는 사람들이 많습니다"(마태 7,13)라고 말하는 예수의 가르침과 비교해볼 수 있다. 또한 풀처럼 많은 사악한 자들이 멸망할 것이라는 말은 예수의 '가라지의 비유'와 대비해 읽어볼 수 있다. 악한 자(사탄)가 남몰래 밀밭에 뿌린 가라지는 신상숭배자들을 뜻한다. 다른 믿음을 가진 자들이 예수 공동체 사람들을 유혹한다는 말이다.

다윗이 '할렐루야(주를 찬양하라)'를 말하지 않았다는 것은 '할렐루야 시편'을 낭송하지 않았다는 뜻이다(혹은 할렐루야 시편을 쓰지 않았다고도 이해할 수 있다. 다윗은 미래에 악인들이 멸망할 것을 알고서야 비로소 할렐루야 시편을 썼다고 풀이한다).

"당신은 나의 뿔을 들소처럼 치켜들어주십니다."(시편 92,11)

들소의 두 뿔이 다른 짐승(의 뿔)보다 더 높은 것처럼 그것(들소)은 그 오른쪽과 왼쪽을 들이받는다. 요셉의 아들인 아미엘의 아들 메나헴이 그러했다. 그의 뿔은 모든 짐승(의 뿔)보다 더 높았으며 세상의 네 방향을 향해 들이받았다.

그에 관하여 모세는 말했다. "그의 황소의 맏이, 그에게 영예가 있으며 그의 뿔은 들소의 뿔."(신명기 33,17)

그와 함께 에프라임의 수만 명이, 메나쉐의 수천 명이. 이렇게 말한다. "그들은 에프라임의 수만 명이며 메나쉐의 수천 명이었다."(신명기 33, 17)

왕들이 그(메시아)를 죽이려고 그에게 들고 일어섰다. 이렇게 말한다. "세상의 왕들이 그에게 들고 일어섰다."(시편 2,2)

이 땅에 사는 이스라엘은 큰 고난에 처할 것이다. 그러나 그들의 고난은 푸릇푸릇한 올리브 같다. 이렇게 말한다. "푸릇푸릇한 기름을 나에게 부어주신다."(시편 92,11)

"내 눈이 적들을 쳐다봅니다."(시편 92,12)

이 땅에 사는 이스라엘은 미워하는 자들의 파멸을 본다. 이렇게 말한다. "내 눈이 적들을 쳐다봅니다. 의인은 대추야자나무처럼 돋아난다." (시편 92,12~13)

이 대추야자나무가 보기에 아름다운 것만큼 그 모든 열매는 맛있고(달고) 좋다. 이처럼 다윗의 아들(메시아)은 보기에 아름답고 그의 영광에서 모든 그의 행함은 찬미 받으시고 거룩하신 분 앞에 좋고 멋있다(달다).

시편 92편 미드라쉬에서 주목할 점은 '요셉의 아들과 들소의 뿔' 그리고 '푸릇푸릇한 기름을 나(다윗/메시아)에게 부어주신다'는 문구다. '기름 부음을 받은 자'는 메시아라는 말이다. 마지막 시대에 들소의 뿔로 상징되는 '요셉의 아들'이 메시아로 등장할 것이라는 전승이 초기 유대교 사회에 있었다는 점이다(4장 〈요셉의 아들과 들소의 뿔〉 참조).

세상의 왕들이 메시아를 죽이려고 해서 메시아를 믿고 따르는 이스라엘 공동체는 고난을 겪게 된다는 해석이다. 그러나 그 고난은 건조한 날씨에도 '푸릇푸릇한 올리브'처럼 잘 견디어나간다. 여기서 '푸릇푸릇한 기름'을 올리브기름으로 해석한 것이다. 비록 이스라엘이 고난에 처해도 푸릇푸릇한 올리브나무처럼 견디어 제때에 기름 수확을 낼 것이라는 말이다. 예수와 그의 공동체가 어려움에 처할 때 이 시편을 읽으며 하느님의 아들이 들소의 뿔을 사방으로 들이대는 것처럼 악인들을 몰아낼 것이라는 희망을 가졌다고 보인다. 시편 92편이 메시아에게 부어주는 올리브기름에 대한 찬양시인 것처럼 예수도 이런 시편을 낭송하며 올리브기름 짜는 집 근처에서 기도했다고 보인다.

시편 92편 미드라쉬는 마지막 시대에 돌아날(도래할) 의인인 메시아는 다윗의 아들이어야 하며 그를 대추야자나무에 비유한 해석이다. 대추야자나무는 고대로부터 풍요와 안녕을 표상하는 생명나무로 인식되었다. 다윗의 아들을 생명나무에 대비한 것은 메시아가 생명의 말씀을 선포할 것이기 때문이다. 복음서에서 메시아 예수를 '다윗의 아들' 혹은 '아담의 아들'이라고 부른 까닭을 '안식일 시편'의 미드라쉬에서 찾아볼 수 있다.

예수가 새로운 것을 마실 때까지 이제부터는 포도주를 마시지 않겠다고 선언하는 내용을 시편 92편의 미드라쉬와 비교하여 읽어보면 다윗이 미래에 사악한 자들이 멸망할 것을 알 때까지는 할렐루야를 말하지 않았다는 내용과 비슷하다. 포도나무 열매로 빚은 것(포도주)은 포도주를 들고 축복기도하며 할렐루야 시편을 낭송하는 예배를 가리키는 은유적 표현이다. 이렇게 말하는 이유는 예수가 제자들과 함께 올리브 산으로 올라가 기도를 한 다음부터 그가 부활하여 다시 제자들에게 나타나 함께 모여 예배를 드리는 시각까지는 할렐루야 시편을 읽는 예배를 갖지 못할 것이라는 내용이다.

실제로 '최후 만찬'이 마지막 예배였으며 올리브 산에 올라갔다가 곧바로 예수는 체포되어 산헤드린에서 심문을 받고 빌라도에게 넘겨져서 십자가에 처형된다. 그리고 무덤 굴에 누웠다가 사흘 후에 무덤 굴 밖으로 나와 제자들에게 나타나 그들과 함께 다시 예배를 갖게 된다. "내가 내 아버지의 왕국에서 여러분과 함께 새로운 것을 마실 그날까지"(마태 26,29), 즉 제자들에게 다시 나타나 새로운 포도주를 마실 것/새로운 할렐루야를 부를 것이라는 약속이다. 새로운 할렐루야는 메시아를 찬미하는 할렐루야(찬양시)다.

안식일이 지나고 주간의 첫날 새벽에 여인들이 향유를 들고 무덤 굴을 찾았으나 무덤 굴은 비어 있었다. 예수가 다시 일어섰다는 것을 깨달은 그들은 제자들에게 알리려고 서둘렀다. 부활한 예수가 바삐 돌아가는 여인들에게 다가가 안녕하냐고 말하자 그들은 예수를 알아보고 놀란다. 그때 예수는 그들에게 갈릴리로 가면 거기서 자기를 볼 것이라고 제자들에게 알리라고 말한다. "마침내 예수는 열한 사람이 음식상을 받고 있을 때에 나타났다. 그는 그들의 믿음이 적음과 완고한 마음을 꾸짖었다. 그가 일어선 것을 보았다고 (말)하는 이들을 믿지 않았기 때문이다. 그리고 그는 그들에게 말했다. '온 세상으로 가서 모든 피조물에게 내 복음을 선포하시오.'"(마가 16,14~15) 예수는 그의 제자들이 만찬을 하고 있는 장소에 나타나 그들과 함께 다시 새로운 시작을 선포하며 빵과 포도주로 만찬을 하는 이야기다.

[아마도 '새 아담'인 메시아 예수가 올리브 산으로 가면서 제자들과 함께 부른 찬양시가 처음 아담이 안식일을 위해 부른 시편 92편이 아니었을까? 그다음 날이 안식일이 시작되는 날(금요일)이었다.]

시편 92편의 미드라쉬(해석)와 복음서 기록을 비교해보면, 바리새와 사두개 사람들은 메시아 예수를 죽이려고 음모했으며 예수 공동체는 큰 고난을 당할 것이지만, 그들은 푸릇푸릇한 올리브와 같이 살아남을 것이라는 내용으로 이해할 수 있다.

10

산헤드린의 심문에서
십자가의 죽음까지

이틀 전에 예수가 그의 제자
들에게 여러 가지를 가르친 다음 그는 그들에게 아담의 아들이 십자가형으로 죽을 것이
라고 말했다. 사제장들과 백성의 원로들이 예수를 교묘하게 붙잡아 그를 죽이려고 음모
한다는 것이다.

> 그즈음에 사제장들과 서사들과 백성의 원로들이 가야파라고 불리는 대사제의
> 관저에 모였다. 그들은 예수를 교묘하게 붙잡아서 그를 죽이려고 상의했다.(마태
> 26,3~4)
> (중략)
> 그즈음에 열두 (제자들) 가운데 하나인 가롯 유다(예후다 스카르요타)라고 불리는
> 자가 사제장들에게 가서 그들에게 말했다.
> "내가 여러분에게 그를 넘겨주면 여러분은 나에게 무엇을 주기 원합니까?"
> 그들은 (그 대가로) 그에게 은 서른 개를 정했다.(마태 26,14~15)

예수를 그들에게 넘겨주겠다고 결심한 "유다는 예수에게 다가와서 '안녕하세요, 랍
비님'이라고 말하고 그에게 입을 맞추었다."(마태 26,49) 그들은 예수를 붙잡아가 그를

대사제가 소집한 산헤드린에 세워 심문을 했다. 산헤드린에서 사제장들과 원로들은 예수를 죽이려고 그에게 불리한 거짓 증언을 찾았는데 많은 거짓 증인들이 나섰지만 확실한 증거를 찾아내지 못했다. 마침내 두 증인이 나서서 예수가 하느님의 성전을 무너뜨리고 사흘 안에 세울 수 있다고 말하며 돌아다녔다는 증언을 했다. 예수가 예루살렘 성전을 무너뜨리겠다고 말한 것으로 들리게 하는 증언이다. (그 당시 하느님의 성전과 예루살렘 성전이 같은 뜻이냐 아니냐는 것은 토론해볼 만한 주제였다.) 두 증인의 의도는 예수가 가난하고 우매한 백성에게 잘못된 이야기를 하고 돌아다니며 그들을 미혹하게 만들었다는 이야기다.

유다의 입맞춤 마태 26,49

유다가 예수에게 입맞춤으로 산헤드린에서 그를 심문할 자들에게 넘겨주었다는 말이다. 엣세네의 성경해석서 〈하박국서 해석〉에서 그러한 정황을 찾아볼 수 있다.

> "갑자기 너의 고리대금업자들이 일어나 너를 흔들어대는 자들을 깨워 너는 그들에게 선동자가 되지 않았느냐? 너는 많은 민족들을 꾀어내었으며 나머지 모든 백성들은 너를 약탈할 것이다."(하박국 2,7~8)
>
> 그 해석. [하느님에게] 반동하고 [하느님의] 법규를 [어긴] 사제에 대한 것이다.

이 해석은 그 앞절의 인용문과 그에 대한 해석["불쌍하구나! 자기 것이 아닌 것으로 늘리는 자여!"(하박국 2,6) 그 해석. 사악한 사제에 관한 것이다]에서 말하는 사악한 사제에 대한 것이다. '고리대금업자'라고 번역한 단어(נושך 노쉐크)는 '물다, 물어뜯다, (벌이) 쏘다' 등의 뜻하는 동사(נשך 나샤크)에서 파생된 동명사다. 나샤크와 비슷하게 발음되며 그 뜻도 연상할 수 있는 '입 맞추다'라는 단어(נשק 나샤크)가 있다. '고리대금업자(노쉐크)'들이 흔들어대어 '선동자'가 되었다는 문구를 하느님의 법규를 어긴 사악한 사제라고 해석하는 맥락에서 '물어뜯다'와 '입 맞추다(나샤크)'가 비슷하게 발음된다는 점에 주목하여 유다의 입맞춤을 이해할 수 있다. 유다가 예수에게 입맞춤으로 그를 선동자로 몰아 산헤드린에서 심문할(흔들어댈) 수 있게 만들었다고 해석할 수 있다.

〈하박국서 해석〉의 콘텍스트에서 보면 유다가 예수에게 입맞춤으로 예수를 선동자로 몰았다는 것이다. 유다의 입맞춤은 그의 선생이 선동

자라고 증언하는 행위로 이해할 수 있다. 하박국서 해석자는 엣세네의 법규를 어긴 사악한 사제를 선동자로 풀이했다. 엣세네 해석자가 말하는 선동자는 유다의 입맞춤으로 대사제에게 붙잡혀간 예수가 아닐까?

은전 서른 개

유다는 무슨 생각으로 자기 공동체의 대표인 예수를 사제장들에게 넘겨주겠다고 제안했을까? 그의 생각을 바로 꿰뚫어 본 해답은 사제장들이 예수를 넘겨주는 값을 '은 서른 개'로 정한 점에서 찾아볼 수 있다('은'은 은전을 말한다). 예수의 몸값이 '은전 서른 개'라는 뜻이다. 그 당시 은전 서른 개의 값어치는 얼마나 될까?

유다가 사제장들에게서 받은 은전은 성전에서 통용되는 티로 은전을 말한다. 유다가 자기의 잘못을 뉘우치며 "그 은전을 성전에 던져놓고

10-1 티로 은전
기원전 18/17년~서기 69/70년 사용. 지름 2.3cm.
앞면 월계관을 쓰고 사자 털 장식을 한 헤라클레스.
뒷면 독수리가 그의 오른발로 뱃머리를 디디고 서 있으며, 왼쪽에 곤봉, 오른쪽 날개에 대추야자나무 잎이 있다. 그 둘레에 *TYPOY IEPAΣKAI AΣYΛOY*('거룩하고 신성한 티로의')라는 문구가 새겨져 있다.

물러갔다"(마태 27,5)는 문구와, 유다가 목을 매달아 자살하자 사제장들은 그 은전을 거두면서 "이것은 피 값과 같으니 (성전) 금고에 넣어서는 안 됩니다"(마태 27,6)라고 말하는 데서 알 수 있다. 유다가 예루살렘 성전에 반납할 수 있는 은전은 오직 티로 은전이다.

예루살렘 성전에는 아무 은전이나 받는 것이 아니라 반드시 성전에 바치는 특별한 은전만 받았다. 이 은전을 '티로 은전' 혹은 '티로 쉐켈'이라고 부른다. 티로(두로)에서 주조된 이 은전은 기원전 126년에서 서기 69/70년까지 200여 년 동안 예루살렘 성전에서 통용되었다. 예루살렘 성전에 사용될 수 있는 은전은 순은이어야 했으며 티로 은전은 은의 포함률이 90퍼센트가 넘었기 때문에 성전에서 통용될 수 있었다. (1쉐켈의 무게는 은 11.5그램이다.) 로마 은전은 그에 훨씬 못 미쳤다.

예수 시대에 보통 은전 1쉐켈은 4데나리온과 같았다. 성전에 바치는 비둘기 두 마리의 값은 1데나리온(192프루타)이었다.

1세기 초반 당시 석류 하나의 값이 1프루타였고 무화과 열매 10개의

10-2 헤롯 아르켈라우스(기원전 4년~서기 6년 재위) 동전, 프루타
왼쪽 포도송이와 그 위에 *HPΩΔOΥ*('헤롯의').
오른쪽 군인 투구.

값은 8프루타였으며 큰 빵 하나는 16프루타 정도 되었다. 성전에 바칠 소가 정결한지 검사하는 비용으로 1/4데나리온이 들었으며 양이나 염소의 정결 검사 비용은 1/6데나리온이었다. 황소 한 마리 값은 100~200데나리온 정도였으며 송아지 한 마리는 20데나리온이었다. 일반적인 노동의 하루 품삯이 1데나리온 정도 되었으며 서기書記는 하루에 2데나리온을 벌었다. 한 달 월세는 4데나리온 정도였고 작은 빵 하나와 콩 수프, 고기 두 조각과 포도주 두 잔 등이 나오는 한 끼 식사는 1/12데나리온 정도로 비교적 싼 편이었다.

일반적으로 4~5년 동안 입을 수 있는 보통 옷은 4데나리온 정도였

10-3 대사제의 모습을 재구성한 그림
머리띠에 'YHWH에게 거룩함'이라고 쓰여 있다.
(산헤드린의 심문 이야기에서 가야파 대사제가 겉옷을 찢었다고 하는데 그때 그가 입고 있던 겉옷은 이런 예복이 아니라 평상복이다.)

으며 예루살렘 성전의 대사제 예복 값은 1만~2만 데나리온 정도였다. (대사제의 예복은 금실과 청색 실 등으로 만들고 그 가슴받이에는 홍보석과 황옥, 취옥, 청옥, 백수정, 마노, 자수정 등 열두 개의 큰 보석이 달려 있다. 이런 예복을 입고 서 있는 대사제의 위상은 얼마나 높아 보였을까?)

황소가 남종을 받았으면

유다가 예수를 팔아먹은 동기가 무엇이었는지 짐작할 만한 단서는 은전 서른 개다. 사제장들이 유다가 뉘우치고 성전에 돌려준 은전 서른 개로 토기장이의 밭을 샀다고 말하며 그래서 예언자의 말이 이루어졌다고 이야기한다. "나는 은 서른을 받았는데 이는 이스라엘 자식들이 그에 대해 동의한 값진 그의 값이었다. 나는 그것들을 YHWH가 나에게 명령한 토기장이의 밭을 위해 주었다."(스가랴 11,13)

[스가랴서의 이 인용문은 스가랴가 하느님의 계시를 받고 이야기하는 가운데 나오는 말이다. 스가랴는 잡혀 죽게 될 양떼를 돌보고 있었으며 그에게 목자 셋이 있었다. 그런데 그는 목자들의 잘못을 보고 참을 수가 없었으며 그들도 그를 싫어했기 때문에 그는 그들을 없애버렸다. 그러고는 양들을 먹이지 않겠다고 하며 죽을 것들은 죽고 없어질 것들은 없어지라고 말했다. 그런데 그를 지켜보고 있던 가련한 양들이 이것이 하느님의 말씀인 것을 알았다. 그는 그들에게 그들이 좋다고 생각하면 자기에게 품삯을 달라고 말하자 그들은 그에게 은 삼십 쉐켈을 달아 주었다. 하느님은 스가랴에게 그것들을 토기장이에게 던져주라고 말했다.(스가랴 11,7~13)]

스가랴의 예화에서 잡혀 죽게 될 양떼는 죄지은 이스라엘의 자식들을 가리킨다. 양떼를 돌본 스가랴가 은 서른 쉐켈을 받았기 때문에 '은 서른'은 양떼를 돌보는 품삯이다. 죄지은 이스라엘 자식들을 돌보는 품삯(몸값)이 은 서른이라는 숙어적 표현이다.

모세의 법규에 '은 서른'과 관련된 법규가 나온다. "황소가 남종이나 여종을 받았으면 그 주인에게 은 삼십 쉐켈을 줄 것이고, 황소는 돌로 쳐 죽일 것이다."(출애굽기 21,32) 이는 황소가 남/여종을 받아 그/그녀가 죽었을 경우를 말한다. 황소가 들이받아 죽게 된 남종의 값이 은 삼십 쉐켈이라는 모세의 법규와 양들을 돌보는 품삯이 은 서른 개라는 스가랴서 인용문을 유다의 죽음 이야기와 비교해볼 수 있다.

출애굽기의 법규에서 '남종, 남종의 주인, 황소, 황소의 주인'을 단막극의 등장인물로 설정할 수 있다. 극적 상상(theatrical imagination)으로 이들을 유다의 배신 이야기에 맞추어보면, 은전 서른 개를 받은 사람이 유다이기 때문에 그는 남종의 주인이고, 죽는 자는 예수이므로 예수는 황소에 받혀 죽는 남종이다. 남종의 주인에게 손해배상을 한 것은 황소의 주인이기 때문에 황소의 주인은 유다에게 예수의 몸값으로 은전 서른 개를 지불한 사제장들이다. (실상 사제장들은 심부름꾼에 불과하고 황소 주인은 대사제 가야파로 설정해야 한다. 왜냐하면 사제장들과 백성의 원로들이 대사제의 관저에서 예수를 죽이려는 방도를 도모했기 때문이다.)

그렇다면 남종을 죽인 황소는 누구에 맞추어볼 수 있을까? 예수를 죽인 장본인이 황소에 해당한다.

유다의 입맞춤으로 예수는 붙잡혔고 산헤드린에 끌려와서 대사제의 심문을 받았으나 판결이 나지 않았고 날이 지났다. 아침에 사제장들과 원로들이 예수를 죽이기로 모의하고 그를 빌라도에게 넘겨주었다. 결국 빌라도가 사형 판결을 내렸다. 남종(예수)을 들이받아 죽게 만든 황소는 총독 빌라도다. 따라서 황소(빌라도 총독)의 주인은 로마의 황제가 된다.

모세의 법에 따르면 남종을 죽게 만든 황소는 돌에 맞아 죽어야 한다. 빌라도 법정 사건이 생긴 뒤 7~8년 지나 (37년 3월에) 티베리우스 황제가 죽자 빌라도는 유대아 지방의 총독권을 빼앗기고 로마로 불려갔다. 빌라도가 유대아 땅에서 없어진 것을 황소가 돌에 맞아 죽는 것으로 은유할 수 있다. 모세의 법규에서 상정한 넷을 유다의 배반 이야기에 비추어 보면 '남종/예수, 남종의 주인/유다, 황소/빌라도, 황소의 주인/로마 황제'로 상정해볼 수 있다. 그런데 남종의 주인/유다가 왜 뉘우치고 돈을 성전에 던져버린 다음 목을 매어 죽었을까? 하는 질문이 생긴다.

복음서에 전해진 기록의 순서에 따르면 유다는 예수가 빌라도에게 넘겨졌다는 소식을 듣고 나서 그에게 은 서른 개를 준 사제장들을 찾아가 성전에 은전들을 던져놓고 목을 매었다. 유다가 성전에 은전들을 돌려주려고 결심한 것은 예수가 빌라도에게 넘겨졌다는 소식을 들은 바로 다음이다. 왜 그랬을까?

유다는 황소가 남종/예수를 들이받아 죽게 하여도 된다고 하며 남종의 주인 역을 가상해서 사제장들에게서 남종의 몸값으로 '은 서른'을 받았다. 그런데 산헤드린에서 예수의 사형 판결이 나지 않고 다음 날이 되었으며, 유다에게 은전 서른 개를 준 사제장들은 백성의 원로들과 모의하여 예수를 빌라도에게 넘겨주었다. "아침이 되자 모든 사제장들과 백성의 원로들은 그를 죽이기 위해 예수에 대해 모의했다. 그래서 그들은 그를 묶어 끌고 가서 빌라도 총독에게 넘겨주었다."(마태 27,1)

실상 대사제는 산헤드린에서 예수에게 사형 판결이 내려질 것이라고 확신했기 때문에 유다에게 '은 서른'을 정해준 것이다. 물론 유다도 그렇게 되리라 믿었겠다. 즉, 그들이 예상한 황소는 산헤드린이다(산헤드린의 주인이 대사제 가야파라는 말이다. 실제로 대사제는 예루살렘 성전의 수장이다).

그런데 예상대로 되지 않았다. 산헤드린은 남종을 죽게 만들 황소 노릇을 하지 않고 날을 넘긴 것이다. 그래서 사제장들과 원로들은 모의해서 예수를 빌라도에게 넘겨주게 된 사건이다. 다시 말해서, 남종을 죽게 만들 황소가 바뀌게 되었다. 남종의 주인은 그의 예상과는 달리 다른 황소에게 남종이 죽게 되는 소식을 듣게 되었고, 유다는 사제장들을 찾아가서 처음 약속과는 다르다며 남종의 주인 노릇을 하지 못하겠다는 처사다. (빌라도가 그에게 사형 판결을 내릴 것은 분명했다. 왜냐하면 그의 입맞춤으로 예수를 선동자로 몰았기 때문이다. 민중을 선동한 사람은 로마에 반란을 음모하는 반역자로 취급했다.)

남종의 주인은 자기 종을 들이받을 황소의 주인이 다른 사람인 것을 알고 자기가 받은 돈을 지불한 사람에게 돌려준 것이다. 만일 그가 모르는 척하고 그 돈을 간직한다면 법을 어긴 사람이 된다. 왜냐하면 그는 다른 황소의 주인에게서 다시 한 번 손해배상을 받은 것이기 때문이다. 그가 그 돈을 그대로 가지고 있으면 도둑질한 셈이 된다(즉, 십계명을 어기는 중죄를 짓게 된다).

깨끗한 피의 대가는 누가 갚아야 할까 마태 27,4

그런데 그 다른 황소의 주인은 남종의 주인에게 남종의 몸값으로 은 서른 개를 줄 리가 없다. 왜냐하면 그 황소(빌라도 총독)의 주인은 이방인(로마 황제)이기 때문이다. 이방인은 모세의 법규를 따를 필요가 없다. 한편 황소는 이미 남종을 죽이기로 되었기 때문에 (빌라도가 예수에게 사형 언도를 내릴 것은 자명하다) 남종의 주인은 남종의 몸값으로 '은 서른'을 받지 못할 운명에 처한 것이다. 유다(남종의 주인)는 자신의 불운을 한탄하며 사제장들에게 이렇게 말한다.

내가 죄지었습니다. 참으로 깨끗한 피를 넘겨주었습니다.(마태 27,4)

여기서 '깨끗한 피'는 예수를 가리킨다. 유다는 무슨 마음으로 예수를 깨끗한 피라고 말했을까? '깨끗한 피'가 지닌 상징성을 찾아보는 것이 우선이겠다. 예수는 '깨끗한 피'에 대해 이렇게 말했다. "세상이 창조된 이래 모든 예언자들이 흘린 피(의 대가)가 이 세대에 요구될 것입니다. 아벨의 피에서 성전과 제단 사이에서 살해된 즈카르야(스가랴)의 피까지. 그렇습니다."(누가 11,50~51)

히브리 성경에서 '깨끗한 피'의 상징성을 가지고 있는 대표적인 인물은 '카인과 아벨' 이야기에 나오는 아벨이다. 하느님이 아벨의 제물은 받아주고 카인의 것은 쳐다보지 않자 카인은 분통이 터졌고 아벨에게 무슨 말인가 했는데 아벨이 대답하지 않았다.

흔히 성경 번역본에는 "카인은 그의 형제 아벨에게 말했다. '오라. 들로 나가자'"(창세기 4,8)라고 카인이 말한 것으로 나오는데 이는 그리스어 번역본인 《칠십인역》을 따른 것이다. 히브리어 마쏘라 본문(Masoratic Text)에는 카인이 말한 내용은 없다. 카인이 아벨에게 무슨 말을 했는데 아벨이 대답하지 않은 것이며 카인은 화가 치밀어 자기 동생에게 달려들어 밀쳤는데 그만 그가 땅바닥에 쓰러져 죽은 것이다. 아마도 머리가 돌덩이로 떨어졌을 것 같다. 그래서 "네 형제의 피 소리가 흙에서 나에게 외친다"(창세기 4,10)고 하느님이 카인에게 말한 것이다. 아벨은 그의 형이 하자고 말하는 대로 따르지 않고 침묵을 지켰다고 보인다. 아벨이 대답하지 않은 이유는 카인이 하느님을 모독하자고 말했기 때문일 것이다. 아벨은 이렇게 침묵을 지킴으로써 의로운 사람이라는 평을 받았다.

초기 유대교 현자들은 '아벨의 피'를 '깨끗한 피'의 대명사로 사용했다. '깨끗한 피'는 하느님을 모독하는 죄를 짓지 않으려고 침묵을 지켰는데 그로 인해 죽임을 당한 사람을 뜻한다.

예수도 아벨의 피를 언급한 적이 있다. 한 바리새 사람이 예수를 자기 집에 초대해서 예수는 그 집에 들어가 식탁에 자리를 잡고 앉았다. 그러자 그 바리새는 그것을 보고 놀랐다. 왜냐하면 예수가 음식을 들기 전에 먼저 손을 씻지 않았기 때문이다. 예수는 이렇게 말한다. "지금 여러분 바리새들이여, 여러분은 잔과 접시의 겉은 깨끗이 닦지만 여러분의 속은 착취와 사악이 가득 차 있습니다. 슬기롭지 못한 자들이여, 겉을 만든 이가 속도 만들지 않았습니까? 그러니 그 속에 있는 것으로 자선을 베푸십시오. 보시오, 여러분에게 모든 것은 깨끗합니다. (…) 여러분은 불쌍하구려! 서사들과 바리새들, 위선자들이여! 여러분은 드러나지 않는 무덤과 같아 사람의 자식들이 그 위로 다니면서도 알지 못합니다."(누가 11,44)

서사들과 바리새 랍비들의 겉치레가 극에 달했다고 비판하는 내용이다. 그들은 토라를 잘못 가르쳐 사람들을 저승으로 끌고 가는 저승사자와 같으며 사람들은 그들의 그릇된 지식을 깨닫지 못한다는 말이다. 그들의 성경해석이 위선적이라는 뜻이다. [이와 같이 예수는 서사들과 바리새 랍비들이 사람들을 저승으로 이끄는 '눈먼 길잡이'라고 말했다.(마태 23,16)] 그러자 서사들 가운데 한 사람이 예수에게 이렇게 대답했다. "교사님, 당신이 이렇게 말하면 우리까지도 모욕(조롱)하는 것입니다."(누가 11,45)

그러자 예수는 이렇게 말했다. "여러분 서사들도 역시 불쌍하구려! 여러분은 힘겨운 짐들을 사람들에게 지워놓고 여러분은 그 짐에 손가락 하나도 대지 않습니다…. 참으로 여러분은 여러분의 조상들이 죽인 예언자들의 무덤을 만들고 있습니다."(누가 11,48) 서사들도 가난한 사람들을 물질적으로 괴롭히며 잘못되게 한다는 말이다. 그들의 선조들은 예언자를 모욕(조롱)하고 죽였으며, 서사들은 그들의 무덤을 만든다는 이야기다. 서사들의 입장에서 보면 예수가 그들을 모욕(조롱)하는 것으로 보인다.

예수는 계속해서 이렇게 말했다. "그러므로 하느님의 지혜는 이렇게 말했습니다. '보라. 내가 그들(선조들)에게 예언자들과 사자使者들을 보내겠다. 그들이 그들을 쫓아가서 죽일 것이다.' 세상이 창조된 이래 모든 예언자들이 흘린 피(의 대가)가 이 세대에 요구될 것입니다. 아벨의 피에서 성전과 제단 사이에서 살해된 즈카르야(스가랴)의 피까지. 그렇습니다. 내가 여러분에게 말하거니와, 이 세대에 요구될 것입니다."(누가 11,49~51) 다른 복음서에서는 "그래서 땅에 쏟은 모든 의로운 피가 여러분에게 돌아갈 것입니다"(마태 23,35)라고 '의로운 피'라는 단어를 보충해서 이야기한다. 아벨부터 즈카르야까지 의로운 사람들이 흘린 깨끗한 피를 말한다.

'즈카르야의 피'는 즈카르야가 신상주의자들에게 반대하여 흘린 피를 가리킨다. "너희가 YHWH를 버렸기에 너희는 성취하지 못할 것이다. 그리고 그분은 너희를 버리실 것이다." 그러자 그들은 YHWH의 집(성전) 안뜰에서 그를 돌로 쳐서 죽였다. 그는 죽으면서 말했다. "YHWH께서 보시고 찾아주실(갚아주실) 것입니다."(역대기하 24,20~22)

예수는 그들의 깨끗한 피를 보고 이 세대에 그들 피의 대가를 갚아주겠다는 말이다. 그 피의 대가는 바리새들과 사두개들이 짊어져야 한다는 뜻이다.

유다는 예수의 이러한 가르침을 상기하며 자기의 입맞춤으로 인해

'의로운 사람의 깨끗한 피'를 흘리게 되었다고 생각한 것이다. 산헤드린에서 증인 두 사람이 나와서 예수가 하느님의 성전을 헐어버리고 사흘 안에 세울 수 있다고 말했는데 예수는 아무 항변도 하지 않았다. "대사제가 일어서서 예수에게 '당신은 아무런 대답을 하지 않소? 이들이 당신에게 무슨 증언을 하고 있습니까?'라고 말했다. 그러나 예수는 잠자코 있었다."(마태 26,62~63) 예수는 왜 아무런 대꾸도 하지 않았을까?

예수가 말하는 '하느님의 성전'은 예루살렘 성전을 가리키는 것이 아니라 엣세네 사람들이 자기 공동체를 '하느님의 성전'이라고 말하는 것을 뜻한다. 예수는 엣세네 사람들의 공동체를 허물고 사흘 안에 예수 공동체를 세울 수 있다는 말이다. 그런데 예수는 왜 이렇게 설명하지 않았을까?

의로운 사람의 침묵으로 흘린 깨끗한 피는 이 세대에 갚아야 한다는 예수의 해석에서 그 해답을 찾을 수 있다. 유다의 입맞춤이란 올무에 걸린 상황에서 예수는 의로운 침묵으로 항변하는 장면이다. 유다는 예수의 깨끗한 피의 대가를 바리새와 사제장들이 갚아야 한다고 여겼는데 지금 자기가 짊어져야 하는 운명이라면서 "내가 죄지었습니다. 깨끗한 피를 넘겨주었습니다"고 말한 것이다.

'은 서른'은 무슨 뜻일까

유다가 사제장들에게 '깨끗한 피를 넘겨주었다'고 말하는 것은 '깨끗한 피/남종'의 몸값을 누가 갚아야 하느냐는 뜻이다. 남종('깨끗한 피')을 들이받아 죽게 만들 황소(빌라도)의 주인이 아니라면 누구냐는 질문이다. 그러자 사제장들은 "우리가 어떻게 (하겠느냐)? 네 스스로 알 것이다"(마태 27,4)고 반문한다. 어떻게 대사제가 로마 황제에게 가서 그 몸값

'은 서른'을 요구할 수 있겠느냐는 뜻이며, 이는 자명하니까 네 스스로 알아서 해보라는 말이다. 그래서 유다는 스스로 목을 매달았다. 어느 누구에게도 '은 서른'을 받지 못할 것이고 또한 남종이 이방인의 손에 죽게 되는 헛된 운명에 대한 죄책감에 유다는 스스로 죽음을 택한 것이다. 그렇다면 '은 서른'은 무엇을 상징할까?

이러한 추론에 도움이 되는 것은 '서른'이라는 상징숫자다. 초기 유대교 문헌에서 '서른'이라는 상징숫자가 어떻게 사용되었는지를 알아보면 그 문제의 해답을 얻을 수 있다. 〈선조들의 어록〉에 다음과 같은 언명이 나온다.

> 토라는 사제권보다, 왕권보다 위대하다.
> 왕권은 서른 가지 자격으로,
> 사제권은 스물네 가지로 얻지만,
> 토라는 마흔여덟 가지로 얻는다.(6,5)

여기서 중요한 발견은 왕권의 상징숫자가 서른이라는 점이다. [왕권에 대한 서른 가지 자격은 사무엘상 8,11~17(사무엘은 왕을 세워달라고 요구하는 백성들에게 YHWH의 모든 말씀을 말했다. "여러분을 다스릴 왕의 권한은 이러하다")을, 사제권의 스물네 가지는 민수기 18,8~15(YHWH는 아론에게 말했다. "내가 제물로 받은 것을 모두 너에게 준다. (…) 언제나 지켜야 할 규례로 준다")의 내용을 참조한 것이다.]

유다에게 사제장들과 원로들이 정한 '은 서른'도 이런 왕권의 상징성에서 찾아보면 유다의 언행을 이해할 수 있다(스물넷이 사제권을 의미하는 것은 성전에 스물네 명의 사제가 한 시간에 한 번씩 당번을 서는 제도에 기인한다.

왕권을 상징하는 30의 상징숫자의 기원은 한 달을 항상 30일로 정한 고대 메소포타미아 사회에서 찾아볼 수 있다. 고대 메소포타미아 신들의 세계에서 달 신의 숫자가 30이고 왕이 달 신에게서 왕권을 받았다고 선포하는 경우를 자주 읽을 수 있으며 기원전 7세기 말부터 100여 년 동안 지속된 신 바빌로니아 시대에 달 신은 바빌로니아의 최고 신이었다).

사제장들이 유다에게 예수의 몸값으로 '은 서른'을 정한 것은 예수 공동체의 주인/왕권을 유다에게 이야기한 것이다. 유다가 앞으로 예수 공동체의 주인 행세를 해도 된다는 대사제의 암묵이다. 공동체의 주인 노릇을 하겠다는 유다의 흑심을 알려준다. 유다는 '은 서른'을 공동체 사람들에게 보여주며 이스라엘의 대사제가 그에게 '은 서른(왕권)'을 주었다고 설득할 작정이었을 것이다. 그러나 사태가 잘못된 것을 파악한 유다가 대사제나 로마 황제에게서 '은 서른(왕권)'을 보장 받을 수 없다는 것을 깨닫고 은전 서른 개를 성전에 돌려주겠다는 그의 생각은 예수 공동체의 왕권을 예루살렘 성전에 주겠다는 말이다. 성전은 하느님에게 속한 것이기 때문에 하느님의 아들이라고 불리는 예수/남종의 몸값(왕권)을 성전에 돌려주겠다는 뜻이다.

그러나 유다가 목매어 죽자 그들은 '은 서른'을 거두면서 "이것은 피값과 같으니 성전 금고에 넣어서는 안 됩니다"(마태 27,6)라고 피 묻은 것은 부정不淨한 것이기 때문에 성전에 둘 수 없다고 말한다. 그러나 실상은 예수 공동체의 '은 서른'(왕권)을 받지 못하겠다고 거부한 것이다. 예수는 이스라엘의 왕(메시아)이 아니라는 뜻이다. 왕권으로 받은 은전 서른 개가 피 묻은 부정한 몸값이 된 것이다.

사제장들은 의논한 끝에 그것으로 나그네들의 묘지로 쓰려고 토기장이의 밭을 샀다. 그래서 그 밭은 오늘날까지도 '피의 밭'이라고 불린다

('오늘날'은 복음서가 편집된 시기를 말한다). 그러므로 예언자의 말이 이루어졌다고 말하며 성경 구절을 이렇게 인용한다.

> 나는 은 서른을 받았는데 이는 이스라엘 자식들이 그(목자)에 대해 동의한 값진 그의 값이었다. 나는 그것들을 YHWH가 나에게 명령한 토기장이의 밭을 위해 주었다.(마태 27,9~10)

즈카르야(스가랴)가 말하는 '은 서른'의 맥락은 잡혀 죽을 운명에 처한 이스라엘 백성을 YHWH 하느님이 돌보겠다고 하며 그들에게 그 목자로서의 품삯으로 얼마를 주겠느냐고 묻자 '은 서른'으로 정하겠다고 한 이야기에서 찾을 수 있다. 이스라엘 백성이 잡혀 죽을 것이라는 것은 기원전 6세기 초반에 바빌로니아 군대에 의해 예루살렘이 무너지고 많은 이스라엘 사람들이 바빌로니아로 강제 이주당하는 상황을 말한다. 그리고 그들의 목자로 세 명이 있었는데 그들을 없애버렸다는 것은 그 당시 유다 왕국의 마지막 왕들을 가리키며 그들이 처형되었다는 이야기다. 예루살렘 성전이 무너진 이유를 이스라엘 백성이 이방 신들을 섬겼기 때문이라고 바빌로니아로 유배되어 온 이스라엘의 지식인들은 해석했다. 스가랴 예언자도 그런 인물에 속한다. 그들은 YHWH 하느님의 법규를 지키며 살던 경건한 사람들이었으며 YHWH 하느님에게 이스라엘의 왕으로서 그들을 돌보아달라고 하며 '은 서른'을 이야기한 내용이다. 스가랴서의 '은 서른'은 하느님의 왕권을 상징한다.

유다는 예수에게 입맞춤으로 그를 선동자로 몰아 산헤드린의 재판에 서게 만들었다. 그 대가로 받은 '은 서른'은 피의 밭이 되었으며 선동자의 주권을 탐낸 헛된 결과를 초래했다. 반면, 빌라도의 판결로 십자가에 피를 흘리며 죽은 예수의 몸값은 십자가 위에 붙여놓은 명패에 '유대인들의 왕'이라고 명기함으로써 '은 서른'의 값어치를 한 것이다. 황소(빌라도)는 그의 주인의 이름으로 남종의 주인에게 '은 서른'을 갚은 셈이다. 남종의 새 주인은 누구일까?

예수는 죽음에서 일어서 무덤 굴에서 나와 그의 제자들에게 보이기 위해 그들을 찾았다. 그날, 곧 주간週間의 첫날 저녁에 제자들은 유대인들이 두려워서 그들이 모여 있던 집의 문을 잠가놓고 있었다. 예수는 그들을 찾아가서 안녕하냐고 인사하고 그들에게 "내 아버지가 나를 보내신 것처럼 나도 여러분을 보냅니다." 이렇게 말하고 예수는 그들에게 숨을 불어넣으며 "거룩하신 분의 영/기운을 받으시오"(요한 20,21~22)라고 말했다. 거룩하신 분의 영이 예수를 대신해 그들의 주인 노릇을 할 것을 말한 것이다. 이 일이 있은 후에 예수가 올리브 산에서 승천하자 두 천사가 나타나 "여러분으로부터 하늘로 떠난 이 예수가 하늘로 올라간 것을 여러분이 본 것처럼 그렇게 올 것입니다"(사도행전 1,11)라고 말했다. '그렇게 온다'는 말은 승천한 예수를 대신해서 거룩하신 분의 영이 온다는 뜻이다.

엣세네 문헌에서 거룩하신 분의 영이 공동체 사람들에게 온다고 이야기하는 내용을 읽어볼 수 있다.

> 진리의 의회의 영혼은 사람이 그의 죄를 속죄하는 길에 있으며 그래서 그는 생명의 빛을 쳐다본다. 거룩하신 분의 영으로 하느님의 진리에 함께 모여 하나가 되며 그는 모든 죄에서 정淨해진다.(《단합체의 규례》 iii,7~8)

그들이 이러한 규례에 따라 이스라엘 공동체의 일원이 될 때 거룩하신 분의 영은 영원한 진리에 세워지며 그들은 사악한 죄지음과 부정不淨한 이득에 대해 속죄한다.(《단합체의 규례》 ix,3~4)

엣세네가 말하는 '진리'가 메시아의 호칭으로 불렸다고 본다면 거룩하신 분의 영이 와서 공동체 사람들은 진리/메시아와 함께 단합하며 진리/메시아와 서 있을 것이라는 뜻으로 이해할 수 있다. 거룩하신 분의 영은 공동체의 주인 노릇을 한다. 거류지를 담당하는 감독監督의 임무에 대한 규례 가운데 이런 말이 나온다.

그(감독)는 아버지가 그의 아들에게 (하는) 것처럼 그들에게 자비로울 것이며 목자와 그의 양떼처럼 멀어진 자들에게 돌아올 희망을 줄 것이다.(《새 언약의 규례》 xiii,7~9)

공동체의 감독은 아버지처럼 공동체 사람들을 돌보아주어야 한다는 말이다. 위에서 살펴본 스가랴서의 인용문에서처럼 히브리 성경뿐 아니라 유대교 문헌에도 목자와 양떼의 비유는 자주 사용된다. 멀어져간 양떼에게 희망을 준다는 말은 신약성경에서도 읽어볼 수 있는 문구다. 다음 인용문에서 거룩하신 분의 영과 양떼의 감독은 거룩하신 분의 영이 진리와 함께 서 있을 것이라는 맥락과도 비교된다. "당신(사도)들은 양떼를 잘 보살피십시오. 거룩하신 분의 영이 여러분을 양떼 가운데 감독으로 세우셨습니다."(사도행전 20,28) 거룩하신 분의 영이 초대교회를 다스려나가는 모습을 볼 수 있다.

유다가 주인 노릇이 하고 싶어 예수를 사악한 선동자로 몰아 죽임을 당하게 만들었지만 새 주인/거룩하신 분의 영이 '진리'와 함께 영원히 서 있을 것이라고 이해할 수 있다.

엣세네 해석자는 그 선동자가 사악한 사제라고 말한다. 산헤드린의 재판 과정에서 예수가 헛된 선동자로 몰렸다면 그곳에 모인 사람들은 그를 사악하다고 비난했을 것이다. 이런 정황을 짐작할 수 있게 하는 문구를 유다의 죽음에 대한 이야기에서 읽어볼 수 있다. 예수가 산헤드린에서 심문을 받고 판결이 나지 않자 사제장들과 백성의 원로들은 그를 빌라도 총독에게 넘겨주었다. 유다가 그 소식을 듣자 그는 자기의 죄를 뉘우치고 목매달아 죽었다. 그 상황을 이렇게 전한다.

> 그즈음에 배신자 유다는 예수가 사악하다고 여겨졌다는 것을 보자 뉘우쳤다. 그는 가서 은전 서른 개를 그들에게 사제장들과 원로들에게 돌려주었다.(마태 27,3)

산헤드린의 심문 결과 재판관들이 예수를 사악하다고 판단했다는 이야기다.

사흘 안에 세울 수 있는 아담의 성전은 무엇일까 마태 26,61

예수가 체포되어 산헤드린에 소환되었다. 가야파 대사제는 그를 처형할 수 있는 증거를 확보하기 위해 그에게 불리한 증언을 해줄 수 있는 증인들을 찾았다.

사제장들과 원로들과 온 산헤드린 의원들은 예수를 죽이려고 그에 대한 증인들을 찾았다. 그들은 찾지 못했으나 무리의 거짓 증인들이 나왔다. 끝내 두 사람이 나섰다.

그들이 말했다.

"저자가 '나는 하느님의 성전을 헐어버릴 수 있으며 사흘 안에 그것을 짓겠다'고 말했습니다."(마태 26,59~61)

'그들은 찾지 못했으나 무리의 거짓 증인들이 나왔다'는 문장을 흔히 '많은 거짓 증인들이 나왔으나 찾아내지 못했다'고 옮기는데 이는 두 문장을 뒤바꿔 번역한 것이다. ['무리(라빔)'는 '많다'는 뜻의 복수형이다.] 이 두 문장의 바른 순서는 '그들은 찾지 못했다' 그리고 '거짓 증인들이 나왔다'고 옮겨야 한다. 그런데 '많은 거짓 증인들이 나왔다'고 옮기면 그다음 문장에서 '끝내 두 사람이 나섰다'는 말과 상치한다. 두 사람도 거짓 증언을 하는 사람들이기 때문이다. 따라서 '무리의 거짓 증인들이 나왔으며 (그들 가운데에 누가 재판관들 앞에 나설까 망설이다가 어느) 두 사람이 나섰다'고 이해하는 것이 좀 더 분명해진다. 두 사람인 것은 유대교 법규에 따르면 법정에 증인으로 두 사람이 채택되어야 유효하다고 규정하기 때문이다.

산헤드린에 증인으로 나온 어떤 '무리'는 엣세네들로, 예수에게 반감을 가졌던 자들임에 틀림없다(예수를 따르던 무리는 아니다. 그리고 '무리'라고 불리는 공동체는 엣세네와 예수 공동체 둘밖에 없으니까 더욱 확실하다). 그 무리 가운데 두 증인이 나서서 예수에게 불리한 증언을 한 것이다. 대사제가 예수에게 답변할 기회를 주었으나, 예수는 대사제의 의도에 따르지 않고 침묵으로 '하느님의 숨은 계획'을 항변했다.

이 단락에서 마태복음서는 예수가 단순히 "나는 하느님의 성전을 헐어버릴 수 있으며 사흘 안에 그것을 짓겠다"고 말하는 인용구를 전하지만 마가복음서에는 좀 더 상세히 이야기한다.

> 우리가 들었는데, 그가 말하기를 "내가 사람(아담)의 손으로 만든 이 성전을 허물고 사람의 손으로 만들지 않은 다른 성전을 사흘 안에 세우겠다"고 했습니다.(마가 14,58)

복음서에 예수가 한 말이 모두 기록된 것은 물론 아니겠지만, 성전 파괴와 관련된 이야기로는 예수와 그의 제자들이 예루살렘 성전에서 나오면서 예수가 그의 제자에게 건넨 말에 나온다. "당신은 이 큰 건물들을 보지만 돌 위에 돌 하나도 여기에 남아 있지 않고 허물어질 것입니다."(마태 24,2) 이 문구는 누가 큰 건물을 파괴할 것이라는 능동형이 아니라 성전 건물이 이렇게 될 것이라는 수동형 문장이다.

그러나 산헤드린에 제기된 심각한 문제는 메시아라고 자처하는 구원자가 하느님의 성전을 헐어버리겠다고 발설했다는 의혹이다. 메시아가 '하느님의 성전'을 헐어버리겠다고 말했다는 것이 대사제가 그를 산헤드린에 고소한 이유다. 초기 유대교 전승에 보면 옛날에 예루살렘 성전이 무너진 것은 에덴동산의 아담이 저지른 죄 때문이라고 해석한다.

> "그리고 그분(하느님)이 그 사람(아담)을 쫓아냈다."(창세기 3,24)
> 요하난 랍비와 심온 벤 라키쉬 랍비(의 의견이 달랐다).[01]
> 요하난 랍비는 말했다.
> "(이것은) 사제의 딸(아내) 같다. 그녀가 이혼하면 다시 돌아올 수 없다."
> 심온 벤 라키쉬 랍비는 말했다.

"(이것은) 이스라엘의 딸(아내) 같다. 그녀가 이혼하고 다시 돌아올 수 있다."

요하난 랍비의 의견에 따르면, 그분은 그(아담)에 대해 엄격한 (법도를 적용한) 것이며, 심온 벤 라키쉬 랍비의 의견에 따르면, 그분은 그(아담)에 대해 관대한 것이다.

다른 설명. "그리고 그분이 그 사람(아담)을 쫓아냈다."

'쫓아냈다'라는 것은 그분이 그에게 성전이 무너지는 것을 보게 했다는 것이다. 어떻게 알 수 있을까? "그분이 자갈로 내(딸 시온의) 이를 부서지게 했다"(애가 3,16)고 말한다.(《창세기 미드라쉬 랍바》 21,8)

아담과 그의 아내는 하느님이 먹지 말라고 명령한 지식나무의 열매를 먹은 죄를 지었기 때문에 에덴동산에서 쫓겨나는 신세가 되었다. 이에 대한 랍비들의 해석이다. 요하난 랍비의 해석에 따르면 아담(사람)은 사제와 이혼한 여자처럼 다시는 에덴동산에 돌아올 수 없다. 사제는 이혼녀와 혼인할 수 없기 때문에 그의 전처와 다시 혼인할 수 없다. 그러나 심온 랍비는 그 반대 의견을 내놓았다. 아담(사람)은 회개하고 에덴동산에 다시 돌아갈 수 있다는 해석이다.

'애가'는 기원전 6세기 초 바빌로니아 군대에 의해 예루살렘 성전이 무너진 것을 슬퍼하며 하느님에게로 돌아가겠다고 애원하는 노래다. '딸 시온'은 예루살렘의 은유적 표현이다. '돌로 이를 부서지게 했다'는 문구에서 '이'를 성전으로 해석한 것이다. 하느님은 아담의 죄 때문에 예루살렘 성전이 부서지게 내버려두었다는 말이다. 그러므로 처음 아담의 죄에서 해방되는 길은 예루살렘 성전이 무너지고 마지막 시대에 도래하는 새 아담이 새 성전을 세워야 한다. 이러한 해석에서 예수의 성전 파괴 예고와 새 성전을 사흘 안에 세운다는 이야기를 이해할 수 있다. 예수가 말하는 새 성전은 구원의 역사를 실현하는 '믿음의 공동체'다.

그러나 대사제는 얄궂게도 '하느님의 성전'의 의미를 예수의 의도와는 다르게 해석했다. 예루살렘 사제들의 언어로 하느님의 성전은 눈에 보이는 예루살렘 성전을 말하지만, 사실 그 당시 민중에 알려진 (적어도 엣세네들에게는) 하느님의 성전이라는 단어는 '하느님의 이름으로 모이는 회중'을 뜻하기도 했다. 엣세네들은 자기들의 공동체를 하느님의 성전이라고 말했다. 또한 그들의 규례에 하느님의 성전과 '아담(사람)의 성전'을 대비해서 설명한다.

> "[내 백성 이스라엘을 위해 자리를 정하여 그들을 심어 그 아래에 정착하여] 적이 더 이상 그들을 [괴롭히지 않을 것이다.] 이전에 있었던 것처럼 죄의 자식이 그들을 더 이상 상대하지 않을 것이다. 내가 이스라엘 백성들 위에 판관들을 세워준 때부터."(사무엘하 7,10~11)
>
> (해석.) 이것은 마지막 날에 하느님이 지을 집이다. [모세의] 책에 이렇게 쓰여 있다. "[주님YHWH,] 당신의 손으로 세운 [성전에서] YHWH는 영원히 지배할 것입니다."(출애굽기 15,17~18)
>
> (중략)
>
> 그(메시아)는 그분을 위해 아담의 성전을 지을 것을 말한다. 토라를 행하므로 그것은 향내 나는 연기가 되어 그 앞에 그분을 위해 온다.(〈마지막 시대의 해석〉 1~6)

'당신의 손으로 세운 성전에서 YHWH는 영원히 지배할 것입니다'

라는 구절에 대한 해석에서 '집'은 성전을 뜻하며 '하느님의 집'은 마지막 시대에 세워질 성전을 가리킨다. '아담의 성전'은 사람들이 지은 건물로서의 성전을 말하는 것이 아니라 사람(아담)이 일원인 공동체의 모임을 말한다. 바울이 말하는 "여러분이 하느님의 성전입니다"(고린도전서 3, 16~17; 에베소서 2,19~22)도 바로 이러한 '아담(사람)의 성전'을 가리킨다.

복음서에서 예수가 말했다는 '사람의 손으로 만든 것이 아닌 다른 성전'(고린도후서 5,1 참조)은 엣세네들이 말하는 '아담(사람)의 성전'인 공동체의 모임을 가리킨다. 예수가 바리새들과 논박하는 과정에서 그가 의도했던 '하느님의 성전'은 바로 이러한 '하느님의 이름으로 모이는 회중'을 뜻한 것이지만, 산헤드린의 심문에서 사제들은 예수의 언어로 '하느님의 성전'을 글자 그대로 예루살렘 성전이라고 몰아붙이고 메시아라고 자처하는 예수가 예루살렘 성전을 허물겠다고 발설했다는 것은 신성모독죄에 적용된다고 단정한 것이다.

'진리'라고 자처하는 예수는 변증할 필요가 없다고 느꼈을 것이다. 그것도 하느님의 뜻이라고 생각했던 것 같다. 예수가 '아담의 성전'을 이야기하는 것은 엣세네의 성경해석이 옳다고 보았지만 엣세네의 입장에서 보면 '사흘 안에 세울 수 있다'는 말은 새로운 언약의 공동체를 설립한다는 음모로 보였다. 또한 사두개와 바리새들이 주도하는 산헤드린의 관점에서 판단하면 사람의 성전에 대한 예수의 해석은 십자가형을 초래하는 단초가 되었다.

무엇이 신성모독이라는 말일까 마태 26,64~65

다시 가야파 대사제는 예수에게 그가 하느님의 아들인 메시아인지 말하라고 다그친다(자백하라고 강요하는 장면이다). 그러자 예수는 성경 구절을 인용하며 그의 진실을 대변했다.

이제부터 여러분은 전능하신 분의 오른편에 앉아 있는 아담의 아들을 볼 것입니다. 그리고 그는 하늘의 구름 위에 옵니다.

그러자 대사제는 그의 겉옷을 찢으며 말했다.

"보시오, 모독입니다. 우리에게 무슨 증인들을 (더) 요구하겠습니까? 보시오, 지금 여러분은 그의 모독을 들었습니다."(마태 26,64~65)

예수가 메시아 문구를 인용하며 그가 아담의 아들이라고 말하는 것이 왜 모독일까? '전능하신 분의 오른편에 앉아 있는'이라는 인용 구절은 "다윗의 노래. YHWH가 내 주에게 한 말씀이다. '내 오른편에 앉아라. 내가 네 원수들을 네 발판으로 할 때까지'"(시편 110,1)라는 문장의 한 부분이다. ['하느님의 오른편에 앉아 있는 이'는 다윗의 주主(아돈)라는 말이다. 초기 유대교 현자들은 다윗이 노래하는 '내 주(아돈)'는 오는 메시아라고 풀이했다.]

'그는 하늘의 구름 위에 온다'는 인용문은 "내가 밤에 환영을 보니 인간의 아들 같은 이가 하늘의 구름을 타고 와서 옛날부터 계신 분에게 나아가 그에게 가까이 왔다. 그는 그에게 권세와 영광과 왕국을 주고 백성들과 나라들과 (다른) 언어(를 말하는 사람)들이 그를 섬기게 했다"(다니엘 7,13~14)는 문장에서 '인간의 아들 같은 이가 하늘의 구름을 타고 온다'는 구절을 선택한 것이다.

다니엘서의 이 인용문은 아람어로 쓰여 있으며 '인간의 아들'이라고 번역한 단어는 '바르 에노쉬'다. ['바르'는 아들이라는 뜻이며 '에노쉬'는 아담의 계보에 나오는 "그의 이름을 에노쉬라고 불렀다. 그때부터 YHWH의 이름으로 부르기 시작했다"(창세기 4,26)고 하는 '에노쉬(인간)'와 같은 낱말이다. 예수는 '바르 에노쉬'를 '벤 하아담'으로 해석한 것이다.] 예수가 대사제에게 답변한 인용문은 이러하다.

"전능하신 분의 오른편에 앉아 있는"(시편 110,1) 아담의 아들을 볼 것입니다. 그리고 "그는 하늘의 구름 위에 옵니다."(다니엘 7,13)

하느님의 '오른편에 앉아 있는 이(아돈)'와 '하늘의 구름을 타고 오는 이(인간의 아들 같은 이)'를 연결하는 단어가 '아담의 아들'이라고 해석한 것이다. 이는 다니엘서의 '인간의 아들 같은 이'는 시편의 '주(아돈)'와 같다고 해석하며 그가 바로 '아담의 아들'이라고 말한 것이다. 예수의 의도는 아담의 아들이 메시아인 것을 성경해석(미드라쉬)으로 밝히려는 데 있다. 그러니까 '아담의 아들'은 예수의 미드라쉬다. 다시 말하면 '전능하신 분의 오른편에 앉아 있는 아담의 아들'이라고 인용한 것이 아니고 '전능하신 분의 오른편에 앉아 있는' 아담의 아들을 볼 것이라고 예수는 말한 것이다.

그런데 대사제는 예수의 말을 모독이라고 단정했다. 왜냐하면 대사제는 예수의 대답을 '전능하신 분의 오른편에 앉아 있는 아담의 아들'이라고 판단하고 이는 성경 구절을 임의로 바꾼 언사로 간주한 것이다.

미쉬나에 따르면 성경 구절을 임의로 바꾸어 말하는 것은 신성모독에 속한다고 규정한다. 바리새 랍비들이나 사두개 사제들은 성경 구절을 임의로 잘못 쓰거나 잘못 인용하는 행위를 거짓 증언으로 여겨 십계명을 어긴 중죄로 취급했다. [그 당시 성경에 대한 해석은 대체로 자유로웠다. 자기 공동체의 이익을 위해 다른 공동체의 해석을 비판하는 것은 잘못된 언동이 아니었으며 죄로 다룰 수 있는 문제도 아니었다. 그러나 토라의 법규에 상반되게 해석하는 것은 중죄로 여겼다. 예를 들어, '안식일을 거룩하게 지켜라'라는 계명에 대한 해석으로 안식일을 속되게 해도 된다고 해석한다면 당연히 중죄에 속한다.]

대사제는 예수가 성경의 말씀을 자신이 의도하는 목적을 위해 짜깁기하여 인용하는 죄를 지었다고 단정하고 그의 겉옷을 찢으며 "보시오, 지금 여러분은 그의 모독을 들었습니다"라고 말한 것이다. 예수가 성경을 모독하는 언행을 들었으니 그에게 중죄에 해당하는 형벌을 내려야 하지 않겠냐고 자기의 겉옷을 찢어 그의 단호함을 산헤드린 의원들에게 보여주는 장면이다.

《미쉬나》에 따르면 벌 받을 만한 신성모독의 말을 들은 것을 확인할 때 재판관은 자기 겉옷을 찢고 다시는 꿰매지 않는다고 규정한다.(《산헤드린》 7,5) 대사제는 산헤드린에서 예수가 신성모독의 중죄를 지었다고 알리는 방편으로 그의 겉옷을 찢은 것이다. 그는 예수의 입에서 나오는 말로 그가 신성모독을 하고 다닌다는 소문을 확인했다는 뜻이다.

대사제는 재판관들에게 계속해서 이렇게 말한다. "여러분은 무엇을 원합니까?"(빨리 판결하라는 말이다.) 그러자 그들은 "그는 죽어야 합니다"고 말한다. 그에게 사형 언도를 내려야 한다고 주장하는 것이다. 이어서 그들은 예수의 얼굴에 침을 뱉고 그를 구타했다. 이런 광경이 엣세네 해석자의 〈하박국서 해석〉에서 말하는 "그들 가운데 그가 사악함을 알린다"는 내용으로 보인다.

대사제는 물론 그에 동조하는 사람들도 예수에게 속죄할 기회조차 주지 않는 정황이다. 사람이 토라의 계명을 어기는 잘못을 했으면 그 잘못의 유형에 따라 속죄할 수 있다. 초기 랍비 유대교 전승에 보면 속죄에는 네 가지 종류가 있다고 말한다.

> (세상에는) 네 가지 종류의 속죄가 있다고 가르친다.
> 마타티야 벤 헤레쉬 랍비는 이쉬마엘 랍비의 이름으로 말했다.
> 네 가지 종류의 속죄가 있다.
> 사람이 '하라'는 계명을 어겼으면 회개를 하라. 그러면 그 자리에서 움직이지 않아도 그분(하느님)이 곧 용서한다. 이렇게 쓰여 있다. "돌아와라, 말썽 부리는 자식들아, 내가 너희 말썽을 고쳐주겠다."(예레미야 3,22)
> 사람이 '하지 마라'는 계명을 어겼으면 회개를 하라. 그러나 그 회개는 속죄일까지 연기되어 속죄할 수 있다. 이렇게 쓰여 있다. "이날은 속죄일이며 너희를 위해 주님YHWH 하느님 앞에서 속죄한다."(레위기 23,28)
> 재판으로 추방당하거나 사형에 처할 그런 죄를 지었다면 회개를 하라. 그 회개는 속죄일까지 연기되며 고난이 따른다. 이렇게 말한다. "나는 그들의 죄악을 지팡이로, 그들의 악행을 피부병으로 벌했다."(시편 89,33)
> 그러나 누구든 그의 손에 하느님의 이름을 속되게 했으면 회개로 연기될 힘이 없으며 속죄일에 속죄도 못한다. 그리고 고난을 받지 않으며 죽음으로 (그의 회개는) 연기된다. 이렇게 말한다. "만군의 주님YHWH 이 내 귀에 드러냈다. 이 악행은 너희가 죽을 때까지 너희를 위해 속죄

되지 않는다. 만군의 주님이 말했다."(이사야 22,14)

그의 죽음이 그를 위해 속죄할 수 없느냐? 이렇게 쓰여 있다. "보라, 나는 너희 무덤을 열고 너희를 무덤에서 들어 올리겠다. 내 백성이여, 내가 너희를 이스라엘 땅으로 데려가겠다."(에스겔, 37,12)

유대교에는 613개의 계명이 있으며, 이 가운데 '하라'는 계명이 248개이고 '하지 마라'는 계명이 365개다. '하지 마라'는 계명을 어긴 사람은 불편한 마음으로 속죄일까지 기다려야 한다고 해석하는 것을 보아도 '하라'는 계명보다 '하지 마라'는 것이 더 중대한 사항이다. 추방당하거나 사형에 처할 만한 죄를 지었는데 회개한다면 속죄는 되겠지만 피부병과 같은 고난을 받을 것이라고 말한다.

그러나 하느님의 이름을 속되게 한 죄는 속죄하겠다고 해서 속죄되는 것이 아니며, 죽음만이 그 결과다. 그 죽음이 속죄를 대신하기 때문이다. 랍비 유대교의 관점에서 보면 예수의 잘못은 네 번째 범주에 속한다. 예수가 십자가에 처형된 다음 그 죽은 몸이 누워 있는 무덤이 열리고 그가 무덤에서 들어 올려져 밖으로 나왔다는 이야기는 예수가 신성모독죄를 지어 그의 죽음으로 속죄되었다는 것을 뜻한다.

산헤드린에서 왜 판결을 내리지 못했을까 마태 27,1

예수는 가야파 대사제가 주관하는 산헤드린에서 심문을 받았고 산헤드린 의원들은 그를 죽이려고 결의했으며 그는 빌라도 총독에게 넘겨져 십자가형을 받았다.

그들은 예수를 붙잡아 가야파 대사제에게 끌고 갔다. 거기에는 서사들과 원로들이 모여 있었다.(마태 26,57)

(중략)

아침이 되자 모든 사제장들과 백성의 원로들은 그를 죽이기 위해 예수에 대해 모의했다. 그래서 그들은 그를 묶어 끌고 가서 빌라도 총독에게 넘겨주었다.(마태 27,1)

유다가 가야파 대사제와 예수를 제거하자고 도모했을 때에 대사제는 산헤드린에서 그에게 확실한 판결이 내려질 것으로 확신했을 것이다. 그러나 그 재판이 해결되지 못했기 때문에 이 안건은 빌라도에게 이송되었다.

가야파 대사제가 소집한 산헤드린은 23명의 재판관들이 모이는 소산헤드린이다. 이 산헤드린에서 예수에게 최종 판결을 내리지 못한 이유는 산헤드린의 표결 방식 때문이다. 산헤드린에서 예수의 유죄에 대해 12대 11로 찬반이 엇갈렸을 것이다. 산헤드린에서는 마지막 판결을 내리기 위해서 찬반 사이에 두 표의 차이가 있어야 한다(본서 '7장 첫째가 말째가 되고 말째가 첫째가 되는 경우' 참조). 그러나 저녁에 소집된 산헤드린에서 밤늦게까지 두 표의 차이가 생기지 않았기 때문에 재판은 다음 날로 연기되었다.

그런데 다음 날 아침 예수의 무죄에 반대한 사제장들과 원로들이 모의하여 예수를 빌라도에게 넘겨준 것이다. (편법을 쓴 것이다.) 결국 사제들(사두개)과 원로들(바리새)은 예수를 선동자(사악한 사제)로 몰아 "사악한 재판으로 그(선동자인 사악한 사제)를 당하게 했다."(원로들은 대부분 바리새들이었다. 그들 가운데 예수의 무죄에 동조하는 원로들이 있었기 때문에 두 표 차이가 생기지 않았음은 틀림없다. 원로 바리새들 가운데 예수의 무죄를 주장하는 사람들은 힐렐 파였겠고 그 반대편은 샴마이파였을 것이다. 다음 날 아침 예수를 빌라도에게 넘겨주자고 도모한 원로들은 예수의 유죄를 주장하는 샴마이파 바리새들일 것이다.)

한편, 예수가 심문 받은 산헤드린이 소 산헤드린이었다고 짐작할 수 있는 것은 대 산헤드린의 재판에 대한 아래와 같은 흥미로운 해석에서 찾아볼 수 있다.

> "주님YHWH 하느님이 뱀에게 말했다. 네가 한 짓 때문에 너는 온갖 가축보다도, 온갖 들짐승보다도 더 저주 받을 것이다."(창세기 3,14)
> 호샤야 랍비는 말했다.
> "(하느님이 뱀에게 이렇게 말했다.) 네 모든 행함이 그 여자를 위한 것이라고 하지만 그 여자를 위한 것이 아니다."
> 예후다 바르 시몬 랍비는 호샤야 랍비의 이름으로 말했다.
> "이 책(창세기)의 시작부터 여기까지 하느님의 이름이 일흔한 번 나온다. 이것은 그 뱀이 대大 산헤드린에서 판결을 받은 것과 같다."(《창세기 미드라쉬 랍바》 20,4)

창세기의 에덴동산 이야기에서 아담의 아내가 뱀이 유도한 질문에 유혹되어, 먹지 말라고 한 열매를 집어 아담에게도 주고 먹어버리는 잘못을 저질렀다. 이로 인해 하느님은 아담과 그의 아내 그리고 뱀에게 벌을 내렸다. 아담에게는 죽음을, 그의 아내에게는 임신의 고통을, 그리고 뱀에게는 모든 짐승들보다 더 많은 저주를 내렸다. 뱀이 아담의 아내를 위해 하느님의 명령을 어기게 됐다고 말한다면, 그녀가 왜 벌을 받게 되느냐는 것이다. 뱀이 대 산헤드린에서 판결을 받은 것과 같다고 하는 것은 그가 받은 벌이 아담과 그의 아내가 받은 것보다 더 무겁다는 뜻이다. 하느님의 저주는 죽음보다 더 심각한 문제다.

한 개인의 범죄가 사형에 이를 수 있는 문제는 소 산헤드린에서 심문하고 판결했다. 예수의 문제는 산헤드린에서 해결되지 못하고 로마 총독의 법정으로 이송되어 그는 십자가형을 받게 되었다. 위의 미드라쉬와 비교해보면 예수의 죽음은 하느님이 내린 벌이 아니며 하느님의 저주는 더더욱 아니다.

십자가형에 처하라고 외친 군중은 누구였을까 마태 27,22~23

대사제가 예수를 죄인으로 고발한 산헤드린에서 '예수가 사악하다'고 결의했다는 것을 알자 배신자 유다는 뉘우치고 사제장들에게 은전 서른 개를 돌려주며 "내가 깨끗한 피를 넘겨주었기 때문에 나는 죄지었소"라고 말했다.(마태 27,3~4) 그리고 그는 스스로 목을 매달았다고 전한다. 예수를 판결하기 위해 모였던 산헤드린 의원들 가운데 유다의 죽음을 보고 예수의 결백에 동조하는 사람들도 있었을 것이다. 그러나 그렇다고 해서 예수가 선동자로 몰리는 상황이 호전되지는 않았다.

예수를 사악하다고 여긴 사제장들과 원로들이 그를 죽이려고 음모해서 빌라도에게 그가 민중을 선동한 자라고 고발하며 그에게 처형해달라고 넘겨주었다. 그래서 하박국서 해석자는 그들이 그를 당하게 했다고 말한 것이다.

예수가 십자가형을 받게 되는 직접적인 동기는 산헤드린도 아니고 빌라도의 판결도 아니다. 빌라도는 예수가 정치적인 목적으로 군중을 움직였는지에 관심이 있었기 때문에 그를 보자 그의 첫 심문은 "당신이 유대인들의 왕이오?"라는 질문이었다. 이에 대해 예수는 그가 가야파 대사제에게 대답한 대로 "당신이 (그렇게) 말합니다"라고 말한다. 자신의 과오가 아니라는 말이다. 빌라도는 예수의 대답에서 그가 무죄인 것을 파악하고 그를 풀어주려고 하자 사제장들과 원로들은 빌라도 법정에 모인 군중을 선동해서 예수를 없애버리자고 획책했다. 그래서 그 사람들 모두가 예수를 "십자가형에 처해져야 합니다"라고 외쳤다. 빌라도는 그가 무슨 악행을 했냐고 되묻자 그들은 더욱 큰 소리로 십자가형에 처해져야 한다고 외쳤다.(마태 7,22~23)

그렇다면 사제장들과 원로들에 합세해서 예수를 죽이자고 외쳤던 군중은 어떤 부류의 사람들일까? 그때 빌라도 법정에 모인 군중은 바리새 사람들(힐렐파와 삼마이파)과 사두개 사람들, 그리고 예수에 반감을 가지고 있던 엣세네 사람들도 많이 있었을 것이다(산헤드린에 증인으로 나온 사람들이 엣세네였을 가능성이 높은 것도 그 이유다).

반면, 예수를 따르는 무리는 상대적으로 열세에 놓였음은 분명하다(산헤드린의 재판이 끝날 무렵 한 하녀가 그곳에 있던 베드로를 가리키며 이 사람도 예수와 함께 있었다고 말하자 그는 예수를 알지 못한다고 부인했을 정도다). (산헤드린에서 예수의 무죄를 옹호했던 힐렐파 바리새 의원들과 그 추종자들을 포함해서) 그들은 적극적으로 예수를 항변하여 '바르 아바를 십자가형에 처합시다'라고 외치지 못했다. 다수가 두려운 것이다. 축제 때마다 군중이 원하는 죄수 하나를 풀어주는 관례인 민주주의 방식에서 예수는 다수의 표를 얻지 못했다.

[흔히 유대인들이 메시아 예수를 죽였다는 편견을 가지고 있다. 그러나 그곳에 모인 사람들은 모두 유대인들이고 (물론 그 가운데 이방인들도 다소 있었겠지만) 그들 가운데 큰 목소리로 예수를 죽이자고 외친 사람들은

산헤드린에서 예수의 무죄에 반대했던 사제들과 원로들이 사주한 사람들이다. 물론 다수지만.]

빌라도는 군중 맞은편에서 손을 씻으며 "나는 이 피에 대해서 책임이 없다"고 말한 다음 예수를 채찍으로 매질하고서 십자가형에 처하라고 넘겨주었다.(마태 27,24~26) 다수의 의견을 따랐을 뿐 자기의 판단은 아니라는 변명이다.

[탈무드에 아래와 같은 이야기가 전해진다. 랍비들은 부서진 화로를 접착제로 붙여 다시 사용할 수 없다고 규정했다. 그런데 엘리에제르 랍비는 가난한 사람들의 경우를 고려해서 그것은 부정하지 않다고 반론을 제기했다. 모든 랍비들은 뱀처럼 그를 둘러싸고 공격하며 그를 따돌렸다. 엘리에제르 랍비는 기적을 일으키며 자신의 토라 해석이 옳다고 주장했다. 하늘에서 소리가 나며 엘리에제르의 법규 해석대로 하라고 말했다. 하느님의 동의를 얻은 것이다. 그러나 하느님이 이미 시나이 산에서 계명을 주었기 때문에 자기들은 하늘의 소리를 듣지 않는다고 말하며, "너는 다수를 따르라"(출애굽기 23,2)는 구절을 인용한다. 그때 하느님은 미소를 지으며 "내 아들들이 나를 이겼구나. 내 아들들이 나를 이겼구나"라고 말했다고 한다. 서로 다른 법규 해석에서는 다수의 의견에 법도(할라카)를 정한다는 원칙을 말한다. 엘리에제르 랍비가 다수의 지지를 얻지 못해 공동체에서 추방되고 끝내 죽음을 맞이하게 되었다는 이야기다. '뱀 (무늬) 화로.'((바빌로니아 탈무드), 〈바바 메찌아〉 59a ~b)]**02**

저주 받은 십자가형

초기 유대교 사회에서 사형을 집행하는 방법으로 돌로 쳐 죽이는 것과 십자가에 매달아 죽게 하는 것이 있었다. 범죄자뿐 아니라 보는 사람들에게도 악한 질병의 공포를 일으킬 수 있는 처형 방식은 십자가형이다. 초기 유대교 《미쉬나》에 정해진 법규 해석에 따르면 사형 방법에 네 가지가 있다. 돌로 처형, 화형, 목을 자르는 처형, 목을 매다는 처형이다.(《산헤드린》 7,1) 십자가형은 목을 매다는 형벌의 범주로 택한 것이며 이는 저주를 받는 것으로 이해했다.

[고대로부터 불구나 불치의 병은 저주를 받았기 때문에 생겼다고 여겼다. 그래서 저주는 불치의 질병을 초래하는 범주에 속한다. 예를 들어, 욥이 그의 온몸에 부스럼이 생기고 가려움증에 시달린 것은 그가 저주를 받았기 때문이라고 그의 친구들은 이야기한다.]

엣세네의 문헌에 보면 나무에 매달아 처형하는 법규가 나온다. "사람이 자기 민족에 관하여 정보를 빼내어 다른 민족에게 넘겨주고 그의 민족을 배반하고 죄악을 범할 경우에 그를 나무에 매달 것이며 그래서 그는 죽을 것이다…. 그러나 그 시체가 나무에 달려 있지 않게 하며 그날 묻을 것이다."(《성전 책》 64,7~11) 이런 해석은 "죽을죄를 지어서 처형된 사람의 주검은 나무에 매달아두어야 한다…. 나무에 매달린 사람은 하느님에게 저주 받은 자이기 때문이다"(신명기 21,23)라는 규례에 준한 것이다. 랍비들의 법해석에 따르면 신성모독과 신상 숭배를 했을 경우 나무에 매달아 처형할 수 있었다(《미쉬나》, 〈산헤드린〉 6,4). 엣세네의 문헌에 아래와 같은 해석이 나온다.

"잡아 뜯은 먹이로 바위굴을 그 굴을 잡아 뜯은 먹이로 채운다."(나훔 2,12)

그 해석. 화난 젊은 사자에 대한 것이다.

그는 부드러운 것을 추구한 자들을 [처단할 것이며] 사람들을 살아 있

는 채로 (나무에) 매달며 이러한 일이 전에는 이스라엘에 [있어본 적이 없었다.] 살아 있는 자를 나무에 매다는 것은 저주이기 때문이다.(《나훔서 해석》 i,6~8)

　'화난 젊은 사자'는 예루살렘의 대사제이며 왕이었던 얀네우스를 가리키며 기원전 88년경 '부드러운 것을 추구하는 자들(바리새들)'이 그의 포악함에 항거한 사건을 말한다. 얀네우스는 자기를 반대하는 바리새 사람 800여 명을 십자가형으로 처단했다. 800여 명이 십자가에 매달려 죽임을 당한 사건은 후대에도 공포였을 것이다. [로마제국의 법정에서 로마제국의 시민에게는 십자가형을 내리지 않았다. 그러나 로마가 통치하던 유대아 지방에서 십자가형은 흔했다.]

　바리새와 엣세네에서 십자가에 처형되는 것은 저주 받은 형벌이라고 여겼으나 신약성경에서 중심축을 이루는 초대교회의 교리는 그렇지 않

10-4 알렉산드로스 얀네우스 동전(프루타, 직경 1.4cm)
앞면 히브리어로 '예호나탄 하-멜레크(예호나탄 왕)'이라는 글자가 백합을 둘러싸고 있다(히브리어 이름인 예호나탄은 그리스어로 얀네우스라고 불렀다).
뒷면 원 안에 위아래로 뒤바뀐 닻이 있다; 원 밖으로 ΒΑΣΙΛΕΩΣ ΑΛΕΞΑΝΔΡΟΥ('알렉산드로스 왕의')라고 새겨져 있다.

다. 메시아 예수가 십자가에 매달려 피를 흘림으로써 죄인들의 죄를 없애고 세상을 구원했으며 그를 믿고 따르는 교회가 이를 증거한다고 확신했다. 예를 들어, 바울과 그의 형제가 골로새 교회에 보낸 편지에서 그런 신앙관을 읽어볼 수 있다.

> 그분(하느님)은 우리를 어둠의 권세에서 구하고 사랑 받는 그분의 아들의 왕국으로 우리를 데려왔습니다. 우리는 그(아들) 안에서 속량, 곧 죄의 용서를 받았습니다.
>
> (중략)
>
> 그는 교회의 몸의 머리입니다. 그는 머리며 망자들 가운데서 맏이고 이는 만물 가운데 첫 번째가 되기 위함입니다. 참으로 그분은 그(아들) 안에서 온갖 충만함을 머무르게 했습니다.
>
> 그분은 그를 통해 그에게 모든 것을 원했습니다. 그분은 그를 통해 그의 십자가의 피로 땅에 있는 것이든 하늘에 있는 것이든 원했습니다.(골로새 1,13~14 · 18~20).

예수가 하느님의 왕국인 교회의 수장으로 죽은 이들 가운데 다시 일어서는 기적이 일어나는 새 시대(메시아의 시대)의 첫 번째 사람이라는 말이다. 하느님은 예수의 십자가에서의 죽음과 부활을 통해 세상의 모든 것이 충만한 하느님의 왕국(교회)을 원한다고 사도들은 말했다.

나사렛의 예수, 유대인들의 왕 요한19,19

예수가 십자가에 달려 있을 때 십자가 위에 붙여놓은 명패의 문구에는 두 종류가 있다. 하나는 '예수, 유대인들의 왕'이고 또 다른 하나는

'나사렛의 예수, 유대인들의 왕'이다. "나사렛에서 무슨 좋은 말씀이 있을 수 있겠습니까?"(요한 1,46) 하고 반문한 느탄엘의 경우에서도 볼 수 있듯이 초기 유대교 성경해석에 대해 어느 정도 지식을 지닌 복음사가들은 메시아가 나사렛에서 나올 수 없다는 전승을 익히 알고 있었다. 그 때문에 그들의 복음서에서는 십자가 위에 달아놓은 예수의 명패에서 '나사렛'이란 문구를 찾아볼 수 없다. 그들은 단순히 '이는 예수, 유대인들의 왕'(마가 15,26; 마태 27,37; 누가 23,38)이라고 쓰여 있었다고 전한다.

그러나 다른 복음서와는 달리 예수의 '사랑하는 제자'가 집필했다는 요한복음서에는 "빌라도는 명패를 써서 십자가 위에 붙여놓았다. 거기에는 '이는 나사렛의 예수, 유대인들의 왕'이라고 쓰여 있었다"(요한 19,19)고 명기하여, 예수가 나사렛 출신임을 드러내고 있다. 이는 나사렛에서 무슨 좋은 말씀이 나올 수 있냐고 반문한 느탄엘이 예수가 그를 알아보자 예수에게 "랍비님, 당신은 하느님의 아들입니다. 당신은 이스라엘의 왕입니다"(요한 1,49)라고 말하는 단락을 상기할 수 있다. 따라서 이 명패는 매우 중요한 점을 밝혀준다. 나사렛은 예수가 자란 동네며 예수는 그곳에서 '요셉의 아들'이라는 이름으로 불렸을 것이며, 이는 요셉의 족보를 통해 예수가 다윗의 아들임을 밝히는 관건이었다(4장 〈서른 살쯤에 '요셉의 아들'이라고 여겨졌다〉 참조. '다윗의 아들'은 '이스라엘의 왕'인 메시아가 될 수 있는 필요한 조건이다). 명패에 '나사렛의 예수'란 표현은 '다윗의 아들, 예수'라는 뜻을 밝히는 의도가 있었음을 보여준다.

한편, 그 명패에서 '유대인들의 왕'이라는 표현은 메시아 칭호에 어울리지 않는다. 메시아 호칭은 느탄엘이 말한 것처럼 '이스라엘의 왕'이지 '유대인들의 왕'은 절대 아니다. 엣세네나 랍비 유대교의 문헌 어디에도 '유대인들의 왕'이라는 호칭이 메시아를 일컫지 않는다(심지어

'유대인들의 왕'이란 표현 자체가 그 당시 언어로는 다소 생소하다). 왜 이런 불일치가 일어났을까?

만일 십자가에 처형된 예수를 '이스라엘의 왕'이라고 부른다면 이는 메시아가 저주의 십자가에 매달렸다는 불명예스러운 사건이 된다. 바리새들의 입장에서 그런 문구의 명패를 받아들일 수가 없다. 엣세네 또한 십자가에 처형되는 것은 저주로 여겼기 때문에 그들이 기다리는 메시아는 나사렛의 예수가 아니며 그가 메시아인 '이스라엘의 왕'이 될 수도 없다고 완강히 거부했을 것이다.

빌라도는 예수가 많은 사람들의 지지를 받고 있다는 점을 잘 파악했을 것이며 그를 따르는 무리는 예수를 다윗의 아들이라는 뜻으로 '이스라엘의 왕'이라고 부른다는 점도 알고 있었을 것이다. 빌라도의 지식으로 '이스라엘'은 다분히 국가를 뜻하는 고유명사다. 또한 바리새와 엣세네 모두 예수를 메시아로 인정하지 않기 때문에 '이스라엘의 왕'이라는 호칭 또한 사용할 수 없다는 점도 인지하고 있었음에는 틀림없다. 빌라도의 선택은 '유대인들의 왕'이라는 표현일 것 같다. 로마인의 관점에서 예수를 따르는 무리는 유대인들이며 그들이 예수를 '이스라엘의 왕'이라고 부른다면 그는 '유대인들의 왕'이라는 논리가 성립된다. 빌라도가 예수를 '유대인들의 왕'이라고 부른 것은 그의 교묘한 발상으로 보인다.

한편, 예수 공동체가 엣세네와 깊은 상관관계가 있었다는 관점에서 '유대인들의 왕'이라는 문구를 이해해보려고 한다면 원래 그 명패에는 '유대인들의 왕(멜레크 예후딤)'이 아니라 '유다의 왕(멜레크 예후다)'이라고 쓰여 있어야 한다. 엣세네는 그들 공동체를 고대 이스라엘 열두 지파의 '유다(예후다)'를 후손이라고 말했다. "유다의 영광이 밝혀질 때에

에프라임(바리새)의 단순한 자들은 그들의 회중에서 피할 것이며 그들은 그들을 잘못 인도한 자들을 떠나 이스라엘(엣세네)에 합세한다."(《나훔서 해석》iii,5) '유다의 영광'은 엣세네 메시아의 출현이다.

빌라도가 엣세네 공동체의 메시아에 대해 알고 있었다면, 혹은 빌라도 법정에 모인 사람들 가운데 예수 추종자들이 '유다의 왕'이라고 외쳤다면 그렇게 명패를 쓰라고 지시했을 수도 있다. 그런데 훗날 복음서 편집 과정에서 '유다의 왕'이라는 맥락이 분명하지 않기 때문에 '유대인들의 왕'이라고 번역했을 수도 있다.

빌라도는 복점관이었다

빌라도는 매우 종교적인 사람이었다. 그의 전문직이 복점관이었다는 점에서도 그가 유대교에 대해 어떤 태도를 가지고 있었는지를 짐작할 수 있겠다. 그의 재임 기간 중에 주조된 주화의 그림에서 그의 종교적 신념의 한 단면을 이해할 수 있을 법하다.

10-5 헤롯 안티파스(기원전 4년~서기 40년 재임) 은전(티베리아스 지방에서 29년에 주조)
앞면 대추야자나무 줄기 LΛΓ (33년) HPΩΔOY TETPAPXOY ['영주(tetrarch) 헤롯의']
뒷면 월계관 안에 TIBEPIAC('티베리아스').

주화는 지금처럼 매스미디어가 발달되지 않은 고대사회에서 가장 중요한 대중 전달 매체 역할을 했다. 주화의 앞면과 뒷면에 새겨진 그림과 글씨를 통해 주조자의 의도뿐 아니라 당대의 풍조를 어느 정도는 파악할 수 있다.

따라서 로마의 총독들이 유대아 땅을 어떻게 다스렸는지를 알아보는 방법으로 그들의 집정 기간 동안에 주조된 주화들을 살펴보며 그들의 통치 이념과 회유 정책을 가늠해볼 수 있다. 로마의 초대 총독부터 빌라도까지 주조된 주화들을 이런 관점에서 살펴보도록 한다.

아우구스투스 황제의 통치 시기에 유대아 지방의 총독 코포니우스(6~9년 재임)가 주조한 주화에 '보리 이삭'과 '황제'라는 명칭이 함께 나온다. 유대교의 상징체계에서 '보리 이삭'은 추수를 뜻하며 이는 풍요를 가져온다고 보았다. 주화 뒷면에는 열매 두 송이가 달린 대추야자나무의 그림이 있다. 대추야자나무는 풍요와 생명을 상징하며 초기 유대교에서는 유대교 3대 명절 가운데 하나인 초막절을 표상하는 상징으로

10-6 코포니우스 동전, 프루타
앞면 보리 이삭. KAICAPOC(카이사로스, '황제').
뒷면 두 송이의 열매가 달려 있는 여덟 줄기의 대추야자나무와 주조년도(LΛ¢ 36년) (황제의 재위 연도=서기 6년).

대추야자나무와 그 줄기를 사용했다. 대추야자나무나 그 줄기는 유대아 지방의 총독들뿐 아니라 유대인들이 주조했던 주화들에 가장 자주 나오는 그림이다. 탈무드에 이런 이야기가 전해진다.

> 자기 권리를 인정한 자의 모든 죄는 용서해야 한다. 그 이유는 이러하다. 하니나 랍은 랍이 대추야자나무에 달려 있는 꿈을 꾸었다. 이렇게 말한다. "꿈속에서 누가 대추야자나무에 매달려 있으면 그는 지도자가 될 운명이다."(《바빌로니아 탈무드》, 〈요마〉 85a)

이 일화에서 대추야자나무는 길운을 뜻한다. 이처럼 대추야자나무는 생명과 번영을 상징한다.

코포니우스 총독의 주화는 아우구스투스 황제의 통치 아래에서 유대인들은 풍요롭게 살 수 있으며 번영한다는 선전 문구다. 그다음 총독 암비불루스(9~12년 재임)의 주화에도 같은 무늬가 사용되었다.

10-7 그라투스 동전(프루타)
앞면 월계관 안에 IOYΛIA(율리아)라고 쓰여 있다.(율리아는 티베리우스 황제의 어머니입니다. '신의 어머니' 이름을 주화에 넣어 대중에게 알린 것이다.)
뒷면 대추야자나무 줄기, LB(주조년도 2년) (=서기 15년)

티베리우스는 발레리우스 그라투스(15~26년 재임)를 유대아 지방의 총독으로 임명했다. 그의 주화에는 대추야자나무 줄기가 자주 나온다.

서기 26년 티베리우스 황제는 빌라도를 유대아 지방의 총독으로 임명했다. 빌라도의 주화는 지난 로마 총독들의 것과 매우 다르다. 로마 복점관의 지팡이를 주화 무늬로 선택한 그의 의도에서도 쉽게 알 수 있듯이 빌라도 자신이 복점관이었다. 자기를 신으로 선포한 티베리우스 황제가 그의 은전에 자신을 최고 신관(Pontifex Maximus)이라고 명명한 점을 보아도 그는 복점을 열심히 믿었으며 그런 연유로 빌라도를 유대교의 본고장인 유대아 지방의 총독으로 발탁했다고 볼 수 있다.

빌라도가 총독으로 예루살렘에 입성하였을 때 빌라도의 군대는 야밤에 황제의 흉상을 군대 휘장과 함께 들여와 성전에 세워놓았다. 이일이 알려지자 유대인들은 그가 거주하던 카이사리아에 모여 오랫동안 시위를 했다. 로마 군대가 정복한 도시의 신전에 로마 황제의 흉상

10-8 티베리우스 은전, 데나리온
앞면 월계관을 쓴 티베리우스의 두상: 그 둘레에 TI(BERIVS) CAESAR DIVI AVG F AVGVSTVS('티베리우스 황제, 신 아우구스투스의 아들 아우구스투스')라고 적혀 있다.
뒷면 올리브 가지를 손에 들고 있는 여인이 의자에 앉아 있다. 그 둘레에 PONTIF MAXIM(Pontifex Maximus 최고 신관最高神官).

을 세워놓고 그를 신으로 섬기게 하였으나 이전의 로마 총독들은 황제의 흉상을 예루살렘에는 들여오지 않았다. 적어도 유대인들의 종교 관습을 존중하였기 때문이다. 그러나 빌라도는 자신의 종교적 신념이 강한 사제였던지 혹은 황제에 대한 충성심이 강했던지 유대교에 대해 매우 공격적이었다. 이러한 면을 그가 주조한 주화의 그림에서 엿볼 수 있다.

복점관의 지팡이를 주화에 새겨 넣기 전 해에는 로마의 전형적인 사제들의 상징인 번제용 제주祭酒 구기를 그의 주화 뒷면에 새겼다. 특히 주목할 것은 그 주화의 앞면이다. 코포니우스와 암비불루스의 주화에 새겨진 보리 이삭을 주제로 하였으나 빌라도의 주화에는 보리 이삭 세 묶음이 있는데 그중 두 묶음은 머리를 밑으로 숙였다. 로마의 권한에 유대인은 묶여 있으며 신이 된 황제에게 머리를 숙이라는 의미를 보여준다. 그다음 해에 주조된 주화에는 자신의 전문직인 복점관의 지팡이를 그려 넣어 이제 유대인들은 로마 복점관의 지팡이(종교적 권력) 아래에

10-9 빌라도 동전, 프루타
앞면 보리 이삭 세 묶음이 있고 두 묶음은 머리를 숙이고 있다; 그 위에 IOYΛIA KAICAPOC ('황제의 율리아').
뒷면 제주 구기; 둘레에 TIBEPIOY KAICAPOC('티베리우스 황제의'); 주조년도 LIς(16째 해=30년)

있다는 점을 부각시킨 것이다. 빌라도는 티베리우스 황제가 죽자 총독
에서 물러났다.

　빌라도가 예수에게 십자가형을 내리기 전에 그는 군중 맞은편에서
손을 씻으며 "나는 이 피에 대해서 책임이 없다"고 말했다.(마태 27,24)
빌라도가 복점관이었다는 종교적인 관점에서 보면 '이 피에 대해 책임
이 없다'는 말은 빌라도가 종교적으로 죄지은 것이 없다는 뜻이다. 즉,
예수가 신성을 모독했다는 죄를 발견할 수 없다는 말이다.

목숨의 쓰라림을 달래준 식초 마태 27,46~48

　예수가 십자가에 처형될 때 정오부터 어둠이 온 땅을 덮었으며 세 시
쯤 되자 십자가에 매달린 예수가 큰 소리로 외쳤다(6시는 지금의 낮 12시에
해당된다).

　여섯 시부터 어둠이 온 땅에 있었다. 아홉 시까지. 아홉 시쯤에 예수는

10-10 빌라도 동전, 프루타
앞면 복점관의 지팡이; 둘레에 TIBEPIOY KAICAPOC('황제 티베리우스의').
뒷면 화관 안에 주조년도 LIZ(17년=서기 31년).

큰 소리로 외치며 말했다.

"엘 엘 레마나 쉐바크타니."

거기 서 있던 사람들이 듣고서 말했다.

"저이가 엘리야를 부른다."

바로 그때 그들 가운데 한 사람이 달려가서 해면을 가져다가 식초에 듬
뿍 적시어 그것을 갈대 (끝) 위에 놓아 (그의 입에 대게 하여) (목을) 축이게
했다. 나머지 사람들은 말했다.

"자, 엘리야가 와서 그를 구해주나 두고 봅시다."

그러자 예수는 다시 큰 소리로 외치면서 그의 영(기운)을 (하느님에게) 넘
겨주었다.(마태 27,46~50)

'엘 엘 레마나 쉐바크타니'는 아람어며 '하느님, 하느님, 어찌하여
나를 버리셨습니까?'라는 뜻이다. 이는 시편 22편의 시작 문구다. 시편
22편의 문구와 예수가 십자가에서 고통을 받고 있는 정황을 비교해볼
수 있다.

나의 하느님, 나의 하느님, 어찌하여 나를 버리셨습니까?

나를 구원해주는 데에서 멀리 있으십니까?

내 울부짖는 말소리에서.

나의 하느님, 내가 낮에 불러도 당신은 대답하지 않으십니다.

밤에도 나는 잠잠하지 못합니다.

당신은 거룩하신 분, 왕위에 앉아 있는 분이며

이스라엘의 찬양입니다.

우리 선조들이 당신을 신뢰했습니다.

그들이 신뢰했으며 당신은 그들을 건지셨습니다.

그들이 당신에게 외치자 그들은 벗어났습니다.

그들이 당신을 신뢰하였으며 부끄러움을 당하지 않았습니다.

나는 벌레지 사내가 아닙니다.

사람의 비방거리며 백성의 조롱거리입니다.

나를 보는 이는 누구나 나를 비웃으며

입술을 비쭉거리고 머리를 흔듭니다.

"그가 주님YHWH에게 의지하고 있으니 그분이 그를 건지겠구나!

그분이 그에게 즐거움이 있다고 하니 그분이 그를 구하겠구나!"

참으로 당신은 나를 배 속에서 나오게 하셨으며

내 어머니의 젖가슴에 나를 신뢰하게 하셨습니다.

태어날 때부터 나는 당신에게 보내졌습니다.

내 어머니의 배 속에서부터 당신은 나의 하느님(엘)입니다.

나에게서 멀리 가지 마십시오.

고난이 가까이 있으나 도움이 없기 때문입니다.

많은 황소들이 나를 에워쌌으며

바샨의 용사들이 나를 둘러쌌습니다.

그들은 그들의 입을 나를 향해 벌렸고

으르렁거리며 달려드는 사자입니다.

나는 물처럼 쏟아졌으며 내 모든 뼈는 어그러졌습니다.

내 마음은 밀초처럼 되었으며 내 창자 속에 녹았습니다.

내 힘이 토기 조각처럼 말라버렸으며 내 혀는 입천장에 붙었습니다.

당신은 나를 죽음의 흙 부스러기에 내던졌습니다.

개들이 나를 에워쌌으며 악한 자들의 회중이 나를 둘러막았습니다.

사자처럼 내 손과 발을.

내 모든 뼈마디를 세고 있는데

그들이 쳐다보며 나를 비웃고 있습니다.

그들은 내 옷을 나누어 가졌으며

내 의복을 놓고 제비 뽑습니다.

당신은 주님입니다. 멀리 가지 마십시오!

나의 힘입니다. 빨리 나를 도와주십시오!(시편 22,1~19)

　예수는 이렇게 시편 22편을 낭송하며 하느님의 아들의 목숨이 다해가는 고통을 하느님에게 호소하고 있었다. 예수의 행적과 관련되어 매우 중요한 시점에서 "그는 내가 사랑하는 아들이다. 그에게 내 즐거움이 있다"는 인용문이 두 번 나온다. 하나는 예수가 세례자 요한에게서 세례를 받자 하늘에서 울린 소리며(마태 3,17)(3장 〈거룩하신 분의 영이 무엇일까〉참조), 다른 한 번은 예수가 그의 제자 몇 명을 데리고 높은 산에 올라갔을 때 예수가 해처럼 빛나게 모습이 변했으며 구름에서 소리가 난 경우다.(마태 17,5) (5장 〈영광스러운 변모는 무슨 표징일까〉 참조)

　죽어가는 예수를 쳐다보는 사람들은 그를 조롱하며 "그분(하느님)이 그에게 즐거움이 있다고 하니 그분이 그를 구하겠구나!"라고 시편의 문구를 인용하는 것은 예수의 죽음을 앞둔 시점에서 매우 중요하다(하느님이 예수를 죽음에서 구해 일어서게 했으며 그가 무덤 밖으로 나올 수 있게 하기 때문이다).

　그러나 예수는 하느님이 자기를 구원할 것을 확신했다. 왜냐하면 '내 어머니의 배 속에서부터 당신은 나의 하느님입니다'는 구절은 예수의 탄생과 맞물린 내용이기 때문이다(4장 〈거룩하신 분의 영으로 잉태된 구원자〉

참조). 시편 22편에 쓰여 있는 다윗의 말이 예수 자신에게서 이루어지는 것을 분명히 보고 있다.

'많은 황소들이 나를 에워쌌으며 그들의 입을 나를 향해 벌렸다'는 것은 산헤드린의 재판관들이 예수를 죽음으로 몰아넣기 위해 입을 벌리고 ('으르렁거리며 달려드는 사자'처럼) 떠들어대는 장면을 연상할 수 있다.

'내 모든 뼈는 어그러졌다'는 것은 예수의 손과 발이 십자가에 못 박혔다는 사실을 묘사한다.

'그들이 쳐다보며 나를 비웃고 있습니다'라는 구절은 사제장들과 산헤드린의 원로들이 십자가에 매달려 있는 예수를 쳐다보고 "남들은 구했지만 자신은 구할 수 없는가 보다"며 조롱하는 장면(마태 27,41)과 조응한다.

'그들은 내 옷을 나누어 가졌으며 내 의복을 놓고 제비 뽑습니다'라는 문구는 '그들은 그를 십자가에 달고는 그의 겉옷을 나누었는데 각자 차지할 몫을 놓고 주사위를 던졌다'는 구절과 상응한다.

죽음에 내던져진 예수가 '내 힘이 토기 조각처럼 말라버렸으며 내 혀는 입천장에 붙었습니다'고 울부짖을 만하다. 그러나 그의 울부짖음과 함께 목숨의 쓰라림을 잠시나마 달래주는 것은 식초뿐이었다.

"내 힘이 토기 조각처럼 말라버렸습니다"

〈하박국서 해석〉에 '그 돌들은 착취당하며 그 목재의 들보는 잘려진다'라고 해석한다. '들보'는 그 사악한 사제를 뜻하며 그가 죽임을 당한다는 말이다. 초기 랍비 유대교 문헌에 보면 다윗의 아들(메시아)이 마지막 시대에 오기 전 그는 철(로 만든) 들보(철근)를 짊어지고 고난을 받는다고 하는 이야기가 있다.

다윗의 아들이 오기 전 그 칠 년 중에 그들은 철(로 만든) 들보를 보내어 그의 목에 매달게 할 것이다. 그의 몸이 두 배로 무거워져 그는 외치며 눈물을 흘릴 것이다. 그러면 그의 외침이 하늘의 높은 곳에 올라가 하느님에게 말할 것이다.

"세상의 주님이시여, 내 힘으로 얼마나 더 견디겠습니까? 내 정신과 내 영혼과 내 사지가 얼마나 (더 견디겠습니까)? 나는 살과 피가 아닙니까?"

다윗의 아들의 이러한 고통 때문에 다윗은 울며 이렇게 말했다. "내 힘이 토기 조각처럼 말라버렸습니다."(시편 22,16)

그가 고난 받는 가운데 찬미 받으시는 거룩하신 분이 다윗의 아들에게 말했다.

"에프라임아, 내 참된 메시아여, 너는 오래전 창조의 육 일 동안에 네 스스로 이 고난을 짊어지었다. 이제 너의 아픔은 [성전이 무너졌기 때문에 생긴] 나의 아픔과 같다."

이에 대해 메시아는 대답했다.

"이제 나는 쉬게 되었습니다. 종은 그의 주인처럼 되는 것으로 만족합니다."(《페시크타 랍바티》 36,2)

다윗의 아들은 메시아를 가리킨다. 다윗의 아들이 철근을 목에 매고 있는 장면은 예수가 십자가를 짊어지고 골고다(해골터)로 걸어가는 광경을 극적으로 상상해볼 수 있게 해준다. 다윗의 아들이 "내 힘으로 얼마나 더 견디겠습니까?" 하고 외치며 '내 힘은 토기 조각처럼 말라버렸습니다'라는 시편 22편 구절을 인용하는 것은 십자가에 매달린 예수가 "하느님, 하느님, 왜 나를 버리셨습니까?" 하고 시편 22편을 읊는 장면과 비슷하다. 시편 22편이 사용된 것은 메시아가 거쳐야 하는 시련과 잘 맞는 내용이 있기 때문이다.

'오래전 창조의 육 일 동안에'라는 말은 메시아의 이름이 옛날 창조 때에 이미 밝혀졌다는 해석에서 이해할 수 있다. 하느님이 그분의 모습으로 만들어낸 아담이 에덴동산에서 죄를 짓게 되었으며 그 때문에 에덴동산에서 쫓겨나는 신세가 되었다. 그러나 창조 때에 알려진 메시아는 마지막 시대에 세상에 와서 처음 아담이 지은 죄를 속죄하기 위해 그 고난을 짊어진다. 그 고난의 아픔은 하느님의 성전이 무너졌기 때문에 하느님이 당한 고통과 같다는 말이다.

하느님의 성전이 무너진 것은 그만큼 중대한 사안이었고 이처럼 예수는 사람의 손으로 만든 새로운 성전을 세우겠다고 이야기한 것이다. 이러한 성전은 자기 재산을 공동체에 헌납하고 공동체가 관리하는 그런 교회 공동체를 가리킨다. 예수 공동체가 바로 새로 만들어지는 하느님의 성전이라는 뜻이다. 예수가 사흘 안에 하느님의 성전을 지을 수 있다고 말한 것이 하느님의 이름을 속되게 하는 잘못이라고 산헤드린은 그를 비난하지만 그는 죽음의 고난을 짊어지고 갔다. 이는 하느님이 창조 엿새 동안 세상을 만들어내고 그다음 날 쉬었던 것처럼 메시아도 정해놓은 시기 동안 일하고 그다음 쉰다는 해석과 부합한다.

왜 큰 소리로 외치며 숨을 거두었을까 마태 27,50

"예수는 다시 큰 소리로 외치면서 그의 영(기운)을 (하느님에게) 넘겨주었다."(마태 27,50) 예수는 왜 큰 소리로 시편 22편의 한 구절을 외치며 자기 목숨을 하느님에게 넘겨주었다고 복음사가들은 이야기할까?

초기 유대교 현자들은 하느님을 위해 죽는 죽음은 죽음의 고통을 느끼지 않는다고 말했다. 아키바 랍비의 순교 일화에서 죽음의 고통을 느끼지 않는 죽음에 관해 읽어볼 수 있다. 아키바 랍비는 로마 황제 하드리아누스의 종교 탄압에 항거하는 민족주의자들의 반란에 공모한 혐의로 로마 군대에 의해 처형당했다(7장 〈토라를 공부하는 곳으로 귀양살이 가라〉 참조). 아래 단락은 그가 마지막 숨을 거두는 순간을 이야기한다.

> 아키바 랍비가 처형당할 때는 쉬마(를 낭송하는) 시간이었다. 로마 군인들이 그의 육신을 갈퀴로 긁고 있을 때 그는 하느님의 왕권을 받아들이고 있었다.
>
> 그의 제자들이 그에게 말했다.
>
> "우리 스승님, 이 지경까지도 (당신은 고난을 받아들입니까)?"
>
> 그는 그들에게 대답했다.
>
> "내 평생 심지어 그분이 내 목숨을 가져간다고 하여도, '네 온 목숨으로'(신명기 6,5)라는 말씀에 대하여 고민했다. 내가 그것을 완성할 기회가 왔다고 생각한다. 이제 내가 행하겠다. 그러니 그것을 완성하지 말라는 것이오?"
>
> 그는 '하나(엑하드 **אחד**)'와 함께 숨을 넘길 때까지 마지막 단어 '엑하드'를 길게 낭송했다.(《바빌로니아 탈무드》, 〈브라코트〉 61b)

로마 군인들은 아키바 랍비를 고문하며 로마 종교에 전향하라고 요구했다. 그러나 그는 유대교 기도문 가운데 가장 자주 사용되는 쉬마를 낭송하고 있었다. "쉬마, 이스라엘 아도나이 엘로헤이누 아도나이 엑하드(들어라, 이스라엘아, 주님은 우리의 하느님이고 주님은 하나다)."(신명기 6,4) 아키바 랍비는 한 분인(하나) 주님YHWH와 함께 쉬마의 마지막 단어 '엑하드'(하나)를 목숨이 다하는 순간까지 소리를 내었다는 이야기다. 이것은 목숨을 다하여 하느님이 하나인 것을 입증했다는 증언이다. 아키바 랍비는 기쁜 마음으로 그의 목숨을 다하여 하느님의 토라를 지킨 순교자다. YHWH는 '하나'라는 신앙 고백의 뜻이 무엇인지를 목숨을 바치며 지켜보니 그 뜻을 알겠다는 해석이다. 아키바 랍비는 로마 종교에 동조하지 않고 오직 기도문을 낭송함으로써 토라를 지켰다.

초기 랍비 유대교 전승에 따르면 토라를 위해 자신을 죽이는 의로운 사람의 죽음을 하느님의 입맞춤의 죽음이라고 이야기한다. 하느님의 거룩한 이름을 위하여 자신의 목숨을 저버리는 순교의 대표적인 예를 '일곱 아들들과 어머니의 이야기'(마카비하 7장)에서 찾아본다. 탈무드에서 이 이야기에 대한 해석을 읽을 수 있다.((바빌로니아 탈무드), 〈기틴〉 57b)

"그러나 우리는 당신을 위하여 날마다 죽으며 도살되는 양처럼 여겨집니다."(시편 44,23)

유다 랍은 말했다.

"이것은 '어머니와 그녀의 일곱 아들들'을 가리킨다. 첫 번째 아들이 황제 앞에 끌려왔다. 그에게 말했다. '이방 신에게 절해라!' 그러나 그는 대답했다. '토라에 이렇게 쓰여 있습니다. "나는 너의 하느님이다."'(출애굽기 20,2) 그는 끌려 나가 처형되었다. 다음 아들이 황제 앞에 끌려왔다. 그에게 말했다. '이방 신에게 절해라!' 그러나 그는 대답했다. '토라에 이렇게 쓰여 있습니다. "너에게는 나 이외에 다른 신들이 없다."'(출애굽기 20,3). 그는 끌려 나가 처형되었다. 다음 아들이 황제 앞에 끌려왔다…"

이처럼 아들들이 하나씩 끌려와서 신상숭배를 강요당하였으나 각자 토라의 말을 인용하며 처형당했다. [나머지 아들들이 인용한 토라의 인용문은 아래와 같다. "YHWH 이외 다른 신들에게 제물을 드리는 자는 처형되어야 한다"(출애굽기 22,19); 다른 신에게 절하지 마라(출애굽기 34,14); 들어라, 이스라엘아, YHWH는 우리의 하느님이고 YHWH는 하나다(신명기 6,4); 너는 오늘 알아라. 마음에 새겨두어라. YHWH는 위로 하늘에 아래로 땅에 하느님이며 그 외에 다른 신은 없다는 것을.(신명기 4,39)]

마지막 아들이 끌려와서 신상숭배를 강요당하자 그는 다음의 구절을 인용하여 자신의 신앙을 밝힌다. "오늘 주님YHWH은 너와 이렇게 합의해주었다. 주님은 너의 하느님이고 너는 그분의 길을 따라 걸으며, 그분의 규정과 계명과 법규를 지키고 그분의 말씀을 들어야 한다는 것이다."(신명기 26,17~18) 그도 또한 처형당하자 그들의 어머니는 통치자에게 말했다.

"내가 내 아들에게 잠시나마 입맞춤을 하게 해주십시오."
그녀는 그에게 말했다.
"내 아들아, 너의 선조 아브라함에게 가서 말해라. 당신은 제단 하나를 세웠지만 나는 제단 일곱 개를 세웠습니다."
그녀 역시 지붕 위로 올라가 떨어져 죽었다.
하늘에서 소리가 들렸다. "아들들의 어머니는 기뻐한다!"(시편 113,9)

참으로 '기뻐하는 어머니'는 목숨을 다하여 하느님의 이름을 거룩하게 지키는 일곱 아들들을 둔 어머니다. 이러한 죽음은 축복이며 하느님의 입맞춤의 죽음이라고 랍비들은 해석한다.

이처럼 예수도 그의 죽음은 하느님이 원한 것이기 때문에 축복이라고 이해할 수 있다. 십자가에 매달려 고난을 견디면서 그 마지막 숨을 다하여 "태어날 때부터 나는 당신에게 보내졌습니다. 내 어머니의 배 속에서부터 당신은 나의 하느님입니다"고 하느님을 부르며 "멀리 가지 마십시오! 빨리 나를 도와주십시오!"라고 다시 한 번 큰 소리로 외치면서 그의 영을 하느님에게 넘겨주었다. 하느님에게 자신의 영혼을 넘겨주었다는 말이 무슨 뜻인지는 탈무드에 전해진 아래와 같은 기도문에서 살펴볼 수 있다.(《바빌로니아 탈무드》, 〈브라코트〉 60b)

나의 주님이여, 당신이 나에게 주신 영혼은 깨끗합니다.
당신이 그것을 만드시고 만들어내셨습니다.
그리고 그것을 나에게 불어넣어주셨습니다.
결국 당신은 나에게서 가져가시고
오는 세상에 나에게 돌려주실 것입니다.
죽은 몸들에 영혼을 돌려주시는 주님, 당신을 찬양합니다.

창세 '처음에' 하느님이 흙으로 사람 모양을 만들어 그 콧속에 영혼(루악흐, '바람, 숨, 목숨, 기운')을 넣어주었기 때문에 죽으면 "흙 부스러기는 전에 있던 흙으로 돌아가지만 영혼은 그것을 준 하느님에게로 돌아간다"(전도서 12,7)고 말한다. 위의 기도문은 전도서의 해석을 더 발전시켜 죽어서도 하느님이 죽은 몸에 그의 영혼을 다시 돌려줄 것이라는 부활의 희망을 말해준다.

예수가 십자가에 달려서 마지막으로 큰 소리를 외치며 시편 22편을 낭송하고 숨을 거두었다. 복음사가는 예수가 그의 영혼을 하느님에게 넘겨주었다고 전한다. 그런데 예수는 다시 일어나 무덤 밖으로 나와 그의 제자들에게 나타나 40일 동안 여러 가지 증거로써 그가 살아 있다는 것을 드러냈고 하느님 왕국에 관한 일을 말해주었다.(사도행전 1,3)

위에서 읽은 탈무드의 기도에서와 같이 하느님은 예수의 영혼을 그의 몸에 다시 돌려준 것이다. 위에서 읽어본 시편 22편의 마지막 부분을 예수가 부활한 다음의 상황과 비교해볼 수 있다.

> 가난한 자들이 먹고 만족할 것이며
> 주님을 찾는 자들이 그분을 찬양할 것이다.
> (중략)
> 땅의 거름(부자富者)은 모두 먹고 절하리라.
> 흙으로 내려간 자들은 모두 그분 앞에서 무릎을 꿇으리라.
> 그의 목숨은 살아나지 않지만 자손은 그분을 섬기리라.
> 그는 주님에 대하여 올 세대에게 이야기할 것이며
> 그들은 태어날 백성에게 그분이 행하셨다고 그분의 정의를 전하리라.(시편 22,26 · 29~31)

이 단락을 초대교회에서 해석하는 상황으로 보면 '가난한 자들'은 초대교회를 뜻한다. 땅의 '거름'은 나라를 비옥하게 만드는 자들을 말한다. 거름은 또한 교회 지도자들이라고 풀이할 수 있다. '흙으로 내려가는 것'은 죽음을 뜻하며 죽음/어둠도 주 앞에서 무릎을 꿇는다는 설명이다. 여기서 주主는 메시아 예수를 뜻한다고 초대교회에서는 이해할 수 있다. 초대교회에서는 시편 22편이 예수의 죽음과 부활을 예지하는 것으로 이해될 수 있다. 십자가에 매달린 예수는 죽음을 이기고 구원의 정의인 부활을 세상에 알리는 메시아(주권의 소유자)임을 큰 소리로 외친 것이다.

초기 유대교 미드라쉬에 보면 부활을 알리는 징조로 '큰 소리'를 외친다는 해석이 나온다.

"태어날 때가 있고 죽을 때가 있다."(전도서 3,2)

베레크야 랍비는 말했다.

"그렇다면 솔로몬의 모든 지혜는 '태어날 때가 있고 죽을 때가 있다' 라고 말하는 것인가? 무슨 뜻일까?

죽는 시간이 태어난 시간과 같은 사람은 행복하다. 그가 태어난 시간이 깨끗하다. 이처럼 그가 죽는 시간도 깨끗하다.

여자가 출산하려고 준비할 시간에 사람들은 그녀에게 '누워 있는 여자'라고 말한다. 왜 그렇게 부를까? 그녀는 죽었다가 살기 때문이다. 그녀를 왜 산고産苦하는 여자라고 부를까? 그녀는 죽음의 손을 담보로 하기 때문이다. 이것에 대해 이렇게 말한다. '네가 네 이웃의 겉옷을 담보로 했으면.'(출애굽기 22,25)

시몬 랍비는 베트 구브린 출신 나탄 랍비의 이름으로 말했다.

"'저승과 임신 못 하는 모태.'(잠언 30,16) '저승'을 왜 '모태'와 연결해 말할까? (갓난아이는) 모태에서 나오며 큰 소리를 지른다. 이처럼 (망자가) 저승에서 나올 때 큰 소리를 지른다는 것을 말한다."(《전도서 미드라쉬》 3,2)

깨끗한 시간은 그 행위가 종교적 규범에서 어긋나지 않는 시간에 이루어진다는 말이다. 태어난 시간이 깨끗하면 죽는 시간도 깨끗할 수 있다는 소망을 말한다. 깨끗이 살기를 희망하는 이야기다.

'큰 소리'라고 번역한 단어는 글자 그대로 '소리들의 소리'다. 하느님을 '왕들의 왕'이라고 부르거나 '헛것들의 헛것'(전도서 1,2)이라는 문구와 같은 표현 방법이다. 사람이 태어나면서 큰 소리를 지르는 것은 부활이 있기 때문이라는 해석이다. 부활을 전제로 이야기한다. 태어난 시간이 깨끗하면 죽는 시간도 깨끗하다는 말과 통한다. 죽는 시간이 깨끗하면 다시 태어날 수 있기 때문이다.

이와 비교해보면 예수는 점성가들이 기다렸던 '특별한 날'에 태어났고(본서 '4장 예수는 기원전 7년 12월 1일에 태어났을 것 같다' 참조) 유대교의 '거룩한 명절'인 유월절에 죽었다. 그리고 죽음에서 깨어난 날은 '복 받는 날'인 안식일이다(본서 '11장 안식일이 지나고' 참조). 다시 태어나기 위해서는 죽는 시간이 깨끗해야 하겠다.

그래서 죽기 전에 회개하는 것이 인생에서 가장 중요한 세 가지 기둥 가운데 하나라고 유대교 현자는 말했다. "네 동료의 귀중함이 네 것처럼 너에게 다정해야 한다. 쉽게 화내지 마라. 네가 죽기 전에 하루 회개하라."(《선조들의 어록》 2,10)

망자가 저승에서 나올 때 큰 소리를 지른다는 풀이를 예수의 죽음과 비교해볼 수 있다. 예수는 큰 소리로 외치며 "하느님, 하느님, 어찌하여 나를 버리셨습니까!" 하고 말했다. 그러고 나서 예수는 다시 큰 소리로 외치면서 영을 떠나보냈다. 그러자 "무덤들이 열리고 잠들어 있던 성인들의 많은 육신들이 일어섰다. 그들은 (밖으로) 나왔다. 그(예수)가 일어난 뒤에 그들은 거룩하신 분의 도성에 들어가서 무리에게 나타났다."(마태 27,52~53) 복음서의 이러한 기록을 위 미드라쉬와 비교해보면 예수가 죽으면서 큰 소리로 부르짖은 것은 성인들의 부활을 알려주기 위해서다.

성전 문의 휘장은 왜 찢어졌을까 마태27,50~51

예수가 십자가에 매달려 있을 때 초자연적인 죽음의 공포가 일어났다.

> 여섯 시부터 어둠이 온 땅에 있었다. 아홉 시까지.
> (중략)
> 예수는 다시 큰 소리로 외치면서 그의 영을 (하느님에게) 넘겨주었다. 곧
> 바로 성전 문의 휘장이 위에서 아래까지 둘로 찢어지고 땅이 뒤흔들리
> 며 바위들이 갈라졌다.(마태 27,45 · 50~51)

정오부터 3시간 동안 온통 세상이 어둠으로 깔렸다는 것이다. 그리
고 예수가 마지막 숨을 몰아쉬자 성전 문의 휘장이 찢어지고 땅이 뒤흔
들렸다니 이 얼마나 무섭고 두려운 광경인가. 예수의 죽음을 모의한 사
람들뿐 아니라 주변에 모인 사람들에게도 예수의 죽음으로 인한 공포
감이 조성된 것을 짐작할 수 있다.

'휘장'과 '뒤흔들린 땅'이 주제어로 사용되어 만들어질 수 있는 이
야기 가운데 아래와 같은 단락을 읽어볼 수 있다.

> 예후다 바르 시몬 랍비는 (아래 구절을) 열었다.[01]
> "그분(하느님)은 깊은 곳과 숨겨진 것을 밝혔다."(다니엘 2,22)
> "그분이 깊은 곳을 밝혔다."
> 이것은 지옥이다. 이렇게 말한다. "그는 유령들이 거기(어리석은 여자의
> 집)에, 그녀의 객들이 저승의 계곡에 있는지를 알지 못한다."(잠언 9,18).
> 또 이렇게 말한다. "불구덩이는 깊고 넓다."(이사야 30,33)
> '숨겨진 것.'

이것은 에덴동산이다. 이렇게 말한다. "소나기와 비를 피하는 피신처와 은신처가 되리라."(이사야 4,6). 또 이렇게 말한다. "당신(하느님)은 당신 앞의 은신처에 그들을 감추십니다."(시편 31,21)

(중략)

예후다 바르 시몬 랍비는 말했다.

"그분이 세상을 창조한 시작부터 '그분은 깊은 곳과 숨겨진 것을 밝혔다.'(이렇게 말한다.) '처음에 하느님이 하늘과 땅을 만들어냈다.' 그러나 (하늘에 대해) 설명하지 않았다.

어디에서 설명할까?

다른 곳에. '하늘을 휘장처럼 펼치시는 분.'(이사야 40,22)"(《창세기 미드라쉬 랍바》 1,5~6)

예후다 랍비는 "처음에 하느님이 하늘과 땅을 만들어냈다"(창세기 1,1)는 구절을 해석하기 위해 다니엘 2,22를 인용하여 자신의 의견을 개진한다. 저승의 계곡은 저승의 깊은 곳이며 그곳은 불구덩이의 지옥이다. 초기 유대교 현자들은 창조에 앞서 일곱 가지의 것들이 있었다고 이야기한다(6장 〈주기도문은 일곱 개의 문장으로 되어 있다〉 참조). 그 여러 가지 가운데 지옥과 에덴동산이 있다고 한다. 에덴동산은 하느님이 준비해둔 은신처로 비유한다.

'처음에' 하느님이 하늘과 땅을 만들어냈을 때 땅은 불모지였으며 비어 있었다(창세기 1,2)고 쓰여 있다. 그러나 하늘이 어떤 모습이었는지에 대한 설명은 없다. 예후다 랍비는 이사야서에서 하느님이 하늘을 휘장처럼 펼치고 있다는 표현을 찾아 처음 하늘이 그랬다고 설명한다. 창조 시작 때의 하늘은 펼쳐진 휘장 모습이다. 이러한 휘장은 성전 문에 걸려 있는 휘장을 연상할 수 있다.

예수의 죽음 장면에서 성전 문의 휘장이 위에서 아래까지 두 갈래로 찢어졌다는 말은 단순히 그렇게 되었다는 것보다 더 중요한 장면을 내포한다. 이는 '처음에' 불모지 위에 펼쳐진 하늘이 예수의 죽음과 함께 위아래로 찢겨졌다는 뜻이다. 처음 아담의 시대는 끝나고 이제 새 복음의 시대, 새로운 창조의 시대가 시작하는 것을 알리는 표징으로 볼 수 있다. 휘장(하늘)과 뒤흔들린 땅(불모지)은 새 창조의 서막에 나오는 문구임을 알 수 있다.

그 사기꾼이 "나는 사흘 후에 일어난다"고 말했다 마태 27,63~64

예수가 십자가에서 죽은 것이 확인된 뒤 그의 한 제자가 빌라도에게 가서 예수의 시신을 내달라고 청하여 받았다. 그는 자기가 장만한 새 무덤 굴에 예수를 안장하고 무덤 굴 입구를 큰 돌로 막아놓고 돌아갔다. 그 이튿날 사제장들과 바리새들이 빌라도에게 가서 그에게 이렇게 말한다.

> 우리의 주군이여, 우리는 그 사기꾼이 살아 있을 때 "나는 사흘 후에 일어난다"고 말한 것을 기억합니다. 그러므로 셋째 날까지 무덤을 지켜보라고 명령하십시오. 그의 제자들이 와서 밤에 그것을 훔쳐가 "그가 망자들 가운데 일어났다"며 백성들에게 말하지 못하도록 말입니다. 마지막 속임은 첫 번째 것보다 더 사악합니다.(마태 27,63~64)

마지막 속임은 '그가 망자들 가운데 일어났다'는 제자들의 소문이고 첫 번째 속임은 예수가 '나는 사흘 후에 일어난다'고 말했다는 것이다.

사제들이나 바리새들은 예수가 그를 믿고 따라다니는 그의 제자들과 무리를 속였다고 판단했다. 그들이 보는 관점에서 예수는 무엇을 속였을까? 그 첫 번째 속임이라는 것이 어떤 상황에서 나왔는지를 파악하면 그 해답을 찾을 수 있다.

예수가 갈릴리 지방에서 많은 병자들을 낫게 하고 빵 일곱 개와 작은 물고기 몇 마리로 사천 명을 풍족하게 먹였다. 그리고 그는 그의 제자들에게 바리새들과 사두개들의 누룩을 조심하라고 가르쳤다. 그러고 나서 그는 그의 제자들과 함께 카이사리아 지방으로 갔을 때 그는 그의 제자들에게 "사람들은 나에 대해 내가 누구라고 말합니까?" 하고 물었다.(마태 16,13) 어떤 이들은 세례자 요한이라고 하거나 혹은 엘리야, 다른 이들은 예언자들 가운데 하나라고 한다고 그들은 대답했다. 그러자 예수는 그들에게 "나에 대해 여러분은 내가 누구라고 말합니까?"라고 다시 질문한다. 그러자 베드로는 이렇게 대답했다. "당신은 살아 계신 하느님의 아들 그 메시아입니다." 그러자 예수는 그것에 대해(즉, 예수가 하느님의 아들이며 메시아라는 것을) 어느 누구에게도 말하지 말라고 그들을 나무랐다. 그리고 예수는 그들에게 아래와 같은 내용을 가르쳤다.

> 그(메시아)는 예루살렘으로 올라가서 원로들과 사제장들과 서사들로부터 많은 고난을 받고 죽임을 당했다가 사흘째 날에 일으켜져야 한다는 것이었다.(마태 16,21)

마가복음서에는 "미래에 아담의 아들이 많은 고난을 겪고 원로들과 사제장들과 서사들에 의해 배척되어 죽임을 당했다가 사흘째 날에 일어선다는 것이다. 그는 명백히 말을 했다"(마가 8,31)고 조금 다르게 전해진다. 아담의 아들 메시아 예수가 죽은 뒤 사흘째 날에 무덤에서 밖으로 나온다는 말이다. 그러자 베드로는 예수를 붙들고 나무라기 시작하며 이렇게 말했다.

> "이런 일이 당신에게 일어난다니 당치 않습니다. 선생님(아도니)."
> 그러자 그(예수)는 돌아서서 그의 제자들을 쳐다보고 베드로를 나무라며 말했다.
> "가시오! 내 뒤로 가시오! 사탄이여, 당신은 나에게 방해가 됩니다. 참으로 당신은 하느님의 것은 음송하지 않고 사람들의 것은 그러합니다."(마태 16,22~23)

예수는 베드로에게 '사탄'이라고 지탄하며 하느님의 것과 사람들의 것을 대비하여 말하는데, 각각이 무엇을 뜻하는지는 '음송하다'라는 동사에서 그 해답을 찾을 수 있다. '음송하다'는 히브리어로 '하가(הגה)'며 히브리 성경에서 사용된 '하가'는 그 주어가 사람인 경우 '소리 내다, 작은 목소리를 내다, 묵상을 하며 중얼거리다, 선포하다'라는 뜻이다. 그런데 예수 당시의 후기 히브리어에서는 '배우다'라는 뜻으로도 사용되었다. 그 이유는 토라를 소리 내어 읽으며 배우기 때문이다.

베드로가 사람들이 쓴 책은 읽으면서 하느님이 쓴 것, 즉 십계명과 모세의 토라는 배우지 않는다는 말이다. 그 당시 예수의 제자들이 읽고 배울 수 있는 유대교의 종교적인 책으로 사람들이 쓴 것은 바리새 현자들의 책들과 엣세네의 것들이 있다. 특히 '음송하다'라는 낱말을 사용한 점을 보아 엣세네의 '음송의 책'을 가리키는 듯하다. "어릴 때부터 음송의 책을 가르치며 나이에 따라 언약의 법규를 배우게 한다."(《마지막 시대의 규례〉i,6) '음송의 책'은 그들 공동체의 '새 토라'로 여겼다(4장 〈열두 살 때 예수와 문답한 교사들은 누구였을까〉 참조).

한편, 예수가 그를 '사탄'이라고 꾸짖는 대목에서 그가 무슨 책을 읽었는지 짐작할 수 있다. (신약성경에서 '사탄'은 악마의 혼을 지닌 사람을 그렇게 불렀다. 히브리 성경에서는 '사탄'이라는 낱말이 '방해꾼, 장애물' 등의 뜻으로 쓰였으며 예수 당시에도 그랬다. 사탄이 악마라는 뜻으로 확실히 고정된 것은 보다 후기에서 찾아볼 수 있다.)

베드로는 왜 사탄이라고 핀잔 받았을까 마태 마태 16,22~23

예수가 베드로에게 '사탄'이라고 부른 것은 그가 악마라는 뜻이 아니라 악마의 혼에 시달리는 '방해꾼'이라는 말이다. 예수는 베드로에게 악마의 혼을 여전히 가지고 있다고 비난하는 것이다. [엣세네 문헌에서 이렇게 말한다. "누구든지 브리알(악마)의 혼에 지배를 받아 변절을 말하면 마술과 마법에 관한 법령에 따라 심판 받을 것이다."(〈새 언약의 규례〉xii,3)

'마술과 마법에 관한 법령'에 따르면 그런 변절자들은 돌로 쳐 죽일 것이라고 모세의 법규(레위기 20,27)에 쓰여 있다. 엣세네에서도 그렇게 시행했다는 것을 알 수 있다. 그 이유는 그들의 규례에서 읽어볼 수 있다. "그분이 너희 선조들을 사랑하고 맹세를 지키기 때문이었다."(신명기 7,8) (그 해석.) 참으로 백성의 길에서 떠나간 이스라엘의 변절자들에게 심판이 있다. 하느님의 뒤를 따르겠다고 서약한 선조들을 사랑하므로 그분이 그들 뒤에 오는 자들도 사랑한다. 그들에게 선조들의 계약이 있기 때문이다.(〈새 언약의 규례〉viii,15~17)

예수가 베드로를 '사탄!'이라고 부른 것은 그가 예수를 만나기 전에 가지고 있던 그의 성경 지식이 무의식중에 튀어나왔다고 핀잔을 주는 말이다. 베드로가 가지고 있던 예전의 지식은 무엇일까?

예수가 짐작한 베드로의 예전 지식은 엣세네의 책들에서 나온 것으로 보인다. 예수가 베드로에게 말하는 그 사람들의 것들은 엣세네의 〈새 언약의 규례〉나 〈단합체의 규례〉 혹은 성경해석서(페샤림) 등과 같은 책들일 것이다. 사해문헌 가운데 아래 번역한 단락에서 베드로라는 이름과 연관될 수 있는 흥미로운 내용을 읽어볼 수 있다.

그(메시아)는 그의 세대의 모든 자식들을 위해 속죄할 것이며 그의 [세대]의 모든 자식들을 위해 그는 보내질 것이다. 그의 말씀은 하늘의 말씀 같으며 그의 가르침은 하느님의 뜻 같다. 그의 영원한 태양은 빛나며 온 땅 끝까지 빛이 보일 것이다. 어둠 위에 빛이 비치며 그래서 어둠이 이 땅에서 그리고 짙은 안개가 육지에서 사라질 것이다.

그들은 그에 대해 많은 말을 하며 많은 [거짓]이 있을 것이다. 그에 대해 이야기를 만들어 이야기하며 그에 대해 수치스러운 것들을 말할 것이다.

그는 그 사악한 세대를 무너뜨리고 […] 있을 것이다. 그는 거짓과 폭력 가운데 일어선다. 백성은 그의 시대에 잘못 인도되며 그들은 어리둥절할 것이다. […] 하느님은 잘못된 것을 고치며 […] 밝혀진 잘못을 [심판한다.]

요나가 왜 울었는지 조사하고 추구하여 배워라! 쓸모없이 (나무에) 달리게 하여 그를 지워버리지 마라! 못이 그에게 박히지 않게 하라!

너는 네 아버지를 위해 기쁜 이름을 세울 것이다. 모든 네 형제들을 위해 [견실한] 기반을 [세울 것이다.] 너는 영원한 빛을 볼 것이며 기뻐할

것이다. 너는 미움 받은 자가 되지 않을 것이다.(〈평화의 기반〉 iv 1~vi 4)

'그(메시아)는 모두를 위해 속죄한다', 혹은 '어둠 위에 빛이 비친다' 등은 신약성경에서 예수에 관한 내용으로 종종 읽을 수 있다. '그는 거짓과 폭력 가운데 일어선다'는 표현도 예수의 부활과 연계해서 이해할 수 있다.

"요나가 왜 울었는지 조사하고 추구하여 배워라!" 복음서에도 요나의 비유가 나온다. 악한 시대에 요나의 표징을 볼 수 있으며 요나가 바다 괴물의 배 속에서 사흘 낮밤을 지낸 것처럼 아담의 아들도 그렇게 사흘 낮밤을 지낼 것이다.(마태, 12,38~42) 요나의 표징은 미래에 아담의 아들이 많은 고난을 겪고 원로들과 사제장들과 서사들에 의해 배척되어 죽임을 당했다가 셋째 날에 무덤 밖으로 나온다는 것을 말한다. 악한 시대는 사악한 사제들이 지배하는 날을 뜻한다. 사흘 낮밤을 바다 괴물의 배 속에서 지낸다는 것은 예수가 무덤 굴에서 일어나 사흘 뒤에 세상에 다시 나타난다는 뜻이다(5장 〈요나의 표징은 무엇을 가리킬까〉 참조).

'못이 그에게 박히지 않게 하라'는 의역이며 글자 그대로 '못이 그에게 가까이 가지 않게 하라'는 뜻이다. 나무에 달리지 않게 하고 못이 그에게 박히지 않게 하라는 내용은 예수의 십자가형과 연계해서 읽어볼 수 있다. 엣세네들에게 십자가에 처형되는 것은 저주 받은 형벌이기 때문에 십자가형을 받지 않게 조심하라고 했다.

'네 아버지'는 '하느님'을 가리키며 '기쁜 이름'은 '메시아'를 뜻한다. '네 형제들'은 '친교인親交人들'을 뜻한다. 초대교회에서도 교인들끼리 '형제들'이라고 불렀다.

'견실한 기반'은 '반석'의 뜻으로 이해할 수 있다. '반석'은 베드로의 이름과 관련된다. 예수가 그의 제자들에게 "여러분은 나를 누구라고 하겠습니까?" 하고 묻자 심온 베드로가 대답하여 "당신은 살아 계신 하느님의 아들 메시아입니다"라고 말한다. 예수는 이렇게 말한다.

당신은 복됩니다. 심온 바르 요나!
살과 피(사람)가 당신에게 밝힌 것이 아니라 하늘에 계신 내 아버지입니다. 나 또한 당신에게 말합니다. 당신은 그 바위입니다. 나는 이 위에 내 교회를 세울 것입니다. 저승의 문들이 그것을 누르지 못할 것입니다. 나는 당신에게 천국의 열쇠를 주겠습니다. 그러니 당신이 땅에서 매는 (금지하는) 것은 하늘에서도 매여 있을(금지될) 것이요, 당신이 땅에서 푸는(허용하는) 것은 하늘에서도 풀려 있을(허용될) 것입니다. (마태 16,16~19)

예수가 심온에게 바위(케파)라는 새로운 이름을 준다고 하는데 '그 바위'라고 말한다('그'는 인칭대명사다). '그'는 엣세네가 이야기하는 '견실한 기반'을 가리키는 듯하다. ['케파'는 아람어로 바위라는 뜻이며 이를 그리스어로 번역(뻬뜨라)해서 우리말로 베드로라고 한 것이다.] 예수가 베드로에게 '심온 바르 요나(요나의 아들 심온)'라고 부르며 그에게 '바위'라는 이름을 주고 그 위에 교회를 세울 것이라고 말한 것은 위의 엣세네 문헌에서 '요나가 왜 울었는지 조사하고 추구하여 배워라'라는 문장과 '그의 형제들을 위해 견실한 기반을 세울 것이다'라는 두 문장을 연결하는 것으로 이해할 수 있다('바르'는 아람어로 '아들'이라는 뜻이다). '요나의 아들'이라는 이름은 엣세네 문헌에 나오는 내용을 드러내는 상징처럼 보인다.

베드로에게 천국의 열쇠를 주겠다고 말하는 내용은 고대 유다 왕국의 히즈키야 왕이 그의 부하 엘리야킴에게 다윗 집안(가문)의 열쇠를 준 이야기(이사야 22,22)를 반영한다. 열쇠를 받은 엘리야킴의 임무는 왕국을 관리하는 일이다. 히즈키야가 죽은 뒤 왕권은 히즈키야의 어린 아들 메나쉐가 계승했다. 고대 역사를 예수 이야기와 비교해볼 수 있다.

로마 총독 빌라도가 예수를 십자가에 처형하라고 판결을 내린 다음 십자가에 '유대인들의 왕 예수'라는 팻말을 달아놓은 것을 보아도 예수가 다윗 가문 출신의 왕으로서 천국의 열쇠를 가지고 있었다고 볼 수 있다. 예수가 죽은 뒤 예루살렘 교회의 수장은 예수의 동생 야고보(야곱)에게 돌아간다. 그리고 천국의 열쇠를 받은 베드로는 여전히 초대교회의 대법관과 같은 역할을 했다. 이런 역사적 사실을 비추어보면 천국은 초대교회를 은유적으로 표현한 단어다.

대법관인 베드로의 임무는 무엇인가? 땅에서 매는/푸는 것은 하늘에서도 매여/풀려 있을 것이라는 말과 무슨 상관이 있을까? 무엇이 땅이고 무엇이 하늘일까? 하늘은 천국을 가리킨다. 즉, 초대교회를 뜻한다. 그렇다면 땅은 어디일까? '매다, 풀다'라는 낱말은 법적 용어로 금지와 허용을 의미한다. 금지하거나 허용한다는 것은 모세의 계명과 법규를 말한다. '땅'에 모세의 법규(토라)가 있다는 뜻이다.

초기 유대교 문헌 가운데 '땅'과 법규를 연결하는 전문용어로 '데레크 에레쯔(땅의 길)'라는 용어가 있다('데레크 에레쯔'를 세상의 도리라고 번역할 수 있다). 1세기 후반에 활동한 엘아자르 벤 아자르야 랍비의 가르침에 '세상의 도리'와 토라의 관계를 설명하는 부분이 나온다.

토라가 없으면 세상의 도리도 없다.

세상의 도리가 없으면 토라도 없다.

밀가루가 없으면 토라도 없다.

토라가 없으면 밀가루도 없다.

지혜가 그의 행함보다 많은 자는 무엇과 같은가?

줄기는 많은데 그 뿌리가 작은 나무와 (같다.)

바람이 불어 그 뿌리를 뽑아 얼굴을 뒤집어놓는다.

그러나 행이 그의 지혜보다 많은 자는 무엇과 같은가?

줄기는 적은데 그 뿌리가 많은 나무와 (같다.)

세상에 온갖 바람이 불어닥칠지라도 그 자리에서 그를 움직이지 못한다.(《선조들의 어록》 3,17)

토라(하느님의 가르침)를 지키지 않으면 '땅의 도리', 즉 세상에서 살아가는 도덕과 윤리의 기준도 없어진다는 말이다. 먹지 못하면 토라를 지킬 수 없다는 말도 된다. 세상의 도덕이 유지되려면 먹을 것이 있어야하겠다. 그러나 먹을 것에 열중하면 토라가 없어지고 그렇게 되면 끝내 먹을 것도 없어진다. 땅에서 매고 푸는 규례는 토라를 배우고 사는 천국에서도 매여 있거나 풀려 있을 것이다. '세상(땅)의 도리'에서 규정하는 규례는 하늘, 즉 초대교회에서도 적용된다는 뜻이다. 예수가 베드로에게 그런 규례를 정하는 열쇠를 주겠다는 말이다. 엣세네에는 '데레크에레쯔' 같은 규례를 〈새 언약의 규례〉, 〈단합체의 규례〉, 〈마지막 시대의 규례〉 등에서 찾아볼 수 있다.

줄기와 뿌리의 비유는 복음서에 전해진 '집 짓는 사람의 비유'(마태 7,24~27)와 비교할 수 있다. 반석 위에 집을 지으면 바람이 불어와도 흔들리지 않으나 모래 위에 집을 지으면 바람이 휘몰아치자 무너져버린다는 비유다. '반석'과 같은 베드로 위에 초대교회가 세워지기 때문에 바람(고난과 박해)이 세차게 불어도 견딜 것이라는 말이다.

그런데 베드로가 왜 예수를 붙들고 그를 비난했을까? 예수가 "아담의 아들이 죽임을 당했다가 다시 일어선다"고 말했기 때문이다.(마태복음서에서는 '아담의 아들'이라고 말하지 않고 예수라고 바꾸어 편집한 것을 볼 수 있다. 마가복음서가 본래 이야기와 가깝다.) 예수의 제자들뿐 아니라 그 당시 웬만한 지식이 있는 사람이면 메시아라고 칭하는 아담의 아들은 이스라엘 백성의 원로들이나 사제들과 서사들에게서 배척당하지 않고 더욱이 그들에 의해 죽임을 당하지도 않는다는 것쯤은 알고 있었을 것이다. 오히려 아담의 아들은 하느님의 도움으로 어려운 사람들을 구원한다고 이야기했다. 엣세네 문헌 가운데 아래와 같은 부분에서도 읽어볼 수 있다.

> 내 영혼은 주의 모든 놀라움에 그분을 영원히 축복합니다. 그분의 이름은 축복 받습니다. 불쌍한 자의 영혼을 구원하셨기 때문입니다.
> 그분은 가난한 자를 멸시하지 않으셨으며 눌린 자들의 어려움을 잃어버리시지 않았습니다. 눌린 자에게 눈을 뜨고 고아들의 외침을 듣고 그들의 외침에 귀를 기울이십니다.
> 그분의 많은 은혜로 가난한 자를 불쌍히 여기시며 그분의 길을 보도록 그들의 눈을 (뜨게 하시고) 그분의 가르침을 듣도록 그들의 귀를 열게 하십니다. 그들의 심장의 껍질을 벗기시며 그분의 자비 때문에 그들을 구원하십니다.
> 그분은 많은 은혜로 그들을 심판하시며 그분 눈의 심판은 그들을 시험하기 위한 것입니다. 그분의 많은 은혜로 민족들 가운데 그들을 데려오시며 아담의 [아들의 손으로] 그들을 구원하십니다.(〈가난한 자의 찬양〉 1~6)

엣세네 문헌에 따르면 아담의 아들은 하느님이 보호하며 그가 그들 공동체를 구원한다고 말한다. 그래서 베드로는 아담의 아들이 죽임을 당할 수 있겠느냐고 예수와 논쟁을 한 것이다. 그런데 예수는 그가 그 사람들의 책을 읽고 그런 말을 한다며 그를 꾸짖었다는 이야기다.

하느님의 아들이 사흘 후에 일어난다는 것이 헛된 소문이었을까

엣세네의 관점에서 보면 예수가 '하느님의 아들인 그 메시아'라고 말한 베드로의 고백을 비밀로 하라고 제자들에게 당부한 것은 다른 사람들을 속이기 위해서다. 베드로의 말에서 인칭대명사 '그'는 다름 아닌 엣세네들이 말하는 하느님의 아들을 가리키는 것으로 보인다.

예수를 누구라고 말하느냐는 질문에 대해 베드로가 '하느님의 아들이며 그 메시아'라고 대답했을 때 예수는 '그'가 아담의 아들이며 그는 죽은 뒤 다시 일어나 사흘째 되는 날 세상에 나타나는 메시아라고 분명히 말했다('그'는 예수가 산헤드린의 심문에서 하느님의 오른편에 앉아 있는 아담의 아들이라는 말이다). 바리새들과 사제들은 이런 소문이 있으니까 빌라도에게 그 무덤 굴을 잘 지켜달라고 부탁한 것이다.

'누가 사흘 후에 일어난다'는 증언은 메시아를 입증하는 문구다. 그런데 바리새와 사제들은 빌라도에게 그가 속임수로 자신이 메시아임을 확신시킬 것이라고 고발한 것이다. 그들의 입장에서 보면 망자가 사흘 만에 다시 살아 나온다는 것은 믿을 수 없었다. 또한 예수가 다시 살았다는 소문이 있었다. "무덤 굴을 지키던 경비원들이 잠들어 있는 동안에 예수의 제자들이 밤에 와서 그 시체를 훔쳐갔다는 말이 오늘까지 유대인들 사이에 퍼져 있다"고 복음서에 기록되어 있다.(마태 28,15)

그 당시 기적이 일어나는 사건들이 종종 있었다고 하지만 그래도 이

번 사건과 소문은 의혹을 일으켰다. 예수를 따르는 사람들도 예수가 다시 일어나 걸어 다닌다고 하자 믿지 못할 정도였다. 예수를 따라다니던 막달라 마리아와 다른 마리아가 빈 무덤을 보고 십자가에서 죽은 예수가 다시 일어났다고 제자들에게 말하자 그들은 그 여자들이 본 것들을 환상(헛것)처럼 여겨 믿지 않았다.(누가 24,11) 그렇지만 저주 받은 십자가에서 다시 일어난 메시아 예수에 대한 믿음은 초대교회 성경 해석자들에 의해 부활의 십자가로 해석되었고 그 진리는 세상사에서 유지되었다.

10-11 예수 당시의 십자가형을 재구성한 그림
팔목에 못을 박거나 팔을 묶었으며, 발목에 못을 박아 혹시 십자가에서 죽지 않고 누군가 몰래 살려주어도 다시는 일어설 수 없게 했다. 복음서에 따르면 예수의 경우 발목에 못이 박히지 않은 것으로 보인다.

11

부활에서
승천까지

"안식일이 지나고 주간 첫날의 동이 틀 무렵에 막달라 마리아와 다른 마리아가 무덤 굴을 보러 갔다."(마태 28,1) 그런데 갑자기 지진이 일어났다. 하느님의 천사가 하늘에서 내려와 무덤 굴을 막았던 큰 돌을 굴리고 그 위에 앉아 있었다. 그 천사가 그 여자들에게 말했다.

당신들은 두려워하지 마시오. 나는 당신들이 십자가에 처형된 예수를 찾고 있는 줄 압니다. 그분은 여기에 있지 않습니다. 그분이 말했던 대로 그분은 일어났기 때문입니다.
와서 우리의 주님이 누워 있던 곳을 보시오. 어서 가서 그분의 제자들에게 이렇게 말하시오.
"그분은 망자들 가운데서 일어섰습니다. 이제 그분은 여러분에 앞서 갈릴리로 갈 것이며 거기서 그분을 볼 것입니다."(마태 28,5~7)

그 여자들은 크게 기뻐하며 무덤에서 나와 제자들에게 알리려고 달려갔다. 한편 죽음에서 일어선 예수는 그 천사가 여인들에게 말한 것처럼 예루살렘에 머물지 않고 그가 첫 제자들을 만들고 복음을 가르치며 장애인들을 치유했던 갈릴리로 돌아갔다. 그는 제자

들에게 나타나 그의 손과 발을 보여주며 죽음에서 일어선 자신은 유령이 아니라 살과 뼈

가 있다고 확인시켰다.

　　그 자리에 없었던 제자 토마는 자기가 직접 그의 손에 있는 못 자국이나 창에 찔렸던

그의 옆구리에 자기 손을 넣어보지 않고는 믿지 못하겠다고 했다. 며칠 후 제자들에게

나타난 예수는 토마에게 자기 손을 살펴보고 옆구리에 손을 넣어보라고 말할 정도였다.

예수는 사십 일 동안 그들에게 나타나 여러 가지 증거로 그가 살아 있다는 것을 제자들

에게 드러냈고 하느님의 왕국에 대해 가르쳤다.(사도행전 1,3)

11-1 1세기경 예루살렘 지역의 일반적인 무덤 굴을 재구성한 단면도
무덤 굴의 안쪽에 시신을 눕히는 자리가 있으며 시신이 말라 뼈만 남으면 뼈를 모아 가운데 방에 있는
납골석함에 보관했다. 흔히 납골석함 표면에 망자의 이름을 명기해놓았고 때로는 한 납골석함에 여
러 이름이 새겨져 있는 경우도 있다. (오른쪽 박스 안의 사진은 무덤 굴 입구며 왼쪽에 있는 둥근 큰 돌이 출입문
이다.)

안식일이 지나고 마태 28,1

복음서에 전해진 '천사의 예수 부활 선언' 일화에서 그 첫 문구가 '안식일이 지나고'라고 쓰여 있다.(마태 28,1) 십자가에서 죽은 메시아 예수가 무덤 굴에 들어와 쉰 날이 안식일(이렛날)이다. 그리고 다시 일어선 메시아는 새 창조의 작업을 주간의 첫날 동틀 무렵에 시작한다. '안식일이 지나고' 이루어진 빈 무덤의 표징은 돌판 위에 누워 있어야 될 예수의 몸이 없어졌다는 것이며 그 사실을 확인한 것은 안식일 다음 날 새벽녘이다. "그분은 여기에 없습니다. 참으로 그분이 말한 것처럼 일어났습니다."(마태 28,6) 예수가 망자들 가운데서 일어난 것은 그가 성전을 허물고 사흘 안에 다시 세우겠다고 말한 표징이 그대로 실현된 것이다.

유대인들은 대답하여 그에게 말했다.

"당신이 이러한 것들을 행한다는 것을 우리에게 보여줄 표징이 무엇입니까?"

예수는 대답하여 그들에게 말했다.

"이 성전을 허무시오. 사흘 안에 내가 그것을 세우겠소."

유대인들은 그에게 말했다.

"사십육 년 동안에 이 성전이 지어졌는데 당신은 사흘 안에 그것을 세우겠다는 것입니까?"

그러나 그는 그의 몸의 성전에 대하여 이야기했다. 그가 망자들 사이에서 일어났을 때에 그의 제자들은 그가 이것을 말한 것을 상기하고 성경과 예수가 한 말을 믿었다.(요한 2,18~22)

초기 유대교 성경해석에서 말하는 표징은 망자들 가운데 일어난 메시아가 바로 세상 창조 때에 알려졌다는 메시아의 이름과 같은 인물이다. 그렇다면 메시아 부활의 기적은 언제 일어나는 것이 전승에 어울릴까? 복음서에 '안식일이 지나고'라고 기록한 것을 보면 메시아의 부활 표징은 안식일에 생긴 것이다. 부활이라는 역사적 사건이 안식일에 생겨야 하고 그 당위성은 초기 유대교 문헌과 비교해서 설명할 수 있다. 이런 배경은 창조 마지막 날에 '그분이 이렛날에게 복을 내리고 거룩하게 했다'는 데에서 찾아볼 수 있다.

메시아 예수는 안식일에 무덤 굴에서 하느님의 복을 받고 거룩하게 되었다. 그렇게 되어야 메시아는 창조의 이렛날(안식일)의 거룩함과 축복에 동참하며 하던 일을 잠시 멈추고 다시 시작하는 연속성이 그에게 있다는 것을 보여줄 수 있다. 부활한 예수는 제자들에게 "보시오, 나는 여러분과 함께 (있겠습니다). 모든 날(항상) 세상 끝까지"(마태 28,20)라고 말했다(이 인용문은 마태복음서의 마지막 문장이다). 이는 예수가 약속하는 거룩하신 분의 영이 제자들과 함께 항상 있을 테니까 '온 세상으로 가서 모든 피조물에게 기쁜 소식을 선포하시오'(마가 16,15)라는 말이다.

초대교회 전승에 이렇게 말한다. '그 후 예수는 그들(제자들)을 통해 동쪽에서부터 서쪽에 이르기까지 영원한 구원에 대한 거룩한 불멸의 (복음) 선포를 두루 미치게 했다. 아멘.'(마가 16, 결어: 다른 고대 사본에 첨가되어 있음. 이 결어는 후대에 덧붙여진 부분이다) 무엇이 '거룩한 불멸의 기쁜 소식(복음)'일까? 그 해답은 '동쪽에서부터 서쪽까지'라는 문구에서 찾아볼 수 있다. 안식일에 대한 창세기 미드라쉬에 아래와 같은 해석이 나온다.

요하난 랍비는 요세 바르 할라프타 랍비의 이름으로 말했다.

"아브라함이 안식일을 지켰다고 성경에 쓰여 있지 않지만, 그는 유업으로 한정된 세상을 이어받았다. 이렇게 말한다. '일어나서 이 땅의 길이와 너비로 걸어 다녀라.'(창세기 13,17) 그러나 야곱은 안식일을 지켰다고 성경에 쓰여 있다. 이렇게 말한다. '그리고 그는 도성 앞에서 천막을 쳤다(쉬었다).'(창세기 33,18) 그는 석양에 (천막을 친 땅에) 들어왔으며 아직 낮인 동안에 그는 그곳을 (안식일의) 경계 지역으로 정했다. 그래서 그는 유업으로 한정 없는 세상을 이어받았다. 이렇게 말한다. '네(야곱의) 자손은 땅의 먼지처럼 (많게) 되고 너는 서쪽과 동쪽, 북쪽과 남쪽으로 퍼져 나가리라.'(창세기 28,14)"(《창세기 미드라쉬 랍바》 11,7)

아브라함은 그의 유업으로 이스라엘 땅에서만 살 수 있었지만 야곱은 안식일을 지키는 공덕을 쌓았기 때문에 온 세상에 살 땅을 그의 유업으로 받았다. 그러므로 그의 후손(이스라엘 공동체)도 안식일을 지킴으로써 이 세상의 동서남북으로 퍼져 나가 살 권리가 있다. 이와 복음서의 마지막 부분을 비교해보면 메시아 예수의 복음을 세상의 끝까지 선포하는 이유(raison d'êter)는 예수가 안식일에 부활했다는 표징을 알린다는 목적에서 찾을 수 있다. 메시아 예수의 부활을 기억함으로써 이 세상을 유업으로 이어받는다는 해석이다. 부활한 예수가 주간의 첫날 새벽에 여인들에게 나타나 그 부활의 기쁨을 함께했다는 데에서 주일主日(주의 날)의 의미를 찾는다. 예수의 부활은 안식일에 일어난 하느님의 증표이며, 안식일 신화다.

초기 유대교 현자들은 안식일은 오는 세상의 현관과도 같다고 이야기했다. 사람은 오는 세상에서 깨어나기 위해 토라의 길을 걸으며 살아야 한다고 가르쳤다. 죽음에서 일어나는 일은 오는 세상/하느님의 왕국/천국에서 이루어진다. 잠언 미드라쉬에 이렇게 말한다.

"내 아들아, 네 아버지의 계명을 지켜라. 그리고 네 어머니의 가르침(토라)을 저버리지 마라."(잠언 6,20)

그다음에 무엇이라고 쓰여 있는가?

"그것들을 언제나 네 마음에 묶어두어라. 그리고 네 목에도 걸어두어라."(잠언 6,21)

왜 그럴까?

"그것은 네가 걸어 다닐 때 너를 인도한다."(잠언 6,22) 이 세상에서.

"네가 누워 있을 때 너를 지켜준다."(잠언 6,22) 네가 잠잘 때에.

"네가 깨면 너에게 이야기한다."(잠언 6,22) 오는 세상에서.

미쉬나에서 가르친다.

"랍비는 말한다. 자신을 위해 등불을 만들어 그 빛에 따라 걸어갈 것이다."

이것은 어떤 것을 말하는가?

이것은 토라의 빛이다. 이렇게 말한다. "왜냐하면 계명은 등불이고 토라는 빛이다. 교훈의 훈계는 생명의 길이다."(잠언 6,23)

여기서(이 구절을 해석하며) 메이르 랍비는 토라를 얻는 이는 행복하다고 말했다.

왜 그럴까?

그것(토라)은 악한 길에서 그를 지켜주기 때문이다. 이렇게 말한다. "(토라는) 악한 여자에게서 너를 지켜준다."(잠언 6,24)

'네가 잠잘 때에'는 무덤을 가리킨다. 오는 세상에 부활한다는 것을 잠에서 깨어난다고 표현한다. 토라는 이 세상에서 사람의 갈 길을 알려 주고 무덤에서는 악한 영혼으로부터 그를 지켜주며 오는 세상에서는 그와 이야기한다. 사람이 죽는 시간에 그를 위해 그 사람과 동반하는 것은 금도 아니고 은도 아니며 보석도 진주도 아니라 오직 토라와 선행 뿐이라고 현자들은 가르쳤다.(《선조들의 어록》 6,9)

오는 세상에 토라와 이야기할 삶을 살기 위해서는 토라 공부와 선행 을 해야 하며 스스로 밝은 등불이 되어야 한다. 밝은 빛이 악한 길에서 사람을 지켜준다. 그 빛이 진리의 빛이며 안식일에 깨어난 메시아 예수 가 오는 세상의 현관과도 같은 안식일의 빛이 되었다는 말이다.

안식일의 빛

안식일에 죽음에서 일어선 예수는 안식일이 지나고 '주간 첫날의 동 이 틀 무렵에' 무덤 밖으로 나왔다. 그때 마침 빈 무덤을 보고 그가 살 아났다는 사실을 알게 된 여인들이 그의 제자들에게 알리려고 빨리(서둘 러) 달려가던 중이었다. 그때 예수는 여인들을 만나 "안녕하십니까?" 하고 말했다. 그러자 여인들은 다가가서 그의 발을 붙잡고 절했다.(마태 28,9) 부활한 예수가 처음으로 그의 모습을 보여준 이 사건이 왜 안식일 이 지나고 동이 틀 때에 생겨야 할까? 글자 그대로 '여명黎明이 올라오 는 때에.' 안식일과 빛, 그리고 메시아 사이에 무슨 관계가 있을까? 이 런 논제는 안식일에 대한 미드라쉬에서 찾아볼 수 있다.

그분(하느님)이 발광체들로 (안식일에) 복을 내렸다.
아코 사람 심온 바르 예후다 랍비는 심온 랍비의 이름으로 말했다.

"비록 발광체들이 안식일 전야에 저주를 받았지만 그것들은 안식일이 끝날 때까지 늦추어졌다."

이것은 랍비들의 의견이다. 그러나 암미 랍비의 의견은 아니다.

암미 랍비는 이렇게 말했다.

"처음 아담의 영광은 그와 함께 (안식일) 밤을 지내지 않았다. 어디에서 알 수 있을까? '그리고 아담(사람)은 영예롭게 밤을 지내지 않았으며 사라지는 짐승과 같았다.'(시편 49,13)"

그러나 랍비들은 말했다.

"아담의 영광은 그와 함께 밤을 지냈다. 그러나 안식일이 끝나자 그분이 그의 광채를 가져갔으며 그를 에덴동산에서 쫓아냈다. 이렇게 쓰여 있다. '당신은 그(아담)의 얼굴을 바꾸셨으며 그를 보내셨습니다.'(욥기 14,20) 태양이 안식일 밤에 지자 찬미 받으시는 거룩하신 분이 빛을 감추기를 원했다. 그러나 그분은 (빛의) 영광을 안식일에게 보여주었다. 이렇게 쓰여 있다. '그리고 하느님이 이렛날에게 복을 내리고 그날을 거룩하게 했다.'(창세기 2,3)"

그분은 무엇으로 그날에 복을 내렸을까?

빛으로.

태양이 안식일 (시작하는) 저녁에 지자 (등잔불의) 빛은 (환해지기) 시작했으며 계속해서 빛을 냈다. 모두가 (안식일을) 찬양하기 시작했다. 이렇게 쓰여 있다. "하늘 아래에서 그들은 모두 그분께 노래합니다."(욥기 37,3) 무엇 때문일까?

"그분의 빛이 땅끝까지 비춘다"(욥기 37,3)(라고 말하기 때문이다).

시몬 랍비의 아들 예후다 랍비는 말했다.

"하룻날에 찬미 받으시는 거룩하신 분이 만들어낸 빛으로 아담은 세상의 이 끝에서 저 끝까지 쳐다볼 수 있었다. 찬미 받으시는 거룩하신 분이 홍수 세대와 바벨탑 세대를 보고 그들의 소행이 타락한 것을 안 다음 그분은 그 빛을 숨겼으며 오는 미래의 의인義人들을 위해 준비했다. 그것이 숨겨진 것을 어디에서 알 수 있을까?

이렇게 말한다. '악인들에게는 빛이 거부당하고 (그들의) 치켜 올린 팔은 부수어질 것이다.'(욥기 38,15)

그것이 오는 미래의 의인들에게 준비될 것이라는 것은 어디에서 알 수 있을까?

이렇게 말한다. '의인들의 행로는 (아침에) 뜨는 햇빛 같으며 대낮까지 비춘다.'(잠언 4,18)"(《창세기 미드라쉬 랍바》 11,2)

'발광체들'은 창조 넷째 날에 만들어진 해와 달과 별들을 말한다.(창세기 1,16) 에덴동산에서 아담이 그의 아내가 준 열매를 먹는 잘못을 범했을 때 아담뿐 아니라 그의 죄로 해와 달과 별들 같은 발광체들도 함께 저주 받았다는 이야기다. 그런데 발광체의 빛이 없어지지 않고 안식일이 끝날 때까지 늦추어진 까닭은 안식일에 벌을 내릴 수 없기 때문이다(유대교에서는 안식일에 재판을 열지 못한다).

안식일에 벌을 내릴 수 없다는 주제에 대해 랍비들은 서로 다른 의견을 가지고 있었다. 아담이 창조 엿샛날 그의 아내가 주는 열매를 먹는 죄를 지었다고 이야기한다. 이렇게 설명할 경우, 아담과 그의 아내가 에덴동산에서 쫓겨났다는 사건(창세 3,23)은 언제 생겼을까 하는 질문이 생긴다. 일부 랍비들은 죄지은 아담은 에덴동산에서 거룩한 안식일을 지낼 수 없다고 생각하여 그들이 쫓겨난 시각은 안식일이 시작되기 바로 전이라고 해석한다. 그러나 다른 랍비들은 욥기의 구절을 들어 그들이 에덴동산에서 안식일을 지냈다고 논박한다. 그렇게 해석하는 주요한 단어는 '아담의 영광'이다. 하느님의 모습으로 만들어진 아담의 얼굴에는 광채가 빛나는 영광이 있다. 그러나 하느님은 에덴동산에서 아담을 쫓아내며 그 영광을 가져갔다, 따라서 영광이 사라진 아담에게는 죽음이 기다린다(에덴동산에서 밖으로 나가면 죽음이 도사리고 있다. 아담은 지식 나무의 열매를 먹고 죽음을 불렀다는 이야기다).

창조 하룻날(첫째 날)에 만들어진 빛은 창조 나흗날에 해와 달과 별들 같은 발광체들이 만들어지면서 숨겨졌으나, 엿샛날에 사람(아담)이 만들어지고 그 빛이 다시 나타나 안식일 밤에 아담의 얼굴을 비추었다고 해석한다. 창조 첫째 날에 만들어진 빛은 등불이나 등잔불 같은 불빛이며, 안식일 밤에 사람의 얼굴을 환하게 비추는 빛은 다름 아닌 등잔불이다. 따라서 안식일에 사용하는 등잔대에서 빛나는 불빛은 축복의 빛이다. 안식일 시작 전에 등잔불을 켜며 하느님을 찬양하는 기도문을 읽는 의례는 이와 같은 미드라쉬에 근거한다. 이러한 찬미의 등잔불 가까이에 있는 사람의 얼굴은 빛의 영광이 가득한 모습이다. 안식일의 불빛은 축복과 거룩함을 표상한다.

안식일에 등잔불을 켜면서 하느님을 찬양하는 이유는 하느님의 영광의 빛이 땅 끝까지 비추기를 기원하기 때문이다. '땅 끝까지 비추는 빛'은 창조 첫째 날의 '빛'이며 이는 마지막 시대에 나타난 '진리의 빛'(요한 1,9)이다. 안식일 다음 날인 주간의 첫째 날에 나타난 메시아(새 아담)의 얼굴에서 빛이 환하게 빛났다고 볼 수 있다.

창조 하룻날에 만들어진 빛은 에덴동산을 비추고 있었다. 그런데 사악한 세대가 계속되자 하느님은 그 빛을 숨기고, 오는 미래에 의인들이 생길 때까지 감추어두었다는 이야기다. 요한복음서와 대비해보면 메시아 예수는 창조 하룻날에 만들어진 '진리의 빛'으로 에덴동산을 비추고 있는 빛이다. 처음 아담은 죄를 지어 에덴동산에서 쫓겨났기 때문에 그 영광의 빛을 가지고 있지 못하지만, 메시아 예수는 새 아담으로 그 영광의 빛을 가지고 있다. 그것을 입증하는 이야기 가운데 하나가 '영광스러운 변모'의 일화라고 볼 수 있다. "예수는 그들(제자들) 앞에서 모습이 변했으며, 그의 얼굴은 해처럼 빛나고 그의 옷은 빛처럼 하얘졌다."(마태 17,2)

진리의 빛이 어둠 속을 비춘다 요한 1,5

"주간 첫날 새벽에 아직 어두웠는데 여인들은 그들이 준비한 향료를 가지고 무덤 굴에 왔다."(누가 24,1) 무덤 굴 입구의 돌이 굴러 내린 것을 보고 그 안에 들어갔으나 그들은 예수의 주검을 찾지 못했다. 매우 놀랐으나 예수가 다시 살아났다는 것을 알아차리고 그는 진리의 메시아임을 확신했다. 이 사건을 어둠의 시간이 지나고 빛이 밝아오는 새벽이라고 이야기한다. 그런데 누가 복음서에서는 왜 '주간 첫날 새벽에 아직 어두웠는데'라고 전할까(물론 안식일을 지키기 위해 안식일이 지나 향료 병을 들고 무덤 굴에 걸어올 수 있겠고 또한 주검에 향료를 뿌리기 위해 누구보다 먼저 아직 어두운 새벽에 달려와야 했기 때문이겠지만)? 그 해답은 '어둠 속을 비추는 빛'이라는 주제에서 찾아볼 수 있다.

예수는 '진리의 빛'이라고 불리었다. "그(메시아)는 진리의 빛이었으며 세상에 와서 모든 사람에게 비추고 있다."(요한 1,9) '진리의 빛'이라는 숙어는 세상을 창조한 창세기의 '빛이 있어라'는 문구에 대한 초기 유대교 현자들의 해석에 그 기원을 두고 있다.

처음에 하느님이 하늘과 땅을 만들어냈다.

땅은 불모지에 비었고

어둠이 깊은 물 위에,

하느님의 바람(영)이 수면 위에 일고 있었다.

하느님이 말했다.

"빛이 있어라" 그러자 빛이 있었다.(창세기 1,1~3)

세상 처음에 어둠이 깔려 있었는데 하느님이 "빛이 있어라"고 말하자 그렇게 되었다는 이야기다. 그렇다면 이 빛은 무슨 빛일까? 하는 질문이 생긴다. 그 빛은 태양의 빛은 아니다. 왜냐하면 창세기의 창조 사건에서 태양, 달, 별들과 같은 빛물체가 창조 넷째 날에 만들어지기 때문이다. 따라서 창조 첫째 날의 빛은 태양빛이 아님을 알 수 있다. 이 질문에 대한 해답은 랍비들의 미드라쉬에서 찾을 수 있다.

하느님이 말했다. "빛이 있어라!" (창세기 1,3)

이츠학 (바르 엘아자르) 랍비는 (아래 구절을) 열었다.[01]

"당신의 말씀이 열리어 빛을 비추고 어리석은 이를 깨우쳐줍니다." (시편 119,130)

예후다 랍비와 느헤미야 랍비(는 의견이 달랐다.)[02]

예후다 랍비는 말했다.

"빛은 (창조) 시작에 만들어졌다. 이것은 왕궁을 짓기를 원하는 왕에 비유할 수 있다. 그곳은 어두웠다. 그는 어떻게 했을까? 그는 등잔과 등불을 켜고 그 기반을 어떻게 세워야 할지 알았다. 이처럼 빛은 (창조) 시작에 만들어졌다."

느헤미야 랍비는 말했다.

"세상은 (창조) 시작에 만들어졌다. 이것은 왕궁을 짓고 등잔과 등불로 (왕궁을) 장식한 왕에 비유할 수 있다."

핀하스 랍비와 시몬 랍비의 아들 예후다 랍비가 왔다. 후나 랍비는 이츠학 랍비의 아들 쉬무엘 랍비의 이름으로 (아래 구절을) 열었다.

"'당신(주님)의 말씀이 열리어 빛을 비추고 어리석은 이를 깨우쳐줍니다.'(시편 119,130) 당신의 입이 열리므로 우리에게 빛이 있습니다. 이렇게 말한다. '하느님은 "빛이 있어라!"고 말했다.'"(《창세기 미드라쉬 랍바》 3,1)

예후다 랍비의 비유에서 왕궁은 세상을 뜻하며 빛은 세상을 만들 기반이 세워지기 이전에 있었다고 설명한다. 빛은 하늘과 땅이 만들어지기 전에 있었다. 한편 느헤미야 랍비의 의견을 따르면 창조 시작에 세상이 만들어지고 그다음에 세상을 밝게 만들어줄 수 있는 빛이 생겼다. 왕이 왕궁을 짓고 왕궁의 벽을 등잔과 등불로 장식했다는 비유에서 등잔과 등불은 상징적으로 창세의 빛을 가리킨다. 창조 첫째 날에 만들어진 빛은 어둠을 밝히는 불빛인 등불이나 횃불과 같은 불빛을 뜻한다.

랍비들은 그 빛이 창조 시작에 하느님의 말씀으로 만들어졌고 그 빛은 어리석은 사람들을 깨우쳐준다는 데에는 동의한다. 창세의 빛은 어리석음을 깨우쳐주는 하느님의 가르침(토라)이다. 위 단락은 요한복음서의 시작 부분과 비교해볼 수 있다.

처음에 말씀이 있었다.
그 말씀은 하느님과 함께 있었다.

하느님이 그 말씀이었다.

그(메시아)는 처음에 하느님과 함께 있었다.

(중략)

어둠 속에 있는 그 빛이 비치니 어둠이 (빛을) 이기지 못했다.

하느님이 보낸 사람이 있었는데 그 이름이 요한이었다.

그는 증언하러 왔다. 빛에 대해 증언하려는 것이다.

그래서 모든 사람이 그(빛)에 의해 믿게 하려는 것이었다.

(중략)

그(메시아)는 진리의 빛이었으며

세상에 와서 모든 사람에게 비추고 있다.(요한 1,1~9)

세상 처음에 어둠이 있었는데 빛이 비치어 세상 사람들에게 비춘다고 말하는 것은 '창세기 1,1~3'에 대한 요한의 해석이다. 세례자 요한이 말하는 '그'는 메시아 예수를 가리킨다. 메시아가 태초에 하느님과 함께 있었다는 것은 창조 때에 메시아의 이름이 알려졌다고 해석하는 창세기 미드라쉬에서 이해할 수 있다. [메시아의 이름이 (창조와 함께 알려졌다는 것을) 어디에서 (알 수 있을까)? 이렇게 말한다. "그의 이름은 영원할 것이며 태양(이 생기기) 전에 그의 이름이 싹 돋게 하셨습니다."(시편 72, 17)(《창세기 미드라쉬 랍바》 1,4) '이름이 싹 돋는다'는 표현은 메시아의 호칭인 '새싹'을 뜻한다. 창조 넷째 날에 큰 발광체(태양)가 만들어졌는데, 그 이전에 영원한 이름(메시아의 이름)이 드러났다는 해석이다. 메시아의 이름이 밝혀진 것은 창조의 시점이라는 뜻이다.]

또한 '메시아가 진리의 빛이었다'는 것은 (창조 때에 알려진) 메시아의 이름이 '진리'라는 말이다. 왜냐하면 하느님의 세상 창조 시작에서 하느님의 말씀이 진리이기 때문이다. 그 진리의 빛(말씀)으로 어리석은 사람들을 깨우쳐준다는 말이다. 메시아 예수는 어둠 속에 살고 있는 이들을 깨우쳐주기 위해 '세상의 빛'으로 왔다고 요한은 설명한다. '진리의 빛이 세상에 와서 모든 사람에게 비추고 있다'는 문구는 '빛이 메시아와 함께 머문다'는 구절에 대한 미드라쉬와 비교해볼 수 있다. 아래 단락과 같은 랍비들의 미드라쉬에서 찾아볼 수 있다.

> "빛이 그와 함께 머문다."(다니엘 2,22)
> 이것은 의로운 자들의 행위를 말한다. 이렇게 쓰여 있다. "빛은 의로운 자를 위해 비친다."(시편 97,11)
> 세룬가야 출신의 아바 랍비는 말했다.
> "'빛이 그와 함께 머문다'는 것은 왕가王家의 메시아를 가리킨다."
> 이스학 랍비는 아래 구절로 (그의 해설을) 열었다.
> "당신 말씀의 처음은 진리입니다. 당신의 의로운 모든 공의는 영원합니다."(시편 119,160)
> 이스학 랍비는 말했다.
> "세상의 창조 바로 그 시작부터 '당신 말씀의 처음은 진리입니다.' 그러므로 '처음에 하느님이 하늘과 땅을 만들어냈다.'(창세기 1,1)"

여기서 '왕가의 메시아'는 다윗 왕가의 메시아를 뜻하며 빛이 왕가의 메시아와 함께 머문다는 해석이다. 랍비들의 '창세기 1,1'에 관한 미드라쉬에서 볼 수 있듯이 '요한 1,1~9'는 초대교회의 신앙고백을 랍비들의 해석과 조화시켜보려는 노력의 결과다. 다윗 왕가의 메시아로 '빛이 그와 함께 머문다'는 주제는 복음서에서 "그가 바로 진리의 빛이다"(요한 1,9)라는 해석과 상응한다. 진리의 빛이 바로 메시아다. 진리의 빛인 메시아는 창조의 시작부터 하느님과 함께 머물면서 세상을 비추고 있으며, 신약성경에서는 그 빛이 나사렛 출신의 부활한 예수라고 증언한다. 한편 초기 랍비 유대교 문헌에서는 그 메시아가 오는 세상에 도래한다고 해석한다. 이러한 기본적인 신앙고백의 차이를 바리새 유대교와 예수 공동체 사이에서 볼 수 있다.

예수는 그의 제자들에게 "보시오, 여러분은 세상의 빛입니다. 산 위에 자리 잡은 도시는 숨겨질 수 없습니다…. 이처럼 여러분의 빛이 사람들 앞에서 비칠 것입니다"(마태 5,14~16)라고 말했다. 제자들의 빛이 어둠 속을 비춘다는 말은 세상 사람들의 어리석음을 깨우치게 할 것이라는 뜻이다. 신약성경에 '빛과 어둠의 비유'로 선과 악을 구별하는 구절들이 나온다. 빛은 예수를 상징하며 어둠은 예수를 적대시하는 무리를 일컫는다. [이들을 위선자라는 단어로 통틀어 말한다. "위선자들이여, 여러분은 왜 나를 떠봅니까?"(마태 22,18; 23,13~33 등 참조)] 예수가 그의 제자들에게 아래와 같이 하는 말에서 읽어볼 수 있다.

아직 얼마 동안은 빛이 여러분 가운데 있을 것입니다. 빛이 있는 동안에 다니십시오. 어둠이 여러분을 이기지 못하게 하십시오. 어둠 속을 다니는 사람은 자기가 어디로 가는지를 모릅니다.
여러분은 빛이 있는 동안에 그 빛을 믿어서 빛의 자녀가 되십시오.(요한 12,35~36)

예수를 믿고 따르는 무리는 빛의 자식들이며 예수의 가르침을 배척하는 무리는 어둠의 자식들이다(그 외에도 요한 1,5; 3,19~20; 8,12; 베드로전서 2,9; 고린도후서 6,14; 요한1서 1,6; 2,9~10 등 참조).

빛과 어둠의 전쟁 신화

엣세네 문헌에서도 빛과 어둠의 대조로 선과 악을 설명하는 단락을 종종 읽을 수 있다. 엣세네는 그들 공동체를 빛의 자식들이라고 불렀으며 그들 이외 사람들은 모두 어둠의 자식들이라고 여겼다. 그들의 문헌에서 '빛과 어둠'을 주제로 이야기하는 단락을 쉽게 볼 수 있다.

> 그분(하느님)은 세상을 다스리라고 사람들을 만들어냈으며 그의 감찰의 시대까지 걸어 다니라고 사람에게 두 영혼을 넣어주었다. 이것이 진리와 거짓의 영혼이었다. 진리에서 태어난 자들은 빛의 수원지에서, 거짓에서 태어난 자들은 어둠의 원천에서.
>
> 빛의 지도자의 손에 정의의 모든 자식들의 주권이 있으며 빛의 길에 걸어 다닌다. 어둠의 천사의 손에 거짓 자식들의 모든 주권이 있으며 어둠의 길에 걸어 다닌다. 어둠의 천사는 정의의 모든 자식들을 잘못 인도하며 그들의 모든 죄지음과 죄와 범죄와 그들이 행한 사악함은 그의 끝까지 하느님의 신비에 따라 그의 지배에 있다. 그들의 모든 시련과 어려움의 때는 그의 박해의 지배에 있다. 그의 운명의 모든 영혼은 빛의 자식들을 실패하게 만든다.
>
> 이스라엘의 하느님과 그의 진리의 천사는 빛의 모든 자식들을 돕는다. 그분은 빛과 어둠의 영혼을 만들어냈으며 그것들 위에 그(진리의 천사)의 모든 행함의 근거를 두었다. 그의 온갖 일을 그들의 [길에 세웠다.] 하느님은 영원히 하나를 사랑하고 그가 하는 일에 영원히 만족해한다. 그분은 다른 하나와 관련된 것을 경멸하며 그의 길을 영원히 미워한

다.(《단합체 규례》 iii, 17~iv, 2)

하느님이 흙으로 사람을 만들고, 그의 콧속에 생명의 숨을 불어넣어서, 그 사람은 살아 있는 영혼이 되었다(창세기 2,7)는 이야기로 이 단락은 시작한다. 흙으로 사람 모양인 살[肉]을 만들고 그 속에 하느님의 바람(영혼)을 넣었다는 이야기다. "하느님이 모든 살[肉]에 바람(목숨)을 넣어주었다."(민수기 16,22)

그런데 이러한 인간 창조 이야기에서 하느님이 사람에게 두 영혼을 넣어주었다고 해석한다. 이는 '어둠이 깊은 물 위에, 하느님의 바람(영/기운)이 (단)물 위에 일고 있었다'(창세기 1,2)는 구절에서 그 해석의 근거를 읽을 수 있다. '깊은 물', 즉 짠물인 바다와 하느님의 바람(기운)이 일고 있던 단물의 싸움에 기원한다. 깊은 물을 어둠의 세력으로, 단물은 빛의 세력으로 나누어 해석한 것이다. 이러한 사고는 빛의 자식들과 어둠의 자식들의 전쟁이라는 주제를 낳게 된다.

'빛의 수원지'는 단물을, '어둠의 원천'은 깊은 물(짠물)을 각각 가리킨다. 어둠의 천사가 빛의 자식들을 실패하게 만든다는 말은 악마의 운명을 따르는 영혼(사람)들은 빛의 자식들이 올바르게 되지 못하게 오도한다는 뜻이다. 반면 하느님이 보내는 진리의 천사는 빛과 어둠의 모든 자식들에게 구원의 기회를 주는데 어둠의 자식들이 회개하고 돌아오면 하느님은 그들을 사랑하지만 그렇지 않으면 영원히 미워한다고 말한다. 어둠과 빛은 하나가 될 수 없다는 것이다.

엣세네 사람들은 어둠의 자식들과 전쟁을 해서 그들을 물리쳐야 하느님의 평화가 이룩되는 세상이 세워진다고 가르쳤다. 그리고 이를 위해 〈빛의 자식들과 어둠의 자식들의 전쟁에 대한 규례〉라는 지침서가 만들어졌다. 아래와 같은 글은 빛의 자식들이 어둠을 몰아내야 하는 당위성을 잘 그려낸다.

> [이것이] 어둠의 자식들인 브리알(악마)의 군대, 에돔과 모압의 부대, 암몬의 자식들, [동방의 자식들]과 불레셋의 군대, 아시리아 키팀(로마인들)의 부대와 언약을 파기한 자들과 동조하는 민족들의 운명을 가름하기 위해 빛의 자식들이 보낸 첫 번째 전쟁 [용사들의 규례다.]
>
> (중략)
>
> (하느님은) 거룩한 자들과 함께 나타나서 [빛의 자식들을] 도와주며 진리로 브리알의 운명인 어둠의 자식들을 끝나게 한다.(⟨빛의 자식들과 어둠의 자식들의 전쟁에 관한 규례⟩ i,1~2; 16~17)

'거룩한 자들'은 천사들이다. 키팀은 로마 군대를 가리킨다. ['보아라, 나는 모질고 성급한 민족인 카스딤(갈대아인들)을 일으켰다.'(하박국 1,6) 그 해석. 그들은 많은 사람들을 쓰러뜨릴 전쟁에서 빠르고 용맹한 키팀이다.(⟨하박국서 해석⟩ ii,13~14) 카스딤은 갈대아인들을 말하며 기원전 7세기 후반 남 메소포타미아에 칼두 왕조(Chaldaean Dynasty)를 세워 신新 바빌로니아 시대를 열었고 한동안 고대 근동 세계의 가장 강한 세력으로 부상되어 기원전 598~597년과 587~586년 두 차례에 걸쳐 예루살렘과 유다 왕국의 땅을 정복했다. 키팀을 로마 군대로 해석한 것은 로마 군대가 기원전 64~63년 사이에 유대아 지방을 침략하고 예루살렘을 점령한 뒤에 생긴 일이다.]

이스라엘의 하느님은 모든 그분의 거룩한 생각과 그분의 진리의 행함으로 찬미 받는다. 정의로 그분을 섬기는 자들과 믿음으로 그분을 아는 자들은 모두 축복 받는다.

브리알(악마)은 그의 혐오스런 생각으로 저주 받을 것이며 그가 죄짓는 일로 미움 받을 것이다. 그의 운명의 모든 영혼은 그들의 악한 생각으로 저주 받을 것이다. 그들은 더러운 것에 접촉하는 일로 미움 받을 것이다. 정말로 그들은 어둠의 운명이며 하느님의 운명은 영원한 빛이다.

"당신은 우리 선조들의 하느님이며

우리는 당신의 이름을 영원히 축복합니다.

우리는 당신의 [정착지의] 백성이며

당신은 우리 선조들과 언약을 맺으셨으며

영원한 때까지 자식들에게 그것을 세우실 것입니다.

당신의 영광스러운 모든 증거로

우리 가운데 남은 자를 돕기 위해

당신의 자비를 기억하는 자가 있으며

당신의 언약에 산 자입니다.

당신의 진리의 행함과 당신의 놀라운 용맹함으로 심판을 [이야기합니다.]

당신은 우리가 당신을 위해 영원한 백성이 [될 것을 약속했습니다.]

당신의 진리에 따라 우리에게 빛의 운명으로 정해주셨습니다.

당신은 옛날부터 빛의 지도자를 우리의 도움으로 담당하게 하셨습니다.

당신은 정의의 자식들을 [선택하셨습니다.]

진리의 모든 영혼은 그의 지배 아래 있습니다.

당신은 부정不淨한 천사 브리알(악마)에게 웅덩이를 만드셨습니다.

그의 [권한은] 어둠에 있고

그의 꾀는 악하게 하고 죄짓게 하는 것입니다.

그의 운명의 모든 영혼은 파괴의 천사들이며

어둠의 법칙에 따라 걸어 다니고

그에게 그들은 함께 매달립니다.

우리는 당신의 진리의 운명으로 당신의 용감한 손에서 기뻐하며

당신의 구원에서 즐거워하고

당신의 도움에서 찬양하고

당신의 평화에서 [행복합니다.]

〈〈빛의 자식들과 어둠의 자식들의 전쟁에 관한 규례〉 xiii,3~13)

　사악한 천사 브리알이 사람들을 유혹하여 죄짓게 만들기 때문에 하느님은 의로운 사람들을 선택해서 그 악마와 맞서게 했다는 해석이다. 사악한 천사에 대한 해석의 배경은 '창세기 6,1~4'의 이야기에서 찾아볼 수 있다.

　['그리고 그 사람(아담)이 땅 위에 많아지기 시작했고, 그들에게 딸들이 태어났다. 하느님의 아들들은 그 사람(아담)의 딸들이 얼마나 아름다운가를 보았고, 그들의 마음에 드는 대로 아내로 삼았다.' 초기 유대교 성경해설자들은 '하느님의 아들들'을 타락한 천사들이라고 풀이했다. 일부 천사들이 천사의 본분인 하느님의 사자使者로서의 임무를 잊고 땅으로 내려가 아담의 딸들을 아내로 삼았기에 그들은 속된 천사들이 되었다는 이야기다. 천사들이 하늘에 있어야 정淨한데 땅으로 내려가 여자들과 혼인을 했기 때문에 부정不淨해졌다. 그들을 대표하는 천사의 이름이 브리알이다. 브리알에 동조하고 땅에 내려온 천사들이 파괴의 천사들이다.]

신약성경에 전해진 바울의 편지에서도 브리알의 존재를 살펴볼 수 있다. 빛과 어둠이 함께할 수 없고, 어둠을 악마로 비유한다.

> 빛과 어둠이 어떻게 짝지을 수 있으며 메시아가 베리아르(악마)와 어떻게 화합을 하겠으며 믿는 자가 안 믿는 자와 어떻게 몫을 나눌 수 있습니까?(고린도후서 6,15)

베리아르는 하늘에서 땅으로 내려와 아담의 딸들을 아내로 삼은 사악한 대천사 브리알이다. 진리의 빛인 메시아 예수와 화합할 수 없는 베리아르는 어둠의 우두머리다. 믿는 자(빛의 사람)와 안 믿는 자(어둠의 사람)가 어울릴 수 없다는 논리다.

엣세네 문헌에서 '빛과 어둠'을 주제로 이야기하는 단락에서 빛의 자식들이 어둠을 물리치는 힘은 '하느님의 진리'에 있다. 위에서 인용한 〈빛의 자식들과 어둠의 자식들의 전쟁에 관한 규례〉에서 보면 '진리의 행함, 진리에 따라, 진리의 모든 영혼, 진리의 운명' 등의 문구에서 이해될 수 있다. 요한복음서나 고린도후서, 요한계시록 등에서 읽어볼 수 있듯이 '빛과 어둠'이라는 주제와 관련하여 예수와 그의 제자들이 엣세네의 언어에 익숙한 것을 알 수 있다. 신약성경에서 예수를 '진리'라고 부르는 점은 '진리'의 핵심이 어둠을 물리치는 힘/권능에 있다는 엣세네의 규례와 비교해볼 수 있다.

어둠의 사람들은 빛의 자식들을 잘못되게 하기 때문에 세상에서 '진리의 빛'을 대적하는 악마들의 존재가 사라져야 한다. 빛이 어둠과 싸워 승리해야 하는 문제가 있다. 빛과 어둠의 전쟁이라는 주제는 마지막 시대에 살고 있다고 여기는 사람들에게 나타나는 현상 가운데 하나다.

신약성경에서 그 대표적인 예는 요한계시록이다. 복음전도자인 요한은 파트모스 섬에 유배되어 살면서 승천하여 하느님의 오른편에 앉아 있는 예수로부터 계시를 받아 기록했다. 그 가운데 악마인 '불(길을 뿜는) 용'이 나오는 이야기가 있다. '불 용'이 나타나는 장면을 이렇게 묘사한다.

하늘에 큰 표징이 나타났다. 여인이 태양을 입었으며 달은 그녀의 발밑에 있었고 그녀의 머리 위에는 열두 별의 면류관이 있었다. 그녀는 임신 중이었으며 해산하느라고 진통과 괴로움으로 울부짖었다. 다른 표징이 하늘에 나타났다.

보라, 커다란 불(길을 뿜는) 용이다. 그는 일곱 개의 머리와 열 개의 뿔을 가졌고 그 머리들 위에 일곱 왕관을 쓰고 있다. 그런데 그 꼬리가 하늘의 별 삼분의 일을 휩쓸어 그것들을 땅으로 내던졌다. (요한계시록 12,1~4)

11-2 태양신 마르둑이 긴 창대로 일곱 개 머리를 가진 바다의 용을 무찌르고 있는 장면
기원전 7~6세기 바빌로니아 시대의 인장 그림.
(그리스 신화에 나오는 바다 괴물 스킬라도 바빌로니아의 바다 용과 비슷한 모습을 하고 있다. 그림 12-8 참조.)

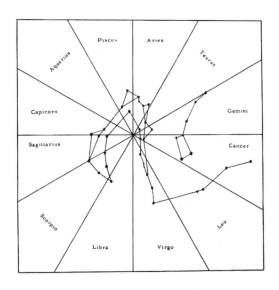

이 '여인과 용'의 환시는 하늘에 나타나는 태양과 밤하늘의 별자리를 보며 신화를 이야기한다. 태양을 입고 있는 여인이 누구를 상징하는지에 대한 의견은 분분하지만 흔히 이스라엘이라고도 말한다. 한 가지 분명한 것은 그 여인이 낳은 사내아이는 예수를 가리킨다. 그녀의 머리 위에 얹은 면류관의 열두 별은 이스라엘의 열두 지파를 상징한다. 이 여인은 열두 지파를 머리에 이고 있다(간직한다)는 것을 말해준다. 그러나 열두 지파의 어버이는 야곱이기 때문에 이 여인은 이스라엘이 아니

11-3 황도대의 모든 별자리를 지나치고 있는 밤하늘의 용 별자리

2세기에 알렉산드리아에서 활동한 천문학자 프톨레마이오스(90년~168년)의 천문도에 따른 용 별자리의 그림이다. 용 별자리는 황도대의 12궁을 모두 지나간다. 하늘의 용이 위대한 힘을 가지고 있는 신화소도 이처럼 12궁을 모두 지나가기 때문이다. 북두칠성(큰곰자리)이 용 별자리 바로 옆에 서 있다. 바빌로니아 창조 서사시 〈에누마 엘리쉬〉에 나오는 열한 명의 바다 괴물 전사들은 밤하늘의 별자리와도 일치한다. 뱀 별자리(히드라), 사자 별자리, 개 별자리, 전갈 별자리, 황소 별자리 등(요한계시록에 붉은 용이 그의 꼬리로 하늘의 별 삼분의 일을 휩쓸어 땅에 떨어뜨렸다는 내용과 비교해볼 수 있다).

다. (한편 예수를 낳은 어머니가 그 여인이면 그녀는 성모 마리아라고 생각할 수 있다.)

태양을 입었다는 것은 태양신과 함께 있다는 표현이다. 일곱 개의 머리를 가진 바다의 용과 태양신 마르둑이 싸우는 장면을 그린 인장 그림에서 바빌로니아 창조 서사시인 〈에누마 엘리쉬〉의 이야기를 볼 수 있다. 〈에누마 엘리쉬〉는 빛의 자식들과 어둠의 자식들의 전쟁을 이야기하는 전형적인 전쟁 신화다.[03] 밤하늘 가운데 나타나는 용은 황도대를 표현한 예술작품에서도 볼 수 있다.

'불길을 뿜는 용'은 메시아의 대적자로 군림하는 어둠(악)의 세력의 지도자다. '여인과 용'은 빛과 어둠의 전쟁 신화다. 이렇게 이야기한다.

하늘에서 전쟁이 일어났다. 미카엘과 그의 천사들은 용과 싸우기 위해 나갔다. 용과 그의 천사들도 싸우게 되었다. 그러나 그들은 당해낼 수 없었으며 하늘에서는 더 이상 그들의 자리를 찾지 못했다.

그 커다란 용은 내던져졌다. 그 오래된 뱀은 악마요, 사탄이라고 불렸으며 온 누리를 유혹하는 자였다. 그는 땅 위에 내던져졌고 그의 천사

11-4 중세 시대 유대교 신비주의자들이 프톨레마이오스의 천문도에 따라 그린 용 별자리 그림.

들도 그와 함께 내던져졌다.(요한계시록 12,7~9)

미카엘과 그의 천사들은 빛의 자식들이고 어둠의 자식들의 우두머리는 불길을 뿜는 붉은 용이다. 그는 천사들을 거느리고 미카엘과 맞서 싸웠으나 이기지 못하고 땅으로 떨어졌다. '여인과 용'의 환시는 사탄과 싸워 이긴 빛의 승리를 이야기한다.

큰 물고기 153마리 요한 21,1~14

복음서에 따르면 예수가 죽음에서 일어선 뒤 갈릴리 호숫가에 왔을 때, 그의 제자들 가운데 일곱 명이 배에서 물고기를 잡고 있었다고 한다. 그런데 그날 밤에는 아무것도 잡지 못했다. 새벽이 되자 예수는 그들에게 먹을 것 좀 가져왔냐고 물어보았다. 그때까지도 그들은 그가 예수인지를 알아차리지 못했다. 그들에게는 잡은 것이 없었다. 예수는 그들에게 그물을 배 오른쪽으로 던져보라고 물고기 잡는 일을 거든다. 그래서 그들이 그물을 던졌더니 그물을 끌어올리기조차 힘들 정도로 많은 물고기가 걸려들었다. 이때에 예수가 사랑하는 그 제자가 베드로에게 "주님입니다"고 말했다. 예수는 그들에게 지금 잡은 물고기들을 좀 가져오라고 말했다. 그러자 심온 베드로가 그물을 뭍으로 끌어올리니, 153마리나 되는 큰 물고기들이 가득 들어 있었다. 예수는 그들에게 "여러분, 와서 드시오"라고 말했다. 그는 다가와서 빵을 집어 들고 그들에게 주었다. 그와 같이 물고기도 주었다. "이것은 예수가 망자들 사이에서 일어난 뒤 그의 제자들에게 나타난 세 번째다."(요한 21,14)

베드로의 그물에 걸려든 물고기가 모두 153마리였다는데 그 숫자가 우연히 생긴 수는 아닐 법하다. [잡은 물고기를 하나하나 세어보았더니 153마리였다고 전하지도 않는다. "그물을 뭍으로 끌어올리니, 153마리의 큰 물고기들이 가득 있었다"(요한 21,11)는 문구가 말해준다. 그물 속에 들어 있는 물고기를 어떻게 헤아려서 153마리라는 수효가 나왔겠냐는 질문이다.]

이 일화는 아가다(짧은 이야기)의 범주에 속하는 이야기다. 일반적인 아가다의 성격상 물고기를 많이 잡았다고 이야기하지 구태여 153이라고 그 숫자를 말하지 않는다. 그런데 이렇게 알려주는 것은 그 숫자에 담겨 있는 상징성이 있음을 말해준다. 이 일화는 큰 물고기 153마리에 대한 상징성을 알려주는 이야기다. 흔히 153은 1에서 17까지 합한 수로 사도들에 의해 초대교회 일원이 된 신앙인들을 뜻한다고 설명한다. 17의 숫자가 상징적으로 사용되었다고 볼 수 있다. 그러나 1부터 17까지 더한 수로는 보이지 않는다.

어느 숫자가 상징적으로 사용되는 경우 흔히 그 단락에서 그 숫자를 해결해주는 단어나 문구를 찾을 수 있다. 그래야 청중이 숫자의 상징성을 파악하고 전개되는 결과를 기대할 수 있다. 큰 물고기 153마리의 경우 그 실마리는 그 단락의 마지막 문장에서 찾을 수 있다. "이것은 예수가 망자들 사이에서 일어난 뒤 그의 제자들에게 나타난 세 번째다." 이 문장을 그들의 일상 언어였던 아람어로 바꾸어보면, 첫 문구는 '이것은 세 번째다'로 옮길 수 있다. 153의 수에 셋이 상관됨을 일러준다. 여기에 기록된 '세 번째'라는 인용구 이외에는 직접적으로 숫자가 나오지 않으나 적어도 그 당시 청중이면 (지금의 독자들도 마찬가지겠지만) 또 하나의 숫자는 적어도 계산해낼 수 있었을 것이다. 예수가 망자들 가운데에서 사흘 만에 일어난 숫자다. 그러기에 '이것은 예수가 망자들 사이에서 일어난 뒤'라는 명백한 사실을 '세 번째' 나타났다는 문구와 함께 다시 쓴 것이다. 숫자를 상징적으로 이야기하는 일화로는 매우 자세히 설명해준다. 보통 상징하는 수가 크면 그 수를 나누어서 해답을 찾는 다. 153을 3과 3으로 나눈 숫자가 그것이다(또한 153을 3으로 나누는 이유는 나눌 수 있는 수가 3밖에 없기 때문이기도 하다). 큰 물고기 153마리 이야기는 17의 상징성에서 그 진의를 찾아볼 수 있다.

그물을 던져 끌어올린 큰 물고기 153마리에서 찾아본 17의 상징성 은 노아의 홍수 이야기에 나오는 십칠 일째 날과 연결해볼 수 있다. 하 느님은 온 세상에 부정부패가 가득 찼다고 슬퍼하며 큰 홍수를 일으켜 그들을 쓸어버리겠다고 결심한다. 그러나 노아는 그의 세대에 의롭다 고 보았으며 하느님은 그에게 배를 만들어 홍수에서 살아남을 것을 당 부하고 하느님과 새 언약을 맺을 것을 약속한다.

노아의 나이 육백 살 때
둘째 달 그달의 십칠 일째 날
이날에 큰 깊은 물의 온갖 원천이 터졌고,
하늘의 홍수 문이 열렸다.(창세기 7,11)

노아는 그의 가족과 온갖 종류의 짐승들을 배에 태우고 하느님의 명 령에 따라 새 시대를 꿈꾸며 새로운 삶을 출발했다. 그때가 홍수 문이 열린 그달의 십칠 일째 되는 날이다. 그리고 150일의 장기간 고난 끝에 그 배는 새로운 땅에 도착하여 새 생활을 준비하게 되었다. 그런데 그 날이 또한 그달의 십칠 일째 날이다.

백오십 일 끝에 물이 줄어들었다.

방주는 일곱째 달 그달의 십칠 일째

아라라트 산 위에 쉬었다.(창세기 8,3b~4)

노아의 홍수 이야기에서 17은 새로운 세상으로 가는 여정의 시작과 그곳에 도착하여 하느님과 새 언약을 맺는 새 삶의 시작을 상징적으로 가리키는 숫자다. 의로운 사람이 새 시대로 떠나기 위해 방주에 온갖 종류의 짐승을 싣고 생명을 구하는 사건을 상징한다. 17은 새 언약의 시대 서막에 등장하는 구원의 배를 은유하는 숫자다. 심판의 날에 의로운 사람은 선택되어 새 생명을 얻는다는 말이다.

[고대 그리스 전승에 17의 숫자가 배와 연관된다. 오디세이아 이야기에 오디세우스가 칼립소를 떠난 뒤 17일 동안 뗏목에 떠다녔다. 그리스 전승에 따르면 배를 만들기 위하여 통나무를 자를 때에는 그달의 17일째에 하라고 전한다. 17은 배와 연관된 상징숫자이며 희망을 기대할 수 있는 상징성을 가지고 있다.]

예수의 이야기에서도 17의 상징성은 배에서 그물로 끌어올린 큰 물고기 153마리에 담겨 있으며, 구원의 배에서 끌어올린 '큰 물고기 153마리'는 새 언약의 시대를 이끌어가는 큰 임무를 담당하는 것을 은유적으로 알려준다. 예수가 제자를 만들기 위해 사람들을 물색할 즈음 갈릴리 호숫가에서 심온을 만났다. 그는 어부였는데 예수가 그에게 사람을 낚는 어부로 만들겠다고 하자 심온은 그러겠다며 당장 그를 따라 나섰다. 그 밖의 다른 제자들 가운데 어부가 여럿 된다.

153마리 큰 물고기도 153명의 새로운 제자들을 뜻하는 은유적인 표현이다. 153마리의 큰 물고기에서 '큰'이라고 말하는 형용사가 중요한 단서다. 그물에 잡힌 153마리가 우연히 모두 클 수야 있겠지만 그런 평범한 말이 아니라 그 물고기들(제자들)은 모두 큰 사람들이라는 말이다. '크다', 즉 큰일을 맡아 일할 사람들이라는 뜻으로 이해할 수 있다.

예수는 그들과 함께 자리를 하고 '빵을 집어 들고 그들에게 나누어주었다'고 전한다. 만일 그들이 잡아온 물고기들을 구워서 식사를 한다고 가정하면 구태여 빵을 들어 올리고 그들에게 나누어주었다고 말하지 않는다. 빵을 집어 들고 모인 사람들에게 나누어주는 것은 성찬례를 가리킨다(9장 〈빵과 포도주의 성만찬〉 참조). 예수는 제자들과 함께 153명의 '큰 사람들'이 예수 공동체에 들어오는 새 언약의 의례를 행한 것이다. '큰 사람들'은 베드로의 제자들이며 이런 제자들의 복음전도 여행으로 초대교회는 크게 성장할 수 있었다.

세상 끝까지, 어디가 세상인가 마태 28,20

갈릴리에서 '큰 물고기' 행사가 있은 뒤 열한 제자들은 예수가 일러준 산으로 갔다. 예수를 만난 그들은 그에게 절하였지만 몇몇 제자들은 부활한 예수를 의심했다. 예수는 제자들에게 이렇게 말한다.

> 그러므로 가서 모든 민족을 제자로 삼고 아버지와 아들과 거룩하신 분의 영의 이름으로 그들에게 세례를 베풀며, 내가 여러분에게 명령한 모든 것들을 지키도록 그들을 가르칩시오.
> 보시오, 나는 여러분과 함께 세상 끝까지 항상(모든 날들) (있습니다.)(마태 28,18~20)

이는 예수의 마지막 당부다(마태복음서는 이 문장으로 끝난다). 모든 민족에게 예수의 가르침을 알게 하여 그들이 세례를 받고 그의 언명을 지키도록 가르치라는 것이다. 그러기 위해 예수는 그들과 함께 세상 끝까지 항상 있겠다고 말한 것이다. 제자들과 함께 있을 예수는 '살과 피'의 예수가 아니라 예수의 살과 피를 기억하게 하는 빵과 포도주의 성찬예식이다. 모든 민족에게 예수를 기억하게 하는 성찬식을 베풀라는 당부다. 그렇다면 예수의 현존이 세상 끝까지 매일매일 함께 있을 세상은 어디일까? 이사야서에서 그 단서를 찾아볼 수 있다.

> 나(하느님)는 너(이스라엘)를 민족들의 빛으로 세우고 내 구원(예슈아)이
> 땅 끝까지 있게 할 것이다.(이사야 49,6)

예수가 말한 '세상 끝까지'를 이사야서와 비교해보면 '땅 끝까지'로 이해할 수 있다. 초기 유대교 문헌에 보면 '세상 끝'의 '세상'은 '오는 세상'에 대비되는 '이 세상'을 뜻한다. 이 세상은 현세고 '오는 세상'은 내세로 이해하는 경우가 있는데 반드시 그렇지는 않다. 때로는 오는 세상이 죽은 다음의 세상이 아니다.

요한복음서와 엣세네 문헌을 포함하여 초기 유대교 문헌에서 이 세상과 오는 세상을 어둠과 빛으로 비유해서 해석하는 경우를 종종 읽을 수 있다. 이 세상은 '어둠'으로, 오는 세상은 '빛'으로 비유한다. 어둠 속에 사는 이 세상과 빛과 함께 사는 오는 세상을 대비하여 설명하는 방법이다. 이는 이사야서에서 YHWH 하느님의 종인 이스라엘이 '민족들의 빛'이 되어 하느님의 구원을 땅 끝까지 있게 할 것이라는 내용과도 조응한다. 현재는 어둠의 세상이고 앞으로 이스라엘 땅이 회복되

는 날에 빛의 세상이 된다는 뜻이다.

초기 유대교 풍토에서 보면 빛과 사는 세상은 믿음의 공동체에 사는 것을 뜻한다. 빛으로 표상되는 메시아와 함께 사는 공동체가 바로 오는 세상이다. 또한 이스라엘은 고대 이스라엘 왕국을 가리키는 것이 아니라 새 시대의 이스라엘 공동체를 뜻한다. 당시 사람들에게 어둠의 세상에서 살다가 빛의 세상으로 들어가는 길을 몸으로 보여준 메시아 예수의 죽음과 부활은 매우 강렬한 영향을 주었던 사건이겠다.

죽음에서 일어난 메시아가 그의 제자들에게 당부한 '세상 끝까지'는 이 세상을 뜻한다. 제자들이 사는 날 동안 어두운 이 세상의 끝까지 가서 메시아의 가르침을 전하여 사람들로 하여금 복음의 공동체(하느님 나라, 오는 세상)에 들어와 예수를 기억하는 성찬예식을 모든 날 동안 하며 구원 받으라는 뜻으로 이해할 수 있다.

이사야서에서 말하는 '땅 끝까지의 구원'이라는 명제는 에즈라와 느헤미야가 외쳤던 유대인만을 위한 모세의 토라 중심주의적인 유대교와 상치되며 자연히 등한시되었고, '땅 끝까지의 복음'은 몇 백 년 후 엣세네 공동체와 예수 공동체(초대교회)에서 부활되어 그 명맥을 읽을 수 있다.

초기 유대교 사회에서 하느님의 가르침(토라)을 세상 끝까지 전하라는 복음 선포 사상은 세상 어느 곳이든 유대인들이 사는 곳에 토라를 가르치라는 말로 설명해볼 수 있다. 바리새 유대교에서는 교사/랍비들을 각지로 보내 회당에서 예배와 강론 등 유대교 전통을 가르치는 데 전념했다. 회당들은 소아시아뿐 아니라 서쪽으로 로마와 동쪽으로 메소포타미아 지역, 남쪽으로는 이집트까지 크게 늘어났다. 엣세네 교사들도 많은 도시의 엣세네 거류지로 파견되어 규례와 토라 해석 등을 가르치게 했다. 초대교회의 복음전도자들도 유대인들의 회당뿐 아니라 이방인들의 모임에도 메시아의 복음을 전했으며 이방인들의 교회 공동체가 급속히 늘어났다. 복음서에 전해진 '세상 끝까지 복음을 전하라'는 메시아의 언명은 초대교회의 이방 선교가 많이 진전되었다는 것을 여실히 보여준다.

'살과 피'의 예수가 세상 끝까지 하느님의 복음을 전하고자 한 열정은 누가복음서에서 읽어볼 수 있다. 예수의 가르침을 배우고 따르는 제자들이 많아졌으며 예수는 이들 가운데 일흔두 명을 선택하여 세상 전도 사업으로 여러 지방에 파견했다. "예수는 그분의 제자들 가운데 다른 일흔두 명을 구별하고 둘 둘씩 그가 미래에 가려는 모든 장소와 도시로 그에 앞서 그들을 보냈다."(누가 10,1) 예수가 '미래에 가려고' 했다는 말은 죽음에서 일어선 예수가 "나는 여러분과 함께 세상 끝까지 항상 (있습니다)"라고 한 그의 소망과 부합된다.

왜 하늘로 올라갔을까 사도행전 1,6~11

예수가 죽음에서 일어선 후 사십 일 동안 그의 제자들에게 나타나 많은 표징으로 자신이 살아 있음을 보여주고 하느님의 왕국에 대해 이야기했다. 그 마지막 날 그들은 어느 한 곳에 모여 앉아 있었다.

그들이 모여 있을 때 그들은 그에게 물어보았다.
"선생님(아도네누), 이때에 당신은 이스라엘을 위해 왕국을 재건하시겠습니까?"
그러자 그는 그들에게 말했다.

"그 때와 시기는 아버지가 그의 권한으로 정했으며 여러분은 알 바가 아닙니다. 그러나 거룩하신 분의 영/기운이 여러분에게 올 때에 여러분은 힘/권능을 받을 것이며 여러분은 예루살렘과 온 유대아와 또한 사마리아에서 땅 끝까지 나의 증인들이 될 것입니다."

그가 이런 말들을 했을 때 그는 올리어 갔다. 그들이 그를 보고 있었으며 구름이 그를 받아들이고 그들의 눈에서 사라졌다. 그들이 하늘을 쳐다보았을 때에 그는 멀어져 갔다.

그들 옆에 두 사람이 있었는데 그들은 흰옷을 입고 있었다.

그들이 그들에게 말했다.

"갈릴리 사람들이여, 여러분은 왜 서 있으면서 하늘을 쳐다봅니까? 여러분으로부터 (떠나) 하늘로 올리어 간 이 예수가 하늘로 올라간 것을 여러분이 본 것처럼 그렇게 올 것입니다."(사도행전 1,6~11)

'이스라엘'은 예수 공동체를 가리키는 단어다. 새 언약의 공동체다. 왕국을 재건하겠냐고 제자들이 묻는 것은 공동체의 제도를 이제 다시 정해야 할 때가 되었다는 말이다. 유다가 목매어 죽었으니 열두 제자의 제도를 형성하기 위해서는 제자 한 사람을 뽑아야 했다. 그래야 열두 지파로 형성되었던 고대 이스라엘의 왕국의 꿈을 재건할 수 있다(열두 명의 제자 제도는 열두 지파를 상징적으로 표상하는 공동체 조직이다).

그런데 예수는 지금이 아니고 거룩하신 분의 영이 그들에게 올 것이니까 그때 가면 결정될 것이라고 미룬다. [이 결정은 예수가 승천한 다음 곧 이루어진다.(사도행전 1,15~26)] 예수가 그들에게 마지막으로 당부하고 싶은 말은 하느님의 영을 받을 제자들이 땅 끝까지 예수의 증인들이 되는 임무를 완수하라는 것이다. 그리고 나서 예수는 하늘로 사라졌다고 이야기한다.

예수가 구름에 싸여 사라졌다는 것으로 보아서 제자들이 모여 있었던 장소는 산 꼭대기이며 예수가 멀어져 가는 동안 제자들은 하늘을 쳐다보고 있었다는 이야기다. 예수가 승천했고 그들 옆에 서 있던 두 사람은 천사들이다. 그들은 '이 예수'가 하늘로 올라간 것처럼 그렇게 올 것이라고 말한다. 왜 '이' 예수라고 지시대명사를 사용했을까? '다른' 예수를 암시하고 있기 때문이다. '저' 예수라고 상정할 수 있는 '다른' 예수가 '그렇게' 오는 예수다. '그렇게'가 바로 문제를 푸는 단서다. 승천한 예수는 사람들에게 어떻게 나타날까? 거룩하신 분의 영으로 온다는 말이다. '그렇게'는 하느님의 영을 가리키는 부사다. 죽음에서 일어선 예수가 제자들에게 찾아간 날, 그는 그들에게 "내 아버지가 나를 보내신 것처럼 나도 여러분을 보냅니다." 이렇게 말하고 그는 그들에게 숨을 불어넣으며 "거룩하신 분의 영/기운을 받으시오"(요한 20,21~22)라고 말했다. 거룩하신 분의 영이 '그렇게 그들에게 올 저 예수'다.

> 그러고 나서 그들은 올리브의 집이라고 일컫는 산으로부터 (떠나) 예루살렘에 돌아왔다. 그곳(예루살렘)에서 7리스 정도 멀었다. 그들은 돌아와서 다락방으로 올라갔다.(사도행전 1,12~13)

바리새들의 안식일 법규에 따르면 안식일에 도성 밖으로 2,000완척까지 걸어갈 수 있었다. 반면 엣세네에서는 1,000완척이었다. [완척腕尺(cubit)은 가운데손가락 끝에서 팔꿈치까지의 길이다. 약 50센티미터 정도다.] '리스'는 고대 그리스의 길이 단위인 스타디움stadium(약 200미터)과 같다. 올리브 산은 안식일에 걸어서 허용되는 거리에 있지 않다는 말이다.

예수가 '이스라엘의 왕' 메시아로 이 땅에 왔다는 것은 복음서와 사도행전에서 이야기한다. 예수 전기(傳記)의 끝 부분인 승천 이야기에서 그는 하늘로 올리어 갔다가 '그렇게' 다시 올 것을 하느님의 천사를 통해 약속했다.

예수가 다시 일어나 삶을 회복하고 초대교회/천국의 왕으로 교회를 이끌고 나가지 않고 왕권을 그의 동생 야고보에게 넘겨주고 예수 자신은 구름을 타고 승천했을까? 그가 예루살렘 교회를 이끌고 나갈 수 있었을 텐데, 그렇게 하지 않은 이유는 무엇일까?

열 명의 왕들이 세상의 끝에서 그 끝까지 다스렸다

초기 랍비 유대교 전승에 따르면 메시아의 도래가 마지막 시대에 일어나는 사건이 아니다. 이 세상의 끝에서 끝까지 다스리는 왕이 열 명이라고 풀이하며 아홉 번째가 메시아 왕이며 열 번째는 하느님이 다스린다고 이야기한다. 그러니까 마지막 시대의 왕은 하느님이다. 이런 해석은 "우리가 우리의 형상과 우리의 모습으로 아담(사람)을 만들자"(창세기 1,26)라는 구절에 대한 미드라쉬에서 읽어볼 수 있다. 아래 번역은 《엘리에제르 랍비의 해설집》 11장의 마지막 단락에 나온다.

> 그분은 처음 아담을 위한 흙을 형체로 만들었으며 그곳은 깨끗했다. 땅의 깨끗한 곳이었다. 그분은 그를 형태로 만들고 내용을 넣었으나 바람과 숨이 거기에 없었다.
> 찬미 받으시는 거룩하신 분은 무엇을 했느냐?
> 그분 입의 숨의 바람을 그에게 불어넣었으며 숨을 그에게 던져 넣었

다. 이렇게 말한다. "그분은 생명의 숨을 그의 콧속에 불어넣었다."(창세기 2,7)

아담은 자기 발로 섰으며 그는 위와 아래로 보고 있었다. 그의 키는 세상의 끝에서 그 끝까지였다. 이렇게 말한다. "뒤와 앞에 당신은 나를 속박하셨습니다."(시편 139,5)

'뒤' 이것은 서쪽이며 '앞' 이것은 동쪽이다.

그는 찬미 받으시는 거룩하신 분이 만들어낸 모든 피조물을 보았고 그의 창조주의 이름에 영광을 주기 시작했다.

그는 말했다.

"당신의 행하심이 얼마나 다양합니까, 주님YHWH!"(시편 104,24)

그는 자기 발로 서서 하느님의 모습으로 꾸미고 있었다. 피조물들이 그를 보고 두려워했으며 마치 그가 그들의 창조주인 양 생각하게 되었다. 그들 모두가 와서 그에게 엎드려 절했다.

그는 그들에게 말했다.

"너희는 나에게 절하려고 왔느냐? 자, 오십시오. 나와 여러분이 가서 위엄과 권능을 차려입고 우리의 창조주인 그분을 우리의 왕으로 세웁시다."

백성이 그분을 왕으로 세우려고 했으나 왕은 스스로 왕으로 나서지 않았다. 백성이 그분을 왕으로 세우지 못했기 때문에 아담이 스스로 가서 그분을 왕으로 처음 세웠으며 모든 피조물들도 그 뒤를 따랐다. 이렇게 말한다. "주님YHWH은 왕이시며 위엄을 차려입으셨고 주님YHWH은 차려입으셨으며 권능의 띠를 두르셨습니다."(시편 93,1)

열 명의 왕이 세상의 끝에서 그 끝까지 다스렸다.

첫 번째 왕은 바로 찬미 받으시는 거룩하신 분이다.

그분은 하늘과 땅을 다스렸고 땅 위에 왕들을 세우려는 (계획이) 그분의 생각에 떠올랐다. 이렇게 말한다. "그분은 시대와 시기를 바꾸시며 왕들을 폐하시고 왕들을 세우신다."(다니엘 2,21)

하느님이 모든 왕들을 폐하고 세우기 때문에 하느님은 세상의 끝까지 다스리는 왕이라는 논리다. 두 번째 왕부터 여덟 번째 왕들은 님로드(니므롯), 요셉, 솔로몬, 이스라엘의 왕 아흐압(아합), 바빌로니아 왕 네부카드네짜르(느부갓네살), 페르시아의 왕 고레스, 마케도니아인 알렉산드로스 왕이다. 이들 가운데 이방인이 네 명이나 된다. 초기 유대교 해석자들은 YHWH 하느님은 온 세상의 하느님이라는 관점을 이런 해석을 통해 이야기했다.

아홉 번째 왕은 메시아 왕이다.
그는 미래에 세상의 끝에서 그 끝까지 다스릴 것이다. 이렇게 말한다.
"그러나 형상을 깨뜨린 돌이 큰 산이 될 것이며 온 땅을 채울 것이다."
(다니엘 2,35)
열 번째 왕. 왕국은 그 소유주에게 돌아가며 첫 번째 왕이었던 분이 바로 마지막 왕이 된다.
이렇게 말한다. "내가 처음이며 내가 마지막이다. 나 이외에는 하느님이 없다."(이사야 44,6) 이렇게 쓰여 있다. "주主는 온 땅 위에 왕이 된다."(스가랴 14,9) "왕국은 그 상속자들에게 돌아가며 그래서 신상들은 사라져버릴 것이다."(이사야 2,18) "그날에 주는 홀로 꼭대기에 설 것이다."(이사야 2,11)
그분은 그분의 양떼를 치실 것이며 그들을 (편히) 웅크리게 하실 것이

다. 이렇게 쓰여 있다. "내가 내 양떼를 칠 것이며 내가 그들을 (편히) 웅
크리게 하겠다."(에스겔 34,15)

우리는 그분을 눈과 눈으로 볼 것이다. 이렇게 비슷하게 쓰여 있다.
"참으로 눈과 눈으로 그들은 볼 것이다. 주님YHWH이 시온에 돌아올
때에."(이사야 52,8)

두 천사들이 예수의 제자들에게 "하늘로 올리어 간 이 예수가 그렇
게 올 것이다"라고 말한 것을 《엘리에제르 랍비의 해설집》과 비교해보
면 '이 예수'는 아홉 번째 시대에 살고 있었다. 메시아 예수가 '이스라
엘의 왕'으로 죄인들을 용서해주고 불구자들을 치유한 (즉, 세상을 다스린)
시기는 마지막 시대가 아니다. 마지막 시대는 '그렇게 (거룩하신 분의 영
이) 올 시대'다. 거룩하신 분의 영이 세상에 와서 사람들의 죄를 사해주
고 병자들을 고쳐주는 시대가 바로 두 천사들이 약속한 마지막 시대다.
거룩하신 분의 영이 마지막 시대에 왕으로 온다는 약속이 랍비들의 해
석과는 달리 보이지만 거룩하신 분의 영은 '하느님의 현존(쉐키나)'과도
같은 단어다. 마지막 시대에 하느님이 쉐키나의 이름으로 세상의 끝에
서 그 끝까지 다스린다고 해석할 수 있다.

안식일에 부활할 수 있는 해를 선택했다

두 천사들의 약속은 일주일 뒤 칠칠절(오순절)에서 이루어진다. "칠칠
절이 되자 모두 하나 되어 모여들었을 때였다. 갑자기 세찬 바람이 부
는 듯이 하늘에서 소리가 났으며 그곳에 앉아 있는 온 집을 가득 채웠
다. 불(길)처럼 갈라지는 혀들이 그들에게 나타났으며 그들 하나하나 위
에 놓였다. 모두 거룩하신 분의 영(바람)으로 가득 찼다."(사도행전 2,1~4)

그들이 모인 곳에 거룩하신 분의 영이 나타나 그들 위에 놓였다는 말은 그들이 거룩하신 분의 영(현존)을 '눈과 눈으로' 보았다는 뜻이다.

랍비들의 미드라쉬에 비추어보면 거룩하신 분의 영이 시온 산에 온다는 말이다. 그곳이 시온 산인 것은 제자들이 올리브 산에서 예루살렘 성으로 돌아와 다락방으로 올라갔다고 하는 데에서 알 수 있다. 그 다락방은 최후만찬을 했던 바로 그 '큰 다락방'(마가 14,15)임에 틀림없다. 예수 공동체의 오순절 행사를 시온 산에서 거행한 것이다.

예수가 하늘로 올라간 뒤 칠칠절(오순절)에 세상 각지의 모든 믿는 이들을 대표하는 서원자들이 예루살렘의 시온 산으로 모여들었다. 예수가 당부한 그 임무를 달성한 첫 번째 사례다.

칠칠절(샤부오트)은 유월절 시작부터 칠 주가 지난 다음 날에 지키는 명절이다. [샤부오트를 그리스어로 '오순절(Pentecost)'이라고 불렀다.] 예수와 제자들은 유월절이 시작되는 날에 최후 만찬을 했고 그날 저녁 유다의 입맞춤으로 예수는 잡혀가 산헤드린에서 심문을 받았으며 그다음 날 십자가에 처형되었다. 그날 저녁부터가 안식일이기 때문에 예수를 십자가에서 내려 무덤 굴에 안치하게 되었다. 그리고 다시 일어선 예수가 제자들에게 나타난 날이 그 주간의 첫날이다. 따라서 유월절 시작하는 날이 목요일이고 처형된 날이 금요일 오전(저녁부터 안식일)이며 그 주간의 첫날은 일요일이다. 이 일요일부터 사십 일째 되는 날에 예수는 구름에 싸여 사라진 것이다. 그리고 일주일 지난 다음 날이 칠칠절(오순절)이다.

2008~2009년 유대교 달력에 따르면 유월절이 2009년 4월 9일에 시작하고 칠칠절은 5월 29일이다. 예수의 마지막 사건을 유대교 2009년 달력에 맞추어보면 최후 만찬은 4월 9일(목요일), 십자가에 처형된 날은

4월 10일(금요일), 그리고 다음 날 안식일(토요일)에 예수는 죽음에서 일어나고 그다음 날 4월 12일(일요일) 새벽에 무덤 굴에서 나와 제자들에게 나타났다. 뜻밖에도 2009년 유대교 달력은 예수의 마지막 날들의 요일과 부합된다. 2009년 유대교 달력으로 예수가 승천한 날은 5월 21일(목요일)이다. 그리고 칠칠절(오순절)은 5월 29일(금요일)이다.(유대교 달력은 태음력이어서 매년 명절 때가 다르다.) 2010년은 유월절이 3월 30일(월요일)에 시작하고 칠칠절은 5월 19일(화요일)이다. 따라서 2010년 달력으로 보면 예수가 부활한 날은 수요일이며 승천한 날은 5월 11일(월요일)이다.

지금 유대교 달력은 4세기에 고정되었으며 이 달력에 따라 2009년을 전후로 10여 년 사이 유월절이 목요일에 걸리는 날짜는 다음과 같다(연-월-일). 2000-4-20, 2003-4-17, 2006-4-13, 2009-4-9, 2020-4-9, 2023-4-6, 2026-4-2.

옛날에는 초승달이 떠오르는 날을 한 달의 시작으로 정했다. 매달 말 초승달이 뜨는 것을 처음 본 사람은 산헤드린에 알렸으며 산헤드린에서는 믿을 만한 두 사람으로부터 받은 증언에 따라 그날이 그달의 초하루라고 공포했다. 그리고 태양력과 맞추기 위해 2~3년에 한 번씩 마지막 달 다음에 윤달을 더했다. 그래서 첫 번째 달(니싼)이 봄(3~4월)에 오게 했다.

예수 당시에도 산헤드린에서 매년 매월 달력을 결정해 공포했기 때문에 앞으로 어느 해 유월절이 주간의 다섯째 날(목요일)인지 계산할 수 없었다. 초기 유대교 미드라쉬에 따르면 메시아의 부활은 안식일에 이루어져야 한다. 세례자 요한의 해석에 따르면 마지막 시대의 메시아는 처음 아담의 죄를 짊어진 속죄의 희생양이다. 메시아는 고통을 받고 죽었다가 사흘 안에 다시 일어선다고 한다. 그리고 엣세네에서는 칠칠절에 새 언약의 의례를 거행했으며 그날 메시아가 와서 빵과 포도주로 성만찬을 한다고 가르쳤다. 안식일에 부활하고 칠칠절의 성만찬에 부활의 표징을 보여줄 수 있는 시간표에 따라가려면 예수는 그해를 선택해야만 했다. 그렇지 않으면 몇 년을 더 기다려야 할지 알 수 없었을 것이다.

왜 올리브 산에서 승천했을까

구름이 예수를 받아들이고 제자들의 눈에서 사라졌다고 하는 곳은 '올리브의 집이라고 일컫는 산'이다. 예수가 늘 습관대로 와서 기도하는 장소였던 올리브기름 짜는 집이 있는 동산에서 제자들을 모아놓고 가르친 다음, 산꼭대기로 올라가 구름에 싸여 위로 사라진 것이다. 왜 그는 올리브나무가 많이 자라는 동산에 와서 기도를 하고 죽음에서 일어선 뒤 그곳을 이 세상에서의 마지막 장소로 선택했을까?

'올리브나무가 많은 산'을 택한 이유는 랍비들의 미드라쉬에서 찾아볼 수 있다. "하느님이 땅 위에 열 번 내려왔다"는 미드라쉬가 있다. 아래 인용문은 《엘리에제르 랍비의 해설집》 14장 시작 부분이다.

> 찬미 받으시는 거룩하신 분이 땅 위에 열 번 내려왔다.
> 그것들은 이러하다.
> 에덴동산에 한 번,
> 흩어지는 세대에 한 번,
> 소돔에서 한 번,
> 떨기에서 한 번,
> 시나이 산에서 한 번,

바위틈에서 두 번,

만남의 천막에서 두 번,

미래에 한 번 온다.

이렇게 열 가지로 정해놓고 각각 선택된 이유를 히브리 성경에서 찾아 해석한다.

① 하느님이 에덴동산에 내려왔다. "동산에서 왔다 갔다 하는 하느님의 목소리를 그들이 들었다."(창세기 3,8)

② 흩어지는 세대는 바벨탑 이야기다.(창세기 11,1~9) "자, 내려가자. 거기에 서로가 그들의 말을 (알아)듣지 못하게 그들의 말을 뒤섞어놓자."

③ "소돔과 고모라에 대한 원성이 너무 크고 그들의 죄가 너무 무겁다. 이제 내가 내려가서 보겠다.'"(창세기 18,21)

④ 하느님이 떨기 가운데 나타났다.(출애굽기 3,1~6)

⑤ 하느님이 모세에게 나타났다. "YHWH 하느님이 시나이 산 위로, 그 산봉우리로 내려왔다."(출애굽기 19,16~20)

⑥~⑦ 한 번은 이스라엘인들이 이집트에서 탈출하여 광야를 지나며 마실 물이 없었을 때 생겼다.(출애굽기 17,1~6) "나일 강을 친 너의 지팡이를 손에 잡고 가거라. 이제 내가 저기 호렙의 바위 위에서 네 앞에 서 있겠다."

다른 한 번은 하느님의 영광이 지나가는 동안 하느님이 모세를 바위틈에 넣고, 하느님의 손바닥으로 덮어주어 모세가 무사하게 되었다. "여기 내 곁에 자리가 있으니 너는 이 바위 위에 서 있어라."

⑧~⑨ 한 번은 모세가 일흔 명의 원로들을 천막 주위에 불러 모았을

때 하느님이 내려왔다. "그때에 YHWH가 구름 속에서 내려와 모세와 말했다."(민수기 11,25)

또 한 번은 미르얌(미리암)과 아론이 모세를 시기할 때 하느님이 나타났다.(민수기 12,1~6) "YHWH가 구름 기둥 속에 내려와 천막 어귀에 서서 아론과 미르얌을 불렀다."

⑩ 나탄 랍비의 해석에 따르면 이 사건은 하느님이 올리브 산 위에 나타나는 스가랴의 예언을 말한다. "그날에 YHWH는 예루살렘 맞은편 동쪽에 있는 올리브 산 위에 발을 딛고 서리라."(스가랴 14,4)

하느님이 세상에 열 번 내려왔다는 미드라쉬는 '열'이라는 상징성을 충분히 활용한 이야기다.(히브리 성경에서 '열'의 상징성을 대표적으로 표현한 것은 '열 말씀'이라고 일컫는 십계명이다.) 세상의 끝에서 그 끝까지 다스린 왕들이 열 명이라고 이야기하는 미드라쉬도 같은 범주에 속한다.

마지막 시대가 열 번째며 그 마지막 미래에 한 번 오는 하느님은 올리브 산 위에 나타난다는 해석이다. 예수가 올리브 산에 가서 하느님에게 열심히 기도하는 배경은 이와 같이 미래에 오는 하느님을 '눈과 눈으로' 보고 하느님의 결정에 따르겠다는 마음에서 찾아볼 수 있다. 올리브 동산에서 예수는 얼굴을 떨어뜨리고 이렇게 기도한다. "나의 아버지, 할 수 있다면 나에게서 저 잔이 제발 지나가게 하십시오. 그렇지만 내가 원하는 대로가 아니고 당신이 원하는 대로입니다."(마태 26,39)

올리브 산에서 예수는 마지막으로 기도하며 '나의 아버지'를 부르고 그에게 자신의 운명을 어떻게 해야 하는지를 묻는 상황이다. 예수는 십자가의 고통을 비켜나가게 해줄 수 있다면 좋겠지만, 하며 근심에 싸인 심정이다. 그러나 어찌하여도 모든 것을 하느님에게 맡기겠다며 사탄의 유혹에 들지 않도록 깨어 기도하겠다고 다짐한다.

고통스러운 심정을 이기고 나가는 사람은 올리브 열매 같다는 미드라쉬를 읽어볼 수 있다. 요셉의 아들인 메낙헴('위로자'라는 메시아)이 그의 두 뿔로 세상의 악한 자들을 들이받으며 어둠의 자식들을 심판할 때 그에 반대하는 자들이 들고일어나 그를 죽이려고 한다는 엘리에제르 랍비의 미드라쉬에서 찾아볼 수 있다(4장 〈요셉의 아들과 들소의 뿔〉 참조).

> 왕들이 그(메낙헴/메시아)를 죽이려고 그에게 들고 일어섰다. 이렇게 말한다. "세상의 왕들이 그에게 들고 일어섰다."(시편 2,2)
> 이 땅에 사는 이스라엘은 큰 고난에 처할 것이다.
> 그러나 그들의 고난은 푸릇푸릇한 올리브 같다. 이렇게 말한다. "푸릇푸릇한 기름을 나에게 부어주신다."(시편 92,11)

'이스라엘'은 새 언약의 이스라엘 공동체를 뜻한다. 이스라엘이 처할 고난은 올리브 열매가 기름이 되듯이 지나가서 세상에 유용하게 된다는 말이다. 예수는 지금 고난에 처할 것이지만 죽은 다음에 다시 일어나 세상에 유용한 기름이 될 것이라는 뜻이다. 이런 시편 구절에 대한 미드라쉬와 같이 예수는 올리브의 집이 있는 동산에 와서 늘 기도했다. 예수는 죽음에서 일어나 하느님이 내려와 발을 디디고 서 있을 올리브 산 꼭대기에서 하느님(구름)의 영접을 받으며 하늘로 올라간다고 해석한 것이다.

그리고 예수가 산헤드린에서 대사제에게 심문을 받으며 성경해석을 한 것처럼 아담의 아들인 메시아 예수가 하느님의 오른편에 앉아 심판의 날에 악한 자들과 선한 자들을 구별할 것이라는 해석에 따른 성경의 약속을 올리브 산에서 받았다고 볼 수 있다. 열 번째 마지막 시대에 올 하느님의 현존이 무덤 굴에서 나온 예수와 함께 있을 것이라는 뜻이다. 거룩하신 분의 영이 예수와 함께 있으며 제자들에게 '그렇게' 나타나 세상 끝까지 죽음에서 일어선 예수의 증인들이 되라고 마지막으로 당부한 것이다. 이 당부는 칠칠절(오순절)에 거행된 새 언약의 성찬의례에서 실현되었다.

12

천국으로부터의
계시

예수가 일흔두 명의 제자들
을 사방팔방에 흩어져 살고 있는 유대인들의 거류지로 보낸 성과는 그가 죽음에서 일어
선 뒤 첫 칠칠절에 거행된 새 언약의 성찬의례에서 볼 수 있다. 칠칠절(샤부오트)은 모세
가 시나이 산에서 토라를 받은 날을 기념하며 초기 유대교 시기부터 이날을 '마탄 토라
(토라의 선물)'의 축제일로 지켰다(토라를 선물로 받았다는 뜻이다). 엣세네 공동체는 칠칠절
을 '언약 갱신의 날'로 정하고 매년 축제를 했다. 사도행전에도 오순절에 초대교회 교인

들이 예루살렘에 모여 축제를 했다. 엣세네의 '언약 갱신의 날'이나 초대교회의 오순절

은 랍비 유대교에서 토라를 받은 날을 기념하는 '마탄 토라'의 축제일인 칠칠절과 같은

맥락에서 이해할 수 있는 명절이다.

오순절에 생긴 일 사도행전 2,1~13

칠칠절(오순절)에 예루살렘에 모인 예수 공동체의 서원자들은 유대아 지방뿐 아니라 세상 곳곳에서 모인 사람들이었다.

칠칠절이 다 되자 모두 하나 되어 모여들었을 때였다.

갑자기 세찬 바람이 부는 듯이 하늘에서 소리가 났으며 그곳에 앉아 있는 온 집을 가득 채웠다. 불(길)처럼 갈라지는 혀들이 그들에게 나타났으며 그들 하나하나 위에 놓였다. 모두 거룩하신 분의 영(바람)으로 가득 찼으며 그들은 영이 그들에게 일러주는 대로 그들 지방의 언어로 말하기 시작했다.

(칠칠절 행사에 참석하기 위해) 예루살렘에 머물던 사람들이 있었는데 그들은 하느님을 두려워하는 이들로 하늘 아래 있는 모든 나라에서 온 유대인들이었다.

그 소리가 나자 모든 백성이 모여왔는데 어리둥절했다.

그들 각자 그들의 언어로 말하는 것을 들었기 때문이다.

모두가 신통히 여기고 이리저리 말하며 놀라워했다.

"말하고 있는 이들은 모두 갈릴리 사람들 아닌가? 그런데 우리는 우리가 태어난 각 곳의 각기 언어로 듣고 있다니! 파르티아인들, 메데인들, 엘람인들, 메소포타미아에 사는 유대인들, 카파도키아인들, 폰토스와 아시아의 거주자들, 프리키아와 팜필리아 그리고 이집트와 키레네 주변의 리비아 지역민들, 로마에서 온 유대인들과 개종자들, 그리고 크레테인들과 아라비아인들. 보시오, 우리는 그들이 하느님의 놀라움을 우리의 언어들로 이야기하는 것을 듣고 있습니다."

모두가 놀라워하며 신통히 여겼다.

그들은 "이게 무슨 일입니까?" 하고 이리저리 말했다.

그러나 다른 이들은 "그들은 새 포도주를 마시고 취했구나"라고 말하며 그들을 비웃었다.(사도행전 2,1~13)

일흔두 명의 복음전도자들이 뿌린 토라(예수의 가르침)의 씨앗은 육십배, 백 배 열매를 맺은 것이다. 예수가 미래에 가겠다는 모든 장소와 도시는 바로 칠칠절(오순절)의 계약 의식에서 실현되었다.

저마다 신앙고백을 자기 지방 말(방언)로 했다

이 새 언약 의식에 참석한 사람들은 저마다 자기 지방 말로 신앙고백을 했다. 그래서 "우리는 그들이 하느님의 놀라움을 우리의 언어들로 이야기하는 것을 듣고 있습니다"고 말한 것이다. 서로 자기의 지방 말로 신앙고백과 주기도문을 낭송하는 것을 두고 흔히 이상한 방언을 했다고 이해한다. 이것은 정말로 자기도 알아듣지 못하는 방언이 아니다. 서로 다른 언어를 사용하는 사람들이 '예수 그리스도는 하느님의 아들이고 구원자다'라는 신앙고백문과 주기도문을 자기 언어로 동시에 낭송하는 것을 두고 '이상한 방언'이라고 말한 것이다(흔히 남들이 알아듣지 못하는 말로 말하는 사람에게 방언의 은사를 받았다고 하는데 이는 잘못된 이해다).

랍비 유대교의 '마탄 토라'와 비교해보면 이들이 받은 토라(가르침)는 자기 지방의 말로 신앙고백문과 주기도문이다. 예수 공동체에서의 토라는 예수의 복음도 포함된다. 예수와 같은 시대 같은 지역에서 활동했던 요하난 벤 자카이 랍비가 주님의 말씀(복음)을 전하는 사람들에 대해 해석한 단락을 찾아볼 수 있다.

요하난 (벤 자카이) 랍비는 말했다.

"'주님(아도나이)께서 말씀을 주셨으며 복음을 전하는 여인들은 큰 군대입니다.'(시편 68,12) 이 구절은 무엇을 뜻하느냐? 이것은 전능하신 분에게서 나가는 각 말씀이 일흔 개 언어로 분산되는 것을 말한다."

이쉬마엘 랍비의 파는 이 구절을 이렇게 가르쳤다.

"(내 말이) 바위를 두드려 조각을 내는 망치와 같지 않느냐?"(예레미야 23,29) 이것은 망치로 바위를 두드리면 많은 조각이 생기는 것과 같다는 뜻이다. 그래서 찬미 받으시는 거룩하신 분에게서 나가는 각각의 말씀은 일흔 개의 언어로 나누어진다는 뜻이다.(《바빌로니아 탈무드》, 〈샤바트〉, 88b)

하느님의 말씀(토라)을 온 세상에 전파하기 위해 선택된 '복음을 전하는 여인들'은 초대교회의 언어로 '복음전도자들'이라고 해석할 수 있다. 토라가 일흔 개의 언어로 분산되었다는 것은 온 세상 사람들이 토라를 배우고 알아듣게 되었다는 뜻이다. 오순절에 생긴 지방 말(방언) 이야기는 시편의 '복음을 전하는 여인들의 큰 군대'가 오순절의 새 언약의 의례에서 이루어졌다는 해석이며 이는 '일흔 개의 민족과 언어'라는 주제에서 살펴볼 수 있다(5장 〈일흔 vs. 일흔둘〉 참조).

탈무드에서 '복음을 전하는 여인들이 큰 군대다'라는 구절을 '일흔 개의 언어로 분산되었다'로 해석한 것은 복음서에서 예수가 복음을 전파하기 위해 '일흔두 명(혹은 일흔 명)'의 제자들을 선택해 세상 각지로 보냈다는 이야기와 상통한다. 큰 군대와 같은 일흔 명의 복음전도자들은 둘 둘씩 각지로 퍼져 주님의 말씀을 일흔 개의 민족들에게 전파하였고 오순절에 각지에서 모인 서원자들은 각자 자기 지방 말로 주기도문을 낭송했다는 말이다.

비웃은 사람들은 누구였을까

칠칠절 행사에 참석하기 위해 하늘 아래 모든 나라에서 온 '하느님을 두려워하는 이들'이 예루살렘에 머물고 있었다고 한다. '하느님을 두려워하는 이($εύλαβής$ 에우라베스, 경건한 자)'는 히브리어로 '하씨드'다. 바리새 사람들도 경건한 사람을 하씨드라고 불렀고 엣세네에서도 마찬가지다. 칠칠절에 온 '경건한 자들'이 어느 분파의 사람들인지 구분하기 어렵지만 서원자들이 각자 자기 지방 말로 신앙고백하는 말을 듣고 놀랐다는 사람들도 있고 또 일부 다른 사람들은 그들이 새 포도주를 마시고 취했다고 하며 비웃었던 것을 보아 엣세네의 경건한 자들로 보인다.

서원자들이 모인 장소가 예루살렘의 어디인지를 찾아보면 그 경건한 자들이 어느 분파의 사람들인지도 짐작할 수 있다. 예수가 올리브 산에서 승천한 뒤 제자들은 예루살렘으로 돌아와 '큰 다락방'에 머물고 있었다. "이 기간에 베드로는 제자들 사이에서 일어났는데 그곳에는 백이십 명의 회중이 있었다."(사도행전 1,15) 그때는 예수의 승천일부터 칠칠절 전날 사이의 어느 날이다. 베드로는 그들 앞에서 열두 사도 제도를 갖추기 위해 한 명의 사도를 뽑으려고 백이십 명이 모인 가운데 예수가 승천할 때까지 그들과 동행했던 제자들 가운데 한 사람을 선택하기로 했다. '그곳'은 어디일까? 당연히 '큰 다락방'이 있는 장소다(백이십 명 정도 모일 공간이면 다락방 건물의 앞마당일 것 같다). 큰 다락방이 있는 지역은 엣세네 거류지가 있는 시온 산이다(9장 〈최후 만찬의 장소는 엣세네 거주지에 있었다〉 참조).

유다의 자리를 채울 사도직에 두 사람이 추천되었다. 베드로는 이들 가운데 한 사람을 선택하기 위해 이렇게 기도한다. "선생님(아도니), 모든 마음에 있는 것을 아시는 분이여, 당신이 이들 둘 가운데 선택하는 하나를 보여주십시오."(사도행전 1,24) 그리고는 제비를 뽑게 하였고 그것은 마티야에게 올리어 갔다. 그는 열한 사도들과 함께 어울렸다. 드디어 열두 명의 사도 제도가 이루어졌다.

예수 공동체가 열두 사도로 조직되어야 했던 까닭은 곧 다가오는 칠칠절 새 언약의 의례에서 최고의결기관을 갖춘 새 언약의 공동체 출범을 선포해야 했기 때문이다. 이제 마지막 시대를 기약하며 새 언약의 공동체가 예수의 증인들이 되는 복음 사업을 시작하는 때가 된 것이다. 예수가 승천하기 전에 제자들이 질문한 왕국의 재건 사업은 비로소 시작된다. 마지막 시대에 'YHWH가 시온에 돌아올 때에'(이사야 52,8)라는 성경 구절이 이루어졌다고 해석한 것이다. 그곳은 시온 산에 있다는 랍비들의 미드라쉬와 조응한다. 경건한 자들이 머물고 있었던 곳은 예루살렘의 시온 산이다.

예수는 하늘로 올라갔고 이제부터 교회는 열두 사도들을 중심으로 운영되어간다. 그러나 사도 한 명을 뽑는 과정에서도 보았듯이 기도의 대답은 '살과 피'의 예수를 대신하는 거룩하신 분의 영이 보여준다. 칠칠절(오순절)에 모인 서원자들과 다른 사람들 앞에서 베드로가 설교하며 이 점을 확실히 가르쳐준다. 그는 이렇게 말한다.

이 예수를 하느님이 세웠으며 우리는 모두 그분의 증인들입니다. 그분은 하느님의 오른편에 올리어갔으며 아버지로부터 거룩하신 분의 영에 대해 확신을 받았습니다.

보십시오. 그분은 여러분이 보고 듣는 이 선물을 풍부히 쏟아주었습니다.

(중략)

그러므로 이스라엘의 모든 집안은 진리 안에서 아십시오. 참으로 하느님은 여러분이 십자가형에 처한 이 예수를 주主와 메시아로 만들었습니다.(사도행전 2,32~36)

'이 예수'는 죽음에서 일어선 예수를 뜻한다. 하느님의 오른편에 올라어갔다는 말은 산헤드린에서 가야파 대사제의 질문에 대해 예수가 해석한 부분에 나온다. "이제부터 여러분은 전능하신 분의 오른편에 앉아 있는 아담의 아들을 볼 것입니다."(마태 26,64) (10장 〈무엇이 신성모독이라는 말일까〉 참조.)

하느님의 오른편에 앉아 있는 예수가 믿는 이들에게 풍족하게 주는 선물은 거룩하신 분의 영이 보여주는 것이다. 이 '선물'은 '마탄 토라(토라를 받음)'라는 칠칠절에 행하는 행사 이름과 비교된다. 하느님으로부터 토라를 선물로 받았다는 것과 하느님의 오른편에 앉아 있는 예수로부터 거룩하신 분의 영을 선물로 받았다는 것은 같은 개념이다. 이렇게 비교해보면 토라는 거룩하신 분의 영이라고 볼 수 있다.

그 '영'은 하느님으로부터 오는 '능력(힘)'이라고 무덤 굴에(서) 나온 예수가 제자들에게 나타나 당부하는 말에서 찾아볼 수 있다. "나는 내 아버지의 확신을 여러분에게 보내겠습니다. 그러나 여러분은 높으신 분으로부터 오는 능력(힘)을 입을 때까지 예루살렘 도시에서 기다리십시오."(누가 24,49) 예루살렘에서 기다리라는 약속은 칠칠절(오순절)에 "불(길)처럼 갈라지는 혀들이 그들에게 나타났으며 그들 하나하나 위에 놓였다. 모두 거룩하신 분의 영으로 가득 찼다"(사도행전 2,3)는 문구에서 지켜지는 것을 볼 수 있다.

하느님은 이 예수를 (즉 죽음에서 일어선 예수를) 주와 메시아로 세웠으며 그것을 '진리(에메트)' 안에서 알라는 말이다. '진리 안에서'는 '진실로'라고 번역하기보다는 '진리'라고 불리는 예수를 은유하는 단어로 이해하는 것이 바람직하다. 예수의 가르침과 그의 치유의 행적에서 그가 하느님의 능력을 보여주었다는 것을 알라는 뜻이다. 그런데 베드로는 그들이 예수를 십자가형에 처하게 만들었다고 그들의 죄를 밝혔다.

누가 그 사람들일까? 그들은 분명히 산헤드린에서 예수의 재판을 지켜보았던 사람들임에 틀림없다. 왜냐하면 베드로가 '예수는 하느님의 오른편에 올리어갔다'고 언급한 의도는 예수가 산헤드린에서 자신의 입장을 그렇게 밝힌 대목이기 때문에 자기 강론을 들어보라는 말이다. 또한 그들은 빌라도 법정에 모여 예수를 처형하라고 외쳤던 사람들이다.(10장 〈십자가형에 처하라고 외친 군중은 누구였을까〉 참조). 지금 베드로가 서 있는 곳은 큰 다락방 건물 앞마당일 것이다. 그러니까 '갑자기 세찬 바람이 부는 듯이 하늘에서 소리가 났으며 그곳에 앉아 있는 온 집을 가득 채웠다'고 말한다. '온 집'은 열린 공터가 아니고 울타리가 있는 집을 가리킨다. 이곳은 엣세네 거류지며 그곳에 모인 '다른 이들'은 그 근처에 사는 엣세네 사람들임에 틀림없다. '이스라엘의 모든 집안'이라는 문구에서 '이스라엘'은 이스라엘 공동체며 이는 엣세네를 가리킨다. 엣세네의 모든 공동체 사람들이라는 표현이다.

그런데 그날 엣세네 사람들은 왜 예수 공동체의 성찬의례에 모여들었을까? 그 이유는 엣세네의 명절날과 바리새나 사두개의 것이 다르다는 사실에서 찾아볼 수 있다. 바리새나 사두개는 고대 이스라엘의 달력(태음력)에 따라 명절을 지켰으나 엣세네는 태양력을 사용하여 유대교 명절을 지켰다. 따라서 모든 절기가 바리새와 사두개의 것과 며칠 때로는 1~2주 정도 차이가 있었다.

예수 공동체에서 지킨 유대교 명절은 태음력에 따른 전통적인 사두개와 바리새 유대교 달력임은 확실하다. [한 예로, 베드로 법정에서 베드로는 '축제 때마다 총독은 군중이 원하는 죄수 하나를 풀어주는 관례가 있다'(마태 27,15)는 근거로 그곳에 모인 군중에게 누구를 풀어주기를 원하느냐고 물었다. 그 축제는 유월절이며 이 유월절은 사두개와 바리새 유대교의 명절이다. 엣세네 유월절은 이들과 같은 날이 아니다. 따라서 칠칠절도 서로 다른 날에 걸린다.]

이런 배경 때문에 엣세네 사람들은 한 동네에서 거행되는 예수 공동체의 칠칠절 의례에 구경 삼아 모여든 것이다. 그날 성만찬을 한 서원자들이 자기 지방 말로 신앙고백과 주기도문을 읊자 먼발치에서 보고 있던 엣세네 구경꾼들이 저들은 새 포도주에 취했다고 냉소를 지은 것이다.

또한 '하느님을 두려워하는 이들'이 예루살렘에 (잠시) 머물고 있었다는 말에서도 그들이 엣세네의 칠칠절에 참석하려고 온 사람들이었음을 알 수 있고 그들 또한 구경하러 나왔는데 많은 사람들이 자기들의 지방 말로 주기도문을 낭송하는 것을 보고 놀라움을 금치 못했다는 이야기다.

베드로는 그들을 향해 '진리'라고 불리는 메시아가 바로 하느님이 주와 메시아로 세운 그 예수라고 그들의 기억을 상기시키는 것이다. 엣세네의 하박국서 해석자가 지목하는 그 '진리'라는 사악한 사제가 바로 하느님이 메시아로 세운 죽음에서 일어선 예수라고 반증하는 설교다.

베드로의 이런 말을 들은 엣세네 사람들은 그들 마음이 슬퍼지자 베드로와 사도들에게 "우리는 무엇을 해야 합니까? 우리 형제들이여!" 하고 물어보았다. 사도들에게 '형제들'이라고 말한 것을 보아도 사도들과 마음이 슬퍼진 사람들 모두 엣세네 사람들이다. (또한 그 큰 다락방을 최후 만찬의 장소로 정했던 것도 예수와 그의 제자들 가운데 다수가 엣세네 사람들이었기 때문이다.)

　베드로는 그들에게 "회개하시오. 그리고 죄를 용서 받기 위해 여러분 각자 주 예수의 이름으로 세례를 받으시오. 그래서 거룩하신 분의 영의 선물을 받도록 하십시오"(사도행전 2,38)라고 말했다. 베드로는 다른 말로도 많이 중언하고 그들에게 "비뚤어진 세대에서 구제되십시오"라고 청했다. 그날 믿고 세례를 받은 사람이 삼천 명 정도 되었다고 전한다.

　그곳에 모인 여러 지방의 서원자들은 마음이 슬퍼질 이유가 없고 그들을 비뚤어진 세대라고 비난할 까닭도 없다. 그들은 이미 '예수 그리스도는 하느님의 아들이고 구원자다'라고 신앙고백을 하고 주기도문을 낭송한 교인들이기 때문이다. 또한 그들은 이미 예수의 이름으로 세례를 받은 사람들이고 그날 성만찬을 한 교인들이다. 그러니까 그들을 보고 있던 '다른 이들'이 그들은 새 포도주를 마시고 취했다고 말했던 것이다. ['새 포도주(티로쉬)'는 성만찬용이다.]

　'비뚤어진 세대'라고 하는 것은 '진리'라고 불리는 사제가 사악한 메시아가 아니고 하느님에게서 '주'라는 칭호를 받은 참 메시아이기 때문에 엣세네 지도자들이 비뚤어진 사람들이며 그들의 가르침을 따르는 세대가 비뚤어졌다고 말하는 것이다. 예루살렘에 거주하는 많은 엣세네 사람들이 베드로의 열정적인 증언에 감동되어 예수를 메시아로 믿고 예수 공동체로 전향하였으니 엣세네 공동체 감독들의 반응은 가히 짐작할 만하다.

약속한 거룩하신 분의 영으로 날인 받았다 에베소 1,13

승천한 예수는 영광의 보좌에 앉아서 사람들에게 계시한다. 그 가운데 하나가 '오순절에 생긴 일'이다. 다른 일화로, 바울이 개종하게 되었던 이야기를 들어볼 수 있다. 사울이라고 일컫던 랍비 유대교 출신의 열성파 청년이 있었다. 그는 초대교회 전도자들이 유대교 공동체에 예수의 복음을 전파하는 전교에 반감을 가지고 있었으며 이를 저지하기 위해 매우 극단적이었다. 그는 그들이 유대교의 기본 교리를 오도한다는 이유를 들어 예루살렘 성전 사제장들의 허락을 받아 그들을 체포하여 예루살렘으로 압송할 정도였다.

그러던 어느 날 사울이 그들을 박해하기 위해 다메섹으로 내려가는 길에 갑자기 하늘에서 환한 빛이 그를 향해 비추었다. 그가 땅에 엎드리자 "사울, 사울, 당신이 왜 나를 박해합니까?" 하는 소리가 들렸다. 그래서 그가 "당신은 누구십니까? 선생님(아도니)" 하고 물으니 "나는 당신이 박해하는 예수입니다. 일어나서 성 안으로 들어가시오. 당신이 해야 할 일을 일러줄 사람이 있을 것입니다" 하는 소리가 들려왔다. 그와 동행하는 사람들은 소리는 들었으나, 아무도 보이지 않으므로, 말을 못 하고 서 있었다. 사울은 땅에서 일어나서 눈을 떴으나, 아무것도 볼 수가 없었다.(사도행전 9,1~8)

이 사건은 천국에 있는 메시아 예수가 사울에게 나타나 그가 회개하고 예수의 사도가 될 수 있도록 한 이야기다. 이 일화에서는 비록 그들이 예수를 보았다는 증언은 없지만 승천한 예수가 환시로 그의 온전한

12-1 천국의 왕좌에 앉은 그리스도(Christ Enthroned)

크기 76×53.5cm. 7세기 초 비잔틴 성화. 시나이 산 기슭에 있는 성 카테리나 수도원(The Monastery of Saint Catherine) 소장.

펼쳐진 성경을 손에 쥐고 천상의 무지개 위에 앉아 있는 그리스도. 발판은 땅이다. 무지개는 영광의 보좌를 표현한다.(노아의 '홍수 이야기'에서 하느님이 무지개를 징표로 삼고 노아와 새로운 언약을 맺는다. 이 그림에서 무지개는 천국에서의 예수가 교회와 새로운 언약을 맺는 것을 알려준다.

[이 성화의 몇 부분은 메시아 예수가 그의 제자들에게 가르친 십계명 해석에서 연상해볼 수 있다. "하늘로 맹세하지 마시오. 그것은 하느님의 보좌이기 때문입니다. 땅으로 맹세하지 마시오. 그것은 그분의 발판이기 때문입니다."(마태 5,34) 한편 예수가 산헤드린에서 가야파 대사제에게서 심문을 받을 때 말했던 내용과도 부합한다. "이제부터 여러분은 전능하신 분의 오른편에 앉아 있는 아담의 아들을 볼 것입니다. 그리고 그는 하늘의 구름 위에 옵니다."(마태 26,64) 이는 "YHWH가 내 주에게 한 말씀이다. '내 오른편에 앉아라. 내가 네 원수들을 네 발판으로 할 때까지'"(시편 110,1)라는 구절을 배경으로 하는 말이다(10장 〈무엇이 신성모독이라는 말일까〉 참조).]

모습을 보여주며 소통하는 이야기다.

바울은 승천한 예수를 믿었으며 거룩하신 분의 영으로 날인 받았다고 전한다. 아래와 같은 그의 편지에서 살필 수 있다.

여러분 역시 그(메시아) 안에서 진리의 말씀을 들었으며 그것은 여러분 생명의 복음입니다. 여러분은 그(메시아)를 믿었으며 약속된 거룩하신 분의 영으로 날인 받았습니다.(에베소 1,13)

'진리의 말씀'은 메시아를 믿는 가운데 '진리'가 가르친 복음이라는 뜻이며 예수가 거룩하신 분의 영을 약속했다는 것을 알 수 있다. 메시아 예수가 승천하면서 그가 이 세상에 다시 오겠다고 약속했다. 그는 어떤 모습으로 올까? 이는 예수가 거룩하신 분의 영으로 온다는 것이며 거룩하신 분의 영으로 날인 받았다는 바울의 편지에서처럼 자명하다. 여기서 말하는 '거룩하신 분의 영'은 메시아 예수의 현존이며 모습이 불분명한 유령(shadow)이 아니라 살과 피의 모습을 한 거룩한 영(spiritus sanctus)이다. 천국에서 환시로 보여주는 '살과 피의 예수'의 모습은 '천상의 그리스도'라는 주제의 비잔틴 성화에서 종종 볼 수 있다.

초기 유대교 문헌에 따르면 '거룩하신 분의 영으로 날인을 받는 것'은 하느님의 책에 그의 이름이 기록된다는 뜻으로 구원을 받았다는 말이다. 엣세네의 규례에도 '기억의 책'에 기록된다는 표현이 나온다.

각자 그의 형제를 붙들고 하느님의 길에서 행진하는 데 후원하자고 그의 이웃에게 말할 것이다. 하느님은 그들의 말을 귀담아들을 것이며 하느님을 두려워하고 그분의 이름을 생각하라고 그분 앞에서 기억의 책

에 기록될 것이다.(《새 언약의 규례》 xx, 18~19)

엣세네 공동체에 들어와 하느님의 언약을 지킬 것을 맹세한 사람들은 하느님의 길을 따라 살자고 각자 자기 이웃에게 말하며 하느님은 그들의 약속을 기억하고 그분의 책에 그들의 이름을 적어놓는다는 말이다. 〈선조들의 어록〉에도 하느님의 책에 기록된다는 언명이 나온다. 기원전 30년경까지 살았던 아카비야 벤 마하랄렐은 사람이 죄악의 손아귀에 들어가지 않으려면 세 가지 것을 쳐다보아야 한다고 말했다.

> 네가 어디에서 왔는지,
> 어디로 가는지,
> 훗날 누구 앞에서 전말서顚末書를 내는지 알라.
> 네가 어디에서 왔느냐? 악취 나는 몇 방울에서.
> 네가 어디로 가느냐? 흙과 구더기와 벌레가 있는 곳으로.
> 훗날 누구 앞에 전말서를 내느냐?
> 왕들 중에 왕들 중에 왕, 찬미 받으시는 거룩하신 분 앞에.(《선조들의 어록》 3,1)

'전말서'는 딘 붸-헤쉬본(דין וחשבון)의 의역이며 글자 그대로 '판결(딘)과 계산서/결산서(헤쉬본)'다. 사람이 살면서 행한 일에 대한 판결과 자기의 잘잘못에 대한 결산을 의미한다. '흙과 구더기와 벌레'는 사람은 흙으로 만들었으니 흙으로 돌아간다(창세기 3,19)는 구절과 '인간은 구더기요, 사람의 자식은 벌레로다'(욥기 25,6)라는 구절에서 선택된 문구다. 사람의 모든 행함이 기록되며 그 전말서는 하느님 앞에 전달되며 그에 따라 하느님이 마지막 심판을 내린다는 이야기다. 하느님의 심판 때 좋은 결과를 기대하기 위해서는 전말서가 깨끗해야 하겠다. 이 언명을 계승한 예후다 랍비는 이렇게 말했다.[01]

이 세 가지를 지켜보아라.
그러면 죄짓는 것에 가까이하지 않을 것이다.
무엇이 네 위에 있는가를 알라.
보는 눈과 듣는 귀. 네 모든 행함이 책에 기록된다.(〈선조들의 어록〉 2,1)

여기서 말하는 '책에 기록된다'는 것이 바로 '거룩하신 분의 영으로 날인 받는다'는 말이다. '책'은 하느님의 책을 뜻한다. 유대교 현자들은 사람이 대속죄일(욤 하키푸림)에 자기의 죄를 회개하고 하느님의 용서를 받아야 한다고 가르쳤으며, 그래야 그의 이름이 하느님의 책에 기록될 수 있다고 한다. 대속죄일에 유대인들은 서로에게 '좋은 날인'을 받으라고 격려한다. 전말서가 깨끗해야 구원된다는 말이다. 여기서 사도 바울이 말하는 '메시아 안에서 진리의 말씀을 들었으며 거룩하신 분의 영으로 날인 받았다'는 말의 근거를 찾아볼 수 있다.

"나는 알파고 오메가다" 요한계시록 1,7

요한계시록은 네로 황제에 의해 파트모스 섬으로 유배된 복음전도자 요한이 승천한 메시아 예수의 계시를 보고 기록한 책이라고 전한다(페쉬타 신약성경에 그렇게 쓰여 있다). 요한은 예수가 그에게 나타나 말하는 장면을 이렇게 묘사한다.

그분의 오른손에 일곱 개의 별이 있었으며 그분의 입에서는 날카로운 쌍날칼이 나왔고 그분의 얼굴은 전능한 태양처럼 빛났습니다. 내가 그분을 보았을 때 나는 죽은 것처럼 그분의 발에 쓰러졌습니다. 그분은 그분의 오른손을 내게 얹고 말했습니다.

"두려워하지 마라. 나는 처음이고 마지막이다. 살아 있다. 나는 죽었었다. 보라, 나는 영원무궁토록 살아 있다. 그렇다. 나에게 죽음과 저승의 열쇠가 있다."(요한계시록 1,16~18)

승천해서 하느님의 오른편에 앉아 있는 메시아 예수가 요한에게 보여주는 계시는 그려놓은 듯 시각적이며 매우 상징적이다. '처음이고 마지막'이라는 문구는 이에 앞서 요한이 일곱 교회에 보내는 편지의 인사말에 나온다. "보시오, 그분(메시아 예수)이 구름 타고 오십니다. (중략) 주님YHWH 하느님이 '나는 알파고 오메가다'라고 말했습니다. 그분은 있으며 있었고 옵니다. 만물의 주재자입니다."(요한계시록 1,7~8) '알파고 오메가'라는 말은 '처음이고 마지막'이라는 문구와 같은 표현이다. 이 표현은 '있으며 있었고 온다'는 말로 보충 설명한 것을 보아도 시간적인 개념이다. 랍비 유대교 전승에 따르면 하느님은 처음에 세상을 다스렸고 마지막 시대에 다시 와서 세상을 다스린다고 이야기한다.

열 명의 왕이 세상의 끝에서 그 끝까지 다스렸다.
첫 번째 왕은 바로 찬미 받으시는 거룩하신 분이다. 그분은 하늘과 땅을 다스렸고 땅 위에 왕들을 세우려는 (계획이) 그분의 생각에 떠올랐다.
(중략)
열 번째 왕. 왕국은 그 소유주에게 돌아가며 첫 번째 왕이었던 분이 바로 마지막 왕이 된다. 이렇게 말한다. "내가 처음이며 내가 마지막이다. 나 이외에는 하느님이 없다."(이사야 44,6) 이렇게 쓰여 있다. "주(主)는 온 땅 위에 왕이 되신다."(스가랴 14,9)(《엘리에제르 랍비의 해설집》 11장 마지막 단락)

'처음'은 창조의 그 처음을 뜻한다. "처음에 하느님이 하늘과 땅을 만들어냈다."(창세기 1,1) 옛날에 처음으로 하늘과 땅을 만들어낸 하느님이 세상의 마지막 시대에 다시 와서 세상을 다스린다는 해석이다. '처음과 마지막'은 시간적 개념으로 쓰였다. 따라서 '하느님이 알파고 오메가'라는 표현 역시 시간적이다. 요한계시록에 '나는 죽었었는데 살아 있고 영원무궁토록 살아 있다'는 문구 역시 시간을 이야기한다.

요한은 또다시 '새 하늘과 새 땅'의 계시를 받고 이렇게 말한다. "나는 새 하늘과 새 땅을 보았습니다. 처음 하늘과 처음 땅을 지나갔고 바다도 이미 없기 때문입니다. (중략) 내(하느님)가 모든 것을 새롭게 만들겠다." (중략) 그분(하느님)이 나에게 말했습니다. "(모두) 있었다. 나는 알파고 오메가다. 머리고 끝이다. 나는 목마른 자에게 생명수의 샘에서 거저 주겠다. 승리하는 자는 이것들을 물려받을 것이다. 나는 그에게 하느님이 되고 그는 나에게 아들이 될 것이다."(요한계시록 21,1~7) 예수는 요한에게 마지막으로 이렇게 말한다.

보라, 내가 곧 온다. 모두 각자 행함대로 갚아주려는 보상도 내가 함께 가지고 있다. 나는 알파고 오메가다. 처음이고 마지막이다. 머리고 끝이다.(요한계시록 22,12~13)

'나는 알파고 오메가다. 머리고 끝이다'는 문구에서 '머리와 끝'은 알파와 오메가를 가리키며 그 단어들이 무엇을 뜻하는지 다시 지시하는 단어들이다. 무엇을 가리키는 단어들일까? 이 문제를 풀어보려면 요한계시록의 처음 인용문 시작 부분으로 돌아가 그 가운데에서 해결의 단서를 찾아볼 수 있다.

예수의 오른손에 있는 일곱 개의 별이 무엇일까 요한계시록 1,16

요한이 본 첫 계시 가운데 메시아 예수는 그의 오른손에 일곱 개의 별을 쥐고 있는 모습으로 나타난다. '일곱 개의 별'이 '머리와 끝'의 문제를 풀 수 있는 단서다. 이는 로마 시대에 큰 신들을 상징하던 큰 별 일곱 개와 비교해볼 수 있다. 고대 그리스와 로마 시대의 큰 신들은 큰 별들의 자리를 차지했다(그 기원은 고대 메소포타미아의 '운명을 결정하는 일곱 큰 신들'의 전통에서 찾아볼 수 있다). 고대 그리스와 로마 사람들은 그리스어 문자의 일곱 개 모음자(AEHIOYΩ)에 일곱 개 큰 별들과 큰 신들을 대비해서 그 모음자들을 상징부호로 사용했다. 이와 같은 것은 2세기의 천문학자 프톨레마이오스의 천문 체계를 반영한다.

모음자	고대 그리스 큰 신들	로마 큰 신들
A	Hekate	Luna
E	Hermes	Mercury
H	Aphrodite	Venus
I	Helios	Sol
O	Ares	Mars
Y	Zeus	Jupiter
Ω	Chronos	Saturn

로마의 최고신은 태양신이었으며 많은 로마 군인들이 추종하던 미트라교에서는 미트라가 태양신 역할을 하며 최고신이었다. 미트라는 기

원전 15세기경 문헌에도 등장하는 고대 아리안 민족의 신이었다. 미트라는 페르시아의 태양신으로 숭배되었으며 폼페이우스 장군의 동방 원정 시기 로마 군인들의 많은 호응을 받아 로마군의 수호신이 되었다.

로마제국의 미트라교도들은 지하실에 신전을 만들고 미트라를 숭배했다. 지하실 신전 벽면에 미트라가 황소를 죽이는 그림을 새겨 넣었다 (그림 12-2 참조). 황소 위아래에 까마귀, 개, 뱀, 전갈 등이 부각되어 있다. 이 부조에 나타나는 동물들은 모두 별자리를 가리킨다. 미트라는 페르세우스(혹은 오리온)의 별자리에 있으며, 황소는 황소별자리(Taurus)이고 개별자리(Canis minor), 뱀별자리(Hydra), 전갈별자리(Scorpio)다. 미트라의 망토 위에 앉아 있는 까마귀(Corvus)는 황소의 죽음을 알리는 노릇을 한다. 횃불을 들고 있는 두 사람은 춘분과 추분을 가리킨다. 이 별자리들은 대개 황도대의 여름 별자리들에서 볼 수 있다. (기원전 2000년경부터 황소별자리가 춘분에 떠오르지 않았기 때문에 이런 현상을 두고 미트라가 황소를 죽였다고 이야기한 것이다. 미트라가 구원 신으로 등장하는 것을 보여준다.)

12-2 미트라교의 지하 신전(Mithraeum)과 그 안쪽 벽면의 그림에 미트라가 황소를 죽이는 장면이 묘사되어 있다. 로마 시대.

미트라는 그리스어로 '메트라스(MEIΘPAΣ)'라고 음역했으며 이 단어를 수로 환산하면 40-5-10-9-80-1-200, 일 년의 날수(365일)가 된다. (그리스어의 알파벳은 숫자로도 사용되었다. alpha=1, beta=2, gamma=3, (…) iota=10, kappa=20 등.) 미트라는 태양력과 깊은 연관을 갖게 되었으며 그리스의 태양신 헬리오스와 동일시되었고 3세기 초에 로마제국의 최고신 '무적의 태양신(SOL INVICTVS)'과도 습합되었다. 로마제국의 태양신과 동일시되었던 미트라가 십이성좌를 다스리는 신으로 표현된 것을 미트라교의 부조에서 볼 수 있다.

유대교에서도 하느님을 태양처럼 표현한 그림을 볼 수 있다. 한편, 초기 랍비들도 태양이 하느님의 현현을 보여준다고 해석했다. 예를 들어, "위로부터의 빛을 부분적으로 실감하는 것은 태양이고, 위로부터의

12-3 황도대의 여름 별자리들

지혜를 부분적으로 실감하는 것은 토라다."(《창세기 미드라쉬 랍바》 17,5)
'위로부터'는 하느님을 뜻한다. 하느님의 지혜를 부분적으로 경험할
수 있는 것이 토라(하느님의 가르침)다. 복음서에도 '위로부터'라는 표현
이 나온다. 바리새 사람 니고데모는 예수에게 와서 "랍비님, 당신이 교
사로서 하느님으로부터 오신 줄을 우리는 압니다"라고 말한다. 그러자
예수는 이렇게 대답한다. "누구든지 위로부터 나지 않으면 하느님 왕국
을 볼 수 없습니다."(요한 3,2~3)

　비잔틴 시대의 성화에서 예수를 태양과 같이 표현하는 그림을 종종
볼 수 있다. 로마 시대에 태양신(Sol)은 제국의 최고신으로 상승했으며
서기 270년경부터 12월 25일을 태양신의 탄생일로 제국의 제의를 거

12-4 미트라와 십이성좌
미트라의 머리 위로 빛을 발산하는 모습이다.

행했다(로마 시대 태양력으로 이날은 동지다. 그리스도교가 로마제국의 국교가 되면서 자연히 12월 25일은 그리스도의 탄생일로 대치되었다).

로마 시대의 미트라교에서는 다음과 같은 서열이 있었으며 그 서열은 행성으로 표상되었다.

미트라교의 서열		큰 별들	
Corax	까마귀	Mercury	수성
Nymhus	신부新婦	Venus	금성
Miles	군인	Mars	화성
Leo	사자獅子	Jupiter	목성
Perses	페르시아인	Luna	달[月]
Heliodromus	태양신-전달자	Sol	태양[日]
Pater	아버지	Saturn	토성

이러한 별들의 체계에서 '나는 A고 Ω다'는 이야기가 만들어졌다. 그 과정은 고대 그리스 모음자의 순서와 로마 신전에서 일하던 당번의 주

12-5 4~5세기 건립된 유대교 회당의 바닥 모자이크 그림과 그것을 복원한 그림
태양신의 머리에서 빛이 발산되며 태양신은 태양 마차를 타고 달린다. 그 둘레에 황도십이성좌의 그림과 각 이름이 히브리어로 적혀 있다. 네 구석의 인물들은 봄·여름·가을·겨울을 나타낸다. 태양과 같은 하느님이 십이성좌를 다스린다는 뜻이다. 고대 이스라엘의 YHWH가 태양신으로 표상되었다.

기에서 찾아볼 수 있다. 1~2세기에 7일을 1주일로 사용하는 것이 유행했으며 신전은 하루 24시간 동안 1시간마다 당번이 바뀌었다. 로마 시대에 태양신은 로마의 최고신이다. 따라서 신전의 당번은 태양신의 모음자인 I에서 시작하며 그다음 시간은 Venus(금성), 다음 시간은 E, A 등의 순서로 24시는 E, 즉 수성(Mercury)이 된다. 그다음 날 당번의 시작은 A(Luna)이며 다음 시간은 토성 등, 이날 24시의 당번은 Y(목성)다. 그다음 날 당번의 시작은 O(화성)다. 일주일의 당번 시간표를 아래와 같이 도표로 만들어볼 수 있다.

	1234567	1234567	1234567	123(=24시간)
1	IHEAΩYO	IHEAΩYO	IHEAΩYO	IHE
2	AΩYOIHE	AΩYOIHE	AΩYOIHE	AΩY
3	OIHEAΩY	OIHEAΩY	OIHEAΩY	OIH
4	EAΩYOIH	EAΩYOIH	EAΩYOIH	EAΩ
5	YOIHEAΩ	YOIHEAΩ	YOIHEAΩ	YOI
6	HEAΩYOI	HEAΩYOI	HEAΩYOI	HEA
7	ΩYOIHEA	ΩYOIHEA	ΩYOIHEA	ΩYO

이렇게 일주일을 돌면 각 날이 시작하는 당번의 모음자는 IAOEYHΩ (태양, 달, 화성, 수성, 목성, 금성, 토성)로 정해진다. 이렇게 계산하여 생긴 것이 '일월화수목금토'의 요일이다. 유대교의 일주일 요일 이름은 창세기 1장에 나오는 표현처럼 '첫째 날, 둘째 날⋯ 여섯째 날, 안식일'이라고 사용했다. 안식일은 로마식으로 말하면 '토성(Saturnus)의 날(토요일)'이다.

[안식일은 금요일 해질 때부터 토요일 해질 때까지다. 초대교회에서는 유대교처럼 안식일에 모여 예배를 보지 않고 메시아 예수를 기억하고 하느님에게 예배드리는 날로 예수가 죽음에서 일어나 그의 제자들에게 나타난 날인 그 주간의 첫째 날로 정했다. 이날을 '주±의 날'이라

고 불렀다. 로마식으로 하면 태양신에게 예배드리는 일요일이다. 주간의 첫째 날이 주일土日이 된 것이다. 로마 황제 콘스탄티누스 1세가 그리스도교를 로마의 국교로 공인한 313년부터 일요일은 국가적인 주일로 선포되었으며 321년에 로마의 최고신 태양신의 일요일이 국가적으로 공인된 쉬는 날로 정해졌다.]

요한계시록에서 메시아 예수의 얼굴이 빛나는 태양과 같다는 것은 메시아 예수가 로마제국의 태양신과 같다는 해석이다. 또한 메시아가 태양과 같으며 그는 처음이고 마지막이라는 논리는 신전 당번의 모음자들 IAOEYHΩ와 비교해볼 수 있다. 하느님/메시아는 태양신(I)이며 알파(A)와 오메가(Ω)이고 머리(시작)와 끝이라는 뜻으로 볼 수 있다. 'I=A&Ω'로 표현해볼 수 있다. 다시 말하면 I=A(OEYH)Ω라는 뜻이다. 이는 일주일(IAOEYHΩ) 전체를 말한다. 하느님/메시아는 신전의 당번 순서 전체라는 말이다. 시간 전체라는 뜻이다. 그래서 하느님은 있었고

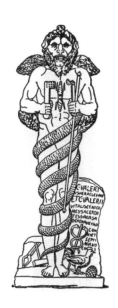

있으며 앞으로 온다고 말하며, 예수도 살았었고 죽었으며 다시 살아 있고 영원무궁토록 살아 있다는 과거 현재 미래의 구원자적 시간을 이야기한다.

한편 예수의 손에 일곱 개 별이 있었다는 것은 그가 일곱 개 별(태양, 달, 화성, 수성, 목성, 금성, 토성)을 쥐고 있다는 뜻이다. 죽음에서 일어선 예수는 태양(Helios)이며 알파 별(Hekate)부터 오메가 별(Chronos)까지를 포함한다는 말이다. 메시아 예수는 모든 신들(pantheon)이라는 뜻이다. 하느님의 오른편에 앉아 있는 예수는 태양처럼 빛나며 그의 손에는 태양

12-7 사자 머리의 신상
이 신상은 미트라교의 레오(Leo) 서열을 보여주며 가슴에 그려진 '번개화살(thunderbolt)'은 사자의 괴력을 알려준다. 그는 손에 하늘의 열쇠들을 쥐고 있다. (이러한 열쇠는 교황권의 상징으로 사용되었다.) 또한 주권의 상징으로 손에 지팡이를 쥐고 있다. 이 신상을 감고 있는 뱀은 치유의 뱀 신의 상징성을 더해준다. 등 뒤에 달린 날개는 4계절을 나타낸다.

부터 토성까지 일곱 개 별을 쥐고 있기 때문에 그에게 죽음과 저승의 열쇠가 있다고 이야기한다. "거룩하신 분, 진실하신 분, 다윗의 열쇠를 가지신 분, 그분이 열면 닫지 못하고 닫으면 열 자 없다."(요한계시록 3,7) 다음과 같은 미트라교의 신상과 비교해서 저승과 죽음의 열쇠라는 주제를 살펴볼 수 있다.

"그 맹수의 숫자를 계산해보아라" 요한계시록 13,18

요한계시록에 아래와 같은 이야기가 나온다.

> 지각이 있는 사람은 그 맹수의 숫자를 계산해보아라. 사실 그것은 어떤 사람의 숫자며 그 수는 육백육십육이다.(요한계시록 13,18)

역사적으로 666의 숫자를 가리키는 적그리스도라는 인물이 여러 번 등장했다고 한다. 여기서 육백육십육(600-60-6)은 6의 숫자를 십진법으로 세 번 배가하는 의미를 가지고 있다[6x(10x10)-6x(10)-6].

숫자는 단순히 셈하기 위한 수단으로만 사용되는 것은 아니다. 문화가 창출하는 공통적인 숫자의 상징성에서 숫자의 활용을 볼 수 있다. 숫자는 상징적으로 표현되는 특징을 가지고 있다.

문자문명을 시작한 고대 메소포타미아 사회에서 가장 초기 단계에 발견되는 문자들은 숫자를 기록한 것들이다. 문화의 발전과 개혁에 숫자의 역할은 간과될 수 없다. 천문학, 측량, 수학, 건축, 의술 등은 숫자로 기록하는 도움 없이는 과학적으로 발전될 수 없었던 학문이다. 한편 숫자에서 고대인들이 발견했던 것 가운데 하나는 어떤 숫자는 그 숫자가 사용되는 보편성에서 그 숫자의 성격을 규정하고 다른 경우에 적용하는 것이었다. 예를 들어, 신석기 시대의 점토 항아리 표면에 일곱 개의 별자리를 그린 것을 볼 수 있다. 이것은 북두칠성을 뜻한다. 그들에게 북두칠성은 일상생활에 중요한 정보를 제공하는 길잡이였을 것이다. 옛날부터 일곱이라는 상징성이 부각되었던 가장 큰 이유 가운데 하나가 북두칠성의 일곱이라는 상징성이었다고 보인다.

고대 이스라엘에서도 일곱은 큰 역할을 했다. 그들의 큰 명절인 유월절과 초막절은 각기 칠 일간의 축제일이다. 메시아 예수가 승천했다는 오순절 시작은 유대교 유월절에서 칠칠절까지의 날수인 일주일을 일곱 번 한 다음 날을 말한다. 유대인들은 결혼식에서 일곱 번 축복기도를 하고 칠 일 동안 잔치를 베푼다. 또한 사람이 죽으면 장례를 마친 뒤 망자의 집에서 칠 일 동안 곡하는 기간을 갖는다. 유대교의 상징으로 사용되는 메노라(일곱 등잔이 달린 등잔대)는 3~4세기에 세워진 유대교 회당 건물터에서도 볼 수 있다. 일곱의 상징성은 복음서에서도 잘 읽어볼 수 있다(6장 〈일곱 개 문장으로 만들어진 주기도문〉 참조). 또는 일곱 가지 표징, 일곱 개의 빵과 일곱 개의 바구니, 바리새들에게 일곱 차례 불행을 선언하는 예수의 언명 등 매우 많다.

게마트리아

고대 그리스 학문이 헬레니즘 시대에 와서 여러 학파를 형성하며 발전되고 제반 과학과 철학은 초기 유대교 랍비들의 논리에 큰 변혁을 일으키게 만들었다. 가장 중시할 것은 논리학과 '게마트리아'였다. 힐렐이 개발한 미드라쉬의 일곱 가지 기본 해석 방법론도 그리스 논리학의 영향으로 이루어진 성과다.

게마트리아는 그리스어 게오메트리아(γεωμετρια, 측량, 기하학)를 응용하여 만든 유대교의 전문용어로 수치학數値學이라고 말할 수 있다. 히브리어의 글자가 숫자로 사용되었듯이 그리스어 알파벳도 숫자로 사용되었다. 알레프/알파=1, 베트/베타=2, 김멜/감마=3, 달레트/델타=4 등으로, 알파벳의 순서를 1에서 10까지 환산한다. 그다음 알파벳 순서의 글자들은 20, 30에서 100까지를 나타내고, 그다음 글자들은 200, 300 등을 나타낸다. 때문에 히브리어와 그리스어는 단어의 글자를 수치로 환산하여 덧셈을 할 수 있다. 게마트리아란 이런 덧셈으로 단어의 의미를 찾아보는 방법이다.

예를 들어, 복음서에 전해진 예수의 족보(마태 1,1~17)를 계산하는 방법에서 게마트리아가 사용된 것을 볼 수 있다. 이 족보에 따르면 다윗의 자손인 예수의 족보를 14대로 나누어 조상의 이름들을 기록했다. 다윗(דוד)의 히브리어 글자를 게마트리아로 환산하면 4+6+4이다. 그래서 다윗의 자손인 메시아 예수의 족보는 14대로 정했으며, 아브라함에서 다윗까지 14대고 다윗부터 바빌론 유배까지가 14대, 바빌론 유배에서 예수까지가 14대라고 해석한 것이다.

유대교에서는 사내아이가 열세 살이 되면 계명을 지키는 의무가 생기는 성년식(바르 미쯔바)을 행한다. '바르 미쯔바'는 '계명의 아들'이라는 뜻이다. '계명의 아들'이라는 책임감을 짊어지는 나이 열세 살이 되면 성인으로서 계명에 대한 보상과 벌을 감당하여야 한다. '계명의 아들'이라는 칭호가 불리기 전의 어린이는 토라(법규)의 울타리 안에서 아직 토라의 계명을 배우지 못한 나이라고 여기기 때문에 설사 계명을 지키지 못하는 경우가 생겨도 벌을 받지 않는다. 어린이는 법규와 벌의 굴레에 속하지 않는다는 뜻이다. 예수의 언명 가운데 "만일 여러분이 회개하고 어린이들처럼 되지 않으면 하늘 왕국에 들어가지 못할 것입니다."(마태 18,3)라고 전하는 단락이 나온다. 여기서 '어린이들'은 랍비 유대교에서 말하는 벌을 받지 않는 범주를 뜻하며, 예수가 가르치는 '어린이처럼 되지 않으면 들어갈 수 없는 천국'은 랍비 유대교의 법규나 계명의 굴레에 속하지 않는 곳이라고 이해할 수 있다.

초기 유대교에서는 어린이가 관습적으로 착하다고 가르치지 않았다. 오히려 인간에게 악한 성향이 내재하고 있으며, 어려서부터 토라를 배우고 계명을 익혀서 잘못하는 경우를 줄이자는 것이 그들의 지론이다. 그래서 어린 나이에 토라를 배우기 시작하며, 가장 기본적인 언약의 법규로 모세오경에서 인용된 613개의 구절이 계명(미쯔바)으로 정해졌다. 613개의 계명 가운데 365개는 '하지 마라'는 것이고 248개는 '하라'는 계명이다. 그러나 613의 숫자를 600+13으로 나누어보면 600은 그리스어로 '세상'을 뜻하는 코스모스($\kappa o\sigma\mu o\varsigma$ 20+70+200+40+70+200)를 의미한다. 613(600+13)의 계명을 게마트리아로 이해하면 계명을 지키는 의무(13)는 세상(600)을 복되게 한다는 뜻으로 해석할 수 있다.

요한계시록에 '그 맹수의 숫자를 계산해보아라'고 말하며 그 맹수 같은 사람의 숫자가 666이라고 말하는 것은 그 이름의 숫자를 더하면 바로 666이 된다는 뜻이다. 이는 게마트리아로 찾아본 결과다. 이와 비슷한 예로 777 혹은 888의 경우를 살펴볼 수 있다.

창세기에 나오는 카인의 계보에 따르면 레멕이 그의 아내에게 "만일 카인이 일곱 배 돌려받는다면, 레멕은 일흔일곱이다"(창세기 4,24)라고 말한다. 한편 아담의 계보에 전해진 이야기에 보면 레멕은 777년을 살았다(창세기 5,31)고 말한다. 레멕은 7의 상징성과 연관된 인물이다.

히브리 성경에서 일곱의 상징성을 가장 대표적으로 나타낸 예는 창조 일곱째 날에 하느님이 작업을 멈추고 그날을 안식일로 정한 창세 신화에서 찾을 수 있다. "하늘과 땅과 모든 그들의 무리가 완성되었다. 하느님은 일곱째 날에 하던 작업에서 끝내고 일곱째 날에 그분이 하던 모든 작업에서 멈추었다. 하느님은 일곱째 날을 복되게 하고 거룩하게 했다."(창세기 2,1~3) 하느님은 일곱째 날에 모든 일을 멈추고 "참으로 그분은 쉬었다."(출애굽기 20,11) 그래서 안식일이다. 안식일은 하느님이 육 일 동안 세상의 모든 것을 만들어내고 난 다음 쉬었다는 상징성을 지니고 있다. 하느님이 세상을 만든 이유는 하느님이 그의 모습을 닮게 만든 아담(사람)이 하느님의 가르침에 따라 어둠을 물리치고 승리하기를 원했기 때문이다. 안식일은 승리의 일곱째 날을 표상한다.

그렇다면 레멕은 이스라엘의 창세 신화에서 승리한 인물이라는 말이다. 어떤 점에서 그러할까? 레멕은 아들을 낳고 그의 이름을 노아라고 불렀다. 왜냐하면 "YHWH가 저주한 흙에서 우리 일과 우리 손의 고통에서 이 아이가 우리를 위로해줄 것이다"(창세기 5,29)고 하기 때문이다. [에덴동산 이야기에 따르면 아담의 죄로 흙은 저주 받았으며 하느님은 그에게 손으로 일하며 먹고살아야 하는 고통을 주었다. "너로 인해 흙이 저주 받을 것이다. 네 일생 동안 너는 고통스럽게 (일하여) 먹을 것이다."(창세기 3,17)]

노아는 히브리어로 '노악흐'며 이는 '쉬다'는 단어에서 파생된 이름이다. 노아는 온전한 사람으로 선택되어 홍수에서 온갖 생명을 살아남게 (즉, 쉬게) 한 구원자다. 노아를 낳은 레멕이야말로 하느님이 창조한 세상의 파멸에서 승리를 이끌어내어 아담의 계보가 끊어지지 않게 한 계승자다. 레멕의 아들 노아는 선조들을 위로한 사람이다. 그래서 레멕은 일곱의 상징성을 극대화하여 700-70-7년을 살았다고 전해졌을 것이다.

여덟이란 숫자의 상징성을 잘 보여주는 경우는 예수의 그리스어식 이름인 '예수스'다. 원래 예수는 그리스어로 '야손'이라고 음역했다. 한 예로, 기원전 175년 유대아 지방을 통치했던 시리아 왕 안티오쿠스 4세에게 뇌물을 주고 예루살렘 성전의 대사제직을 넘겨받은 사람의 이름이 '예슈아'(예수의 히브리어식 이름)였으나 그리스인에게 아부한다며 자기 이름을 '야손'이라고 개명했다. 그러나 그리스어로 번역된 《벤씨라서(집회서)》의 머리말에도 편집자의 이름을 '예슈아'라고 표기했다. 흔히 예슈아를 그리스어식으로 '예수스(Iησουç)'로 표기했다. 그렇게 표기된 그리스어식 이름의 이유는 게마트리아의 이치에서 찾아볼 수 있다.

예수스(Iησουç)를 수치로 환산하면 10-8-200-70-400-200이 된다. 메시아로서의 그리스어 이름 예수스의 수치인 팔백팔십팔(800-80-8)은 여덟을 십진법으로 세 번이나 증폭하는 수리數理(숫자의 이치)가 담겨져 있다.

세 번을 증폭하는 예로 헬레니즘 시대에 자주 사용되었던 칭호인 트리스메기스토스(trismegistos)를 들 수 있다. 이 호칭은 가장 위대한('세 번 위대한') 자에게 붙여준 것이다. 고대 그리스 신 헤르메스의 칭호 가운데 하나가 헤르메스 트리스메기스토스(Hermes Trismegistos)다. 그리스도교가 로마 세계에 전해지면서 그리스도는 헤르메스의 상징인 '좋은 목자'의 모습으로 표상됐다. 초기 유대교 문헌에서도 하느님의 호칭으로 '왕들의 왕들의 왕'이라는 최상급이 사용되는 경우를 볼 수 있다. "의인들의 영혼이 왕들 중의 왕들의 왕이신 찬미 받으시는 거룩하신 분과 함께 살고 있으며, 찬미받으시는 거룩하신 분이 그들과 상의하여 세상을 만들어내었다는 것을 말한다."(《창세기 미드라쉬 랍바》 8,7) 예수의 그리스어 이름 예수스는 여덟의 상징성을 최상으로 가지고 있다는 말이겠다.

히브리 성경에서 여덟의 상징성을 잘 드러내는 사례로 이츠학의 할례를 들 수 있다. 성경에 전해진 고대 이스라엘 역사에서 처음으로 할례를 받은 인물은 아브라함이다. 그러나 그는 나이 들어 할례를 받았고 그가 낳은 아들 이츠학은 하느님의 법규에 따른 종교 의례에 준하여 태어난 지 팔 일째 되는 날에 할례를 받았다. 고대 사회에서 할례는 갓난아기의 복을 비는 제의다. 할례는 복을 상징하는 여덟의 숫자에서 이해할 수 있다(초대교회에서 사용했던 세례용 물통은 팔각형이었으며 할례와 같은 팔복의 전통에서 설명될 수 있다).

'다윗의 아들'이라고 불리며 예루살렘에 입성한 메시아 예수의 수치數値가 여덟을 극대화한 팔백팔십팔의 숫자로 계산된 것은 다윗이 여덟 번째 아들인 것과도 관련된다. 예언자 사무엘이 이스라엘의 왕 사울을 포기하고 다른 사람을 왕으로 추대하기 위하여 인물을 찾으러 다닐 적에 이새라는 노인이 그의 눈에 든 것도 그에게 여덟 명의 아들이 있었기 때문이다. 그를 복 받은 아버지로 여긴 것이며 그중에 여덟 번째인 다윗을 택한 것도 팔의 상징성에서 이해될 수 있다.

복음서에 보면 이스라엘의 메시아인 예수는 '복되어라'를 여덟 번 반복하며 "그들의 것은 하늘 왕국이다"라고 끝맺는다.(마태 5,3~10) 이 단락을 '팔복 선언'이라고 하며 이는 복 받을 여덟 종류의 사람들을 열거한 것이다. 복받은 아들(다윗)의 자손인 예수가 팔복을 선언하는 것은 오랜 전통을 잇는 언행이다. 〈선조들의 어록 6,8〉에는 팔복에 대해 이렇게 말한다. "미美, 권능, 부富, 명예, 지혜, 연로年老, 백발, 자손. 이것들은 의로운 자들에게 어울리며 세상에 어울린다."

메시아의 적수 666은 누구를 가리킬까

그렇다면 888의 상징성을 가지고 있는 메시아 예수의 적수敵手로 사용된 수치인 666은 역사적인 맥락에서 누구를 가리킬까? 예수는 진리의 빛으로 불리었으며 888은 최상의 복을 상징한다. 예수의 적수는 어둠의 우두머리로 6의 상징성을 극대화한 666의 숫자를 가진 인물이겠다. 여기서 6의 상징숫자는 부정적인 면을 가졌다고 볼 수 있다. 성경에 보면 여섯이 상징적으로 사용될 경우 불행이나 불길한 징조를 예고하는 경우를 자주 볼 수 있다.

히브리 성경에 전해진 창세 이야기에서 하느님이 아담을 여섯째 날에 만든 이유는 아담이 죄를 짓고 에덴동산에서 쫓겨나야 하며 그 죗값으로 고통스럽게 평생 살아가야 하는 운명을 짊어져야 하기 때문이라고 랍비들은 설명한다. 여섯의 상징성이 불길한 예감을 알려주는 맥락으로 예수가 십자가에 달렸을 때의 이야기를 읽어볼 수 있다. "6시부터 어둠이 온 땅에 있었다. 9시까지."(마태 27,45) (흔히 '열두 시'로 의역하는데 원문에 있는 숫자를 그대로 적는 것이 바람직하다.) 여섯 시에 어둠, 즉 불길한 징조가 온 땅을 덮었다는 이야기다.

666은 이스라엘이 기다리는 메시아에게 불행을 최대한 증폭시킬 수 있는 군주일 것이다. 그는 여섯(불행/불길한)의 성격을 지닌 맹수로, 그리스도교 공동체에 불행을 초래한 통치자로 보았다. 당시의 로마제국의 상황에서 본다면 어떤 인물을 가리키는 것일까?

흔히 그리스도교를 탄압하고 그리스도의 복음 사업을 방해하는 자는 로마제국의 황제라고 여겼으며, 네로 황제가 당시 상황에서 보면 가장 적합한 인물로 보았다.

네로 황제는 자신을 신이라고 천명하고 유일신 종교인 유대교와 그리스도교를 로마의 이교로 간주했다. 그는 유대인들을 무례하게 억압했고, 결국 66년에 과격파 유대인들의 항쟁으로 이어졌다. 또한 그리스도교 신자들에게도 네로 황제는 사악한 폭군으로 여겨졌다. 64년 로마에서 발생한 화재 사건을 그리스도교 집단의 의도적 방화로 몰아세우고 그리스도교를 탄압한 첫 번째 억압자라고 초대 교부들은 언급했다. 그래서인지 '네로 황제'를 히브리어로 음역(נרון קסר 네룬 케사르)하여 게마트리아로 환산한 수치(50-200-6-50, 100-60-200)를 만들어냈다.

그렇지만 요한계시록의 맥락에서는 네로 황제가 666의 인물에 적합하지 않다. 요한의 환시에 나타난 666의 숫자를 지닌 사람에 대한 이야기를 읽어보자. 그는 바다에서 올라온 맹수로 열 개의 뿔과 일곱 개의 머리를 가졌다(이런 바다 괴물은 뱀처럼 길며 머리가 여섯 개인 스킬라의 모습과 비슷하다. 〈그림 12-8〉 폼페이우스 은화 뒷면 참조). 그 머리들에는 (하느님을) 모독하는 이름이 있었다. 그런데 그 머리들 가운데 하나는 죽도록 난도질을 당한 것 같지만 그의 치명상은 치유되었으며 온 땅이 그 맹수의 살아남에 대해 놀라워했다고 말한다.(요한계시록 13,1~3)

그러자 그 환시에 또 다른 맹수가 나타난다. 이번 맹수는 땅에서 올라왔으며 그는 어린양처럼 두 개의 뿔을 가졌고 용같이 말했다. 그 맹수는 첫째 맹수의 모든 권세를 그 앞에서 행사한다. 그래서 그는 사람들로 하여금 그 치명상이 치유된 첫째 맹수를 경배하도록 한다. 더욱이 칼의 상처를 지닌 채 살아난 그 맹수를 위해 형상을 만들게 하여 그 형상에 경배하지 않는 자는 누구든 죽임을 당하도록 했다. 또한 그는 누구든 그의 오른손이나 이마에 표시를 받게 하였으며 바로 그 표시에 그 맹수의 이름이나 그 이름의 숫자가 있다고 말한다.(요한계시록 13,11~17) 그 숫자가 666이다. 그리고 또다시 환시가 보였는데 이번에는 어린양

이 시온 산 위에 서 있고 그와 함께 십사만 사천 명이 있으며 그들의 이마에는 그의 이름과 그 아버지의 이름이 쓰여 있다고 말한다.(요한계시록 14,1)

마지막 환시에 나타난 어린양은 예수며 그와 함께 있는 사람들은 그의 제자들이겠다. 그들은 시온 산에서 666의 숫자를 지닌 맹수의 형상을 경배하는 사람들과 대면하여 하느님의 심판이 그들에게 내릴 것을 보고 있다. 곧 바로 천사들이 나타나 큰 소리로 이렇게 말한다. "누구든 저 맹수와 그 형상을 경배하고 제 이마나 손에 표시를 받으면 그런 자는 하느님 분노의 술을 마실 것이다 (…) 그리하여 그자는 거룩한 천사들과 어린양 앞에서 불과 유황으로 고통을 받게 될 것이다."(요한계시록 14,9~10) 그 맹수의 형상에 예배드리는 자는 지옥에 떨어지는 심판을 받을 것이라는 말이다.

12-8 폼페이우스 은화(3.50그램)
기원전 38년경 폼페이우스가 옥타비아누스의 함대를 상대로 승리한 것을 기념하여 주조한 데나리온이다.
앞면 가운데에 바다의 신 포세이돈에게 헌신한 동상이 있고 그 아래에 폼페이우스의 함대가 있으며 독수리와 지팡이와 삼지창으로 장식되어 있다.
뒷면 스킬라가 그려져 있다. 세 마리의 개와 물고기가 함께 그려져 있다.

예수를 대적하는 그 맹수의 형상은 어느 로마 황제를 가리킬 것으로 추정한다. 그 단서는 그 환시에서 찾아볼 수 있다. 두 번째 어린양처럼 두 개의 뿔을 지닌 맹수가 첫째 맹수의 모든 권세를 그 앞에서 행사한다는 내용이다. 첫 번째 맹수는 칼로 난도질을 당해 죽었고, 두 번째 맹수는 첫 번째 맹수의 모든 권한을 물려받았다. 얼마 지난 후 첫 번째 맹수는 살아났으며 두 번째 맹수는 살아난 첫 번째 맹수의 형상을 만들게 하여 예배드리게 했다는 이야기다. 여기서 살아난 맹수의 형상을 만든 것은 죽은 인물을 신격화했다는 뜻이다.

로마 황제들 가운데 신격화된 인물들로 율리우스 카이사르(기원전 42년), 옥타비아누스, 티베리우스(14~37년 재위), 가이우스 칼리굴라(37~41년 재위), 클라우디우스(41~54년 재위), 네로, 베스파시아누스(69~79년 재위), 도미티아누스(81~96년 재위) 등을 들 수 있다. (네로가 666에 적합하지 않은 이유는 그가 살아 있는 동안 신으로 추대되어 신전에 그의 형상을 두었기 때문이다.)

이들 가운데 죽은 다음에 신격화된 사람은 기원전 44년 3월 15일 원로원에서 14명 의원들의 칼에 마구 찔려 죽은 율리우스 카이사르다. 그가 살해된 후 2년째 되는 해(기원전 42년 1월 1일)에 원로원은 그를 신(DIVVS IVLIVS)으로 공포했다. '첫 번째 맹수가 죽도록 난도질을 당했다' 혹은 '칼의 상처' 등을 운운한 점도 율리우스 카이사르의 죽음을 표현한 것으로 보인다. 더욱이 율리우스 카이사르는 유언장에 옥타비아누스를 양자로 삼고 그에게 모든 권한을 넘겨준다고 천명했던 역사적 사실은 "그 맹수는 첫째 맹수의 모든 권세를 그 앞에서 행사한다"는 요한계시록의 기록과 비슷하다. 또한 두 번째 맹수는 어린양처럼 두 개의 뿔을 가졌다고 말하는데 옥타비아누스가 주조한 은전에 두 개의 뿔

을 가진 염소자리가 나온다. 이는 요한이 본 환시의 장면과 비슷한 모습이다.

[이 당시 염소자리는 동지에 황도대에 떠올랐다. 동지는 로마의 태양신 헬리오스의 탄생일로 알려졌으며 옥타비아누스의 은전에 염소자리를 새겨 넣은 의도는 그가 태양신과 같은 역할을 한다고 선전하는 데에서 이해할 수 있다. 예수가 12월에 태어난 것도 이와 맞물리는 전승이며 4세기 초 그리스도교가 로마의 국교로 공인되면서 동지는 그리스도의 탄생일이 되었다(12장 〈예수의 오른손에 있는 일곱 개의 별은 무엇일까〉 참조). 옥타비아누스 은전의 염소자리 그림이나 예수의 탄생 등과 같은 사례는 구원자가 동지에 태어난다는 고대로부터의 전승에 따른 이야기다.]

그런데 요한의 환시에 따르면, 예수와 그의 지지자들은 율리우스 카이사르의 형상에 예배드리는 사람들이 불과 유황으로 고통 받게 된다고 저주할 만큼 그들을 적대시하는 모습을 볼 수 있다. 복음서에 전해

12-9 염소자리가 새겨진 옥타비아누스 은전
앞면 옥타비아누스의 두상: AVGVSTVS DIVI F(신의 아들 아우구스투스)
뒷면 염소자리와 그 어깨 위에 곡식과 열매로 가득 찬 염소 뿔. 그 밑에 AVGVSTI. (곡식과 열매로 가득 채운 염소 뿔cornucopia은 풍요를 상징하는 그림으로 주화에 자주 사용되었다.)

진 '황제의 것은 황제에게'라는 일화는 로마에 주민세를 내야 하는지에 대한 예수의 답변을 이야기한다 예수는 로마에 주민세를 내는 의무가 토라의 길과 상치되지 않다고 말한다(9장 〈황제의 것은 황제에게 주시오〉 참조).

복음서와 요한계시록의 이해가 서로 다를 수 있다. 그렇지만 엣세네와 관련해서 이해하면 보다 분명해진다. 엣세네 공동체는 로마를 어둠의 자식들이라고 매우 적대시했다. 빛의 자식들인 엣세네 사람들이 그들과 싸워 이겨야 한다며 《빛의 자식과 어둠의 자식들의 전쟁 규례》라는 책을 만들어 가르칠 정도였다. 요한의 계시록도 '빛의 자식과 어둠의 자식들의 전쟁'이라는 주제에서 이해될 수 있다. 엣세네가 로마를 미워하는 내용을 그들의 규례뿐 아니라 아래에 인용한 성경해석에서도 찾아볼 수 있다.

> "그분(하느님)은 바다를 꾸짖으며 말린다."(나훔 1,4)
>
> 그 해석. '바다'. 그들은 모든 키팀(로마 군대)이다. 그분은 그들에게 심판을 내리며 땅 위에서 그들을 끝낸다. 그들의 모든 통치자들과 함께 그들의 집권은 마지막이 될 것이다.(〈나훔서 해석〉 3~4)

> "그들은 두렵고 무섭다. 그들의 심판과 위엄은 그들에게서 나온다."(하박국 1,7)
>
> 그 해석. 그들의 공포와 위협이 모든 민족들 위에 있는 키팀에 관한 것이다. 그들의 온갖 생각의 조언은 악한 데 있으며 꾀와 속임으로 모든 다른 민족들과 다닌다(거래한다).(〈하박국서 해석〉 iii,3~6)

"그들의 말[馬]은 표범보다 빠르며 광야의 늑대보다 날쌔다. 그들의 기마병들은 질주한다. 그들의 기마병들은 먹으려고 돌진하는 독수리처럼 멀리서 온다. 그들 모두는 폭력을 쓰기 위해 오며 그들은 얼굴의 방향을 앞으로 향한다."(하박국 1,8~9)

그 해석. 말들과 짐승들로 땅을 짓밟는 키팀에 관한 것이다. 그들은 독수리처럼 모든 백성을 삼켜 먹으려고 멀리서, 즉 바다의 섬에서 온다. 그들은 만족하지 않으며 열화와 [분노와 진노와] 분개하여 그들은 [모든 이스라엘 백성들에게] 말한다. 왜냐하면 "그들은 얼굴의 방향을 앞으로 향한다"고 말했기 때문이다.(〈하박국서 해석〉 iii, 7~13)

위의 해석 가운데 요한계시록의 단락과 비교하여 흥미로운 부분을 읽어볼 수 있다. 로마 군대가 바다의 섬에서 온다고 해석한 점이다. 요한계시록에 따르면 첫 번째 맹수가 바다에서 올라왔다고 이야기한다. 위에서 살펴본 바와 같이 첫 번째 맹수는 율리우스 카이사르라고 본다면 그가 바다의 섬에서 온다는 말이다.

카이사르의 일화 가운데 바다의 섬과 관련해 다음과 같은 매우 유명한 이야기가 있다. 기원전 75년 로마에서 변호사로 활동하던 카이사르는 웅변술을 더 배우기 위해 키케로의 선생이었던 아폴로니우스 몰론 밑에서 공부하기 위해 로도스 섬으로 떠났다. 에게 해를 지나가던 중 그는 킬리키아 해적에게 유괴되어 인질로 붙잡혀 있었다. 해적은 그의 몸값으로 20달란트를 요구할 생각이었는데 그는 자신의 몸값을 50달란트로 올려 요구하라고 주장했다. 자신의 위치가 적어도 그만큼은 되어야 하지 않을까 하는 생각이겠다.

[이 일화를 숫자의 상징성에서 이해하면 매우 흥미롭다. 고대로부터

50은 주권을 상징했다. 고대 바빌로니아의 최고신 마르둑이나 엔릴의 숫자가 50이다. 장차 제국의 주권을 쥐게 될 율리우스 카이사르의 몸값에 비해 유다가 예수의 몸값으로 은전 30(왕권)을 요구했던 것은 한 작은 지방의 사건이라는 관점에서 볼 수 있겠다.]

그때 카이사르의 나이는 26세였지만 큰 포부를 지니고 있었음을 짐작하게 하는 일화다. 몸값이 지불되고 카이사르가 풀려난 다음 그는 선단을 조직하여 그 해적을 쫓아가 그들을 붙잡아 페르가몬에 가두었다. 당시 아시아의 총독은 그들을 노예로 팔려고 하였으나 카이사르는 자신의 권한으로 그들을 모두 십자가형으로 처형했다. 그러고 나서 그는 로도스 섬으로 갔다. 카이사르의 포부와 그의 분노를 잘 보여주는 일화다. 이런 이야기가 항간에 퍼져 '바다의 섬'은 일종의 설화소說話素로 작용하여 로마 군대의 잔혹함을 대변하는 이야기로 알려졌을 것이다.

엣세네 사람들이 로마를 적대시한 까닭은 역사적이다. 기원전 64년 유대아 지방을 로마의 속주로 만든 로마 장군 폼페이우스가 그다음 해 예루살렘을 점령하고 성전의 지성소에 들어가 성전을 속되게 했다. 이 사건으로 로마 통치자에 대한 종교적인 유대인들의 분노는 컸다.

기원전 40년부터 로마의 꼭두각시 노릇을 하는 헤롯이 예루살렘을 포함하여 유대아 지방을 통치하게 되었으나 그는 유대교의 종교 의례를 존중했고 더욱이 성전을 크게 개축하는 등 유대교에 우호적이어서 정치적으로는 큰 갈등이 일어나지 않았다. 그런데 헤롯 왕이 죽자 유대아 지방에 로마 총독이 파견되었고 이에 항거하는 유대인들의 반란이 일어났다. 로마 군대는 그들을 진압하고 가담자 2,000여 명을 십자가형에 처했다. 서기 6년 옥타비아누스 황제는 유대아 지방에 총독을 보내 통치하게 했다. 이로써 유대아 지방은 다시 로마의 속주가 되었다.

　예루살렘 성전의 사제들은 로마 정권에 우호적이며 사제들을 중심으로 형성된 사두개 사람들도 마찬가지였다. 바리새 사람들은 정치적인 문제에 관심을 두지 않고 토라 연구에 집중했다. 그러나 엣세네 지도자들은 종교적인 문제뿐 아니라 정치의식이 강했다. 종교적으로 매우 엄격한 보수적인 해석을 했으며 자주독립을 하지 못한 상황에서 그들이 섬기는 하느님의 자유는 불완전하다고 외쳤다. 자연히 엣세네 공동체는 로마에 항거하는 강경파 유대인들과 손잡게 되었으며 네로 황제의 신상숭배 정책에 그들은 봉기하게 되었다. 66년 예루살렘에 주둔한 로마 군대를 소탕하고 독립을 외쳤지만 69년 엣세네의 양성소가 있던 본원이 로마 군대에 의해 황폐하게 무너지고 엣세네 사람들은 본거지를 잃은 채 역사에서 사라졌다.

　요한계시록을 하느님의 진리와 자유를 외쳤던 엣세네 사람들의 종교심에 익숙한 그리스도교인의 입장에서 본 환시라고 본다면 로마 황제

12-10 '신 율리우스'라고 명기된 옥타비아누스 은화(3.88그램)
앞면 월계관을 쓴 카이사르 아우구스투스(CAESAR AVGVSTVS).
뒷면 가운데 혜성이 그려져 있고 주위로 여덟 개의 빛을 발산한다. 가운데에 '신 율리우스(DIVVS IVLIV[S])'라고 새겨져 있다. 기원전 19~18년 주조.

에 대한 분노와 질시는 매우 컸을 것 같다. 첫 번째 맹수가 율리우스 카이사르고 두 번째 맹수가 옥타비아누스라고 가정한다면 로마에 대한 적대심의 시원을 잘 파악한 것으로 판단할 수 있다. 왜냐하면 율리우스 카이사르를 신으로 추대한 장본인이 옥타비아누스고 그 자신은 '신의 아들'이라는 칭호로 제국에 선포했기 때문이다. 세상을 창조한 이스라엘의 하느님이, 로마를 제국으로 만든 카이사르가 신이 되고 그의 양자가 신의 아들이 된 세상에서 어떻게 함께 살 수 있겠는가. 요한은 그 첫 번째 황제를 어둠의 우두머리로 간주하고, 어둠의 불길함을 극대화한 666이라는 상징숫자로 표현한 것이라고 생각된다.

악마는 불과 유황의 못에 던져졌다 요한계시록 20,10

요한은 한 천사가 하늘에서 내려와 천 년 동안 뭇 민족들을 잘못되게 하지 못하도록 악마를 묶어놓는 환시를 보았다. 그 후 악마가 잠시 풀려나올 것이라고 말한다. 또한 보좌에 앉아 있는 심판관들과 예수에 대한 증언과 하느님의 말씀 때문에 목을 베인 사람들의 영혼을 보았다. 천 년이 끝날 때 사탄이 옥에서 풀려나와 세상의 사방에 있는 민족들을 잘못되게 하고 그들을 모아서 전쟁을 일으키며 성인들의 진지陣地와 사랑 받는 도시를 둘러싼다.

그러자 하느님에 의해 하늘에서 불이 내려와 그들을 삼켰다. 그들을 잘못되게 했던 그 악마는 불과 유황의 못에 던져졌는데 거기에 맹수와 거짓 예언자도 있었다. 그들은 영원히 낮과 밤으로 고통당할 것이다.(요한계시록 20,10)

요한계시록의 이러한 기록은 엣세네의 〈하박국서 해석〉(하박국 2,10)에서 읽어볼 수 있다.

그분은 그곳(심판의 집)에서 심판을 들고 와 그들 가운데서 그가 사악함을 알리며 유황의 불로 그를 심판한다.

'진리'라고 불리는 사악한 사제가 유황의 불로 심판을 받을 것이라는 말이다. 그 사악한 사제가 불의 심판을 받게 되며 그가 지옥에 떨어진다는 뜻이다. 초대교회의 입장에서 보면 그 악마는 그리스도를 반대하는 자다. 초기 유대교 랍비들의 창세기 미드라쉬에 따르면 지옥은 불타는 곳이다. 엣세네의 규례에도 악마의 운명에 처해 있는 사람들은 불로 저주 받는다고 이렇게 말한다.

죄짓는 사악을 행하므로 너는 저주 받을 것이다. 모든 보복자들의 손으로 너를 고난에 넘겨줄 것이다. 모든 복수자들의 손으로 너의 파괴를 가져올 것이다. 너는 저주 받을 것이다. 네 행함이 어둠처럼 너를 불쌍히 여기지 않고 영원한 불의 그림자처럼 너에게 화가 닥칠 것이다.(《단합체의 규례》 ii, 6~8)

불로 저주 받는 자는 토라를 잘못 해석하는 사람이다. 그래서 예수는 사람이 두 눈으로 죄짓고 불 속에 들어가는 것보다는 죄지은 눈을 빼어버리고 생명에 들어가는 것이 낫다고 가르쳤다.(마태 18,8~9) 눈이 악해지면 마음이 악해지고 악한 마음에서 토라를 잘못 해석하게 된다.

천상의 에덴동산 요한계시록 22,1~2

죽음에서 일어선 예수는 올리브 산에서 하늘로 올라가 하느님의 오른편
에 앉아 장부에 사람들의 언행을 기록한다고 이야기한다.

> 나는 죽은 자들이 큰 사람이나 작은 사람이나 모두 보좌 앞에 서 있는
> 것을 보았다. 책들이 펼쳐졌다. 마침내 다른 책 하나가 펼쳐졌는데 그
> 것은 생명의 책이었다. 죽은 자들은 그 책에 기록된 대로 자기 행실에
> 따라 심판을 받았다.
> (중략)
> 누구나 이 생명의 책에 기록되지 않은 자는 이 불 못에 던져졌다.(요한
> 계시록 20,12~15)

하늘의 성전에 앉아 있는 하느님과 예수는 망자들을 심판하고 있다.
엣세네의 시편 가운데 하늘에는 하느님의 성전이 있고 천사들이 하느
님을 찬미하는 노래가 끊이지 않으며 하느님이 영원한 심판관이라고
노래하는 찬양시가 있다.

> 높은 곳의 하느님을 찬송하라.
> 모든 지식의 천사들 가운데 높은 자들이여.
> 하느님의 거룩한 자들이여,
> 그분의 거룩한 자들은 거룩함으로 거룩하게 만드는 영광의 왕을 찬양
> 하게 하라.
> 하느님을 찬양하는 우두머리들이 놀랍고 찬양 받기에 마땅한 하느님
> 을 찬양하라.

찬양의 영광은 그분 지배의 영광이다.

거기에서 모든 천사들의 찬양이 그분의 전능의 영광과 함께.

높은 하늘로 그분의 높으심을 높여라.

높은 곳의 천사들이여,

모든 높은 곳 위에 그분의 영광이.

참으로 그분은 하늘의 높은 곳의 모든 우두머리들의 하느님이며

영원한 의회의 왕 중의 왕이다.

그분의 말씀으로 모든 천사들이 생겼으며

그분의 입술의 명령으로 모든 영원한 영靈들이.

그분의 지식의 의도로 그분의 모든 피조물들이 짐을 짊어진다.

기쁨으로 노래하라.

그분의 지식을 즐기는 자들이여,

놀라운 천사들 가운데 즐거워하라.

지식으로 찬송하는 자들의 입으로 그분의 놀라운 기쁜 노래를.

그분은 즐거워하는 자들 모두의 영원한 하느님이며

그분의 권능으로 슬기로운 모든 영靈들의 심판관이다.(〈안식일 헌신 시편〉)

〈안식일 헌신 시편〉은 일 년의 상반기 13번 동안 안식일의 전례에 사용되었던 찬송이다. 이 시편(Songs of the Shabbath Sacrifice, 4Q403)은 천사들의 사제직과 천상의 성전과 성전에서 안식일 예배에 관한 천사들의 찬양을 노래한다. 하느님의 거룩한 자들은 하느님의 지식을 즐기는 사람들이며 그들은 그분의 권능으로 슬기로운 영을 가지고 있기 때문에 하느님의 심판에서 거룩하고 의로운 자로 선택되어 하느님의 보상을 받아 하늘에 올라가 천사들 가운데 서서 하느님을 찬양한다는 노래다.

하늘로 올라가 하느님 옆에 앉아 있는 예수가 '나는 알파고 오메가다'라고 말한 까닭은 그가 하느님의 권능을 받아 사람들의 마지막 날에 그들의 잘잘못을 심판하고 보상을 준다는 데에서 찾아볼 수 있다. 하느님의 가르침(토라)을 배우고 즐겁게 행한 사람들은 그에 합당한 보상을 받아 거룩한 자들이 되어서 천상의 에덴동산에 들어가 하느님을 찬양하게 된다는 이야기다.

> 그분(하느님)의 계명을 행하는 이들은 복되도다.
> 생명나무에 대한 그들의 권한을 받기 위해 그들은 성문을 지나 도성 안으로 들어간다.(도성) 밖에는 개들과 마술쟁이들과 음행하는 자들과 살인자들과 신상숭배자들과 거짓을 좋아하고 행하는 자들이 (남아 있을 것이다).(요한계시록 22,14~15)

'생명나무'는 에덴동산의 생명나무를 가리킨다. 에덴동산이 성처럼 성벽으로 둘러싸여 있다는 것은 에덴동산 입구에 문지기를 두었다는 문구(창세기 3,24)를 읽어보면 확실하다. [에덴동산에서 쫓겨난 아담이 혹시나 생명나무의 열매를 먹으려고 에덴동산에 다시 돌아온다면 들어가지 못하게 그 입구에 문지기(크룹)들을 두었다고 한다. 만일 에덴동산이 울타리 없는 트인 공간이면 왜 그 입구에 문지기를 세웠느냐는 질문에 대한 대답이다.]

요한계시록에서 말하는 생명나무가 있는 낙원은 하늘에 있는 에덴동산을 뜻한다. 천상의 에덴동산에 생명나무가 있고 하느님의 계명을 잘 지키는 사람들이 생명나무에 대한 그들의 권한이 생길 수 있도록 도성을 향해 성문으로 들어간다는 말이다. 그곳에 들어가려는 이유는 생명나무의 열매를 먹기 위해서다. 요한은 그가 본 계시에서 생명나무에 대해 이렇게 이야기한다.

> 그(천사)는 나에게 수정처럼 빛나는 생명수의 강을 보여주었다. 그 강은 하느님과 어린양의 보좌로부터 흘러나온다. 그 도성의 넓은 거리 한가운데, 그 강의 이편저편에 열두 번 열매를 맺는 생명나무가 있으며 매달 열매를 맺었고 그 나무의 잎들은 민족들을 치료하기 위한 것이다.(요한계시록 22,1~2)

'어린양'은 예수를 가리킨다. 세례자 요한이 예수를 바라보며 이렇게 말한다. "보라, 세상의 죄를 없애는 하느님의 어린양이다."(요한 1,29) [여기서 '어린양'은 속죄를 위한 희생제사에 올리는 제물을 뜻한다. 새 언약의 시대에 도래하는 영광의 메시아는 에덴동산의 처음 아담보다 더 온전한 하느님의 아들이다. 처음 아담이 죄를 지어 에덴동산에서 쫓겨났는데 새 아담은 처음 아담이 지은 죄를 짊어진 희생양이 된 메시아다.]

천상의 에덴동산 궁전에 하느님과 예수가 보좌에 앉아 있으며 수많은 천사들이 시중을 들고 있다. 그곳으로부터 흘러나오는 강물을 마시고 자라는 생명나무가 도성 사거리에 있다. 그 생명나무의 열매를 먹으면 하느님처럼 영원히 살 수 있다고 에덴동산 이야기에서 말한다. 하느님은 선악과를 먹은 아담과 그의 아내에게 이렇게 말한다. "보아라, 사람이 선과 악을 아는 우리 가운데 하나처럼 되었다. 지금 그가 그의 손을 뻗쳐서, 생명나무에서도 또한 가져다가 먹고, 영원히 살면 안 되겠다."(창세기 3,22)

요한계시록에 따르면 천상의 하느님 왕국에 들어가는 길목에 여러 강이 있는 것을 상상할 수 있다. 또한 아무나 들어가서 생명나무의 열매를 먹을 수 있는 것 같지 않다. 그곳까지 가는 길은 매우 험난할 것으로 생각된다. 초기 유대교 신비주의 문헌에서 신비주의자들이 천상의 하느님 왕국에 들어갔다 돌아온 경험을 이야기하는 장면을 읽어볼 수 있다. 천상에 올라간 랍비는 아키바 랍비며 그의 동료인 이쉬마엘 랍비가 그에게 천상의 경험을 들려달라고 요청한 이야기다.

이쉬마엘 랍비는 말했다.
"내가 아키바 랍비에게 사람이 전차(메르카바)에 올라탈 때 말하는 기도를 부탁하고 그가 누구인지를 아는 이스라엘의 하느님 주YHWH 라즈야(하느님의 신비)에게 찬양하기를 청했다."
그는 나에게 말했다.
"깨끗함과 거룩함이 그의 마음에 있어야 합니다."
그는 기도를 했다.
"당신은 영광의 보좌에서 영원히 찬미 받으십니다.
당신은 높은 곳의 방, 장엄한 곳에 거居하십니다.
당신은 신비하고 신비한 것을, 비밀스럽고 비밀스러운 비밀을 모세에게 밝히셨고 모세는 이스라엘에게 그것들을 가르쳤기 때문에 그들은 토라를 행하는 자들이 될 것이며 배움(탈무드)으로 위대해질 것입니다."
아키바 랍비는 말했다.
"내가 (하늘로) 올라가서 전능하신 분을 쳐다보았을 때 하늘의 모든 통로에 있는 온갖 피조물들을 보았으며 그들의 높은 키와 아래의 너비와 위의 너비와 아래의 길이를 눈여겨보았다."

이쉬마엘 랍비는 말했다.

"거기에 서 있는 시중드는 천사들은 어떠합니까?"

그는 나에게 말했다.

"강 위에 놓여 있는 다리 같으며 온 세상이 그 위로 지나갑니다. 시작부터 통로의 끝까지 다리가 놓여 있습니다. 시중드는 천사들이 그 주위를 돌며 이스라엘의 하느님 TRQLYY 앞에서 노래를 부릅니다.[02] 두려움의 열정적인 자들, 두려움의 부관들이 그분 앞에 서 있습니다. 수천 명이, 수만 명이 이스라엘의 하느님, 주YHWH 야우쯔야의 보좌 앞에서 찬송과 찬양을 드립니다."

"다리가 얼마나 있습니까? 불의 강이 얼마나 있습니까?

우박의 강이 얼마나 있습니까? 눈의 창고가 얼마나 있습니까?

불의 바퀴가 얼마나 있습니까? 시중드는 천사는 얼마나 있습니까?"

"다리는 12천만 있으며 6(천만)은 위에 6(천만)은 아래에.

불의 강이 12천만 있으며 6(천만)은 위에 6(천만)은 아래에.

우박의 강이 12천만 있으며 6(천만)은 위에 6(천만)은 아래에.

눈의 창고가 12천만 있으며 6(천만)은 위에 6(천만)은 아래에.

불의 바퀴가 24만 있으며 12(만)는 위에 12(만)는 아래에.

그것들은 다리, 불의 강, 우박의 강, 눈의 창고, 시중드는 천사들을 둘러싸고 있습니다."

"각 통로에 시중드는 천사는 얼마나 있습니까? 그리고 하늘의 모든 통로 가운데에 마주 보고 서 있는 피조물들은 [어떠합니까?] 그리고 이스라엘의 하느님 라즈야는 어떠합니까?"

그는 이쉬마엘 랍비에게 말했다.

"그들을 쳐다보고 이스라엘의 하느님 주 RWZNYM이 어떠한지를 보

는 것이 어떻게 가능하겠습니까?"(《헤칼로트 라바티(큰 성전들)》시작 부분 1~2)

하느님의 영광의 보좌에까지 가는 길이 매우 먼 것을 확연히 알 수 있다. 불과 우박의 강 위에 있는 수많은 다리를 통과해야 하고 눈의 창고를 지나가야 하는 험난한 길이다. 잘못하면 불 속으로 떨어지거나 우박을 맞아 죽을 수 있고 눈 속에 파묻힐 수도 있다. 각 통로에 지키고 있는 천사들도 수없이 많다. 요한계시록에 나오는 천상의 에덴동산으로 올라가는 길도 이러할 것으로 보인다.

수호천사들

초기 랍비 유대교 문헌에 보면 하느님이 창조 둘째 날에 창공과 천사들과 지옥의 불을 만들어냈다고 이야기한다. 창공을 만든 이유는 그곳에 에덴동산 궁전을 짓기 위해서다. 하느님이 만들어낸 천사들과 함께 정의와 공의로 사람들을 심판한다고 이야기한다. 아래 인용한 단락은 《엘리에제르 랍비의 해설집》 4장에 나온다.

(창조) 둘째 날에 찬미 받으시는 거룩하신 분이 창공과 천사들과 살과 피의 불, 그리고 지옥의 불을 만들어냈다.

초기 유대교 랍비들의 해석에 따르면 하느님이 천사들과 메시아의 도움을 얻으며 세상을 만들어냈다고 한다. '살과 피'는 살아 있는 사람을 뜻하는 히브리어 숙어다. 하느님이 창조의 둘째 날에 지옥의 불을 만들어냈다고 주장하는 해석의 출발점은 창조의 첫째 날부터 여섯째

날까지 둘째 날(창세기 1,6~8)을 제외하고 '하느님이 보니 참으로 좋았
다'라는 구절이 모두 나온다는 사실에서 찾았다. 다른 날들은 모두 좋
다고 말하는데 둘째 날은 그렇지 않다. 둘째 날에 하느님이 보기에 좋
다는 말이 나오지 않은 까닭은 사람들이 붙잡혀가 고난을 받는 불타는
지옥을 만들어야만 했기 때문이라고 랍비들은 변론한다. 복음서에도
불지옥이라는 단어가 나온다. "누구에게든 '바보'라고 말하는 자는 불
지옥에 합당합니다."(마태 5,22; 요한계시록 20,10 참조)

하늘과 땅이 첫째 날에 만들어지지 않았느냐?
이렇게 말한다. "처음에 하느님께서 하늘과 땅을 만들어냈다."(창세기
1,1)
그분은 둘째 날에 어느 창공을 만들어냈느냐?
엘리에제르 랍비는 말한다.
"네 짐승들의 머리 위에 있는 창공이다. 이렇게 말한다. '짐승의 머리
들 위에 있는 모습들은 무서운 수정水晶 같았다'."(에스겔 1,22)

하느님이 처음에 하늘과 땅을 만들었다고 하는데 둘째 날에 왜 창공
을 만들었냐는 반문이다. 하늘과 창공이 무엇이 다른가 하는 질문이다.
그 대답은 천상의 성전을 이야기하는 단락에서 찾았다. 창공에 있는 네
짐승들이 무엇일까?

'무서운 수정 같다'는 것이 무엇일까?
그것은 좋은 돌들과 진주 같다. 그것은 집에 있는 등불처럼 모든 하늘
위를 밝게 한다. 그것은 정오에 그 힘으로 밝게 하는 태양 같다. 이렇게

말한다. "빛이 나(하느님)와 함께 머문다."(다니엘 2,22)

이처럼 미래의 의로운 자들이 오는 미래를 밝게 한다. 이렇게 말한다. "식자識者들이 창공의 광채처럼 빛날 것이다."(다니엘 12,3)

네 짐승의 머리 위에 있는 모습은 진주처럼 하늘을 밝게 비춘다는 말이다. 그 빛은 하느님과 함께 있다. 하느님과 함께 있는 빛은 의로운 사람들이며 그들이 세상을 밝게 한다는 뜻이다. 복음서에도 이러한 내용을 읽어볼 수 있다. "처음에 말씀이 있었다. 그 말씀은 하느님과 함께 있었다. (…) 그(메시아)는 진리의 빛이었으며 세상에 와서 모든 사람에게 비추고 있다."(요한 1,1 · 9) 여기서 말씀은 진리의 빛으로 해석했다. 진리의 빛은 의로운 사람을 뜻한다. 하느님의 보좌가 있는 창공이 수정과 같다는 표현은 요한계시록에서도 볼 수 있다. "(하느님)의 보좌 앞에는 수정과 같은 유리바다가 있었다."(요한계시록 4,6)

둘째 날에 만들어진 천사들.

그분의 말씀으로 그들(의로운 자들)이 보내졌을 때 그들은 바람이 되었다. 그들이 그분 앞에서 섬길 때 그들은 불이 되었다. 이렇게 말한다. "그분은 그분의 천사들을 바람으로 만들었고 그분의 시종들을 타오르는 불로 (만들었다)."(시편 104,4)

네 종류의 시종 천사들이 찬미 받으시는 거룩하신 분 앞에서 외친다. 첫째 진영은 그분의 오른편에 미카엘이며 둘째 진영은 그분의 왼편에 가브리엘이고 셋째 진영은 그분의 앞에 우리엘이며 넷째 진영은 그분의 뒤편에 라파엘이다.

하느님의 말씀으로 의로운 자들이 바람이 되었다는 것은 그들이 거룩한 영이 되었다는 뜻이다. 바람과 영은 같은 단어(루악흐)다. 천사들은 바람과 타오르는 불로 표현된다. 요한계시록에도 같은 표현이 나온다. '(하느님)의 보좌 앞에 일곱 개의 횃불이 불타고 있었는데 그것은 하느님의 일곱 영이다.'(요한계시록 4,5)

전통적으로 하느님을 보좌하는 네 명의 대천사가 있다고 이야기한다. 그들은 미카엘('누가 하느님 같으냐')과 가브리엘('나의 권능은 하느님'), 우리엘('나의 빛은 하느님'), 그리고 라파엘('하느님이 치료한다')이며 하느님을 사방에서 보좌·보필한다.

그리고 찬미 받으시는 거룩하신 분의 현존(쉐키나)은 가운데에 있으며 그분은 높고 높은 보좌 위에 앉았다. 그것은 높이 공중 위에 들려 있었다. 그분의 영광의 모습은 호박琥珀 빛 같았다. 이렇게 말한다. "내가 보니 호박 빛 같았다."(에스겔 1,27)

왕관이 그분의 머리에 놓였으며 뚜렷한 이름(을 적은) 머리띠가 그분의 이마 위에 있다.

그분의 눈은 온 땅을 두리번거린다. 그(영광의) 반半은 불이고 그 반은 우박이다.

그분의 오른손은 생명이고 그분의 왼손은 죽음이다. 그분의 손에 불 지팡이를 들고 있으며 그분 앞에는 가리개가 쳐 있다. 처음에 만들어낸 일곱 천사들이 가리개 안에 그분 앞에서 시중을 들고 있다. 그 (가리개)를 '파르고드'라고 부른다.

그분의 발판은 불과 우박이다. 그분의 영광의 보좌 밑은 청옥靑玉 같다. 불이 그분 보좌 주위에 활활 타오른다. 정의와 공의는 그분 보좌의 기반이다. 영광의 일곱 구름이 그분을 둘러싸았으며 수레바퀴와 크룹과 짐승은 그분 앞에서 찬양한다. 그분 보좌의 모습은 네 발 달린 청옥 같으며 거룩한 네 짐승은 각기 발에 고정되어 있다. 하나에 네 얼굴 그리고 하나에는 네 날개가. 이렇게 말한다. "하나에 네 얼굴과 네 날개를."(에스겔 1,6) 그들은 크룹들이다.

하느님의 영광의 모습이 호박 빛 같았다는 것처럼 요한계시록에도 비슷하게 표현된다. "앉아 있는 분의 모습은 벽옥과 홍옥같이 보였으며 보좌 둘레의 무지개(영광)는 비취옥 같았다."(요한계시록 4,3)(무지개는 '일곱 구름'과 같은 뜻이다.) 머리띠에 적인 뚜렷한 이름은 יהוה(YHWH)다. 대사제의 머리띠에 이와 같은 장식이 나온다(10장 〈그림 10-3〉 참조).

그분이 동쪽 편에 말할 때 그분은 사람 얼굴의 두 크룹들에게 말한다. 그분이 남쪽 편에 말할 때 그분은 사자 얼굴의 두 크룹들 사이에 말한다. 그분이 서쪽 편에 말할 때 그분은 황소 얼굴의 크룹들 사이에 말한다. 그분이 북쪽 편에 말할 때 그분은 독수리 얼굴의 두 크룹들 사이에 말한다.

그들 저쪽에 수레바퀴와 전차 바퀴가 있다.

그분이 앉을 때 그분은 높고 높은 보좌에 앉는다. 그분이 땅을 내려다볼 때 그분의 전차는 수레바퀴 위에 있다. 전차의 구르는 바퀴 소음으로 번개와 천둥이 세상에 내려친다. 그분이 하늘에 있을 때 그분은 빠른 구름 위에 타고 있다. 이렇게 말한다. "그분은 크룹 위에 타고"(시편 18,11) 등등. 그분이 서두를 때 그분은 바람 날개 위에 (타고) 바삐 온다. 이렇게 말한다. "그분은 크룹 위에 타고 날아가며 바람 날개 위에 (타

고) 바삐 온다."(시편 18,11)

짐승들이 그분의 영광의 보좌에 서 있다. 그들은 그분의 영광의 장소를 알지 못한다. 그들은 경외와 공포와 두려움과 떨림 속에 서 있으며 그들 얼굴에서의 땀은 불의 강이며 그분 앞에서 빨아들였다 뿜어낸다. 이렇게 말한다. "불길의 강이 생겨 그 앞에서 솟아오른다."(다니엘 7,10)

'크룹'은 사람 얼굴에 사자 몸이고 독수리 날개를 달았으며 황소 다리를 한 모습으로 수호신의 역할을 하는 짐승이다. 바빌로니아와 아시리아 왕궁의 벽화, 부조浮彫, 조각 등에서 그 모습을 볼 수 있다. 아시리아의 궁전 입구에 세워놓았던 약 4미터 높이의 거대한 크룹들이 발굴되었다. 고대 이스라엘에서는 언약궤에서 크룹의 모습을 찾아볼 수 있다. '궤 위의 크룹들에 앉은 만군의 주님YHWH.'(사무엘하 6,2) 언약궤 안에는 모세가 시나이 산에서 하느님에게 받았다는 석판이 있다. 언약궤 위에 양 날개를 펴고 서 있는 크룹은 언약궤를 수호하는 역할을 한다. 솔로몬의 궁전 여러 곳에 크룹의 그림이 있었으며(열왕기상 7,29·36), 예루살렘 성전의 지성소에 하느님의 보좌 양옆에 날개를 펼친 크룹이 부각浮刻됐다(열왕기상 8,6). 네 마리의 크룹들이 창공에 있다는 말이다.

이처럼 승천한 예수의 계시로 볼 수 있는 천상의 에덴동산에도 천사들이 있고 크룹들이 서서 하느님을 찬미하고 있다. 그 에덴동산 가운데에 생명나무가 있으며 하느님의 계명을 지키고 선행을 한 의로운 사람들은 그곳에 들어갈 수 있고 그 열매를 먹을 수 있다. 또한 그 나무의 잎으로는 불치병이나 불구자를 치유할 수 있다고 한다. 하느님의 가르침(토라)을 배우고 행한 사람들에게 준비한 보상이 바로 이런 것들이다. 예수는 심판의 날에 착한 사람들에게는 이런 보상을 주고 거짓말쟁이

나 음행하는 자와 같은 악한 사람들은 도성 밖에서 지옥의 길로 떨어지게 된다는 말이다.

천상의 에덴동산에 들어가려는 사람은 토라를 지키고 자선을 행한 의로운 사람들이며 그들은 에덴동산에 들어가 하느님과 예수의 현존을 보고 그 선물로 생명나무의 열매와 잎을 받는다는 이야기다. 생명나무의 열매와 잎은 예수의 가르침과 치유다.

'낙원에 들어간 네 명' 이야기

초기 유대교 아가다 가운데 '낙원에 들어간 네 명'이라는 매우 잘 알려진 이야기가 있다. 네 명은 아키바 랍비와 그의 사위인 벤 아자이, 그리고 위대한 설교자라고 불리던 벤 조마와 '새싹을 잘랐다'고 하는 엘리샤 벤 아부야다. 아키바 랍비는 생전에 이미 이 낙원에 들어갔다가

12-11 천사의 날개를 달고 있는 하느님이 크룹 위에 서 있다
크룹 위에 서 있는 하느님은 날개 달린 천사와 화답하고 있다. [레]-예흐야후 [벤 샬]롬, '샬롬(평화)의 아들 예흐야후('YHWH는 있다')의 (인장).' 이 인장 그림은 '크룹에 앉아 계신 이스라엘의 하느님, 주 YHWH여'(이사야 37,16) 혹은 '그분은 크룹 위에 타고'(시편 18,11)의 묘사와 비슷하다. 기원전 9~7세기 유다 왕국 지역에서 출토된 인장.

온전히 나왔다고 말한다. 한편 다른 세 사람은 모두 도중에 쓰러지거나 길을 달리했다고 전한다. 그 가운데 한 사람은 동산에 들어가는 문턱에서 그 웅장함에 놀라 기절하여 죽고, 또 한 사람은 하느님의 보좌 앞까지는 붙들려 올라갔으나 그 현란한 광채에 그만 쓰러졌다고 한다. 다른 이는 보좌에서 그분의 말씀을 귀담아듣고 즐거운 마음에 가득 차 에덴 동산을 나와서 헷갈리는 사람으로 변했다고 한다. 그러나 아키바 랍비는 사전에 준비를 단단히 했기 때문에 놀라지 않고 영광의 보좌를 온전히 보았으며 하느님의 말씀을 듣고 나올 수 있었다는 이야기다. 135년 로마군에 의해 처형당한 아키바 랍비와 그의 동료와 그의 제자들이 연관된 이 이야기가 창작된 시기는 2세기 초반이라고 볼 수 있다.

네 명이 파르데스(낙원)에 들어갔다. 그들은 벤 아자이와 벤 조마, 엘리샤 벤 아부야 그리고 아키바 랍비다.

아키바 랍비는 그들에게 말했다.

"여러분이 (낙원의) 깨끗한 대리석에 도착하면, '물, 물'이라고 말하지 마시오. 왜냐하면 이렇게 쓰여 있습니다. '거짓말쟁이는 내(하느님) 앞에서 견디지 못한다.'(시편 101,7)"

(그들이 낙원에 도착하자) 한 사람은 보고 (그 자리에서) 죽었다. 또 한 사람은 보고 쓰러졌다. 다른 한 사람은 보고 새싹을 잘랐다. 그리고 한 사람은 온전히 올라가고 온전히 내려왔다.

벤 아자이는 보고 죽었으며 그에 대하여 성경에 이렇게 말한다. "주(主)의 눈에 그분의 경건한 자들의 죽음은 값진 것이다."(시편 116,15)

벤 조마는 보고 쓰러졌으며 그에 대하여 성경에 이렇게 말한다. "꿀을 찾았느냐? 너에게 충분할 만큼 먹어라. 혹시나 네가 많이 먹고 토할까

걱정이다."(잠언 25,16)

엘리샤 벤 아부야는 보고 새싹을 잘랐으며 그에 대하여 성경에 이렇게 말한다. "네 입으로 네 몸이 죄를 짓게 하지 마라. 천사 앞에서 이것은 실수라고 말하지 마라."(전도서 5,5)

아키바 랍비는 온전히 올라갔고 온전히 내려왔으며 그에 대하여 성경에 이렇게 말한다. "나를 인도하라, 네 뒤를 따라 우리가 달려가겠다. 왕이 나를 그의 방에 데려왔다. 우리는 너에게서 기뻐하고 즐거워하니 포도주보다 네 사랑을 더 기억하겠다."(아가 1,4) ((미쉬나), 〈하기가(축제)〉 2,3~4)

파르데스는 페르시아어로 '과수원, 정원, 동산' 같은 뜻이며 '낙원(paradise)' 등으로 그 뜻이 넓혀졌다. 파르데스를 천상의 에덴동산으로 비유한다. 하늘의 에덴동산에 들어가 무아지경의 환상적인 경험을 추구하는 현자들은 탈무드나 미드라쉬에 나오는 랍비들이다. 그들은 성경해석을 통하여 신비한 경험을 이야기했다.

[바울의 편지에도 에덴동산에 들어가 하느님의 말씀을 듣고 나왔다는 사람의 이야기가 나온다. "나는 벌써 14년 동안 메시아 안에 (있는) 사람을 알고 있습니다. 그 자신이 셋째 창공에까지 붙들려 갔었는데 몸도 함께인지 아닌지 나는 모르겠고 하느님은 아십니다. 나는 그 사람을 압니다. (…) 그는 파르데스(낙원)에 붙들려 가서 말하기에는 엄청난 말들을 들었으며 인간으로서는 단어로 말할 수 없는 것이었습니다."(고린도후서 12,2~4) 여기서 파르데스는 천상의 에덴동산을 뜻한다.]

벤 아자이는 에덴동산의 생명나무의 찬란함을 보자마자 놀라 죽었다는 설명이다. 벤 아자이와 같은 경건한 사람들의 죽음은 소중하다고 시편 구절에 인용되었다. '자비로운 자(하씨드)'는 계명을 지키기 위해 죽음을 두려워하지 않는 사람들이다. 이러한 죽음은 신비의 경험이며 에덴동산을 보는 것과 같다고 랍비들은 말한다.

벤 조마는 에덴동산의 이야기에서 배워야 할 것과 그렇지 않은 것을 구별하지 못하고(즉, 꿀과 꿀 옆에 달려 있는 것을 구별하지 못하고) 모두 먹어버려 탈이 났다는 이야기다.

벤 아자이와 벤 조마, 아키바 랍비 그리고 엘리샤 벤 아부야의 언명이 초기 랍비 유대교 문헌에 수록되어 있다.

> 벤 아자이는 말한다.
> 가벼운 계명이라도 달려가 범죄로부터 피하라.
> 계명은 계명을 이끌고 범죄는 범죄를 이끈다.
> 계명의 보답은 계명이며 범죄의 보답은 범죄다.(《선조들의 어록》 4,2)

벤 아자이처럼 경건한 사람은 아무리 가벼운 계명이라도 소홀히 다루는 적이 없다고 한다. (벤 조마의 언명은 9장 〈착한 사마리아 사람이 왜 좋은 이웃일까〉 참조.)

> 아키바 랍비는 말했다.
> 모든 것은 담보로 주어진 것이다.
> 그물은 모든 생명 위에 펼쳐 있다.
> 상점은 열려 있고 상점 주인은 외상을 준다.
> 외상 장부는 열려 있고 손은 적고 있다.
> 빌리기를 원하는 자는 와서 빌려갈 것이다.

수금원들은 매일 정기적으로 돌아다니며 사람에게서 그가 알든 알지 못하든 수금액을 빼간다.

그들에게는 믿는 바가 있으며 심판은 진리의 심판이다.

잔치를 위해 모든 것은 준비되어 있다.(《선조들의 어록》 3,16)

이 당시 언어로 '잔치'는 메시아가 오는 날에 베푸는 잔치를 뜻하는 표현으로 사용되곤 했다. [신약성경에 종종 인용되는 비유에도 '잔치'는 메시아 시대를 이야기한다.(마태 22,1~14: '왕의 아들 혼인잔치의 비유') 한 예로, '어린양의 혼인 잔치에 초대 받은 이는 복 받는다. 이것은 하느님의 진리의 말씀이다'(누가 19,9)라고 전한다. '어린양'은 예수를 가리키며 '혼인 잔치'는 메시아 시대를 기뻐하는 잔치를 말한다.]

이 잔치에 초대 받기 위해서는 외상으로 받은 것을 잘 갚아야 하는 것이다. 사람은 이 세상에 사는 권리를 하느님으로부터 외상으로 받았다. 상점 주인은 외상 장부에 빌린 사람이 얼마나 잘 갚고 있는지를 적는 것이다. 하느님은 장부에 사람의 잘잘못을 기록하고 이에 따라 심판의 날에 그를 심판한다. 외상 장부에 잘 기록되기 위해서는 자기가 빚진 것을 잘 갚아야 하며 그 방법은 토라를 배우고 선행하는 것이다.

'다른 이'가 보았다는 메타트론은 누구일까

'낙원에 들어간 네 명' 이야기에서 가장 수수께끼 같은 인물은 엘리샤 벤 아부야다. 그는 '새싹을 잘랐다'고 한다. 이 표현이 무엇을 뜻하는지 탈무드 등 여러 문헌에 언급된다. 초기 유대교 문헌에서는 그를 '다른 이'라고 칭한다('다른 이'는 문맥에 따라 개종자라는 뜻으로도 사용된다). 아래 단락은 그에 대해서 탈무드에 전해진 이야기다.

다른 이는 새싹을 잘랐다.

그에 관하여 성경에 이렇게 말한다. '네 입으로 네 몸이 죄를 짓게 하지 마라' 등.

(그를 죄짓게 한) 것이 무엇인가? 그는 천사 메타트론이 (하느님 옆에) 앉아 이스라엘의 공적을 기록하도록 허락된 것을 보았다.

다른 이는 말했다.

"높은 곳에서 (하느님을 존중하기 위해) 앉아 있지 못한다고 배웠지만…. 하느님 맙소사, 아마도 하느님의 권한에는 두 개가 있나 보다."

그들은 메타트론을 데리고 가서 (그에게 다른 천사들보다 더 권능이 있지 않다는 것을 보여주기 위해) 가죽 채찍으로 60대를 때렸다. 그러나 그 대가로 메타트론은 다른 이의 공적을 지울 수 있도록 허락되었다.(《바빌로니아 탈무드》, 〈하기가〉)

메타트론(Metatron)은 천사들 가운데 가장 중요하고 수수께끼 같은 천사다. 초기 유대교의 문헌에 따르면 메타트론은 하늘의 위대한 천사로 그는 에녹(하녹)이었다고 전한다. 그를 에녹으로 여기는 까닭은 에녹이 천국을 지었다고 하는 구전이 있기 때문이다.

[에녹이 하늘로 올라갔다고 여기는 이유는 아담의 계보에 이렇게 말하기 때문이다. "에녹이 산 모든 햇수는 삼백육십오 년이었다. 에녹은 하느님과 함께 걸었고, 하느님이 그를 데려갔기 때문에, 그는 없어졌다."(창세기 5,23~24) 에녹이 365년을 살고 없어진 것은 그가 하늘로 올라갔기 때문이다. 하느님이 에녹을 하늘로 데려간 이유는 "카인이 그의 아내를 알고, 그녀가 임신하여 에녹을 낳았다. 그리고 그는 도시를 세우고, 그 도시의 이름을 그의 아들 이름처럼 에녹(하녹)이라고 불렀다"

(창세기 4,17)는 데에서 살펴볼 수 있다. '하녹'은 '하나크'(집을 짓는 데 헌신하다, 신전을 헌당하다)에서 파생된 명사다. 하느님이 에녹을 하늘로 데려간 목적은 그의 이름이 도시 이름이기 때문에 그를 데려다가 하늘에 성전을 짓기 위해서다.]

하느님은 메타트론에게 일흔두 개의 날개를 달려주고 365x1000개의 눈을 달아주었으며 그를 '연소한 주님YHWH'이라고 불렀다. [일흔둘은 공간적으로는 온 세상을 뜻하며(5장 〈일흔두 명의 제자들을 어디로 보냈을까〉 참조), 365는 시간적으로 1년을 가리킨다. 그에게 시간과 공간을 다스리는 권한을 주었다는 말이다.]

'연소한 주님'은 하느님 다음의 지위를 가지고 있다는 뜻이다. 메타트론을 하늘의 대천사인 가브리엘과 미카엘보다 윗자리에 앉게 했다고 전한다. 그러나 위의 아가다에서는 메타트론이 죄를 짓지 않았는데도 토라의 법규를 배우는 사람들에게 모범을 보이기 위해 그가 마치 죄지어 벌을 받는 모습으로 나온다.

토라의 법규에 대한 미쉬나(법해석)에 따르면 하느님의 성전에는 하느님만이 앉아 있어야 한다. 하느님 홀로 주인이기 때문이다. 그러나 엘리샤 벤 아부야는 천상의 에덴동산에 들어가 하느님 옆에 한 대천사가 앉아서 사람들의 잘잘못을 기록하고 있는 것을 본 것이다. 엘리샤는 대천사 메타트론이 하느님으로부터 그런 권한을 받았다고 생각했다는 말이다. 엘리샤는 에덴동산에서 돌아와 그가 본 것을 그의 동료들에게 이야기했으며 그들은 엘리샤가 잘못 보았다고 하늘에 대고 외치자 하늘의 천사들은 다수의 의견에 따라 메타트론이 다른 대천사들과 별다름이 없다는 것을 보여주기 위해 그를 데려다가 채찍질을 한 것이다.

엘리샤가 본 메타트론은 누구일까? 그 해답은 엘리샤가 말한 단어에서 찾을 수 있다. '하느님의 권한에는 두 개가 있나 보다'고 말한 내용이다. 랍비 유대교의 관점에서 보면 하느님의 권한은 하나뿐이다. 그런데 '두 개의 권한'이라는 것은 초대교회의 교리에서 찾아볼 수 있는 말이다. 하느님과 예수의 권한을 말한다. 위에서 살펴본 요한계시록의 인용문('그 강은 하느님과 어린양의 보좌로부터 흘러나온다')에서도 읽어볼 수 있듯이 천상의 에덴동산에는 하느님과 예수가 보좌에 앉아 있는 것을 알 수 있다.

초기 유대교 전승에 따르면 창조 때에 준비되었던 영광의 보좌가 둘이 있다고 한다. 하나는 하느님의 보좌고 다른 하나는 다윗의 보좌라고 전한다. 《엘리야후 랍비의 해설》에서 그 부분을 읽어볼 수 있다.

찬미 받으시는 거룩하신 분이 의로운 자에게 말했다.
"오라, 내가 오직 의로운 자를 위해 만들어낸 에덴동산에 들어와라."
그러자 다윗은 세상의 주님이신 거룩하신 분을 잔치에 초대했다.
"오십시오, 에덴동산에서 우리와 잔치를 합시다." 이렇게 말한다. "나의 연인이 그분의 정원에 오게 하라."(아가 4,16)
그분은 다윗에게 귀 기울이고 의로운 자와 함께 동산으로 갈 것이다. 이렇게 말한다. "그가 나(하느님)를 부르면 나는 그에게 대답하겠다."(시편 91,15)
그래서 가브리엘 천사는 두 보좌를 가져왔다.
하나는 거룩하신 분을 위한 것이며 또 하나는 다윗을 위한 것이다. "그(다윗)의 보좌는 태양처럼 내(하느님) 앞에 (있을 것이다)."(시편 89,36)

여기서 말하는 '에덴동산'도 하늘 왕국에 준비된 낙원을 뜻한다. '잔치'또한 메시아의 도래를 이야기한다. 하느님 옆에 다윗의 보좌가 있다는 전승은 이스라엘을 구원하기 위해 메시아가 온다는 사상과 맞물려 있다. 다윗의 보좌에 메시아가 앉을 것이라는 말이다.

산헤드린에서 예수가 가야파 대사제의 질문에 대답하며 "이제부터 여러분은 전능하신 분의 오른편에 앉아 있는 아담의 아들을 볼 것입니다"(마태 26,64)라고 말하는데 그 '아담의 아들'이 앉아 있는 그 보좌가 바로 이러한 다윗의 보좌를 뜻한다. 엘리샤 벤 아부야의 이야기에서 그가 하느님 옆에 앉아 있는 메타트론을 메시아 예수로 해석한 것이다.

메타트론을 '연소한 주님YHWH'이라고 불렀다는 전승도 메타트론이 '하느님의 아들 예수'라고 이해했다는 관점에서 볼 수 있으며 하느님의 아들이 하느님의 권한을 받았다는 해석이다. '낙원에 들어간 네 명'의 이야기에서 엘리샤 벤 아부야가 에덴동산의 메타트론을 메시아 예수의 현존으로 본 것이다. 또한 메타트론이 죄를 짓지도 않았는데 가죽 채찍으로 60대 맞았다는 것은 빌라도가 예수를 채찍으로 매질한 다음 십자가형에 처하라고 넘겨주었다는 복음서 이야기(마태 27,26)와 비교된다.

'낙원에 들어간 네 명'의 이야기에서 엘리샤가 새싹을 잘랐다는 것은 예수가 마지막 시대에 오는 메시아이기 때문에 그 이후로 나타나는 메시아를 거론할 필요가 없다는 것을 보여주는 행동이다. 랍비 유대교의 입장에서 보면 엘리샤는 배교하는 언행을 하고 다니는 이단자다. 엘리샤 벤 아부야의 일화에서 '아마도 하느님에게 두 권한이 있나 보다'는 문구의 두 권한은 랍비 유대교와 초대교회를 뜻한다. 3세기경에 활동한 랍비들의 창세기 미드라쉬에서도 이러한 두 권한에 대해 해설하는 부분을 읽어볼 수 있다.

쉬무엘 바르 나흐만 랍비는 요나탄 랍비의 이름으로 말했다.

"모세가 토라를 쓰고 있을 때 그는 세상 창조의 날들을 쓰게 됐다. 그런데 '하느님이 말했다. 우리가 우리의 모습으로 우리와 닮게 사람을 만들자'(창세기 1,26)는 이 구절에 이르자, 그는 그분 앞에서 말했다.

'세상의 주님이시여, 당신은 왜 이교도들의 입을 열게 하시렵니까?'

놀랍게도 그분은 그에게 이렇게 말했다.

'받아써라! 누구든 잘못하기를 원하면 잘못할 것이다.'

찬미 받으시는 거룩하신 분이 모세에게 말했다.

'모세여, 내가 만들어낸 이 아담(사람), 바로 그에게서 내가 큰 자들과 낮은 자들을 세우지 않느냐? 만일 큰 자가 그보다 낮은 자에게 허락을 얻으려고 와서 그에게 말하길, '내가 나보다 낮은 자에게서 허락을 얻을 필요가 있소?'라고 한다면, 그들은 그에게 '위에 있는 것들과 아래에 있는 것들을 만들어낸 창조주에게서 배우시오'라고 말할 것이다.' 그래서 그분이 사람을 만들어내려고 왔을 때 그분은 시중드는 천사들과 상의했다."

레비 랍비는 말했다.

"여기서 그분이 누구와 상의한 것은 아니다. 이것은 왕궁의 출입구에서 거닐고 있던 왕에 비유할 수 있다. 그는 (땅에) 불쑥 솟아 있는 흙덩이를 보았다. 그는 '이것으로 무엇을 할까?'라고 물었다. 어떤 이는 공중목욕탕을 (만들라고) 말하고, 어떤 이는 개인 욕조를 말했다. 그러나 왕은 '내가 (나와 닮은) 상像을 만들겠다. 누가 말리겠는가?'라고 말했다."(《창세기 미드라쉬 랍바》 8,8)

모세가 시나이 산 꼭대기에서 하느님을 만나 하느님이 말하는 토라

(모세오경)를 받아 적고 있을 때를 이야기한다. '우리가 우리의 모습으로'라고 말하는데 이교도들이 '우리'라는 구절을 가지고 누가 우리인가에 대해 그들의 입을 열게 할 필요가 있겠느냐고 반문하는 장면이다. 이교도들은 '우리가 사람을 만들자'라는 구절에서 하늘에는 두 개의 권한이 있다고 해석한다. 여기서 이교도는 그리스도교를 뜻하며, 두 개의 권한은 창조주 하느님과 그리스도의 권한을 말한다. 만일 이교도들이 하느님 홀로 세상을 창조했다는 창조주의 권한에 대해 또 다른 이(그리스도)에게도 그런 권한이 있다고 해석하기를 원한다면, 그렇게 하라는 것이다.

복음서에 보면 세례자 요한이 사람들에게 세례를 주는 권한을 하늘에서 받았다고 당시 사람들은 이해했다.(마태 21,25) (9장 〈무슨 권한으로 가르치느냐고 시비를 걸었다〉 참조.) 이처럼 예수가 병자를 고치고 토라를 가르치는 권한을 하늘에서 받은 것이라고 말한다 해도 그 결과는 마찬가지다. 왜냐하면 이교도들도 토라(모세오경)를 읽고 배우기 때문이다. 여러 랍비들이 하느님은 그의 시중을 드는 천사들과 상의해서 세상을 만들었다고 해석하는 것처럼 토라 지식이 많은 학자들도 때로는 이교도들의 말에 경청하기도 한다는 이야기다.

그런데 레비 랍비는 그렇지 않다고 반대 의견을 내세운다. 왕과 조언자의 비유를 들며 왕은 그의 조언자들의 조언을 듣지 않는다. 이처럼 하느님은 사람을 만드는 일에 대해 천사들의 조언을 듣지 않았다고 해석한다. 하늘에 두 개의 권한이 있지 않다는 뜻이다. 이처럼 2~3세기에도 유대교는 그리스도교와 권한의 문제에 대해 심각한 갈등을 보이고 있었다.

랍비들의 미드라쉬에 엘리샤 벤 아부야 랍비와 그의 제자 사이의 문답이 전해진다. 그의 제자가 그에게 왜 회개하지 않느냐고 묻는 일화다. 이 일화는 잠언의 구절을 해석하는 방편으로 잠언 미드라쉬에 편집되었다.

"창녀를 위해서는 빵 한 덩어리 정도이지만 한 남자의 아내는 귀중한 목숨을 노리기 때문이다."(잠언 6,26)

메이르 랍비는 그의 선생인 엘리샤 벤 아부야 랍비에게 물어보았다.

"'한 남자의 아내는 귀중한 목숨을 노린다'.

이것은 무엇입니까(이 구절을 무슨 의미로 풀이합니까)?"

그는 그에게 말했다.

"만일 무식한 사람이 (토라의 법규에 대해) 잘못을 저질렀다면 그것은 그에게 그다지 수치스러운 것은 아니다. 왜 그러냐면, 그는 '나는 무식해서 토라의 처벌 규정을 알지 못했다'라고 말할 수 있다. 그러나 만일 (토라 학교의) 동료가 잘못을 저질렀다면 그것은 그에게 수치스러운 것이다. 왜냐하면 그는 정淨한 것을 부정한 것과 섞기 때문이다. 그는 그에게 귀중하다고 하는 토라를 우습게 여긴 것이다. 그래서 무지한 백성이 '보라, 여기 학교 동료가 잘못을 저질렀으니 그는 자기의 토라를 우습게 여긴 것이다'라고 말한다. 이렇게 말한다. '그녀는 귀중한 목숨을 노린다.'

메이르 랍비는 엘리샤 랍비에게 말했다.

"랍비님, 오는 미래에 한 남자의 아내가 받을 벌은 어떠합니까?"

그는 그에게 말했다.

"내 아들아, 네가 나에게 이 문제를 물어보니 와서 보아라. 이 주제에 대해 그 아래에 무엇이라고 쓰여 있는가?

'누가 불을 품에 안고 있는데 그 옷을 태우지 않겠느냐? 만일 누가 숯불 위를 걸어간다면 그의 발을 데지 않겠느냐? 이웃의 아내에게 들어간 자도 그러하다. 그녀를 건드리는 자는 모두 깨끗하다고 여겨지지 않는다.'(잠언 6,27~28)

여기에 '그는 깨끗하다고 여겨지지 않는다'고 말한다. 그러므로 하느님의 이름을 더럽힌 것에 대해 이렇게 말한다. '참으로 주님YHWH은 그분의 이름을 하찮게 한 자를 깨끗하다고 여기지 않는다.'(출애굽기 20,7)

더럽힌 자는 (그의) 돈(재산)에 대해 어떠한가?

여기서도 또한 '그는 깨끗하다고 여겨지지 않는다.' 그의 공덕을 상실한다는 것이다."

메이르 랍비는 그에게 말했다.

"랍비님, 그에게는 돌이킬 (길이) 없습니까?"

그는 그에게 말했다.

"내 아들아, 한번은 내가 내 동료 벤 아자이 앞에 앉아서 우리는 이것('깨끗하다고 여겨지지 않는다')에 대한 풀이에 관심을 가지고 있었다. 우리가 (잠언의) 이 구절을 읽게 되자 그는 나에게 말했다.

'그는 가서 그의 집에서 고아를 기르고 그에게 토라를 가르치며 모든 계명을 지키게 할 것입니다. 이것으로 그는 오는 세상에 그의 모든 악행을 속죄하게 됩니다. 그렇게 함으로써 그는 다시는 잘못을 하지 않고 회개할 것입니다.'

나는 그에게 '어느 (성경 구절을) 근거로 그렇게 말합니까?'라고 물었다. 그는 나에게 이렇게 쓰여 있다고 말했다. '만일 네가 돌아온다면, 이스

라엘아, 주님YHWH의 말씀이다. 너는 나에게 돌아올 것이다.'(예레미야 4,1)

왜 그럴까?

'왜냐하면 나는 자비롭다. 주님YHWH의 말씀이다. 나는 영원히 진노하지 않는다.'(예레미야 3,12)

나는 그에게 나에게 다른 더 좋은 답변이 있다고 말했다. 이렇게 말한다. '이스라엘아, 네 하느님 주님YHWH에게로 돌아와라. 참으로 너는 악행으로 쓰러졌다.'(호세아 14,2) 네가 근본적인 것 때문에 속죄했다고 해도 (그렇다). 만일 누가 근본적인 것 때문에 속죄했다면 찬미 받으시는 거룩하신 분은 그 회개를 받아준다. 그래서 찬미 받으시는 거룩하신 분은 이것(남의 아내를 범한 악행)에 대해서도 그 회개를 받아준다."

그의 제자 메이르 랍비는 대답했다.

"랍비님, 당신이 말씀하신 것을 당신의 귀로 듣지 않으십니까? 만일 찬미 받으시는 거룩하신 분이 회개를 받아준다면 토라의 모든 것을 알고 있는 당신이야말로 더욱 그러합니다. 그런데 스승님은 왜 회개하시지 않습니까?"

그는 그에게 말했다.

"한번은 내가 회당에 들어갔는데 랍비 앞에 앉아 있는 한 아이를 보았다. 그 랍비는 그에게 성경을 읽게 했다. '하느님은 사악한 자에게 말했다. "너는 어찌하여 내 법규들을 이야기하며 내 언약을 네 입에 올리느냐?"'(시편 50,16) 그 학생은 그에게 대답하여 말했다. '하느님은 엘리샤에게 말했다. "너는 어찌하여 내 법규들을 이야기하며 내 언약을 네 입에 올리느냐?"' 내가 그렇게 들었기 때문에 나는 엘리샤에 대해 말했다. '위에서 판결이 봉해졌다.'"[03]

메이르 랍비는 대답하여 말했다.

"랍비님, 이 세상에서 회개를 하십시오. 그리고 제가 오는 미래에 있을 심판의 날에 사형 집행인에게 이 판결에 대해 변론하겠습니다."

그럼에도 불구하고 엘리샤 랍비는 그것(메이르 랍비의 제안)을 받아들이지 않았다.

그가 죽자 사람들이 메이르 랍비에게 와서 물었다.

"와서 보시오. 불이 당신 선생의 무덤을 삼키고 있습니다."

그때 메이르 랍비는 자기의 탈리트를[04] 벗어 랍비의 무덤을 덮고 불에게 맹세하여 말했다. "이 밤을 (여기서) 지내라. 아침에 만일 그가 너를 구원하겠다면 좋다. 그가 구원할 것이다. 만일 그가 너를 구원하기를 원하지 않으면 내가 너를 구원하겠다. 주님YHWH의 살아 계심으로 (맹세한다). 아침까지 누워 있어라."(룻기 3,13)

'이 밤을 지내라.' 이는 온통 어둠인 이 세상을 말한다.

'아침에.' 이것은 온통 빛인 오는 세상을 말한다.

'만일 그가 너를 구원하겠다면 좋다. 그가 구원할 것이다.' 이것은 찬미 받으시는 거룩하신 분이다. 이것에 대해 이렇게 쓰여 있다. "주님 YHWH은 모두에게 좋으며 그분의 자비로움은 그분의 모든 행함 위에 있다."(시편 145,9)

"만일 그가 너를 구원하기를 원하지 않으면 내가 너를 구원하겠다. 주님의 살아 계심으로 (맹세한다)." 이것은 찬미 받으시는 거룩하신 분의 이름을 부르기 때문에 (지옥의) 불이 꺼진다. 그러므로 현자들은 말했다. '제자들을 키워 선생을 위해 (하느님의) 자비를 구하는 사람은 행복하다."(《잠언 미드라쉬》 6,20)

'하느님의 이름을 하찮게 한 자를 깨끗하다고 여기지 않는다'는 법규에 따라 하느님의 이름을 속되게 하면 그 대가는 죽음에 이를 정도로 심각했다. 따라서 초기 유대교 전승에서도 자연스럽게 하느님의 이름을 우회적으로 표현하여 '찬미 받으시는 거룩하신 분', '쉐키나(현존하시는 분)' 혹은 '마콤(편재하시는 분)' 등으로 부르게 되었다.

하느님의 이름을 하찮게 여겨 속되게 한 자가 부자라면 그는 벌을 받을 뿐 아니라 그의 재산도 잃게 된다고 말한다. '근본적인 것 때문에 속죄를 했다'는 문구에서 '근본적인 것'은 십계명을 가리키며, 십계명을 어긴 경우 속죄했다는 뜻이다.

메이르 랍비는 그의 선생이 회개하기를 기대했다. 랍비들의 입장에서 보면 엘리샤 랍비가 천상의 파르데스(에덴동산)에 들어갔다 나온 뒤에 다른 새싹을 자르는 성경해석을 함으로써 하느님의 이름을 하찮게 여긴 잘못을 지었다고 생각한 것이다.

그러나 엘리샤 랍비는 스스로 자기의 운명이 이미 정해졌다고 말한다. 그 이유는 '사악한 자에게'(히브리어로 '레라샤')라는 단어가 '렐리샤(엘리샤에게)'와 비슷하게 발음되는 점에서 그렇다. 엘리샤 벤 아부야 랍비는 이교(그리스도교)로 전향하여 유대교의 근본적인 것(하느님의 이름)을 부정했다(초대교회에서는 예수를 주님이라고도 불렀기 때문이다). 그래서 그를 '다른 이'라고도 불렀다. 유대교가 아닌 이교도라는 뜻이다.

엘리샤 랍비는 회개를 하지 않았다. 즉, 유대교로 돌아가지 않았다. 그럼에도 불구하고 그의 제자 메이르 랍비는 선생의 무덤에서 그를 대신해 하느님의 자비를 구했다는 이야기다. 엘리샤 벤 아부야 랍비는 훌륭한 제자를 키운 선생이다.

묵은 포도주와 새 가죽부대

메이르 랍비는 당시 구전으로만 전해온 많은 할라카(법도)를 수집하여 《미쉬나》 완성에 큰 도움을 주었다. 엘리샤 랍비가 이렇게 지혜로운 제자를 만들었기 때문에 그가 배교자로 파문되었음에도 불구하고 〈선조들의 어록〉에 그의 언명은 수록되어 있다.

> 엘리샤 벤 아부야가 말한다.
> 어려서 배우는 자는 무엇과 비슷한가?
> 새 종이에 쓰는 잉크와 (비슷하다.)
> 늙어서 배우는 자는 무엇과 비슷한가?
> 지운 종이에 쓰는 잉크와 (비슷하다.) (〈선조들의 어록〉 4,20)

'새 종이'가 썼다가 '지운 종이'보다 낫다는 말은 아니다. 그렇다고 그 반대도 아니다. 지운 종이를 사용해야만 하는 특별한 이유가 있다는 말이다. 늙어서도 배워야 한다는 말은 당연하다. 엘리샤가 말하는 뜻은 늙어서 다른 종교를 배우면 자기 종교를 지우고 새로 쓰는 것과 같다는 말이다.

복음서에 '새 종이와 지운 종이'의 은유와 비슷한 '새 포도주와 묵은 포도주의 비유'가 나온다. "묵은 포도주를 마셔보고서는 아무도 새 포도주를 원하지 않는다. '묵은 것이 맛있다'고 하기 때문이다."(누가 5,39) 여기서 '묵은 포도주가 맛있다'는 표현은 엘리샤의 언명에서처럼 '늙은이에게서 배우는 것이 낫다'는 뜻으로 대비해볼 수 있으며 이는 '지운 종이에 새 잉크로 쓰는 것'의 맥락에서 이해할 수 있다. 복음서의 '묵은 포도주가 맛있다'는 주제는 묵은 포도주인 전통적인 바리새 유대교의 가르침에 새로운 해석을 하는 예수의 가르침이 훌륭하다는 비유로 볼 수 있다.

복음서에서 '새 포도주와 헌 가죽부대'를 주제로 이야기하는 또 다른 비유를 읽어볼 수 있다. 이렇게 말한다.

헌 가죽부대에 새 포도주를 넣지 않는다.
그렇게 하면 새 포도주가 가죽부대를 터트려
포도주는 쏟아지고 가죽부대는 못 쓰게 된다.
그러므로 새 포도주는 새 가죽부대에 넣는 법이다.
그래야 둘 다 보존된다.(마태 9,16~17)

이 가르침을 이해하는 데 비교가 될 만한 랍비의 비유가 있다. 위에서 읽은 엘리샤의 언명 다음에 수록된 '묵은 포도주와 새 단지'를 주제로 이야기하는 메이르 랍비의 가르침이다.

(포도주) 단지를 쳐다보지 마라.
그러나 그 속에 무엇이 있는지를 (쳐다보아라).
새 단지에 묵은 포도주가 차 있으나
오히려 묵은(오래된) 단지에 새 포도주는 없다.(《선조들의 어록》 4,20)

메이르 랍비의 언명과 예수의 가르침을 비교해보면 공통적으로 나오는 부분은 '묵은(오래된) 단지/헌 가죽부대에 새 포도주를 넣지 않는다'는 것이다. 즉, 랍비들의 가르침을 설파하는 바리새 공동체(묵은 단지/헌 가죽부대)에 예수의 가르침을 따르는 무리가 들어가 잘 어울려 살 수는 없다는 뜻으로 해석할 수 있다. 그러나 비록 예수의 언명에는 '새 가죽 부대에 묵은 포도주를 넣는다'는 말이 없지만 새 단지/새 가죽부대(예수 공동체)에 묵은 포도주(늙은이의 가르침/전통적인 가르침)가 차 있다는 말로 볼 수 있다.

예수의 가르침은 바리새 유대교를 부정적으로 보는 것이 아니라 그 들의 성경해석을 보완하고 보충해야 온전한 토라의 해석이 된다는 것 으로 이해할 수 있다. 그래서 예수는 "내가 토라(모세오경)와 예언서를 파헤치려고 온 줄로 여기지 마십시오. 파헤치려고 온 것이 아니라 채우 려고 왔습니다"고 말하며 자신의 성경해석이 전통에 어긋나지 않다는 구체적인 예를 들어 설명했다.(마태 5,17~48)

역사적이고 신화적인 예수의 전기

1세기 초반 이스라엘 땅에 살고 있던 유대인들 사회는 여러 분파로 나뉘어져 서로의 반목과 질시 속에 혼란한 상황이었다. 성전 중심의 사 두개들은 로마 정권과 결탁한 부유층으로 사리사욕에 눈먼 사람들이었 다. 바리새들은 율법주의를 엄격하게 고수하는 샴마이파와 인본주의를 주창하며 법규해석에 어느 정도 자유로운 힐렐파로 크게 나누어졌고 그들 사이의 논쟁과 반목 또한 사회적 분란의 큰 요소였다. 한편 격리 된 공동체를 형성해서 그들만의 세계를 구축하며 살고 있던 엣세네 사 람들은 자신들이 마지막 시대에 사는 의로운 사람들이라 자임하며 그 들을 구원할 메시아의 도래를 기다렸다. 그 외에도 로마 왕권에 무력적 으로 도발을 일삼던 무리도 있었으며 가난하고 무식하거나 불구자여서 성전의 혜택을 받지 못해 사회계층에 속하지 못하는 부류도 있었다. 이처럼 예수가 성장하고 활동하던 시기의 유대인 사회는 불안했다.

역사적이고 신화적인 예수의 전기를 이해하기 위해 예수가 살았던 시기의 문화적 배경은 중요하다. 신약성경과 엣세네의 문헌 그리고 1세기에 활동했던 랍비들의 어록과 성경해석 등을 서로 비교해보며 예수 평전을 엮어보았다. 또한 사해문헌의 〈하박국서 해석〉에 비추어보며 아래와 같이 몇 가지 극적 상상을 통해 역사적인 예수의 전기를 생각해보았다.

– 요셉과 정혼한 마리아의 꿈에 가브리엘 천사가 나타나 그녀가 거룩하신분의 영으로 잉태할 것이며 그가 이스라엘을 구원할 임마누엘이 된다고 예고했다. 이는 다윗의 혈통에서 태어날 임마누엘이 이스라엘에서 길을 내는 별이며 메시아 도래의 예고하는 장면이다.

– 아기 예수를 축복한 '경건한 자(하씨드)'는 엣세네 지도자로 예수가 장차 엣세네 공동체에 큰 장애 요소가 될 것이라고 예언했다. 이는 훗날 엣세네에서 '진리'라고 불렸던 사악한 사제로 해석되었던 바로 그 인물이 된다는 이야기다.

– 나이 열두 살에 예수는 '하느님의 집'에 있겠다고 밝혔는데 이는 사제가 되겠다는 결심을 말하며 그의 소망에 따라 엣세네 지도자 양성소에서 성장했고 나이 스무 살 즈음에 사제와 교사가 되었다.

– 예수는 고향인 나사렛으로 돌아가 엣세네 사람들을 가르치는 일을 담당했을 것이다. 이 시기에 예수는 갈릴리 지방에서 활동하는 바리새들 가운데 요하난 벤 자카이 랍비와 같은 힐렐파의 랍비들과 교제했으며 그들과의 논쟁에서 힐렐의 가르침에 동조하고 비유의 해석 방법과 비유들을 배우게 되었을 것이다. 이런 교분으로 예수는 바리새 회당에

서 가르쳤고 새로운 성경해석을 피력할 수 있었다. 이 시기가 예수에게 는 가장 전격적이었다고 보인다. 엣세네는 바리새를 어둠의 자식들이 라고 여겨 그들과 왕래를 하지 않았다. 그런데 예수는 분명히 바리새의 힐렐 문도들과 토론을 즐겼으며 그들에게서 많은 성경해석의 지식을 습득했다고 보인다. 예수는 자기 공동체의 기본 강령에 문제가 있으면 주저하지 않고 반박하는 강한 성격의 소유자였다. 그는 엣세네 사제로 서 병자를 치유하는 특별한 은사가 있었으며 엣세네 공동체 사람들에 게만 국한하지 않고 다른 유대인들은 물론 심지어 이방인들도 고쳐주 는 개방적인 인도주의자였다. 또한 그는 교사로서 이웃 사랑을 가르쳤 고 이를 실천하기 위해 자선을 가장 중요한 덕목으로 세우고 반드시 실 행하여 서로가 경제적으로 돕고 사는 이로운 공동체를 이룩하자고 이 야기했다.

- 예수가 서른 살 즈음이 되었을 때 세례자 요한은 예수를 '하느님 의 아들'이라고 선포하게 되었다. '하느님의 아들'은 엣세네 공동체에 서 기다리는 메시아 칭호다. 나사렛 출신의 '요셉의 아들' 예수가 이스 라엘의 메시아라는 말이다. 그런데 엣세네 지도층에서 예수를 '하느님 의 아들'이라고 부른 것이 아니라 예수와 사촌지간인 요한 세례자가 그 를 메시아로 천명한 것이다. 이와 더불어 예수는 새로운 공동체를 만들 기 위해 제자들을 모았으며 그 표징으로 가나의 혼인잔치에서 물을 포 도주로 바꾸는 기적적인 사건을 일으켰다. 예수는 많은 제자들을 만들 었으며 그들에게도 치유의 능력을 주어 타 지역 전도 사업을 하게 했 다. 이로 인해 예수의 새로운 복음은 외국의 유대인 공동체에도 널리 알려지게 되었다. 점차 예수의 성경해석이나 교육 내용이 엣세네의 교 리와 상치되는 부분들이 생기자 엣세네 지도부에서는 의혹을 갖게 되

었고 또한 샴마이파 바리새들은 그의 가르침과 의도에 의아심을 품었다. 복음서에 전해진 광야에서의 유혹 사건에서 상상해볼 수 있듯이 옛세네 지도부는 예수를 회유하려고도 해보았지만 예수가 이를 거부하자 '의로운 교사'가 선택한 '하느님의 길'을 방해하는 사악한 사제로 규정하고 그를 옛세네에서 완전히 추방했을 것이다.

– 예수는 예루살렘 성전에 와서 성전 앞에서 장사하는 환전상을 뒤엎어버리는 등 사제장들의 분노를 사게 되었고 그들은 그를 산헤드린에 고발할 계획을 도모했다. 성전 사제장들은 예수의 제자 유다를 포섭해서 그가 예수에게 입맞춤을 하게 했다. 그 당시 언어로 어느 특정한 맥락에서의 입맞춤은 선동자로 지목하는 행위였다. 이로 인해 그는 체포되어 산헤드린에 넘겨졌고 심문을 받았다.

– 산헤드린 재판관들은 예수에 대해 유죄를 결정하지 못했고 찬반이 반반으로 갈라지자 사제장들은 이 문제를 로마 총독에게 넘겨주었다. 빌라도 총독이 예수에게 죄가 없다고 군중에게 말하자 재판장에 모인 샴마이파 바리새들과 예수에 반대하는 옛세네 사람들이 예수를 십자가형에 처하라고 외치게 되어 예수는 십자가형에 처해졌다.

– 마침 이날이 안식일 전날(금요일)이어서 예수가 십자가에서 죽은 것을 확인한 다음 예수의 한 제자는 총독의 허락을 받고 시신을 끌어내려 무덤 굴에 안치할 수 있었다. 십자가형으로 죽었다는 예수는 우연히도 발목에 못이 박히지 않았으며 죽음의 천사가 방문하지 않는 안식일에 다시 일어설 수 있었다. 안식일 다음 날 새벽에 예수는 무덤 밖으로 나와 그의 제자들에게 나타나 그가 '살과 피'로 일어선(부활한) 것을 보여주었고 이 소문으로 옛세네 사람들에게 많은 동요가 일어났다. 옛세네의 성경해석자는 예수가 사악한 사제라고 지목하고 그가 오만해져서

변절하게 되었다고 하박국서를 인용하며 그 당시 상황에 맞게 상세히 해석했다.

　- 부활한 예수가 올리브 산 꼭대기에서 구름에 싸여 위로 올라가는 것을 보았다고 제자들이 말했다. 승천한 메시아 예수는 하느님의 왕국에 들어갔으며 하느님의 오른편에 있는 영광의 보좌에 앉아 그가 필요한 사람들에게 계시를 보여주기 시작했다(예수의 신화적 이해가 필요한 단계다). 예수의 현존이 사람들에게 나타나는 장면들은 사도행전이나 사도들의 편지에서 잘 읽어볼 수 있다. 요한계시록에도 보면 천상에서의 예수의 현존이 '살과 피'의 모습으로 나타난다. 초대교회 전도자들은 승천한 예수가 천국에서 계시한다고 굳게 믿었으며 이러한 신앙심은 물론 유대교 공동체와 심한 갈등을 일으키게 된 동력이기도 하지만 그들에게 큰 영향을 끼쳐 그리스도교로 전향한 미드라쉬 학교 학생들의 수효가 많았다고 전한다. 한편 초기 비잔틴 시대 수도사들은 천국의 예수 모습을 가장 거룩하게 표현하기 위해 성화(Icons) 제작에 심혈을 기울였다.

13

이교도들과의
논쟁

신석기 시대 사람들이 종교
적 예배의식을 행했다는 것은 동굴의 벽화에서 알 수 있다. 옛날부터 사람들은 신들을
섬기게 되었고 청동기 시대 성곽도시 생활로 발전되면서 신들도 다양해졌다. 신들은 농
사, 목축, 치유 등을 담당하는 수호신으로 자리를 잡았으며 그들의 신상은 자신의 존재
를 알려주는 증표였다. 이러한 다신 사회에 신은 하나라는 새로운 풍조가 일어났으며 그
대표적인 예가 고대 이스라엘 사회였다. 이스라엘의 신은 하나며 신상을 만들지 말고 또
한 다른 신상에 절하지 말라는 계명이 이를 대변한다.

　다종교문화 사회에 살고 있는 종교적인 유대인들에게 당면한 중요한 과제 가운데 하
나는 이방 종교의 도전이었다. 고대 이스라엘의 유일신 종교관을 계승한 유대교의 기본

적인 계명 또한 신은 하나며 신상을 만들지 말고 또한 다른 신상에도 절하지 말라는 것

이다. 그러나 다종교 사회에서 유일신을 섬기는 것은 결코 쉽지 않았다. 특히 이방 도시

에 사는 유대인들에게 이방 종교의 현실적 도움 내지 구원의 손길은 유일신 신앙을 지키

기에 어려운 상황이었다.

신상은 장식물인가

다종교문화 사회에서 살아가는 유대인들이 가장 심각하게 직면하는 문제 가운데 하나가 신상숭배에 대한 법규와 전통이다.(물론 그리스도교 신자에게도 같은 문제가 대두되었다.) 십계명에 신상숭배를 절대적으로 금지했으며 이 종교 전통은 히브리 성경에 반영된 고대 이스라엘의 종교 전통에서 잘 알 수 있다. 이러한 종교 전통을 지켜온 랍비 유대교가 로마 종교에 직면한 현실적인 중대사는 신상숭배에 대한 것이었다. 그러나 로마 종교는 로마 왕권의 절대적인 권력 아래에서 그 체제를 유지했기 때문에 로마제국의 종교 의례를 거부하거나 무시하기 어려웠다. 따라서 랍비들은 로마 종교에 대한 유대인들의 태도를 제시해야 했다. 아래와 같이 탈무드에 전해진 감리엘 랍반의 일화에서 그 대표적인 예를 읽어볼 수 있다.

철학자 페로켈로스는 아코의 감리엘 랍반이 아프로디테의 침례소에서 씻고 있을 때에 이렇게 물어보았다.

"여러분의 토라에 아래와 같이 쓰여 있습니다. '(이방신에게 바친) 봉헌물에서 어느 것도 네 손에 대지 않을 것이다.'(신명기 13,18) 그러나 당신은 어떻게 아프로디테의 침례소에서 씻고 있습니까?"

그는 그에게 말했다.

"침례소에서는 대답을 하지 않습니다."

그가 밖으로 나오자 그에게 말했다.

"나는 그녀의 영역에 들어가지 않았습니다. 그녀가 나의 영역에 들어왔습니다. 사람들은 '아프로디테를 위해 침례소를 장식물로 만들자'고 말하지 않고 '침례소를 위해 아프로디테를 장식물로 만들자'고 말합니다."

다른 설명.

만일 누군가 당신에게 많은 돈을 준다고 해도 당신은 당신의 신상 신전에 벌거벗은 채 혹은 설사로 고생하며 들어가지 않을 것이다. 더욱이 그 앞에서 오줌을 싸지도 않을 것이다. 그러나 이것은 바로 수로의 입구에 서 있으며 누구나 그녀 앞에서 오줌을 싼다. 이렇게 쓰여 있다. "그들의 신들을 섬기는 곳은 모두 없애버려야 한다."(신명기 12,2) 따라서 (이방)신으로 여기는 것은 금지되지만 (이방)신으로 여기지 않는 것은 허용된다.(《바빌로니아 탈무드》, 〈아보다 자라(신상숭배)〉 3,4)

유대교는 전통적으로 신상숭배를 거부했으며 이 원칙을 지키기 위해 목숨을 버린 과거의 일화를 중시했다. 그러나 로마 종교를 신상숭배로 여겨 로마 신상을 파괴한다면 그 결과는 66~70년 제1차 유대인 항쟁에서도 경험했듯이 유대인 공동체의 생존을 위협 받게 된다. 그렇다고 신상숭배를 인정한다면 유대교의 원칙을 스스로 어기게 되는 결과를 초래한다. 감리엘 랍반의 이 일화는 다종교문화 사회에서 유일신교를 유지할 수 있는 좋은 해결책으로 제시되었다.

로마제국의 어느 도시에서나 아프로디테와 같은 신상을 쉽게 볼 수 있으며 또한 침례소 가까이에 신상이 세워져 있는 곳도 흔히 있었다. 침례소는 종교적 목적으로 몸을 씻기 위해 들어가는 곳이며 누구든 이러한 의도로 신상이 서 있는 침례소를 이용할 수 있었다. 유대인들도 어떤 상황에서든 이러한 침례소를 이용해야 되는 경우가 생길 수 있다. 특히 회당에 들어가기 전에 몸을 깨끗이 해야 하는 것이 유대교의 계명이기 때문에 더욱 그렇다. 그러나 유대교의 관점에서 보면 신상이 세워져 있는 침례소에서 몸을 씻는 행위는 신상과 접촉하는 경우며 이것은 유대교의 법으로 금지되었다. 만일 이러한 종교법을 어긴다면 그 죗값으로 돌에 얻어맞아 죽을 정도로 매우 심각했다. 이러한 모순을 해결하기 위해 감리엘 랍반은 신상숭배의 죄를 짓지 않고 일상생활을 할 수 있는 방법을 설명한 것이다. 즉, 회당 가까운 곳에 신상이 세워진 침례소가 있다면 회당에 바삐 들어가야 하는 매우 급한 상황에서는 그곳을 이용하여 회당 예배에 늦지 않는 것이 중요하다는 판단이다.

여기에서 랍반은 신상의 기능에 대해 논박한다. 로마인들에게는 아프로디테 여신상이 신으로 여겨지겠지만 유대인에게는 아름다운 장식물이라고 볼 수 있으며 그렇기 때문에 그곳에서 몸을 씻을 수 있다는 해석이다. 이것은 랍비들의 입장에서 설명하는 것이다. 또한 신전 앞에서 오줌을 싸는 경우가 없다는 보편적인 규례를 들며 로마인도 때로는 침례소의 여신상 옆에서 방뇨하는 경우가 있는 것은 신상을 장식물로 보기 때문이라고 덧붙여 설명한다. 이러한 특정한 예를 들어 신상의 비합리성을 논박한 것이다.

한편 아프로디테 신상은 '아름다운 장식물'이라고 '아름답다'는 명제를 부각시킴으로써 로마인의 미의식美意識에 대한 긍지를 살려준다. 로마인들에게 아름다움은 신적인 것이며 '아름다운 장식물'은 '신적인 장식물'로 해석될 수 있는 여지를 준 것이다. 유대교의 입장에서 신상은 혐오의 대상이며 더러운 것으로 판단되지만 로마인의 종교를 인정하는 방편으로 그들의 신상은 아름답다며 그들의 신을 부정하지 않는다. 아름다움은 곧 선함과 통하며 선함은 신의 속성의 핵심을 이룬다는 플라톤 철학적 입장을 인정하는 랍반의 설명이다.

이러한 예에서 랍비들의 미드라쉬 정신을 찾아볼 수 있다. 감리엘 랍

반의 해석은 이방 사회에서 살아가는 유대인들에게 다른 종교와 심각한 갈등을 만들지 않고 자기 종교의 원칙을 지킬 수 있는 좋은 지혜의 길잡이가 되었다. 로마제국의 종교문화에 대한 랍비들의 이러한 적응과 지혜로운 판단이야말로 후대 유대교가 다종교문화 사회에서 유대교의 정체성을 유지하며 공존하는 데 좋은 모델이 되었고 감리엘 랍반의 일화는 많은 랍비들의 해설에 자주 언급되었다. 랍비들은 감리엘 랍반의 해석처럼 이방 종교에 대응하는 유용한 방안을 모색했다.

한편 초대교회 전도자들은 예수의 복음을 이방 도시 사람들에게뿐 아니라 유대인 공동체에게도 복음 전파에 열중했다. 초대교회는 강력한 종교 공동체의 모습을 갖추기 시작했으며, 특히 유대인들에게 향한

13-1 고대 그리스 신전
아프로디테와 같은 신상들을 신전 기둥으로 만들었다.

그들의 전교 활동은 랍비 유대교 지도자들에게 또 하나의 매우 심각한 새로운 도전이었다.

복음서에 보면 유대교 전통이나 할라카에 대해 예수와 바리새 랍비들 사이에 논쟁하는 모습을 종종 읽어볼 수 있다. 이와 비슷하게 초대교회 복음 전도자들도 랍비들이나 그들의 학생들과 예수의 권위에 대해 논쟁을 많이 했다. 초기 유대교 문헌에 랍비들이나 미드라쉬 학교 학생들과 초대교회 전도자들 사이에 토라의 근본 계명에 대해 논쟁하는 이야기들이 여럿 전해진다.

초대교회 복음 전도자들은 하늘에 두 개의 권한이 있다고 설파했다. 특히 그들은 랍비 유대교 공동체 사람들에게 이와 같이 전하며 랍비들과 두 권한에 대해 논쟁하기를 주저하지 않았다. 랍비들은 이러한 복음 전도자들을 이교도라고 규정했다. 아래와 같이 미드라쉬에 전해진 몇 가지 일화에서 그 당시 상황을 살펴볼 수 있다.

몇 명의 하느님들이 세상을 만들어냈을까

이교도들이 심라이 랍비에게 물었다.

"몇 명의 하느님들이 세상을 만들어냈습니까?"

그는 그들에게 말했다.

"나와 여러분이 첫 번째 날들에게 물어봅시다. '이제 하느님이 사람을 만들어낸 날부터 네 앞에 있었던 첫 번째 날들에게 물어라.'(신명기 4,32)고 쓰여 있습니다. 여기서 '그들이 만들어냈다'고 쓰여 있는 것이 아니라, '그가 만들어냈다'고 쓰여 있습니다."

그들은 다시 돌아와 질문하며 그에게 말했다.

"왜 '처음에 하느님들이 만들어냈다'고 쓰여 있습니까?"

그는 그들에게 말했다.

"'하느님들이 만들어냈다'고 쓰여 있지 않고, '하느님이 만들어냈다'고 쓰여 있습니다."

(중략)

이교도들이 다시 돌아와서 질문하며 그에게 말했다.

"왜 '엘, 엘로힘, YHWH, 그분이 알았다'(여호수아 22,22)고 쓰여 있습니까?"

그는 그들에게 말했다.

"여기에는 '그들이 알았다'고 쓰여 있지 않고 '그가 알았다'고 쓰여 있습니다."

그의 제자들이 그에게 말했다.

"당신은 그들을 갈대밭으로 돌려보냈습니다. 그러나 우리에게는 그 대답을 말해주십시오."

그는 그들에게 말했다.

"이 셋은 하느님의 이름입니다. 마치 사람들이 바실레오스 카이사르혹은 아우구스투스 카이사르라고 말하는 것 같습니다."

이교도들은 다시 돌아와서 질문하며 그에게 말했다.

"왜 '그분은 거룩하신 하느님들'(여호수아 24,19)이라고 쓰여 있습니까?"

그는 그들에게 말했다.

"'그들은 거룩하신 하느님들이다'라고 쓰여 있지 않고 '그분은 거룩하신 하느님이다'고 쓰여 있습니다."(《창세기 미드라쉬 랍바》 8,9)

히브리어로 '하느님'이라고 번역한 단어(엘로힘)는 경우에 따라 복수형으로 읽을 수 있다('일러두기 2' 참조). 하느님이 사람을 만들려는데 왜 '우리'라는 복수형 동사구를 사용했을까 하는 질문이다. 어떤 이교도들은 창조 처음에 하느님들이 세상을 창조했다고 주장한다. 여기서 이교도는 그리스도교 교인을 말한다. 그들이 주장하는 '하느님들'은 '하느님YHWH'과 '하느님의 아들(메시아 예수)'과 '거룩하신 분의 영'을 뜻한다. 메시아가 창조 때 있었다는 논리는 랍비들의 창세기 미드라쉬에서 읽어볼 수 있다.

> "처음에 하느님이 만들어냈다."(창세기 1,1)
> 창조에 앞서 여섯 가지가 세상에 있었다. 이들 가운데 어떤 것들은 만들어졌으며, 어떤 것들은 만들어야겠다고 생각하는 중에 떠오른 것도 있다.
> (중략)
> '메시아의 이름'은 어디에서? 이렇게 말한다. "그의 이름은 영원할 것이며 태양(이 생기기) 전에 그의 이름이 싹 돋게 하셨습니다."(시편 72,17)
> (《창세기 미드라쉬 랍바》 1,4)

이방의 지식인들은 유대교와 달리 히브리 성경에 전해진 창조 이야기의 '처음에 하느님이 하늘과 땅을 만들어냈다'는 구절에서 하느님은 무엇에서 혹은 무엇으로 하늘과 땅을 만들어냈냐고 질문했다. 이에 대해 랍비들은 창조 이전에 토라와 영광의 보좌, 선조들, 이스라엘, 성전, 메시아의 이름 등 여섯 가지가 있었다고 답변했다(6장 〈창조 때 준비되었던 일곱 가지 것들〉 참조).

그리스도교 전도자들은 창조 때 있었던 메시아의 이름이 바로 베들레헴에서 태어난 나사렛 출신의 예수며 그가 하느님의 아들이라고 주장했다. [창조 때에 밝혀진 메시아의 이름을 가진 이는 베들레헴에서 태어난다는 랍비들의 미드라쉬도 예수의 탄생을 예고한 것이라고 해석했다(4장 〈메시아는 왜 베들레헴에서 태어나야 할까〉 참조).

이러한 이교도들의 논거에 대해 심라이 랍비는 '처음에 하느님이 만들어냈다'는 인용문에서 '만들어내다'라는 동사구가 단수형이기 때문에 하느님은 단수라고 설명한다. 세상을 창조한 하느님은 하나이지, 여럿이 아니라는 신관을 문법적으로 입증한 것이다. '첫 번째 날들'은 창조의 육 일을 뜻한다.

이교도들이 다시 돌아와 질문한 의도는 하느님을 '엘, 엘로힘, YH-WH'라고 부르는 것처럼 하느님의 이름이 셋 있는데 처음에 삼위일체인 하느님이 하늘과 땅을 만들어냈다고 논박하는 것이다.

[하느님의 이름인 '엘'은 원래 고대 가나안 지역의 최고신 이름이었다. 그러나 이스라엘 민족이 가나안 지역에 정착하며 그 지역의 최고신 이름 '엘'이 이스라엘 사회에 동화되어 자기 민족의 고유한 하느님 이름과 함께 사용됐다. 가장 대표적인 예가 바로 '엘이 싸운다'라는 뜻을 가진 이스라엘이다. 엘로힘은 신을 뜻하는 보통명사로도 사용된다. YHWH는 이스라엘 민족의 하느님을 가리키는 고유한 명칭이다.]

이교도들은 '여호수아 22,22'를 인용하여 하느님의 이름이 왜 서로 다르냐고 질문한다. 또 그 이름이 셋인 것처럼 삼위일체의 하느님이 하늘과 땅을 만들어내지 않았느냐고 반문한다. [이 논리도 삼위일체와 관련된다.]

이에 대해 랍비는 하느님을 엘, 엘로힘, YHWH라고 부르지만, 하느님은 셋이 아니라 하나며, 그것은 이 인용구의 동사구에서 인칭대명사도 단수형이고 동사도 3인칭 단수형인 점을 든다.

카이사르는 갈리아를 정복하고 그의 권력으로 종신 독재관(Dictator Perpetua)이 되어 로마를 제국으로 만들었던 율리우스 카이사르를 말하며, 아우구스투스(존엄한 자)는 그의 양자 옥타비아누스가 로마 원로원으로부터 받은 칭호다. 옥타비아누스는 로마를 지혜롭게 다스려 '로마의 평화(Pax Romana)' 시대를 누리게 했다고 로마 역사가들은 평했다. 바실레우스는 그리스어로 '왕'이라는 뜻이다. 로마 황제들은 자신의 권능을 과시할 때 '바실레우스 카이사르'라고 하고, 자신의 현명함을 알리고자 할 때는 '아우구스투스 카이사르'라고 칭했다고 랍비들은 해석했다. 이처럼 하느님에게 그분의 권능을 알리고자 할 때는 '엘로힘'이라고 부르며, 그분의 지혜와 자비를 말할 때는 'YHWH'라 부른다고 설명한 것이다.

'거룩하신 하느님(엘로힘)'이라는 문구에서 '거룩하신(크도쉼)'이 복수형이기 때문에 '거룩하신 하느님들'이라고 이해할 수 있지 않느냐는 반문이다. 그러나 이 문장의 인칭대명사가 3인칭 남성 단수('그')이기 때문에 '거룩하신 하느님'이라고 반박한 것이다. 랍비들이 이교도들의 질문에 심각하게 답변하는 모습을 볼 수 있다. 창세기 미드라쉬에 따르면 하느님이 세상을 창조할 때 조언자들이 있었다고 해석하는 해설자들도 있었다.

"하느님이 말했다. 우리가 사람을 만들자."(창세기 1,26)
그분은 누구와 상의했을까?
예호슈아 랍비는 레비 랍비의 이름으로 말했다.

"그분은 하늘과 땅의 일과 상의했다. 이것은 두 고문관을 거느린 왕에 비유할 수 있다. 그는 그들의 의견 없이는 어떤 것도 하지 않는다."

쉬무엘 바르 나흐만 랍비는 말했다.

"그분은 그날그날의 일과 상의했다. 이것은 조언자를 둔 왕에 비유할 수 있다. 그는 그의 의견 없이는 어떤 것도 하지 않는다."

아미 랍비는 말했다.

"그분은 자신의 마음과 상의했다. 이것은 건축가에 의해 왕궁을 지은 왕에 비유할 수 있다. 왕은 왕궁을 보았으나 별로 탐탁지 않았다. 그는 누구에게 분개할까? 건축가가 아닐까? 놀랍게도 그렇다. '주님YHWH은 땅에 사람을 만든 것을 슬퍼하고, 그분의 마음이 괴로웠다.'(창세기 6,6)"

아씨 랍비는 말했다.

"이것은 중개상을 통해 사업을 하고 손해를 본 왕에 비유된다. 그는 누구에게 분개할까? 중개상이 아닐까? 놀랍게도 그렇다. '그분의 마음이 괴로웠다.'"(창세기 6,6) 《창세기 미드라쉬 랍바》 8,3)

하느님이 하늘과 땅을 만들어내고(창세기 1,1) 사람을 만들려고 할 때(창세기 1,26) 하늘과 땅에게 문의했다고 연상하며 두 고문관의 비유를 들어 그들은 하늘과 땅을 뜻한다고 해석한 것이다.

'그날그날'은 창조의 육 일을 뜻한다. 하느님이 그날의 일과 상의했다는 것은 세상 창조의 하루하루를 의인화한 표현이며 이를 조언자라고 해석한 것이다. 이런 해석의 입증 문구는 잠언에서 찾았다. "YHWH는 그분의 길 처음에 나(지혜)를 소유했고 옛날 그분의 작업의 이전이다."(잠언 8,22) "나(지혜)는 그분(하느님) 곁에서 조언자(아몬)였으며 나는 하루하루 (그분의) 즐거움이었다."(잠언 8,30) '아몬(조언자)'이라는 단어가 지혜와 창조 작업을 연결할 수 있다는 가능성을 발견한다(흔히 '조언자'를 '작은 아이'라고 옮기는데 이 미드라쉬의 관점에 비추어보면 '조언자, 가정교사'라는 뜻이 더 어울린다). 고문관이나 조언자의 비유에서 하느님 홀로 세상을 창조한 것이 아니라 도움을 받아 함께 세상 창조를 했다는 해석의 여지를 읽어볼 수 있다.

아미 랍비와 아씨 랍비는 다른 랍비들의 의견에 동조하지 않았다. 노아의 홍수 이야기에 "주님은 땅에 사람의 사악함이 많아졌고, 온종일 그의 마음속에 궁리한 어떤 것도 오직 사악한 것임을 보았다"(창세기 6,5)라고 말한다. 그러자 하느님의 마음이 괴로웠다고 한다. 하느님의 마음이 슬펐다는 것은 하느님이 세상을 만들어낼 때 자신의 마음과 상의했기 때문에 그렇다고 추론한 결과다(하느님은 홀로 세상을 창조했다는 뜻이다). 하느님은 자기 마음과 상의해서 사람을 만들겠다고 했으며, 그래서 노아 시대에 사람들이 부정해진 것을 보고 하느님의 마음이 괴로웠다는 이야기다.

건축가와 중개상의 비유에서 왕은 건축가나 중개상에게 그분의 뜻을 충분히 밝혔지만 건물이 잘못 지어졌고 사업에 손해를 보게 되었기 때문에 자신의 마음이 괴로웠다는 뜻이다. 랍비들의 의견에 따르면, 마음은 지혜의 자리며 지혜는 토라를 의미한다. 하느님의 마음은 다름 아닌 토라다. 토라를 건축가나 중개상으로 비유하고, 사람이 부정하게 되는 것은 건축가나 중개상이 사람들을 잘 가르치려고는 하였지만 사람들이 토라 공부에 열중하지 않았기 때문에 그렇게 되었다는 이야기다.

랍비들 사이에 이러한 논제가 있다는 것을 잘 알고 있는 그리스도교 지식인들은 승천한 메시아 예수가 하느님 옆에 앉아 있다는 교리를 전파하며 세상 창조 때에 하느님이 메시아와 거룩하신 분의 영과 함께 세상을 창조하지 않았을까 하는 질문을 가지고 있었다.

흙으로 빚어 만든 사람은 불로 완성된다

"그분이 흙으로 아담을 빚었다."(창세기 2,7)

찌포리의 한 (유명한) 사람(유대인)의 아들의 죽음에 대한 일화.

그 아들이 이교도였다고 말하며 또는 이교도가 그의 집에 머물렀다고 도 말한다.

요세 바르 할라프타 랍비는 그를 방문하러 갔다. 그는 그를 보고 앉아서 웃었다. 그(집주인)는 그에게 말했다.

"당신은 왜 웃습니까?"

그(랍비)는 그에게 말했다.

"우리는 당신이 오는 세상에 그(아들)의 얼굴을 볼 것이라고 하늘의 주님을 믿습니다."

그는 그에게 말했다.

"이 사람에게 슬픔이 충분치 않아 당신은 더하려고 왔습니까? 부서진 토기를 다시 붙일 수 있습니까? 이렇게 쓰여 있지 않습니까? '(주님이 나에게 말씀하길, 너는 내 아들, 내가 오늘 너를 낳았다.) 토기장이의 그릇처럼 너는 그들을 부술 것이다.'(시편 2,9)"

놀랍게도 그렇다.

그(집주인)는 그에게 말했다.

"토기는 (찰흙을) 물로 (반죽해) 만들어서 불로 완성합니다. 유리 제품은 불로 만들어서 불로 완성합니다. 그래서 그것(유리 제품)이 부서지면 고

칠 수 있습니다. 그러나 저것(토기)이 부서지면 고칠 수 없습니다."

놀랍게도 그렇다.

그(집주인)는 그에게 말했다.

"왜냐하면 그것은 (입으로) 불어서 만들어지기 때문입니다."

그(랍비)는 그에게 말했다.

"당신의 입이 말한 것을 당신의 귀가 들을 것입니다. 그것(유리제품)이 살과 피(즉 사람)가 (입으로) 불어서 만든 것이고 (사람이 그것을) 고칠 수 있다면 찬미 받으시는 거룩하신 분이 (사람의 콧속에 생명의 숨/바람을) 불어(넣어)서 만든 것(사람)은 하나하나 어떻겠습니까?"

이츠학 랍비는 말했다.

"'진흙 그릇처럼 너는 그들을 부술 것이다'고 쓰여 있지 않고 '토기장이의 그릇처럼 너는 그들을 부술 것이다'고 쓰여 있다. 즉 (그 그릇은) 아직 구워지지 않았으며 (부서졌으면) 다시 돌아갈 수 있다."(《창세기 미드라쉬 랍바》 14,7)

하느님이 흙으로 사람을 빚어 만들었다는 문구에 대한 해석의 보충 설명으로 배교했다고 소문이 난 아들의 죽음을 이야기한 일화다. 죽은 이를 애도하는 집을 방문하여 상주를 위로하는 것은 랍비의 임무다. 그런데 요세 랍비가 상심한 집주인을 보고 웃은 것은 이례적이다. 비록 그의 아들이 배교했다고 해도 하느님은 그를 지옥으로 떨어뜨리지 않을 것이라고 믿는다는 이야기다. 그의 아들은 미드라쉬 학교를 다녔던 학생으로 계명을 잘 지킨 바른 사람이었을 것이다.

'저것(토기)이 부서지면', 즉 흙으로 만든 사람이 잘못하면 고칠 수 없다는 뜻이다. 그렇지만 유리 제품이 부서지면 그것을 불에 녹여 입으로 불어 다시 유리 제품으로 만들 수 있는 것처럼 하느님이 숨을 불어넣어 만든 사람도 잘못된 것을 고칠 수 있다. 하물며 하느님이 사람의 잘못을 고칠 수 있다는 것을 어떻게 믿지 못하겠느냐!

토기장이(하느님)가 흙으로 만든 그릇(사람)은 아직 불로 구워진 상태가 아니다. 불로 구워졌다는 것은 토라를 공부하여 법에 따라 행한다는 뜻이다. 사람(아담)이 토라 공부를 충분히 하지 못하고 저지른 잘못은 고칠 수 있다. 비록 이교도의 유혹에 넘어가는 잘못을 하고 죽었다 해도 하느님은 그를 불쌍히 여겨 오는 세상에 한몫을 얻을 수 있다는 뜻이다. 왜냐하면, 이교도 역시 하늘과 땅을 만든 하느님을 믿고 또한 그 하느님이 사람(아담)을 만들었다는 것도 믿기 때문이다.

배교자들의 말은 사람을 지치게 한다

"모든 말은 지치게 한다."(전도서 1,8)

배교자들의 말은 사람을 지치게 한다.

엘리에제르 랍비의 일화.

엘리에제르 랍비는 배교 문제로 체포되었다. 총독은 그를 데려와 그를 심판하려고 법정에 세웠다.

그는 그에게 말했다.

"랍비여, 당신처럼 위대한 사람도 이런 쓸모없는 일에 관심을 갖소?"

그는 그에게 말했다.

"나는 재판관을 믿습니다."

그는 그가 자기에 대해 말하는 것으로 생각했으나 그것은 하느님을 말한 것이다.

그는 그에게 말했다.

"내가 당신을 믿었기 때문에 '이 미드라쉬 학교들이 이러한 쓸모없는 일 때문에 잘못될 것이다'고 말하는 것을 나는 한 번도 생각해보지 않았소. 맹세코 당신을 석방하오."

엘리에제르 랍비가 법정에서 내려온 후 그는 그가 배교의 말로 체포되었던 것에 대해 송구스러웠다. 그의 제자들이 그를 위로하기 위해 그를 방문했다. 그러나 그는 그들의 방문을 받아들이지 않았다.

아키바 랍비가 그에게 와서 말했다.

"랍비여, 아마도 이교도들 가운데 하나가 당신 앞에서 성경 구절을 말했을 것이고 그것이 당신에게 그럴듯했을 것입니다."

그는 그에게 말했다.

"하늘도 아십니다. 당신이 기억나게 합니다. 한번은 내가 찌포리의 중앙로를 올라가고 있었는데 사크니아 마을의 야콥이라는 사람이 나에게 와서 아무개의 이름으로 성경 구절을 말했는데 그 말이 좋았습니다. (그는 이렇게 말했습니다.) 그 말씀은 여러분 토라에 쓰여 있습니다. '너는 창녀의 해웃값과 개 값을 서원 제물로 너희 하느님 주님YHWH의 집에 가져오지 않을 것이다.'(신명기 23,19) 그것들이 무엇입니까?'

나는 그에게 말했습니다. '금지된 것입니다.'

그는 나에게 말했습니다. '서원 제물로는 금지되지만 없애버리는 데에는 허용됩니까?'

나는 그에게 말했습니다. '그런 경우 그것들로 무엇을 합니까?'

그는 나에게 말했습니다. '그것들로 목욕장이나 사교장에 쓸 수 있습니다.'

나는 그에게 말했습니다. '잘 생각했습니다.'

그 순간 나는 할라카(법도)를 깜빡 잊었습니다. 그는 내가 그의 말에 동의하는 것을 보고 나에게 말했습니다.

'아무개가 말했습니다. "더러운 곳에서 나온 것은 더러운 곳으로 나갑니다." 이렇게 말합니다. "창녀의 해웃값으로 그것(신상)들을 모았으니 창녀의 해웃값으로 돌아갈 것이다."(미가 1,7) 그러니 그것들로 군중을 위해 자릿값으로 쓸 것입니다.'

나도 좋다고 생각했습니다.

그때에 내가 배교 행위로 붙잡혔으며 그뿐 아니라 나는 토라에 쓰여 있는 것을 어겼습니다. '네 길을 그녀로부터 멀리하라. 그녀 집의 문지방에 가까이 가지 마라.'(잠언 5,8) '네 길을 그녀로부터 멀리하라.' 이것은 배교입니다. '그녀 집의 문지방에 가까이 가지 마라.' 이것은 매춘입니다. 왜냐하면, '참으로 그녀가 쓰러뜨려 희생된 자들이 많고, 힘센 자들도 그녀가 살해했다.'(잠언 7,26)

(그러면 창녀와) 얼마나 떨어져 있어야 합니까?

하시다 랍비는 '4보까지'라고 말했습니다."

이런 이유 때문에 이쉬마엘 랍비의 여동생의 아들인 다마의 아들 엘리에제르 랍비는 죽었다.

(어느 날) 그는 뱀에 물렸다. 사크니아 마을의 야콥이 와서 아무개의 이름으로 그를 치료하려고 했다. 그러나 이쉬마엘 랍비는 허락하지 않았으며 이렇게 말했다.

"다마의 아들아, 너는 (이교도의 치료를 받을) 자격이 없다."

그(엘리에제르 랍비)는 그(이쉬마엘 랍비)에게 말했다.

"저에게 자격을 주십시오. 그것이 허용된다는 것을 입증할 구절을 토라에서 말씀드리겠습니다."

그러나 그가 그 구절을 인용할 만한 시간이 충분하지 못했으며 그는 죽게 되었다. 이쉬마엘 랍비는 기뻐했으며 이렇게 말했다.

"다마의 아들아, 너는 행복하다. 네 목숨이 정淨한 가운데 다했으며 너는 현자들이 세운 울타리를 쓰러뜨리지 않았다. 누구든 현자들이 세운 울타리를 쓰러뜨리면 끝내 벌을 받게 된다. 이렇게 말한다. '울타리를 쓰러뜨린 자는 뱀에게 물린다.'(전도서 10,8)"

그(엘리에제르 랍비)는 뱀에게 물리지 않았는가? 그러나 그는 오는 미래에 뱀에게 물리지 않을 것이다.

그가 (입증하려고) 인용할 말씀은 무엇일까? '사람이 그것들(법규)을 행하면 그는 그것들로 살 것이다.'(레위기 18,5) '그는 그것들로 살 것이다.' 그는 그것들로 죽지 않는다.(《전도서 미드라쉬》 1,24)

이 일화는 엘리에제르 랍비가 그리스도교의 교리를 설파한다고 의심받아 109년 트라야누스 황제 시절에 고발당했던 이야기다. 이 이야기는 두 단락으로 엮어져 있다. 앞부분은 그의 배교 행위에 대한 것이며 뒷부분은 이로 인해 그가 뱀에 물려 죽었다는 이야기다. 로마 총독이 유대교 랍비의 배교 문제로 심문한다는 내용은 다분히 복음서에 나오는 예수에 대한 빌라도의 심문과 비슷하게 꾸며진 듯하다. 또한 엘리에제르 랍비가 뱀에 물렸는데 이교도에게서 치료를 받지 못하게 되어 죽었다는 이야기는 예수의 치유 이야기와 연계해서 생각해볼 만하다.

엘리에제르 랍비가 총독에게 '재판관을 믿는다'고 말할 때 그 재판관은 듣는 이에 따라 달리 이해할 수 있다. 랍비의 입장에서는 자신의 결백을 옹호할 하느님을 뜻하겠지만 총독의 관점에서는 그의 공정한 재판을 인정하는 랍비의 고백을 듣는 셈이다.

엘리에제르 랍비가 한 이교도를 만나 그와 성경 구절에 대한 해석으로 문제를 일으키게 된 도시 찌포리는 김나지움이나 원형극장, 신전 등 그리스-로마 문화가 많이 전파된 상업도시였으며 동쪽으로 가까운 거리에 나사렛이 있었다.

이교도와의 만남을 주제로 이야기하는 맥락에서 '아무개'는 예수 그리스도를 가리킨다. 예수의 이름을 언급하지 않는 까닭은 예수가 히브리어로 '예슈아', 즉 구원하다는 뜻이며 그의 이름을 부르는 것은 그를 구원자로 인정하는 행위이기 때문이다. 미드라쉬 학교에서 천 명의 학생이 토라 공부를 한 다음에 이교도로 전향하는 숫자가 그 절반이나 되었다고 한다. 여기서 이교도는 그리스도교뿐 아니라 유대교 전통을 떠나는 것도 포함한다. 당시 유대인들 가운데 그리스도교 모임에 참석하는 사람들도 많았다. 랍비들이 이교도에 매우 민감하게 반응하고 학생들이 이탈되지 못하게 대책을 마련하는 데 심각했음을 짐작할 수 있다.

창녀의 해웃값이나 개 값은 부정한 것이므로 성전에 바치지 못했다. 그러나 그 돈을 버리는 것은 현실적이 아니다. 그래서 종교 의례와는 다른 용도로 사용할 수 있다는 해석에 엘리에제르 랍비는 동의한 것이다. 그리스도교 전도자는 랍비가 동의한 관점은 '더러운 곳에서 나온 것은 더러운 곳으로 나간다'는 예수의 미드라쉬(해석)와 같다고 밝히며 '그런 돈은 군중을 위해 자릿값으로 쓰겠다'고 말한다. 원형극장의 자릿값으로 쓰겠다는 말이다. 엘리에제르 랍비도 그것은 좋은 생각이라고 동조한다. 랍비는 예수의 성경해석에 동의한 결과를 낳게 되었다.

'더러운 곳에서 나온 것은 더러운 곳으로 나간다'는 말과 비슷한 내용을 복음서에 전해진 예수의 어록에서 찾아볼 수 있다. 예수는 빵을 먹기 전에 손을 씻어야 하는 것이 할라카(법도)라고 말하는 것에 대해 아래와 같이 피력했다.

> 듣고 이해하십시오. 입으로 들어가는 것이 사람을 더럽히지 않습니다.
> 오히려 입에서 나오는 것이 사람을 더럽힙니다.
>
> (중략)
>
> 그러나 입에서 나오는 것은 마음에서 나오는 것입니다. 바로 그것이 사
> 람을 더럽힙니다. 악한 생각이 마음에서 나오기 때문입니다. 음행, 살
> 인, 간음, 도둑질, 거짓 증언, 모독. 이런 것들이 사람을 더럽힙니다. 그
> 러나 만일 사람이 손을 씻지 않고 먹는다면 그는 더럽혀진 것이 아닙니
> 다.(마태 15,11 · 18~20)

할라카는 모세오경에 나오는 법규들에 대해 초기 유대교 현자들과 랍비들이 새로운 환경에 적용할 수 있게 해석한 법도法道다. 당시 할라카에 따르면 랍비들이 이교도인의 성경해석에 동의하는 것을 금지했다. 이교도의 성경해석에 동의하는 것은 배교 행위라는 뜻이다.

결국 엘리에제르 랍비는 배교 행위로 의심받아 재판에 회부된 것이다. 이런 경우 일반적으로 21명의 유대인 의회의원들이 소집되는 소 산헤드린에서 문제를 해결한다. 그런데 이 일화는 엘리에제르 랍비가 총독 앞에서 재판을 받아야 하는 운명으로 엮어져 있다. 그 까닭은 그 이교도가 로마 시민이었기 때문일 것이다. 유대인과 로마 시민 사이의 종교적 범죄 행위를 가리기 위해서는 로마 법정에 서야 했다. 엘리에제르 랍비는 총독의 공정성을 호소하기 위해 "재판관을 믿는다"고 말한 것이다. 총독은 그에게 무죄를 선언하였기 때문에 그는 법정에서 풀려나왔고 그의 제자들은 그를 위로하기 위해 방문을 원했던 것이다.

그러나 미드라쉬 학교에서 배운 학생들이면 누구나 잘 알고 있는 할라카를 선생이 어긴 것은 사실이다. 엘리에제르 랍비는 스스로 죄를 뉘우치며 '창녀로부터 멀리하라'는 잠언 구절을 배교에 대해 말한다고 해석하며 자신이 창녀와 같이 매춘 행위를 했다며 누구도 가까이 오지 못하게 한 것이다. 누군가 배교자와 가까이 있고자 한다면 그 거리는 4보로 할라카에 규정했다. 이처럼 이교도와도 4보 이상 떨어져 있어야 한다는 해석이다.

다음 단락은 엘리에제르 랍비의 죽음에 대한 일화다. 엘리에제르 랍비가 뱀에 물렸는데 그의 선생이자 큰 외할아버지인 이쉬마엘 랍비가 이교도의 도움을 거부한 까닭은 그가 뱀에 물린 사람을 살리기 위해 아무개(예수)의 이름으로 그를 구원한다고 선포하기 때문이다. 유대교 랍비들은 나사렛의 예수를 메시아로 인정하는 초대교회 문헌의 성경해석(미드라쉬)에 동의하지 않았다.

이쉬마엘 랍비는 엘리에제르 랍비가 이전에 이교도의 성경해석에 동의하여 할라카를 지키지 않았기 때문에 뱀에 물렸다고 판단했다. 그런데 그가 뱀에 물린 다음에 또 이교도의 치료 행위(구원)를 받는다면 두 번이나 할라카를 지키지 않는 큰 죄를 짓게 된다. 배교와 같은 중죄를 짓는다면 오는 세상에 몫을 얻을 수 없다. 그래서 이쉬마엘 랍비는 그를 위해 이교도의 도움을 허락하지 않은 것이다. 배교 행위로 죄지은 엘리에제르 랍비가 뱀에 물려 죽게 되었지만 이번에는 이교도의 치료 행위를 받지 않고 현자들의 울타리(할라카)를 지켰기 때문에 오는 세상에서 한몫을 받을 수 있다는 이야기다.

[랍비들의 문헌에서 '울타리'는 할라카를 뜻하는 표현으로 자주 사용되었다. 〈선조들의 어록〉 시작 부분에 '토라(율법)에 울타리를 쳐라'

는 언명이 나온다. 이 울타리는 모세오경의 법규에 대한 새로운 판례와 해석을 뜻한다.]

따라서 이쉬마엘 랍비가 엘리에제르 랍비의 배교 행위에 대해 '울타리를 쓰러뜨린 자는 뱀에게 물린다'는 전도서 구절을 인용한 것은 맞고, 엘리에제르 랍비가 두 번째 잘못을 하지 않았기 때문에 그는 그가 그동안 토라 공부를 하며 쌓아놓은 공덕으로 오는 세상에 살 수 있다는 말이다.

'모든 말은 지치게 한다'(전도서 1,8)는 구절에 대해 배교자들의 말은 사람을 지치게 한다고 해석하며 엘리에제르 랍비가 배교한 일화를 소개하고 이로 인해 그의 죽음을 초래했다는 이야기다. 다음 단락은 이와 비슷한 종류의 일화들로 이교도(그리스도교도)들의 말도 사람을 지치게 한다는 이야기다.

이교도들도 그렇다

엘리에제르 랍비에게 와서 개종하겠다던 한 여인의 일화.

그녀는 그에게 말했다.

"랍비님, 저를 받아주십시오."

그는 그녀에게 말했다.

"당신이 한 일에 대해 자세히 말해주시오."

그녀는 말했다.

"내 작은 아들은 내 큰 아들에게서 낳았습니다."

그는 그녀를 쫓아버렸다.

그녀는 예호슈아 랍비에게로 갔다. 그는 그녀를 받아주었다. 그의 제자들은 그에게 말했다.

"엘리에제르 랍비는 그녀를 멀리하였는데 당신은 받아들였습니다."

그는 그들에게 말했다.

"그녀가 개종하려고 마음먹었다는 것은 그녀가 이 세상에 사는 것을 (뜻하지) 않는다. 이렇게 쓰여 있다. '누구든 그녀(낯선 여자)에게 가면 돌아오지 못한다.'(잠언 2,19) 만일 그들이 (악한 길로) 돌아가면 '그들은 생명의 길을 얻지 못한다.'(잠언 2,19)"

(어느 날) 예호슈아 랍비의 형제의 아들 하나나가 크파르나훔(가버나움)에 왔다. 이교도들이 그에게 말씀(교리)을 배우게 했다. 그는 안식일에 나귀를 타고 그의 삼촌 예호슈아의 집에 왔다. 그러나 그는 그에게 기름을 부어 낮게 했다.

그는 그에게 말했다.

"그 사악한 사람의 나귀가 너에게 반대하고 일어났으니 너는 이스라엘 땅에서 살 수가 없다."

그래서 그는 바빌론으로 가서 거기에서 평화롭게 일생을 마쳤다.(《전도서 미드라쉬》 1,25)

엘리에제르 랍비는 토라의 길로 돌아오겠다는 여인이 전에 모세오경의 법규를 어겼기 때문에 그녀의 개종을 허가하지 않았다. 그러나 예호슈아 랍비는 그녀가 개종하려고 결심한 것은 그녀가 회개하였다는 것을 전제로 하기 때문에 가능하다는 말이다. 그녀가 토라의 법규를 어긴 죄를 회개하고 토라의 길에 살아가겠다고 하는 마음은 이 세상의 법도를 따라가는 것이 아니라는 설명이다. 누구든 낯선 여자, 즉 이교도에게 가면 돌아오지 못하지만 낯선 여자에게서 돌아온(회개한) 사람은 생명의 길을 얻는다는 말이다.

예호슈아 랍비의 조카 하나가 이교도(그리스도교)의 가르침을 배워 안식일에 지켜야 하는 유대교의 법도를 어겼다. 《미쉬나》에 따르면 안식일에 도성 밖으로 이천 보 이상 걸어가지 못하게 규정하고 있다. 그가 삼촌 집에 가기 위해 나귀를 타고 온 거리는 적어도 이천 보 이상이 된다. 그는 안식일의 할라카를 어겼다. 그런데 예호슈아 랍비가 그에게 회개를 하게 하였으며 그 정결예식으로 그의 머리에 기름을 부어 그가 토라의 길로 다시 돌아오게 했다. 그러나 사악한 사람(이교도)들의 나귀가 그를 다시 태우지 않게 하려고 그를 바빌론으로 보냈다는 이야기다. 예호슈아 랍비에게는 회개한 사람을 받아들이는 자비심이 있다는 것이다(2장 〈요하난 벤 자카이 랍반의 다섯 수제자들〉 참조).

요나탄 랍비의 제자들 가운데 하나가 (이교도에게) 도망갔다.
요나탄 랍비는 (이교도들에게) 가서 그의 제자가 그들과 함께 음식을 준비하는 것을 보았다. 이교도들은 이러한 (성경) 말씀을 그(랍비)에게 전했다. 이렇게 쓰여 있지 않은? "너는 우리 가운데 네 운명의 주사위를 던져라. 우리 모두에게 지갑 하나면 된다."(잠언 1,14)
그는 뛰쳐나갔으며 그들은 그를 좇아왔다. 그들은 그에게 말했다.
"랍비님, 한 신부에게 자비를 베풀어주십시오."
그는 가서 그들이 그녀에게 치장하는 것을 보았다.
그는 그들에게 말했다.
"이렇게 하는 것이 유대인들의 방법입니까?"
그들은 그에게 말했다.
"이렇게 토라에 쓰여 있지 않습니까? '너는 우리 가운데 네 운명의 주사위를 던져라. 우리 모두에게 지갑 하나면 된다.'"

그는 뛰쳐나갔으며 그들은 그의 집 대문까지 그를 쫓아왔다. 그는 그들 코앞에서 문을 닫았다.

그들은 말했다.

"요나탄 랍비님, 가서 당신 어머니에게 당신은 돌아서지도 않았고 우리를 쳐다보지도 않았다고 얘기하시오. 만일 우리가 당신을 쫓아간 것보다 당신이 돌아서서 당신을 쫓아오는 우리를 더 보았다면 당신이 우리를 쫓아온 것입니다."(《전도서 미드라쉬》 1,25)

요나탄 랍비는 이교도들에게 가버린 그의 제자가 궁금하여 그들이 사는 곳을 방문했다. 때마침 그들은 잔치 준비를 하고 있었는데 그를 보자 그에게 '우리 모두에게 지갑 하나면 된다'는 잠언의 한 구절을 인용한다. 잠언 미드라쉬에 전해진 이 문구의 해석을 보면 모두 한 잔칫상에서 먹고 있다는 뜻이다. 이교도들은 랍비에게 잔치에 동석할 것을 요청한 것이다. 랍비가 이교도들과 같은 밥상에 앉으면 할라카를 어기는 것이기 때문에 그는 돌아설 수밖에 없었다(랍비들의 입장에서 보면 이교도는 유대교의 할라카를 지키지 않는 부류의 사람들을 가리킨다).

그러자 그들은 뒷걸음치는 랍비를 따라가 신부에게 자비를 베풀어달라고 부탁한다. 이 잔치는 그의 제자의 혼인잔치인 것이며 신부에게 축복의 말을 해달라는 부탁이다. 랍비가 이방인에게 축복의 말을 건네는 것은 할라카에서 허용된다. 그래서 혼인잔치에 다시 돌아온 것이다.

그런데 신부가 치장하는 것을 보자 왜 유대인 방식을 따르지 않느냐고 질문한다. 왜냐하면 신랑이 유대인이기 때문이다. 이교도들은 또다시 같은 구절을 인용한다. "너는 우리 가운데 네 운명의 주사위를 던져라." 유대인이 이교도들과 살게 되면 유대인의 운명을 던져버리라는 해석이다. 요나탄 랍비는 그들과 함께 더 이상 있을 수가 없었다. 그들은 요나탄 랍비가 무슨 이유에서든지 이교도들의 공동체를 방문했기 때문에 그에게 개종의 의사를 물어보았다는 이야기다.

> 예후다 벤 나코사 랍비는 이교도들과 관계를 가지고 있었다.
> 그들은 그에게 질문했으며 그는 그들의 질문에 대답했다.
> "헛소리요. 여러분은 조그마한 문제를 일으킵니다. 우리 사이에 누구든 그 동료를 이기면 몽둥이로 그의 머리를 때려 상처 나게 합시다."
> 그는 그들을 이겼으며 그들 머리가 상처투성이가 되도록 머리를 때렸다. 그가 돌아오자 그의 제자들이 그에게 말했다.
> "랍비여, 하늘이 도와서 당신이 이겼습니다."
> 그는 그들에게 말했다.
> "헛소리요. 가서 이 사람과 이 물주머니를 위해 기도해주시오. 보석과 진주로 가득 찼었는데 이제 숯으로 가득 찼습니다."(《전도서 미드라쉬》 1,25)

예후다 벤 나코사 랍비가 이교도들과 성경 구절 해석에 대해 논쟁을 벌인 이야기다. 물주머니는 그의 머리를 가리킨다. 토라에 대한 그의 지식이 보석처럼 훌륭했는데 이교도들과의 논쟁으로 숯처럼 까맣게 타버렸다는 말이다. 숯은 보석에 비해 쓸모없다. 그가 비록 이교도들과의 논쟁에서 이겼다 하더라도 그 자체가 쓸데없는 짓이며 이는 타는 숯처럼 사람을 지치게 한다는 것이다. 이러한 일화가 미드라쉬나 탈무드에 전해진 까닭은 이교도들의 접근을 조심해야 한다는 경고에서다.

14

천상의 빛
그리스도

그리스도교 전도자들의 적극
적인 복음 전파 활동은 유대인들을 위해서라기보다는 오히려 이방인들의 세계를 향했으
며 결국 로마제국의 국교가 될 수 있을 정도의 큰 세력으로 급성장했다.

3세기 말 로마제국의 황제 디오클레티아누스(284~305년 재위)는 로마제국을 동서
로 갈라 분할 통치했으며 10년 후 로마제국은 넷으로 갈렸다. 디오클레티아누스 황제는
재위 말기에 그리스도교를 심하게 박해하여 교회를 파괴했고, 많은 신도들은 순교하게
되었다. 그러나 네 명의 로마 황제들은 서로 세력 다툼이 심했으며 그리스도교 교인들의
지지가 큰 변수로 작용했다. 313년 서방 황제 콘스탄티누스(306~337년 재위)는 그리스
도교 신앙의 자유를 선언하고 그리스도교를 공인하여 그리스도교는 로마제국의 국교가

되었다. 324년 콘스탄티누스 황제는 로마제국을 재통일하여 비잔티움(콘스탄티노플)을 건설하여 비잔틴 시대를 열었다.

콘스탄티누스 1세

콘스탄티누스는 세르비아와 불가리아 사람들의 고향 땅이 된 로마 지방주인 모에시아에서 태어났다. 그의 아버지 콘스탄티누스는 서방 로마제국의 황제 디오클레티아누스의 지방 총독이었으며 후에 서방 로마제국의 황제가 되었다. 그의 어머니 헬레나는 그리스도교 교인이었으며 팔레스티나에서 그리스도의 십자가를 찾아내었다고 알려진 참된 신앙인이었다(그녀는 후에 성인이 되었다). 청년 콘스탄티누스는 디오클레티아누스의 궁전에 보내졌으며 페르시아와 이집트에서 군복무를 했다. 디오클레티아누스가 퇴임하자 그는 브리타니아에서 그의 아버지와 함께 재직했다. 로마 군대의 젊은 장군으로서 그는 그의 아버지의 후계자가 되었다. 306년 그의 아버지가 죽자 그의 군인들이 콘스탄티누스를 아우구스투스(존엄자)로 환호했다.

6년 후에 콘스탄티누스는 막센티우스를 물리치고 서방의 황제가 되

14-1 콘스탄티누스 1세의 금화(직경 3.4cm)
앞면 콘스탄티누스의 흉상.
뒷면 날개를 달고 있는 요정들이 꽃 장식 줄을 들고 있다.

었다. 이 전쟁에서 그는 하늘에서의 환영을 여러 번 보았으며 그는 그리스도교에 호의적이라고 천명했다. 일 년 후 그는 동로마의 막시뭄을 물리치고 323년 로마제국을 다시 통일했다.

콘스탄티누스는 두 가지 큰 결정을 했다. 하나는 제국 안에서 그리스도교를 법적으로 인정한 것이다. 따라서 교회 사제들은 면세를 받았으며 교회의 명절을 지키게 되었다. 그는 많은 교회를 짓도록 주교들과 부자들을 북돋았다. 다른 하나는 로마제국의 수도를 로마에서 콘스탄티노플로 옮기기로 결정한 것이다. 이로써 콘스탄티누스가 로마제국을 통일함과 함께 비잔틴의 역사가 시작되었다.

초기 비잔틴 시대의 수도사들

비잔틴 시대는 콘스탄티누스 1세가 그리스도교를 로마제국의 종교로 인정하고 서기 323년 로마제국의 유일한 황제가 된 다음, 330년 제국의 수도를 비잔티움으로 옮기고 난 후부터 1453년 오스만튀르크에 멸망할 때까지를 일컫는다. 그 시기를 크게 초기(330년~800년경)와 중기(850년~1260년경), 그리고 후기로 나눈다.

비잔틴 시대에 열정적으로 나타나는 세 가지 특징은 원형광장과 궁중의 음모와 종교적 신비주의라고 말할 수 있다. 비잔틴 제국의 역사는 단적으로 사제들과 환관들과 궁중 여인들의 음모와 독살과 모함, 변절, 끊임없는 형제살해 등으로 점철되었다고 말할 수 있다(비잔틴 시대에 29명의 황제들이 그들의 통치 기간 중에 독살되거나 살해당하거나 장님이 되었다).

이러한 가운데 형성된 비잔틴 시대는 고대 그리스·로마 문화를 이어받았으며 일상생활에 면면히 흐르는 그리스도교의 강한 영향과 6세기에 시작되는 이슬람교와의 교류를 볼 수 있다. 특히 비잔틴 제국의 수도 콘스탄티노플('콘스탄티누스의 도시')을 중심으로 지중해 동쪽 지역(지금의 터키 남부, 시리아, 레바논, 팔레스티나)에서 생성되고 발전된 비잔틴 문화는 고대 근동 문화와 고대 그리스 문화의 독특함이 어우러진 면을 볼 수 있다.

또한 비잔틴 문화는 근세 서양문화의 틀을 만든 르네상스와 고대 그리스 · 로마 문화를 연결시키는 가장 중요한 통로다. 서양문화의 근간은 고대 그리스 문화에 있으며 그리스 문화는 고대 메소포타미아, 고대 이집트, 레반트(지금의 시리아, 레바논, 팔레스티나 지역)의 역사와 문화에서 찾아진다.

알렉산드로스 대왕이 고대 그리스 영역의 한계를 아나톨리아(지금의 터키)와 메소포타미아 지방을 거쳐 인도의 북부 지역까지 넓히게 되어 그리스 사람들은 다양한 민족들과 융화하고 그들은 새로운 그리스의 보편 문화(헬레니즘)를 형성하게 했다. 약 3세기 후 로마인들은 그리스의 문화와 교육 전통을 유지하면서 서쪽으로 브리타니아에서 이집트의 알렉산드리아와 지중해 동쪽 해안 지역, 대서양에서 유프라테스 강까지 광활한 지역을 통치하는 제국의 행정 질서를 수립했다.

그러나 그 광대한 로마제국은 4~6세기 사이에 북유럽의 북방민족(Barbarians)들이 다뉴브 강을 넘어 주기적으로 침략하게 되면서 로마제국은 정치적 불안과 함께 붕괴되었다. 이후 14세기에 이탈리아를 중심으로 일어난 르네상스(문예부흥) 시기까지를 '중세 암흑기(Dark Age)'라고 불렀다. 서양역사에서 로마제국의 붕괴(500년경)와 르네상스 시대(1400년경) 사이에 모든 예술, 과학, 교육 등이 정지된 것처럼 보였다. 그러나 이것은 잘못된 이해였다. 이 사이를 찬란하고도 엄숙한 비잔틴 문화가 채우고 있기 때문이다. 근 11세기 동안 고대 그리스·로마 문화를 계승하고 그리스도교 보편적 종교 정신과 예술을 발전시키고 먼 미개 지역에까지 도시적 문명을 전파한 비잔틴 문화는 고대와 현대를 이어 주는 교량 역할을 했다.

비잔틴 제국은 로마제국을 계승한 그리스도교 국가였다. 528년 유스티니아누스 황제는 10명을 선정하여 그동안 편집된 로마 황제들의 법령을 4,652법조항의 법전과 2~3세기 로마 재판관들의 법령을 50권으로 정리하여 편찬하게 하였다. 서양법의 근간을 이룬 로마법은 비잔틴 시대에 와서 정리되고 계승된 것이다. 그래서 비잔틴 문화는 로마제국의 두 가지 핵심적인 요소인 법과 국가행정조직을 발전 유지시켰으며 헬레니즘 문화를 이어받았고 여기에 더욱더 강한 요소인 그리스도교 문화를 더하여 형성되었다고 말할 수 있다. 오늘날 서양사 이해에 비잔틴 문화는 '새로운 발견'이며 그동안 신비와 오해로 가려진 비잔틴 문화의 베일을 벗기는 학자들의 부단한 노력으로 그 아름다움과 신비함을 점차 볼 수 있게 되었다.

비잔틴 시대에는 수도원 제도와 그리스도교 신비주의가 매우 발전했던 시기였다. "나를 위해 자신의 생명을 버리는 자는 생명을 찾을 것입니다"라는 그리스도의 말씀을 따른 많은 수도사들의 노력으로 그리스도교는 건전하게 발전될 수 있었다. 4세기경 은수자 성 안토니는 20년 동안 스스로 무덤에 갇혀 수도 생활을 하였다. 그의 가혹한 수도 생활을 모범으로 삼은 많은 수도사들이 소아시아와 그리스 등에 퍼졌으며 5세기경에는 서유럽에도 뿌리를 내리기 시작했다. 비잔틴 시대에 성인들의 일대기가 가장 널리 읽혔다.

6세기 중반에 콘스탄티노플에만 85개의 수도원이 있었으며 수도사들은 도시, 동굴, 광야, 외딴섬 등에 살았다. 그들은 그리스도교의 기본 정신과 제국의 도덕적 양심을 말했다. 비잔틴 시대의 위대한 업적은 이러한 도덕적 문화를 주변의 다른 민족들에게 전해준 것이다. 6세기에 이미 콘스탄티노플의 수도사들은 이집트 남쪽에 위치한 누비아에 가서 그리스도교와 비잔틴 문화를 가르쳤다.

　서양사에 큰 전환기는 이로부터 300여 년 후 동유럽의 슬라브 민족들에게 비잔틴 문화가 전파된 것이다. 863년 모라비아(체코슬로바키아의 한 지방) 왕은 비잔틴 황제 미카엘 3세에게 그 나라에 그리스도교를 그 나라 말로 전파할 수 있는 선생을 요구하였다. 키릴(Cyril)이라는 수도사가 슬라브인들에게 그리스 알파벳을 수정하여 문자를 만드는 작업에 결정적인 역할을 하였으며 모라비아 사람들을 개종시켰다. 이들의 문자는 키릴 문자라고 불린다. 10세기경 러시아 등 여러 민족이 '정교회(Orthodox church)'에 들어왔으며 약간의 수정을 거쳐 키릴 문자는 현재 슬라브어 세계의 기본 문자가 되었다.

성화 파괴 논쟁

　비잔틴 예술은 고대 그리스 · 로마의 조각술의 전승을 이어받았으며 그리스도교의 종교성을 더하였다. 7세기까지도 이탈리아는 비잔틴 제국의 영향에 있었으며 로마, 밀라노, 라벤나, 나폴리 등에 세워진 교회의 천장과 둥근 천장, 기둥, 벽 등에서 비잔틴 양식을 볼 수 있다. 베네치아에는 비잔틴 도시를 세웠다.

　비잔틴 예술이 동유럽과 근동 지역에 끼친 영향 가운데 가장 강한 요소는 모자이크와 성화聖畵(Icon)와 건축양식이다. 유고슬라비아 등 발칸 반도나 시리아의 광야에 세워진 교회의 둥근 천장과 기둥 등에서 비잔틴 건축가들과 예술가들의 활동을 볼 수 있다. 또한 동유럽의 많은 교회에서 비잔틴 장식과 건축양식을 볼 수 있는 것도 비잔틴 문화의 영향이다.

비잔틴 예술은 종교적이다. 비잔틴 시대를 대표할 수 있는 예술 작품 가운데 손꼽히는 것이 성화다. 그러나 대부분의 초기 성화들은 성화파괴자들에 의해 거의 파괴되었다. 특히 726년 비잔틴 제국의 황제 레오 3세가 비잔틴 제국의 모든 성화를 파괴하라는 칙령을 공포하여 초기 시대의 성화는 보존된 것이 거의 없다.

유대교에서 종교 도상圖像은 원칙적으로 부정되었다. 우상숭배 금지의 계명에 반한다는 뜻도 있었고, 초자연적·초감각적인 전지전능한 종교적 존재를 감지할 수 있는 물질적 소재로 표현한다는 것이 용납될 수 있을 것인지가 자주 문제로 제기되었다. 초기 그리스도교 사회에서도 교부들 대부분이 성화 제작을 반대했다. 동방 그리스도교 사회인 비잔티움(이스탄불)에서 8~9세기에 걸쳐 계속된 성화 파괴 논쟁은 무서운 유혈 사태와 성전 및 도상미술의 파괴를 가져왔다.

비잔틴 제국의 황제 레오 3세는 726년과 730년 두 차례에 걸친 칙령으로써 이미 로마제국에서 공인 장려되고 있던 성화 숭배를 우상숭배로 단정하여 금지하고 성화를 파괴했다. 이 성화 파괴는 하나의 사회운동으로 번졌는데, 이를 가리켜 '성화파괴주의(iconoclasm)'라고 한다. 뒤이어 즉위한 콘스탄티누스 5세도 이 정책을 계속했다.

한편, 787년 소집된 제2차 니케아 공의회는 성화 파괴를 이단異端이라 하여 배척함으로써 제국 안에서의 분쟁은 계속되었다. 그 후 레오 5세 치세에서 성화 파괴가 부활되었는데, 우상파괴를 주창하는 최후의 황제 데오필로스가 사망한 후, 황후 테오도라가 843년에 주관한 주교 회의에서 성화 숭배가 다시 살아났다. 이러한 일련의 사건으로 비잔틴 제국은 종교적이고 정치적인 불안과 갈등을 겪게 되었다. 그러나 843년 성화 논쟁이 결말을 보게 되자 이후부터는 성화를 그리는 전통을 이어받은 화가들에 의하여 다시 그려졌다. 제4차 콘스탄티노플 공의회(869년~870년)에서 다시 성화파괴자에 대한 이단 선고가 있은 이후, 성화 숭배는 동방교회에서도 불가결한 전통으로 형성되었다.

[12~13세기 시토회會에서도 우상숭배와 지나친 감각적 도상미술을 배척하였다. 16세기의 종교개혁 후 프로테스탄트도 도상의 숭배 위험을 우려하여 종교미술에 대해서는 매우 소극적이었는데, 오늘날까지도 그 태도는 변하지 않고 있다. 특히 칼뱅파에서는 성상파괴운동聖像破壞運動을 적극적으로 전개하였다. 이와 같이 일부 교파의 반대도 있었지만, 일반적으로는 종교미술이 적극적으로 장려되어, 거의 어느 시대에서나 그리스도교 미술은 번성하였다.]

동방정교회의 전례 예술典禮藝術의 확실한 표현인 성화의 존재와 종교적 중요성은 그리스도교의 계시된 진리와 연관되며 이 성화들은 그 증거들이었다. 성화의 형상과 성화 기법의 구성은 정교회의 영성 경험을 과거와 현재와 미래의 나눌 수 없는 전체적인 종합체로 보여준 것이다. 정교의 보편적 세계의 열매인 성화는 진리의 말씀을 올바르게 해석하는 데 기여했다. 성화의 시각예술의 논리를 통해 성경을 해석하고 그 표현의 의미를 전달했다. 또한 성화는 영성 생활의 인도자 역할을 하며 믿는 자들에게 성화에 표상된 인물과의 신비적 교제를 불러일으켰다. 그러므로 성화는 영혼의 구제를 확신시키며 성화와 함께하는 기도를 통해 성인들이나 그리스도의 모습과 하느님의 은혜가 제공된다고 느낄

수 있었다. 그러므로 그리스도나 동정녀, 혹은 성인들의 성화들과 신적인 섭리의 이야기를 그린 장면들은 존중과 경의를 받게 되었다.

성화 기법은 교회 전통의 규범을 따랐다. 무엇보다도 거룩한 인물들이 예배의 대상인 원래의 모습대로 표현된 닮은 모습을 그리게끔 확신시키는 데 있었다. "성화 제작은 화가의 창조이지만, 관례와 공인된 규칙을 따르는 것은 보편적인 교회의 작업이며 계획하고 착수하는 것은 거룩한 사제들의 작업이다"라고 787년 제7차 공의회에서 교회 사제들은 천명했다. 교회 전통은 주기적인 공의회를 통해 더욱 풍부해졌으며 또한 성화에 집중하게 되었다. 그 예술성과 스타일과 조화에서 그 시대와 장소의 경건한 회중 생활의 관점과 방향 그리고 생각을 반영한

14-2 주재자 그리스도(Christ the Pantocrator)
시칠리아의 케팔루에 있는 성당의 모자이크(1148년).

것이다.

비잔틴 사람들은 자신들이 하느님의 선택된 백성이라고 여겼다. 비잔틴 제국의 수도 콘스탄티노플에는 성인들의 거룩한 유골, 유물, 그리스도의 탄생과 수난, 성모 마리아 등에 관한 성화들로 가득했다. 왕궁의 빈 옥좌에는 네 복음서를 올려놓아 하느님의 현존을 상징했으며 황제는 신적인 권리로 세상을 다스리며 하느님의 뜻을 전달하는 대변인으로 여겼다. 황제의 즉위식에 〈당신을 황제로 만든 하느님을 찬양하라〉는 합창곡을 불렀다. 또한 황제가 종교적 역할을 하는 것을 보여주기 위해 왕궁 교회의 설교단에 올라가 궁정관리들에게 설교도 했다. 예술가들은 모자이크로 그려진 황제의 머리 주변에 후광을 넣었다. 그래서 콘스탄니누스 황제가 창건한 비잔틴 제국은 항상 그리스도 아래 있다는 것을 천명했다. 예를 들어, 동전에 그리스도의 얼굴을 새기고 그 주위에 '주재자主宰者, 예수 그리스도'라는 기문記文을 넣었다.

1,100년 동안 지속된 비잔틴 문화는 고대 문화를 현대로 옮겨놓는 교량 역할을 하였으며, 동쪽으로는 이슬람 세계와 교류하며 공존하였고 미개한 서유럽과 북쪽 민족들에게는 비잔틴 예술과 발전된 과학, 그리고 웅장하고 섬세한 건축 기술을 전해주었다. 지금 이렇게 우리가 누리고 있는 현대 문명은 고대 그리스·로마 문화를 비잔틴 문화라는 통로를 통해 이어받은 것이다.

비잔틴 성화 전통에 따라 만든 작품으로 그리스도는 세상의 재판관이고 지배자임을 보여준다. 오른손으로 축복을 하며 왼손에는 요한복음서의 한 부분이 펼쳐진 성경을 들고 있어 '나는 세상의 빛입니다. 나를 따라오는 이는 어둠속에 걸어 다니지 않을 것이며 오히려 생명의 빛을 얻을 것입니다'(요한 8,12)라는 내용을 세상에 전파한다.

책의 종교

313년 콘스탄티누스 황제가 그리스도교를 공인하면서 유대인 공동체는 새롭고 즉각적인 도전을 받게 되었다. 그때까지는 로마 종교가 유대인 공동체에 때로는 위협적이었지만 어디까지나 정치적인 강압 정책이었다. 그러나 그리스도교가 로마제국의 국교가 되자 그리스도교 지도자들은 유대교에 종교적인 강압 정책을 펼치기 시작했다. 로마제국의 모든 사람들은 그리스도교로 개종해야 한다는 문제에 맞닥뜨리게 된 것이다. 더욱이 '시온에서 토라가 나가며, 주님의 말씀은 예루살렘에서'(이사야 2,3)라는 문구에서처럼 예루살렘은 이스라엘(유대인)의 본향이 아니라 메시아 예수가 부활한 곳으로, 즉 그리스도교의 순례지로 바뀌게 되었다. 따라서 예루살렘에 그리스도를 기념하는 교회와 순례지가 만들어지고 그리스도교가 이스라엘 백성에게 약속한 이스라엘 땅을 차지할 수 있는 올바른 상속권을 받았다고 주장하게 되었다. 그리스도교 관리들은 유대인의 회당이나 미드라쉬 학교의 성장을 막고 심지어 도시 중심지에 세워진 회당이나 학교를 다른 곳으로 이주하게 했다.

한편, 그리스도교 국가가 된 동로마제국은 유대교의 근원을 없애려는 시도를 했다. 그 대표적인 예로 예쉬바(유대교 신학교)를 폐쇄하기 시작했다. 티베리아스에 있던 예쉬바들은 모두 폐쇄되고 많은 랍비들은 바빌로니아로 이주했다. 그러나 이러한 일을 계기로 품베디사와 같은 바빌로니아 도시로 피해온 랍비들은 그들의 다양한 전승을 토대로 바빌로니아에 머물러 살고 있는 랍비들과 함께 유대교의 중심체인 《바빌로니아 탈무드》를 편찬하게 되었다.

또한, 그리스도교가 유대교에서 완전히 독립함으로써 유대교는 그리스도교와 교류를 하지 않아도 되는 상황이 되었다. 그 한 예로 아래와 같은 명절을 지키는 상황을 볼 수 있다.

　그리스도교가 동로마제국의 국교가 되기 전까지 그리스도교의 여러 명절(부활절, 오순절 등)을 유대교(유월절, 칠칠절 등)와 같은 날에 지켰다. [즉, 그리스도교도 유대교 공동체의 산헤드린에서 정하는 날을 따른 것이다(유월절/부활절, 칠칠절/오순절).] 그러나 325년 니케아 공의회에서는 그리스도교의 명절을 유대교와는 다르게 정할 것을 택했다. 교회 역사가 유세비우스가 전한 콘스탄티누스 황제의 연설에서 이런 점을 볼 수 있다.(De Vita Constantini 3:2)

　　이것은 콘스탄티누스 황제가 니케아 공의회에서 연설한 말씀이다.

　　"우리가 우리의 명절을 축하하는데 왜 하느님에게서 비난을 받은 민족의 발자국을 따라가야 합니까? 우리가 그들의 계산법에 따르지 않고서는 우리의 명절을 지키고 축하할 수가 없다고 그 미움 받는 유대인들이 말하는데 이보다 더 무례한 것이 있겠습니까?"

　따라서 그리스도교는 자체적으로 그리스도교의 명절을 만들게 되었으며 유대교의 산출에 의존하지 않게 되었다. 이로써 유대교는 그들만이 '진정한 유대교'를 대표한다고 요구하는 그리스도교와 완전히 결별하게 되었다.

　그리스도교가 비잔틴 제국의 국교가 되면서 그리스도교는 종교적인 측면뿐 아니라 경제적인 면에서도 유대인들의 삶에 큰 압박을 가했다. 초기 그리스도교 황제들은 유대교 공동체 우두머리의 권한인 '대표(나씨)'라는 직책을 인정했으나 이 제도는 429년에 폐지되었다. 425년 감리엘 7세 랍반 대표가 죽자 테오도시우스 2세 황제는 그 후계자를 인준

하지 않았으며, 450여 년이나 유지되어왔던 유대인 공동체의 대표 제도는 끝나게 되었다. 그리고 유대인들의 산헤드린을 위해 모았던 헌금을 비잔틴 황실에 바치게 했다.

유스티니안 1세 황제(527~565년 재위)는 유대인들의 토라 공부를 금지시켰으며 심지어 유대인들이 일상적으로 낭송하는 '쉬마'를 언급하지 못하게 했다. '하느님은 하나다'라는 쉬마의 논지는 그리스도교의 삼위일체 교리와 일치하지 않기 때문이라는 설명이었다.

비잔틴 제국에 살고 있던 유대인 학자들은 이러한 압박으로 그렇게 큰 피해를 받지 않았다. 탈무드에 다음과 같은 전승이 회자되고 있다. '이스라엘의 토라는 괴어 있는 우물이 아니고 살아 있는 연못이기 때문에 누가 한곳을 막으면 다른 곳으로 흘러나갈 수 있는 길을 만들어 계속해서 생명을 나눌 수 있게 한다.'

비잔틴 제국의 종교적 압제 아래에서 유대교 학자들이 유대인들의 법규와 규범 등을 더욱 광범위한 범주로 규정하는 탈무드를 편찬하게 되었는데 그 의도와 노력 역시 그리스도교의 종교적 압박에 대응하는 큰 원동력이었다. 표면적인 박해에 대한 내면화라고 볼 수 있다. 방대한 탈무드의 편찬과 함께 유대교는 '책의 종교'로 완전히 자리를 잡게 되었다. 따라서 유대교에서 '토라 공부'는 예배의 가장 중요한 표현 양식이다. 흔히 토라를 공부함으로써 구원에 이를 수 있다고 말한다. 예를 들어, 7세기경에 편집된 《잠언 미드라쉬》의 한 단락에서 이러한 논리를 읽을 수 있다.

"내 아들아, 그것을 하라, 그러면 구해진다."(잠언 6,3)
세상의 선조들이 그들 이스라엘에 대답해 말한다.

"너희가 심판의 날의 그물에 붙잡혔으니까 별수 없이 너희는 앉아서 토라의 말씀에 열중할 것이다."

왜 그럴까?

토라(공부)는 (사람의) 악행을 속죄하기 때문이다.

"네 눈을 잠들게 하지 마라."(잠언 6,4)

회개를 하면서 (그러는 것이다).

"회개와 선행은 범죄 앞에 방패와 같다."(《선조들의 어록》 4,11)

다른 설명. "네 눈에 잠을 들게 하지 마라. 네 눈꺼풀에 졸음도."(잠언 6,4)

금식을 하면서.

왜 그럴까?

금식은 회개에 가깝다. 이렇게 말한다. "너희 마음을 찢어라. 너희 옷이 아니다. 그리고 너희 하느님 YHWH에게 돌아와라."(요엘 2,13)

만일 여러분이 그렇게 했다면 "참으로 그분은 너그럽고 불쌍히 여기며 노하기를 더디 하며 매우 자비롭고 (인간의) 죄악에 대해 후회한다."(요엘 2,13)

이 모두 어째서 그럴까?

지옥의 심판에서 구해지기 위해서다.

사람은 토라 공부에 전념함으로써 죄를 범하려는 악한 성향에서 벗어날 수 있다는 해석이다. 7세기경 《바빌로니아 탈무드》를 갖추게 된 랍비 유대교는 '책의 종교'로 선회했고 토라 공부(책)를 통해 구원을 찾으려는 초기 랍비들의 시도가 결국 유대교의 근본을 확립하게 되었다.

후 주

2장 힐렐의 제자들과 예수의 만남
01 토라 학교에서 선생은 자기 제자를 '아들'이라고 불렀다. 그러나 제자가 자기 스승을 '아버지'라고 부르지는 않았다.

02 '게마라'는 미쉬나에 대한 다른 랍비들의 해석을 편집한 단락을 가리키는 용어다.

03 바라이타는 《미쉬나》에 편집되지 않은 할라카(법도)를 가리킨다.

4장 천사 가브리엘의 메시아 선포에서 악마의 유혹까지
01 심온 벤 요하이 랍비는 2세기 중반 이스라엘 땅에서 활동한 교사(타나)였다.

02 *Tanakh, a new translation of the Holy Scriptures according to the traditional Hebrew text*, Philadelphia: The Jewish Publication Society, 1985, 1025쪽 각주 참조.

03 '손바닥으로'라는 표현은 현금 거래를 말한다. 돈을 많이 낸 사람들을 가까이 오게 한다는 말로 보인다.

04 소테르와 에우에르게테스에 대해, Versnel, H. S., *Ter Unus. Isis, Dionysos, Hermes Their Studies in Henotheism*, Leiden: E. J. Brill, 1990 참고.

05 다른 판: "그는 미래에 하늘의 네 방향을 향해 들이받을 것이다."

06 졸저 《수메르 신화》 7장 그림1, 17장 그림2 등 참조.

5장 치유의 기적과 메시아의 표징
01 우림과 툼밈은 고대 이스라엘에서 어려운 사건을 판결할 때 사제장이 사용했던 주사위 같은 것이다. 예를 들어, "가슴받이 안에 우림과 툼밈을 넣어서, 아론이 주YHWH 앞으로 들어올 때, 그것을 가슴에 지니고 들어오게 하여라. 아론은 주YHWH 앞에서 이스라엘 백성의 시비를 가릴 때, 언제나 그것을 가슴에 지녀야 한다."(출애굽 28,30) 판가름할 수 없을 경우 우림과 툼밈을 던져 판결했다.

02 제이라 랍비는 3세기 후반 이스라엘 땅에서 활동한 해석가다.

03 '님로드는 YHWH 앞에 용사 사냥꾼이었다'(창세기 10,8)는 문구에 근거해서 님로드는 YHWH 하느님 앞에 서서 그분을 경배하는 용사라고 해석한 것이다.

04 무슨 이유로 그렇게 늙을 때까지 살 수 있었을까?

05 '낯선 이'와 '낯모르는 이'가 나오는 병행 구절은 잠언 7,5에서 읽을 수 있다.

06 출애굽기 7,8~13.

07 '그의 날들'이라는 표현은 그의 일생이라는 뜻이다. 그 신이 활동하고 있을 때 자기에

게 편지를 보내지 않았을 것이라고 생각하는 말이다.

08 쪼안은 나일강 삼각주 북동쪽에 위치했었다.

09 요나는 YHWH 하느님의 말씀을 피해 도망가는 길이었다. 그래서 자기 정신이 곤경에 빠져 잠이 든 것이다.

10 핀하스 벤 야이르 랍비는 2세기 후반 이스라엘 땅에서 활동한 학자였다.

11 갓의 자식들은 이스라엘의 열두 지파 가운데 하나로 모세에게서 요르단 동쪽 지역에 광대한 땅을 유업으로 받았다.(민수기 32,1~36; 신명기 3,12~17; 33,20 등)

6장 십계명 해석과 천국의 가르침

01 고대 근동에서는 왼손으로 불결한 일을 했다.

02 '아바(아버지)'는 랍의 친근한 별명이다.

03 신神의 이름을 짊어지는 것은 맹세하는 것을 말한다.

04 의인의 자식이 의인이 된 경우를 말한다.

05 요세 랍비는 2세기 야브네에 있던 토라 학교(베트 미드라쉬)의 '타나(토라 교사)'였다.

06 심온 벤 요하이 랍비는 2세기 중반에 이스라엘 땅에서 활동하던 타나(교사)였다.

07 자기 입으로 대답할 경우 기쁘며, 때에 맞는 말을 할 경우 좋다는 뜻이다.

08 '야YH'는 YHWH의 다른 이름이다. 할렐루야('야를 찬양하라')의 '야'와 같은 고유명사다.

09 YHWH를 나의 엘(최고신)로 장막에 '모시다.'

10 쉬무엘 바르 나흐만 랍비는 3세기 초에 태어나서 4세기 초에 죽었다. 그는 아가다의 대가로 알려졌다.

11 할례를 받지 않은 아들은 이쉬마엘이고 할례를 받은 아들은 이츠학이다.

12 아브라함이 자기 손에 쥔 칼은 희생 제물용 짐승을 죽이는 데 사용하는 제사용 칼이 아니라 '식칼'이다. 이런 낱말을 사용한 의도가 있었다고 본다. 흔히 '칼'이라고 옮기는데 '식칼'이 정확한 번역이다.

13 졸저,《수메르 신화》4장 참조.

14 하나니야 벤 트라디온 랍비는 100~135년에 이스라엘 땅에서 활동한 해설가다.

7장 마지막 시대의 가르침

01 네후니야 벤 하—카나 랍비는 요하난 벤 자카이 랍반의 제자들과 동시대 사람으로 신비주의자라는 명성을 얻었다.

8장 천국의 비유

01 탄후마 벤 하닐라이 랍비는 3세기 전반 이스라엘 땅에서 활동한 해설자였다. 그는 요하

난 벤 자카이 랍반의 어록을 전했다.

02 엘리에제르 랍비는 엘리에제르 벤 후르카누스 랍비를 가리킨다. 그는 요하난 벤 자카이 랍반의 수제자로, 예호슈아 랍비는 예호슈아 벤 하나냐 랍비를 가리키며 그도 요하난 벤 자카이 랍반의 수제자로 예루살렘 성전 파괴 이후에 활동한 선생이었다.

03 고용주가 노동의 기준을 토라에서 출발하자는 경우다.

04 제이라 랍비는 바빌로니아에서 태어나 그곳에서 교육을 받았으나 거룩한 땅에 대한 열정으로 이스라엘 땅에 이주해와서 활동했던 사람이다(3세기 후반에서 4세기 초반).

9장 예루살렘 입성에서 최후만찬까지

01 요하난 랍비는 요하난 벤 나파하 랍비를 가리킨다. 그는 2세기 말 나사렛 근처 도시 찌포리에서 태어났으며, 279년 티베리아스에서 죽었다.

02 벤 아자이 랍비는 아키바 랍비의 사위였다.

03 탄후마 랍비는 4세기 때 활동한 해설가다.

10장 산헤드린의 심문에서 십자가의 죽음까지

01 요하난 랍비는 3세기 전반에 이스라엘 땅에서 활동했던 해설가며, 심온 벤 라키쉬 랍비는 요하난 랍비 다음 세대의 해설가다.

02 《수메르 신화에서 탈무드까지》 '39장 악한 언사로 죽음을 초래한 일화' 참조.

03 예후다 바르 시몬 랍비는 3세기 후반 이스라엘 땅에서 활동했던 해설가다.

11장 부활에서 승천까지

01 이즈학 바르 엘아자르 랍비는 3세기 후반에서 4세기 초반까지 이스라엘 땅에서 활동했던 해설가다.

02 예후다 랍비는 165~210년 사이에 활동했던 산헤드린의 의장을 가리키며, 느헤미야 랍비는 140~165년 사이에 미드라쉬 학교의 교사로 일했다.

03 《수메르 신화》 5장 참조.

12장 천국으로부터의 계시

01 예후다 랍비는 《미쉬나》를 편찬한 사람이다.

02 TRQLYY는 어떻게 발음하는지 알기 어렵다.

03 '위에서'는 하늘에서를 뜻한다.

04 탈리트는 머리와 어깨를 덮을 수 있는 흰색의 검은 옆줄 무늬가 있는 넓은 숄이며 주로 기도할 때 사용한다.

그림 참고문헌

1-5. Roitman, A., (ed.), *A Day at Qumran, The Dead Sea Sect and Its Scrolls*, Jerusalem; The Israel Museum, 1997, p. 65.

1-6. ibid., p. 60.

1-7. ibid., p. 18.

4-1. Fideler, D., *Jesus Christ, Sun of God, Ancient Cosmology and Early Christian Symbolism*, Wheaton: Quest Books, p. 169.

4-2. Barry, K., *The Greek Qabalah: Alphabetic Mysticism and Numerology in the Ancient World*, York Beach: Samuel Weiser, 1999, p. 148.

4-3. Ben-Tor, D., *The Immortals of Ancient Egypt, From the Abraham Guterman Collection of Ancient Egyptian Art*, Jerusalem: The Israel Museum, 1997, p. 35.

4-4. 안성림 편저, 《그리스 포스트 비잔틴 성화聖畵 Greek Post Byzantine Icons from the Velimezis Collection》, 서예로, 2002, 27쪽.

5-1. Harris, R., *Exploring the World of the Bible Lands*, Thames and Hudson, 1995, p. 143.

7-1. Sussman, A. and Peled, R. ed., *Scrolls from the Dead Sea: The Ancient Library of Qumran and Modern Scholarship*, Washington: Library of Congress, 1993, p. 117.

9-1. Hendin, D., *Guide to Biblical Coins*, New York: Amphora, 1996, no. 501.

9-2. Betz, O. and Riesner, R., *Jesus, Qumran und der Vatikan. Klarstellungen*, Gieβen: Brunnen Verlag, 1993, p. 177.

9-3. Harris, R., op. cit., p. 163.

10-2. Hendin, D., op. cit., no. 505.

10-3. Ritmeyer, L. & K., *The Ritual of the Temple in the Time of Christ*, Jerusalem: Carta, 2002, p. 30.

10-4. Hendin, D., op. cit., no. 467.

10-5. ibid., no. 512.

10-6. ibid., no. 635.

10-7. ibid., no. 640.

10-8. ibid., no. 916.

10-9. ibid., no. 648.

10-10. ibid., no. 649.

10-11. ibid., no. 553.

10-12. Harris, R., op. cit., p. 147.

11-1. ibid., pp. 148f.

12-1. Manafis, K.A., *Sinai: Treasures of the Monastery of Saint Catheine*, Athens: Ekdotike Athenon, 1990, p. 137. (이 책에 수록된 성화들 가운데 비잔틴 시대의 가장 오래된 것들이 있다.)

12-2, 12-4, 12-7. Cooper, J., *Mythras. Mysteries and Initiation rediscovered*, Maine: Samuel Weiser, 1996.

12-8. en.wikipedia.org/wiki/Julius_Caesar

12-10. en.wikipedia.org/wiki/Augustus

12-11. Sass, B. and Uehlinger, C. ed., *Studies in the Iconography of Northwest Semitic Inscribed Seals*, Göttingen, 1993, p. 227, 124.

14-1. Durand, J., *Byzantine Art*, Paris: Terrail, 1999, pp. 12f.

14-2. Porter, J. R., *Jesus Christ: The Jesus of History, the Christ of Faith*, Oxford: Oxford University Press, 1999, p. 220.

참고문헌

헬레니즘과 유대교

Collins, J. J., *Jewish Wisdom in the Hellenistic Age*, Louisville: Westminister John Knox Press, 1997.

----, *Between Athens and Jerusalem: Jewish Identity in the Hellenistic Diaspora*, Grand Rapids: W.B. Eerdmans Publishing Co., 2000.

Collins, J. J and Sterling, G. E. (ed), *Hellenism in the Land of Israel*, University of Notre Dame Press, 2001.

Hengel, M., *Judaica et Hellenistica: Kleine Schriften I*, Tübingen: J.C.B. Mohr, 1996.

----, *Judaica, Hellenistica et Christiana: Kleine Schriften II*, Tübingen: Mohr Siebeck, 1998.

초기 유대교 분파의 형성과 발전

Downing, F., *Cynics and Christian Origins*, Edinburgh, 1992.

Elliott, M. A., *The Survivors of Israel: A Reconsideration of the theology of pre-Christian Judaism*, Grand Rapids: W.B. Eerdmans Publishing Co., 2000.

Fine, S. ed., *Jews, Christians, and Polytheists in the Ancient Synagogue: Cultural Interaction during the Greco-Roman Period*, London: Routledge, 1999.

Kee, H. C. and Cohick, L. H., *Evolution of the Synagogue: Problems and Progress*, Harrisburg: Trinity Press International, 1999.

Nadich, J. Rabbi, *Akiba and His Contemporaries*, New Jersey: Jason Aronson Inc., 1998.

Neusner, J., *Rabbinic Judaism: Structure and System*, Minneapolis: Fortress Press, 1995.

----, *Recovering Judaism: The Universal Dimension of Judaism*, Minneapolis: Fortress Press, 2001.

Neusner, J. and Avery-Peck, A. J. ed., *Judaism in Late Antiquity*, pt 1-5, Leiden: E.J. Brill, 1994-2001.

Reznick, L., *The Mystery of Bar Kokhba: An Historical and Theological Investigation of the last King of the Jews*, New Jersey: Jason Aronson Inc., 1996.

Ritmeyer, L. and Ritmeyer K., *The Ritual of the Temple in the Time of Christ*, Jerusalem: Carta, 2002.

Rowland, Ch. *Christian Origins: An Account of the Setting and Character of the most Important Messianic Sect of Judaism*, London: SPCK, 1985.

Sanders, E. P., *Judaism, Practice & Belief 63BCE~66CE*, London: SCM Press, 1994.

Segal, A. F., *Rebecca's Children: Judaism and Christianity in the Roman World*, Massachussets: Harvard University Press, 1986.

Shanks, H. ed., *Christianity and Rabbinic Judaism: A Parallel History of Their Origins and Early Development*, Washington: Biblical Archaeology Society SPCK, 1993.

Skarsaune, O., *In the Shadow of the Temple: Jewish Influences on Early Christianity*, Intervarsity Press, 2008.

Stemberger, G., *Jewish Contemporaries of Jesus: Pharisees, Sadducees, Essenes*, Minneapolis: Fortress Press, 1995.

VanderKam, J. C., *An Introduction to Early Judaism*, Michigan: W.B. Eerdmans Publishing Co., 2000; 박영식 옮김, 《초기 유다이즘 입문》, 서울: 성서와 함께, 2004.

Vining, M., *Jesus The Wicked Priest: How Christianity Was Born of an Essene Schism*, Inner Traditions, 2008.

힐렐

Buxbaum, Y., *The Life and Teaching of Hillel*, New Jersey; Jason Aronson Inc, 1994.

Charlesworth, J. H. and Johns, L. L. ed., *Hillel and Jesus: Comparisons of Two Major Religious Leaders*, Minneapolis: Fortress Press, 1997.

예수와 랍비 유대교

Charlesworth, J. H. ed., *The Old Testament Pseudepigrapha and the New Testament. Prolegomena for the Study of Christian Origins*, Harrisburg: Trinity Press International, 1998.

Chilton, B., *The Temple of Jesus: His Sacrificial Program Within a Cultural History of Sacrifice*, Pennsylvania: The Pennsylvania State University Press, 1992.

----, *Rabbi Jesus: An Intimate Biography*, New York: Doubleday, 2000.

Chilton, B., Evans, C. A. and Neusner, J. (eds.), *The Missing Jesus: Rabbinic Judaism and the New Testament*, Leiden: Brill Academic Publishers, 2002.

Chilton, B. and Neusner, J., *Judaism in the New Testament. Practices and Beliefs*, Routledge, 1995.

Flusser, D., *Jewish Sources in Early Christianity*, Tel-Aviv: MOD Books, 1989.

----, *The Sage from Galilee: Rediscovering Jesus' Genius*, Wm. B. Eerdmans Publishing Company(4th ed.), 2007.

Gerhardsson, B., *Memory and Manuscript: Oral Tradition and Written Transmission in Rabbinic Judaism and Early Christianity*, Grand Rapids: W.B. Eerdmans Publishing Co., 1998.

Gordon, N., *The Hebrew Yeshua vs. the Greek Jesus*, Hilkiah press, 2005.

Helyer, L. R., *Exploring Jewish Literature of the Second Temple Period: A Guide for New Testament Students*, Downers Grove: InterVarsity Press, 2002.

Hilton M., *The Gospels and Rabbinic Judaism: A Study Guide*, London: SCM Press, 1988.

Horsley, R. A. and Silberman, N. A., *The Message and the Kingdom*, Minneapolis: Fortress Press, 1997.

Howard, G., *The Hebrew Gospel of the Matthew*, Mercer University Press, 2005.

Lachs, S. T., *A Rabbinic Commentary on the New Testament: the Gospels of Matthew, Mark, and Luke*, New York : KTAV Pub. House, 1987.

Moseley, R., *Yeshua: A Guide to the Real Jesus and the Original Church*, Messianic Jewish Resources International, 1998.

Neusner, J., *A Rabbi Talks with Jesus*, New York: Doubleday, 1993.

Phipps, W. E., *The Wisdom and Wit of Rabbi Jesus*, Louisville: Westerminster, 1993.

Sanders, E. P., *The Historical Figure of Jesus*, Penguin Books, 1993.

Stern, D. H., *Jewish New Testament: A Translation of the New Testament that expresses its Jewishness*, Jerusalem: Jewish New Testament Publications, 1989.

----, *Jewish New Testament Commentary: A Companion Volume to the Jewish New Testament*, Jerusalem: Jewish New Testament Publications, 1992.

Vermes, G., The Changing Faces of Jesus, Penguin Compass, 2002.

----, *Jesus in his Jewish Context*, Minneapolis: Fortress Press, 2003.

----, *The Authentic Gospel of Jesus*, London: Penguin Books, 2004.

---, *The Nativity: History and Legend*, New York: Doubleday, 2007.

----, *The Resurrection: History and Myth*, New York: Doubleday, 2008.

Young, B. H., *Jesus: The Jewish Theologian*, Massachusetts: Hendrickson Publishers, 1995.

---, *Meet the Rabbis: Rabbinic Thought and the Teachings of Jesus*, Hendrickson Publishers, 2007.

메시아

Agus, A., *The Binding of Issac and Messiah. Law, Martyrdom and Deliverance in Early Rabbinic Religiosity*, New York: State University of New York, 1988.

Charlesworth, J. H. and Lichtenberger, H. et al ed., *Qumran-Messianism: Studies on the Messianic Expectations in the Dead Sea Scrolls*, Tübingen: Mohr Siebeck, 1998.

Collins, J. J., *The Scepter and the Star: the Messiahs of the Dead Sea scrolls and other Ancient Literature*, New York: Doubleday, 1995.

Evans, C. A. and Flint, P. W., *Eschatology, Messianism, and the Dead Sea Scrolls*, Grand Rapids: W.B. Eerdmans Publishing Co., 1997.

Gruenwald, I., Shaked, Sh. and Stroumsa, G.G. ed., *Messiah and Christos: Studies in the Jewish Origins of Christianity*, Presented to David Flusser on the Occasion of his Seventy-fifth Birthday, Tübingen: Mohr, 1992.

Knohl, I., *The Messiah before Jesus: the Suffering Servant of the Dead Sea Scrolls*, Berkeley: University of California Press, 2000.

----, *Messiahs and Resurrection in 'the Gabriel Revelation'*, Continuum, 2009.

Neusner, J., Green, W. S. and Fredrichs, E. ed., *Judaisms and Their Messiahs at the Turn of the Christianity*, Cambridge: Cambridge University Press, 1987.

Pate, C. M., *Communities of the Last Days: the Dead Sea Scrolls*, the New Testament and the Story of Israel, Downers Grove.: InterVarsity Press, 2000.

Wise, M., *The First Messiah: Investigating the Savior Before Jesus*, SanFransico: Harper, 1999.

897

비유

Stern, D. H., *Parables in Midrash: Narrative and Exegesis in Rabbinic Literature*, Cambridge: Harvard University Press, 1994.

Young, B. H., *Jesus and His Jewish Parables, Rediscovering the Roots of Jesus' Teaching*, New York: Paulist Press, 1989.

----., *The Parables: Jewish Tradition and Christian Interpretation*, Hendrickson Publishers, 1998.

로마 종교, 묵시문학, 유대교 신비주의

Barry, K., *The Greek Qabalah: Alphabetic Mysticism and Numerology in the Ancient World*, York Beach: Samuel Weiser, 1999.

Branham, R. and Goulet-caze, M., *The Cynics*, University of California Press, 1996.

Collins, J. J., *Apocalypticism in the Dead Sea Scrolls*, London: Routledge, 1997.

----., *Apocalyptic Imagination: An Introduction to Jewish Apocalyptic Literature*, Michigan: W.B. Eerdmans Publishing Co., 1998.

Cooper, J., *Mythras. Mysteries and Initiation rediscovered*, Maine: Samuel Weiser, 1996.

Fideler, D., *Jesus Christ, Sun of God. Ancient Cosmology and Early Christian Symbolism*, Illinois: Quest Books, 1993.

Orlov, A., *The Enoch-Metatron Tradition* (TSAJ, 107), Tübingen: Mohr Siebeck, 2005.

Schwartz, H., *The Four Who Entered Paradise*, New Jersey: Jason Aronson Inc., 1995.

Ulansey, D., *The Origins of Mithraic Mysteries. Cosmology & Salvation in the Ancient World*, Oxford University Press, 1989.

Versnel, H. S., *Ter Unus. Isis, Dionysos, Hermes Their Studies in Henotheism*, Leiden: E. J. Brill, 1990.

사해문헌

본서에 인용된 본문의 참고문헌:

〈새 언약의 규례〉(The Damascus Document): Schechter, S., *Documents of Jewish Sectaries, vol. I, Fragments of a Zadokite Work*, Cambridge: Cambridge University Press, 1910. Broshi, M., *The Damascus Document Reconsidered*, Jerusalem: Israel Exploration Society and the Shrine of the Book, Israel Museum, 1992.

〈단합체의 규례〉(The Community Rule 혹은 The Manual of Discipline): Burrows, M., *The Dead Sea Scrolls of St. Mark's Monastery*, II, fasc. 2, New Haven, 1951.

〈마지막 시대의 규례〉(The Messianic Rule 혹은 Rule of the Congregation): *Discoveries in the Judean Desert I*, PP109~111.

〈빛의 자식들과 어둠의 자식들의 전쟁에 관한 규례〉(The War Rule): Sukenik, E.L., *The Dead Sea Scrolls of the Hebrew University*, Jerusalem, 1954. Charlesworth, J.H. (ed.), *The Dead Sea Scrolls*의 2권에 있는 본문을 참고.)

〈나훔서 해석〉: *Discoveries in the Judean Desert V*, PP37~42.

〈하박국서 해석〉: Burrows, M., *The Dead Sea Scrolls of St. Mark's Monastery*, I, New Haven, 1950, pls. LV~LXI.

〈마지막 시대의 해석〉(Florilegium, A Midrash on the Last Days): *Discoveries in the Judean Desert V*, PP53~55.

〈하늘의 대표자 멜키쩨덱〉(The Heavenly Prince Melchizedek): Milik, J.T., *Journal of Jewish Studies 23* (1972), PP96~99.

〈변절자의 유혹〉(The Seductress 혹은 The Wiles of the Harlot): *Discoveries in the Judean Desert V*, PP82.

〈가난한 자의 찬양〉(Hymns of the Poor): Eisenman, R. and M. Wise, *The Dead Sea Scrolls Uncovered*, PP238, Fragment 2 col. 1.

〈하느님의 아들〉(The Son of God): *The Dead Sea Scrolls Uncovered*, PP70.

〈평화의 기반〉(A Firm Foundation): *The Dead Sea Scrolls Uncovered*, PP143~144, cols. 2, 4, 6.

〈성전 책〉(Temple Scroll): Qimron, E., *The Temple scroll : a critical edition with extensive reconstructions*, Jerusalem: Ben-Gurion University of the Negev Press, Israel Exploration Society, 1996.

일반 참고문헌:

안성림/조철수,《사해문헌(1)》, 서울: 한국문화사, 1996.

Allison, D. *Scriptural allusions in the New Testament: Light from the Dead Sea Scrolls*, BIBAL Press, 2000.

Berger, K., *Qumran und Jesus. Wahrheit unter Verschluβ*, Stuttgart: Quell, 1993; 영어 번역 *Jesus and the Dead Sea Scrolls. The Truth under Lock and Key?*, Louisville: Westminster/The John Knox Press, 1995.

----, *Psalmen aus Qumran*, Stuttgart: Quell Verlag, 1994.

Betz, O. and Riesner, R., *Jesus, Qumran und der Vatikan. Klarstellungen*, Gieβen: Brunnen Verlag, 1993.

Boccaccini, G., *Beyond the Essene Hypothesis: The Parting of the Ways between Qumran and Enochic Judaism*, Michigan: W.B. Eerdmans Publishing Co., 1998.

Boccaccini, G. ed., *Enoch and Qumran origins: New Light on a Forgotten Connection*, Grand Rapids: W.B. Eerdmans Publishing Co., 2005.

Brin, G., *The Concept of Time in the Bible and the Dead Sea Scrolls*, Leiden: Brill, 2001.

Brooke, G. J., *The Dead Sea Scrolls and the New Testament*, Minneapolis: Fortress Press, 2005.

Broshi, M., *The Damascus Document Reconsidered*, Jerusalem: Israel Exploration Society and the Shrine of the Book, Israel Museum, 1992.

Burrows, M., *The Dead Sea Scrolls of St. Mark's Monastery*, I & II, New Haven, 1950/1951.

Charlesworth, J. H. ed., *John and the Dead Sea Scrolls*, New York: Crossroad, 1990.

----. ed., *Graphic Concordance to the Dead Sea Scrolls*, Tübingen: Mohr, Louisville: Westminster/The John Knox Press, 1991.

---- ed., *Qumran Questions*, Sheffield: Sheffield Academic Press, 1995.

---- ed., *The Dead Sea scrolls: Hebrew, Aramaic, and Greek texts with English translations, vol. 2: Damascus Document, War Scroll, and Related Documents*, Louisville: J.C.B. Mohr (Paul Siebeck); Westminster/John Knox Press, 1995.

---- ed., *Jesus and the Dead Sea Scrolls: The Controversy Resolved*, New Haven: Yale University Press, 1992.

Charlesworth, J. H. and Weaver, W. P. ed., *The Dead Sea Scrolls and Christian Faith*, Harrisburg: Trinity Press International, 1998.

Collins, J. J and Evans, C. A. ed., *Christian Beginnings and the Dead Sea Scrolls*, Grand Rapids: Baker Academic, 2006.

Crawford, S. Wh., *The Temple Scroll and Related Texts*, Sheffield: Sheffield Academic Press, 2000.

----, *Rewriting Scripture in Second Temple Times*, Studies in the Dead Sea Scrolls and Related Literature, W.B. Eerdmans Publishing Co., 2008.

Davila, J. R. ed., *The Dead Sea Scrolls as Background to Postbiblical Judaism and Early Christianity*, Leiden: Brill, 2003.

Dimant, D., and Rappaport U. ed., *The Dead Sea Scrolls: Forty Years of Research, Leiden and Jerusalem*: E.J. Brill and Magnes Press, 1992.

Eisenman, R. and Wise, M., *The Dead Sea Scrolls Uncovered*, London: Penguin Books, 1992.

Ewing, U.C., *The Prophet of the Dead Sea Scrolls: The Essenes and the Early Christians-One and the Same Holy People. Their Seven Devout Practices*, Progressive Press, 1994.

Fitzmyer, J. A., *Responses to 101 Questions on the Dead Sea Scrolls*, New York: Paulist Press, 1992.

----, *The Semitic Background of the New Testament*, Grand Rapids: W.B. Eerdmans Publishing Co., 1997.

----, *Guide to the Dead Sea Scrolls and Related Literature*, (Revised and Expanded edition) Studies in the Dead Sea Scrolls and Related Literature, Grand Rapids: W.B. Eerdmans Publishing Co., 2008.

Flint, P. W., *The Bible at Qumran: Text, Shape, and Interpretation*, Grand Rapids: W.B. Eerdmans Publishing Co., 2001.

Flusser, D., *The Spiritual History of the Dead Sea Sect*, Tel-Aviv: MOD Books, 1989.

Golb, N., *Who Wrote the Dead Scrolls? The Search for the Secret of Qumran*, New York: Scribner, 1995.

Harrington, D. J., *Wisdom Texts from Qumran*, London: Routledge, 1996.

Hempel, Ch., Lange, A., and Lichtenberger, H. ed., *The Wisdom Texts from Qumran and the Development of Sapiential Thought*, Leuven: Leuven University Press, 2002.

Lim, T. H. and Hartado, L. W. et al ed., *Dead Sea Scrolls in their Historical Context*, Edinburgh: T&T Clark, 2000.

Magness, J., *The Archaeology of Qumran and the Dead Sea Scrolls*, Grand Rapids: W.B. Eerdmans Publishing Co., 2002.

Martinez, F. G., *The Dead Sea Scroll Translated: The Qumran Texts in English*, Leiden: E. J. Brill, 1994.

Martinez, F. G. and Barrera, J. T., *The People of the Dead Sea Scrolls: Their Writings*, Bliefs and Practices, Leiden: E. J. Brill, 1995.

Nitzan, B., *Qumran Prayer and Religious Poetry*, Leiden: E. J. Brill, 1994.

O' conner, J. M. and Charlesworth, J.H. ed., *Paul and the Dead Sea Scrolls*, New York: Crossroad, 1990.

Roitman, A., ed., *A Day at Qumran, The Dead Sea Sect and Its Scrolls*, Jerusalem; The Israel Museum, 1997.

Qimron, E., *The Temple scroll : a critical edition with extensive reconstructions*, Jerusalem: Ben-Gurion University of the Negev Press, Israel Exploration Society, 1996.

Schiffman, L. H., *Reclaiming the Dead Sea Scrolls*, Philadelphia: The Jewish Publication Society, 1994.

Schiffman, L. H. and VanderKam, J. C ed.. *Encyclopedia of the Dead Sea Scrolls, 2 volumes*, New York: Oxford University Press, 2000.

Stegeman, H., *The Library of Qumran: On the Essenes, Qumran, John the Baptist, and Jesus*, Michigan: W.B. Eerdmans Publishing Co., 1998.

Stendahl, K. ed., *The Scrolls and the New Testament*, New York: Crossroad, 1992.

Sussman, A. and Peled, R. ed., *Scrolls from the Dead Sea: The Ancient Library of Qumran and Modern Scholarship*, Washington: Library of Congress, 1993.

Swanson, D. D., *The Temple Scroll and the Bible: The Methodology of 11QT*, Leiden: E. J. Brill, 1995.

Talmon, S., *The World of Qumran from Within: Collected Studies*. Jerusalem: Magnes Press, 1989.

Thiede, C. P., *The Dead Sea scrolls and the Jewish origins of Christianity*, New York: Palgrave, 2001.

Tov, E. ed., *The Dead Sea Scrolls on Microfiche: A Comprehensive Facsimile Edition of the Texts from the Judean Desert. Companion Volume*. with the collaboration of S. J. Pfann, Leiden: E. J. Brill and IDC, 1993.

Ulrich, E. Ch., *The Dead Sea scrolls and the origins of the Bible*, Leiden: Brill Academic Publishers, 1999.

VanderKam, J. C., *The Dead Sea Scrolls Today*, Michigan: W.B. Eerdmans Publishing Co., 1994.

VanderKam, J. C. and Flint, P. W., *The Meaning of the Dead Sea scrolls: their Significance for Understanding the Bible*, Judaism, Jesus, and Christianity, San Francisco: HarperSanFrancisco, 2002.

Vermes, G., *The Complete Dead Sea Scrolls in English: Revised Edition*, London: Penguin Classics, 2004.

Vermes, G. and Goodman, M.D., *The Essenes. According to the Classical Sources*, Sheffield: JSOT Press, 1989.

Wise, M., Abegg, M. and Cook. E., *Dead Sea Scrolls: A New Translation*, New York: HarperSanFrancisco, 1996.

Wise, M.O., Golb, N., Collins, J.J. and Pardee, D.G., *Methods of Investigation of the Dead Sea Scrolls and the Khirbet Qumran Site. Present Realities and Future Prospects*, New York: The

New York Academy of Sciences, 1994.

미드라쉬(성경해석)

조철수, 《선조들의 어록》, 서울: 성서와 함께, 1998.

----, 《잠언 미드라쉬》, 서울: 성서와 함께, 2007.

----, 《랍비들이 풀어쓴 창세신화》, 서울: 서해문집, 2008.

Agus, A. R. E., *Hermeneutic Biography in Rabbinic Midrash: the Body of this Death and Life*, Berlin: Walter de Gruyter, 1996.

Bialik, H. N. et al ed., *The Book of Legends (Sefer ha-Aggadah): Legends from the Talmud and Midrash*, New York: Schocken Books, 1992.

Boyarin, D., *Intertextuality and the Reading of Midrash*, Bloomington: Indiana University Press, 1990.

----, *Sparks of the Logos: Essays in Rabbinic Hermeneutics*, Leiden: Brill, 2003.

Fishbane, M., *The Exegetical Imagination: On Jewish Thought and Theology*, Harvard University Press, 1998.

Freedman, H. and Simon, M. (ed), *The Midrash Rabbah*, London: The Soncino Press, 1983.

Friedlander, G., *Midrash Pirke de Rabbi Eliezer, The Chapters of Rabbi Eliezer the Great: Translated and Annotated*, New York: Sepher-Hermon Press, 1981.

Frankel, E. (ed.), *The Encyclopedia of Jewish Symbols*, Jason Aronson, 1995.

Hammer, R., *The Classic Midrash*, New York: Paulist Press, 1995.

Hasan-Rokem, G. and Stein, B., *Web of Life: Folklore and Midrash in Rabbinic Literature*, Stanford University Press, 2000.

Holtz, B. W., *The Schocken Guide to Jewish Books: Where to start reading about Jewish history, literature, culture, and religion*, New York: Schocken Books, 1992.

Jacobs, I., The Midrashic Process: *Tradition and Interpretation in Rabbinic Judaism*, New York: Cambridge University Press, 1995.

Katz, M. and Schwartz, G., *Searching for Meaning in Midrash: Lessons for Everyday Living*, Jewish Publication Society, 2002.

Neusner, J., *Genesis Rabbah: the Rabbinic Commentary to the book of Genesis. a new American translation*, Atlanta: Scholars Press, 1985.

----, *Introduction to Judaism: A Textbook & Reader*, Louisville, Kentucky: Westminster/John Knox Press, 1991.

----, *Introduction to Rabbinic Literature*, New York: Doubleday, 1994.

----, *Invitation to Midrash: The Workings of Rabbinic Bible Interpretation*, Atlanta: Scholars Press, 1998.

Neusner, J. and Avery-Peck, A.J. ed., *Encyclopaedia of Midrash: Biblical interpretation in formative Judaism*, Leiden: Brill, 2005.

Pirke Rabbi Eliezer, Jerusalem: Eshkol, 1996.

Schwartz. G. D. *Midrash and Working out of the Book*, Bloomington: Authorhouse, 2004.

Schwartz, H., *Reimagining the Bible: the Storytelling of the Rabbis*, New York: Oxford University Press, 1998.

Shuchat, W., *The Creation According to the Midrash Rabbah*, Jerusalem: Devora, 2002.

Theodor, J. and Albeck, Ch., *Midrash Bereshit Rabba: Critical Edition with Notes and Commentary*, Jerusalem: Shalom Books, 1996.

Visotzky, B. L., *The Midrash on Proverbs*, New Haven: Yale University Press, 1992.

Wire, A. C., *Holy Lives, Holy Deaths: A Close Hearings of Early Jewish Storytellers*, Atlanta: Society of Biblical Literature, 2002.

성경 인용구 찾아보기

5,40(360) 5,43~48(363) 6,1~2(366) 6,3
(366) 6,9~13(371) 18,22(374) 23,13~33
(374) 17,1~9(381) 3,2(390) 13,44(419)
6,19~20(418) 22,1~14(420) 25,1~4(420)
6,25~34(425) 19,21(424) 6,1~4(424)
17,1~3(433) 7,7~8(434) 7,9(434)
18,19~20(437) 10,7~10(441) 8,19~22
(442) 26,25(444) 26,49(444) 4,23(444)
10,34~36(451) 5,17(453) 10,37(456)
10,39(461) 4,18~22(463) 5,41(475)
24,20(475) 12,1~8(475) 12,10(479)
12,11~12(479) 12,5~7(478) 18,21~22
(483) 12,12(482) 1,1~17(484) 19,28~30
(491) 23,2~3(495) 17,5(497) 15,1~9(496)
15,9(498) 23,5(498) 23,13~33(501)
9,20(500) 14,36(500) 23,8(500) 23,11
~12(500) 13,19~23(507) 13,3~8(506)
6,1~2(511) 17,24~27(512) 7,24~27(515)
5,43~44(518) 5,3(523) 19,16~22(522)
5,3(522) 13,24~30(539) 13,37~43(540)
16,5~12(543) 20,1~2(547) 20,15~16
(548) 21,28~32(553) 21,33(555) 21,43~
44(555) 3,11(554) 22,14(560) 6,26(565)
3,12(566) 21,2(570) 21,11(573) 26,63(573)
24,29~30(572) 26,64(572) 21,13~15(577)
9,12~13(578) 21,18~19(580) 21,23(583)
21,25~27(583) 3,1~6(585) 22,16~17
(587) 22,21(588) 22,23~28(590) 22,31
~32(590) 8,11~12(593) 22,34~40(596)
23,25(609) 23,11~12(608) 23,13(608)
28,18~19(618) 26,36 · 46(636) 7,13(638)
26,3~4(644) 26,14~15(644) 26,49(644)
27,5(648) 27,6(648) 27,1(652) 23,16(655)
27,4(654) 26,62~63(657) 23,35(656)
27,6(659) 27,4(658) 27,9~10(660) 27,3
(663) 24,2(665) 26,59~61(664) 26,64
~65(669) 26,57(674) 27,1(674) 7,22~23
(677) 27,3~4(676) 27,24~26(678) 27,37
(682) 27,24(689) 27,46~50(690) 27,41
(693) 3,17(692) 17,5(692) 27,50(695)

27,45(703) 50~51(703) 27,52~53(702)
27,63~64(705) 16,22~23(707) 16,13
(706) 16,21(706) 16,16~19(711) 12,38~42
(710) 7,24~27(713) 28,15(716) 28,1(718)
28,5~7(718) 28,20(721) 28,1(720) 28,6
(720) 28,9(724) 17,2(728) 5,14~16(733)
22,18(733) 23,13~33(733) 28,18~20
(747) 26,39(761) 26,64(773) 27,15(775)
18,3(795) 1,1~17(794) 27,45(799) 5,3~10
(798) 18,8~9(810) 5,22(817) 22,1~14
(826) 26,64(830) 27,26(830) 21,25(832)
9,16~17(839) 5,17~48(840) 15,11 · 18
~20(866)

마가 7,5(64) 1,28(67) 14,24(134) 14,30
(137) 1,25/7,34/8,23/9,25(237) 7,27(265)
7,28(266)6,39~40(281) 6,40/6,44(283)
6,7(285/288) 14,17/8,1~10(285)
16,20(314/381) 3,31~35(460) 14,36(462)
2,27(480) 2,28(482) 4,15(517) 11,18(577)
12,29~30(596) 12,32~34(597) 12,38~40
(613) 12,43~44(614) 13,8/12~13/24~27
(616) 16,15~16(619) 14,13~15(622)
14,22~24(627) 14,25(635) 16,14~15(641)
14,58(665) 15,26(682) 8,31(706) 16,15
(721) 14,15(757)

누가 22,20(49) 13,15(68) 11,27(103) 16,9
(108) 22,39(137) 24,44~49(157) 1,28
(160) 1,34~35(162) 1,38(167) 2,25(181)
2,26~34(182) 2,41~46(184) 2,49(187)
2,52/3,22/3,23(189) 1,5(190) 2,22~24
(192) 3,23(194,210,213) 3,38(213)
13,12/17,14(237) 14,12~14(248) 9,10~17
(280) 10,1(289/290) 11,11~12(293)
10,8~9/10,18~19(292) 10,18(295)
24,47(314) 24,11~12(349) 8,2(374)
4,16~21(437) 22,37(453) 14,25/14,33
(456) 14,5(479) 3,23~38(484) 11,50~51
(489) 6,20(522) 12,1(544) 17,7~10(552)
10,25~28(598) 10,29/10,30~37(603)
11,39(609) 19,38~39(610) 19,40(611)